Penny Vincenzi

De naakte waarheid

Twee zussen, een geheim

Uitgeverij BZZTôH
's-Gravenhage, 2007

Oorspronkelijke titel: An Outrageous Affair
Copyright © Penny Vincenzi, 1993
© Copyright Nederlandse vertaling 2007, Uitgeverij BZZTôH bv, 's-Gravenhage
Foto omslag: Trevilion Images
Ontwerp omslag: Julie Bergen
Vertaling: De Taalscholver/Vitataal
Redactie en productie: Vitataal, Oostum
Zetwerk: Erik Richèl, Winsum

ISBN: 978 90 453 0525 7

Alle Shakespeare-citaten in deze uitgave zijn ontleend aan *De Werken van William Shakespeare*, vertaald door dr. L.A.J. Burgersdijk. Leiden – EJ Brill, 1885.

Voor meer informatie en een gratis abonnement op de BZZTôH Nieuwsbrief:
www.bzztoh.nl

Voor Polly, Sophie, Emily en Claudia,
die allemaal zo buitengewoon goed voor me zijn.

Dankbetuiging

Dankbetuigingen hebben wel iets van toespraken op Oscaruitreikingen: ze zijn afgezaagd en voorspelbaar, maar komen recht uit het hart. Daarom wil ik recht uit mijn hart de mensen bedanken die mij met dit boek hebben geholpen.

Ik had de Hollywood-hoofdstukken nooit kunnen schrijven zonder de hulp van Anita Alberts uit Los Angeles, die onverdroten mensen opspoorde met wie ik kon praten over de filmstad in de jaren vijftig; ook Gabrielle Donnelly droeg gesprekspartners aan en nam me mee naar talrijke legendarische restaurants. Dat was zó leuk!

In New York besteedde Nancy Alloggiamento uren van haar kostbare tijd om me te vertellen over de prikkels van Madison Avenue, toen en nu; Gregg Boekeloo deed hetzelfde, op een ontzettend grappige en interessante manier.

Ik zou ook Sally O'Sullivan willen bedanken, een geweldige redacteur en vriendin, die me door de jaren heen talloze acteurs en actrices heeft laten interviewen, iets wat me de nodige achtergrondinformatie en kleur heeft opgeleverd; en vooral ook Angela Fox, die me niet alleen veel prachtige verhalen en roddels heeft verteld die ik in mijn verhaal kon verweven, maar me ook belangrijke informatie heeft gegeven over bijgeloof en folklore in de theaterwereld.

Bovendien wil ik mijn schoonmoeder bedanken voor het waardevolle onderzoek dat ze heeft gedaan naar Suffolk in oorlogstijd, en alle inwoners van Framlingham en Woodbridge (die zich mij vast niet herinneren van die donkere dag in januari, twee jaar geleden) voor hun verhalen over Amerikaanse soldaten.

Ik wil rechtskundig genie Sue Stapely bedanken – haar encyclopedische kennis over vrijwel alles is onontbeerlijk – en verschillende andere juristen die anoniem willen blijven, maar die me door het moeras van smaadschriften en kort gedingen hebben geloodst. Dank aan Caroleen Conquest, Morag Lyall en Katie Pope voor hun schijnbaar magische vermogen om van manuscripten boeken te maken; en aan Carol Osborne, zonder wie ik geen boek zou kunnen schrijven, omdat zij alles in huis doet wat ik zou moeten doen. En, zoals altijd, bijzondere dank aan jou, Rosie Cheetham. Zonder jouw deskundigheid, inspiratie en adembenemende geduld als redacteur zou ik nooit een boek afkrijgen; en aan Desmond Elliott, die niet zomaar een literair agent is, maar me laat lachen en mijn moreel opkrikt als ik dat het hardst nodig heb.

Voorwoord

1972

Uit de *Daily Mail*, 10 juli 1972

Het doek valt voor Sir Piers Windsor

Sir Piers Windsor, die gisteren zijn koninklijke onderscheiding ontving uit handen van de koningin en alle tragische helden heeft gespeeld, speelde diezelfde dag voor de laatste keer de hoofdrol, deze keer in een waargebeurde tragedie. Zijn secretaresse trof hem dood aan in de stallen bij zijn landhuis in Berkshire. Aan kwade opzet wordt niet gedacht.

Sir Piers (51 jaar) was op het hoogtepunt van zijn carrière. Gisteren kende de koningin hem een koninklijke onderscheiding toe vanwege zijn verdiensten voor het Britse toneel. Zijn productie van *Othello*, bij de Royal Shakespeare Company, waarin hij beurtelings Othello en Iago speelde, had hem lovende recensies opgeleverd. Zijn beroemde verfilming van *A Midsummer Night's Dream* (Midzomernachtsdroom) had hem twee jaar geleden drie Oscars opgeleverd en hij stond op het punt met een toneelgezelschap naar New York te reizen om Shakespeare op te voeren. Zijn innovatieve bewerking van *The Lady of Shalott* tot musical stond zowel in Londen als New York vijf jaar achtereen op de planken en heeft het genre naar een nieuwe hoogte getild.

Wat zijn dood des te tragischer en ironischer maakt, is dat hij gisteravond een groot feest gaf om zowel zijn koninklijke onderscheiding als zijn trouwdag te vieren. De hele dag zijn er blijken van medeleven binnengekomen, zowel uit de toneelwereld als van het publiek. Lady Windsor, die verscheurd wordt door verdriet, is vandaag nog op Stebbings Hall met haar drie jonge kinderen. Verwacht wordt dat zij binnenkort zal terugkeren naar het huis in Londen.

De ontmoeting van Sir Piers met de toen achttienjarige Chloe Hunterton, telg uit een adellijk geslacht, is een sprookje op zich: na haar opleiding aan Winkfield werkte Lady Windsor als kok, toen Sir Piers haar vroeg een lunch bij hem op kantoor te verzorgen. Het was liefde op het eerste gezicht en een paar maanden later trouwden ze.

Schrijver en journalist Magnus Phillips, die werkt aan een controversieel boek over Sir Piers, zei gisteravond: 'Het toneel heeft een groots talent verloren en het verlies voor zijn vrouw, familie en vrienden is onbeschrijflijk.'

Net toen Magnus Phillips zijn eigen woorden zat te lezen, ging de telefoon op zijn bureau. Het was Chloe.

'Je beseft zeker wel dat jij Piers hiertoe hebt gedreven?' vroeg ze. 'Jij en dat smerige boek.'

'Ach, Chloe,' zei Magnus, 'er waren tig redenen waarom je man kan hebben besloten zelfmoord te plegen. Dat weet je best. Hoe dan ook, het zal nu wel een tijd duren voordat het boek uitkomt. Ik moet de epiloog schrijven.'

The Tinsel Underneath
A Story of Hollywood/Een verhaal over Hollywood
Door Magnus Pillips
Uitgegeven door Beaumans, 1972

The Tinsel Underneath is een bijzonder en waar gebeurd verhaal: over liefde en trouw, goed en kwaad, hoop en wanhoop – en vooral over blinde ambitie. Het is een verhaal dat zich misschien alleen te midden van de aristocratie van de acteursprofessie kan afspelen. Het epicentrum van het verhaal is Hollywood, met alle glamour en beloften – maar ook met alle corruptie en verleidingen – van dien; maar het begon allemaal ruim twintig jaar geleden in de vredige schoonheid van het graafschap Suffolk.

Na het succes van zijn bestsellers *Dancers* en *The House* geeft Magnus Phillips een meeslepende beschrijving van de toneel- en filmwereld. Het boek is ontroerend, aanstootgevend, amusant; soms leest het als een thriller, andere keren als een liefdesroman. Maar ongeacht het genre is het uiterst boeiend.

Opdracht in *The Tinsel Underneath*

Voor Fleur, in de hoop dat ze het me zal vergeven.

'I'd like to tear down all this false tinsel to show the real tinsel underneath.'
('Het liefst zou ik al deze glinsterfolie wegscheuren, om het echte klatergoud eronder te laten zien.')
Sam Goldwyn

Voorwoord bij *The Tinsel Underneath*

Er bestaat een gedicht van Don Blanding (geciteerd door Leo Carillo in de film *Star Night at the Coconut Grove*) dat Hollywood beter beschrijft dan ik het zou kunnen.

Drama – a city full
Tragic and pitiful
Bunk, junk and genius
Amazingly blended

(Drama – een stad vol
Tragisch en miskend
Een wonderlijk mengsel
Van bedrog, zooi en talent)

Het gaat nog verder. Maar u begrijpt het zo wel.

Het verhaal dat in dit boek wordt verteld is zowel tragisch als miskend; het bevat heel wat bedrog, rotzooi en talent en het is (om een regel verderop uit het gedicht aan te halen) zowel kwaadaardig als betoverend.

Het wonderlijke aan Hollywood is zijn ogenschijnlijk onweerstaanbare aantrekkingskracht. Ja, Hollywood trekt oppervlakkigheid aan, maar zeker ook talent, als lemmingen naar de afgrond, als lammeren naar de slachtbank.

De twee mannen in dit boek zijn geen van beiden opgewassen gebleken tegen de stad vol drama, die hen om verschillende redenen ten val bracht. Voor de een kwam het einde snel, voor de ander kwam het langzaam, na jaren van naderend onheil. Maar voor beiden lagen de wortels daar, in het Babylon van het witte doek. En niet alleen voor hen. Ook andere levens werden opgeofferd, verwoest. En dat alles uit hebzucht, ambitie, hoop – en angst. En waar de werkelijkheid ophoudt en de fantasie begint, is iets wat misschien alleen de volgende generatie ons kan vertellen.

Hoofdstuk 1

1942

Caroline wist niet precies wie haar leven erger verstierde: haar moeder of Winston Churchill. Het móest bijna haar moeder wel zijn; zij leek eropuit te zijn haar jeugd te verpesten. Maar ze kreeg daarbij alle steun van Winston, want door zijn toedoen kwam er geen man onder de vijfenveertig jaar bij haar in de buurt en ging het land schuil onder een zwart rouwkleed. Bovendien vertelde hij zijn landgenoten dat bloed, zweet en tranen het enige was waarop ze konden rekenen. Natuurlijk kwamen zulke gedachten neer op ketterij; ze durfde ze amper onder woorden te brengen aangezien het hele land Churchill messiasachtige eigenschappen toedichtte (waarschijnlijk volkomen terecht), hem aanbad en tegen hem opzag. En toch, als ze met z'n allen in de keuken van Moat House zaten te luisteren naar de majestueuze poëzie van zijn stem op de radio, had zelfs Caroline vrede met alles wat ze moest geven en opgeven. Dat was natuurlijk het probleem; het ging om opgeven, het was allemaal negatief. Ze zou zich maar al te graag bij het leger aansluiten; ze zou met liefde haar leven geven als lid van de Women's Royal Navy Service of als monteur bij de WRAC; ze zou ook samen met de brandweer willen ploeteren in het puin van verwoeste steden. Ze zou zelfs een soepkeuken willen leiden voor het Rode Kruis, zich laten opleiden tot verpleegkundige om naar de gevaarlijkste brandhaarden te worden uitgezonden. Maar haar moeder wilde er niets van weten. Ze wilde niet dat ze iets constructiefs deed en al helemaal niet dat ze zich aanmeldde bij het leger. 'Ja, ja,' had ze kil gezegd, toen Caroline haar om toestemming smeekte. 'Ik denk dat we ons allemaal wel kunnen voorstellen hoe jij het leger zou willen dienen, Caroline. Blijf jij thuis maar helpen, dat lijkt me net zo belangrijk, zeker nu Janey bij ons weggaat om in de munitiefabriek te gaan werken, ellendig wicht, en Bob er niet meer is om de tuin te doen. Bovendien kan ik dan een oogje op je houden.

En zo kwam het dat Caroline een steriel en troosteloos leven leidde. Er gingen dagen voorbij dat ze met niemand anders kon praten dan Kokkie, en dan nog was de enige vraag die haar werd gesteld of ze wat uien kon rooien of eieren kon rapen. Ze was vrijwel voortdurend letterlijk misselijk van verveling en ze werd bijna bang toen ze besefte dat ze op haar twintigste het leven leidde van een oudere huismoeder, zonder dat er een uitweg leek te zijn. Ze werd zo wanhopig dat ze serieus overwoog weg te lopen. Ze was feitelijk een gevangene, opgesloten in hartje Suffolk (in een prachtig huis weliswaar, maar toch), te ver verwijderd van een stad om er op eigen houtje naartoe te kunnen en te kletsen met soldaten op verlof. Woodbridge was een uur rijden met de wagen en twee uur met de fiets en Ipswich was een onvoorstelbare reis. Haar moeder had haar best ergens met de auto kunnen brengen, al was het maar naar de dansavonden in het dorp, maar ze weigerde pertinent.

Haar vader had haar kunnen helpen, had haar af en toe een paar liter benzine en zijn oude chauffeur (de plaatsvervanger van die mooie jongen die in dienst had gemoeten) ter beschikking kunnen stellen om haar naar een feestje te rijden, maar hij wist niet hoe ellendig ze eraan toe was. Hij werkte de klok rond (en bleef vaak slapen) in zijn fabriek, die dubbele diensten draaide om militaire uniformen te maken. Daardoor was Caroline volkomen aan haar moeder overgeleverd en was haar leven één brok schrijnende, ziekmakende verveling. Ze was er vast van overtuigd dat haar leven al half voorbij was, zonder zelfs maar een druppel echt bloed of zweet voor de broodnodige afwisseling.

Moat House, aan de rand van Munsbrough, een charmant dorpje, was al vijf generaties in het bezit van de familie Miller. Het lag in de bocht van een riviertje en een brug leidde naar een kleine binnenhof met een hoge gebogen wal uit dezelfde periode als het huis, waar Elizabeth I nog had geslapen. Het was een prachtig laag huis, roze geschilderd in de traditie van Suffolk, met zwaar vakwerk. De hal had een stenen vloer. Aan de ene kant ervan lag een reusachtige salon en daartegenover lag een al even grote eetkamer. De keuken en bijkeukens strekten zich eindeloos uit naar de achterkant van het huis. Boven waren acht slaapkamers ingericht. Naast het huis lagen een fraaie rozentuin, een boomgaard en een ommuurde moestuin. Er was een groot stallenblok en daarachter lag nog ruim honderdvijftig hectare landbouwgrond (die nu grotendeels was verhuurd aan een plaatselijke boer) waar de vijftien paarden van de familie Miller graasden.

Carolines vader, Stanley Miller, was geen boer, maar zakenman. Hij was een grote, zwaargebouwde man met een rood gezicht. Hij was ongeveer 1,90 meter lang en woog ruim honderd kilo. Hij was op het lompe af ongevoelig, goedmoedig en opmerkelijk geduldig, vooral met kinderen en dieren; hij had een grote dekenfabriek net buiten Ipswich.

Jacqueline Miller was de dochter van een armlastige plattelandsnotaris. Ze was mooi, met felrood haar en groene ogen; de jongens die haar gunsten hadden genoten op de achterbank van auto's of in garderobes tijdens jachtbals konden bevestigen dat ze er wel pap van lustte. Hoe sexy en mooi ze ook was, tegen haar twintigste had ze een afgrijselijke reputatie, zodat geen enkele fatsoenlijke jongen met haar zou trouwen. Stanley Miller, tien jaar ouder dan zij, was dodelijk verlegen. Zijn enige gespreksonderwerpen waren de prijsschommelingen en de toekomst in de dekenindustrie, de jacht en het weer. Bovendien schaamde hij zich ervoor dat hij nog steeds maagd was. Jacqueline zag hem als een kans en een uitdaging, gooide haar charmes in de strijd en verleidde hem. Daarmee won ze zijn hart, zijn vermogen en zijn eeuwige liefde.

Ze trouwden drie maanden na hun eerste vrijpartij; iedereen dacht dat Jacqueline wel zwanger zou zijn, maar dat was niet zo. Pas twee jaar later, in 1922, beviel ze van Caroline en snoerde zo de dorpsroddelaars de mond. (Al waren er mensen die beweerden dat Caroline niet Stanleys kind was. Ze hadden ongelijk, en Caroline erfde het rode haar van haar moeder, en daarnaast haar vaders blauwe ogen en lengte.)

Ondanks Stanleys grote liefde voor Jacqueline en haar oprechte genegenheid voor hem was het geen gelukkig huwelijk; zijn ongevoeligheid en zijn onvermogen een normaal gesprek te voeren werden door de jaren heen niet minder en Jacqueline was steeds eenzamer en gefrustreerder geworden, depressief zelfs. Ze was een gevoelige, emotioneel veeleisende vrouw; haar huwelijk met Stanley, vertelde ze haar bijzonder meevoelende huisarts, leek net een huwelijk met een buitenaards wezen, dat niet met haar kon praten en dat haar niet verstond.

Als enige kind kreeg Caroline meer mee van de grillige spanning in het huis dan het geval was geweest als ze broers en zussen had gehad. Ze was zich bewust van de stemmingswisselingen van haar moeder, hoorde haar geforceerd vrolijke stem aan de telefoon, keek naar haar als ze aan het ontbijt zat, haar brood verkruimelde en met een bleek gezicht en zware ogen wezenloos naar *The Times* staarde waarachter haar man zich verschool.

Jacqueline hield Caroline op afstand; het was net alsof ze niet van haar durfde te houden, haar niet aan durfde te raken, vast te houden. Caroline kon zich niet herinneren dat haar moeder ooit naar haar kamer was gekomen om haar een nachtkus te geven, behalve die enkele keer dat ze als kind ziek was geweest.

Haar vader was aanhankelijker, maar ze was opgegroeid met het idee dat lichamelijk contact een zeldzame beloning was waar je iets voor moest doen. Net als voor het volwassen zusje van lichamelijk contact, seks.

Caroline had seks ontdekt toen ze bijna elf jaar was. Ze had in bed gelegen en terloops met haar vingers haar geslachtsdelen verkend, zich afgevraagd waarom daar haar groeide, toen ze merkte dat ze een fel, priemend gevoel kon oproepen door een bepaalde plek aan te raken. Omdat ze niet zeker wist of ze het prettig vond, raakte ze het nogmaals aan... en toen weer...

Vanaf dat moment was ze verslaafd, een junkie die continu verlangde naar het genot dat ze zichzelf kon schenken. Eerst schrok ze er wel van; de explosies waren zo fel, gaven haar zo'n vreemd gevoel, zowel tevreden als geschrokken, dat ze bang was dat er misschien iets mis met haar was, dat ze misschien een vreemde afwijking had waar ze met iemand over moest praten. Ze vroeg zich zelfs af met wie: mamma? Nee, mamma gaf weinig gelegenheid tot intieme gesprekken; ze keek haar alleen nogal afstandelijk aan en zei: 'Caroline, ik heb nu geen tijd om met je te praten. Ga maar naar Nanny.' Maar hoe kon ze in hemelsnaam Nanny vertellen over dit vreemde gevoel, dat het midden hield tussen genot en pijn en dat ze zelf teweegbracht? Nanny's aanpak voor elke lichamelijke aandoening die ze niet begreep of als abnormaal beschouwde, was een dosis vijgensiroop en de sommatie het te komen vertellen als de dosis niet hielp. Pappa dan? Absoluut niet. Pappa was een man, een heel ongevoelige man zelfs, al was hij nog zo jolig en lief, hij was niet iemand die rustig en aandachtig luisterde terwijl je probeerde uit te leggen wat je niet begreep. Een vriendin? Helaas, Caroline had geen vriendinnen. Niemand vond haar aardig genoeg om haar vriendin te willen zijn, ze was te bazig, te prikkelbaar, te egoïstisch, als enig kind had ze niet leren delen, zelfs niet leren spelen en op haar tiende gold ze als een hooghartige einzelgänger die vijandig reageerde op avances waarmee ze geen raad wist.

Iedereen vond haar erg mooi, maar charme bezat ze in die tijd hoegenaamd niet. Een vreemd, moeilijk meisje, dacht Caroline, die wist dat er zo over haar gedacht werd, met een vreemd, moeilijk geheimpje. Ze besloot het voor zich te houden. Het was tenslotte een van de weinige fijne dingen in haar leven.

Toen ze twaalf was, ontdekte ze wat het geheim inhield. Ze had vakantie en op een lange hete dag had ze zelfs geen zin om te gaan paardrijden. Ze ging naar de kamer van haar moeder en begon doelloos door de lades te snuffelen. Dat deed ze vaak als haar moeder weg was en ze zich verveelde; het was interessanter dan lezen of met Kokkie praten. Ze vond het heerlijk om door de stapels kleren te wroeten, waarvan de meeste nog nooit uitgepakt waren, laat staan gedragen. Jacqueline was een dwangmatige koper, het troostte haar en gaf haar een bijna lichamelijk genot. Totdat de oorlog en de benzinerantsoenering het haar beletten, ging ze minstens drie keer per week met de auto naar Ipswich, of met de trein naar Londen en kwam ze ontspannen, goedgehumeurd thuis met stapels kleren in de achterbak van de auto.

Terwijl Caroline in een stapeltje fijne zijden slipjes greep, voelde ze iets hards. Een doosje, dacht ze, nog meer mooie spulletjes; maar nee, het was geen doosje, maar een boek. Wat een rare plaats om een boek te bewaren, dacht ze, terwijl er een boekenkastje naast haar moeders bed stond; misschien was ze het kwijt, had ze het per ongeluk in de la gestopt.

Caroline trok het boek uit de la en draaide het om. Het leek een roman, dacht ze. *Bodily Love* van Florence Graves. *Bodily Love*? Lichamelijke liefde? Wat een stomme titel voor een boek. Waarschijnlijk schaamde haar moeder zich ervoor dat ze zo'n boek las en had ze het daarom verborgen. Ze begon te bladeren en ontdekte waar haar moeder zich voor schaamde – en ook, in een golf van herkenning, wat haar eigen vreemde, verrukkelijke ervaringen te betekenen hadden. De hele middag lang bleef ze onbeweeglijk zitten, verdwaald in een vreemd nieuw territorium dat Florence Graves zo bloemrijk voor haar in kaart bracht. Met bonzend hart en brandende wangen leerde ze zo'n beetje hoe een seksuele relatie tussen man en vrouw in elkaar stak en welke 'behoeften' mannen hadden. Ze las Florence Graves' hartstochtelijke bevestiging dat ook vrouwen dergelijke behoeften voelden. Net als alle plattelandskinderen wist ze hoe dieren zich voortplantten, had ze kalfjes en veulens geboren zien worden; ze had zelfs een stier en een koe zien paren en had aangenomen dat dat bij mensen ook wel zo zou gaan; tot die middag in de slaapkamer van haar moeder was het ondenkbaar geweest dat je daarvan zou kunnen genieten.

Geschrokken hoorde ze de auto op de oprit, haar moeders stem die de chauffeur vertelde dat hij naar Framlingham moest rijden om meneer Miller van de trein te halen. Ze legde snel het boek terug waar ze het had gevonden, schikte het ondergoed eroverheen en eromheen, vluchtte naar haar eigen kamer en sloot de deur. Ze voelde een sterke lichamelijke opwinding, een behoefte aan ontlading; ze ging op bed liggen, trok haar rok omhoog, langzaam, sensueel, alsof er echt een minnaar bij aanwezig was. Een paar minuten lang streelde ze teder haar buik, voordat ze weloverwogen, zelfbewust en bijna trots eerst haar vingers in haar natte vagina duwde, toen het knopje zocht waarvan ze nu wist dat het haar clitoris heette en zich met een plotselinge verwoede aandrang tot een hoogtepunt bracht.

Carolines ontmoeting met Florence Graves en haar filosofieën had een diep-
gaand effect op haar. Ze was zich al bewust geweest van haar lichaam en van
het genot dat ze er zelf aan kon ontlenen, maar ze had er nooit bij stilgestaan
dat ze dat genot met een ander zou kunnen delen. Sinds die dag stelde ze tijdens het masturberen voor hoe ze werd vastgehouden, gekust, gepenetreerd;
die gedachte vond ze, in tegenstelling tot veel jonge meisjes, niet eng, maar
opwindend. Het leek haar geweldig.

Een tijdlang stelde ze zich tevreden met fantasieën, maar kort na haar vijftiende verjaardag begon ze te verlangen naar de ervaring zelf. Haar moeder had
geen poging gedaan om haar voor te lichten; op school kregen Caroline en
haar klasgenoten een onsamenhangende en verwarrende toespraak over voortplanting, althans over hoe dat bij konijnen ging. Als ze meer wilden weten over
de menselijke voortplanting, moesten ze het hun ouders vragen. Blijkbaar,
dacht Caroline, logisch als altijd, waren er geen morele beperkingen, zelfs geen
emotionele, waarmee rekening gehouden moest worden; het was alleen zaak
iemand te vinden die bereid was met haar het avontuur aan te gaan.

Giles Dudley-Leicester was zestien jaar, zat op Eton en was de zoon van een
van Jacquelines weinige vriendinnen. Giles was lang, mager met een slappe
kin; hij had nogal waterige blauwe ogen, sliste en had veel te weinig fantasie.
Maar hij had twee dingen met Caroline gemeen: hij kon goed paardrijden en
hij verlangde ontzettend naar seks.
    Na een jachtpartij aan het begin van hun kerstvakantie (waarvoor Stanley
Giles een paard had geleend) kwamen ze 's middags terug naar Moat House
om iets te eten en te wachten tot Sarah Dudley-Leicester haar zoon kwam
ophalen. Kokkie had koekjes, krentenbolletjes, komkommersandwiches, fruit
en chocoladetaart klaargezet, plus een hele berg gembercake; uitgehongerd
vielen ze erop aan en aten alles op.
    'Vreemd eigenlijk, dat je zo'n honger krijgt van de jacht,' zei Giles, terwijl
hij twee sandwiches tegelijk in zijn mond propte. 'Ik begrijp het niet goed.
Eigenlijk zit je alleen maar.'
    Caroline keek hem vol afkeer aan. 'Er komt toch wel iets meer bij kijken,'
zei ze. 'Je moet je nog behoorlijk concentreren. En we zijn bijna vijf uur buiten geweest. Mijn hele lichaam doet pijn. Ik denk dat ik in bad ga. En jij?'
    'Dat is een idee,' zei Giles. 'Een heel goed idee zelfs. Mag dat wel?'
    'Ja, natuurlijk. Mamma is er niet, dus kan ik haar badkamer gebruiken.
Dan kun jij de badkamer naast de kinderkamer gebruiken. Je weet toch waar
die is?'

'Wat? Ja, natuurlijk. Ik kan me herinneren dat je kinderjuffrouw me daar een keer in bad heeft gestopt toen we klein waren en we een keer in de voedersilo vielen. Mijn moeder zal wel blij zijn, ze klaagt altijd over het vuil in de auto als ik eropuit ben geweest.'

'Maar je gaat toch niet in je nakie naar huis?' vroeg Caroline.

'Wat? Nee, natuurlijk niet.' Giles werd vuurrood.

'Dan zal het voor haar auto weinig uitmaken of je in bad gaat of niet.'

'O. O nee. Natuurlijk. Je hebt gelijk. Ja.'

'Kom maar mee,' zuchtte Caroline.

Ze wilde net in bad stappen, toen ze zich herinnerde dat er geen handdoeken voor Giles klaarlagen. Met tegenzin sloeg ze de badjas van haar moeder om, pakte een paar handdoeken uit de linnenkast en liep de trap op richting kinderkamer. Giles zat nog languit in de stoel naast het bad *Horse and Hound* te lezen.

'Alsjeblieft, hier heb je een paar handdoeken.'

'Wat? O, geweldig. Dankjewel, Caroline.'

Ze liep naar hem toe en gaf hem de handdoeken. Toen ze vooroverboog, viel de badjas ver genoeg open om de bovenkant van haar borsten te ontbloten. Giles keek op en zag ze vlak voor zich. Hij werd knalrood. Caroline glimlachte een beetje minachtend. 'Het spijt me,' zei ze, 'ik zal je verder met rust laten.'

Ze wilde zich omdraaien om naar de deur te lopen, toen ze naar beneden keek; onder zijn modderige rijbroek tekende zijn erectie zich onmiskenbaar af. Caroline aarzelde niet. Dit was de situatie, de kans waarop ze had gewacht, in volmaakte, volkomen onverwachte harmonie. Ze boog weer voorover en legde haar hand op de bobbel.

'Dat ziet er goed uit,' zei ze prozaïsch.

'Mijn god,' zei Giles. Hij leek doodsbang, maar de bobbel bleef een bobbel.

Caroline liep naar de deur en draaide deze op slot. 'Kom op,' zei ze.

'Caroline, nee,' zei Giles.

'Waarom niet? Wil je niet?'

'Ja. Ja, natuurlijk wel. Maar dat kan niet. Stel dat er iemand komt.'

'Ik hoop,' giechelde Caroline, 'dat wij dat zijn.'

'Mijn god,' zei Giles opnieuw.

'Laat God maar met rust. En mamma is weg. Goed, Giles, heb je dit al eens eerder gedaan?'

'Eh... niet echt, nee.'

'Ik ook niet. Samen komen we er wel. Trek eerst je broek uit, en je overhemd. Ik geloof dat naakt zijn wel helpt.'

Een beetje bevreesd kleedde hij zich uit; Caroline lag op de grond op de open gespreide badjas; ze gaf er een uitnodigend klapje op en glimlachte, terwijl ze ongerust naar zijn penis keek. Ze had niet verwacht dat deze zo groot zou zijn en kon zich niet voorstellen dat de kleine holte die zo precies om haar vinger paste er ruim genoeg voor was. Maar ze was erg dapper en ze kon nu toch niet meer terug.

'Kom op. Ik kan zien dat je het wilt,' babbelde ze. 'Volgens mij gaan we genieten.'

Toen ze er in latere jaren aan terugdacht, verbaasde het haar dat het niet erger was geweest. Giles was groot geschapen, had feitelijk geen ervaring en was buiten zichzelf; hij boorde zich bijna zonder waarschuwing in haar en het deed vreselijk pijn.

'Is het zo goed?' fluisterde hij in haar oor, tussen zijn bijtende kussen door.

'O ja, zeker,' zei Caroline, die zich niet wilde laten kennen. Ze wilde niet kreunen en durfde niet te bewegen, omdat het dan misschien nog meer pijn deed. 'Prima.'

'Goddank.' Hij begon op en neer te bewegen en ze schreeuwde het nog net niet uit.

'Giles, zou je...'

'Ja. Wat?'

'Zou je heel even stil kunnen blijven liggen?'

'Ik zal het proberen.'

Hij lag opmerkelijk stil; Caroline lag onder hem en probeerde afleiding te vinden zodat ze de pijn niet voelde. Ze keek naar de afbladderende verf op het plafond en vroeg zich af of haar moeder ooit van plan was geweest het weer te laten verven. Langzaamaan begon ze een heel ander gevoel te ervaren: een verzachting, een meegaandheid, de behoefte om op de een of andere manier naar voren te bewegen, steeds verder totdat ze op een nieuwe plek was, ze wist niet precies waar. Voorzichtig bewoog ze zich, eerst heel zacht, toen iets meer. Dat was een vergissing. Giles beschouwde het als een aansporing. Hij kon zich niet langer beheersen en stortte zich keer op keer in haar als een bang paard. Hij kreunde en greep haar bij haar haren. Caroline deed haar ogen weer open, zocht de geruststellende verfbladders op het plafond, maar zag alleen zijn gezicht, vertrokken rood aangelopen, zijn tanden op elkaar geklemd, en ze dacht dat ze nog nooit zoiets lelijks had gezien.

Daarna was het binnen enkele seconden voorbij, een laatste kreun, bijna een brul en hij kwam stuiptrekkend in haar klaar. Het deed zo veel pijn dat

Caroline in zijn schouder beet om het niet uit te schreeuwen. Bijna meteen, net toen ze die verzachting weer voelde, werd zijn penis slap en toen ze zich hoopvol tegen hem aan drukte, glibberde hij uit haar.

'Verdorie,' zei Giles, terwijl hij zich nog nahijgend van haar af liet rollen, 'dat ging toch best goed, nietwaar?'

'Ja,' zei Caroline weloverwogen, 'dat ging best goed. Eh... Giles, ik denk dat ik nu maar in bad ga.'

'Uitstekend,' zei Giles.

Gedurende de kerstvakantie vreeën ze zo vaak ze konden. Toen haar lichaam was bijgekomen van de eerste keer, begon Caroline ervan te genieten; ze deinsde niet langer terug voor Giles' penis, voelde geen pijn meer, zeker niet nu Giles op haar verzoek langzamer en voorzichtiger bewoog. Uit een boek dat hij in de kleedkamer van zijn vader vond – 'waar zouden we zijn zonder de geheimpjes van onze ouders?' zei Caroline vrolijk, toen hij haar erover vertelde – leerde hij een beetje techniek en begon hij Carolines borsten te strelen (een beetje hard weliswaar, het voelde alsof hij de hond aan het droogwrijven was, maar dat gaf niet, zei ze, het was toch erg fijn) en haar tijdens het vrijen langzamer en zachter te kussen. Ze werden opmerkelijk vrij gelaten; het jachtseizoen was in volle gang en hun beider ouders waren het erover eens dat het een geweldige tijdsbesteding voor hen was. En wat geweldig dat hun vreemde, moeilijke kinderen zulke goede vrienden geworden waren. Als ze na de jacht bij Caroline thuiskwamen, aten ze iets en als Jacqueline weg was en Nanny sliep, renden ze naar de badkamer naast de kinderkamer, waar Caroline een stapel oude handdoeken had neergelegd, omdat dat zachter was dan het badmatje, en rukten ze zich de kleren van het lijf.

Waar ze geen van beiden ook maar een seconde aan gedacht hadden, waren voorbehoedsmiddelen.

'Ze is wat?' vroeg Jacqueline, terwijl ze de directrice van Carolines kostschool aankeek. 'Caroline is wat? Wát zei u?'

'Caroline is zwanger, mevrouw Miller.'

'Dat moet een vergissing zijn. Bovendien zal ik onmiddellijk mijn advocaat bellen, vanwege wat ik alleen kan aanduiden als laster. Hoe durft u zoiets te zeggen over mijn dochter?'

'Mevrouw Miller, het is geen vergissing. Caroline is zwanger. Ongeveer drie maanden. De schoolarts heeft haar onderzocht en zij heeft voor de zekerheid een zwangerschapstest gedaan. Ik was uiteraard dezelfde mening toegedaan als u, dat het niet zou moeten kunnen. Maar het feit blijft dat het zo is.'

'Maar... wat zegt zij zelf? Ze zal het toch zeker ontkennen.'

'Nee, mevrouw Miller, dat doet ze niet.'

'O, mijn god.' Jacqueline rustte haar hoofd even op haar handen. Toen keek ze de directrice aan. 'U kunt me maar beter alles vertellen.'

'Uitstekend. Ik zal ook de verpleegkundige binnenroepen. Zij kan u er meer over vertellen dan ik.'

De verpleegkundige vertelde het hele verhaal. Kort na het begin van het nieuwe semester was Caroline flauwgevallen tijdens de ochtenddienst. 'Ik nam aan dat ze ongesteld was geworden en stopte haar in bed. Toen ik haar vroeg of ze hevige pijnen voelde, zei ze van niet. Ik stond er verder niet zo bij stil. Een paar dagen later gebeurde het weer. Zij zei dat ze vaak flauwviel en dat ik er niet mee moest zitten. Ik besloot een oogje in het zeil te houden en zag dat ze een aantal keren overgaf, vooral 's morgens. Ongeveer een week erna viel ze opnieuw flauw. Het kwam natuurlijk niet bij me op dat ze zwanger zou kunnen zijn, maar ik was bezorgd en liet de schoolarts komen. Zij onderzocht Caroline zorgvuldig en zei toen dat ze onder vier ogen met haar wilde praten. Een uur later kwam ze bij me en zei dat ze bang was dat Caroline zwanger was. Natuurlijk kon ze zich vergissen. Daarom wilde ze een zwangerschapstest doen, zodat ze niet nodeloos onrust zaaide. Een paar dagen later kwam de uitslag: positief. Er is absoluut geen twijfel mogelijk: Caroline is zwanger.'

'O, god,' zei Jacqueline.

'U had geen idee dat dit... mogelijk zou zijn?' vroeg de directrice.

'Nee, natuurlijk niet.'

'Aha.'

Het bleef lang stil.

'Wat... moet ik doen?' vroeg Jacqueline. 'Wat zou u doen?'

'Ze moet hier natuurlijk weg. Dat spreekt voor zich.'

'Permanent, bedoelt u?'

'Ik ben bang van wel.'

'Maar waarom?'

'Mevrouw Miller, wees nu redelijk. Dit is een zeer respectabele, zeer gewilde school. Wat denkt u dat er van onze reputatie overblijft als bekend wordt dat een van onze leerlingen zwanger is, of is geweest?'

'Ik begrijp het. Maar stel...'

'Ja?'

'Stel dat het een vergissing is. Een schijnzwangerschap. Dat komt voor.'

'Mevrouw Miller, die zwangerschapstest, de Aschheim-Zondak-test, is erg nauwkeurig,' zei de verpleegkundige. 'Vergissingen zijn uitgesloten.'

'Maar stel dat ze... een miskraam kreeg.'

'Het spijt me, mevrouw Miller. Ik begrijp wat u bedoelt. Maar het antwoord is nee. Zal ik Caroline laten halen?'

'Ja, goed,' zei Jacqueline.

Op weg naar huis waren ze allebei stil. Caroline was bleek en moest de chauffeur twee keer vragen te stoppen, zodat ze kon overgeven; verder zei ze helemaal niets. Jacqueline keek uit het raam.

Toen ze eindelijk thuiskwamen, ging ze naar haar kamer. 'Ik praat wel met je vader als hij thuiskomt,' was alles wat ze zei.

Ze confronteerden haar er na het eten in de salon mee. Ze hadden het besproken, zeiden ze, en een lang telefoongesprek gevoerd met een vriend van Jacqueline, een gynaecoloog in Londen. Hij kende mensen die misschien konden helpen. Het zou betekenen dat ze naar een kliniek moest, ergens op het platteland. Caroline had geen idee wat ze bedoelden. Ze vroegen wie de vader was, wanneer het was gebeurd. Ze vertelde het hun, en hoorde hoe ze haar een slet noemden, een schande, en ze stond te trillen toen haar vader de Dudley-Leicesters belde en hun vroeg te komen.

Ze voelde zich erg misselijk en zwak. Toen ze dat zei, vertelden ze haar naar haar kamer te gaan en daar te blijven. Bang lag ze op bed te huilen en te luisteren naar hoe haar ouders schreeuwden tegen de Dudley-Leicesters en ze vroeg zich af wat er van haar moest worden.

Later die avond kwam haar moeder naar haar kamer. Ze keek haar afstandelijk aan en zei alleen dat ze de volgende dag met haar naar Londen zouden gaan. Caroline vroeg niet waarom.

Er waren gesprekken met artsen, met psychiaters, eindeloze onderzoeken die pijn deden, vragen over haar laatste menstruatie, de laatste keer dat ze gemeenschap had gehad. Uiteindelijk werd haar in een kliniek in Noord-Engeland door een verpleegkundige met een scherp gezicht inwendig een vloeistof toegediend. Daarna werd ze ruw van de toiletpot getrokken, waar ze had zitten overgeven, en op een smal bed geduwd, waar ze opnieuw werd onderworpen aan een inwendig onderzoek, deze keer werd er een hard stalen instrument gebruikt. Het deed vreselijk pijn.

'Goed,' zei de dokter (ze nam tenminste aan dat het een dokter was), 'ik denk dat het nu wel kan. Bereid haar voor.'

Ze trokken haar een operatiejurk aan, schoren haar venusheuvel en vertelden haar op een brancard te gaan liggen. Zonder iets te zeggen duwden ze haar door de gangen naar een ander kamertje. Ze was misselijk van angst.

Daar stond diezelfde dokter met opgerolde mouwen en een zwart rubbermasker in zijn hand.

'Goed,' zei hij, terwijl hij het masker over haar gezicht duwde, totdat ze dacht dat ze zou stikken, 'laten we hopen dat dit een les voor je is.'

Het laatste wat ze voelde voordat ze het bewustzijn verloor, was dat hij haar benen uit elkaar duwde. Ze hoorde hem zeggen: 'Leg haar in de beugels...' en ze probeerde te gillen, maar het werd gesmoord in het masker. De kamer zweefde om haar heen en ze duwden de brancard naar de helverlichte zaal ernaast.

Toen ze bijkwam, was ze vreselijk misselijk. Ze leunde opzij en gaf over in de kom naast het bed. Haar buik deed verschrikkelijk pijn. Ze bevoelde zichzelf voorzichtig, terwijl de tranen over haar wangen stroomden. Ze was volgepropt met watten, maar desondanks waren het laken en haar operatiejurk doordrenkt met bloed. Geschrokken drukte ze op de bel. De verpleegkundige die haar het middel had toegediend kwam binnen.

'Wat is er?'

'Ik bloed. Vreselijk. En het doet pijn. Is het... is dat wel goed?'

De verpleegkundige keek haar vol afkeer aan. 'Je mag blij zijn dat je bloedt. Jullie meiden zijn allemaal hetzelfde. Wat verwacht je dan?'

'Ik weet het niet,' zei Caroline bedeesd.

Ze wist het echt niet.

Die erge pijn had ze niet verwacht, het vele bloeden, waar ze bang van werd, ook niet, evenmin als het inwendige onderzoek dat ze de volgende ochtend moest doorstaan, voordat ze naar huis mocht. Ze had niet verwacht dat ze zich wekenlang zo zwak zou voelen, zoveel pijn zou voelen. Wat ze nog het minst van alles had verwacht, was dat ze zich dag in dag uit zo diepellendig zou voelen. Haar moeder bleef haar negeren en behandelde haar als een meid die haar werk niet goed deed, haar vader was iets vriendelijker en omhelsde haar toen hij haar op een ochtend snikkend aantrof in de salon, maar hij praatte ook niet over wat er was gebeurd. Alleen Janey was die eerste afschuwelijke dagen goed voor haar. Ze hield haar vast als ze huilde, vulde eindeloze kruiken, zette thee, bracht boeken mee uit de bibliotheek. Leende haar een oude radio. Maar Janey praatte er ook niet over.

Ongeveer twee weken nadat het allemaal was gebeurd, toen ze net begon op te knappen, zat ze in de keuken warme chocolademelk te drinken en de *Daily Mail* van Kokkie te lezen, toen de deur openging en Jack Bamforth binnenkwam.

Ze kende Jack Bamforth, haar vaders stalknecht, al haar hele leven. Hij had haar leren paardrijden, hield de kleine dikke shetlander bij de teugels terwijl zij haar hielen in de flanken drukte en 'ju!' riep. Hij had haar naar binnen gedragen toen ze van haar paard was gevallen en een hersenschudding had; hij had haar de eerste keer meegenomen tijdens de jacht, had geduldig zijn paard ingehouden om in de buurt te blijven, had haar aangemoedigd over de hekken te springen, had haar gerustgesteld als ze bang was. Hij was, zei ze vaak, haar beste vriend. Toen ze merkte dat dit haar moeder irriteerde, zei ze het vaker. Jack was vijfendertig jaar; hij was klein – ongeveer 1,70 meter – en tenger; hij had een zonnig humeur, een gevoel voor paarden dat legendarisch was en een gezicht dat Michelangelo in verrukking zou hebben gebracht: fijnbesneden, met een klassieke botstructuur, grote, onschuldige grijze ogen en een mond die weinig zei, maar boekdelen sprak – vooral over vleselijk genot. Zijn zachte streekdialect gaf wát hij zei een trage charme.

Jack was getrouwd met een grote, sexy vrouw met een scherpe tong, maar stond erom bekend dat hij zijn grief elders haalde. Door dit alles was het heel gemakkelijk om met hem te praten. Hij benaderde alles wat pijnlijk of moeilijk zou kunnen zijn met een vriendelijke directheid waardoor het niet gênant was. Toen Caroline een jaar eerder tijdens de jacht zichtbaar ongesteld was geworden en ze niet wist wat ze moest doen, was hij naast haar gaan rijden en had hij gezegd: 'We kunnen nu beter naar huis gaan, juffrouw Caroline. U ziet er erg moe uit en dat paard loopt vreselijk te schuimbekken.' Toen ze met hem terug was gereden door de velden, zwijgend, bijna huilend van ellende en schaamte, hoe blij ze ook was met zijn redding, had hij alleen gezegd: 'Niemand heeft het gezien. Echt niemand, alleen ik, omdat ik op u moest letten.' Ze had zich meteen beter gevoeld, getroost. En nog eerder, op een sportfeest, toen niemand met haar een koppel wilde vormen voor de spelen, had hij net gedaan alsof hij niets merkte, maar had hij zijn arm om haar heen geslagen en gezegd: 'Wat zijn ze dom, hè?'

Ze zag hem ernstig, bijna bezorgd, naar haar staan kijken en vroeg zich af hoeveel hij wist en hoeveel ze wilde dat hij wist. Wat haar was overkomen, was een schande die het beste kon worden weggestopt. Zelfs voor Jack. Alleen leek wegstoppen het alleen maar erger te maken.

'Goedemorgen, juffrouw Miller.'

'Goedemorgen, Jack.'

'Hoe gaat het met u?'

'Heel goed, dank je,' zei Caroline kordaat.

'Mooi. Weet u het zeker?'

'Natuurlijk. Hoezo?'

'Omdat u er niet echt goed uitziet.'

'Het gaat echt goed,' zei Caroline en ze barstte in tranen uit.

'O jee,' zei Jack op rustige toon. 'O jee.' Hij sloeg voorzichtig zijn arm om haar heen en hield haar vast alsof hij haar vader of haar broer was; ze rook de geur van paarden en zweet. De rest van haar leven zou Caroline die geuren blijven associëren met troost. 'Alsjeblieft, mijn zakdoek,' zei hij.

'Dank je, Jack.' Ze snoot hard haar neus. 'Ik wilde niet huilen, maar ik lijk er gewoon niet mee te kunnen ophouden.'

'Wilt u erover praten?' vroeg hij voorzichtig.

'Waarover?'

'Over dat virus. Ik heb het van uw moeder gehoord. Wat naar voor u.'

'O ja.' Caroline herinnerde zich dat haar moeder had verteld dat iedereen wist dat ze een paar dagen naar het ziekenhuis had gemoeten vanwege een vreemd virus, maar dat ze er hopelijk nu overheen was. Ze keek naar Jack en zag dat hij het verhaal niet geloofde, zag de zachte, bezorgde blik in zijn grijze ogen 'O nee, Jack, het was niet ernstig. Het gaat echt beter. Ik ben alleen... een beetje moe.'

'Nou,' zei hij vriendelijk, 'dan is het goed.'

'Ja, het is over, helemaal over.'

'Mooi. Ik wilde u alleen laten weten dat ik er ben als u me nodig heeft.'

'Fijn, Jack. Ontzettend aardig van je.'

Ze moest naar een andere school, een vreselijk deprimerend instituut in de Midlands. Toen ze klaagde over het strenge regime, met koude douches, dagelijkse wandelingen, ongeacht het weer, en het smerige eten, zei haar moeder dat ze van geluk mocht spreken dat ze was toegelaten.

Maar na twee semesters had ze zich zo misdragen, had ze zo brutaal en moeilijk gedaan tegen alle medewerkers, zo vaak geweigerd iets te doen, zo veel regels overtreden en zo vaak gespijbeld dat ze ook daar werd weggestuurd.

'Je bent nu zeventien,' zei haar moeder kil, toen ze haar koffers voor de laatste keer had uitgepakt en zich op bed lag af te vragen wat er van haar zou worden. 'Je bent blijkbaar niet geïnteresseerd in een opleiding. Dus moet je je thuis maar nuttig maken. Janey moet zo nodig in een fabriek gaan werken in Framlingham – de oorlog is haar naar het hoofd gestegen – en Kokkie heeft ook hulp nodig. Je vader en ik zullen ons beraden op je toekomst, maar ik kan me daar weinig bij voorstellen – of het moet op de stoepen van Piccadilly zijn.'

'Dat zou ik nog liever doen dan Kokkie helpen,' zei Caroline.

Haar moeder gaf haar een klap in haar gezicht. 'Ik begrijp niets van jou,' zei ze.

'Nee, dat heb ik gemerkt,' zei Caroline en ze liep haar kamer uit. Ze liet haar tranen pas de vrije loop toen ze bij haar moeder uit de buurt was.

Jack Bamforth had hetzelfde gezegd, maar dan vriendelijker. Hij kwam op een dag naar het huis om te vragen of ze naar de stallen zou willen komen om met hem te praten.

'Ik zou niet weten waarover,' zei Caroline kortaf.

'Dat weet u best. Het zou u goed doen. Kom nou. Dan kunt u meteen een paar tuigen helpen schoonmaken.' Hij stak zijn hand uit; ontroerd, met de inmiddels onvermijdelijke tranen in haar ogen, pakte Caroline zijn hand.

Later, toen ze tot haar ellebogen in het warme sop zat, zei ze opeens: 'Ik ben wel een typisch geval, hè, Jack?'

'Ach,' zei hij, 'ik weet het niet. Ik heb geen moeite met u, juffrouw Miller,' zei hij er even later achteraan.

Caroline vond het vreselijk om met 'juffrouw Miller' aangesproken te worden; het bracht afstand tussen hen. 'Jack, ik zou willen dat je me Caroline bleef noemen. Ik... ik beschouw je als mijn enige vriend. Ik wil niet dat je zo formeel doet.'

'Goed, maar in het bijzijn van je ouders moet het "juffrouw Miller" blijven.'

'Natuurlijk.' Ze klonk bijna gedwee.

'Waarom doe je dat nou steeds?' vroeg hij.

'Wat?'

'Je van school laten sturen.'

Caroline zuchtte en trok een blikje zadelzeep open. 'Misschien omdat ik zo ontzettend graag tot iemand wil doordringen. Het enige wat mijn vader zegt, is: "Praat met je moeder." Waar het ook over gaat. Goed of slecht. En mijn moeder is zo vreselijk afstandelijk en koud. Ik wil gewoon emoties bij haar oproepen. Al is het woede. Ze heeft me pas geslagen en toen voelde ik me echt even goed. Dat is toch idioot?'

'Niet echt. Hooguit wat extreem, maar niet idioot. Maar je lijkt je toekomst versneld af te schrijven, alleen om tot je ouders door te dringen. Gaan ze een andere school voor je zoeken, denk je?'

'Ze zeggen van niet. Ik moet hier blijven en Kokkie helpen. Voorlopig tenminste. Als het echt oorlog wordt, kan ik misschien iets gaan doen. Denk jij dat het oorlog wordt? Pappa denkt van niet.'

'Ja, ik denk van wel. Je vader zit ernaast. Over een paar maanden al, denk ik.'

'Nou ja, dan kan ik me daar tenminste op verheugen,' zei Caroline.

Tegen 1942, toen ze twintig was en al drie jaar leefde als een huisvrouw van middelbare leeftijd, was ze zo wanhopig dat ze ernstig overwoog weg te lopen. Met Jacqueline ging het helemaal niet goed. Haar hoofdpijnen waren verergerd tot migraineaanvallen en soms lag ze dagenlang in bed, moest ze overgeven en had ze vreselijke pijn. De migraine tastte haar gezichtsvermogen zo aan dat ze gevaar liep van de trap te vallen of tegen meubilair aan te lopen als ze probeerde rond te lopen. Caroline probeerde medelijden op te brengen, wat met moeite lukte. Haar moeders migraine was namelijk haar enige kans op een paar onbezorgde vrije uren.

Twee keer per week ging er een bus en eens in de zoveel tijd, als haar moeder migraine had, reed Caroline mee naar Woodbridge. Maar in haar eentje vond ze er niets aan. Soms hing ze rond bij een van de pubs en hoopte ze dat een van de plaatselijke militairen haar zou proberen te versieren, maar zij waren voorzichtig met iemand die zo duidelijk boven hun stand was en gingen liever achter de dorpsmeisjes aan, die in groepjes aan de bar stonden te giechelen. Ze moest ook weer op tijd weg, om de bus terug te halen. Na afloop voelde ze zich dom, en eenzamer dan ooit. De enige mannen die op het platteland te vinden waren, waren krijgsgevangenen en zelfs Caroline dacht er niet aan toenadering tot hen te zoeken.

'Ik kan net zo goed in het klooster gaan,' zei ze op een dag tegen Jack, terwijl ze door de velden reden. 'Het kan echt niet erger zijn dan dit.'

'O, ik denk van wel,' zei hij. 'Wel íets erger. Je zou bijvoorbeeld niet meer kunnen rijden. Kop op, Caroline. Er gebeurt vast heel snel iets leuks. Let op mijn woorden.'

'Ik geloof je niet, Jack,' zei Caroline. 'Wat zou er nu kúnnen gebeuren?'

Hoofdstuk 2

S oms, heel soms, bedacht Brendan FitzPatrick, terwijl hij in de Crown in Woodbridge slokjes nam van zijn lauwe bier, kon hij bijna sympathie opbrengen voor Adolf Hitler. Iemand die dit kille, onvriendelijke, verdomd superieure volk enige nederigheid bijbracht, verdiende wel enige steun. Hij was nu drie maanden in het land, waarvan hij inmiddels drie weken was gelegerd in de klamme, sombere leegte van Martlesham Heath, en hij was nog niemand tegengekomen die het enigszins verdiende zelfs maar te worden geholpen met oversteken, laat staan om voor te vechten met gevaar voor eigen leven. Hij was met zo'n duizend anderen vanuit Glasgow in Ipswich aangekomen, waar het Amerikaanse leger hen had gestationeerd. Treinladingen vol aardige jongens die verwachtten met open armen te worden ontvangen, werden eerder als vijand dan als bondgenoot gezien en overal vijandig en wantrouwend bejegend.

Ze waren natuurlijk gewaarschuwd. Er was hun bij vertrek zelfs een officieel schrijven van het hoofd van de Amerikaanse strijdmachten uitgereikt. Daar stond in: 'Er zijn twee dingen die vriendschappelijke betrekkingen met de Engelse soldaten dwarsbomen: hun meisje versieren en niet begrijpen waartegen zij het moeten opnemen. O ja, en inwrijven dat je beter betaald wordt dan zij.'

Wat een onzin, had Brendan gedacht, wie zou dat nou doen? Maar toen hij een paar dagen met Engelse soldaten te maken had gehad, had hij niet alleen ontzettend veel zin om zoveel mogelijk meisjes onder hun neus weg te graaien, maar ook om hun tegelijkertijd een handvol dollars onder diezelfde neus te wrijven.

De mensen in de winkels, in de pubs, op straat waren nog erger. Ze leken de gemoedelijke begroetingen van de jongens te beschouwen als aanzet tot grootschalige verkrachting en plundering. Ze hadden geprobeerd tegen iedereen beleefd te zijn, hadden alle vrouwen met ma'am aangesproken, alle mannen boven de vijfentwintig als sir. Ze hadden in de pubs – die afschuwelijke pubs – iedereen om hen heen drankjes aangeboden, kauwgom en Lucky Strikes uitgedeeld en iedereen die ze onderweg tegenkwamen een lift aangeboden, wat officieel niet mocht, maar ze hadden net zo goed door de straten kunnen marcheren en swastika's op de muren kunnen schilderen, want ze schoten er niets mee op.

Zelfs het platteland viel hem tegen. Brendan, die de Oude Meesters kende, had iets verwacht wat leek op een schilderij van Constable (die immers in Suffolk had gewoond): kleine goudgekleurde velden, hekken en hooiwagens, maar hij zag alleen een vlak grijs landschap onder een grijze hemel; het kleurde bij zijn sombere stemming. Het grapje dat Engeland twee seizoenen kende, winter en juli, vond hij niet om te lachen.

Eigenlijk was hij meestal wel opgewekt; hij was optimistisch, zonnig en goedmoedig. Hij kwam uit Brooklyn in New York City en had twee oudere en twee jongere zussen die net zo naar hem opkeken als hun moeder. Dat had hem geen kwaad gedaan; het had hooguit een positieve lading gegeven aan zijn natuurlijke zelfvertrouwen en zijn ontspannen, open charme. Brendan was acteur, althans, dat wilde hij worden. Op de middelbare school was toneel zijn hoofdvak geweest en hij had een vakantiecursus gedaan aan Juillard, tussen verschillende baantjes op de markt en bij pompstations door. Hij had net een rolletje gekregen bij een goed bekendstaand gezelschap in Greenwich Village, toen hij werd opgeroepen voor de luchtmacht en naar Engeland werd gestuurd. Hij was er vrolijk onder gebleven: nu zou hij Stratford-upon-Avon kunnen bezoeken, zei hij tegen zijn treurende zussen, en dezelfde lucht kunnen inademen als Shakespeare. En als de oorlog voorbij was, zou hij misschien zelfs aan de toneelacademie RADA kunnen studeren. Enkelen van de beste acteurs ter wereld waren Engels. Denk maar aan Laurence Olivier, John Gielgud en Ralph Richardson. Zijn zussen, die *Wuthering Heights* hadden gezien, maar niet van de anderen hadden gehoord, vonden allemaal dat Brendan op Olivier leek, maar dan mooier. Ze dachten dat hij een verrijking zou zijn voor het Engelse toneel. Tot nu toe was hij niet dichter bij het Engelse toneel gekomen dan in een hangar, waar een vreselijke band en een nog slechtere zanger voor hen hadden opgetreden. Er was hun beloofd dat er echte sterren zouden komen, zoals Vivien Leigh, Bing Crosby en Bob Hope. Maar die kans leek even groot als de mogelijkheid dat de bevolking van Suffolk hen in hun hart zou sluiten en hen te eten zou vragen.

Brendan had vreselijk heimwee. Als New Yorker werd hij gevoed door het lawaai, de problemen en de energie van de stad. Naarmate de afstompende stilte van het Engelse platteland meer vat op hem kreeg, werd hij steeds somberder. De eerste weken was hij 's avonds uitgegaan met de andere jongens om te proberen een meisje te vinden, niet eens om te versieren, maar om mee te praten. Brendan wilde niet alleen dat een vrouw met hem vree, maar ook dat er iets te praten en te lachen viel. Maar de meiden hier wilden alleen gepakt worden en gaven hem te kennen dat hij van geluk mocht spreken. Hij gaf het op en ging steeds minder uit. Omdat hij in opleiding was, mocht hij nog niet echt vliegen, dus kon hij zijn depressies niet eens te lijf met de opwinding, de ontlading van gevaar en bombardementen. Zo kwam het dat hij na drie maanden aan de bar zat in de Crown, meegesleept door zijn meer pragmatische kameraden, koud, gedeprimeerd en zo geil dat het bijna pijn deed, met het gevoel dat er niets, maar dan ook niets was om naar uit te kijken.

Precies op dat moment liep Caroline Quay Street in, op weg naar de Crown, met een wanhoop en honger die mogelijk nog groter waren dan de zijne.

Natuurlijk had ze over de Amerikaanse soldaten gehoord, wie niet? Iedereen in de buurt praatte erover.

'Heb jij ze al ontmoet?' had mevrouw Blake van de Co-op in Wickham Market haar een week geleden gevraagd, terwijl ze voorzichtig het weekrantsoen kaas inpakte.

'Wie, mevrouw Blake?'

'De Amerikanen. Zeg maar tegen Kokkie dat er vijftien gram extra in zit. Vorige week had ik net iets te weinig gesneden en ik had beloofd het deze week goed te maken. Wilde je ook thee?'

'Ja, graag,' zei Caroline. 'Wat is er met die Amerikanen, mevrouw Blake?'

'Nou, er zijn er een heleboel aangekomen,' zei mevrouw Blake, 'op Martlesham. Ze komen helpen, dat is tenminste de bedoeling. Ik zie het niet zo; hoe moeten ze nu weten welke kant ze op moeten? Daar hebben we waarschijnlijk meer last dan hulp van.'

'Eh, wanneer zijn die Amerikanen precies aangekomen?'

'Twee weken geleden. En ze zijn elke avond Ipswich in geweest, heb ik gehoord. En Woodbridge. Zij hebben blijkbaar benzine genoeg. Dat klopt toch niet? En geld hebben ze ook genoeg. Ze verdienen vijf keer zoveel als onze jongens. En ze hebben allerlei dingen meegenomen.'

'Zoals?' vroeg Caroline nieuwsgierig.

'Nylonkousen, snoep. En kauwgom. Dat soort dingen,' zei mevrouw Blake afkeurend. 'Ik heb ook gehoord dat ze met onze meisjes proberen aan te pappen,' zei ze, alsof dat een onbeschrijflijke misdaad was. 'Ze bieden drankjes en sigaretten aan, vragen ze mee uit eten, dat soort dingen. Een keurig meisje doet zoiets natuurlijk niet, hè?'

'Natuurlijk niet,' zei Caroline.

Toen ze door de dorpsstraat liep, was de Liberty Truck aan komen rijden: een grote jeep vol mannen, jonge, lachende, gezonde, luidruchtige mannen. Caroline kon het niet laten naar hen te kijken; ze had het gevoel alsof iemand haar na jarenlang hongerlijden een bord vol heerlijk eten had voorgezet. Ze zagen haar kijken en begonnen te lachen; Caroline gooide haar hoofd naar achteren en liep snel weg. Ze parkeerden de truck, stapten uit en liepen in haar eigen tempo achter haar aan. Als zij versnelde, liepen ze harder, als zij langzamer ging lopen, deden ze dat ook. Ze liep het hele dorp door, het postkantoor in en weer naar buiten. Ze liep langzaam terug naar Moat House; nog steeds liepen ze achter haar aan.

Uiteindelijk, eerder geërgerd dan gevleid, zelfs ietwat gegeneerd, had ze zich naar hen omgedraaid. 'Doen jullie dit thuis ook?' vroeg ze.

Ze bleven onmiddellijk staan, duidelijk van hun stuk gebracht; de man voorop nam de rol van woordvoerder op zich. Hij salueerde losjes. 'O nee, ma'am,' zei hij. 'Dat zouden we nooit doen. Neem ons niet kwalijk, ma'am.'

'Waarom gaan jullie niet terug naar je barakken?' stelde Caroline voor. 'Misschien kun je je daar nuttig maken.'

Ze dropen af, mompelden tegen elkaar, keken nog een paar keer om. Opeens schaamde ze zich ervoor dat ze zo onaardig was geweest en had ze met hen te doen, omdat ze zo ver van huis waren. Bovendien voelde ze, voor de eerste keer sinds jaren, een steek van seksueel verlangen.

'Mamma, ik moet morgen absoluut naar Woodbridge.'

'O ja? Waarom?'

'Ik moet gewoon nieuwe schoenen kopen. Ik heb bonnen gespaard. En het is morgen vrijdag. Ik kan met de bus. Goed?'

'Lijkt me wel. Mis alleen niet de bus terug. Ik heb niet genoeg benzine om je op te halen.'

'Nee, goed. Ach, misschien ga ik ook wel op de fiets. Dan heb ik meer tijd.'

'Tijd waarvoor?'

'Mamma, ik ben dit zo zat.'

'Geloof me, Caroline, ik ook. Maar ik wil niet dat je op de fiets gaat, het is veel te ver. En bovendien, voordat je allerlei duistere plannetjes bedenkt, ik had Kokkie al beloofd dat zij morgen je fiets kan gebruiken en zelf heb ik de wagen nodig.'

Caroline geloofde haar niet. Maar ze had het geluk aan haar kant; toen ze wakker werd, hoorde ze haar moeder kreunen van de hoofdpijn en haar vader telefoneren met de dokter. Ze glimlachte in het donker. Niet alleen zou ze kunnen ontsnappen zonder dat haar moeder het zou merken, nu zou haar vader bovendien overnachten op de fabriek.

Het enige paar dat de schoenwinkel in haar maat had waren bruine veter-schoenen. 'Ja, ik neem ze wel,' zei Caroline zonder veel enthousiasme. 'Hebben jullie ook kousen?' Ze vroeg het nonchalant; ze had deze dialoog met zorg voorbereid.

'Kousen,' zei het meisje, 'was het maar waar. Alleen de Amerikanen hebben kousen. Met wat gevlei kun je hun misschien een paar ontfutselen. Het is niet moeilijk,' zei ze erachteraan. 'En het zijn echte nylonkousen.'

'Misschien doe ik dat wel,' grijnsde Caroline. 'Als ik ze kan vinden.'

'Het is moeilijker om ze te ontlopen.'

'O ja? Ik hoorde dat ze hier niet kwamen. Dat ze Ipswich leuker vinden.'

'Wie heeft dát gezegd? Ze vinden het hier geweldig. Ze komen elke avond naar de bioscoop. En de Crown, natuurlijk.'

'Echt waar? Dat verbaast me. Ik heb ze daar nog niet gezien.'

'Misschien ga je te vroeg weg. Ze komen pas tegen achten.'

'Dat verklaart alles,' zei Caroline, 'dat is mij veel te laat.'

Brendan FitzPatrick was niet verlegen, maar toen hij haar zag stond hij met zijn mond vol tanden. Hij had nog nooit een vrouw met zoveel stijl een bar in zien lopen om opgepikt te worden. Twee keer schraapte hij zijn keel en probeerde hij in beweging te komen, maar beide keren stond hij als aan de grond genageld. Hij besloot dat hij zeker nog een pint van dat smerige lauwe, bittere bier nodig had voordat hij het opnieuw probeerde.

Caroline wist dat Brendan naar haar keek. Hij zag er ontzettend goed uit, dacht ze. Ze kon haar geluk bijna niet op. Hij was lang, ongeveer 1,90 meter, met brede schouders en grote handen (wat voor haar aanleiding was te fan-taseren over andere lichaamsdelen), donker, krullend haar en diepblauwe ogen met heel lange wimpers; hij was licht gebruind en had sproeten op zijn grote neus en hoge voorhoofd. Zijn mond was bijna meisjesachtig zacht en gevoelig.

Ze keek hem bijna een volle minuut aan voordat ze besloot in actie te komen. Ze was bang dat hij anders zijn aandacht zou richten op de grote groep mooie meisjes die de Crown binnendromden. Ze stond op, bleef even staan, weifelde bijna, verzamelde toen bijna zichtbaar haar moed en stapte op hem af.

'Goedenavond,' zei ze, 'ik vroeg me af of u misschien een sigaret voor me heeft.'

En Brendan FitzPatrick had haar gulzig bekeken, haar lengte, haar Engelse welgemanierdheid, haar dikke rode haar, haar hoge voorhoofd, haar gladde, lichte huid, haar blauwe ogen, haar rechte neus, haar volle lippen; hij had gekeken naar haar slanke lichaam in het nogal strenge, bruine tweedpakje, verzacht door een trui die haar volle borsten goed liet uitkomen, had even naar de lange slanke benen gekeken om toen, even krampachtig vasthoudend aan zijn zelfbeheersing als aan zijn warme bier, in zijn borstzak te grabbelen. Hij haalde zijn pakje Lucky Strikes tevoorschijn en bood het haar aan zonder iets te zeggen. Caroline haalde er voor hen allebei een sigaret uit en in een gebaar van intimiteit stopte ze het pakje terug in zijn borstzak. Ze glimlachte. 'Dank je. Wacht...' Ze haalde haar eigen aansteker, een Dunhill, uit haar tasje. 'Vuurtje?'

'Dank je,' zei Brendan. Hij pakte zijn sigaret aan, klemde deze tussen zijn lippen, nam een vuurtje van haar aan en keek toe hoe ze haar eigen sigaret aanstak, deze uit haar mond haalde en een draadje tabak van haar tong plukte, zonder zijn blik één moment los te laten. 'Wil je iets drinken?'

'Graag. Gin en vermout.'

'IJs?'

'Nee, dank je.' Ze glimlachte. 'Ik denk trouwens niet dat ze in Woodbridge al ijs hebben. Niet in de pubs, tenminste.'

'Daar begrijp ik dus helemaal niets van,' zei hij, opgelucht dat hij gewoon met haar kon praten. 'Wat hebben jullie met ijs? Of liever gezegd, waarom hebben jullie het niet? Zo moeilijk is het niet te maken. Geen schaarse ingrediënten.'

'Nee, maar mensen vinden het gewoon niet lekker. Ze vinden dat het de smaak bederft. Je zou mijn vader erover moeten horen.'

'Wat drinkt je vader meestal?'

'Scotch.'

'Wat is dat?'

'Whisky natuurlijk,' zei Caroline lachend.

'Zoals in bourbon?'

'Ik denk dat het vergelijkbaar is. Ik heb nog nooit bourbon geproefd.'

'Dat zou je echt eens moeten doen. En wel heel snel.'

'Niet bij de gin,' lachte ze, 'dan word ik dronken.'

'Dat vind ik helemaal niet erg. Barman, een bourbon graag.'

Maar gelukkig voor Caroline hadden ze in Woodbridge ook nog geen bourbon.

Om halftien liepen ze de Crown uit. 'Ik moet naar huis,' zei Caroline wanhopig.

'En hoe kom je thuis?'

'Ik ben met de fiets. Maar ik moet nu wel gaan.'

'Hoe ver is het?'

'Zo'n twaalf kilometer.'

'Jezus, je gaat nu toch dat hele eind niet fietsen? Je komt er nooit. Stel dat je wordt aangerand of zoiets?'

'Dat zal wel niet,' zei Caroline. Ze weerstond de verleiding om 'helaas' te zeggen. 'Bovendien fietst iedereen hier.'

'Dat weet ik. Maar meisjes? In het donker?'

'Natuurlijk wel,' zei ze lachend. 'Het is tenslotte oorlog. Bovendien ken ik de weg heel goed. Ik ben hier opgegroeid.'

'Ik vind het geen goed idee. Mag ik je naar huis brengen? Ik heb hier heel toevallig een jeep staan.'

Caroline nam hem van top tot teen op, haar ogen bleven heel even steken bij zijn kruis.

'Graag. Dat vind ik echt heel aardig.'

Sergeant FitzPatrick werd verteerd door een heel ander gevoel dan aardig.

De jeep stond onder aan de heuvel, bij het station en de riviermond; Brendan keek verlangend naar het water dat het maanlicht weerkaatste. Door het deinen van de boten raakten de masten elkaar zacht. 'Ik ben hier nog nooit overdag geweest. Het lijkt me erg mooi. En erg oud.'

'Dat kun je wel zeggen. Het provinciehuis is middeleeuws. Je mag me tot Wickham Market brengen. Dat is een vrij rechte weg, zodat je niet zo snel zult verdwalen. Daarvandaan fiets ik het laatste stukje naar huis en dan kun jij terugrijden.'

'Ik wil niet terugrijden.' Zijn ogen gleden over haar heen. 'Ik wil met jou mee.'

'Doe niet zo dom. Je kunt echt niet mee naar huis. Mijn moeder zou ons afranselen, eerst jou, dan mij.'

'Dat lijkt me leuk.'

'Ik maak geen grapje.'

'Ik ook niet.'

'Hoe dan ook,' zei Caroline, terwijl ze probeerde het kloppen van het bloed diep in haar lijf te negeren, 'je zou toch alleen maar verdwalen. Het is volkomen donker en er staan nergens bordjes. Bovendien ben ik officieel bij een vriendin. Ik kan toch niet in een jeep aan komen zetten?'

'Kunnen wij geen vrienden zijn?'

'Vannacht niet.'

Maar ze werden wel vrienden, voordat ze begonnen te vrijen. Hoe graag ze ook seks wilde, zeker met Brendan, Caroline had wel geleerd wat voorzichtiger te zijn.

'Nee,' zei ze en ze duwde hem weg van de achterbank, waar ze waren gaan zitten toen Brendan haar de tweede keer thuisbracht. 'Nee, sorry, dat kan niet.'

'Waarom niet?'

'Omdat ik een net meisje ben.'

'Onzin,' lachte hij. 'Dat ben je beslist niet. Daarom vind ik je juist zo leuk.'

'Hoe weet je dat ik niet netjes ben?'

'Nette meisjes vragen geen sigaret van een vreemde man. Bij ons niet, tenminste. Nette meisjes rijden niet met een vreemde man mee. Ze geven zo'n man bij hun eerste afspraak geen kus op de mond bij het afscheid nemen. Ze vragen ook niet wanneer ze hem weer zien. Ook al bezit je vader de helft van Suffolk en is je moeder een echte dame, jij bent geen net meisje. Niet zoals jij dat bedoelt.'

'Oké, misschien ben ik geen net meisje, maar ik ga nog steeds niet met je naar bed.'

'Waarom niet?'

'Geen zin.'

'Je liegt.'

'Natuurlijk niet.'

'Zo te voelen heb je wel zin,' zei hij. Zijn hand gleed voorzichtig onder haar rok naar haar natte broekje. Hij voelde hoe ze trilde en hoe heftig ze op zijn aanraking reageerde.

'Nee dus. En hou daarmee op.'

'Goed,' zei hij opeens tot haar verbazing. 'Ik hou op. Daar staat de telefooncel. Wil je je vader bellen?'

'Nee, ik fiets wel.' Ze zuchtte. 'Mijn vader is er niet, alleen mijn moeder, en zij voelt zich niet goed. Ik wil haar niet wakker maken.'

'Maar ik dacht dat je toestemming had om met een vriendin naar de film te gaan.'

'Ja, maar dat was vanmiddag. Ze gelooft me toch al niet. Als ze niet ziek zou zijn, zou ze me hebben opgehaald.'

'Wat heeft ze?'

'Ze heeft vreselijke last van migraine. Veroorzaakt door... ach, door een rothumeur.'

'Waarom heeft ze zo'n rothumeur?'

'Ik weet het niet.'

'Maar je kunt haar toch alles over die film vertellen, aangezien we er net zijn geweest? Alle details van het verhaal? En wat er op het bioscoopjournaal was?'

'Ze heeft niet alleen een rothumeur, maar ook een achterdochtige geest.'

'Hoe komt dat?'

'Dat vertel ik je nog wel,' zei ze luchtig.

Ze vertelde het hem. Het was een paar weken later toen hij, moe van het praten, haar probeerde over te halen met hem te vrijen, haar vasthield, tegen haar aan reed en riep: 'Toe, Caroline, alsjeblieft.'

'Houd toch op,' zei ze en ze trok haar rok naar beneden en duwde hem weg. 'Het kan niet, oké. Het mag niet.'

'Is er iets gebeurd?'

'Ja,' zei ze, terwijl de tranen over haar wangen stroomden, 'iets heel ergs.' Aarzelend, verlegen, vertelde ze hem over de abortus.

Zo werden ze vrienden. Ze praatten onophoudelijk; hij hoorde alles over haar ouders, haar schooltijd, haar eenzame jeugd en de gekmakende verveling van de oorlog. En zij hoorde over hem, over het grote Ierse gezin in Brooklyn. Over zijn moeder Kathleen ('Ze heet toch niet echt Kathleen? Wat een cliché!' 'Mijn familie is één groot cliché, Caroline. Kraak me niet af.'), over zijn zussen, Edna, Maureen, Patricia en Kate, en hun huisje in de buurt van Fulton Street, over hoe Brendan de Gary Cooper van de jaren veertig zou worden, oké, misschien de jaren vijftig, over de overtuiging van zijn impresario dat hij het zou gaan maken in Hollywood; over zijn vader, die stierf aan een hartaanval voordat hij kon horen dat Brendan zijn eerste rol had gekregen, en over Kathleen, die zo warm, trouw en trots was dat je haar liefde bijna kon aanraken ('Je beseft gewoon niet hoe verschrikkelijk je boft, Brendan') en zo vastbesloten dat hij het zou gaan maken, dat ze bij wijze van spreken haar koffer al had gepakt om met hem mee te gaan naar Hollywood.

Caroline luisterde gefascineerd en probeerde zich zijn toekomst voor te stellen, voor zover haar gedachten niet in beslag werden genomen door zijn penis. Ze had het idee dat zij even liefdevol overtuigd kon zijn van zijn succes als de toegewijde Kathleen.

'Ik ben naar de stad geweest,' zei hij stralend, toen hij haar de keer daarop naar huis reed (dat was twee weken later, want toen Caroline twee keer de bus naar huis had gemist, had Jacqueline een avondklok ingesteld). Hij haalde een pakje Durex tevoorschijn. 'Voortaan hoef je je geen zorgen meer te maken. Kom je dan nu met me op de achterbank zitten?'

'O, Brendan,' zei Caroline, 'ik vind toch dat ik het beter niet kan doen.'

'Caroline,' zei Brendan, 'volgende week begin ik met vliegen. Aanvallen op Duitsland bij daglicht. Misschien kom ik wel nooit meer terug. Gun me in elk geval een paar mooie herinneringen.'

Caroline klom op de achterbank.

Vrijen met Brendan was geweldig, zelfs op de achterbank van een jeep. Hij was ervaren, vaardig en zachtaardig; hij leidde, wachtte totdat ze klaarkwam, keer op keer, schreeuwend, zich aan hem vastklampend of juist in de lucht graaiend, met haar hele wezen opgaand in haar hartstocht en haar genot, voordat hij zich ontlaadde.

'Hoe oud ben je, Brendan?' vroeg ze, toen ze uiteindelijk stil in zijn armen lag. 'Ben je echt nog maar drieëntwintig?'

'Ik ben echt nog maar drieëntwintig.'

'Voor iemand van nog maar drieëntwintig,' was alles wat ze zei, 'ben je erg goed.'

In een roes van tevredenheid en seks sloop ze die nacht het huis binnen. Het was doodstil. Ze dronk een glas water en kroop toen voorzichtig de trap op. Net toen ze dacht dat ze veilig was, ging de deur van haar moeders slaapkamer open en verscheen Jacqueline, die met een driftig gebaar het licht aanknipte.

'Waar ben je geweest?'

'Dat heb ik verteld, naar de bioscoop met een vriendin.'

'Dat was vanmiddag.'

'Nee. Het was vanavond.'

'Caroline,' zei Jacqueline, 'ik mag dan onder de medicijnen zitten, maar ik kan nog steeds dag en nacht onderscheiden. Wil je me alsjeblieft vertellen wat je hebt uitgespookt?'

'Naar de film geweest.'

'Welke film?'

'De film die in Woodbridge draait, natuurlijk. *Casablanca.* Zal ik vertellen waar het over gaat?'

'Nee, dank je. Die truc ken ik. Ik geloof je niet.'

'Geloof wat je wilt,' zei Caroline schouderophalend. 'Ik ben moe. Kan ik nu naar bed?'

'Hoe ben je thuisgekomen?'

'Op de fiets.'

'Vanuit Woodbridge?'

'Uiteraard.'

'Dat geloof ik ook niet.'

'Mamma,' zei Caroline opeens, 'als je wat meer respect en liefde voor me zou tonen, zou je heel wat meer over me te weten komen.'

'Dat kost me erg veel moeite,' zei Jacqueline. 'Ga in godsnaam naar bed, Caroline. Maar denk alsjeblieft niet dat we je nog een keer uit de stront trekken.'

'Dat zou ik ook niet vragen,' zei Caroline.

Daarna liet Jacqueline haar dochter steeds meer met rust, waarschijnlijk doordat haar gezondheid verder verslechterde. Ze bracht meer en meer tijd op haar kamer door, onderwierp Caroline niet langer aan kruisverhoren en leek gaandeweg haar interesse in wat Caroline deed te verliezen. Stanley woonde zo ongeveer in zijn fabriek. Zo kon Caroline elke minuut die de USAF, de Amerikaanse luchtmacht, hun toestond doorbrengen met Brendan. Ze werd smoorverliefd op hem. Samen waren ze een jaar intens gelukkig. Brendan werd erg vrij gelaten en beschikte vrijwel onbeperkt over een jeep. De meeste avonden, en vaak overdag, reed hij naar Wickham Market. Op de dagen dat Jacqueline ziek genoeg was, reed hij zelfs naar het huis (al weigerde ze de hekken open te doen; ze zei dat het ongeluk bracht, dat ze te ver gingen, dat hij neergeschoten zou worden, dat zij zwanger zou raken, dat hij iemand anders zou vinden, en hij zei dat haar laatste bezwaar het enige absoluut ondenkbare was).

Als ze overdag uitgingen, reden ze Suffolk in. Caroline was vastbesloten hem van het platteland te leren houden en ze gaf hem een gedetailleerde rondleiding, over wegen en paden en door dorpjes. Ze vreeën bijna overal, vrij en blij, vindingrijk, liefhebbend, in bossen, velden en sloten, in stallen en schuren, maar vooral in de jeep.

Maar ze waren niet altijd alleen. Brendan nodigde Caroline uit voor dansavonden in de mess en zij nam hem mee naar dansavonden en boerenbals in de dorpen. Ze spraken af met zijn kameraden in de pubs en voor het eerst in haar leven voelde Caroline zich gelukkig.

Haar geluk werd alleen verstoord door de angsten die ze uitstond als Brendan een luchtaanval uitvoerde, twee of drie keer per week, en door de angst dat ze zwanger zou raken. Maar toen de maanden verstreken, hun relatie haar tweede jaar inging, toen in 1943 de strijd om de Atlantische Oceaan nagenoeg gestreden was en de geallieerden Italië waren binnengevallen, toen Brendan in zijn plompe Thunderbolt aanval na aanval overleefde en zij bijna beangstigend regelmatig ongesteld bleef worden, durfde ze te ontspannen, te vertrouwen op haar geluk, te denken dat de god die tot nu toe zo weinig voor haar had gedaan, haar toch goedgezind was.

Maar toen liet diezelfde god haar opnieuw keihard vallen.

Ze kon amper geloven dat de drie gebeurtenissen die haar leven zo ingrijpend veranderden vrijwel tegelijkertijd plaatsvonden. Begin 1944 pakte Brendan haar hand en vertelde dat hij werd overgeplaatst naar Beaulieu in Hampshire, maar dat hij terug zou komen om met haar te trouwen; haar vader overleed plotseling aan een hartaanval, waarna haar moeder, die oprecht om hem had gerouwd, onbehoorlijk snel met een eskadercommandant naar Londen verhuisde; en ze werd niet ongesteld. Ze weet het eerst aan alle emoties, dacht dat het wel op gang zou komen als haar vader begraven was, haar moeder terugkwam en de afschuwelijke postume papierwinkel was uitgezocht, maar toen de weken en maanden verstreken, besefte ze dat ze helemaal alleen en onmiskenbaar zwanger was.

Ze had geen idee wat ze moest doen; haar moeder had destijds haar abortus helemaal geregeld. Ze ging naar de dokter en hij bevestigde dat ze zwanger was, vier à vijf maanden. Zijn enige suggestie was om haar in contact te brengen met een adoptiebureau. En een abortus? Ze vroeg het terwijl de tranen van angst over haar wangen liep. Besefte ze niet dat abortus illegaal was? had hij met een kille blik gevraagd. Daar was het sowieso al veel te laat voor.

Misselijk, zowel van angst als van de zwangerschap zelf, probeerde ze rustig te blijven, te bedenken wat ze moest doen, maar ze kwam er niet uit. Uiteindelijk schreef ze Brendan, tegen haar zin, maar gedreven door wanhoop, om hem om hulp te vragen. Brendan reageerde niet.

Sir William Hunterton vroeg Caroline op 31 december ten huwelijk, de nacht dat haar weeën begonnen. Moe van de eenzaamheid, bijna onverdraaglijk gekwetst door Brendans stilzwijgen en bang voor wat er met haar zou gebeuren, zei ze ja.

William was een goede vriend geweest van haar vader. Hij was drieënveer-tig jaar en nooit getrouwd. Hij was een verlegen, zeer rustige man die in zijn eentje in een mooi huisje in Woodbridge woonde, waar hij zonder al te veel succes een antiekzaak runde. Hij was lang, erg mager en liep gebogen. Zijn grijze haar begon een beetje dun te worden. Hij had fletse blauwe ogen, een haakneus en een kin die, zoals een van zijn neefjes ooit met meesterlijke tact had gezegd, 'er niet echt was.' Je kon hem uittekenen in afgedragen tweed-pakken en een zo mogelijk nog ouder legerjekker; 's zomers droeg hij verkreu-kelde linnen jasjes. Hij was vriendelijk en belezen en genoot veel respect bij de plaatselijke notabelen.

Hij was natuurlijk naar de begrafenis gekomen en was achtergebleven toen het kleine groepje familie en vrienden na een drankje in Moat House afscheid hadden genomen, officieel om haar te helpen met opruimen (aange-zien Jacqueline met hevige migraine naar haar kamer was gegaan), maar eigenlijk om haar bij te staan tijdens de anticlimax na de begrafenis.

'We zullen hem missen,' zei hij, 'jij en ik. Hij was mijn beste vriend.'

'Ja,' zei Caroline. 'Wil je iets drinken, William?'

'Ja, graag, meisje. Een flinke whisky lijkt me heerlijk. Waarom neem jij er zelf niet een? Je ziet er een beetje ziekjes uit.'

'Ik voel me inderdaad niet lekker,' zei Caroline en ze ging snel zitten.

'Je hebt veel te verduren gehad,' zei hij. 'Ik schenk wel even in. Wat wil je erin?'

'IJs,' zei Caroline en omdat de associatie met Brendan haar te veel werd, begon ze te huilen.

'Rustig maar,' zei hij, met een onbeholpen klopje op haar hand, 'huil maar niet.'

'Waarom niet?' vroeg ze snikkend. 'Waarom zou ik niet huilen?'

'Dat weet ik niet, kindje. Dat weet ik echt niet. Je hebt veel aan je hoofd. Laat mij je helpen om alles te regelen. Heb je het testament al gelezen?'

'Ja, hij heeft alles aan mamma nagelaten. Terecht.'

'Natuurlijk. Laat het me weten als ik iets voor je kan doen. Nu of in de toekomst.'

'Dank je, William, dat doe ik.' Ze keek naar hem en begon te glimlachen. 'Ik ben trouwens benieuwd naar wat jou aantrok in mijn vader. Jullie leken bepaald niet op elkaar.'

'Daar vergis je je in. We hielden allebei van ons huis en van mooie din-gen om erin te zetten, en we hielden allebei van het land om ons heen, al had ik er wel moeite mee dat hij deelnam aan de jacht. En ik vond het heerlijk met hem te praten; we hielden allebei van moppen tappen. We voelden ons op ons gemak bij elkaar. En hij had eigenschappen die ik bewonderde: zijn alertheid, zijn moed, zijn vermogen risico's te nemen. Ik heb die eigenschappen niet.' Hij keek haar aan. 'Maar jij wel, denk ik.'

'Misschien,' zei Caroline glimlachend. Ze vroeg zich af of hij wist welke risico's ze had genomen.

William kwam eens per week om haar te helpen met de torenhoge stapels papieren. Dan vroeg ze of hij bleef eten en zaten ze uren te praten. Bij hem voelde ze zich vredig en minder eenzaam nadat Jacqueline was vertrokken met haar eskadercommandant. Vaak maakte hij haar met een idiote grap aan het lachen.

Op een avond, ongeveer twee maanden na Stanleys dood, toen ze somberder was dan anders, dronk ze te veel bordeaux (er lag nog steeds genoeg in de wijnkelder) en werd ze midden in een verhaal van William opeens heel zwak en misselijk. Ze verontschuldigde zich en haalde de wc net op tijd. Ze kwam enige tijd later terug, bleek en overstuur, keek William recht aan. 'Ik kan het je maar beter vertellen: ik ben zwanger.'

'Dat vermoedde ik al,' zei hij.

Ze vertelde hem alles, over Brendan, hoe geweldig ze het samen hadden gehad; dat ze hem twee keer had geschreven, maar dat hij niet had geantwoord, over de afwijzende houding van de dokter. Ze vertelde dat ze niet wist of ze het zou redden, niet eens wist waar ze zou bevallen. William zat rustig te luisteren en nam alleen af en toe een slokje cognac. Toen ze was uitverteld, keek ze hem uitdagend aan en zei: 'Toe maar, vertel me nu maar wat een slet ik ben.'

'Natuurlijk niet,' zei hij. 'Het is oorlog.'

Daarna werd hij nog behulpzamer; hij was te verlegen om mee te gaan naar de dokter of het ziekenhuis, maar hij zorgde ervoor dat ze regelmatig voor controle ging, besprak met haar welk ziekenhuis het beste zou zijn (een eigen kamer in Ipswich, besloten ze) en hielp haar bij het aanschrijven van adoptiebureaus. In het begin had ze tegen hem gezegd: 'Je denkt zeker niet...' en hij had kordaat geantwoord: 'Dat lijkt me niet,' en daarmee was hun discussie of ze de baby zou kunnen houden gesloten. Ze was het met William eens dat ze het kind onmogelijk een goed thuis kon bieden, hoeveel geld ze ook had (behoorlijk veel) en dat de beste oplossing was het kind af te staan voordat ze zich aan hem of haar kon hechten. Het kind zou eerst naar pleegouders gaan en dan geadopteerd worden; het zou terechtkomen in een net gezin dat van het kind zou houden en het een veilig thuis zou bieden. Het was allemaal keurig geregeld en ze zag dat het voor iedereen het beste was. De twijfels en tegenstrijdige emoties die ze voelde, drukte ze genadeloos weg; als Brendan had geschreven en zich bereid had getoond haar op enigerlei wijze te steunen, zou de situatie anders zijn geweest, maar hij had hen allebei laten zitten en nu moest ze verstandig zijn. William zei tegen haar dat het veel beter was als het kind opgroeide in een gezin, als het een volwaardig lid van de samenleving was en zoals steeds vaker deed ze wat William zei.

Drie maanden na Stanleys dood kwam er nieuws uit Londen: Jacqueline en haar eskadercommandant waren dood. Zijn etage in Kensington was geraakt tijdens een Duitse luchtaanval. De enige emotie die Caroline voelde, tot haar eigen grote verbazing, was een intense tevredenheid dat haar moeder drie gelukkige maanden had gekend aan het eind van een triest en vreugdeloos leven.

Ze wist niet wat ze zonder William had moeten doen; hij werd vader, echtgenoot, moeder en vriend tegelijk. Hij kwam nu bijna elke dag naar Moat House en had altijd wel iets bij zich: een boek, tomaten uit zijn kas, een bosje veldbloemen, onderweg geplukt. De baby zou in januari geboren worden; in oktober betuttelde hij haar al, belde twee keer per dag, om ervoor te zorgen dat ze voldoende uitrustte, te vragen of de dokter langs was geweest. Hij vertelde dat hij een kleine tien liter benzine op voorraad hield voor noodgevallen, dat ze hem in de winkel moest bellen als ze hem nodig had, als de beloofde ambulance niet kwam. Caroline was ontroerd, voelde zich gekoesterd, getroost door zijn toewijding; ze keek uit naar zijn bezoeken, vroeg Kokkie de rantsoenen te bewaren voor als hij kwam, liep de steile keldertrap af om een fles wijn voor hem te halen, begon zelfs de boeken te lezen waarvan ze wist dat hij ze zoù willen bespreken. Het lezen viel haar zwaar, maar ze zag hoe zijn fletse, ietwat treurige ogen begonnen te stralen als ze op de boeken inging en had het gevoel dat ze hem beloonde, al was het maar een beetje, voor zijn vriendelijkheid.

Zo raakte ze steeds meer op hem gesteld en ze wist dat het wederzijds was, maar het kwam niet in haar op dat hij van plan was haar een aanzoek te doen.

Hij deed zijn aanzoek tijdens een etentje op oudejaarsavond, nadat hij haar na de tweede fles wijn om een tweede glas cognac had gevraagd, enige tijd heen en weer had gelopen en haar gepijnigd had aangekeken. Ze had geamuseerd zitten toekijken, met haar handen op haar enorme buik gevouwen, en bedacht dat hij haar misschien een gunst wilde vragen, een lening wellicht, of het gebruik van een van de kassen. Toen had hij het eindelijk aangedurfd;

plotseling, wanhopig en gehaast zei hij: 'Caroline, ik zou graag willen dat je met me trouwde,' en zij schrok zo dat ze bijna een flauwte kreeg, haar ogen dichtdeed en haar hoofd op haar handen liet rusten.

'Het spijt me,' zei hij snel. 'Dat had ik zo niet moeten zeggen, in jouw toestand. Ik had beter kunnen wachten. Het spijt me dat ik je van streek heb gemaakt.'

En ze zei, nee, nee, ze was helemaal niet van streek, het was zo lief van hem haar te vragen, gezien de omstandigheden, en ze voelde zich vereerd en gevleid, maar...

En hij zei, ja, ongetwijfeld, maar waarschijnlijk wilde ze helemaal niet met hem trouwen, hield ze niet van hem; het was dom van hem om te denken van wel, om hen beiden in verlegenheid te brengen door het te vragen. Hij schonk zich nog een cognac in en Caroline stond op, legde haar hand op zijn arm en zei: 'William, ik kan je niet zeggen hoe blij ik ben dat je het gevraagd hebt. En hoe gek ik op je ben, maar...'

En voordat ze haar zin kon afmaken, voelde ze water langs haar benen stromen. Ze keek naar de plas op de vloer en zei zonder de geringste gêne: 'O, god, ik heb het in mijn broek gedaan.'

'Nee,' zei hij, plotseling verrassend genoeg de situatie meester, 'ik denk dat de vliezen zijn gebroken. We moeten meteen het ziekenhuis bellen. Vanaf nu is er een kans op infectie.'

'William,' zei Caroline en ze keek hem vol verbazing aan, alsof hij net had verteld dat hij een stiekeme travestiet was of trapezeartiest wilde worden, 'hoe weet jij dat?'

'Ik heb er wat over gelezen,' zei hij, terwijl hij naar de hal liep. 'Voor het geval dat, begrijp je? Je kunt de eerste weeën nu heel snel verwachten. Maar voorlopig zijn ze niet al te hevig.'

Voor Caroline zei dit meer dan een liefdesbetuiging zou kunnen zeggen. Ze liep met enige moeite achter hem aan naar de hal en legde haar hand in de zijne, terwijl hij wachtte tot de telefonist hem doorverbonden had. 'William,' zei ze, 'ik wil graag met je trouwen. Als je het serieus meende.'

Ze had niet verwacht dat het zoveel pijn zou doen. Ze had verwacht dat het voorbij zou zijn als ze weer bijkwam, net als bij de abortus. Niemand had de moeite genomen haar voor te bereiden op de enorme, verscheurende foltering van de weeën, uur na uur, op de angst dat haar lichaam zou breken onder de heftigheid ervan, op het feit dat de weeën zo veel heftiger zouden worden dat zelfs schreeuwen geen verlichting bood. Maar te midden van dit alles bood het beeld van Williams kalme gezicht een rustpunt.

Ze gaven haar lachgas, maar ze vond het vreselijk, het maakte haar nog banger dan de pijn. Ze smeekte om een ander middel, maar de vroedvrouw zei vriendelijk maar kordaat dat ze kon kiezen tussen lachgas of niets, dat ze maar beter kon toegeven, omdat ze het nodig zou hebben als ze ging persen. Niemand had Caroline iets over persen verteld, ze had aangenomen dat de baby op eigen kracht naar buiten kwam.

Ze keek de vroedvrouw vol afgrijzen aan, hijgend van zowel angst als uitputting, na achttien uur, en zei: 'Wat bedoelt u met persen? Ik kan niets doen.'

'Daar kom je wel achter,' zei de vroedvrouw bruusk. 'Dan weet je wat je moet doen. Probeer nu iets meer te ontspannen en laten we nog wat lachgas proberen als je volgende wee komt. Je hebt nog een eind te gaan en op deze manier put je jezelf alleen maar uit.'

'Een heel eind te gaan?' vroeg Caroline met overslaande stem, terwijl de pijn opnieuw begon. 'Hoe lang nog?'

'Zeker nog twee uur,' zei de vroedvrouw. 'Kom maar, adem hier maar door.'

'Ik wil niet. Ik wil alleen maar dood,' zei Caroline en ze duwde het masker weg. 'Ik wil gewoon doodgaan, voordat het nog langer duurt.'

'Ja, dat zeggen ze allemaal,' zei vroedvrouw. 'Als de baby er is, denk je er wel anders over. Dan weet je hier niets meer van.'

Uiteindelijk was de geboorte van haar dochter vlot verlopen en ze had in de diepblauwe ogen liggen kijken, haar klamme hoofdje gestreeld, haar handjes gekust en gehuild uit liefde.

'Je mag blij zijn dat het een meisje is,' zei de vroedvrouw, die haar er meteen aan herinnerde welke straf haar te wachten stond. 'De meeste adoptiefouders willen een meisje.'

En Caroline had haar armen beschermend om haar dochtertje geslagen en haar wang tegen het donkere hoofdje laten rusten, terwijl ze zich afvroeg hoe je je zo gelukkig en ongelukkig tegelijk kon voelen.

Ze hield de baby vast toen ze kwamen; ze had de hele nacht opgezeten, zonder te slapen, ze had geen seconde willen missen van de tijd die haar overbleef. Ze had haar zijdezachte huid gestreeld, de omtrekken van het verfrommelde gezichtje met haar vingers gevolgd, de handjes met de bloemblaadjes van vingers wel tien keer, honderd keer opengevouwen. Ze had haar gewiegd als ze huilde en haar dicht tegen zich aan gehouden, had geweigerd haar af te staan en erop aangedrongen dat ze haar de fles brachten, zodat zij haar kon voeden. Ze had haar uitgekleed en centimeter voor centimeter aandachtig bekeken, bestudeerd, ze had geglimlacht om de bungelende, hulpeloze beentjes, bezorgd gefronst om het rode naveltje. Ze had haar verschoond en haar daarna weer in haar sjaal gewikkeld. Het was haar gelukt het bed uit te komen en ze had voor het raam gestaan met de baby in haar armen om haar het duister en de sterren te laten zien, en ze had gevochten tegen de slaap door zacht door de kamer te lopen en geleerd hoe het voelt om je baby in je armen te hebben. Ze wist dat ze een heel leven in één nacht probeerde te bergen, probeerde het gevoel, de geur, de geluidjes en de warmte van haar kind in zich op te slaan, zodat ze het altijd bij zich zou hebben. Toen de ochtend aanbrak en ze wist dat haar leven met haar kind voorbij was, kon ze het amper verdragen. Ze hoorde hun voetstappen buiten, hun stemmen, en kreeg het ijskoud, voelde een gruwelijke primitieve angst. Als ze had kunnen vluchten, zou ze dat hebben gedaan, en toen ze binnenkwamen, week ze met grote angstige ogen achteruit.

'Goedemorgen, mevrouw Miller.' Het was de hoofdverpleegkundige. 'En wat is het een prachtige morgen. Hoe voelt u zich? Ik heb gehoord dat u gisteren flink heeft moeten vechten. Maar dat is nu allemaal voorbij. Goed, mevrouw Jackson van de Adoption Society komt de baby ophalen. Mevrouw Jackson, ik laat u even alleen met mevrouw Miller. Zoals u ziet is het een mooie baby, en een meisje. Daar heeft u geluk mee gehad, hè, mevrouw Miller?'

'Ja,' zei Caroline gehoorzaam, wezenloos.

'Goed, belt u maar als u me nodig heeft.'

'Goed.' Ze lag mevrouw Jackson aan te kijken; de baby bewoog zich onder de sjaal. 'Ik wil weten waar de baby naartoe gaat.'

'Dat kan ik u niet vertellen,' zei mevrouw Jackson. 'We vinden het beter als de moeder dat niet weet.'

'O ja?' vroeg Caroline. 'Beter voor wie?'

'Voor moeder en baby natuurlijk. Het is veel beter om het gewoon los te laten. Het is natuurlijk verdrietig,' zei ze er opgewekt achteraan, 'maar het is beter zo. U moet aan de baby denken.'

'Ja,' zei Caroline, 'natuurlijk. Hoe zit het met de formulieren?'

'U moet nu één setje tekenen. Dan wordt de baby bij haar pleegouders geplaatst. Als we over een paar maanden zeker weten dat we de juiste adoptiefouders hebben gevonden, zijn er natuurlijk verdere formaliteiten. Ik heb dit u allemaal al uitgelegd,' voegde ze er streng aan toe.

'Dus tot die tijd kan ik me bedenken?' vroeg Caroline met een mengeling van hoop en angst.

'Natuurlijk niet,' zei mevrouw Jackson en ze keek haar aandachtig aan. Ze hoopte maar dat deze vrouw die eerst zo resoluut en verstandig had geleken zich niet zou ontpoppen als een van die neurotische moeilijke gevallen die de adoptiefouders het leven zuur maakten. 'U kunt niet zomaar binnenwandelen en de baby terugnemen.'

'Nee,' zei Caroline nederig. 'Natuurlijk niet. Maar...'

Mevrouw Jackson zuchtte. 'Dus als u hier maar even wilt tekenen...'

Caroline keek naar het formulier. Ze begreep er geen woord van. Ze pakte de pen en hield stil boven de stippellijn waar haar handtekening moest komen. Ze keek naar de baby en toen naar mevrouw Jackson in een stilzwijgende smeekbede. 'Helpt u me, alstublieft,' zei ze. Mevrouw Jackson begreep haar opzettelijk verkeerd. 'Ik hou de baby wel vast,' zei ze, 'om het u gemakkelijker te maken.'

'Nee,' zei Caroline, 'ik wil haar houden.'

'U gaat nu toch niet van gedachten veranderen?' vroeg mevrouw Jackson op haar hoede.

De seconden verstreken. Caroline aarzelde, vroeg zich af of ze sterk genoeg was om te doen wat ze moest doen, of ze de baby niet toch moest houden en in haar eentje moest opvoeden. Ze kon ergens anders gaan wonen en zich voordoen als weduwe. Er zouden binnenkort genoeg alleenstaande vrouwen zijn. Ze had geld genoeg, ze kon de baby een goed leven bieden. Dit was waanzin, onnodig.

'Ik denk niet...' zei ze, terwijl ze haar laatste reserves aansprak. 'Ik denk werkelijk niet...'

Toen ging de deur open en kwam er een verpleegkundige binnen met een groot boeket witte rozen. Ze was opeens minder vijandig, bijna vriendelijk, toen ze zei: 'Deze zijn voor u. Sir William Hunterton is ze net komen brengen en zei dat hij u wilde bezoeken als u zover bent.'

Caroline keek naar het kaartje bij de rozen, waarop stond geschreven: 'Veel liefs, William,' en ze dacht eraan dat ze William gisteravond had beloofd met hem te trouwen, aan haar garantie dat hij niet de baby van een ander zou hoeven te accepteren; ze zag zijn vriendelijke, bezorgde, trouwe blik weer voor zich, herinnerde zich hoe zijn kalme moed tot het uiterste op de proef was gesteld, toen hij haar door de volkomen duisternis naar het ziekenhuis reed, omdat er geen ambulance beschikbaar was en zij al kreunde van een pijn die hem meer angst aanjoeg dan haar; voelde weer de greep van zijn hand toen ze haar door de gang reden naar de afdeling verloskunde, de kus op haar voorhoofd toen hij afscheid nam, herinnerde zich zijn belofte te blijven wachten, hoelang het ook duurde, en ze wist dat ze het moest doen, dat het voor iedereen het beste was. Ze dacht aan al die maanden dat William voor haar had gezorgd, de dagelijkse telefoontjes, de grappige cadeautjes, de voorzichtige vragen, ze dacht eraan hoeveel moed het hem had gekost om zijn aanzoek te doen en de manier waarop zijn hele gezicht was gaan stralen toen ze ja had gezegd. Ze wist dat ze hem nu niet kon teleurstellen, dat hij het verdiende dat ze haar belofte hield. En ze besefte ook, verbaasd, bijna geschokt, hoe afhankelijk ze van William was geworden, van zijn goede raad, zijn steun, zijn gezelschap en hoe ze het zich onmogelijk nog kon voorstellen dat ze het in haar eentje zou redden. Ze zou nog meer kinderen kunnen krijgen, veel meer. Ze raakte gemakkelijk zwanger, dat wíst ze. Ze zou meteen weer zwanger kunnen worden en hier binnen een jaar weer een baby in haar armen houden, een baby die zowel William als haar gelukkig zou maken. Nu hoefde ze alleen maar dapper te zijn, dan was het snel voorbij en kon ze opnieuw beginnen. Ze begon steeds opnieuw.

Ze haalde diep adem en reikte mevrouw Jackson plotseling, bijna ruw, de baby aan, alsof ze zichzelf ermee verwondde. 'Pak aan,' zei ze, 'snel. Kijk, ik heb getekend. Ga alstublieft weg.'

'Dank u, mevrouw Miller. U heeft de juiste beslissing genomen. Kan ik nog iets voor u doen?'

'Nee,' zei Caroline. Ze klemde haar tanden op elkaar om het niet uit te schreeuwen. 'Niets. Maar ga weg. Ga weg, weg.'

De pijn die ze de avond ervoor had gevoeld toen de baby uit haar lichaam werd getrokken viel volkomen in het niet bij de hartverscheurende pijn die ze voelde toen haar dochter de deur uit werd gedragen.

Diezelfde dag werd kapitein FitzPatrick na maandenlang in coma te hebben gelegen in een ziekenhuis in de buurt van München eindelijk gezond genoeg geacht om de brief van Caroline Miller te lezen die ongeopend in zijn zak had gezeten op de dag dat hij werd neergeschoten.

INTERVIEW MET KATE FITZPATRICK VOOR HET HOOFDSTUK 'JONGENSJAREN' IN THE TINSEL UNDERNEATH.

BRENDAN WERD BIJ ONS THUIS MEER ALS HUISDIER BEHANDELD DAN ALS JONGETJE. WE VERWENDEN HEM ALLEMAAL, IK, MIJN DRIE ZUSSEN EN ZIJN MOEDER. HIJ WAS ALTIJD ZO GOEDMOEDIG EN ZO LIEF. 'WAT EEN VOLMAAKTE JONGEN HEEFT U TOCH,' ZEI DOMINEE MITCHELL ALTIJD TEGEN HAAR. AAN DOMINEE MITCHELL HEBBEN WE TOCH ZO'N GOEDE VRIEND GEHAD, TOEN VADER STIERF. HIJ WAS ER

ALTIJD. OM DE EEN OF ANDERE REDEN WAREN WE NOOIT JALOERS OP BRENDAN. WE WAREN GEK OP HEM. ABSURD EIGENLIJK.

OP SCHOOL PRESTEERDE HIJ NIET GOED. HIJ WAS ZO VRESELIJK LUI. HIJ HAAL-DE ALTIJD SLECHTE CIJFERS, MAAR ALS ONZE MOEDER OP SCHOOL KWAM, HADDEN ALLE LERAREN TOCH IETS GOEDS OVER HEM TE ZEGGEN. DAT HIJ VRIENDELIJK WAS, ATTENT, BEHULPZAAM, DAT HET ALTIJD LEUK WAS MET HEM TE PRATEN. BRENDAN WAS CHARMANT, ALS KLEIN KIND AL.

WE WAREN ERG ARM, MAAR BRENDAN KREEG MEER DAN WIJ. EEN EXTRA TOETJE, EEN NIEUWE JAS. 'HIJ IS IN DE GROEI,' ZEI MOEDER DAN, 'HIJ MOET MEER ETEN' OF 'HIJ KAN JULLIE AFDRAGERTJES NIET AAN.' WE VONDEN DAT WEL VERVE-LEND, MAAR WE GAVEN HAAR OOK WEL GELIJK. WE MAAKTEN ER ZELDEN RUZIE OVER. ZOALS IK ZEI, HIJ WAS MEER EEN HUISDIER DAN EEN BROERTJE.

HIJ KON NATUURLIJK WEL LEREN ALS HET MOEST. ALS HIJ EEN ROL WILDE IN EEN TONEELSTUK, DAN VLÓGEN DE WOORDEN ZIJN HOOFD IN. DAN KENDE HIJ IN EEN HALF UUR ZIJN TEKST WOORD VOOR WOORD UIT ZIJN HOOFD.

HIJ KON ECHT GOED ACTEREN. JE GELOOFDE HEM. NA EEN TIJDJE VERGAT JE DAT HIJ JE ONDEUGENDE BROERTJE WAS EN DACHT JE DAT HIJ... NOU JA, WIE DAN OOK WAS. IK WEET NOG DAT ZE EEN KEER DE GESCHIEDENIS VAN AMERIKA NASPEELDEN; HIJ WAS LINCOLN EN HIELD DE GETTYSBURG ADDRESS.*

IEDEREEN IN DE ZAAL HAD TRANEN IN ZIJN OGEN. WE MOESTEN MOEDER BIJNA MEE NAAR BUITEN NEMEN, ZO HARD HUILDE ZE.

ALS HIJ EEN TEKORTKOMING HAD, WAS HET ZIJN IJDELHEID. HIJ WIST DAT HIJ ER GOED UITZAG. ALLE MEISJES VIELEN VOOR HEM EN HIJ HAD EEN STUK OF VIJF VRIENDINNETJES TEGELIJK. HIJ KON VERSCHRIKKELIJK LIEGEN ALS HET HEM UIT-KWAM. IK GENEERDE ME WELEENS ALS HIJ BIJ DE DEUR STOND EN IK HOORDE WAT HIJ ZEI. DAN ZEI HIJ TEGEN DE EEN: 'IK MOET VANAVOND MIJN MOEDER HELPEN,' EN GING HIJ, ZODRA DE KUST VEILIG WAS, WANDELEN MET DE ANDER. TOEN HIJ NET VIJFTIEN WAS, KWAMEN ER DE HELE TIJD MEISJES AAN DE DEUR. HIJ WAS ER HEEL VROEG BIJ.

VERDERE AANTEKENINGEN VOOR HET HOOFDSTUK 'JONGENSJAREN' UIT THE TINSEL UNDERNEATH.

INTERVIEW MET PETER GREGSON, PSYCHIATER, VOORHEEN HOOFD AAN VOOR-BEREIDINGSSCHOOL ABBOTS PARK TIJDENS PIERS WINDSORS EERSTE JAAR. WIL ANONIEM BLIJVEN.

* Lincoln hield deze ultrakorte toespraak op 19 november 1863 ter nage-dachtenis aan de gevallenen bij de Slag bij Gettysburg. In 266 woorden legde hij het hoe en waarom van de Amerikaanse Burgeroorlog uit.

Ik mocht Piers Windsor graag. Hij was heel aardig. Ik vond hem erg jong. Ik was toen dertien, zat in mijn laatste jaar op Abbots Park. Ik zou naar Winchester gaan, dus was hij in mijn ogen een baby. Hij was erg aantrekkelijk, bijna knap. Jongens die er zo uitzagen, liepen meer risico. Arme donders. Dit is toch wel anoniem, hè? Ik wil niet tegen schenen schoppen.

In het begin had hij het heel moeilijk, werd hij gepest, maar dat leek later minder te worden. Een van de oudere jongens nam hem in bescherming. Dachten we. Het was zijn tweede semester. Voor de vakantie was er een concert en de jongsten zouden een scène doen uit *Peter Rabbit*. Windsor zou McGregor spelen. Blijkbaar was hij heel goed. Hij leek zelfverzekerd.

Toen werd hij betrapt terwijl hij bij die oudere jongen in bed lag. Ik geloof niet dat er echt veel gebeurde. Op die leeftijd zoek je troost, een beetje warmte, wil je geknuffeld worden. Je hebt heimwee. Niemand begrijpt hoe eenzaam je je op een kostschool kunt voelen. Ik zou het mijn kinderen niet aandoen. Ik hoorde erover als hoofd. Niet officieel, natuurlijk. Het werd doodgezwegen. De ouders mochten niets weten. Het was een schande. Piers en die andere jongen kregen slaag en mochten geen contact meer hebben, anders werden ze weggestuurd. Barbaars. Over het slaan heb ik ook mijn twijfels. Ik heb gemerkt dat sadistische meesters het opwindend vinden om kleine jongetjes te slaan.

Dat was alles. Dachten ze. Maar toen werd Piers op de wc aangetroffen. Hij moest overgeven, had een half potje aspirines weggewerkt. Niemand weet waar hij ze vandaan had. Hij werd snel naar het ziekenhuis gebracht, waar zijn maag werd leeggepompt. Er werd afgesproken zijn ouders niets te vertellen. En als straf mocht hij niet in *Peter Rabbit* spelen.

Tot de dag van vandaag zit het me dwars dat ik het allemaal heb laten gebeuren en er niets tegen heb gedaan. Eerlijk gezegd zou ik hem nu niet zo graag onder ogen komen. Ze hebben het wel over de nazi's, maar het Engelse kostschoolsysteem is naar mijn idee minstens zo erg.

Hoofdstuk 3

1945

Caroline en William trouwden met Pasen in de Mariakerk in Woodbridge. Het had een bescheiden bruiloft moeten worden, maar William had een grote familie; zijn drie getrouwde zussen kwamen ieder met echtgenoot en in totaal tien kinderen. Verder had hij een broer, Robert, en twee ongetrouwde tantes. Ook zijn getuige, Jonathan Dunstan, met wie hij op Eton had gezeten, had een grote familie. Voor Caroline kwamen alleen Kokkie en Janey, op Carolines nadrukkelijke uitnodiging, en Jack Bamforth met zijn vrouw en kinderen. William droeg zijn jacquet en Caroline had bij Worth een buitengewoon mooie jurk gekocht van ijsblauwe kant. Hij kwam bijna tot haar enkels, had een lage nek, een smalle taille en een grote tafzijden strik, als een queue achterop. Ze droeg een strohoed met een brede rand, met blauwe en witte bloemen en een halve voile die haar nog een beetje het gevoel gaf een bruid te zijn.

De dienst was heel eenvoudig, maar toen Caroline de kerk in liep, viel er een straal zonlicht op haar en speelde de organist de glorierijke melodieuze cascades van de fuga in b-mineur van Bach. Iedereen was het erover eens, enthousiast of niet, dat ze er niet alleen prachtig uitzag, maar ook gelukkig leek te zijn. De dominee hield een mooie rede over hoe liefde kleine en grote wonden heelt en hoe hoopgevend een nieuw huwelijk na de oorlog was. Toen ze na afloop op de maten van de bruidsmars de kerk uit liepen, Caroline aan Williams arm, schonk ze hem zo'n liefdevolle blik dat zijn drie zussen elkaar niet aan durfden te kijken, omdat ze de afgelopen weken zulke vreselijke dingen over haar en het huwelijk hadden gezegd.

De receptie werd gehouden in Moat House; Jack en zijn vrouw gingen rond met een uitstekende champagne uit Stanleys schier onuitputtelijke kelder en er liepen twee meisjes uit het dorp achter hen aan met dienbladen vol

canapés. Kokkie had de afgelopen twee maanden gewerkt aan een bruidstaart. Toen ze de taart hadden aangesneden, hield Jonathan Dunstan een even
korte als gênante toespraak die maakte dat zijn vrouw zich verslikte, wat de
toespraak gelukkig voortijdig saboteerde. Daarna stond Jack Bamforth onverwacht op en zei dat hij een paar woorden wilde spreken.

'Opmerkelijk,' fluisterde zus Betty tegen Barbara Dunstan, naast wie ze
had plaatsgenomen. 'Hij heeft nog maar net de drank geserveerd.' De sfeer in
de kamer was vreemd, onrustig, maar Jack trok zich er niets van aan. Hij
stond met zijn mooie gezicht volkomen ontspannen en heel geduldig in het
lentezonnetje, met zijn grijze ogen gericht op Caroline.

'Omdat er weinig mensen zijn die iets over Caroline kunnen vertellen,
bedacht ik dat ik het zelf maar zou doen,' zei hij. 'Ze heeft een moeilijke tijd
achter de rug en ik denk dat we allemaal grote bewondering hebben voor de
manier waarop ze de zaken heeft aangepakt sinds de dood van eerst haar
vader, toen haar moeder.' Een paar dames keken elkaar hierbij veelbetekenend aan, maar de andere gasten stonden aandachtig en beleefd naar Jack te
luisteren. Hij had die uitwerking altijd op iedereen, dacht Caroline, die naar
hem luisterde met een gevoel dat veel weg had van liefde.

'Ik wil alleen maar zeggen,' zei Jack met een glimlach in haar richting, 'dat
degenen die Caroline al haar hele leven kennen, weten hoe bijzonder ze is en
hoe gelukkig Sir William is om met haar getrouwd te zijn. Ik hoop dat beiden hier erg gelukkig worden en wil u allen vragen een dronk uit te brengen
op hun geluk.'

'Bravo!' riep Robert en iedereen hief met een zeer welwillende glimlach
het glas. Caroline liep ontroerd op Jack af en kuste hem vervolgens zacht op
zijn wang.

'Dat is het mooiste wat iemand ooit tegen me heeft gezegd,' zei ze. 'Dank
je.'

'Dat zit wel goed,' antwoordde hij. 'Je hebt het verdiend en het mocht
weleens gezegd worden. Gaat het wel goed?'

'Ja hoor,' zuchtte Caroline. Ze wist precies wat hij bedoelde. 'Het lijkt wel
of je me dat altijd vraagt, Jack. Ja, het gaat uitstekend, dank je.'

Maar dat was niet waar.

Ze gingen op huwelijksreis naar Edinburgh, vooral omdat ze de stad geen van
beiden kenden en het ver genoeg weg leek om ontspannen in hun nieuwe
leven te glijden. De oorlog was nog niet helemaal voorbij, maar de vrede was
in zicht, zodat mensen zich steeds meer durfden te ontspannen. Ze reisden
per trein (benzine was nog steeds op rantsoen), namen een kamer in het

Royal Scottish Hotel en huurden een auto om de Schotse Borders te verkennen, zolang hun benzinebonnen dat toelieten.

Ze hadden een grote kamer op de eerste verdieping met een nog grotere badkamer. William had bedeesd tegen Caroline gezegd dat hij niet had durven vragen om de bruidssuite, maar dat hun suite de op een na beste was en dat hij hoopte dat het naar haar zin was. Ze gaf hem een tedere kus en zei dat ze ook vrede zou hebben gehad met een pension in Clacton als hij dat had gewild. Williams fletse ogen glommen van plezier.

'Ik besef wel degelijk dat ik van geluk mag spreken,' zei hij. 'Ik hoop dat ik je niet... nou ja... zal teleurstellen.'

'Lieve William,' zei Caroline, 'hoe zou je me nu kunnen teleurstellen? Daar ken ik je veel te goed voor.'

'Dat is niet helemaal waar,' zei William voorzichtig, 'maar misschien kunnen we eventuele moeilijkheden samen te lijf.'

O, hemel, dacht Caroline en ze keek naar zijn blozende gezicht, hij heeft het over seks. Het was iets waar ze zelf niet aan had willen denken; tijdens haar zwangerschap hadden verdriet en eenzaamheid haar lust een halt toegeroepen en sinds de bevalling had ze alles wat ook maar iets met lichaamsfuncties en voortplantingsvermogen te maken had, vermeden. Ze zou het echter onder ogen moeten zien; William wilde duidelijk meer van haar dan louter gezelschap en hij had haar meermaals verteld dat hij kinderen wilde. Maar ze wist dat ze het niet onder ogen wilde zien, tot het moment dat ze niet anders kon. Als het zover was, dacht ze, zou haar lichaam haar er wel doorheen slepen.

'William,' zei ze vriendelijk, 'ik begrijp wat je bedoelt en ik weet zeker dat het wel goed komt.'

'Ik hoop het,' zei hij. 'De situatie is op zijn zachtst gezegd ongebruikelijk.'

Ze waren op de dag na hun huwelijk rond theetijd in het Royal aangekomen (nadat ze hun huwelijksnacht uitgeput hadden doorgebracht in enkele op elkaar aansluitende treinen), hadden hun koffers uitgepakt, een kijkje genomen bij het kasteel, waren door de stad gelopen. Ze waren op tijd voor het diner terug. 'Vroeg eten, maar,' zei Caroline kordaat. 'We zijn allebei moe.'

Het diner was heerlijk: gerookte zalm en wild ('De oorlog is blijkbaar aan het Royal voorbijgegaan,' zei William). Ze dronken een fles uitstekende bordeaux, liepen nog een rondje door de tuin achter het hotel en gingen naar bed.

'O, William,' zei Caroline opgetogen, toen ze hun kamer binnenliepen, 'champagne! Wat romantisch. En wat een luxe. Hoe heb je dat voor elkaar gekregen?'

William werd rood. 'Eerlijk gezegd,' zei hij, 'komt de fles uit je vaders kelder. Ik hoop dat je het niet erg vindt. Ik vond echt dat we een fles moesten hebben, maar toen ik er bij het reserveren naar vroeg, zeiden ze dat ze natúúrlijk geen champagne hadden. Ze hebben wel de ijsemmer geleverd.'

Caroline kuste hem zacht op zijn mond. 'Je bent een geweldige man. Ik bof echt.'

Terwijl ze in de badkamer haar kleren uittrok (zodat de zeer gegeneerde William de slaapkamer voor zich alleen had), dacht ze na over de taak die voor haar lag. Tenzij ze zich zeer vergiste, had William niet of nauwelijks ervaring; ze zou hem voorzichtig en uiterst tactvol moeten inwijden. Het zou moeilijk worden. Hoeveel ze ook van hem hield, lichamelijk vond ze hem absoluut niet aantrekkelijk. Het was echter de prijs die ze betaalde voor zijn liefde en zorgzaamheid. Er zat niets anders op. Caroline haalde diep adem en liep de slaapkamer in.

Hij had de champagne ingeschonken; ze zaten naast elkaar op bed en dronken ervan, langzaam, ontspannen. Bij zijn derde glas begon William te giechelen. 'Ik kan beter oppassen,' zei hij. 'Ik geloof dat dit in dergelijke situaties desastreus kan zijn.'

'Lieve William, je bent klaarblijkelijk een man van de wereld,' zei Caroline. Ze leunde naar hem toe om hem te kussen en deed toen het licht uit. 'Je hebt me misleid.'

'Ik ben bang van niet,' zei William nogal triest. Ik heb maar drie keer in mijn leven gevreeën en elke keer was het tamelijk rampzalig.'

'Waarom?' vroeg Caroline met oprechte belangstelling.

'O, omdat ik de dames in kwestie geen genot kon verschaffen, denk ik.'

'Hoe oud waren die dames?'

'Ik zou het eerlijk niet weten. Tussen de dertig en de veertig, denk ik.'

'Hoe kende je ze?'

'Twee van hen waren prostituees, ben ik bang,' zei hij nog verdrietiger dan voorheen. 'Net na de Eerste Wereldoorlog was ik in Frankrijk met enkele medestudenten en ze... we... dachten dat dat leuk zou zijn. Dat was het niet.'

'En nummer drie?'

'Zij,' antwoordde hij met zowel wanhoop als vermaak in zijn stem, 'was een vriendin van mijn moeder. Toen mijn moeder op een middag weg was, verleidde ze me. Ik was toen net zestien en ik was diep geschokt. Het was geen... succes. Dat zei ze tenminste.'

'En sindsdien?'

'Sindsdien heb ik geprobeerd er niet aan te denken en... nou ja, je weet wel...' Zijn stem stierf weg.

'Arme William,' zei Caroline en ze streelde teder zijn gezicht. 'Wat zul je eenzaam zijn geweest.'

'In sommige opzichten wel.'

Het was lang stil. Ze lagen dicht tegen elkaar aan. Caroline wachtte tot ze iets ging voelen, tot hij een gebaar maakte, maar er kwam niets. Ze merkte dat ze bijna in slaap viel en riep zichzelf tot de orde. Het had geen zin het uit te stellen.

'Luister, lieve schat,' zei ze, 'als we nu eerst onze kleren eens uittrokken. Jouw pyjama en mijn nachthemd zitten in de weg. Zo komen we nergens.'

'O, natuurlijk,' zei William. Hij stapte uit bed, trok zijn pyjama uit en gleed weer tussen de lakens. Caroline, inmiddels ook naakt, nam hem weer in haar armen. Hij was nog steeds gespannen, niet op zijn gemak. Ze draaide zijn hoofd naar zich toe en begon hem langzaam en voorzichtig te kussen. Lange tijd gebeurde er niets, maar toen begon hij haar langzaam, bijna aarzelend terug te kussen en voelde ze opgelucht dat zijn penis hard werd en dat haar lichaam erop reageerde. Misschien, dacht ze, terwijl ze al haar gedachten behalve het hier en nu opzijschoof, zou het toch nog goed komen.

In sommige opzichten kwam het ook goed. Na enige tijd toonde William zich een vaardige minnaar: teder, voorzichtig, geremd, maar wel vaardig. Voor een bruidegom had hij niet vaak zin; tussen vrijpartijen konden er dagen, soms een week, twee weken zelfs, voorbijgaan. Maar als hij zacht, bijna verontschuldigend aanstalten maakte, als hij haar kuste en streelde in een soort vast ritueel, langzaam en voorzichtig in haar drong, als zijn opwinding snel toenam en zijn hoogtepunt zich plotseling aankondigde, lukte het haar te reageren, mee te geven, samen op te gaan en soms zowaar zelf klaar te komen. En als ze na afloop naast elkaar lagen, als William zielstevreden glimlachte, haar haar streelde, zei dat hij van haar hield en haar steeds weer bedankte, lag ze ontspannen in zijn armen, bedankte zij hem ook en lukte het haar om met haar gedachten bij hem te blijven, bij dit bed, deze kamer, zonder maar een seconde af te dwalen naar een paar sterkere, ruwere armen, een jonger, feller lijf en een stem die net als de hare schreeuwde van verrukking en vreugde. Het lukte haar ook, met nog meer wilskracht, om niet te denken aan een teer lijfje, een zacht, slap hoofdje, vingers als bloemblaadjes en diepblauwe ogen die haar sereen aankeken en waar ze elke nacht van droomde. Het viel niet mee, vooral als ze huilend wakker werd, haar kussen nat van de tranen, haar gezicht rood, als William haar omhelsde, haar schouders wreef, vroeg of hij iets voor haar kon doen, maar het lukte haar wel.

Totdat ze zwanger werd. Toen stortte ze in.

'Ja, er is geen twijfel mogelijk, Lady Hunterton.' De dokter glimlachte. 'U bent ongeveer acht weken zwanger. Alles ziet er erg goed uit. Hoe voelt u zich?'

'Uitstekend,' zei Caroline, maar haar gedachten draaiden op topsnelheid en trokken haar omlaag in een maalstroom van verwarring. Zwanger! Een baby! Nog een baby. Nog een lijfje dat dwarrelde en draaide in haar lichaam, dat groeide, haar hoofd en haar hart binnendrong, nog een geboorte, nog een persoon, iemand om van te houden, iemand die van haar hield. Ze zou blij moeten zijn, maar ze was alleen maar verdrietig; ze werd geacht haar eerstgeborene uit haar hoofd te zetten, maar ze herinnerde zich haar des te sterker. Dit was verraad, afwijzing. Ze voelde zich gemeen, oneerlijk, een bedriegster. William was buiten zichzelf van vreugde en trots; hij dacht dat haar onmiskenbare verdriet veroorzaakt werd door fysiek ongerief, dacht dat ze misselijk en moe was en drong erop aan dat ze uitrustte, met haar voeten omhoog ging zitten, vroeg naar bed ging. Hij wilde niet dat ze zich druk maakte om het huis of wat dan ook. Ze hield het een paar weken vol en in die tijd kostte het haar moeite te praten, ze kon niet slapen, zag overal het gezicht van haar baby voor zich, waar ze ook was, wat ze ook deed. Uiteindelijk, toen ze geen raad meer wist met haar verdriet, ging ze naar de enige persoon met wie ze altijd kon praten: Jack Bamforth.

Jack zat in het kantoortje dat hij in de stallen had ingericht aandachtig naar haar te luisteren, maakte 'ts ts'-geluidjes, keek naar haar afgetobde, magere gezicht en zei: 'Misschien kun je haar beter terughalen.'

'Dat gaat niet, Jack. William wil het niet. Dat weet ik zeker. Dat is het enige wat ik hem niet kan vragen.'

'Heb je het al gevraagd?'

'Nou, nee.'

'Doe het dan!'

'Jack, je begrijpt het niet. De nacht dat ze werd geboren, toen hij me later kwam opzoeken en de hele tijd bleef, bijna een etmaal, puur om bij me te zijn, toen heb ik het hem beloofd. Daar kan ik nu niet op terugkomen. Het zou zijn hart breken.'

'Ach, wat,' zei Jack, 'de meeste harten kunnen wel tegen een stootje.'

'Dat van William niet.'

'Maar nu ben je zwanger van hem. Dat moet toch zeker verschil maken?'

'Zo werkt het niet. Ik weet het zeker.'

'Ja, dan weet ik het ook niet meer.' Jack keek haar opnieuw aandachtig aan. 'Weet je wel waar ze is?'

'Nee.'

'Alles is afgehandeld?'

'Ja. Nee. Ik weet het niet. Ze is nog niet bij haar adoptiefouders.'

'Dan is er nog speling?'

'Ja. Nee. Jack, houd er alsjeblieft over op.'

'Ik probeer je alleen te helpen.'

'Maar dit helpt niet,' riep ze, terwijl ze opstond en naar de deur liep. 'Dit doet alleen maar pijn. Je begrijpt het niet; hoe kun je ook? Laat me alsjeblieft met rust.'

'Ook goed,' zei hij onverstoorbaar.

'Mevrouw Jackson, u spreekt met Lady Hunterton.'

'Lady Hunterton? Ik ben bang dat ik niet weet...'

'Jawel, mevrouw Jackson. U kent me als Caroline Miller.'

'O ja.' Haar stem werd kil. 'Kan ik iets voor u doen, Lady Hunterton?'

'Ja. Ik wil graag de baby zien.'

'Dat zal helaas niet gaan, Lady Hunterton.'

'Waarom niet?'

'U heeft dat toegezegd toen u de baby afstond. Ik heb het u allemaal uitgelegd.'

'Ja, dat weet ik. Maar ik heb met een advocaat gepraat en ik weet nu dat ik van gedachten kan veranderen. En dat ik de baby kan terugeisen als ik dat wil.'

'Ik denk niet,' zei mevrouw Jackson op nog killere toon, 'dat uw advocaat weet waar hij over praat.'

'Dat weet hij wel, mevrouw Jackson. Hij is een erg goede advocaat.'

'Juist. Ik kan u niet vertellen wat een hartzeer u zichzelf en uw kind aandoet. Haar pleegouders willen haar adopteren. Alles zou zeer snel geregeld kunnen worden.'

'Ik heb nog geen adoptieformulieren getekend.'

'Lady Hunterton, u zou uw baby ernstig schaden als u de adoptie tegenhoudt.'

'Misschien wel. Maar ik kan u vertellen dat ik niet van plan ben welk formulier dan ook te tekenen. Nog niet. En misschien wil ik de baby inderdaad terug.'

'William.'

'Ja schat.'

'William, jij bent erg gelukkig met de baby, hè?'

'Caroline, liefste, je weet hoe gelukkig ik ben. Ik had er nooit op durven hopen. Ik voel me op dit moment volmaakt gelukkig.'

'Mooi, want...'

'Ja?'

'Nou, ik voel me... bepaald niet volmaakt gelukkig.'

'Ach, liefje toch. Dat komt doordat je zo beroerd bent geweest.' William keek haar bezorgd en vol medelijden aan. 'Ik vind het zo erg dat jij steeds maar misselijk bent. Ik zou je willen helpen, maar dat gaat helaas niet. Als het voorbijgaat, zul jij je vast ook volmaakt gelukkig voelen. Daar zal ik graag alles voor doen.'

'William, ik ben bang dat het niet alleen vanwege de misselijkheid is.'

'Maar wat dán? Komt het door mij? Doe ik iets... iets waar je verdrietig van wordt?'

Hij keek zo radeloos dat Caroline moest glimlachen. Ze gaf hem een klopje op zijn hand. 'Nee, William, het ligt niet aan jou. Je bent heel goed voor me. Maar, weet je, het punt is dat dit me allemaal heel erg aan de andere baby doet denken. Het is nogal pijnlijk.'

'Ja, natuurlijk.' Zijn stem klonk vriendelijk.

Ze keek hem stomverbaasd aan; ze had een vijandige reactie verwacht. 'Dat begrijp je?'

'Ja, natuurlijk begrijp ik dat. Ik zou een monster zijn als ik het niet begreep. Ik leef erg met je mee.'

'O, William.' Caroline liep naar hem toe en sloeg haar armen om hem heen. 'Wat ben je toch een geweldige man.'

'Valt wel mee.'

'Wat ik me afvroeg, William, was of we er... er tenminste over kunnen praten.'

'Natuurlijk, wanneer je maar wilt. Je staat er immers niet alleen voor.'

'Nee, William, ik bedoel niet praten over hoe ik me voel. Ik bedoel bespreken of we misschien... of ik... de baby terug kan zien. Gewoon om te zien hoe het met haar gaat. En...'

'Nee, Caroline.' Hij klonk opeens akelig kil en beslist.

'Maar ik wilde alleen...'

'Nee, Caroline. Het spijt me, maar dat is het enige wat je niet van me kunt verlangen. Ik hou erg veel van je en ik heb alles wat er voor onze kennismaking is gebeurd volledig uit mijn hoofd gezet. Maar je kunt die baby niet hier opvoeden, dat moet je me niet vragen. Ik zou het niet kunnen verdragen.'

'Maar waarom dan niet? Je houdt toch van me? Ik denk de hele tijd aan haar. Ik droom over haar en sinds ik weer zwanger ben, is het erger geworden. Het is verschrikkelijk, net een ziekte. Ik kan het nauwelijks verdragen. Help me alsjeblieft, William, alsjeblieft.'

'Caroline, zoals ik al zei, zal ik je helpen waar ik kan. Maar ik kan en ik zal dat kind niet in huis nemen. We waren het toch eens?'

'Het is mijn huis,' zei Caroline. Haar pijn maakte haar wreed. 'Ik kan hier doen wat ik wil.'

'Dat is natuurlijk waar,' zei hij heel rustig, 'maar dan kan ik hier niet blijven wonen.'

Hij liep de kamer uit.

Toen ze even later langs zijn werkkamer liep, hoorde Caroline hem tot haar grote ontsteltenis huilen.

'William, het spijt me,' zei Caroline voor de honderdste keer die nacht, terwijl ze in zijn armen lag. 'Het spijt me vreselijk. Ik hou zoveel van je en je bent zo goed voor me geweest. Ik had het nooit mogen zeggen. Vergeef me.'

'Ik vergeef het je,' zei hij vriendelijk beleefd, 'maar ik meende wat ik zei. Laat dat heel duidelijk zijn. Ik kan je niet zelfs maar laten hopen dat de andere baby hier kan komen. Niet met mij erbij. Sorry.'

'Ik begrijp het,' zei Caroline. 'Echt. Hou me alsjeblieft vast, William. Ik wil je laten voelen hoeveel ik van je hou.'

'Lady Hunterton, u heeft natuurlijk het volste recht om de baby terug te eisen. Maar ik raad het niet aan. Ze is nu... tien maanden oud? Ze is gewend. Ze is heel gelukkig. Waarom zou u haar en haar ouders dat aandoen?'

'Dat zijn niet haar ouders.'

'Ze hebben erg hun best gedaan haar ouders te worden.'

'Kunnen we ons misschien beperken tot rechtsgeldige argumenten, zonder morele vraagstukken?'

'Ja, Lady Hunterton.'

'Welnu, ik zeg niet dat ik de baby werkelijk zal terugnemen. Nog niet. Maar de formulieren wil ik niet tekenen. Ik wil meer bedenktijd.'

'Ja, Lady Hunterton. U bent natuurlijk niet wettelijk verplicht om te tekenen.'

'Mooi.'

'Jack, ik zei toch dat het geen zin had,' zei Caroline op een zonnige herfstmiddag. 'Ik heb het hem voorgesteld en brak bijna zijn hart. De adoptiepapieren heb ik nog niet getekend, maar het enige wat ik daarmee opschiet, is dat ik iedereen pijn doe. Vooral mezelf. Het is beter als ik de knoop doorhak, dan kan ik genieten van deze baby. Vind je niet?'

'Caroline, je vroeg me om raad en die heb ik je gegeven. Je hoeft er niets mee te doen. Misschien was het geen goede raad, maar zo zie ik het nu eenmaal.'

'Ja, dat weet ik. Sorry. Maar misschien kan ik beter toegeven. Het is de enige oplossing, denk ik. Iedereen heeft gelijk. Ik moet aan de baby denken.'

'Misschien, ja.'

'Natuurlijk moet dat. Daar is geen twijfel aan. Ja, ik zal de adoptieformulieren tekenen. Ik ga er volgende week voor naar Ipswich. Dan is dat achter de rug. Denk je ook niet dat dat het beste is?'

'Misschien, ja.'

Ze liep het huis in en belde de Adoption Society.

'Mevrouw Jackson, met Lady Hunterton. Ik heb nog eens nagedacht en vind dat we alles maar het beste kunnen afhandelen. Ik kom volgende week... dinsdag, dan moet ik naar de gynaecoloog... naar u toe om te tekenen.'

'Uitstekend, Lady Hunterton. Ik weet zeker dat u een verstandige beslissing heeft genomen.'

'Het spijt me, maar Lady Hunterton is niet thuis.' John Morgan, die als butler, bediende en tuinman in Moat House werkte, antwoordde de zichtbaar radeloze jonge man op de stoep resoluut en spijtig tegelijk. 'Ze is naar Ipswich voor een bezoek aan haar dokter.'

'Haar dokter? Is ze ziek?'

'Nee, meneer, ze maakt het uitstekend.'

'Waarom moet ze dan naar de dokter? En hoe lang heet ze al Lady Hunterton?'

'Sinds haar huwelijk, meneer.'

'Wanneer is ze dan getrouwd, in godsnaam?'

'Het spijt me, maar ik hoef me niet te schikken in een kruisverhoor. Als u echt een vriend van Lady Hunterton bent, mag u graag later terugkomen. Als Sir William er weer is.'

'Hoor eens, vriend, ik moet Lady Hunterton vinden, en snel. Waar zit die dokter waar ze niet naartoe hoeft?'

'Ik moet u echt verzoeken weg te gaan.' John Morgan raakte een beetje in paniek. Hij was jong. De Huntertons hadden hem aangenomen nadat hij was gedemobiliseerd en hij vond het moeilijk het initiatief te nemen, nadat hij jarenlang als artillerist precies had gedaan wat hem werd opgedragen. Opgelucht zag hij Jack Bamforth op het huis afkomen. 'Meneer Bamforth, fijn dat ik u zie. Kunt u misschien deze man overhalen te vertrekken. Hij zoekt dringend contact met Lady Hunterton.'

'O ja?' Jack nam de lange man van top tot teen op. Hij zag het zwarte haar, de wanhoop in de diepblauwe ogen. 'Wie bent u?'

'Ik heet FitzPatrick, Brendan FitzPatrick. En ik wil Caroline en mijn baby zien.'

'Dat werd tijd,' zei Jack. 'Waar heeft u de afgelopen twee jaar gezeten?'

'In een Duits militair hospitaal.'

'Juist.' Jacks stem was even zacht en laag als altijd. Alleen mensen die hem goed kenden, zouden een opkomende paniek kunnen herkennen. 'Heeft u een auto? Want als u uw baby wilt zien, zullen we snel moeten zijn.'

Nee, zei de receptioniste van de gynaecoloog, Lady Hunterton was al weg. Ze ging nog ergens anders heen, maar zij zou niet weten waarheen.

'Kunt u dat dan navragen, verdomme?' vroeg Brendan.

Ze keek hem aan alsof hij op de kleuterschool zat en zei dat dat echt niet kon. Het was niet haar taak uit te zoeken waar de patiëntes van dokter Berkeley waren en zeker niet om dat door te geven.

'Ik moet haar vinden,' zei Brendan. 'En snel. Het is een zaak van leven of dood.'

'Het spijt me, maar ik denk niet dat ik u kan helpen.' Ze begon door een stapel brieven te bladeren.

Jack leunde over het bureau. 'We hebben uw hulp nodig,' zei hij.

'Ik zei al dat ik...' De receptioniste keek geërgerd op, maar staarde toen in een paar intens verdrietige grijze ogen en voelde haar hart overslaan. 'Misschien als u me eerst iets meer vertelde...' zei ze.

'We kunnen u niet veel vertellen,' zei Jack, 'maar deze heer is een oude vriend van Lady Hunterton en hij heeft nieuws dat voor haar van groot belang is. Nieuws dat hij haar snel moet vertellen. Voordat hij weer vertrekt. Zijn vliegtuig vertrekt vanavond. Ik ken Lady Hunterton erg goed. Ik werk voor haar en ik weet dat zij dit nieuws wil horen. Kunt u dokter Berkeley alstublieft vragen of hij weet waar Lady Hunterton nu is? Het is van groot belang, voor ons allemaal.'

De receptioniste pakte de telefoon op. Haar ogen lieten Jacks gezicht geen seconde los.

'Je begrijpt,' zei Caroline, en ze nam vastberaden een hap uit haar nogal taaie broodje, 'dat ik haar laat gaan. Ik voel me een stuk beter sinds ik dat besloten heb. Verschrikkelijk, maar wel beter. Die vreselijke besluiteloosheid was het ergste. En ik kan het niet aanzien dat William zo verdrietig is. Hij houdt zoveel van me, en ik van hem. Ik weet zeker dat ik tot rust kom als ik haar heb losgelaten, als ik weet dat ik haar definitief kwijt ben; waarschijnlijk is het een soort rouwverwerking of zoiets. Daarom wil ik niet langer wachten. Ik ga zelfs... o, mijn god. Mijn god.'

Jessica Capel, met wie Caroline Hunterton zat te lunchen, zag gefascineerd hoe het gezicht van haar vriendin asgrauw en toen groenig bleek werd, voordat ze van haar stoel viel en op de grond ineenzakte. Ze draaide zich om om te zien wat de oorzaak was van deze dramatische verwikkeling en zag Jack Bamforth, Carolines stalknecht, naar hun tafeltje lopen, vergezeld van een zeer lange, magere jonge man met wilde, diepblauwe ogen, gekleed in een versleten trui en de karakteristieke, bleke kakibroek van de Amerikaanse luchtmacht.

Caroline hield Brendans handen in de hare en keek hulpeloos en hopeloos naar zijn gezicht. 'Wat verschrikkelijk,' zei ze steeds opnieuw. 'Zo verschrikkelijk. Eerst raakte ik jou kwijt, toen de baby en nu moet ik jullie weer helemaal opnieuw loslaten. Wat verschrikkelijk.'

Brendan tilde hun verstrengelde handen omhoog, draaide ze en kuste met een lieve glimlach een van Carolines handen. 'Je hoeft me niet meer kwijt te raken,' zei hij, 'nooit meer. Ik neem je mee, naar New York, jij en de baby, en dan zijn we voor altijd gelukkig.'

'Welke baby?'

'Onze baby natuurlijk.'

'En deze dan?' Ze wees naar haar bollende buik.

'O, zij mag ook mee,' zei hij ongedwongen. 'En als je wilt, maken we er nog één. Die baby in je buik ziet eruit als een stevige meid. Ze is vast erg aardig.' Hij trok één hand los en streelde haar teder over haar buik; Caroline voelde een gloed door haar lichaam trekken, die haar zowel verwarmde als verwarde.

'O, Brendan,' zei ze, 'ik hou zo zielsveel van je. Dit is zo afschuwelijk.'

'Hoezo? Ik zie geen probleem. Volgens mij komen we er wel uit. Heel goed zelfs. Ik hou ook van jou,' voegde hij eraan toe en legde zijn andere hand ook op haar buik. Hij streek voorzichtig, zacht, uiterst teder met beide handen over haar buik.

Caroline sloot haar ogen, de kamer draaide. 'Niet doen,' zei ze.

'Waarom niet? Vind je het niet fijn?'

'Natuurlijk wel, heerlijk. Ik hou van je, ik wil je. Daarom moet je ophouden. Goed?'

'Goed.' Hij keek verbaasd, maar zeer opgewekt. 'Wil je nog iets drinken?'

'Nee, beter van niet.'

'Jus d'orange dan.'

'Nee, echt, ik moet naar huis.'

'Onzin,' zei hij. 'Je bent thuis. Bij mij. Waar ik ook ben.'

'Nee, Brendan, ik ben bang van niet.'

Ze zaten in de bar van het Grand Hotel; Jack was in Carolines auto teruggereden naar Moat House (en had deze bij zijn huis geparkeerd) met het verhaal dat Caroline bij Jessica bleef logeren.

'Liefje, ik begrijp er helemaal niets van,' zei Brendan. Hij fronste zijn wenkbrauwen van verbazing. 'Wij zijn zo gek op elkaar en nu zijn we eindelijk samen, net als in een film. We hebben een prachtige baby die we kunnen meenemen. En oké, je bent getrouwd met een ouwe vent van wie je beslist niet houdt, maar ik zie niet waarom we de plooien niet kunnen gladstrijken.'

'Brendan, ik hou wel degelijk van hem. Erg veel. Natuurlijk niet zoals ik van jou hou, maar ik hou wel van hem. Hij is zo lief voor me geweest, zo geduldig, zo ongelooflijk trouw en hij houdt heel veel van mij. Hij is er de hele tijd voor me geweest, toen jij weg was...'

'Toe, liefje, dat was niet mijn schuld.'

'Dat weet ik, maar ook niet zijn schuld. Hij is niet van mijn zijde geweken, zelfs niet toen ik jouw kind kreeg. Hij is de hele tijd in het ziekenhuis blijven wachten en dat heeft me ontzettend geholpen. En...'

'En neuken? Vind je dat lekker? Met hem?'

Caroline keek hem recht in de ogen. 'Jazeker.'

'Je liegt.'

'Nee.'

'Laat maar zitten. Verdomme, ik kan niet geloven dat ik je heb teruggevonden en dat je niet bij me wilt blijven.'

'Het spijt me, Brendan, maar het is te laat. Het is gewoon te laat. Tijdens mijn hele zwangerschap heb ik erover gefantaseerd hoe je de oprit op zou lopen en hoe we weer samen zouden zijn. Maar nu is alles anders. Ik ben veranderd en jij waarschijnlijk ook.'

'Ik niet.'

'Goed dan, jij niet.'

'Caroline, kun jij mij in de ogen kijken en zeggen dat je niet van me houdt, dat je niet naar me verlangt?'

Ze keek hem in de ogen. 'Nee, dat kan ik niet.'

'Laten we naar mijn hotel gaan. Het is hier de straat uit.'

'Brendan, nee,' zei ze, maar haar ogen waren groot en donker en haar ademhaling werd sneller. 'Nee, nee, nee.'

'Ja, ja, ja, ja.'

'Brendan, ik meende echt wat ik net zei.'

'Nee, dat meende je niet, maar stel dat het zo is, dan nog moet ik goed afscheid van je kunnen nemen. En proberen je over te halen.'

'Brendan,' zei ze. Ze was opgestaan en haar verlangen kronkelde wild door haar lichaam. 'Brendan, ik ben zwanger. Vijf maanden zwanger. Dit kan echt niet.'

'Natuurlijk wel, Ik ben gek op zwangere vrouwen.'

'Nee, het is helemaal verkeerd.'

'Helemaal niet.'

'Wel.'

'Toe nou, ik droom hier al zo lang van. Het maakt mij niet uit, zelfs al beval je ondertussen van een tweeling, en jou ook niet.'

'Nee, ik ga niet mee.'

Hij kleedde haar voorzichtig, teder uit, alsof hij bang was dat ze zou breken. Hij kuste haar al opgezwollen borsten, zakte af naar beneden en streelde en kuste haar buik. 'Het is prachtig,' zei hij, 'jij bent prachtig.'

'Jij ook,' zei ze en ze keek verlangend naar een lichaam dat jong, hard en sterk was. 'Echt prachtig.'

'Hoe voelt het? Zwanger zijn? Is het opwindend? Eng? Vertel.'

'Niet opwindend. Niet echt. Je voelt je... rijp. Afgerond. Het is moeilijk te beschrijven. Maar ik ben nog nooit gelukkig zwanger geweest. Ik weet het niet. Voor mij betekent het altijd verdriet, eenzaamheid, verlies.'

'Als je meegaat, ben je wel gelukkig zwanger.'

'Brendan, ik ga niet mee.'

'Hier wilde je ook niet heen. En toch ben je er.'

'O, in godsnaam,' zei ze en voor het eerst lag daar weer de oude Caroline, met grote ogen, vloeibaar van verlangen naar hem. 'Wil je nu alsjeblieft met me vrijen? Ik verdraag het niet langer.'

Daarna was er alleen verwarring. Ze had niet kunnen zeggen waar ze was, of waarom. Ze had niet eens haar naam geweten; alleen dat er een fel, heet verlangen in haar was dat vervuld moest worden en toen hij uiterst voorzichtig in haar kwam, voelde ze haar hele wezen uitgaan naar de grote, donkere kern van hem, werd haar honger zowel gevoed als gestild. Hij leidde en zij volgde, openend en omsluitend, klimmend en dalend, totdat ze plotseling de felheid voelde toenemen, een zwermende emotie, die elke gedachte, elk gevoel, alle tijd en ruimte wegvaagde. Ze klom, steeg, zwoegde op de golven van haar hartstocht, reikend, grijpend naar bevrijding en verzachting. Uiteindelijk brak ze, in grote donkere, zich uitbreidende welvingen en toen ze kalmer werden en wegebden, klemde ze zich aan hem vast en was het enige wat ze kon uitbrengen dat hij moest zorgen dat het niet ophield. Toen hij eindelijk ook klaarkwam en ze voelde hoe hij zich traag sidderend in haar ontlaadde, besefte ze dat ze tot nu toe absoluut niet had geweten wat liefde eigenlijk was.

'Hoe voel je je?' vroeg hij na lange tijd. 'Gaat het goed met de baby? Dit kon toch wel?'

Dat vrouwen vrijen tijdens de zwangerschap is doodnormaal, na de eerste weken, vertelde ze hem, glimlachend en hem tussen elk woord door kussend, maar meestal doen ze dat dan met hun eigen man. Hij glimlachte terug en zei: 'Ik hou van je,' en Caroline, slap van alle emotie en angst, viel plotseling in een ontspannen slaap.

Het was bijna tien uur toen ze wakker werd. Hij zat glimlachend naar haar te kijken. 'Brendan,' zei ze, gesterkt door de slaap, het geluk, 'Brendan, ik moet gaan. Wil je thee of zoiets bestellen? Ik wil in bad en dan moet ik echt gaan. Dat weet je toch, hè?'

'Nee,' zei hij, zo stoer als een klein jongetje dat niet wil toegeven dat hij bang is voor iemand die groter en sterker is dan hij. 'Dat weet ik niet. Ik kan je niet opnieuw verliezen, Caroline, echt niet.'

'En toch,' zei ze, 'ben ik bang dat er niets anders op zit.'

Brendan begon te huilen. Hij klemde zich snikkend aan haar vast, met zijn hoofd tegen haar borst. 'Caroline, je weet niet wat je me aandoet. Echt niet. De hele tijd dat ik in dat ziekenhuis lag, met gebroken benen, doorboorde longen, en afschuwelijke pijn leed, dacht ik aan jou. Jij hebt me erdoor gesleept, voorkomen dat ik gek werd, dat ik domme dingen deed. Zonder jou zou ik dood zijn gegaan, zou ik de moed hebben opgegeven en zijn gestorven. En daarna, toen... toen ik beter was en naar een gevangenenkamp werd gebracht, toen ik honger had en pijn, toen ik eenzaam en bang was, hield ik vol omdat ik wist dat jij me aan het eind op zou wachten. Toen wist ik van de baby en daardoor voelde ik me ook dapper. Na mijn vrijlating ben ik naar je toe gekomen. Ik wist dat als ik eenmaal hier was, bij jou, alles weer goed zou zijn, dat het leven weer normaal zou zijn. En nu zeg je dat het niet zo is. Caroline, ik kan het niet verdragen, echt niet. Je bent die hele tijd bij me geweest; je kunt nu niet bij me weggaan.'

'Ik moet wel,' zei ze en het kostte haar zoveel moeite om het te zeggen, om William en zichzelf trouw te blijven, dat ze zich slap voelde. 'Ik moet wel.'

'Nee, Caroline.'

'Jawel, Brendan.'

Hij begon weer te huilen, zijn gezicht in zijn handen. Caroline keek naar hem en ze voelde zo veel liefde en verdriet dat ze zich afvroeg hoe ze het zou kunnen verdragen, niet alleen nu, vannacht, maar de rest van haar leven.

'Brendan, niet doen,' zei je, 'alsjeblieft.'

'Ik moet wel.' Hij klonk opeens kwaad. 'Waarom niet? Waar zou ik het je gemakkelijker maken om bij me weg te gaan, naar hem te gaan? Waar haal je het recht vandaan me te vertellen wat ik moet doen, om überhaupt iets van me te vragen?'

'Nergens,' zei ze bedroefd. 'Ik heb geen enkel recht.'

En toen, in een verblindende flits van inzicht, besefte ze wat ze kon doen, voor hem en voor zichzelf, hoe hun trieste verhaal toch nog enige zin kon hebben en er tenminste iets goeds uit kon voortkomen.

'Brendan,' zei ze, 'jij moet de baby meenemen. Onze dochter. Jij moet haar mee naar huis nemen.'

Op de terugreis naar Jacks huis praatte ze over de baby. Ze vertelde Brendan alles wat ze wist en wat ze zich kon herinneren. Ze vertelde hem waar hij heen moest om aanspraak op haar te maken, beloofde dat zij mevrouw Jackson en haar advocaat zou bellen – 'Je staat op de geboorteakte aangegeven als haar vader. Daar heb ik goddank op aangedrongen' – en liet hem beloven dat hij voor haar zou zorgen als haar vader.

Ze stapte abrupt uit, trok zelfs haar hand los, want als hij haar weer vasthield, zou ze toegeven aan zijn argumenten en liefdesbetuigingen. Ze wist ook dat als hij haar niet zou kunnen krijgen, hij in elk geval hun dochter zou willen hebben.

Brendan keek naar haar, terwijl ze ruw het portier opentrok, haar auto startte en als een bezetene gevaarlijk snel wegreed, bij hem vandaan. Hij had het gevoel alsof er een deel van hem was losgerukt.

Hij zat er urenlang, de hele nacht, tot de winterlucht lichter werd en hij het koud kreeg, zich bewust werd van zijn ongemakkelijke houding en vermoeidheid. Langzaam, als een oude man, zich bewust van elke handeling, kwam hij in beweging. Hij startte de auto, ontgrendelde de handrem, ging vooruit, draaide moeizaam, houterig aan het stuur, alsof hij dat alles nooit eerder had gedaan. Hij reed schokkerig, onbeholpen de weg op, zich vaag bewust van de schoonheid van de mistige ochtend, van het bijna vlakke landschap, de onregelmatige heggetjes en de groepjes bomen in de verte die net speelgoed leken, de openlucht waarin de zon zich als een grote gouden massa door de mist boorde. Dit landschap herinnerde hem pijnlijk aan de gelukkige tijd die hij hier tijdens de oorlog met Caroline had beleefd, toen ze hem de grillige schoonheid en de terughoudende charme van Suffolk had laten zien; toen hij dat ook echt had leren zien, er zelfs van had leren houden, maar zonder haar was die schoonheid vals en de charme inhoudsloos.

Hij stopte weer, want de pijn in hem was onverdraaglijk. Hij leunde met zijn hoofd op zijn handen die het stuur omklemden. Toen hij weer opkeek, besefte hij dat hij in Easton was, het pittoreske dorpje dat naast Munsbrough lag, en dat hij voor de kerk was gestopt.

Bijna in trance stapte hij uit. De kerkdeur was open en hij liep naar binnen. Hij knielde in een van de houten banken voor in de kerk, vlak bij het kleine altaar en probeerde te bidden. Hij bedacht een beetje zuur hoe geschokt zijn moeder zou zijn als ze wist dat hij God zocht in een anglicaanse kerk. Opeens hoorde hij Carolines stem weer vertellen over hun baby, hoe mooi ze was, dat ze zijn ogen had en zijn zwarte haar; dat haar hoofd net een bloem en haar nek net een dun steeltje was, dat haar vingertjes op bloemblaadjes leken. Hij herinnerde zich wat ze had gezegd: 'Je moet haar mee naar huis nemen.' Brendan probeerde zich haar voor te stellen en dacht erover na hoe het zou zijn haar bij zich te hebben, haar te zien opgroeien. Toen de zon opkwam en de kerk vulde, kwam hij tot rust en kreeg hij het geleidelijk warmer. Ondanks zijn verdriet glimlachte hij. 'Een bloempje,' zei hij hardop, 'mijn bloempje. Zo zal ik haar noemen, Fleur. Fleur FitzPatrick. Een mooie naam.'

Hij hield van kinderen en hij zou, dacht hij zelf, een goede vader zijn. Hij zou op zoek gaan naar de verschrikkelijke mevrouw Jackson, en via haar naar de mooie Fleur. Hij zou haar meenemen naar New York en ze zouden altijd bij elkaar blijven. Als hij de moeder niet kon hebben, zou hij tenminste zijn dochter hebben. Het zou hem troosten.

Brendan stond op en liep de kerk uit naar zijn auto.

Het was enorm moeilijk, een wirwar van ingewikkelde wettelijke beletsels, van absurde officiële regeltjes. Meermaals kwam hij in de verleiding het hele idee los te laten. Dan dacht hij aan haar, zijn dochter, Carolines dochter, en wist hij dat hij om haar moest blijven vechten.

Op een mistige dag in het begin van januari zat hij in het kantoor van Carolines advocaat en zijn hart bonsde zo luid en zo snel dat hij echt dacht dat hij zou stikken. Hij hoorde buiten een auto stoppen, hoorde het portier opengaan, hoorde voetstappen op het trottoir. Hij hoorde de voordeur opengaan en opnieuw voetstappen, die steeds dichterbij kwamen. De tijd stond stil toen de deur langzaam en geluidloos openging en mevrouw Jackson binnenkwam met een kind in haar armen.

Dit was dus Fleur, zijn dochter; een klein gespannen, mager wezen met grote krullen, voor de laatste keer liefhebbend aangekleed door de moeder die haar kwijtraakte. Haar diepblauwe ogen en lange wimpers, nat van de tranen, waren vol verwarring over wat er nu toch allemaal gebeurde. Ze probeerde zich uit de armen van mevrouw Jackson los te wurmen en ze snikte geluidloos; haar borstkas ging ervan op en neer. Instinctief spreidde Brendan zijn armen, maar ze keek hem uitdrukkingsloos aan en draaide haar hoofd weg. Toen hij haar wilde aanpakken, duwde ze hem weg.

'Kom maar mee, liefje,' zei hij vriendelijk, 'kom mee, kleintje, kleine Fleur. Kom maar bij pappa. We gaan naar huis.'

'Ze heet Angela,' zei mevrouw Jackson fel, haar gezicht bleek en vertrokken van pijn en woede, 'en ze hééft een pappa, en een thuis. Ik hoop echt dat u weet wat u doet, meneer FitzPatrick, want het kind begrijpt er niets van.'

'Ja, ik weet wat ik doe,' zei hij. Hij pakte het kind aan zonder zich veel aan te trekken van haar worstelingen en gehuil. 'Dat weet ik heel goed. Ze is mijn kind en ze hoort bij mij.'

Maar toen hij die avond in het hotel zat te luisteren naar Fleurs eindeloze gehuil en naar haar keek toen ze later onrustig lag te woelen in het bedje dat hij vol goede moed had gekocht, wist hij het niet meer zo zeker.

Hoofdstuk 4

1952—1954

'Ik wil Maria niet zijn,' zei Fleur. 'Niet als ik dan die stomme blauwe jurk aan moet. Waarom kan ik Jozef niet zijn?'

Zuster Frances keek haar nieuwsgierig aan. In alle jaren dat ze voor de klas had gestaan, had ze nog nooit meegemaakt dat een meisje de rol van Maria in het kerstspel liet schieten.

'Maar liefje, waarom niet?' vroeg ze. 'Het is zo heerlijk om het kindeke Jezus vast te houden in de stal met de schaapherders en de drie wijzen...' Haar stem stierf weg toen ze zich bewust werd hoezeer ze haar best deed om de rol te verkopen. Het was belachelijk, want er stonden meisjes in de rij voor die rol. Maar Fleur FitzPatrick zou met haar zwarte krullen en haar bijzondere blauwe ogen, haar ernstige, bleke, ovale gezichtje zo'n prachtige Maagd Maria zijn geweest. Maar dat zat er niet in en Sally Thompson, met blond haar tot in de taille en een bedrieglijk engelachtig gezichtje, zou ook volstaan; alles was beter dan een onwillige Maria in het toneelstuk.

'Ik heb toch gezegd waarom ik niet wil,' zei Fleur. 'Ik wil geen jurk aan. Ik haat jurken. Ik doe Jozef wel.'

'Fleur, je neemt de rol die ik zeg, of je krijgt helemaal geen rol,' zei zuster Frances resoluut. 'Jij hebt het niet voor het zeggen in mijn klas. Bovendien draagt Jozef ook een soort jurk, een gewaad in elk geval. Daar zou je zeker ook tegen zijn?'

'Nee, dat zit wel goed,' zei Fleur, 'als alle mannen ze toen droegen. Maar u zegt het maar zuster. Mag ik dan nu gaan?'

'Ja, liefje, ga maar.' Zuster Frances speelde haar laatste troef uit. 'Je vader zal erg teleurgesteld zijn. Ik had hem verteld dat ik jou de hoofdrol zou geven en hij was zo trots.' De hele buurt wist hoe verzot Fleur op haar vader was.

Fleur keek zuster Frances aan.

Nu heb ik je, dacht de oude non.

Maar het meisje zei alleen koel: 'Dat had u niet mogen zeggen zonder mij eerst te vragen. U heeft gelijk, hij zal zeker teleurgesteld zijn. Zeer teleurgesteld. Goedemiddag, zuster.'

'Goedemiddag, Fleur.'

Tijdens het avondeten besloot Fleur dat ze het slechte nieuws moest vertellen. 'Het spijt me dat ik je moet teleurstellen, pappa,' zei ze, 'maar ik ga niet Maria doen in het kerstspel.'

'Dat is heel jammer, Fleur.' Brendans diepblauwe ogen, die precies leken op die van Fleur, stonden verbaasd en bezorgd. 'Zuster Frances zei dat ze je zou vragen. Wat ging er mis? Heb je straf of zo?'

'Nee, ik heb voor de rol bedankt. Dat is alles.'

'Bedankt voor de rol? Waarom, Fleur? Niemand bedankt voor die rol, het is een klassieker.'

Fleur klom glimlachend op zijn knie. Ze vond het altijd heerlijk als haar vader op zo'n volwassen toon met haar praatte.

'Fleur, ga onmiddellijk op je plaats zitten en eet je eten op.'

'Ja, tante Kate.' Met hangende schoudertjes ging Fleur weer zitten.

'Toe nou, Kate, laat dat kind.' Aan het hoofd van de tafel viste Kathleen FitzPatrick stukjes kip uit de pan en schepte ze op Brendans bord. 'Ze ziet haar vader toch al zo weinig. Laat ze toch knuffelen als het kan. Alsjeblieft, Brendan, eet maar lekker op, je bent veel te mager.'

'Ze ziet haar vader genoeg,' zei Kate koel. Ze was jaloers op haar moeders toewijding aan Fleur en op Brendans intense liefde voor haar. 'Hij heeft al in geen maanden werk gehad.'

'Wel waar,' zei Fleur verontwaardigd. 'Hij heeft pas die radiospots ingesproken en hij had die doublure in de Village en hij... nou ja, te veel om op te noemen,' besloot ze zachtjes.

'Rustig maar,' zei Brendan ontspannen. 'Kate heeft gelijk; Fleur moet aan tafel niet op mijn knie klimmen, hoe heerlijk ik het ook vind. Fleur, je kunt me vanaf je stoel net zo goed vertellen waarom je hebt besloten dat je Maria niet wilt zijn.'

'Vanwege de kleren,' zei Fleur op klagende toon. 'Je weet hoe erg ik het vind jurken te dragen als het niet noodzakelijk is. En het is een erg stomme jurk.'

'Maar Fleur, je kunt zo'n rol toch niet afslaan vanwege een jurk!' zei Kathleen. 'Wat een onzin. Trouwens, het is een prachtige jurk in een prachtige kleur. Hij zou zo mooi bij je ogen kleuren. Natuurlijk moet je die rol spelen. Anders zou je mij, én je vader, een groot genoegen ontzeggen.'

'Het spijt me,' zei Fleur, 'maar dat gaat gewoon niet. Laat die Sally Thompson het maar doen; ze wil zielsgraag. Ik heb zuster Frances verteld dat ik Jozef wel wil zijn, maar dat vond ze maar niks. Mag ik nu gaan spelen?'

'Je mag mij helpen opruimen,' zei Kate, 'dan kunnen moeder en Brendan gaan zitten.'

'Ach, toe,' zei Kathleen, 'laat dat kind toch. Waarom zou ik gaan zitten? Ga maar spelen, Fleur. Tracy zocht je vanmiddag al. Zal ik meelopen naar haar huis of blijf je hier?'

'Ik blijf wel thuis,' zei Fleur. 'Ik heb nog een paar dingen te doen. Dank u voor het eten.'

'Graag gedaan,' zei Kathleen automatisch. Ze knipoogde naar Brendan. 'Zij komt er wel,' zei ze, 'wat ik je brom. Bedanken voor de rol van Maria! Wat een wilskracht.'

'Ik vind het belachelijk,' zei Kate, 'echt belachelijk. Ze zou gedwongen moeten worden.'

'Waarom in hemelsnaam?' vroeg Brendan. 'Als ze toch niet wil.'

'Maar Brendan, om zo'n idiote reden. En ze is nog zo klein.'

'Zo'n idiote reden is het niet. Je weet hoe Fleur is met kleren en doen alsof ze een jongen is. Ik vind dat we dat moeten respecteren. En zo klein is ze niet, ze is al zeven. Ze weet wat ze wil.'

'Belachelijk,' herhaalde Kate. 'Maar als jullie Fleur vrij geven van de afwas, willen jullie mij ook wel excuseren. Ik heb nog een en ander te doen. Dank je, moeder.'

'Graag gedaan,' zei Kathleen weer, maar deze keer zonder een glimlach of knipoog. 'Je zus wordt echt een ouwe vrijster,' zei ze tegen Brendan. 'Waarom trouwt ze niet, zoals je andere zussen? Ze heeft niet eens verkering. Jammer hoor.'

'Ze is zeker nooit over die Danny Mitchell heen gekomen,' zei Brendan. 'Het is toch zo oneerlijk dat hij moest sterven.'

'Zoals zoveel in dit leven,' zei Kathleen prozaïsch.

Tot Fleurs grote blijdschap liep Brendan de volgende ochtend met haar naar school, met haar handje in de zijne, terwijl alle moeders naar hem keken, omdat hij zo knap was. Zoveel mooie mannen woonden er niet in Sheepshead Bay, tenminste, niet zo mooi als haar vader. De meesten waren of donker en Italiaans of joods. Brendan hield niet van Sheepshead Bay en hij beloofde Kathleen en Fleur altijd dat ze naar zo'n schilderachtig rijtjeshuis in

Brooklyn Heights zouden verhuizen als hij beroemd was; vaak ging hij er op zondagmiddag met Fleur naartoe en zocht hij een huis voor hen uit in Willow Street of Poplar Street, met hun ijzeren trapleuningen en glas-in-loodramen. Fleur kon wel zien dat ze erg statig en erg mooi waren, maar ze hield van Sheepshead Bay, vond het er leuker. Het was dicht bij het strand en de huizen waren zo mooi, met een houten voorkant en een puntdak; hun huis was blauw geschilderd en had een grote tuin waar ze kon spelen. Ze kon op haar rode fietsje door de buurt rijden en ze hield van de sfeer. Oma vond het er ook niet echt fijn; zij zou liever in Flatbush wonen. Kate wilde helemaal uit Brooklyn weg; zij wilde graag naar New Jersey, maar ondertussen zaten ze met z'n vieren in Sheepshead Bay en Fleur vond het heerlijk.

Dat haar vader meeliep, maakte zelfs goed dat ze die vreselijke jurken moest dragen die oma haar op schooldagen aantrok. Ze hadden afgesproken dat Fleur buiten schooltijd en als ze niet mee op bezoek moest spijkerbroeken en gympen mocht dragen en de haarlinten los mocht trekken; als ze tien was, had oma beloofd, mocht ze haar krullende haar laten knippen, maar tot die tijd bleef het lang, bijna tot op haar taille. Ze werd gek van alle tijd en aandacht die eraan moest worden besteed.

'Liefje, trek je maar niets aan van zuster Frances. Als jij Maria niet wilt zijn, hoeft dat niet, wat zij ook zegt. En duim vanmiddag maar voor me, want ik ga auditie doen voor een rol die ik graag wil spelen.'

'Word je dan rijk en beroemd?'

'Een beetje beroemd en niet zo rijk. Maar het zou wel de aandacht op me vestigen, eindelijk...' Brendan zuchtte. Hij kon wel wat meer aandacht gebruiken, na teleurstellend weinig repertoiretheater en de nodige radiospots, een paar hoorspelen, maar vooral veel nietsdoen.

'Zeg maar hoe het toneelstuk heet. Dan kan ik nog beter aan je denken.'

'Het heet *Dial M for Murder*. Het is een nieuw stuk over een man die zijn vrouw veroordeeld krijgt voor een moord.'

'Maar ze heeft het niet gedaan?'

'Precies.'

'Dat klinkt erg spannend.'

'Is het ook.'

Brendan vond Fleurs school net een gevangenis, maar Fleur vond het er heerlijk. Ze hield van werken en leren en wilde beter zijn dan ieder ander. Met lezen en rekenen had ze al een grote voorsprong op haar klasgenoten. Toch werd ze niet als streber of studiebol beschouwd; ze was juist heel populair. Ze kon net zo hard rennen als de jongens en beter hinkelen en touwtjespringen dan de andere meisjes. Ook ving ze elke bal, hoe moeilijk of onhandig de worp ook was. Ze hield van honkbal en wilde dolgraag in het jeugd-team. Meneer Hammond peinsde er niet over; hij vond honkbal geen sport voor kleine meisjes, maar Fleur was hem aan het bewerken. Ze besteedde veel van haar tijd aan het bewerken van mensen.

Wat ze natuurlijk écht wilde, was een jongen zijn. Fleur had om zich heen gekeken en was tot de conclusie gekomen dat mannen veel betere kansen kre-gen dan vrouwen om iets van hun leven te maken. Ze was niet van plan te trouwen en kindertjes te krijgen; ze wilde de wereld in, ze wilde slagen. Hoe wist ze niet precies, maar dat kwam nog wel. Waarom zou ze een rijke vent trouwen als ze het zelf kon verdienen?

Brendan had haar nog niet zoveel over haar moeder verteld. Hij vond haar te jong. Hij zou haar het hele verhaal wel vertellen als hij dacht dat ze het kon begrijpen. Tot nu toe had hij alleen een sterk verkorte en vereenvoudigde ver-sie gegeven. Fleur was te jong geweest om de tegenstrijdigheden in zijn ver-haal te ontdekken; ze had alleen gezegd dat het maar goed was dat zij elkaar hadden en het verhaal versterkte haar liefde voor haar vader en haar overtui-ging dat zij meer voor elkaar betekenden dan wie ook ter wereld.

Nu vroeg ze soms hoe haar moeder eruitzag, wat Brendan haar vertelde, en één keer vroeg ze of ze elkaar ooit zouden zien. Ook had ze gezegd dat zij haar waarschijnlijk niet aardig zou vinden, maar dat het eigenlijk ook niet uit-maakte. Brendan had haar verzekerd dat ze Caroline zou mogen en dat ze waarschijnlijk niet kon begrijpen hoe moeilijk het allemaal voor Caroline was geweest. Fleur had daar een tijdje over nagedacht en toen gezegd: 'Ja, mis-schien.' Kathleen had gewild dat Brendan net had gedaan alsof hij Fleur had geadopteerd, maar Brendan wilde zijn dochter niet voorliegen. 'Op een dag gaat ze op zoek naar haar moeder en dan is het veel beter dat ze niet opeens achter de waarheid komt. Ze is een gelukkig kind en ze reageert goed op wat ik heb verteld.'

Dat klopte. Maar Fleur was ook erg volwassen voor haar leeftijd. Ze zag zichzelf weliswaar niet als leeftijdsgenoot van haar vader, maar toch niet als érg veel jonger. Ze vond hem in alle opzichten volmaakt, hij stond boven elke kritiek; hij was haar boezemvriend, met wie ze liever omging dan met wie dan ook. Brendan probeerde niet al te veel aan Caroline te denken; dat was zin-loos en pijnlijk. Ze had niet willen weten waar ze woonden, had gezegd dat ze het niet zou kunnen verdragen, dat ze op een dag op de stoep zou staan. Hij kon nu liefhebbend aan haar terugdenken, maar als hij zich gedeprimeerd voelde of juist heel gelukkig was, verlangde hij er zo sterk naar haar te zien, haar vast te houden en met haar te praten dat hij er misselijk van werd. Hij had veel vriendinnetjes gehad, oppervlakkige en serieuzere relaties. Meisjes merkten altijd op twee manieren dat Brendan iets meer wilde; eerst vertelde hij ze over Caroline en daarna stelde hij ze thuis voor aan Fleur. Met Caroline konden de meesten nog omgaan, maar met een kant-en-klare dochter hadden ze wel moeite. Zodoende duurden zijn relaties nooit erg lang. Ooit, dacht Brendan, zou hij echt verliefd worden en willen trouwen, maar voorlopig was hij dik tevreden met hoe het ging.

Brendan voelde gewoon dat de auditie goed ging. Toen hij werd teruggeroepen om nog een stuk te lezen, wist hij dat hij de rol had en toen de regisseur hem het nummer van zijn impresario vroeg, wist hij dat dit louter een formaliteit was.

Terug in Sheepshead Bay kocht hij bier en een zak snoep op de markt en het toeval wilde dat Edna en Maureen bij hun moeder op bezoek waren en op hem hadden gewacht om te horen hoe het was gegaan. Zijn glunderende gezicht sprak boekdelen. Edna zocht in haar tas naar geld en vroeg Brendan nog wat meer bier te gaan halen. Fleur vroeg of ze mee mocht en of ze bij Wiesens gebak konden halen voor na het eten. Dat deden ze. Ze zaten allemaal te lachen en te drinken, en mee te snoepen met Fleur, toen Brendans impresario belde om te zeggen dat hij inderdaad de rol had gekregen. De repetities begonnen na Kerst en hij kreeg honderd dollar per week.

Brendan hing op, rillerig en bleek om de neus en Kathleen vroeg: 'Wat is er in godsnaam aan de hand, Brendan? Is die rol aan je neus voorbijgegaan?'

'Nee, ik heb hem,' zei Brendan, 'ik heb hem echt. En ze betalen me honderd dollar per week. Nu gaat het echt gebeuren.'

Het hele gezin zweeg vol ontzag.

Het toneelstuk was een succes en liep drie maanden; ze probeerden naar Broadway te verhuizen, maar dat lukte niet. Brendan kreeg goede kritieken, niet briljant, maar goed. Goed genoeg om een nieuwe rol te krijgen in een reprise van *The Man Who Came to Dinner* in het Square-theater. Deze keer waren de recensies minder lovend, maar wel schreven bijna alle kranten neerbuigend of kattig over zijn 'filmsterrenuiterlijk'. Brendan werd in verlegenheid gebracht en overwoog om een deel van zijn salaris (dat grotendeels naar Kathleen ging om haar terug te betalen voor de jaren dat ze hem had onderhouden) te investeren in acteerlessen en hij vertelde zijn impresario dat hij in het vervolg alleen nog karakterrollen wilde spelen, waarbij zijn uiterlijk er niet toe deed. Zijn impresario antwoordde dat hij zich niet moest aanstellen en dankbaar moest zijn voor het weinige wat hij het toneel kon bieden en haalde hem over te poseren voor een dubbele pagina in *Mademoiselle Magazine* over knappe mannen. Brendan raakte nog meer in verlegenheid, maar stemde toe. Na afloop van *The Man Who Came to Dinner* deed hij zeven audities achter elkaar, maar zonder resultaat.

'Blijkbaar gaat het toch nog niet gebeuren,' zei hij op een middag in oktober tegen Kathleen. 'Ik heb al maanden niet meer gewerkt. Jammer van dat huis in de Heights.'

'Ach liefje, dat is nu showbusiness,' zei Kathleen. 'We kunnen wel zonder dat huis. We hébben een huis. Maar Fleur heeft wel nieuwe kleren nodig. Heb jij daar geld voor?'

'Nee,' zei Brendan, 'ik heb geen rooie cent. Mijn eigen schoenen zijn versleten. Ik ga wel in een winkel werken. Het loopt tegen Kerstmis, dat scheelt.'

Hij kreeg een baantje op de juweliersafdeling van Macy's en moest slikken toen hem werd gevraagd om twee avonden per week de kerstman te spelen. Hij dacht aan de kleren voor Fleur en aan het fietsje dat ze voor de Kerst wilde hebben en zei ja.

Na Kerstmis werd het nog moeilijker. Hij werd steeds voor alles afgewezen: grote rollen, bijrolletjes, reclamespotjes, zelfs voor allerlei modellenwerk; de enige keer dat *Mademoiselle Magazine* hem terugvroeg als model, was om in te vallen voor een ander; dat werd er ook uitdrukkelijk bij gezegd. Fleurs voeten werden weer een maat groter; hij ging terug naar Macy's om kettinkjes te verkopen.

Toen kreeg Kathleen dubbele longontsteking; ze moest naar het ziekenhuis. Brendan ging vroeg van zijn werk weg om de dokter te spreken en zei dat hij haar in het particuliere, katholieke ziekenhuis in de buurt van de Heights wilde laten opnemen, maar toen hij de polis erop na wilde slaan, zag hij dat Kathleen al zo lang had bezuinigd op de premie, dat ze niet meer verzekerd waren. Brendan begeleidde zijn moeder naar het staatsziekenhuis, stopte haar in op de grote, kale zaal en zei dat hij die avond terug zou komen. Toen Fleur thuiskwam, zat hij te huilen aan de keukentafel.

En toen ging de telefoon, net als in de film, zoals Fleur die avond opgewonden tegen Kate zou zeggen. De beller was een impresario uit Manhattan die Kevin Clint heette. Hij wilde Brendan onmiddellijk spreken.

Brendan vroeg een buurvrouw op Fleur te passen, liet Kate beloven dat ze die avond naar het ziekenhuis zou gaan, trok zijn minst versleten pak aan, sneed kartonnen zolen uit voor onder zijn schoenen en nam de metro naar Manhattan.

Na tweeënhalf uur wachten kon Kevin Clint Brendan ontvangen. Hij zat op een zwarte draaistoel achter een groot bureau waar drie wit met gouden telefoons op stonden. Op twee witleren banken en een zwart met chromen salontafel na was de kamer leeg. Wel hingen ook hier foto's aan de muren.

Hij gebaarde naar een van de banken. 'Hallo, ik ben Kevin,' zei hij. 'Ga zitten.' Kevin Clint was een klein, keurig verzorgd mannetje met een bleke zachte huid, bruine ogen en glanzend zwart haar. Hij droeg veel gouden sieraden en rook sterk naar aftershave. Hij was duidelijk homoseksueel. 'Het spijt me dat ik je heb laten wachten, maar ik zat aan de telefoon.'

Brendan geloofde hem niet, maar hij glimlachte beleefd en ging zitten.

'Het ging over jou,' zei Clint.

Daar geloofde Brendan nog minder van.

'Iets drinken?' vroeg Kevin Clint. 'Bourbon? Martini?'

'Heeft u bier?' vroeg Brendan.

'Ja, ook.' Kevin Clint liet zuchtend zijn afkeuring blijken. Hij schonk Brendan een Budweiser in en mixte een martini voor zichzelf. Toen stak hij een sigaret op en inhaleerde diep, waarbij hij zijn wangen naar binnen zoog. 'Laten we het eens over jou hebben.'

'Dat lijkt me prima,' zei Brendan.

'Gisteren werd ik over jou gebeld.'

'O?' zei Brendan.

'Door een talentscout bij Fox.'

'Fox?' herhaalde Brendan.

'Zoals in Twentieth Century.' Clint glimlachte. Hij vond het leuk jonge jongens van hun stuk te brengen.

'Dat kan niet,' zei Brendan. 'Over mij?'

'Zeker wel. Hij had je zien spelen in *The Man Who Came to Dinner*, vond er niet veel aan, tot hij die dubbele pagina in *Seventeen* zag. Hij vindt dat je er interessant uitziet. Dat vind ik ook,' zei hij en hij keek Brendan een kort moment in de ogen. Brendan keek snel weg. 'Hij denkt dat je een screentest moet doen.'

Brendan voelde zich duizelig worden en kneep in de armleuning van de bank om het draaien te laten ophouden. Hij besloot het koel te spelen.

'Mag ik dan eerst weten wie uw collega bij Fox is? Ik heb dit soort dingen wel vaker gehoord. Vaak is het één grote teleurstelling.'

'O ja?' vroeg Kevin. Hij was duidelijk niet onder de indruk. 'Natuurlijk mag je dat weten. Hij heet Hilton Berelman, als dat je iets zegt.'

Hilton Berelman! Mijn god. Brendan kon met moeite een uitroep onderdrukken. Hilton Berelman was zo ongeveer de bekendste talentscout in New York. Impresario's bestookten hem onophoudelijk met foto's en cv's. Hij had veel macht en invloed. Ook was hij een van de bekendste homofielen in New York. Het lukte hem Kevin recht aan te kijken

'Ja, natuurlijk zegt dat me iets.'

'Natuurlijk.' Kevin stak nog een sigaret op en keek Brendan door de rook aan met een mengeling van leedvermaak en minachting. 'Het kan toch nog één grote teleurstelling worden. Misschien vindt meneer Berelman je minder veelbelovend dan hij had gehoopt. Er zijn veel jonge acteurs die naar Hollywood willen, weet je. Je hebt een flinke weg af te leggen voordat je zelfs maar in het vliegtuig stapt. Misschien,' voegde hij er met een venijnig lachje aan toe, 'wil je hem even bellen. Om te zien of ik bonafide ben. Ga gerust je gang.' Hij schoof een telefoon naar Brendan toe en leunde achterover.

Brendan werd bijna misselijk. 'Nee, dank u,' zei hij, 'natuurlijk hoef ik hem niet te bellen. En ik besef wel degelijk dat ik... erge mazzel heb dat meneer Berelman me wil zien.' Hij hoorde hoe nederig dat klonk en hij slikte.

Opeens kreeg Kevin medelijden. 'Hoe dan ook,' zei hij met een brede glimlach en een klopje op Brendans hand, 'hij wil dat je naar de studio gaat voor een paar foto's. Die stuurt hij dan naar LA.'

Brendan weerstond de neiging om zijn hand terug te trekken en probeerde een trilling uit zijn stem te houden toen hij zei: 'Oké, het lijkt me natuurlijk de moeite waard. Wanneer wil je dat ik ga? Vandaag nog?'

'Je moet het ijzer smeden als het heet is,' zei Kevin Clint op kordate en opeens iets warmere toon. 'Ik bel hem wel en dan kun jij maandag naar die man van Fox. Oké?'

'Oké,' zei Brendan en hij glimlachte weer.

Clint pakte de telefoon. 'Bernie? Ja, met Kevin. Ik wil iemand naar je toe sturen. Voor een paar foto's. Gaat niet? Waarom niet?' Kevin glimlachte in de hoorn. 'Ja, snap ik. Natuurlijk niet. Ik wilde je niet storen. Nee, prima. Wanneer dan wel? Morgenochtend. Prima, ik zal het hem zeggen. Dag, Bernie, dag.'

Hij lachte naar Brendan. 'Hij heeft het momenteel druk. Maar hij verwacht je morgenochtend. Dit is het adres. Neem wat verschillende kledingstukken mee, spijkerbroek, pak, een smoking misschien. Oké?'

Brendan keek hem niet-begrijpend aan. Hij raakte weer in paniek. Zoveel kleren had hij niet. En met wat er op de bank stond, kon hij hooguit een paar sokken kopen. 'Ik geloof niet...'

Kevin zag de paniek en glimlachte afstandelijk. 'Sorry,' zei hij, 'misschien heb je niet zoveel kleren. Neem mee wat je hebt en probeer desnoods een smoking te huren.'

'Goed,' zei Brendan, al vroeg hij zich af of hij daarvoor het geld bij elkaar kon sprokkelen.

'Godallemachtig,' zei Kevin Clint. 'Florence, verbind me alsjeblieft door met Hilton Berelman.'

Hij had drie foto's van Brendan in zijn hand. Bernie had ze net laten bezorgen. Op de eerste keek hij, gekleed in smoking, uiterst ernstig en minzaam; op de tweede, gekleed in een donker pak (dat van Edna's man was), stak hij een sigaret op en keek je door de rook koel geamuseerd aan; op de derde lachte Brendan je in een spijkerbroek en een wit overhemd met opgerolde mouwen toe. Op elke foto was er iets gebeurd tussen Brendan en de camera. Er was iets tussengekomen, iets wat charmant en aantrekkelijk, maar niet helemaal fatsoenlijk was. De combinatie met zijn sterke fysieke aantrekkingskracht leverde precies op waar Kevin en Hilton Berelman naar op zoek waren.

Toen Kevin Clint belde, was Brendan op bezoek bij Kathleen in het ziekenhuis. Fleur had de boodschap keurig aangenomen.

'Meneer Clint wil dat je morgenochtend om tien uur bij hem bent. Hij klonk heel eng,' zei ze erachteraan.

'Dat is hij ook,' zei Brendan. 'Zei hij verder nog iets?'

'Nee, niks.'

'Nou ja. Als hij me wil zien, zal hij wel goed nieuws hebben.'

'Zal wel, ja. Hoe is het met oma?'

'Niet zo best,' zei Brendan kort. Hij probeerde de herinnering aan Kathleen van zich af te zetten; haar hoge en snelle ademhaling, de koortsachtige gloed op haar gezicht, het feit dat ze steeds naar het zuurstofmasker had gegrepen. Veel van de oude vrouwen in de bedden om haar heen waren duidelijk seniel en er hing een sterke urinegeur.

'Ik heb een gedicht voor haar geschreven. Wil je het meenemen als je morgen weer gaat? Ik wilde haar ook bloemen geven.'

'Fleur, je hebt geen geld voor bloemen.'

'Weet ik, maar in het park staan er genoeg.'

'Je mag geen bloemen plukken in het park.'

'Waarom niet? Oma heeft er meer behoefte aan dan al die mensen die ze niet eens zien staan als ze er lopen.'

'Als je maar niet betrapt wordt,' zei Brendan toegeeflijk.

'Oké. Pappie?'

'Ja, liefje?'

'Mag ik misschien van de zomer op kamp?'

'Op kamp? Ik weet het niet, Fleur. Het is erg duur...'

'O ja? O, oké. Laat maar.' Ze glimlachte er dapper bij, maar hij kon zien dat ze het heel erg vond.

'Wil je heel graag?'

'Eh, ja, maar het geeft niet.'

'Maar waarom dan?'

'Er is een zomerkamp in New Jersey waar je de hele dag kunt honkballen. Ik dacht dat ik daarmee meneer Hammond over kon halen me in het jeugdteam te plaatsen.'

'Het spijt me, liefje. Ik heb het geld niet. Nu niet, tenminste.'

'Oké.' Ze glimlachte weer, een beetje verwrongen. 'Ik denk dat ik maar even boven ga zitten lezen.'

'Ja, Fleur, goed.'

Toen ze beneden kwam voor het avondeten, was ze erg opgewekt, maar hij kon zien dat ze had gehuild.

'De foto's waren niet verkeerd,' zei Kevin Clint omzichtig. 'Hilton wil je zien.'

'Prima,' zei Brendan, al even behoedzaam.

'Natuurlijk zijn er massa's knullen met niet-verkeerde foto's.'

'Uiteraard.'

'Maar misschien, als je bij Hilton in de smaak valt...'

'Ja.' Brendan keek Kevin recht in de ogen. 'Moet ik al met mijn impresario gaan praten?'

Kevin keek hem niet-begrijpend aan. 'Pardon?'

'Ik bedoel, moet ik mijn impresario al vertellen wat er speelt?'

'Waarom? Wat gaat dat hem aan?'

'Hij moet er natuurlijk in betrokken worden. Het contract lezen, voorwaarden doornemen, dat soort dingen.'

'Brendan.' Kevin sprak langzaam en geduldig. 'Vanaf nu ben ik je impresario. Ik dacht dat je dat wel begreep.'

'Nee,' zei Brendan. 'Niets van begrepen.'

'Dan hebben we blijkbaar langs elkaar heen gepraat.'

'We hebben helemaal nergens over gepraat.' Brendan begreep niet waarom hij zo paniekerig werd.

'Wat dacht je dan?'

'Ik dacht dat... dat je zou samenwerken met mijn impresario.'

'Echt waar?' Kevins mond vertrok in een zuinig lachje, maar zijn ogen waren koud. 'Dan kan ik je beter uitleggen dat als je... deze weg inslaat met Hilton en mij, je alle lopende contracten met impresariaten moet opzeggen. Dat had je toch zelf kunnen bedenken.'

'Het was niet bij me opgekomen,' zei Brendan.

'Maar waarom denk je dan dat ik dit allemaal heb gedaan?'

Brendan zweeg.

Kevin keek hem een beetje dreigend aan. 'Nee, van nu af aan – mits alles goed gaat – ben ik je impresario.'

'Maar als ik het daar niet mee eens ben? John Freeman is erg goed voor me geweest.'

'Ja, vast. En wat heeft hij veel voor je gedaan. Twee radiospots en een glansrol als kerstman bij Macy's. Wat een topjaar.'

Brendan had niet beseft dat ze zoveel over hem wisten. 'Oké, het is geen goed jaar geweest. Maar ik wil hem niet afdanken.'

'Dan kunnen we de hele zaak beter vergeten. Ik bel Hilton wel.' Hij keek Brendan kil aan. 'Jammer.'

'Ik snap nog steeds niet waarom John geen zaken kan doen met Hilton Berelman,' zei Brendan koppig.

'Omdat,' zei Kevin met een geduldige glimlach, 'omdat Hilton dat niet wil. Hij mag John Freeman niet. Ze kennen elkaar.'

'En zonder Hilton en jou kan ik die screentest niet doen?'

'Dat klopt. Wij drieën zouden nauw samenwerken. Heel nauw. Ik dacht dat je dat begreep.' Hij keek peinzend naar Brendan; zijn ogen gleden over zijn lichaam, bleven hangen bij zijn mond, zijn kruis; hij ging zo dicht naast Brendan zitten dat hun dijen elkaar raakten en legde zijn hand op zijn schouder. 'We zouden sterke partners kunnen worden,' zei hij, 'wij drieën. Eigenlijk mag ik dit niet vertellen, maar Hilton weet heel zeker dat hij je een screentest wil laten doen. Heel zeker.'

Brendan slikte. Hij probeerde onopvallend zijn been weg te draaien. Kevins been volgde. 'Ik moet... erover nadenken,' zei hij.

'Natuurlijk,' zei Kevin, 'maar niet te lang. Ze willen je volgende week zien. Hij lachte al iets minder zuinig, legde zijn hand op Brendans in elkaar gevouwen handen op zijn schoot. 'Oeps, dat had ik ook niet mogen vertellen. Ik ben vandaag wel heel loslippig. Ga jij nu maar nadenken. Misschien wil je het met je moeder bespreken. Ze ligt in het ziekenhuis, hè?'

'Hoe weet u dat?'

'Het is maar een klein wereldje, Brendan. Natuurlijk weet ik dat. Hoe gaat het met haar?'

'Niet zo goed.'

'In welk ziekenhuis ligt ze?'

'In het staatsziekenhuis in Brooklyn.'

'Dat kan niet prettig zijn voor een oudere dame. Als je met ons samenwerkt, heb je genoeg geld voor een particulier ziekenhuis. Denk daar ook aan.'

'Het ziekenhuis is prima.'

'O, gelukkig maar.'

'Ik wil er wel een tijdje over nadenken.'

'Natuurlijk, ik wil je niet opjagen.'

Kevins mond bevond zich nu dicht bij die van Brendan. De geur van aftershave was erg sterk. Brendan werd misselijk. Hij stond plotseling op en keek naar Kevin. 'Ik... ik zal u wel bellen.'

'Goed, Brendan.' Kevin keek zelfverzekerd, bijna vriendelijk omhoog. 'Haast je niet. Er zijn genoeg jongens die een screentest willen. Je moet doen wat jou het beste lijkt.'

Toen Brendan beneden kwam, was hij nog steeds misselijk. Zijn hele leven had hij zich voorgehouden dat er bepaalde dingen waren die hij niet zou doen, niet kon doen. Hoe groot zijn nood ook was, soms was de prijs te hoog. Daar moest hij aan vasthouden, kost wat kost. Hij zou beslist nooit de hoer spelen voor een stel flikkers. Niet voor Hollywood, zelfs niet voor zijn moeder, en zelfs niet voor Fleur. Op den duur zou dat het offer niet waard zijn. Opeens zag hij Fleur levendig voor zich en hij bedacht hoe zij zich zou voelen als ze wist dat haar vader zich zo had verlaagd, haar bewondering van hem had verraden en hij wist dat hij haar nooit ofte nimmer kon teleurstellen. Niet zo. Hij zou haar niet naar zomerkamp kunnen sturen, of steeds nieuwe spijkerbroeken en honkbaljacks voor haar kunnen kopen, maar hij zou de persoon blijven die zij dacht dat hij was, van wie ze hield. Dat kon hij haar tenminste wel geven.

In het dichtstbijzijnde café kocht hij een blikje bier en bleef ernaar staan kijken. Hij voelde zich al iets beter, nu de nachtmerrie op een afstandje leek. Hij keek op zijn horloge, bijna halfdrie. Als hij opschoot, kon hij Kathleen opzoeken voordat Fleur uit school kwam. Of anders konden ze samen gaan. Dat zou Kathleen heerlijk vinden. Maar nee, misschien niet. Het zou Fleur van streek maken. Hij kon beter nu gaan. Toen besefte hij dat hij zijn reisgeld stond op te drinken. Moest hij nu helemaal naar Brooklyn lopen? Dat kon toch niet! God, wat was hij een kluns. Hoe was hij in deze situatie beland? Hoe moest hij Fleur uitleggen dat hij geen geld had om haar oma te bezoeken? Na alle hoop en opwinding van de laatste paar dagen. Wat zou ze denken? Wat zou Kate denken? Verdomme, hoe kon hij hieruit komen? Hij moest toch iets kunnen doen? Was hij helemaal gek, omdat hij bedankte voor Clint en Berelman? Misschien kon hij ze wel aan het lijntje houden. Het was wel duidelijk dat ze hem graag wilden. Misschien reageerde hij te heftig op Kevins toespelingen. Misschien flirtte die vent gewoon graag. Ja, dat moest het zijn. Brendan dronk zijn blikje leeg en besloot dat hij er veel te veel achter had gezocht. Gelukkig was hij niet in paniek Kevins kantoor uit gerend. Dan had hij zich belachelijk gemaakt. Morgen zou hij hem vertellen dat hij graag zou willen dat Berelman in Hollywood zijn zaken waarnam, maar dat John Freeman zijn impresario was en dat ze vast allemaal prima konden samenwerken. Als ze hem echt wilden, zouden ze Freeman op de koop toe nemen. En zo niet, dan wilde hij er niets over horen.

Daarmee was hij nog niet thuis. Hij zou zijn horloge moeten verpanden, voor de zoveelste keer. Gelukkig zou dit de laatste keer zijn. De allerlaatste keer.

Hij ging een telefooncel binnen en belde Clint op diens rekening. Daar deed Clint absoluut niet moeilijk over. Hij vroeg hem terug te komen en een paar papieren te tekenen. Zei dat hij hem geld zou lenen. En toen hij Fleur en Kathleen vertelde wat ze hadden afgesproken, had hij er echt een heel goed gevoel over.

Een maand later landde hij laat in de middag in Los Angeles. Toen hij uit het vliegtuig stapte voelde hij de hitte tot op het bot; hij keek naar de strakblauwe lucht en naar de palmbomen die erin uitgehouwen leken en wist dat hij hier gelukkig zou zijn. Zelfs de gedachte dat Hilton Berelman hem opwachtte, zelfs de gedachte aan Kathleen, die met heldere ogen rechtop in bed zat in het particuliere ziekenhuis en hem liet beloven snel terug te komen, nee, zelfs de kreukels in zijn overhemd die Fleur had gemaakt toen ze zich huilend aan hem vastklampte op het vliegveld tot Kate en Edna haar hadden losgetrokken, konden zijn plezier van dat moment niet bederven.

De studio had een auto gestuurd; Hilton klaagde dat hem een limousine was beloofd, maar Brendan vond de grote glimmende Studebaker met een chauffeur in grijs uniform al erg indrukwekkend. Op de hele weg naar het centrum bleef Hilton, die ook groot en glimmend was, met een erg bleke huid en zwart achterovergekamd haar, aantekeningen maken in zijn agenda; hoopvol bleef hij de chauffeur vragen stellen; of hij boodschappen voor hem had uit de studio, of er voor die avond een tafel was besproken. De chauffeur antwoordde alleen op vlakke toon 'Nee, meneer,' en wekte de indruk dat hij het niet de moeite waard vond iets voor Hilton te doen. De rit ging voor Brendan als een droom voorbij; het was bijna avond en ze reden recht op de zonsondergang af. Hierdoor werd hij zo verblind dat hij alleen de fluorescerend blauwe lucht kon onderscheiden en om zich heen hele rijen auto's op groteske wijze zag bewegen. Toen ze de snelweg verlieten, kon hij alles weer scherp zien. De brede rechte boulevards, de rijen palmbomen erlangs, de talrijke grote, glimmende auto's, de schittering van witte, lage gebouwen.

Hilton had gezegd dat ze hem zouden onderbrengen in het Chateau Marmont. Brendan had iets sjofels verwacht en keek zijn ogen uit. Het lag hoog boven Sunset Boulevard: een stenen gebouw met hoge torens en glas-in-loodramen, hoge ijzeren hekken en enorme eiken deuren. Brendan, die veel boven Frankrijk had gevlogen, herkende de bouwstijl; het leek wel één groot filmdecor.

Jammer genoeg lag zijn kamer niet aan de voorkant, maar het gebrek aan uitzicht werd ruimschoots goedgemaakt door de inrichting in Lodewijk XIV-stijl. Als hij over de stad wilde uitkijken, kon hij in de bar gaan zitten, bedacht hij tijdens het douchen en aankleden. Vermoedelijk zou hij heel wat tijd hebben om in de bar te zitten; hij was er nog steeds niet gerust op waar dit avontuur toe zou leiden.

Die avond dineerden Hilton en hij met een jonge, dolenthousiaste pers-agent die Brendan als zijn taak voor die week had op gekregen; hij heette Tyrone Prentice en hij had veel ideeën. Hij noemde Brendan steeds Byron en glimlachte er peinzend bij. Brendan zei dat het geen zin had om aan zijn publiciteit te werken voordat hij zelfs maar een screentest had gedaan, maar Tyrone zei geschokt dat het in Hollywood juist allemaal om publiciteit ging en dat je er niet vroeg genoeg mee kon beginnen. 'Als je test dan goed uit-valt, kunnen we iemand van je maken, zelfs als je een tijdje geen werk hebt. Ik heb zitten denken, die naam van jou, Byron, die is geweldig. Ken je zijn gedichten goed? Of las je moeder hem toen ze zwanger van je was, en heeft ze je daarom zo genoemd?'

Brendan zei dat hij geen Byron heette, maar volgens Tyrone deed dat er niet toe. Het klonk geweldig, het maakte veel meer indruk dan Brendan. En dat Fitz moest ook maar uit zijn achternaam. 'In deze stad regeert de illusie, Byron; hier is de waarheid niet interessant, althans, niet onder werktijd.'

De volgende dag namen ze hem mee naar de studio's. Aanvankelijk was hij teleurgesteld een eindeloze rij gebouwen zonder ramen te zien, waar heel gewoon uitziende mensen rondliepen, die doodgewone dingen deden.

Later gaf Tyrone hem een snelle rondleiding en liep hij van een negentiende-eeuwse straat een middeleeuws plein op om vandaaruit een moderne rechtszaal binnen te stappen. Dat leek er al meer op.

'Byron, ik wil je voorstellen aan Yolande duGrath. Yolande, dit is Byron Patrick. Hilton vroeg of je hem kunt voorbereiden op zijn screentest. Kan dat?'

Yolande duGrath was hoofddocent drama van Theatrical Studio's; ze was rond de zestig, klein en graatmager. Haar felrode haar was in een kort pagekapsel geknipt; de lange zwarte wimpers rond haar grote bruine ogen waren duidelijk vals. Ze was levendig en hartelijk en haar glimlach maakte verdere verlichting onnodig. Ze was zelf actrice geweest, maar had ontdekt dat ze het leuker vond anderen te leren acteren. Ze was nooit getrouwd, maar volgens de geruchten had ze met de meeste grote sterren affaires gehad. Ze was misschien nog het meest beroemd om haar beschrijving van de eigenschap die acteurs onderscheidde van sterren. Ze noemde het oetsen. 'Oetsen is seksueel,' zei ze altijd, 'oetsen is "hé, wie is dát?" Oetsen is ondeugend. Het is de eerste eigenschap waar ik naar zoek als er iemand voor het eerst bij me komt.'

Brendan was meteen gek op haar.

'Ja,' zei ze, 'ik heb over je gehoord. Jij bent die pin-up uit New York. We hadden er pasgeleden nog zo een. Die deed het niet slecht, Tony Curtis. Je hebt vast van hem gehoord.'

Ja, Brendan had van hem gehoord.

'Goed, laat me eens naar je kijken. Tyrone, liefje, ga jij maar wieberen. Ik roep je wel als ik zover ben.'

Tyrone liep tegen zijn zin het theater uit.

Yolande ging op de rand van het toneel zitten en klopte op de planken naast haar. 'Kom lekker zitten, dan kunnen we even praten. Hebben ze het uitgelegd waarom je hier bent?'

'In Hollywood of in uw theater?'

'In mijn theater. Waarom je in Hollywood bent, weet je wel. Of je kunt blijven ligt aan jou.'

'O ja?'

'Ja. Tot op zekere hoogte wel. Mits je goed presteert. Dat leg ik je zo uit. Maar zelfs als je het kunt, moet je het ook nog willen. Het is simpel. Je moet zó graag willen slagen dat in vergelijking daarmee niets of niemand belangrijk is. Je moet vuile spelletjes durven spelen en je er niets van aantrekken als een ander hetzelfde doet. Dit is een harde stad en je moet hard zijn. Het is ook grote nep. Het is een stad vol klatergoud en onder het klatergoud ligt nog meer klatergoud. Dat moet je weten en je er niet door laten vernachelen.'

'Zeg je dit tegen alle nieuwkomers?' vroeg Brendan.

'Nee,' zei Yolande kortaf. 'Alleen tegen mensen die ik mag. Dan zeg ik erbij dat Theatrical geen doorsneestudio is. Dick Maynard, de grote baas, is opvliegend en moeilijk, en iedereen doet hem daarin na. Behalve ik. Je krijgt het hier niet gemakkelijk. Dat moet je wel weten.' Ze glimlachte bemoedigend. 'Goed, laat me je foto's maar eens zien. O ja, mooi. Misschien, heel misschien, heb jij het ook.'

'Heb ik wat?'

'Een eigenschap.'

'Welke eigenschap?'

'Moeilijk uit te leggen. Hoe heet je echt?'

'Brendan. Brendan FitzPatrick.'

'Dan is Byron wel beter. Niet goed, wel beter.'

'Bedankt.' Brendan klonk geïrriteerd.

Yolandes bruine ogen sprankelden. 'Liefje, je kunt beter afleren zo te happen. Dat was niets vergeleken bij wat je nog te wachten staat. Oké?'

'Oké,' zei Brendan.

'Ze gaan je over een paar dagen testen. Heel simpel. Niet echt acteren. Ze hebben geen specifieke rol waar ze je voor willen testen.'

'Niet acteren? Wat moet ik dan?'

'Dat zal ik je vertellen. Het is niet moeilijk. Het gaat erom hóe je het doet. Ze vragen je bijvoorbeeld een kamer in te lopen. Naar links te kijken. Naar rechts. Je profiel laten zien. Daar is alvast niets mis mee. Dan moet je praten. Je naam zeggen enzovoort. Het gaat er vooral om hoe de camera op je reageert. Het enige wat je niet moet doen, is een andere acteur nadoen. Doe gewoon wat ze vragen. Als jij hebt wat ze zoeken, zien ze het vanzelf wel. En anders kun je toch niet bluffen.'

'Oké,' zei Brendan weer.

'Goed, laat maar eens iets zien. Ga het toneel op en vertel me dat je van me houdt.'

'Dat is gemakkelijk,' lachte Brendan. Hij klom op het toneel en zei: 'Mevrouw duGrath, ik hou van u.'

'Nee, niet zo, niet charmant en sociaal. Je verlangt naar mijn lichaam.'

'Oké. Mevrouw duGrath, ik hou van u. Echt, ik ben stapelgek op u.'

'Ja, ja. Zeg nu maar dat je de pest aan me hebt.'

'Verdomme, mevrouw duGrath, wat heb ik een pesthekel aan u. U kunt de kolere krijgen.' Brendan begon het leuk te vinden.

'En nu ben je doodsbang voor me.'

'U heeft iets, mevrouw duGrath, waar ik het ijskoud van krijg.'

'Helemaal niet slecht. Ik wil je zien bewegen. Ga maar af en kom weer op, ga zitten, sta weer op, hang een beetje rond. Oké, ga maar weer af.'

Later, toen Tyrone Brendan had meegenomen, ging ze naar haar kantoortje en pakte de hoorn op. 'Ik heb die nieuwe knul gezien,' zei ze. 'Hij ziet er heel goed uit, maar ik weet niet of hij kan acteren.'

Dat wisten de talentscouts ook niet. Ze lieten hem heel wat meer doen dan zijn naam zeggen en zijn profiel tonen; ze gaven hem een paar regels uit een liefdesscène. Brendan kreeg het gevoel alsof hij voor het eerst op de planken stond. Terwijl de lampen hem verzengden moest hij op het kleine toneel zeggen dat hij nog nooit zo'n intense passie had gevoeld. Toen ze de opnamen bekeken was het net alsof hij voor het eerst op de planken stond.

Na tweeënhalve week in Hollywood kreeg hij een rol, als ober in een nachtclub. 'Martini of bourbon?' moest hij vragen. Het duurde drie dagen om de scène goed te krijgen en Brendan had zich nog nooit zo verveeld. Een week daarna mocht hij figureren in een musical en daarna kreeg hij een klein bijrolletje in een Raymond Chandler-achtige thriller. Tyrone was druk met hem bezig, stuurde eindeloos filmfoto's en persberichten naar de bladen en regisseerde incidentjes in restaurants. Twee keer liep hij vroeg op de avond, toen het nog niet zo druk was, Romanoff's in met Brendan en een aankomend sterretje. Hij zette ze aan een tafeltje, verfrommelde het kleedje, zette een halfvolle fles neer en drukte hun beiden een glas in de hand, nam een paar foto's en duwde ze nog voordat ze een slok hadden kunnen nemen door een zijdeur naar buiten. Als fotobijschrift schreef hij dat de nieuwe rijzende ster van Theatrical, Byron Patrick, die van Broadway was weg geplukt, had gedineerd met Tina Tyrell, sinds kort aangesloten bij RKO. Tyrone, die van wanten wist, had één foto kunnen nemen op het moment dat Romanoff zelf achter hun tafeltje stond. Brendan stond versteld van deze gang van zaken, maar Yolande zei dat het normaal was.

'Iedereen doet het, ook de grote jongens. De meeste foto's in die bladen zijn in scène gezet; ze werken te hard en staan te vroeg op om het nachtclubcircuit in te duiken. De meesten gaan gewoon naar huis en naar bed, maar dat leest niet lekker. Daarom doen ze het zo. Dit zijn mooie foto's, liefje. Ik hoop dat iemand ze plaatst.' Maar nee.

De twee weken daarop had Brendan helemaal geen werk. Toen kreeg hij weer een rol als ober en de week daarna was Hilton op bezoek om te zien hoe het ging. Hij kwam zijn hotelkamer op het Chateau binnen en zei dat zijn contract niet verlengd zou worden en dat hij zijn kamer uit moest. 'Maynard vindt dat we al genoeg geld aan je hebben verspild en ik ben het met hem eens. Hij heeft Tyrone ook ontslagen. Dus, dat is het dan, Byron, eruit.'

Brendan had dit al verwacht, maar toch kwam het als een schok. Hij ging op bed zitten en vroeg: 'En wat gebeurt er nu?'

'Niet zoveel. Je kunt hier blijven of naar New York teruggaan.' Hilton keek hem koeltjes aan. Hij had op een verliezer ingezet en nu wilde hij zo snel mogelijk van hem af.

Brendan dacht snel na. Teruggaan naar New York zou pijnlijk zijn. Kathleen zou zich schamen. Er was genoeg geld voor een paar weken, zowel in Sheepshead als hier voor hem. Hij was zuinig geweest. Als hij bleef maakte hij nog een kans. Hij begon de weg te kennen, had mensen leren kennen, er waren impresario's genoeg en hij kon elke dag meedoen aan audities. Hij hoefde niet van honger te komen.

'Ik blijf wel,' zei hij.

'Best,' zei Hilton. 'Pak even die kleren in die wij voor je gekocht hebben.'

Brendan keek hem sprakeloos aan. Toen trok hij de koffer die ze eveneens voor hem hadden gekocht uit de kast en propte alle kleren en schoenen die hij naar Hollywood mee had gebracht erin.

'Sigarettenkoker,' zei Hilton. 'Aansteker.'

Brendan smeet ze erbij. 'Wil je nog een litertje bloed, misschien?' vroeg hij.

Hilton liep zonder nog iets te zeggen de deur uit. Toen hij hem buiten in de auto zag stappen en daarna zelf uitcheckte, voelde Brendan zich opgelucht dan hij wekenlang was geweest.

INTERVIEW MET EDNA DESMOND, BRENDANS OUDSTE ZUS, VOOR HET HOOFDSTUK 'JONGE LEEUWEN' IN *THE TINSEL UNDERNEATH*

HET WAS ECHT VERSCHRIKKELIJK TOEN BRENDAN NAAR ENGELAND WERD GESTUURD. IK GELOOF NIET DAT MIJN MOEDER ÉÉN NACHT GOED HEEFT GESLAPEN, TOTDAT ZE HEM WEER THUIS HAD. WAARSCHIJNLIJK SLIEPEN WE GEEN VAN ALLEN GOED. WE MISTEN HEM ALLEMAAL ZO. O, NATUURLIJK WAS HIJ VERWEND. MAAR HIJ WAS ZO'N ZONNETJE IN HUIS. EEN DAG ZONDER BRENDAN WAS SAAI EN DUURDE VEEL LANGER. EN WE WAREN ZO BANG DAT HEM IETS ZOU OVERKOMEN. WE BRANDDEN ELKE ZONDAG EN VRIJDAG KAARSJES VOOR HEM; MISSCHIEN HEEFT DAT GEHOLPEN. HIJ HEEFT

VEEL DOORSTAAN. 'GOD HEEFT HEM UITVERKOREN,' ZEI MOEDER OP EEN AVOND, NADAT HIJ WAS NEERGESCHOTEN. 'GOD ZAL VOOR HEM ZORGEN.' IK DENK DAT WE DAT OOK ECHT GELOOFDEN: DAT HIJ ZO BELANGRIJK WAS DAT GOD SPECIAAL OP HEM ZOU LETTEN. NOU, WIE WEET. TOEN KWAM HIJ THUIS, ZOVEEL OUDER, ERNSTIGER, HARDER, TAAIER. HIJ HAD FLEUR BIJ ZICH. DAT VOND MOEDER MOEILIJK OM MEE OM TE GAAN. WIJ ALLEMAAL, MAAR ZIJ VOORAL. EERST WAS ZE GESCHOKT, ZE SCHAAMDE ZICH. TOEN ZE HET KON BEGRIJPEN, KON ZE HET HEM OOK VERGEVEN. IK WEET NIET OF WIJ DAT KONDEN. ZE WAS ZO GOED VOOR FLEUR, ALS EEN MOEDER. NATUURLIJK GINGEN WE ALLEMAAL VAN FLEUR HOUDEN. DAT WAS TOEN ZO GEMAKKELIJK. ZO'N MOOI, LEVENDIG MEISJE, PIENTER EN LIEF. MAAR ZELFS ALS KLEIN MEISJE WAS ZE AL STOER. ZE WAS DAPPER EN ZE HIELD IEDEREEN BEHALVE HAAR VADER OP EEN AFSTAND. ALSOF ZE ONS NIET HELEMAAL VERTROUWDE.

O, WAT HIELD ZE VAN HEM. HET WAS EEN LIEFDESVERHOUDING. ZE BETEKENDEN ALLES VOOR ELKAAR. ALS ZE BIJ BRENDAN KON ZIJN, WILDE ZE NIETS ANDERS. NIET SPELEN, ZELFS NIET NAAR EEN FEESTJE. HIJ WAS EIGENLIJK NET ZO. HIJ HAD NOOIT SERIEUZE VRIENDINNETJES. ALS IETS TE SERIEUS WERD, MAAKTE FLEUR ER EEN EINDE AAN. DAT MEEN IK.

IK ZAL NOOIT DE DAG VERGETEN WAAROP HIJ NAAR HOLLYWOOD GING. IK MOET ER NOG VAN HUILEN ALS IK ERAAN DENK. HET BRAK FLEURS HART. WE GINGEN ALLEMAAL MEE NAAR HET VLIEGVELD EN ZIJ ZAT KRIJTBLEEK MET GROTE OGEN NAAST HEM IN DE AUTO EN HIELD ZIJN ARM VAST. EN TOEN ZE AFSCHEID HAD GENOMEN, MOESTEN WE HAAR MET Z'N TWEEËN LOSTREKKEN. ZE SCHREEUWDE NIET, MAAR ZE SNIKTE HARTVERSCHEUREND. 'IK HOU VAN JOU, PAPPA, IK HOU VAN JOU,' ZEI ZE, STEEDS MAAR OPNIEUW. ZE WIST DAT ZE NIET MEE KON, DAT HAD ZE GEACCEPTEERD, MAAR ZE KON DE PIJN NIET VERDRAGEN. HET WAS VRESELIJK OM TE ZIEN.

TOEN HIJ EINDELIJK WEGGING, WAS DE VOORKANT VAN ZIJN OVERHEMD DOORDRENKT VAN HAAR TRANEN. ZE BLEEF HEEL LANG STAAN EN TOEN ZE EINDELIJK MEE WILDE KOMEN, LIEP ZE ALLEEN. ZE WILDE ONZE HAND NIET VASTPAKKEN. ZE LIEP HEEL LANGZAAM, MET OPGEHEVEN HOOFD, VOOR ONS UIT. TOEN WE THUISKWAMEN, GING ZE METEEN NAAR HAAR SLAAPKAMER EN BLEEF DAAR DE EERSTE TWAALF UUR.

TOEN ZE EINDELIJK BENEDEN KWAM, WAS ZE RUSTIG, MAAR ZE WAS OOK HAAR STRIJDLUST KWIJT. HET HEEFT LANG GEDUURD VOORDAT DIE TERUGKWAM.

BRENDAN VERTELDE ONS URENLANG OVER CAROLINE, FLEURS MOEDER. OVER HOEVEEL HIJ VAN HAAR HAD GEHOUDEN, HOE GEKWETST HIJ WAS. EEN VRESELIJK VERHAAL, MAAR WE MOGEN HET HAAR NIET KWALIJK NEMEN. HET WAS EEN AFSCHUWELIJKE SAMENLOOP VAN OMSTANDIGHEDEN, MAAR WIJ DACHTEN ALLEMAAL DAT ALS ZE ECHT VAN HEM HAD GEHOUDEN, ZE OP HEM HAD MOETEN WACHTEN. ONDANKS WAT BRENDAN OVER HAAR HAD VERTELD, LEEK ZE ONS EEN HARDE, ZELFZUCHTIGE VROUW. WANT HOE KON JE TOCH ZO'N MOOI DOCHTERTJE LATEN GAAN?

Brendan probeerde het uit te leggen, haar te verontschuldigen, maar we begrepen het echt niet. En toen trouwde ze heel snel, met een of andere Engelse Lord. Hoe kan ze nu van een van hen hebben gehouden, van Brendan of de Lord? Toen ze opgroeide, vond Fleur het heel moeilijk om dat te begrijpen, te accepteren.

En wat het andere betreft, dat Brendan zo bezeerd was door wat Caroline had gedaan, verklaarde voor ons veel van wat daarna kwam. We vergaven het hem vanwege de schade die Caroline had aangericht.

Hoofdstuk 5

B rendan begon wanhopig te worden. Hij deed elke dag auditie, probeerde zelfs werk als figurant te krijgen, maar de studio's waren aan het bezuinigen nu de televisie zo'n geduchte concurrent werd. Warner Brothers begon met het sluiten van studio's; contracten met acteurs werden opgezegd en zelfs spectaculaire vondsten als Cinemascope en driedimensionale films hadden niet het effect waarop iedereen had gehoopt. De gouden eeuw van de film (zei iedereen) was voorbij. Ook kwam McCarthy's communistenjacht op gang, waarbij filmsterren onder druk werden gezet vrienden te verraden en te verklaren dat zij communistische sympathieën hadden, keer op keer verhoord werden, waarna velen doorsloegen. Wie het volhield, werd ontslagen door zijn filmstudio. Ook Brendan werd herhaaldelijk gewaarschuwd dat hij zelfs geen gematigd socialistische gedachte kon ventileren. Toen hij hoorde dat zijn grote heldin, de 'oetserige' Betty Bacall, ervoor uitkwam bevriend te zijn met vermeende communisten, plaatste hij haar op een nog hoger voetstuk.

Brendan, ongerust en arm, miste Fleur, vroeg zich af waarom hij bleef. Waarschijnlijk was de belangrijkste reden, zei hij op een avond tegen zijn vriendin Rose Sharon, dat ze het ondanks alles allemaal naar hun zin hadden. Er bestond grote kameraadschap onder het legioen gesjochten jonge acteurs; ze verdienden hun brood als pompbediende of op de markt, terwijl degenen met meer geluk in een van de ontelbare restaurants en bars werkten. Rose, die een piepklein rolletje had gehad in *The Robe*, maar daarna geen werk meer had gekregen, werkte als serveerster in de Garden of Allah aan Sunset Boulevard, waar de sterren woonden in de vergulde luxe van hun bungalow met zwembad. Brendan had een baantje bij Musso and Frank, de pleisterplaats van schrijvers aan Hollywood Boulevard.

Hij werd ontslagen omdat hij te lang met zijn favoriete klanten bleef kletsen en andere negeerde. Daarna werkte hij bij pompstations en af en toe waste hij af bij Schwab's, de beroemde drugstore aan Sunset, waar Harold Arlen de songtekst van 'Over the Rainbow' had geschreven en waar Lana Turner zou zijn ontdekt (maar dat was niet waar). Er kwamen veel jonge acteurs; ze zaten in de achterkamer te kaarten en te roddelen. Als iemand dringend naar een beginnende acteur zocht, begon hij bij Schwab's.

Rose en hij waren erg op elkaar gesteld. Net als hij had ze de ambitie een echte actrice te worden, 'niet zo'n Hollywood-poppetje', en ze zaten urenlang samen achter één glas bier te plannen hoe ze het konden maken. Na een tijdje gingen ze samenwonen in een bovenwoning, puur om de kosten te delen, maar op een avond werden ze erg dronken; Rose was wanhopig omdat ze geen enkele rol kreeg en Brendan nam haar in zijn armen om haar te troosten en haar tranen te drogen. Tot hun beider verbazing waren ze opeens heerlijk aan het vrijen. Rose had de volgende ochtend spijt en zei dat ze nog nooit zoiets had gedaan. Brendan begreep haar opzettelijk verkeerd; hij zei dat ze niet moest liegen, dat ze er allebei van hadden genoten, dat ze gek op elkaar waren en dat een bijkomend voordeel was dat ze niet langer om de beurt op het kampeerbed hoefden te slapen. Daarmee was het rond. Hij vertelde haar alles over Fleur en Caroline en zij vertelde hem over de affaire met een getrouwde man, waaraan ze een half jaar geleden eindelijk een eind had gemaakt. Daarna waren ze onafscheidelijk.

Ondertussen raakte Brendans geld op. Hij was af en toe figurant, maar verder verdiende hij niets, behalve als pompbediende en bij Schwab's. Hij kon ervan leven, maar er bleef niets over om naar huis te sturen.

'Waarom word je geen gigolo?' vroeg Rose op een avond. Ze zaten wanhopig door de *Hollywood Reporter* te bladeren, op zoek naar audities die hun waren ontgaan. 'Dat zou een hoop schelen. Gewoon, zo nu en dan. Deze stad zit vol hunkerende vrouwen die goed geld voor je zouden willen neertellen.'

'Doe me een lol,' zei Brendan en hij kuste haar een beetje verstrooid. 'Dat zou ik nooit doen. Dan hou ik er liever helemaal mee op. Ik hou toch al niet van oudere vrouwen.'

'Oké,' zei Rose, 'maar schrijf het nog niet helemaal op je buik. Misschien word je nog echt wanhopig.'

'Niet zó wanhopig,' zei Brendan. Hij wist dat hij loog.

Naomi MacNeice was een van de weinige machtige vrouwen in Hollywood. Ze was als studiohoofd bij ACI onder meer verantwoordelijk voor nieuw talent. Ze deed het werk al drie jaar met veel succes en had al heel wat sterren bij ACI binnengehaald. Ze was vijfenveertig jaar, maar deed zich voor als zevenendertig en zag eruit als een oudere versie van Grace Kelly, met keurig gekapt asblond haar, ijskoude blauwe ogen, een gladde, bleke porseleinen huid en het figuur van een twintigjarige, dankzij een trainingsprogramma dat zo streng was dat haar instructeurs haar aanraadden het rustiger aan te doen omdat het nog eens haar dood zou worden. Naomi antwoordde dat ze liever dood ging dan dik werd. Ze stond om zes uur op en trainde tot acht uur. Na haar ontbijt, een schijfje citroen in warm water, ging ze naar haar werk. Daar had ze het te druk om honger te krijgen.

Ze was beroemd in Hollywood: als ze binnenkwam bij Ciro's of de Mocambo, hielden mensen niet op met praten, zoals bij Betty Bacall of Lana Turner, maar gingen ze juist drukker praten. Mensen die haar kenden, stonden op om haar te begroeten terwijl ze langs hun tafel liep (en werden beloond met een elegant, koel glimlachje) en mensen die haar niet kenden, praatten over haar, over wat ze kwam doen en met wie, of ze herhaalden een bekend verhaal over haar.

Ze had een Spaans aandoend huis aan San Ysedro Drive en een rij minnaars; wie het voorrecht had haar magere lijf te beminnen, moest haar delen met haar vier Siamese katten die door de slaapkamer en over het bed liepen. Na enkele huwelijken was ze nu nadrukkelijk alleenstaand. In de roddelrubrieken werd regelmatig gespeculeerd over het verdere verloop. Er gingen geruchten (vaak afkomstig van afgewezen minnaars) dat ze lesbisch was, maar bewijzen of getuigen ontbraken. Naomi leek het weinig te kunnen schelen.

Alle gesjeesde jonge acteurs in Hollywood droomden ervan door Naomi MacNeice ontdekt te worden; maar Brendan, die bij Musso and Frank een keer de verkeerde dressing bij haar salade had geserveerd, moest er niet aan denken. Toen hij dit tegen Yolande duGrath zei, vond zij het zo leuk dat ze het een paar keer tijdens gesprekken herhaalde, zo ook toen ze met Naomi lunchte bij Trader Vic's. Naomi had koeltjes geglimlacht en gevraagd wat de inefficiënte kelner tegenwoordig deed: afwassen of auto's voltanken.

'Beide,' antwoordde Yolande.

'Heeft hij talent?'

'Heel weinig. Maar hij ziet er goed uit. Zijn gezicht doet iets met de camera.'

'Oetst hij?' Yolandes maatstaf was zeer bekend.

'Een beetje.'

'Heeft Theatrical hem geprobeerd?'

'Ja, hij had zestig dagen. Zijn screentest viel tegen.'

'Klinkt als een hopeloos geval,' zei Naomi.

'Toch niet,' zei Yolande. 'Hij heeft een geweldige charme. Ierse charme.'

Naomi had een Ierse overgrootvader. 'Misschien moet ik toch eens naar hem kijken,' zei ze. 'We zitten te springen om een nieuwe jonge hoofdrolspeler.'

Yolande keek haar openlijk geamuseerd aan. 'Kun je doen,' zei ze, 'maar hij is geen Laurence Olivier.'

'Daar ben ik ook niet naar op zoek.'

Toen Brendan bij Schwab's hoorde dat Naomi MacNeice hem zocht, dacht hij dat het een geintje was en belde hij niet terug. Naomi, die gewend was te worden teruggebeld, liet haar secretaresse opnieuw bellen. Deze keer, trillend van opwinding, vermengd met angst, draaide hij het opgegeven nummer, de centrale van ACI. Hij had al tien muntjes in de telefoon gestopt toen hij eindelijk werd doorverbonden.

'Zou ik mevrouw MacNeice kunnen spreken?'

'Ze zit momenteel in bespreking. Kan ik u helpen?' Janet Jones, Naomi's privésecretaresse, was aangenomen vanwege haar stem, waarmee ze Palm Desert zou kunnen laten bevriezen.

Brendan haalde diep adem. 'Ze vroeg me, eh, terug te bellen.'

'O ja?' Haar toon gaf aan dat ze daar ernstig aan twijfelde. 'Wat is uw naam?'

'Byron Patrick.'

'Dank u, moment graag.'

Nog eens acht muntjes later zei ze: 'Kunt u vanmiddag naar ons toe komen, meneer Patrick? Om halfvier?'

'Maar ik...'

'Graag. Dank u.'

Ze had neergelegd.

'Het moet één grote nep zijn,' zei Brendan. Hij was het restaurant naast het zwembad van de Garden of Allah binnengelopen om het Rose te vertellen. Zij stond met militaire precisie messen recht te leggen.

'Er is maar één manier om erachter te komen.'

'Dat gaat niet.'

'Hoezo?'

'Ik sta daar straks voor gek.'

'Je staat nog veel meer voor gek als je niet gaat. En kun je nu alsjeblieft gaan? Straks raak ik mijn baan kwijt.'

'Oké, ben al weg. Tot vanavond.'

'Toitoitoi.'

'Ik denk nog steeds dat het nep is,' zei Brendan. Maar dat was het niet.

'Volgens Yolande duGrath heb je geen talent,' zei Naomi. Ze zat achter haar massief mahoniehouten bureau, met haar rug naar het raam. De dikke gordijnen achter haar sloten de felle middagzon buiten. De airconditioning loeide even hard als het vuur in de open haard; het was koud in haar kantoor. Brendan keek haar wezenloos aan, te geschokt om nonchalant te kunnen doen.

'Pardon?'

Noami MacNeice herhaalde een beetje ongeduldig: 'Ik zei dat jij volgens mevrouw duGrath geen talent hebt.'

'Dat kan ze nooit hebben gezegd. Ze is mijn vriendin.'

'Misschien zei het juist daarom. Vrienden moeten eerlijk zijn.'

'Dan had ze het beter tegen mij kunnen zeggen.'

'Ze zal hebben gedacht,' zei Naomi met een minuscule glimlach, 'dat je dat wel begreep toen je contract niet verlengd werd.'

'Veel mensen met talent krijgen geen verlenging van hun contract,' zei Brendan dapper.

'O ja? Geef me hun namen maar.'

Het was even stil.

'Wil jij bij mij auditie doen?'

Brendan keek haar lang aan. 'Ja,' zei hij uiteindelijk, 'natuurlijk wil ik dat.'

Naomi keek hem lang aan. 'Goed,' zei ze, 'volgende week ga ik de casting doen voor een thriller. Daar heb ik een inspecteur voor nodig. Een beetje een dwaas. Dat lijkt me wel iets voor jou. Ik verwacht je dinsdag om halfnegen. Goedemiddag, meneer Patrick.'

Ze kwam niet eens kijken en Brendan werd niet getest. Er waren tweeënveertig acteurs voor hem en na de eenenveertigste kregen ze allemaal te horen dat ze konden gaan. Brendan was bijna in tranen.

'Ik zei toch dat het een rotwijf was,' zei hij die avond tegen Rose. 'Ze is gemeen. Ik heb een pesthekel aan haar.'

'Ze klinkt vreselijk,' zei Rose. 'Koffie?'

'Hebben we dat nog?'

'Nog voor één kopje. We kunnen het samen opdrinken.'

'Neem jij het maar. Ik heb opeens behoefte aan iets sterkers. Ik haal even een biertje, zo terug.'

'Oké.'

Op straat kwam hij een kaartvriendje van hem tegen.

'Er werd vanmiddag voor je gebeld. Vrij laat. Ene Janet Jones. Ken je die?'

'Helaas wel. Wat zei ze?'

'Je moet haar morgenochtend meteen bellen.'

'Goh, zeker iets laten liggen in de studio.'

'Wie weet.'

'Meneer Patrick?'

'Ja.'

'Mevrouw MacNeice heeft me gevraagd u te bellen. Ze wil uw publiciteitsfoto's zien. Of u ze om twaalf uur wilt meebrengen naar de Brown Derby. Ze wil dat u met haar gaat lunchen.'

'Dat... dat gaat niet,' bracht Brendan moeizaam uit.

'Waarom niet, meneer Patrick?'

'Ik, eh, ik heb al een andere afspraak.'

'Meneer Patrick.' De kille stem klonk bijna vriendelijk. 'Doe niet zo verrekte dom.'

'Ga zitten,' zei Naomi MacNeice. 'Heb je de foto's bij je?'

'Ja.'

'Mag ik ze dan alsjeblieft zien? Dank je. Wat wil je eten?'

'Cobb's Salad, graag. Dat eet iedereen hier toch? Dat hoort zo. Eens per week. Een paar neptelefoontjes om te laten zien hoe belangrijk je bent. En dan kun je weer veilig gaan.'

Ze keek hem aan en voor het eerst was er een zweem van een lach in haar ijsblauwe ogen te herkennen. 'Dat is juist,' zei ze, 'al zijn sommige telefoontjes natuurlijk wel echt.'

'Echt waar?'

'Echt waar.' Ze bekeek de foto's. 'Deze zijn erg goed. Wie heeft ze genomen? Bernie Foster? Dacht ik al. Vertel eens, is Berelman nog zo – wat zal ik zeggen – intiem met Clint?'

'Ik denk van wel.' Brendan was op zijn hoede. Hij voelde dat er gevaar dreigde.

'Nou ja.' Ze keek hem geamuseerd aan en keek toen weer naar de foto's. 'Je hebt ze blijkbaar niet vaak gezien. Dat is maar goed ook.'

Het was een constatering, geen vraag. Brendan slikte.

'Maar goed, we hebben belangrijkere dingen te bespreken. Het spijt me van gisteren. We hadden geen keus; we moesten snel beslissen.'

'O ja?'

'Ja.' Ze klonk bijna geduldig. 'Echt waar. Maar ik heb misschien wel een rol voor je in een *eastern*.'

'O,' zei Brendan lusteloos. Easterns waren films à la *The Thief of Bagdad*. Het kwam neer op aanstellerij in bolerojasjes en wijde broeken, hangen aan de touwen van een schip of aan galopperende arabieren met een machete in je knuist.

'Niet te enthousiast, hoor. Easterns zijn erg populair. Het lijkt mij beter dan pompbediende spelen.'

'Misschien.'

'Het is een lief rolletje. De jeugdliefde van de prinses. Voordat ze de dief leert kennen.'

'Die heel erg blijkt te deugen.'

'Uiteraard. Slim van je. Nou ja, als je niet wilt, moet je me maar excuseren. Ik heb het erg druk.'

'Nee,' zei Brendan. 'Sorry. Natuurlijk ben ik geïnteresseerd. Natuurlijk wil ik een screentest doen.'

'O, dat is niet nodig,' zei Naomi met een geamuseerde blik.

'Niet?'

'Nee, hoor.'

'O.'

'Hij leunde verward achterover en zette zijn glas neer. Naomi at verder. Opeens verscheen de kelner met een telefoon in zijn hand.'

'Voor u, mevrouw MacNeice.'

'Dank je. Ha, Janet. Ja, natuurlijk. Nee, dan ben ik wel terug. Rond twee uur. Ik ben hier bijna klaar. Ja, ik heb hem gesproken. Natuurlijk zal ik ze ontvangen. Trouwens, ik stuur meneer Patrick vanmiddag naar de kostuumafdeling. Kun je dat doorgeven? We hebben niet veel tijd. Dag, Janet.'

'Ik zei het toch,' zei ze, 'sommige telefoontjes zijn echt. Of dacht je dat dit nep was?'

'Nee.' Brendan nam een grote slok wijn.

'Ik moet gaan,' zei Naomi. 'Ik hoor net dat de bankiers zijn geland. Goedemiddag, meneer Patrick.'

Brendan bleef nog een tijdje zitten. Hij keek haar na en vroeg zich af of ze tijdens de lunch echt haar been stevig tegen het zijne had gedrukt. Misschien had hij het zich maar verbeeld.

Hij had het zich niet verbeeld. Twee dagen later, toen hem eindeloos de maat was genomen, toen zijn haar was geknipt, toen hem was verteld zijn bakkebaarden te laten staan en rij- en schermlessen te nemen, toen hij een tinttest had laten doen (om te zien hoe zijn gezicht er op kleurenfilm uitzag), foto's had laten nemen door de publiciteitsafdeling en zelfs een script had gekregen om te bestuderen, belde Janet Jones naar de make-upafdeling. Of meneer Patrick onmiddellijk bij mevrouw MacNeice kon komen.

Ze zat in een van de leren stoelen bij de openhaard. In de andere stoel zat een lange blonde man met een idioot bruin gezicht. Toen Brendan de kamer in liep, stond hij op en liep met uitgestoken hand naar hem toe.

'Byron!' zei hij met een honingzoete stem en een glimlach die het meest regelmatige gebit aan het licht bracht dat Brendan ooit had gezien. 'Ik ben zo blij kennis met je te maken. Mevrouw MacNeice heeft me over je verteld. Ik heet Perry Browne, met een "e",' hij pauzeerde en ontblootte meer tanden, 'en ik ben je pr-man. Nou ja, niet alléén de jouwe, natuurlijk. Ik doe de pr voor deze film, maar het is mijn speciale taak om jouw naam GROOT te maken.' Nog meer tanden.

Brendan knipperde verbijsterd met zijn ogen.

'Naomi, zal ik Byron iets te drinken inschenken? En wil jij nog een pink gin? Byron, wat wil jij? Naomi heeft zo ongeveer alles.'

'Een witte wijn graag,' zei Byron. Hij wilde liever bier, maar vond dat hij in Naomi's kantoor geen bier kon drinken.

'Witte wijn,' zei Perry verrukt. 'Is chardonnay goed? Vind je het goed als ik meedoe?'

'O, Perry,' zei Naomi ongeduldig, 'natuurlijk vindt hij dat goed. Oké, Byron, we willen een paar dingen van je weten voor de publiciteit.'

'Ja,' zei Perry, 'achtergrond, opleiding, dat soort dingen. Hobby's, ambities, specialismen en andere vaardigheden. Ach, je kent dat wel, Byron.'

'Oké,' zei Brendan. Hij kreeg een steeds grotere hekel aan Perry. 'Wat wil je van me weten?'

'Alles, hoe onbelangrijk ook. Dan kunnen we er een mooi verhaal van maken.'

'Geboren in New York, opgegroeid in Brooklyn?'

'In de Heights?' vroeg Perry hoopvol.

'Nee, Sheepshead Bay.'

'Sheepshead Bay! Schattig!'

'Toneel als hoofdvak op de middelbare school. Zomercursussen bij Juillard. Gespeeld in omgeving Broadway.'

'Broadway! Geweldig, Byron, je bent de natte droom van elke pr-man...'

'In de oorlog als piloot naar Engeland. Met bommenwerpers gevlogen. Neergeschoten. Anderhalf jaar vastgezeten, eerst in ziekenhuis, toen in krijgsgevangenenkamp...'

'O, god,' zei Perry, 'een oorlogsheld! Ga door, Byron.'

'Terug naar New York, naar Sheepshead Bay, met mijn dochtertje.'

Er viel zo'n diepe stilte dat het bijna pijn deed. Brendan keek van Perry naar Naomi; ze staarden hem aan. Perry keek bijna angstig, Naomi kouder dan ooit.

'De droom wordt een nachtmerrie,' zei ze, afstandelijker dan ooit. 'Betekent dat dat je getrouwd bent, of bent geweest?'

'Nee,' zei Brendan opgewekt. Voor de eerste keer sinds hij Naomi had leren kennen, had hij het gevoel alsof hij de situatie meester was. 'Ik ben niet getrouwd. Nooit geweest. De moeder van mijn dochter is een Engelse. Ze is nu getrouwd met een ander. Ze... kon Fleur niet houden.' Hij zag dat Naomi en Perry zich ontspanden.

'Aha,' zei Perry, 'een oorlogsromance. Haar bijdrage aan de strijd. En Fleur, wat een mooie naam. Ze is vast een erg mooi meisje, Byron. Maar ik denk dat we haar maar niet moeten noemen in je persbericht. We brengen je immers als de nieuwe, jonge romantische hoofdrolspeler. Dan is een kind... niet ideaal. Wat vind jij, Naomi?'

'Niet ideaal,' beaamde Naomi.

'Ik zou toch niet willen dat je haar noemde,' zei Brendan. 'Dat zou zij ook niet willen,' voegde hij er nadrukkelijk aan toe. Ze moesten niet denken dat Fleur zelf niets te zeggen had. 'Ze kan er beter buiten gelaten worden.'

'Natuurlijk! Heel verstandig, Byron. Wie zorgt er voor haar? Een kindermeisje?'

'Nee, mijn moeder.'

'Heb je een moeder?' riep Perry. 'Geweldig!' Hij deed alsof een moeder een esoterische zeldzaamheid was.

'Net als de meeste mensen,' zei Brendan.

'Ja, maar toch niet op jouw leeftijd. Een moeder als steun en toeverlaat. Dat zou een mooi verhaal zijn. Maar dan zouden we het meisje ook moeten noemen, dus misschien toch maar niet. Maar vertel eens, Byron, hoe ben je in Hollywood terechtgekomen?'

'Via Kevin Clint en Hilton Berelman,' zei Naomi. Ze klonk een beetje van slag.

'O jee,' zei Perry, 'dat hoeven we niet te vermelden, Naomi. Zoveel heeft Byron nog niet laten zien. Misschien, Byron, zou je toch wel zijn gekomen. Stelde je moeder het voor? Zou ze misschien hebben gespaard voor de reis als Clint en Berelman je niet hadden gestuurd, bedoel ik.'

'Wat jij wilt,' zei Brendan gelaten. Hij werd een beetje misselijk. Vergeleken bij deze engerd leek Tyrone doodnormaal.

'Daar kunnen we wel iets mee. Welnu, wat zijn je hobby's? Rijd je paard, speel je honkbal, surf je of speel je misschien piano? Zit daar iets?'

'Ik kan niet paardrijden,' zei Brendan, 'althans, niet goed. Ik moet wel lessen nemen voor de film. Ik heb een hekel aan de zee. Ik kan niet honkballen en ik ben toondoof. Ik denk niet dat je daar iets van kunt maken.'

'Wijn!' zei Perry opeens. 'Wijn! Ik heb een geweldig idee, Naomi. We maken van Byron een wijnkenner. Hij kan een prijs winnen. Of toegelaten worden tot een gezelschap van connaisseurs. Zo beschaafd, zo wellevend. Het past goed bij zijn uiterlijk. Wat denk jij?'

'Leuk idee,' zei Naomi. 'Dat lijkt me wel wat.'

'Mooi. Brendan, je kijkt wat verbaasd, maar het is heel eenvoudig. We laten je fotograferen terwijl je thuis een doos wijn in ontvangst neemt – bijzondere wijn. Dan vertel je dat je bent toegelaten tot het genootschap van de Californische Wijnstok of iets dergelijks.'

'Dat is onmogelijk,' zei Brendan. 'Ik kan amper rood van wit onderscheiden.'

'O, dat maakt helemaal niets uit. In het begin zeker niet, en je leert vast snel. Het zal niet lang duren voordat iedereen je kent als de acteur die zijn wijnen kent. Je kunt proeverijtjes houden en misschien zelfs ergens je eigen wijngaard hebben. O, dat wordt beeldig. Bééldig.'

'Prima,' zei Brendan. Hij probeerde zeker over te komen, maar dat lukte niet. 'Als jullie het zeggen.'

'Hoe zit het met kleren en zo? Heb je mooie kleren?'

'Niet meer,' zei Brendan. Hij dacht aan de uitpuilende koffer die Berelman had meegenomen.

'Dat is te regelen,' zei Naomi.

'Natuurlijk. Waar woon je, Byron?'

'Een bovenwoning aan La Brea.'

'O jee. Woon je daar alleen of met andere acteurs?'

'Met een actrice.'

'Wie is dat?' Naomi's stem klonk killer dan ooit.

'Ze heet Rose Sharon.'

'Werkelijk? Interessante naam.' Perry's tanden waren weer volop te bewonderen. 'Heeft zij veel werk?'

'Genoeg.'

'O, mooi. Maar weet je, Byron, je kunt daar echt niet blijven wonen. Niet met haar. Dat vinden de fans niet leuk. Je bent vrijgezel. Een jonge hoofdrolspeler. Trouwens, hoe oud ben je?'

'Ik ben vijfendertig.'

'Te oud,' zei Perry. 'Wat denk jij, Naomi, zevenentwintig?'

'Nee, zesentwintig,' zei Naomi.

'Goed, zesentwintig. Nou, ik heb veel om over na te denken, Byron.'

'Mooi,' zei Naomi. 'Ik denk dat we wel klaar zijn, Perry. Kom jij met wat voorstellen?'

'Natuurlijk! *Toute de suite.* Byron, leuk om kennis te maken. Ik weet zeker dat we heel prettig zullen samenwerken. Ik zal je over een paar dagen bellen.'

'Prima, dank je,' zei Brendan.

Perry maakte bijna een knieval voor Naomi en ging de deur uit. Ze glimlachte iets minder kil en schonk Brendan nog een glas wijn in.

'Hij doet een beetje overdreven,' zei ze, 'maar hij is erg goed in zijn werk.'

Ze bracht hem naar haar huis in haar zilverblauwe Pontiac.

'Geen chauffeur?' vroeg Brendan verbaasd.

'Ik rijd graag zelf,' zei Naomi. 'Mijn chauffeur heeft een luizenleventje.'

Het huis was gigantisch, met hoge Moorse ramen; langs de oprit bloeiden azalea's en bougainvilles, daarachter glooiden groene gazons. Een butler in jacquet liet hen met een lichte buiging binnen. 'Goedenavond mevrouw, meneer,' zei hij met een Engels accent.

'Goedenavond, Crossman. Drankjes bij het zwembad, alsjeblieft.'

'Ja, mevrouw.'

Brendan liep gefascineerd achter Naomi aan door de hal met donkere lambrisering en door een bibliotheek met genoeg boeken om een kleine universiteit te bedienen naar een terras naast het zwembad. Naomi ging hem voor naar een zitje en wuifde naar Crossman. Hij had witte handschoenen aan en droeg een ijsemmer en glazen; toen hij Brendan kort aankeek, was zijn blik uitdrukkingsloos.

'Dank je, Crossman.'

'Eet u thuis, mevrouw?'

'Misschien wel.'

'Uitstekend, mevrouw.'

Weer een minuscule buiging. Crossman liep elegant weg.

'Hij is, eh, erg vriendelijk,' zei Brendan. Crossman deed hem denken aan Moat House en Caroline. Dat hij de boel in het echt had gezien, gaf hem zelfvertrouwen.

'Champagne, Byron?'

'Ik wil eigenlijk liever bier,' zei Brendan.

Naomi keek hem koel aan. 'Byron, als jij de wijnkenner van Hollywood wilt worden, zul je moeten stoppen met bier drinken. Sorry.'

Brendan pakte het glas aan. 'Goed,' zei hij, 'als u het zegt.'

'Ik denk dat je het wel lekker vindt,' zei Naomi. 'Waarschijnlijk heb je nog niet zo vaak goede champagne gedronken.' Ze keek neerbuigend, bijna minachtend.

Brendan voelde zijn woede opkomen alsof het gal was en kreeg er echt een zure smaak van in zijn mond. Hij nam een slokje champagne, maar dat hielp niet.

'Goed,' zei Naomi, 'laten we eens kijken naar je woonsituatie.'

'Ik denk niet,' zei Brendan, 'dat ik ernaar wíl kijken. Niet op die manier in elk geval.'

'In dat geval,' zei Naomi, 'vrees ik dat dit meteen je laatste rol zal zijn. Heeft er trouwens al iemand met je gepraat over geld?'

'Nee,' zei Brendan. 'Iedereen zei dat u dat zou regelen. Omdat ik geen impresario heb, leek het me beter om te wachten.'

'Heel keurig,' zei Naomi, 'en ik heb gezegd dat je 250 dollar per week krijgt.'

Brendan was stil. Het aanbod klonk goed, prima zelfs, maar dat wilde hij niet zeggen; het feit dat Naomi niet met hem had overlegd, maakte hem nog kwader.

'Heb je geen commentaar?' Zo te horen vond ze het wel vermakelijk – arrogant mens.

'U heeft me niet om commentaar gevraagd.'

'Ik dacht niet dat we erover zouden hoeven discussiëren.'

'Waarom niet? Dacht u dat ik zo dankbaar zou zijn dat er niets meer over te zeggen was?'

'Eerlijk gezegd wel.'

'Ik besef,' Brendan sprak met moeite, 'dat ik niet veel heb in te brengen. Maar het zou wel zo beleefd zijn geweest.'

'Mijn beste Byron, de filmbusiness is niet bijster beleefd. Maar...'

'Dat merk ik, ja.'

'Maar we kunnen voor je volgende film wel onderhandelen. Als die er komt, tenminste.'

'Ja,' zei Brendan, 'dat lijkt me goed.'

'Nu dan, je woonsituatie. Ten eerste moet ik erop aandringen dat je je lief-desnestje achter je laat. En wel direct. Je kunt je meisje natuurlijk opzoeken, maar ik wil niet dat je nog met haar samenwoont. Dat zou niet goed zijn voor je imago.'

'Juist.'

'En dan het kind. Je dochter. Ik denk dat het beste is...'

'Mevrouw MacNeice, ik wil mijn dochter echt niet met u bespreken. Zij is mijn zaak.'

'Byron, zolang jij voor mij werkt, is alles wat met jou te maken heeft mijn zaak. Ik kan me voorstellen dat je je dochter wilt beschermen, maar het is aan mij te beoordelen of we over haar praten en hoe we omgaan met haar bestaan.'

Opeens stond Brendan op. 'Mevrouw MacNeice,' zei hij, 'ik heb het nu echt gehad. Het is mijn dochter en ik bepaal wat er met haar gebeurt. Ze zal niet uw promotiespeeltje worden. En als er iets over haar in een persbericht komt te staan zal ik hoogstpersoonlijk uw nek breken en meneer Brownes ballen uiterst strak om zijn pik binden en de hele kolerezooi in zijn afgelikte reet steken. Is dat duidelijk?'

Naomi keek hem uitdrukkingsloos aan. 'Volkomen,' zei ze. Ze zette haar glas neer en ging plotseling staan. 'Goed,' zei ze, 'nu ik weet waar ik aan toe ben, kunnen we wel wat andere zaken afhandelen. Kom maar mee.'

Ze liep om het zwembad heen naar het roze badhuisje. Onder het lopen schopte ze haar hooggehakte schoenen uit. Brendan liep achter haar aan.

Ze liep het huisje in, wachtte totdat hij binnen was en deed de deur dicht. Brendan keek gebiologeerd toe terwijl zij haar lichtblauwe blouse open knoopte en van haar schouders liet glijden. Haar borsten waren klein, maar erg bruin, met grote, donkere tepels. Ze maakte haar rok los en liet deze op de grond glijden. Ze droeg er alleen een minuscuul broekje onder. Toen maakte ze haar haarband los, zodat haar zilverblonde haren op haar schouders vielen, wat haar opeens tien of vijftien jaar jonger maakte. Langzaam, nonchalant, alsof ze door haar kantoor liep, liep ze naar een hoek en drukte op een knop. Uit de muur klapte een groot, opgemaakt bed open en Naomi ging erop liggen. Met haar blik nog steeds op Brendans gezicht gericht, trok ze haar broekje uit en ging ze achterover liggen tegen een berg lichtblauwe kussens, haar benen iets gespreid.

'Byron,' zei ze een beetje ongeduldig, 'kom nou. Je dacht toch niet dat ik dit allemaal voor jouw carrière deed, zeker?'

Natuurlijk deed hij het; hij ging naar het bed, kleedde zich uit en vree met haar, niet één, maar twee keer; het was een bijzondere ervaring, opwindend, bevredigend, maar zonder enige tederheid. Hij voelde zich onderworpen, in bezit genomen. Ze had een mooi, hard, hongerig lichaam; ze nam de leiding, beheerste al zijn bewegingen, iets wat hij ergerlijk en charmant tegelijk vond. Hij volgde, wachtte, bewoog, stil, bevrijd. Naomi kwam niet één keer klaar, maar drie keer; na de laatste keer gooide ze haar hoofd in haar nek, kromde haar rug, trok hem nog dieper in zich en zei: 'Nu, Byron, nu, snel!' en met verbluffend, bijna angstwekkend gemak voelde hij zijn lichaam opgaan in een orgasme, kantelen, vallen.

Na afloop was ze kordaat, georganiseerd. Ze glimlachte hem kort, goedkeurend toe, nam de intercom op en zei: 'Het eten graag bij het zwembad, Crossman, over een half uur. Toen stond ze op van het bed, liep naar de bar en schonk twee dubbele cognacs in. Ze liep naar hem terug. 'Laten we proosten,' zei ze, 'op onze samenwerking,' en ze nam een diepe teug uit haar glas zonder hem het zijne aan te reiken. In plaats daarvan keek ze hem met een intens geamuseerde blik aan. Hij steunde op zijn ellebogen en keek bijna onverschillig toe, terwijl ze zijn penis oppakte, deze voorzichtig in de cognac doopte en er vervolgens aan begon te likken als een kat van een schoteltje room.

Hij deed alles wat ze zei; hij vertelde Rose dat hij weg moest, dat het onderdeel was van zijn contract en verdroeg zwijgend de spottende afkeer, de minachting waarmee ze toekeek hoe hij zijn spullen inpakte en hem vervolgens zag aarzelen bij hun gezamenlijke bezittingen – 'Laat toch staan, ik weet zeker dat Naomi MacNeice een klok heeft, misschien zélfs een vaas' – en haar nadrukkelijke desinteresse in waar hij naartoe ging.

Naomi installeerde hem in een penthouse achter Sunset dat ze liet inrichten door Damian Drake, op aanraden van Perry Browne: veel wit en zilver, met spiegelpanelen tegen het plafond, zwarte jaloezieën en witte tapijten. Op een groot rond bed, een paar zwartleren banken en een enorm verzonken bad na was er geen meubilair. Wel had het appartement een kelder, onontbeerlijk voor een wijnkenner als hij. Aanvankelijk leverde dat in het penthouse logistiek gezien nog wel een probleem op, maar Drake loste het op door halverwege de trap naar het dakterras een kleine tussenverdieping te bouwen. Achter een heuse kelderdeur lagen honderden lege wijnflessen onder een dikke laag stof, een bijdrage van de rekwisietenafdeling, te wachten op de volgende fotosessie.

Het kostte Brendan moeite zich in te leven in zijn rol als wijnkenner. Naomi kon wel zeggen dat het veiliger was dan surfen en gemakkelijker dan paardrijden, maar hij moest diepgaande gesprekken kunnen voeren over zoete en droge wijnen, bordeauxs en bourgognes, oogsten en wijngaarden, totdat hij er duizelig van werd, zonder één druppel te drinken. Maar Perry had gelijk: het leverde hem de juiste uitstraling van raffinement en wellevendheid op. Aangezien slechts een handjevol bewoners van Hollywood enig benul had van de ontstaansgeschiedenis van wijn of andere verschillen tussen bordeaux en champagne kon benoemen dan dat een fles champagne luidruchtiger openging, lukte het hem heel aardig. Hij werd continu gefotografeerd in gezelschap van aankomende filmsterretjes, terwijl hij tijdens een diner een bepaalde wijn ontkurkte, of bij zijn kelderdeur, met als citaat dat deze wijn grappig was en die wijn weinig doortastend, zodat de aanwezigheid van Grand Connaisseur Byron Patrick al snel onontbeerlijk was op elk evenement van enige gastronomische waarde. Zijn carrière als jonge mannelijke hoofdrolspeler van ACI verliep net zo voorspoedig en bevredigend als de aanwas van zijn wijnvoorraad.

Na de eastern promoveerde Brendan tot een melodramatische avonturenfilm, waarin hij de tweede hoofdrol speelde, die van een achttiende-eeuwse Engelse Lord (waarin hij naar zijn gevoel belachelijk gekleed ging in een bordeauxrode fluwelen broek en een overdadige witkanten jabot, maar de fans vonden het geweldig en de bladen vergeleken hem met de jonge Stewart Granger), om daarna zijn eerste echte rol te krijgen, zoals hij tegen Naomi opmerkte, van een overspelige charmeur in een moderne zedenkomedie. Naomi antwoordde pinnig dat elke rol een echte rol was als je er je rekeningen van kon betalen. Aangezien hij nu duizend dollar per week verdiende, waarvan vijfhonderd dollar naar New York werd overgemaakt, werden er heel wat rekeningen betaald.

Brendan was zich volkomen bewust van zijn tekortkomingen: hij had een beperkt talent (iets wat de recensenten keer op keer aanstipten), maar zijn speelstijl paste perfect bij de tijd en zijn uiterlijk leende zich perfect voor het witte doek (zoals de snelgroeiende berg post van fans bewees). Toch wist hij dat er minstens twintig, zo niet tweehonderd jonge mannen rondliepen die net zo knap en net zo fotogeniek waren; hij had zijn succes te danken aan Naomi en in ruil daarvoor moest hij bepaalde diensten leveren als ze erom vroeg – zijn aanwezigheid op haar feestjes, een flinke dosis charme als ze zich rot voelde en zijn lichaam om haar schier onverzadigbare seksuele honger te stillen. Hij merkte, met interesse en een zekere mate van zelfverachting, dat hij er minder moeite mee had haar te plezieren, zowel in als buiten het bed, dan hij had verwacht. Als hij keek naar de persoon die hij begon te worden, een plastic kopie van zichzelf met een nonchalante, onechte charme, en vervolgens naar wat het hem opleverde, zette hij zijn bezorgdheid opzij. Alleen Kathleen en Fleur wisten wie hij echt was, maar zij profiteerden van zijn rollenspel. Hij stond zichzelf niet eens toe aan Caroline te denken; ze behoorde nu tot zijn verleden. Kathleen schreef om te vertellen dat Fleur nu in het honkbalteam van school zat, dat ze ongeveer vijftien centimeter was gegroeid en al een echte schoonheid werd. Fleur schreef hem om te vertellen dat ze hem miste en vroeg wanneer hij thuiskwam. Brendan, die geen schrijver was, stuurde ansichtkaarten van Hollywood en vertelde hun dat hij snel thuis zou komen. Het idee hen naar Hollywood te halen had hij helemaal losgelaten. Zij zouden niet kunnen wennen aan zijn nieuwe leven en trouwens, Naomi zou het niet toestaan. En Naomi maakte de dienst uit.

Naarmate hij Naomi beter leerde kennen, begon hij haar niet zozeer aardiger te vinden als wel te bewonderen, en ze begon hem steeds meer te interesseren; ze was wereldvreemd, autoritair, ongelooflijk dominant, maar ook onzeker, ze raakte snel gedeprimeerd en leed aan chronische slapeloosheid. Het enige wat tegen de slapeloosheid hielp, was seks: Brendan wende eraan dat hij om twee of drie uur 's nachts uit zijn bed werd gebeld en slaapdronken in Naomi's auto naar San Ysedro werd gebracht, waar ze hem opwachtte, gespannen, verlangend, ijsberend door de bibliotheek of over het terras. Dan begroette ze hem met een strak gezicht, zonder warmte, en leidde hem ongeduldig, dwingend naar haar kamer. Rond deze tijd eiste ze meer van hem dan anders, ze wilde een snelle ontlading. Hij besteeg haar snel, bijna beestachtig, en voelde haar orgasme al even snel en gewelddadig opkomen. Ze kwam vrijwel meteen luidruchtig klaar en zette haar lange rode nagels in zijn rug. Daarna lag ze, nog steeds met een vertrokken gezicht en nat van het zweet en de tranen na te hijgen. Even later werd haar ademhaling gelijkmatiger en rustiger. Na vijf minuten viel ze in slaap en was hij niet meer nodig. In het begin vond hij het vernederend om als slaapmiddel te worden gebruikt; daarna begon het deel uit te maken van de prijs die hij betaalde voor succes en veiligheid, voor zichzelf, Kathleen en Fleur. Hij paste zich aan, zoals altijd, en verdrong alle mogelijke morele en emotionele conclusies.

Naarmate Brendan bekender werd, wilde Naomi steeds vaker dat hij haar begeleidde naar openbare en drukbezochte feestjes. Eerst was hij nerveus en niet op zijn gemak, vooral bij de orgieën; hij wist niet waar hij moest kijken en hoe hij zich moest gedragen als bekende actrices zich uitkleedden om naakt te zwemmen en twee of drie mannen uitdaagden erbij te komen voor een vrijpartij onder water, of op eettafels gingen staan en hun jurk over hun hoofd tilden, alsof ze wilden laten zien dat de geruchten klopten en ze inderdaad geen ondergoed droegen. Hij was nerveus toen hij voor het eerst kennismaakte met de kleine zijkamers en garderobes bij de vele balzalen, de eetkamers en vestibules van de landhuizen in Beverley Hills waar cocaïne op discrete wijze, maar ruimhartig werd aangeboden, compleet met zilveren rietjes, aan eenieder die daar behoefte aan had. Hij werd echt bang toen hij op een feestje (waar Naomi niet bij was) door twee actrices naar een slaapkamer werd geleid; ze trokken eerst zijn en toen hun eigen kleren uit en verleidden hem terwijl de andere feestgangers door een doorkijkspiegel toekeken.

Maar hij leerde snel; hij kwam erachter welke actrices lesbisch waren en welke acteurs homoseksueel, wie hem wilde betrekken bij groepsseks, wie cocaïne snoof, wie hasj rookte; hoe de feestjes die hij verplicht bezocht waarschijnlijk zouden verlopen en hoe hij daarmee moest omgaan. Nu kon hij neerkijken op de nogal zielige jonge generatie acteurs en actrices die deel uitmaakten van het slavensysteem – die de sterren en regisseurs moesten bevredigen, vooral op regenachtige dagen, als de opnamen niet wilden opschieten – en kreeg hij ontelbare oneerbare voorstellen van jonge, hoopvolle actrices die hem opzochten in zijn kleedkamer of hem thuis opbelden, in ruil voor een hulpvaardig woord tegen de regisseur.

Hij leerde hoe Hollywood werkte, wie waar at en de beste tafels opeiste, hoe Clark Gable altijd de beste tafel kreeg bij Romanoff's (net als gangster Bugsy Siegel tien jaar eerder); hoe James Dean bijna altijd te vinden was in de Yucca en hoe Gable en Bogey bijna elke vrijdag naar de bokswedstrijd in het Legion Stadium gingen.

Naomi kocht een zilverkleurige Oldsmobile voor hem en een kast vol kleren van Syvedore's op Sunset. Ze nam hem mee naar weekendjes in de Racquet Club in Palm Springs, logeerde met hem bij vrienden in hun landhuizen in Santa Barbara (waar hij paardreed in een landschap dat in zijn ogen meer op een filmdecor leek dan de meeste filmdecors), of ging met hem naar de sinaasappel- en avocadoboomgaarden van Ojai die als achtergrond waren gebruikt in *Lost Horizon*. Hij was populair, werd vertroeteld en geprezen. Hij had zijn vrienden voor het uitkiezen; wie hem saai of onaardig leek, kon hij negeren. En als de kranten hem deprimeerden, kon hij zichzelf opvrolijken door naar de foto's en overdreven vleiende artikelen te kijken die bijna wekelijks verschenen in *Photoplay* of *Motion Picture*. Niet dat hij er iets van geloofde, maar toch...

Maar één les leerde hij nooit goed, hoe hij ook zijn best deed, en dat was dat hij niemand kon vertrouwen of geloven. Het paste niet bij zijn karakter; hij kon het gewoon niet. Zolang hij nuchter was, ging het nog, dan toonde hij het gelikte raffinement uit de persberichten, maar na een paar glazen wijn of een joint werd hij weer zichzelf, een jongen uit Brooklyn bij wie je gemakkelijk geld kon lenen, zielige verhalen kon ophangen, die een helpende hand bood. Hij kreeg er veel vrienden mee, maar het was riskant. Het maakte hem kwetsbaar.

Inleiding tot het hoofdstuk over Kirstie Fairfax voor het deel 'Verloren jaren' in *The Tinsel Underneath*.

Hollywood maakt meer mensen kapot dan beroemd. Het mag dan een wieg van creativiteit zijn, maar het is ook een begraafplaats van hoop en onschuld.

Net als Brendan FitzPatrick werd Kirstie Fairfax door een gewetenloze impresario met valse hoop en een kast vol goedkope kleren naar Hollywood gelokt. Ze kwam aan als mooie zestienjarige, met blond haar, blauwe ogen en cup D, die in Chicago had laten zien dat ze kon dansen. Niet goed genoeg voor het witte doek, maar dat kon ze maar beter niet weten.

De impresario, ene Rod Selway, had haar verteld dat ze het helemaal zou gaan maken: als zij hem vijfhonderd dollar zou betalen, zou hij ervoor zorgen dat er een screentest werd gedaan.

Kirstie nam al haar spaargeld op en betaalde hem en kocht een ticket. Toen ze eind 1956 in Los Angeles landde, was het enige wat ze nog bezat twintig dollar en een introductiebrief voor een aantal studio's. Niemand had ooit van Selway gehoord, niemand bleek bereid tot een screentest.

Drie weken later zat ze totaal platzak in een café en overdacht ze net hoe ze terug kon naar Chicago, toen ze werd opgepikt door een talentscout. Althans, iemand die zei dat hij een talentscout was. Jazeker, antwoordde hij op haar vragen, de naam Rod Selway kende hij wel, een goede vent, maar hij had niet bijster veel contacten. Natuurlijk kon hij een screentest voor haar regelen. Terwijl ze wachtte kon ze een tijdelijk baantje krijgen in zijn club. Nu haar reputatie en zelfwaardering waren gered, ging ze met hem mee. De club had veel weg van een bordeel en screentests waren er zelden. Maar nu had ze tenminste een dak boven haar hoofd, geld en veel lol. Een tijdlang was ze tevreden.

Maar ze wilde nog steeds filmster worden. Ze wist dat ze kon dansen, ze wist zeker dat ze kon acteren; ze was ervan overtuigd dat ze er goed uitzag. Ze nam zang- en acteerlessen en ze bereikte moeizaam de buitenste rand van het Hollywood-netwerk. En toen ze op een feestje haar aanzienlijke talenten op gebied van orale seks demonstreerde, ontmoette ze Brendan FitzPatrick.

Hoofdstuk 6

S lecht nieuws wordt niet altijd gebracht door mannen met ernstige gezichten en diepe stemmen; soms komt het als een slordig kluwen, te laat, verwrongen en dubbel zo schokkend. Zo bereikte het afgrijselijke nieuws Caroline op een dag begin september, toen ze nog dacht dat ze volmaakt gelukkig, volkomen veilig was. Ze zat wasmerkjes in de kleding van haar zoons te naaien, om deze daarna keurig opgevouwen in hun koffers te leggen. Af en toe keek ze uit het raam om naar haar dochter te kijken, die paardreed (zenuwachtig en met weinig finesse, zag ze) in de buitenbak naast het huis. Ze zat een beetje ongeduldig te wachten totdat het nieuws voorbij was en *Woman's Hour* begon. Er was de dag ervoor een onderwerp aangekondigd dat haar interessant leek: een interview met een journalist die een boek had geschreven over Hollywood-schandalen. Als ze kon, luisterde ze altijd naar *Woman's Hour*. Ze vond het altijd inspirerend en leuk, het doorbrak de sleur, gaf haar dag kleur. Ze verheugde zich vooral op het interview; ze durfde al niet meer te hopen dat ze ooit nog iets over Brendan zou horen, maar hij had haar interesse voor de filmindustrie wel aangewakkerd.

Ze had beslist niet verwacht Brendan tegen te komen in het blad *Picturegoer*. Het blad lag op de keukentafel waar Kokkie het had achtergelaten. Brendan poseerde glimlachend met een strandbal op een omgekeerde boot, in gezelschap van een blonde actrice. Hij leek iets dikker dan ze zich hem herinnerde en zijn kapsel was nogal ordinair, maar verder was hij geen spat veranderd. Met knikkende knieën was ze gaan zitten en probeerde ze het fotobijschrift te begrijpen. 'Hartenbreker Byron Patrick speelt op Muscle Beach Stella Stewart de bal toe.'

'Byron!' zei ze hardop tegen de foto. 'Byron? Dat kan niet. Onzin.' Maar het was hem echt en sindsdien wachtte ze elke twee weken met een gevoel van stiekeme spanning op *Picturegoer.* Na die eerste keer was er maandenlang geen nieuws over Brendan, maar toen had hij een klein rolletje in een thriller. In het daaropvolgende nummer stond een foto van hem in een restaurant met een actrice die Tina Tyrell heette. Toen was het weer heel lang stil; en dat terwijl het juist zo goed leek te gaan en hij volgens het tijdschrift volle zalen trok. Het had haar niet erg geraakt. Het was allemaal zo onpersoonlijk en naar haar gevoel had die mooie jongen met die belachelijke naam, die met onbeduidende actrices op het strand speelde of in een wit smokingjasje op premières verscheen, niets te maken met de Brendan van wie zij had gehouden, met wie ze een kind had. Ze was niet eens jaloers op de actrices, ze interesseerden haar niet.

Ze maakte zich wel zorgen over Fleur, vroeg zich af of Hollywood wel een geschikte plek voor haar was, maar blijkbaar verdiende Brendan genoeg en kon hij goed voor haar zorgen. Zou er in een van de tijdschriften een foto van haar staan? Soms deden ze reportages over het gezin van een ster. Dat idee hield haar een tijdlang bezig; koortsachtig bladerde ze door de tijdschriften op zoek naar een foto van Brendan of Byron met een meisje van tien of elf – welnee, ze was ouder – met donker haar en grote blauwe ogen. Vergeefs, natuurlijk. Toen liet ze dat idee ook varen, was zelfs opgelucht; Brendan zou haar nooit aan dat soort publiciteit blootstellen.

Ze wachtte ongeduldig tot het onderwerp goedkoop koken voorbij was en had net het geluid harder gezet, toen Kokkie binnenkwam met een aantal menu's. Tegen de tijd dat ze haar had afgepoeierd, was journalist Joe Payton (die een erg sexy, schorre stem had) al halverwege het onderwerp.

'Er zijn zoveel soorten schandalen,' zei hij tegen de interviewer, toen Caroline eindelijk kon luisteren. 'Er zijn huwelijksschandalen, zoals dat van Lana Turner, zes of zeven mannen van wie ze zich weer pijlsnel liet scheiden; alcoholproblemen, neem bijvoorbeeld Frances Farmer, die overal drank door gooide, zelfs door haar pap, en die tien jaar in een inrichting zat; sommige schandalen hadden te maken met misdaad, zoals Bugsy Siegel, die een van de ongekroonde koningen van Hollywood was, totdat hij in zijn eigen woonkamer werd neergeknald; er waren drugsschandalen, zoals rond Judy Garland, die zo stijf stond van de pillen dat ze niet wist hoe laat het was.

'Er zijn ook gevallen van manipulatie bekend, waarbij jonge acteurs en actrices naar Hollywood worden gehaald, moeten presteren, door iedereen op elke denkbare manier worden misbruikt en dan, vaak letterlijk, op straat worden gezet. Zo'n drie jaar geleden liep het tragisch af met een jonge man die Byron Patrick heette. Hij werd naar Hollywood gestuurd, waar een castingdirecteur hem opving. Ze zorgde voor een mooi appartement, een mooie auto, mooie kleren, van die dingen, maar toen een van de roddelbladen hem in een slecht daglicht stelde, gooide ze hem eruit. Hij belandde op het strand bij Santa Monica. Hij werd op de Pacific Coast Highway doodgereden door een passerende auto, maar feitelijk heeft Hollywood hem het leven gekost. En toen...'

Caroline zette de radio uit. Ze deed haar ogen dicht, boog over haar naaiwerk en begon te trillen. Ze had het ijskoud en was misselijk; na een tijdje stond ze op, liep naar haar slaapkamer en ging op bed liggen. Ze voelde niet veel, ze voelde zich alleen verschrikkelijk doods en mat; de uren verstreken; ze hoorde beneden mensen praten; ze hoorde de jongens terugkomen van hun rit en later, veel later, stopte Williams auto voor het huis en hoorde ze hem roepen.

Een tijdje later kwam hij boven en liep hij haar slaapkamer binnen; ze keek naar hem en het leek of ze absoluut niet wist wie hij was.

'Caroline, liefje, gaat het? Wat is er?' vroeg hij. Ze zei dat ze zich niet zo lekker voelde. Ze had hoofdpijn en voelde zich misselijk. Waarschijnlijk had ze iets opgelopen. Als hij het niet erg vond, bleef ze liever liggen. De kinderjuffrouw zou wel voor de jongens zorgen, Chloe was bij een vriendin en bleef daar logeren. 'Kun je alsjeblieft gaan, William?' vroeg ze, duidelijk geagiteerd. 'Ik wil liever alleen zijn.' Hij was geschrokken en bang, maar liep snel haar kamer uit om haar niet nog meer van streek te maken.

Vele uren later was hij terug. 'Gaat het al beter, Caroline?' fluisterde hij. Ze deed alsof ze sliep en hij sloop de kamer uit, opgelucht dat hij niets voor haar hoefde te doen, en ging in zijn kleedkamer slapen.

Ze bleef de hele nacht liggen, met haar kleren aan, haar ogen open. Ze dacht aan Brendan, haalde herinneringen op en maakte zich kwaad; het ergste van alles was dat ze het niet had geweten, dat ze gewoon had gedacht dat Brendan nog leefde en het redelijk tot goed maakte, dat hij voor Fleur zorgde. Dat Fleur een gelukkige jeugd had. Ze was begin dat jaar vijftien geworden. Maar ondertussen – hoe lang al? – was hij dood, koud, aangereden als een hond. En wat was dat voor verhaal geweest in de roddelbladen? Ging het misschien over haar, over Brendan en haar? Bij die gedachte, dat haar diep weggestopte verleden bekend was geworden, voelde ze zo'n paniek opkomen dat ze in haar vuisten moest bijten om een schreeuw in te houden. Maar nee, dacht ze, dat was onmogelijk. Als dat zo was, zou ze ervan hebben gehoord, zou William ervan hebben gehoord. Ze zou het hebben geweten. Hoewel, als het in de artikelen stond die deze man schreef, kon ze het nog niet hebben gehoord. Maar dan zou die journalist contact hebben opgenomen. Ja, natuurlijk. Dus moest het iets anders zijn, iets verschrikkelijks, iets weerzinwekkends, maar dat zou haar en William en hun kinderen tenminste niet raken. Maar toen ze langer nadacht, besefte ze vol afschuw dat Fleur nu alleen was, dat niemand zich om haar zou bekommeren, van haar zou houden. Niemand zou voor haar zorgen. Terwijl zij had aangenomen dat Fleur volkomen veilig was, dat ze bij de enige persoon was, behalve zijzelf, bij wie ze thuishoorde.

Naarmate de uren verstreken, werd de pijn heviger; ze herinnerde zich Brendan zoals ze hem had gekend, goedlachs, teder, grappig en aantrekkelijk, hoe ze naast hem in de auto had gezeten, hem de streek had laten zien, de Engelse cultuur had bijgebracht. Ze herinnerde zich de seks, wilde, sterke, heerlijke seks, hoe haar lichaam erop had gereageerd; ze herinnerde zich haar liefde voor hem, die zachte allesomvattende liefde. Ze herinnerde zich haar pijn toen ze dacht dat ze hem kwijt was; de pijn toen ze hun dochter had afgestaan; ze herinnerde zich hun laatste samenzijn, toen ze in een paar uur een heel leven probeerde goed te maken. Ze herinnerde zich hoe hij had gehuild en huilde mee bij de herinnering. Het sterkst herinnerde ze zich haar woorden: 'Jij moet onze dochter mee naar huis nemen.'

En nu was hun dochter alleen, was ze helemaal niet bij hem thuis, was er niemand die voor haar zorgde. Waar was ze nu, haar Fleur, haar mooie lange, slanke donkerharige dochter. Waar woonde ze en hoe zou ze haar kunnen vinden?

Bij die gedachte ging Caroline rechtop zitten; de hevige emotie gaf haar kracht, verzachtte haar pijn. Wat ze verder ook deed, ze móest Fleur vinden, weten dat ze veilig was. Ongeacht de eventuele gevolgen voor haar, William of de kinderen. Ze moest Fleur vinden.

Maar hoe? Hoe zou ze een klein meisje kunnen vinden in dat reusachtige Amerika. Ze kon overal wel zijn, waarschijnlijk in New York, maar het kon net zo goed Hollywood zijn, of waar dan ook. Misschien was ze zelfs helemaal niet in Amerika. 'O God,' zei Caroline hardop en ze ging weer liggen, maar begon meteen te woelen. 'O God, help me.'

Niet God bood haar de helpende hand, maar, zoals al zo vaak in haar leven, Jack Bamforth.

Ze ging al vroeg naar de stallen, zodra ze wist dat hij er zou zijn. Hij stond een van de stallen uit te mesten en keek glimlachend op.

'Goedemorgen, Lady Hunterton.'

'Goedemorgen, Jack. Kunnen... kunnen we even praten?'

'Praten?' vroeg hij met zijn zachte, sensuele glimlach.

'Ja, praten. Echt praten.'

Hij zette zijn mestvork weg. 'Je ziet er vreselijk uit.'

'Zo voel ik me ook,' zei ze

'Kom mee naar mijn kantoor. Daar heb ik een thermosfles met koffie staan. Kom maar, je hebt het ijskoud.'

Hij schonk haar koffie in. 'Vertel maar, wat is er?'

Met droge ogen en uiterste zelfbeheersing vertelde ze hem waar ze mee zat. Toen ze was uitgepraat, schudde hij zijn hoofd en zei: 'Wat een afschuwelijke ontwikkeling.' Hij wreef haar over haar hand en bleef een hele tijd zitten nadenken.

'Ik neem aan dat je naar haar op zoek wilt? Om te weten of het goed met haar gaat?'

'Ja, Jack, ik moet wel. Denk je ook niet?'

'Inderdaad, hoe pijnlijk het ook kan zijn. Ga je het Sir William vertellen?'

'Ik denk dat er niets anders op zit.'

'Lijkt mij ook. Hij is niet dom, Sir William.'

'Maar Jack, hoe moet ik het aanpakken? Ik weet gewoon niet waar ik moet beginnen. Ik heb geen adres in New York, of waar dan ook.'

'Heeft hij het je niet gegeven?'

'Ik wilde het zelf niet hebben. Ik wist dat ik nooit voorgoed weg zou kunnen blijven als ik het adres had.'

'Dat begrijp ik. En die adoptiemensen?'

'Misschien kan ik het vragen. Ik zou het toch kunnen uitleggen? Misschien kunnen ze helpen. Het is al lang geleden. Ze is op 1 januari vijftien geworden, Jack. Kun je je dat voorstellen?'

'Nog net,' zei hij, 'het is allemaal erg snel gegaan.'

'Hoe dan ook, ik zal die mensen benaderen. Heb je nog andere ideeën?'

'Wat dacht je van die journalist?' vroeg hij. 'Misschien heeft hij aanwijzingen die je kunt opvolgen. Het is te proberen.'

Caroline bleef hem een moment lang zwijgend aankijken. 'Jack, wat ben je toch slim,' zei ze, 'briljant gewoon.'

'Je moet ook slim zijn,' zei hij glimlachend, 'als je met paarden werkt.'

Het gesprek met William was pijnlijk. Toen ze voor het eerst in lange tijd weer eens goed naar hem keek, besefte ze dat hij erg mager was en er oud uitzag. Nou ja, hij was tenslotte achtenvijftig. Niet langer jong. Hij rookte te veel en at te weinig. Het was te zien. Ik ben zelf niet jong meer, dacht ze, zevenendertig, niet langer in de bloei van mijn leven. Ik heb twee tienerdochters. Met moeite richtte ze haar aandacht weer op het gesprek met William.

'Ik kan je niet zeggen,' vertelde hij haar, 'hoe kwetsend ik dit vind. Je hebt me beloofd dat je nooit meer iets met het kind te maken zou hebben. Op die belofte is ons huwelijk gestoeld.'

'Ja, dat weet ik, William. Ik heb me er ook altijd aan gehouden, maar je begrijpt toch wel dat nu alles anders is? Brendan is dood en Fleur is misschien alleen op de wereld.'

'Gebruik haar naam niet,' zei hij, 'dat wil ik niet.'

'Sorry, William, maar probeer het alsjeblieft, alsjeblieft te begrijpen.'

Hij stond een tijdje zwijgend uit het raam te kijken.

'Ik betwijfel ten zeerste,' zei hij, 'dat ze alleen op de wereld is. De meeste mensen hebben familie. Haar vader kwam toch uit een groot Iers gezin? Ik kan me niet voorstellen dat zij haar in de steek hebben gelaten. Bovendien is ze – hoe oud? – iets ouder dan Chloe. Geen baby meer. Niet compleet kwetsbaar. Het gaat vast goed met haar. Ik denk dat je het moet laten rusten. Haar vader is misschien al jaren dood. Ik zie niet wat het voor nut heeft om in het wilde weg naar haar te gaan zoeken. Ze zou je waarschijnlijk ook niet met open armen ontvangen.'

'Dat weet ik,' zei Caroline. Ze keek hem smekend aan. 'Stel je voor dat het Chloe zou overkomen. Stel je voor dat je had gehoord dat ik dood was en dat je niet wist waar ze was en wie er voor haar zorgde. Zou jij het dan niet willen weten, moeten weten? William, alsjeblieft.'

Hij dacht na, zwijgend, rokend. 'Als ik eerlijk ben,' zei hij uiteindelijk, 'geef ik je gelijk. Ik zou het ook willen weten. Maar als ik jou er evenveel pijn mee zou doen als jij mij, zou ik me uit alle macht inhouden.'

'O, William,' zei Caroline met een halve snik, 'dat kan ik niet. Het spijt me, maar dat kan ik niet.'

Hij stond op en keek haar aan. 'In dat geval,' zei hij intens verdrietig, 'moet je het doen. Nu moet je me verontschuldigen. Ik moet naar mijn werk.'

De dame van het adoptiebureau was zeer ferm en kordaat. Ze was onder geen beding bij machte adressen van adoptiefouders te verstrekken. Ja, ze besefte dat de omstandigheden bijzonder waren, maar zo waren de regels. Ze zou het haar meerderen vragen, maar ze wist heel zeker dat zij het met haar eens waren. Ze voerde een telefoongesprek en vertelde dat als Caroline een schriftelijk verzoek in zou dienen, haar meerderen zich op de kwestie zouden beraden. Het speet haar, maar meer kon ze niet doen.

Caroline stoof het kantoor uit, reed razendsnel naar huis, schonk zichzelf een dubbele whisky in en liep naar de stallen.

'Zo te zien moet je het van die journalist hebben,' zei Jack.

'Ja, maar hoe vind ik hem?'

'Misschien kun je naar dat radioprogramma bellen.'

'Jack, voor de zoveelste keer: wat zou ik in hemelsnaam zonder jou moeten beginnen?'

De mensen bij *Woman's Hour* waren vol begrip en hulpvaardig. Ze zeiden dat ze niet zomaar Joe Paytons nummer konden geven, maar dat ze haar naam aan hem konden doorgeven en hem zouden vragen haar te bellen; ook gaven ze haar het nummer van zijn agent, voor het geval hij niet belde.

Ze belde de agent sowieso en sprak met een erg arrogant klinkend meisje. Ze zei dat ze zou proberen meneer Payton te bereiken, maar haar toon suggereerde dat ze evenveel kans van slagen had als ze aartsengel Gabriël probeerde te bereiken.

Drie dagen later, toen Caroline alle hoop had opgegeven, ging net voor de lunch de telefoon; het meisje van *Woman's Hour* zei: 'Lady Hunterton, het spijt me dat het zo lang heeft geduurd. Ik heb meneer Payton voor u opgespoord, maar ik ben bang dat hij een paar weken het land uit is. Blijkbaar is hij op vakantie. Ik weet zeker dat hij u terugbelt als hij terug is. Ik heb een boodschap achtergelaten.'

'O, dankjewel,' zei Caroline, terwijl de moed haar in de schoenen zonk. 'Weet je ook waar hij heen is?'

'Helaas,' zei het meisje op licht geamuseerde toon.

'Voor welke krant werkt hij?'

'De *Herald*.'

'Fijn. Dank je voor al je moeite.'

'Dat is wel goed, Lady Hunterton.'

Ze belde de *Herald* en vroeg naar de filmredactie. De man die haar te woord stond, begon te gniffelen. 'Die hebben we niet. Wie zoekt u?'

'Eh, meneer Payton.'

'O, Joe. Moment alstublieft.'

Ze hoorde een hoop geklik, voordat een meisje opnam. 'Shownieuws.'

'Kan ik meneer Payton spreken?' vroeg Caroline.

'Sorry, nee, hij is op vakantie.'

'Wanneer komt hij terug?'

'Over twee weken.'

'O god.' Het nieuws was niet echt verpletterend, maar zo voelde het wel. De tranen sprongen Caroline in de ogen en haar stem trilde.

'Gaat het? Is het erg dringend?' Het meisje klonk bezorgd.

'Ja, in zeker opzicht wel.'

'Nou, hij is gewoon thuis. Ik mag u niet zijn nummer geven, maar hij staat in het telefoonboek. Hij woont in St John's Wood.'

'O,' zei Caroline, 'dankjewel.'

'Een van Joe's vrouwen, zo te horen,' zei zijn secretaresse. 'Leert hij het dan nooit?'

Joe Payton klonk anders aan de telefoon. Nog even sexy, maar trager, minder zakelijk. 'Hallo?' zei hij. 'Ja, met Joe Payton. Wat kan ik voor u doen?'

'Nou,' zei Caroline, 'ik zou willen dat je naar me luistert.'

'Ik luister.'

'Maar het is een beetje moeilijk aan de telefoon.'

'Ik dacht dat telefoon daar juist voor was.'

'Ja, maar dit is ingewikkeld. En persoonlijk. We kunnen zeker niet... ergens afspreken, hè?'

'Ik weet het niet. Ik ben een drukbezet man. Bent u mooi?'

'Niet heel mooi,' zei Caroline, die een glimlach niet kon onderdrukken. 'Maar ik kan mijn best voor u doen. Mijn haar borstelen, make-up opdoen, van die dingen.'

'Kunt u me zeggen hoe u heet en waar dit over gaat?'

'Ik heet Caroline Hunterton en ik heb... Byron Patrick kort gekend. Ik hoorde u onlangs op de radio.'

'En...?'

'Ik wist niet dat hij dood was.'

'En...?'

'En... nou ja, ik ben op zoek naar zijn... zijn dochter.'

'Zijn dochter? Zei u "zijn dochter"?'

'Ja, dat zei ik.'

'Mevrouw Hunterton, dit is een geweldig verhaal. Natuurlijk wil ik met u afspreken. Wilt u langskomen?'

'Nou, langskomen is moeilijk.'

'Hoezo?'

'Ik woon in Suffolk.'

'Ik snap het. En morgen? Kunnen we ergens afspreken? Lunchen bijvoorbeeld?'

'Dat zou fijn zijn. Ja, dank u.'

'Goed. Even denken. Er zit een leuk tentje op Fleet Street, Coffee House. Tegenover de rechtszalen. Ik zie u daar om één uur, is dat goed?'

'Ja, uitstekend, dank u.'

'Maar mammie, je hebt beloofd met me naar Ipswich te gaan om te kijken naar een jurk voor Sarahs feestje.' Aan de ontbijttafel keek Chloe haar moeder aan. Haar bruine ogen drukten ellende uit. Ze was zo overstuur dat ze een kan jus d'orange omstootte. 'O, sorry. Sorry.' Ze begon te deppen met haar servet.

'Chloe, laat dat. Je maakt het alleen maar erger. Mevrouw Jarvis doet het straks wel. Het spijt me dat ik niet met je naar Ipswich kan. Er is iets dringends tussengekomen. We doen het een dag later, oké?'

'Maar dan zou ik al vroeg naar haar toe gaan, want dan is het feest al. O, mammie, kunnen we echt niet gaan? Of kan ik met je mee naar Londen? Dan wacht ik wel, terwijl jij je dringende zaken afhandelt en dan kunnen we daarna naar Harrods of zo.'

'Nee, Chloe, dat gaat niet. Je hebt trouwens genoeg jurken; je zult er een uit moeten kiezen.'

'Maar die zijn me allemaal te klein. En het is zo'n belangrijk feest.'

'Onzin. Ze staan je nog prima. En je bent pas dertien; zo'n belangrijk feest kan het niet zijn.'

'Ik ben bijna veertien en het is wel belangrijk. Er komen jongens op het feest.'

'Jongens! O god.' Toby sloeg zijn handen in elkaar en hief zijn ogen ten hemel. 'Kijk maar uit, Chloe, straks word je nog verkracht.' Hij was twaalf en zat in groep acht. Hij was groot voor zijn leeftijd, een mooi, arrogant jochie. Zijn moeder verwende hem verschrikkelijk.

'Weinig kans,' zei Jolyon. 'De meesten kijken niet eens naar haar, laat staan dat ze haar verkrachten. Ze gaan voor de mooie meisjes. Of voor de minder lelijke.' Jolyon was twee jaar jonger dan Toby, vriendelijker, aardiger, maar even ongemanierd en verwend.

'Rustig jullie,' zei Caroline. 'Chloe, het spijt me, maar je kunt echt niet mee. Misschien kunnen we woensdagochtend vroeg naar Colchester, voordat je naar Sarah gaat.'

'Nee, laat maar, mammie,' zei Chloe. 'Het geeft niet. Ik pas nog wel in mijn oude jurken als ik mijn adem inhoud.'

'Met die buik heb je heel wat in te houden,' zei Toby.

'Weet je het zeker?' vroeg Caroline.

'Natuurlijk,' zei Chloe.

Caroline bedacht dat Toby gelijk had. Chloe was mooi met haar donkerrode haar en haar roomkleurige huid, maar ze was beslist te zwaar. Daar moest ze iets aan doen. 'Goed dan, liefje. Dankjewel. Ik maak het een andere keer wel weer goed.'

'Prima.' Chloe glimlachte naar haar moeder en ging op zoek naar mevrouw Jarvis, om haar te vragen de jus d'orange op te ruimen. Maar ze wist dat haar moeder het niet goed zou maken. Caroline deed daar nooit veel moeite voor.

Caroline had geen flauw idee wat Joe Payton voor iemand was. Ze had een man van middelbare leeftijd verwacht, in een pak; niet een lang, mager en aantrekkelijk wezen, duidelijk jonger dan zij, met vrij lang, sluik bruin haar met blonde plukken erin, doordringende groene ogen en een ontzettend zachte, verlegen glimlach, in een uitgezakte trui en een spijkerbroek. Ze voelde zich meteen nogal overdreven gekleed, in de chique stadse kleren die ze die ochtend met zoveel zorg had uitgekozen (met het oog op Joe Paytons interesse in haar uiterlijk): een crèmekleurig wollen mantelpakje tot net over de knie en hoge hakken. Ze voelde zich een opgetut plattelandsvrouwtje, haar opgestoken haar deed opeens stijf en formeel aan, haar oogmake-up, zwart en zwaar, maakte haar oud.

Maar toen ze naar zijn tafeltje liep stond Joe met een waarderende glimlach op. Hij zag geen formeel mantelpakje of stijf kapsel, hij zag een lange vrouw met een volmaakt ovaal gezicht, een roomkleurige huid, hongerig aandoende blauwe ogen, haar van een adembenemende kleur en lange, fraaie benen met slanke voeten. Joe had oog voor mooie vrouwen, en hij herkende stijl.

Hij stak zijn hand uit. 'Mevrouw Hunterton?'

'Zeg alsjeblieft Caroline.'

'Goed, Caroline, ik heet Joe.'

'Dit is erg aardig van je, Joe.'

'Graag gedaan. Ze hebben hier uitstekende biefstuk en goede wijn. En ook al zit het hier afgeladen met journalisten, ze zijn van de rustige soort. In stilte dronken.' Hij glimlachte weer. 'Wat wil jij drinken?'

Caroline keek om zich heen. De Coffee House was een wonderlijke combinatie van een café en een grill, met geelbruine wanden en ouderwetse kelners. Ze keek naar Joe's geruststellende, prachtige glimlach en merkte dat ze niet langer nerveus was. 'Een gin-tonic, alsjeblieft.'

'Ha, een vrouw naar mijn hart. Een echte middagdrinker. Geen gedoe met sherry'tjes. Michael, tweemaal gin-tonic, alsjeblieft. En dan zullen we snel bestellen. Want we hebben belangrijke zaken te bespreken, nietwaar, Caroline?'

'Ja, nogal.'

'Heb je trek in biefstuk?'

'Ja, of koteletjes als ze die hebben.'

'Hebben ze. Goed idee. Rosé, zeker? Dacht ik al. Michael, lamskoteletjes voor ons allebei, rosé, met wat groente en een fles van die Beaune uit 1957. Goed, brand maar los.'

'Nou, het is...' Opeens kon ze niet uit haar woorden komen. 'O jee, ik weet gewoon niet waar ik moet beginnen.'

'Ik zal je wat vragen stellen, zoals een goede journalist betaamt. Hoe heb je Byron Patrick leren kennen?'

'Hij kwam tijdens de oorlog als dienstplichtige soldaat naar Suffolk. Alleen heette hij eigenlijk geen Byron Patrick, maar Brendan FitzPatrick.'

'God, wat een geweldige naam. Alleen Hollywood kan zoiets willen veranderen. Goed, wat gebeurde er toen?'

Ze was stil.

'Sorry, dat was een vage vraag. Jullie konden het dus goed met elkaar vinden? Je kunt toen nog maar – hoe oud, twaalf? – zijn geweest. Kreeg je kauwgom van hem?'

Ze begon te lachen. 'Ja, dat wel, maar ik was toen al twintig, hoor.'

'Woonde je nog bij ouders?'

'Eh, ja.'

'Vergeef me de botte journalistenvraag. Maar had je een affaire met hem?'

'Ja. Je gaat dit toch niet publiceren, hè?'

'Natuurlijk niet. Doe niet zo belachelijk. Caroline, je hoeft me niets te vertellen. Jij mag ook vragen stellen als je dat liever wilt. Ik stel jou alleen vragen omdat jij dat niet deed. Ik ben bang dat ik niet erg subtiel ben.'

Ze nam een grote slok van haar gin-tonic. Deze was erg sterk. Ze voelde dat ze zich ontspande. 'Goed, ik wil iets vragen. Heb je hem ooit ontmoet?'

'O, nee. Hij is in 1957 overleden, lang voordat ik het boek schreef.'

'1957?' Ze was weer stil. Dus was Fleur nog maar twaalf geweest toen hij overleed. Pas twaalf.

'Wist je dat niet?'

'Nee, ik wist van niets, totdat ik jou op de radio hoorde. Ik dacht dat hij nog leefde.'

'Maar jullie hadden geen contact meer?'

'Dat klopt.'

Tot haar afschuw voelde ze tranen branden en kreeg ze een brok in haar keel. Ze keek naar beneden, ontweek Joe's blik. Hij zag een glimp van tranen, keek aandachtig naar haar gebogen hoofd en voelde een overweldigende behoefte om haar slanke, plotseling kwetsbaar aandoende nek te strelen. In plaats daarvan legde hij zijn hand op de hare.

'Geneer je er niet voor in mijn bijzijn te huilen. Ik huil zelf ook veel. Bij films, bij bruiloften, zelfs op Eerste Kerstdag. Als ik jou was, huilde ik tranen met tuiten.'

Ze keek hem met een onzeker glimlachje aan. 'Je bent echt vreselijk aardig voor me.'

'Ach, ik hou van mooie vrouwen.'

'O.'

'Vraag nog maar wat meer.'

'Hoe kwam je aan Brendans verhaal?'

'Zoals ik al zei, deed ik onderzoek voor dit boek. Omdat ik op zoek was naar schandalen, las ik alle roddelrubrieken en las ik alle oude nummers van *Confidential* – ken je *Confidential*?'

Ze schudde haar hoofd.' Niet echt.'

'Je hebt er weinig aan gemist. Het was toentertijd het machtigste en meest gevreesde blad van Hollywood. Het vermeldde naar eigen zeggen "de feiten en noemde de namen". Dat klinkt alsof het onvervaard naar de waarheid zocht, maar in werkelijkheid werd er in vuile was gehandeld. Ze gebruikten verborgen microfoons, telelenzen en infraroodfilm. Ze stuurden privédetectives en hoeren achter mensen aan die ze wilden pakken. Gemeen. Ik kwam Byron – Brendan – pas laat in mijn onderzoek tegen. Er was een kort stukje over hem, iets wat ze uit een ander blaadje hadden overgenomen, een kleiner en zo mogelijk nog smeriger blaadje. En minder nauwkeurig,' zei hij er snel achteraan.

Ze keek hem ingespannen, bijna bang, aan. 'Wat stond erin?'

'O,' zei Joe nonchalant, 'er stond in dat hij met een vrouw samenwoonde, een hoofd van een studio, en dat ze hem de deur uit had gezet.'

'Op de radio vertelde je iets anders.'

'O ja?' Hij keek haar met grote ogen aan en dronk zijn glas leeg.

'Ja. Dat weet je best. Je zei dat er vuil was gespoten.'

'Ja, dat klopt, maar ik weet niet meer precies wat het was.'

'Je liegt.'

'Klopt.'

'Vertel het me alsjeblieft.'

Hij keek haar bezorgd aan. 'Caroline, het was erg smerig.'

'Dat heb je wel vaker met vuilspuiterij. Ik wil weten wat het was.'

'Nou,' zei Joe, terwijl hij haar aan bleef kijken, 'er werd gesuggereerd dat hij homoseksueel was.'

Het voelde alsof de tafel wankelde onder haar handen. Ze staarde Joe aan. 'Maar dat is volkomen belachelijk!' zei ze.

'Uiteraard,' zei hij opgelucht. 'Het meeste van wat er in die blaadjes stond was belachelijk.'

'Maar hoe zouden ze hem kunnen beschadigen door te zeggen dat hij homoseksueel was, als hij dat overduidelijk niet was?'

'In Hollywood kan dat. Mensen bestaan daar uit verhalen.'

'Komt dit... komt dit in je boek voor?'

'Ja,' zei Joe, 'niet in detail, alleen dat er verhalen over hem gingen, dat de suggestie werd gewekt dat hij homoseksueel was.'

'Dat is nogal onverantwoord,' zei Caroline schamper, 'als je niet wist of het waar was.'

'Ik heb de knipsels gelezen. En mijn verhaal ging niet over waar of niet waar. Het ging over het feit dat leugens in Hollywood worden geloofd. Mits ze interessant genoeg zijn.'

'Ik snap het. Denk je dat die vrouw met wie hij samenwoonde het geloofde?'

'Waarschijnlijk wel, ja.'

'En daarom zette ze hem de studio uit?'

'Ja, letterlijk. Ze gooide hem zijn appartement uit. Zoals ik al zei, sliep hij op het strand.'

'En... toen werd hij aangereden?'

'Ja. Hij was blijkbaar dronken.'

'Hoe weet je dat?'

'Een lief oud dametje, ene Yolande duGrath, heeft het me verteld. Ze was Byrons – Brendans – docent drama. En ze was een goede vriendin. Ze probeerde hem te helpen. Ze was erg op hem gesteld. Zij vond dat hij deugde.'

'Ja,' zei Caroline en ze probeerde de hapering in haar stem te onderdrukken. 'Hij deugde absoluut.' Ze probeerde uit alle macht haar zelfbeheersing te bewaren. 'En... en is hij daar begraven?'

'Ja, in de vallei achter de heuvels. Yolande is naar zijn begrafenis geweest.'

'Waren er nog meer mensen?'

' Zijn moeder en zussen. En zijn... zijn vriendin, zei ze.'

'Aha.' Natuurlijk was er een vriendin, Caroline Hunterton, wat verwacht je dan, idioot? Jij hebt nog drie kinderen met een andere man. Natúúrlijk had hij een vriendin. Opeens stond Caroline op. 'Sorry, maar ik moet even naar de wc,' zei ze.

Op het toilet ging ze zitten en huilde ze twee minuten lang heel hard. Toen ze weer rustig was, waste ze haar gezicht, bracht haar make-up op orde en liep met een opgewekte glimlach terug naar het tafeltje. 'Sorry.'

'Geeft niet.' Joe Payton keek haar aandachtig, bijna teder aan. Toen zei hij: 'Zit over mij maar niet in. Dat doet niemand. De koteletjes zijn geserveerd, prachtig rosé. Bon appétit. Wil je wijn?'

'Graag.'

'Waar woon je in Suffolk?' Het was duidelijk dat hij van onderwerp wilde veranderen.

'In de buurt van Framlingham. Ken je dat?'

'Vaag. Mijn tweede vrouw kwam uit Ipswich.'

'Heb je nu een derde vrouw?'

'Nee, ik ben niet geschikt voor het huwelijk.'

'Wat ging er mis?' vroeg ze oprecht nieuwsgierig.

'Waarschijnlijk ben ik nog niet volwassen.'

'En hoe oud is nog niet volwassen?'

'O, ik ben achtentwintig.'

'Dat is jong voor een filmrecensent die een boek heeft geschreven.'

'Tja, ik heb geen tijd verspild aan een opleiding. En jij?'

'O, ik ook niet.'

'Nee, joh. Ik bedoel, ben jij getrouwd? Of ben je gescheiden?'

'O ja,' zei Caroline, 'ik ben getrouwd.'

'Kinderen?'

'Drie. Chloe is bijna veertien en onze twee zoons, Toby en Jolyon, zijn twaalf en tien.'

'Je ziet er echt niet oud genoeg uit voor zo'n groot gezin, maar waarschijnlijk hoor je dat al van iedereen. Mooie namen hebben je kinderen. Wat doet meneer Hunterton?'

'Hij handelt in antiek.'

'Woon je in een groot huis. Met een stokoude butler? Jaag je ook?'

'Het huis is vrij groot.' Ze had het ontzettend naar haar zin en was van harte bereid de rol te spelen die hij van haar leek te verwachten, die van de oudere, geraffineerde vrouw. 'De butler is nog jong, maar ik jaag wel.'

'Waarschijnlijk heb je een hartstochtelijke affaire met de stalknecht.'

'Vrij hartstochtelijk,' zei Caroline, 'we zijn erg gek op elkaar.'

'Het klinkt allemaal als een filmscenario. Straks ben je nog van adel ook.'

'Eerlijk gezegd,' zei Caroline gegeneerd, 'ben ik dat ook.'

'Ik wist het wel! Ik voelde gewoon dat je een klassewijf bent. Hoe word je aangesproken? Als Lady Hunterton?'

'Ja.'

'Wauw.' Hij glimlachte haar waarderend, bewonderend toe. 'Ik vind dit echt erg leuk.'

'Ik ook,' zei Caroline, 'terwijl ik er zo tegen op heb gezien. Maar kunnen we verder praten over Brendan?'

'Als het moet. Ik had gehoopt dat we nu over mij gingen praten.'

'Dat komt misschien nog wel. Er was dus geen... klein meisje op de begrafenis?'

'Voor zover ik weet niet.'

'En Yolande – die docent drama – heeft je niet over haar verteld?'

'Nee, helemaal niets.'

'O.' Ze was even stil. Toen keek ze hem recht aan. 'Ik moet haar vinden. Dat moet gewoon. Denk je dat ik de docent drama kan schrijven? Of de vriendin?'

'Dat kun je doen als je wilt. Eh, wie ís dat meisje?'

'Dat zei ik toch: Brendans dochter.'

'Ja, oké, maar wie is haar moeder?'

Ze keek hem aan met een blik vol angst en pijn.

Hij haalde diep adem, legde zijn hand op de hare. 'Jij?' vroeg hij.

'Ja.'

'Aha.'

'Ik zal het uitleggen.'

'Dat hoeft niet.'

'Maar ik wil het.'

'Goed dan. Wil je nog wijn?'

Ze dronk nog wat wijn en vertelde hem haar verhaal. Het was een lang verhaal.

'Maar ik heb hem de baby gegeven,' besloot ze. 'Ik had de adoptiepapieren nog niet getekend, dus kon ik ervoor zorgen dat hij haar mee kon nemen naar Amerika. Dat hij onze baby kreeg en voor haar zorgde, van haar hield, maakte het op de een of andere manier goed. Daarna heb ik hem nooit meer gezien.'

Ze keek op. Joe staarde haar aan met tranen in zijn groene ogen. Een traan rolde over zijn gezicht en spatte op zijn gebruinde pols. Hij veegde de traan weg en pakte zijn zakdoek om zijn neus te snuiten.

'Ik zei toch dat ik snel huil,' zei hij.

Caroline schonk hem een waterig glimlachje. 'Ik dacht dat journalisten zo hard en cynisch waren, een dikke huid hadden.'

'Dat klopt. Ik heb gewoon geen goede opleiding gehad.'

'Juist.'

'Verdomme,' zei hij, 'wat een verhaal! Wat een afschuwelijk verhaal. Het moet... erg veel pijn hebben gedaan.'

'Ja,' zei ze. 'Nu begrijp je ook waarom ik haar moet vinden. Ik moet weten of er iemand voor haar zorgt.'

Hoofdstuk 7

1960

Zodra hij weer thuis was, schreef Joe een brief aan Yolande duGrath. Hij schreef alles op wat Caroline hem had verteld, legde uit waarom ze Fleur wilde opsporen; hij schreef dat hij aannam dat Yolande van het bestaan van het kind wist, maar niets had gezegd om haar te beschermen. Hij schreef dat hij Yolandes trouw respecteerde, maar dat hij hoopte dat ze Caroline zou helpen als ze kon. Hij voegde er ter geruststelling aan toe dat hij er geen artikel over zou schrijven en vroeg haar zo snel mogelijk terug te schrijven. Hij benadrukte ook dat Caroline echt een aardige vrouw was die duidelijk zuivere motieven had.

Hij ging de brief posten, deed boodschappen en dacht na over Caroline. Hij vond haar echt erg leuk. En verontrustend. Zowel seksueel als emotioneel maakte ze grote indruk op hem. Ze was ook aantrekkelijk, met haar bleke huid en dat prachtige haar, dat gestroomlijnde lijf. En dan die benen... Joe's gedachten bleven steken bij haar benen. Die waren niet alleen lang, het was de manier waarop ze bewogen. Caroline leek meer te zweven dan te lopen. Ze had model moeten worden, dan had ze rijk kunnen worden. Maar blijkbaar was ze al rijk. Lady Hunterton. Lieve god. Joe had nog nooit een affaire gehad met een echte Lady. Het idee stond hem wel aan. Blijkbaar was ze ook één brok emotie, deze Lady; hij had een spanning gevoeld, een indruk van onrust. Het was natuurlijk een emotionele gelegenheid geweest, een grote schok. Maar hij had de indruk dat ze álles om zich heen intenser maakte. Vooral in bed. Het was duidelijk dat ze tekortkwam. Waarschijnlijk had ze sinds Brendan geen goede beurt meer gehad. Arm mens, arm, arm mens. Misschien moest hij zich over haar ontfermen, haar gemis goedmaken. Dat was zeker geen straf. Maar het kon weleens wat veel worden. Vanwege die intensiteit en vanwege manlief. Uit wat ze vertelde, had Joe de indruk gekregen dat hij ouder was. Misschien kon hij beter afstand houden. Hij was al eerder in de problemen geraakt met al te intense getrouwde dames. Daar stond tegenover dat zij hem duidelijk ook sexy had gevonden...

Veel vrouwen vonden Joe sexy. Dat feit had hem al zijn hele leven in de problemen gebracht, sinds zijn vijftiende. Joe was een nakomertje. Zijn broer, Nigel, was negentien jaar ouder dan hij. Toen ze vijf maanden niet ongesteld was geworden, dacht zijn moeder, Patricia, dat ze in de overgang was. Toen ze een steeds dikkere buik kreeg, ging ze ongerust naar haar huisarts en kreeg ze te horen dat ze vier maanden later haar tweede kind zou baren.

Mevrouw Payton vond het geweldig, meneer Payton vond het zozo en hun zoon, die op het punt stond techniek te gaan studeren, vond het gênant en walgelijk. Zodra hij van Joe's bestaan wist, had Nigel een hekel aan hem. Hij voelde afkeer voor zijn moeders buik en haar verslechterende gezondheid. Hij voelde weerzin voor de weeën die hij noodgedwongen bijwoonde (aangezien hij alleen met haar in huis was) totdat de ambulance haar kwam halen. Maar het meest walgde hij van het idee wat zijn ouders ervoor hadden gedaan.

Joe was ook nog eens een mooie jongen, dat zei iedereen, met zijn blonde haar en zijn bijzondere, groene ogen, terwijl Nigel er altijd gewoontjes had uitgezien. Joe was charmant, Nigel was verlegen; hij was opgewekt, Nigel was stug. Zijn ouders waren gek op hem en Nigels bescheiden studieresultaten werden overschaduwd door Joe's vorderingen met zitten en kruipen, zijn eerste pasjes en woordjes. Op de dag dat Nigel kwam vertellen dat hij een baan had, viel het nieuws in het water doordat Joe op zijn driewielertje had leren rijden. Zijn verloving met zijn vaste vriendin was niets vergeleken met het feit dat Joe aan elkaar kon schrijven, en de aankoop van zijn eerste huis was minder groot nieuws dan dat Joe goede cijfers haalde op de middelbare school.

Meneer Payton werkte bij de gemeente en het gezin woonde in een klein, maar goed onderhouden huis in Croydon. Ze waren arm, maar zuinig en ze konden zich nog wel Joe's schooluniform en fiets veroorloven, maar ze hadden geen auto en gingen nooit op vakantie; meneer Payton huurde weleens een auto en dan gingen ze dagjes uit. Joe vond het nooit erg om achterin te zitten terwijl zijn vader langzaam en voorzichtig door het groene Surrey reed, of naar de Hog's Back, waar ze picknickten. De meeste jongens van zijn leeftijd zouden zich stierlijk vervelen, maar Joe was volmaakt tevreden, kletste met zijn ouders en keek uit het raam, noteerde kentekennummers en bestudeerde motoren, zijn grote passie. Hij kon je niet alleen vertellen welk merk er langsreed, uit welk jaar, maar ook waar deze was gebouwd, wat het vermogen was en op wat voor brandstof de motor reed.

Meestal was Joe volmaakt gelukkig; hij was opgewekt en extravert en ergerde zich nooit ergens aan. Hij was niet dol op zijn broer, maar dat was de enige wolk aan zijn zonnige hemel. Hij deed goed zijn best op school, behaalde goede resultaten, was beleefd tegen zijn ouders en hun vrienden en werd andere jongens voorgehouden als toonbeeld van aanvaardbaar gedrag. Als hij niet zo ontzettend aardig zou zijn geweest en als hij niet zo goed zou kunnen vechten, was hij erg impopulair geweest.

Totdat hij meisjes ontdekte.

Tegen de tijd dat hij dertien was, nam hij ze mee naar de bioscoop, op zijn veertiende grabbelde hij op feestjes of achter de bosjes in hun broekje. Toen hij vijftien was, werd hij door Denise Decker van de wasserette in een bushokje ontmaagd. De ervaring van echte seks was zo geweldig dat hij zich moest inhouden om zijn ouders er niet luidkeels over te vertellen.

Kort daarna werd hij verliefd op Michelle Humphries, die in dezelfde klas zat als hij, maar dan op de meisjesschool. Ze was erg knap, met blond haar en blauwe ogen; ze was hartstochtelijk, had de reputatie dat ze jongens aan het lijntje hield, maar hij wist dat ze Het onder de juiste omstandigheden met de juiste persoon had Gedaan. Joe Payton, die al erg goed viel bij vierde- en vijfdeklassers, gold voor Michelle absoluut als de juiste persoon; helaas bleken de juiste omstandigheden – een bioscoopbezoek van Michelles ouders – zeer ongunstig toen de film zo populair was en het zo hard regende dat meneer en mevrouw Humphries besloten weer naar huis te gaan. Ze betrapten hun dochter op heterdaad met Joe in haar roze met witte, maagdelijk uitziende slaapkamer. Toen was vastgesteld dat Michelle niet zwanger was, werd haar verboden Joe ooit nog te zien. De Paytons vertelden Joe dat hij meteen van school moest en niet naar de universiteit mocht als zoiets ooit nog gebeurde.

Binnen een half jaar was Joe van school af, trouwde met een zwangere vrouw en ging bij de plaatselijke supermarkt werken. Hij accepteerde dit heel goedmoedig; eigenlijk wilde hij niet trouwen met Sonia Rees, de enige dochter van de eigenaren van een pub, de King's Head, maar hij nam zijn verantwoordelijkheid, ze was leuk en de seks was geweldig.

Ze hadden een paar kamers boven de King's Head tot hun beschikking. Sonia werkte nog steeds bij de kapper en ze waren heel gelukkig, totdat Sonia op een avond van de trap viel en de baby kwijtraakte.

Daarna ging het snel bergafwaarts; Sonia raakte zwaar depressief en mevrouw Rees' afkeer van Joe veranderde in haat. Toen ze waren gescheiden, was Joe twintig en werkte hij op de boekhoudafdeling van de *Daily Mail*. Terwijl hij daar werkte, bestudeerde hij hoe kranten werden gemaakt, raakte bevriend met een aantal journalisten en solliciteerde na verloop van tijd als beginnend journalist bij de *Sunday Dispatch*. Hij stapte over naar het sport-katern, had een affaire met een meisje bij shownieuws en begon films te bespreken toen iemand op een avond te dronken was om een recensie te schrijven.

Hij trouwde ook weer, in de waan dat zijn tweede vrouw echt zo van seks en van hem hield als ze deed voorkomen; toen ze voor geen van beide grote interesse kon opbrengen, pakte hij zijn vrijgezellenbestaan weer op (nadat hij grote moeite had gedaan nog iets van zijn huwelijk te maken). Hij scheidde voor de tweede keer toen hij zesentwintig werd. Tijdens, voor en na zijn huwelijken bleven vrouwen hopeloos verliefd op hem worden.

Dat Joe zo goed lag bij vrouwen, had vooral te maken met het simpele feit dat hij vrouwen leuk vond. Zijn aantrekkelijkheid, zijn ontspannen manier van doen, zijn enigszins verwaarloosde uiterlijk en zijn neiging om op emotionele of juist emotieloze momenten te gaan huilen maakten dat vrouwen bij hem wilden zijn en de rest van hun leven voor hem wilden zor-gen, maar zijn pluspunten haalden het niet bij het duidelijke genoegen dat hij aan hun gezelschap beleefde. Joe zei niet alleen tegen vrouwen dat ze mooi of sexy waren, hij waardeerde hen ook echt. In een tijd dat de mees-te mannen zich superieur opstelden, vroeg Joe vrouwen om advies en volg-de dat op; hij luisterde naar hun standpunten, moedigde hen aan hun loop-baan te plannen, las hun tijdschriften, zat geïnteresseerd naar hen te kijken terwijl ze zich aankleedden, opmaakten en hun haar deden, keek naar baby's in kinderwagens en vond het zelfs leuk te gaan winkelen en jurken te vergelijken. Kortom, hij was compleet, volkomen, volslagen onweer-staanbaar.

'Mag ik zaterdag naar een matineevoorstelling?' Fleur keek haar oma aan tij-dens *I Love Lucy*. 'Ik zou zo graag gaan.'

'Heb je dan geld? Want ik heb het echt niet voor je.' Kathleen klonk moe; ze had een lange dag achter de rug. Eigenlijk was ze te oud om in een winkel te staan en de klanten van kledingzaak M & B in Sheepshead Bay waren niet bepaald beleefd of vriendelijk.

'Ja, ik heb gisteren veel verdiend toen ik op dat rotjochie van Marie Donetti paste.'

'Waar wil je zaterdag heen?'

'Naar *Luther*. Ik heb gehoord dat het goed is. Mag dat?'

'Lijkt me wel. Ja, natuurlijk. Maar zet nu de televisie uit. Je moet nog huiswerk maken.'

'Goed, oma. Doe ik. En als u zover bent, kom ik u helpen met koken.'

'Je bent een schat, Fleur.'

'Ik doe mijn best. Heeft u het trouwens gehoord van Clark Gable?'

'Wat precies?'

'Hij is overleden.'

'Wat? Is hij dood? Het lijkt nog maar gisteren dat hij Scarlett O'Hara in *Gone with the Wind* de trap op droeg.'

'Ja, oma, maar dat was twintig jaar geleden. Hij zal wel geen armzalige begrafenis krijgen bij de Wee Kirk of the Heather.'

'Fleur, het was geen armzalige begrafenis. Zo... zo doen ze dat daar nu eenmaal.'

'Het was wel armzalig.'

'Nou ja,' zuchtte Kathleen, 'het zal je vader weinig hebben uitgemaakt.'

'Inderdaad. Nu ik eraan denk, ik moet mevrouw duGrath een brief schrijven. Ze heeft me zo'n mooie verjaarskaart gestuurd.'

'Fleur, dat was maanden geleden!'

'Ik weet het. Het spijt me. Ik zal haar na het eten schrijven.'

Fleur liep langzaam naar haar kamer, half met haar hoofd bij de matinee-voorstelling en half bij haar vader. Ze dacht graag aan hem en hield ervan over hem te praten; zo leefde hij in haar voort. Het grote, hartstochtelijke verdriet was allang gezakt, maar de pijn ging nooit helemaal weg. Geen dag.

Ze begon haar boeken uit haar tas te halen, maar bleef halverwege steken en staarde uit het raam terwijl ze aan de begrafenis dacht. Het was echt armzalig geweest, echt. Ze had met haar oma en tantes in de kapel gestaan, samen met een paar onbekenden en die lieve, geweldige mevrouw duGrath, die even stevig haar ene hand vasthield als oma haar andere hand omklemde, terwijl ze de kist tussen de gordijnen door zagen gaan. Ze had gezworen, een razende, woeste eed, dat ze op een dag wraak zou nemen op degene die verantwoordelijk was voor zijn dood.

Ze wist amper hoe het allemaal was gebeurd: ze hadden haar verteld dat hij was overreden, geschept door een auto, terwijl hij langs de snelweg liep. Maar ze wist in elke vezel van haar pijnlijke lijf, haar hoofd gebogen, vechtend tegen haar tranen, dat er veel meer aan de hand was. Ze had mensen horen praten, had geluisterd toen mevrouw duGrath op zachte toon met haar moeder praatte toen ze geacht werd te slapen, ze had haar horen zeggen: 'Eigenlijk was het natuurlijk het verhaal, het verhaal en het systeem – die hebben hem het leven gekost.'

Toen ze de volgende dag, tijdens de vlucht naar huis, haar oma ernaar vroeg, zei zij dat ze het waarschijnlijk verkeerd begrepen had. Haar vader was geschept door een auto en daarmee was alles gezegd; elke keer dat ze er daarna over begon, veranderde haar oma van onderwerp.

Ze moest wachten, wist ze, maar als ze volwassen was, zou ze uitzoeken wat er echt was gebeurd. Fleur was erg pragmatisch; ze kon alles accepteren als er niets anders op zat. Daarom deed ze haar best het verlies van haar vader zo goed mogelijk te verwerken, zonder hem te vergeten, deed ze genoeg haar best op school om verder te mogen leren, zodat ze een baan kon krijgen waarmee ze van een hulpeloos, arm schoolmeisje zou veranderen in een rijke, machtige vrouw. Rijke, machtige vrouwen konden alles, wist Fleur, ook wraak nemen.

De vijftienjarige Fleur was intelligent, ambitieus en talentvol. Ze leek sterk op haar vader, had zijn donkere, krullende haar, zijn diepblauwe ogen, zijn slanke bouw en zijn lengte. Ze was al 1,74 meter en groeide nog steeds. Haar lengte zat 'm vooral in haar slanke, ranke benen. Momenteel was haar lengte een nadeel, aangezien ze boven de jongens van haar leeftijd uitstak. Zij wilden allemaal kleine meisjes, zoals Susie Coltretti en Maria Fendi, met grote borsten en smalle tailles. Fleur zat er niet mee. Als ze naar hun moeders keek, kon ze voorspellen dat Susie en Maria dik zouden worden, dat er op hun donkere gezicht een net zichtbare snor zou groeien en dat hun zwaaiende ronde heupen één solide massa zouden vormen, terwijl zij nog steeds slank, rank en sexy zou zijn. Ze kon wachten.

Ze was met elk vak de beste van de klas; ze was vooral erg goed in wiskunde, ze had een gevoel voor natuurkunde en Latijn waarbij de monden van haar klasgenoten openvielen en ze had voor Engels nooit lager gehaald dan een negen, maar niemand noemde haar een streber, want ze was ook erg goed in sport. Ze kon harder rennen, hoger springen en harder en gerichter slaan bij honkbal dan de meeste jongens. En dan haar aanleg voor mimiek. Ze kon meneer Lowell, de muziekleraar niet alleen nadoen, ze wérd hem, compleet met zijn voorzichtige, overdreven lichte manier van lopen, zijn zwaaiende handen, zijn ietwat manische manier van staren, terwijl haar impressie van meneer Hicks, het schoolhoofd, met zijn onbeholpen, stijve manier van doen, de wanhopige manier waarop hij om zich heen keek, zo precies overeenkwam dat zelfs de docenten (als ze haar op heterdaad betrapten) zo lang mogelijk wachtten met een berisping om mee te kunnen genieten. Iedereen vond dat ze actrice moest worden, maar Fleur had in haar korte leven genoeg gezien van de problemen, de ontberingen en desillusies van het vak. Haar niet gezien. Zij zou een ander toneel zoeken om op te schitteren, waar de concurrentie niet zo hevig was en de kansen beter waren. Er zou zich beslist een geschikte kans voordoen.

Luther was prachtig. Toen Fleur het theater uit kwam, galmden Osbornes teksten na in haar hoofd en was ze nog vol van hoe Albert Finney het had gespeeld. In de metro op weg naar Sheepshead Bay – ze had Kathleen beloofd voor donker thuis te zijn – dacht ze na over hoe Engels het was en hoe mooi ze dat vond. Nou ja, ze wás half Engels: af en toe stond ze het zichzelf toe daarover na te denken. Ze wist niet veel van haar moeder; haar vader was op z'n zachtst gezegd spaarzaam geweest met zijn beschrijving. Hij had beloofd meer te vertellen als ze ouder was. Nu wilde ze zo wanhopig graag meer weten over die mysterieuze, kille (dat moest wel), liefdeloze vrouw die haar had gebaard en haar toen had verstoten, die haar had weggegeven omdat ze niet goed uitkwam, een ongeschikt accessoire. Goed, ze had haar aan haar vader gegeven, maar wat voor vrouw gaf haar kind weg, stond toe dat ze duizenden kilometers van elkaar verwijderd zouden zijn? Ze wilde zo ontzettend graag weten hoe ze eruitzag, hoe ze klonk, wat voor leven ze leidde, waarmee ze haar tijd doorbracht, wat haar interesseerde of juist verveelde en of ze nog meer kinderen had, en met wie. En wat wisten zij over haar? Wat wílden ze over haar weten? Al die vragen hielden Fleur steeds sterker bezig; ze wist niet hoe ze ooit aan antwoorden zou kunnen komen. Meestal praatte ze er niet eens met haar oma over; zij werd er alleen maar overstuur van en ze kon toch niet veel bijdragen. Maar nu vond ze dat ze Kathleen opnieuw moest confronteren met wat er was gebeurd, haar moest dwingen erover na te denken.

Tijdens het avondeten vroeg ze: 'Oma, weet u echt niets over mijn moeder?'

En Kathleen besefte dat het tijd was om Fleur zoveel mogelijk te vertellen. Ze haalde diep adem, trok de fles Ierse whiskey open die ze voor zeer bijzondere gelegenheden bewaarde en begon te vertellen.

'Lady Hunterton is momenteel met de kinderen in de stallen. Kan ze u terugbellen?'

'Ja, graag, ze heeft mijn nummer.'

Ze belde al heel snel terug en ze klonk zenuwachtig, ongeduldig. 'Joe? Heb je nieuws?'

'Eh, Caroline.' Dit kostte hem moeite. 'Caroline, het spijt me. Yolande heeft teruggeschreven dat ze geen flauw idee heeft waar Fleur zou kunnen zijn. Ze weet bijna niets. Ze schreef dat Byron – Brendan – nooit over haar praatte. Het spijt me vreselijk.'

'O.' Een klein, triest zuchtje. 'Nou ja, misschien was het te veel gevraagd.'

'Nou, nee. Ik bedoel, zoveel vroeg je niet. Ze kan gewoon niet helpen. Ik weet zeker dat ze het anders zou doen. Ze was ontzettend op Brendan gesteld. Uiteindelijk was ze de enige vriendin die hij had.'

'Ja, misschien wel.' Opeens klonk haar stem koel, bijna vijandig.

'Geloof me, Caroline, dat was ze echt. Ze heeft hem echt door die laatste afschuwelijke maanden heen geholpen.'

'Joe, Brendan was een kletsmajoor. Hij praatte met iedereen over van alles en nog wat. Als die Yolande echt een vriendin was, zou hij haar hebben verteld over Fleur, over mij en over... alles. Dat weet ik zeker. Ik gelóóf niet dat ze echt zo'n goede vriendin was.'

'Ik weet het niet, Caroline. Ik kan je alleen doorgeven wat ze mij heeft verteld. Het spijt me. Je klinkt nogal van streek.'

'Welnee, het gaat prima,' zei ze, maar ze klonk afgemeten, scherp. 'Ik ben alleen maar een dochter kwijt, die waarschijnlijk gelooft dat ik haar heb verstoten. Natuurlijk ben ik van streek. Dag, Joe.'

Ze legde neer. Meteen ging de telefoon weer over.

'Caroline, luister. Ik weet niet wat ik kan zeggen waardoor je je beter voelt, waarschijnlijk helemaal niets. Maar ik vind het verschrikkelijk dat je je zo rot voelt. En ik wil je helpen. Wat kan ik doen? Ik weet het niet.' Hij was even stil. 'Ik zou natuurlijk nog een keer met je kunnen gaan lunchen. Dat zou ik leuk vinden.'

'Nee,' zei ze en hij kon horen dat ze glimlachte, zich ontspande. 'Nee, je hebt vast iets beters te doen dan neurotische vrouwen mee uit lunchen nemen.'

'Ik kan me niets leukers voorstellen,' zei hij, 'dan vrouwen mee uit lunchen nemen, of ze neurotisch zijn of niet. Ik hou van eten en ik hou van vrouwen. Toe nou. Misschien kunnen we nog iets bedenken.'

'Je bent lief,' zei Caroline, 'het spijt me dat ik kwaad op je werd. Je kunt er helemaal niets aan doen. En je bent ontzettend aardig geweest. Maar ik denk echt niet dat we er iets mee zouden opschieten.'

'Ja hoor. Ik zou ervan genieten. Dat is op zich al een goed doel.'

'Nee, Joe, maar toch bedankt. Dag.'

'Dag,' zei hij en hij legde met een somber gevoel neer.

'Spreek ik met Joe?'

'Ja.'

'Hai Joe, met Caroline.'

'Ik wist wel dat je niet lang weerstand zou kunnen bieden. Vandaag lunchen lukt niet meer, maar morgen kan ik wel.'

'Maar ik bel helemaal niet voor een lunchafspraak.'

'Jammer. Waarom dan wel?'

'Ik heb nagedacht en wat ik van Brendan weet vergeleken met wat jij van Yolande weet. Het klopt niet. Ik weet zeker dat zij meer over Fleur weet. Ik durf te wedden dat ze zelfs precies weet waar ze is, maar dat ze het je gewoon niet wil vertellen.'

'Waarom niet?'

'Omdat ze je niet vertrouwt. Dat zou ik ook niet doen.'

'Dat is erg beledigend. Nu wil ik nooit meer met je lunchen.'

'Joe, je bent journalist. Haar vriend is dood dankzij een journalist.'

'Niet waar. Je hebt mijn boek niet gelezen. Het was de schuld van het systeem.'

'Ik heb je boek wel gelezen. Ik vond het geweldig.'

'Echt waar? Dan is de uitnodiging voor een lunch meteen weer van kracht.'

'Joe, luister alsjeblieft. Als die Yolande bevriend was met Brendan, zou ze zeker alles over Fleur hebben geweten. Maar ik geloof ook dat ze haar wil beschermen en dat ze het je daarom niet vertelt. Dus bedacht ik dat ik haar zelf moet schrijven, om haar om hulp te vragen. Als je mij tenminste haar adres wilt geven.'

'Ik weet het niet, Caroline. Ik wil niet dat je gekwetst wordt. Daarvoor mag ik je te graag.'

'O.' Caroline was even stil, terwijl ze probeerde te analyseren wat ze voelde, wat haar frustratie en haar pijn oversteeg. Ze besefte opeens dat het seksueel was, een vreemde combinatie van verrukking en verlangen. Ze drukte het haastig weg.

'Dat vind ik echt erg aardig, maar eerlijk, Joe, ik ben bereid het risico te nemen. Wil je me alsjeblieft Yolandes adres geven?'

'Ik zal erover nadenken.'

'In godsnaam, Joe, we hebben het hier over mijn dochter. Niet over een of ander artikel. Geef je me het adres of niet?'

'Op één voorwaarde.'

'Oké.' Ze glimlachte, probeerde het verrukkelijk warme gevoel te negeren dat door haar lichaam stroomde, vooral in haar maagstreek. 'Oké, ik ga met je lunchen.'

'Mooi. Morgen om één uur. Kom maar naar de Guinea. Dat zit in Bruton Lane, aan de kant van Berkeley Square. Beste wijnen van Londen. Ik zie je daar.'

'O, mijn god,' zei Fleur, 'o, mijn god.'

'Fleur, wat is er met je? Je ziet eruit alsof je een spook hebt gezien.'

'Wat? Sorry, oma. Nee, het gaat prima. Ik... herinner me net dat ik ben vergeten dat ik vanochtend een tentamen heb en dat ik niet het goede onderwerp heb bestudeerd. Ik... ga even naar mijn kamer om de boeken te pakken. Zo terug.'

Op haar kamer ging ze op bed zitten, in shock en misselijk. Ze had het gevoel alsof haar lichaam leeg was. Ze pakte de brief uit haar zak en las hem opnieuw.

Lieve Fleur,
Ik heb erg genoten van je leuke brief en ik ben blij dat je mijn kaart mooi vond. Ik ben jaloers op je dat je *Luther* hebt gezien. Wij zien hier niet veel goede toneelstukken.

Ik was erg blij van je te horen. Het klinkt alsof je de komende jaren New York op z'n kop gaat zetten. Scenarioschrijven lijkt me een geweldig idee, al kan het in het begin lastig zijn om ertussen te komen. Literatuur als hoofdvak is in elk geval een goed begin. Als het zover is, moet je natuurlijk contact met me opnemen. Dan zal ik mijn best voor je doen.

Fleur, ik heb ook nieuws voor jou. Ik heb een brief gekregen van je moeder. Ze klinkt heel aardig. Zoals je weet woont ze in Engeland. Ze is getrouwd en heeft één dochter die iets jonger is dan jij en twee zoontjes. Haar man heet Sir William Hunterton. Ik begrijp al die Engelse titels niet, maar ik neem aan dat zij dan Lady Hunterton wordt genoemd. Hoe dan ook, ze had geen idee dat je vader dood is, tot ze het onlangs in een radioprogramma hoorde. Ze schreef dat ze met je vader had afgesproken dat ze geen contact met jullie beiden zou opnemen, in elk geval niet totdat je volwassen was. Nu maakt ze zich zorgen om je. Ze wil je graag opzoeken om zeker te weten dat het goed met je gaat, maar ze heeft geen idee waar je woont.

Misschien wil je haar heel graag zien, misschien ook niet. Daarom geef ik je haar adres, zodat jij zelf kunt beslissen of je contact opneemt of niet. Ik denk dat het wel zo aardig zou zijn als je haar laat weten dat je een dak boven je hoofd hebt. Ze lijkt te denken dat je op straat leeft.

Aarzel niet me te schrijven als je nog vragen hebt en laat me alsjeblieft weten wat je besluit te doen. Ik heb haar geschreven dat jij haar adres hebt en dat je wel of niet contact met haar opneemt.

Ik weet zeker dat je de juiste keuze maakt.
Je vriendin,
Yolande duGrath

Wist Fleur maar net zo zeker dat ze de juiste keuze zou maken. Ze was blij en gelukkig omdat haar moeder zich zorgen om haar maakte, maar ook boos dat zij met haar vader had durven afspreken haar nooit op te zoeken. Wat voor moeder kon haar kind zo gemakkelijk afstaan? Hoe kon iemand zo'n belofte houden? Hoe had ze al die jaren zo op afstand kunnen blijven? Goed, het was aardig dat ze bezorgd was, maar als ze echt om haar zou geven, was ze op de hoogte gebleven, voor het geval er iets gebeurde.

Maar toch zou het... geweldig, fantastisch zijn eindelijk haar moeder te leren kennen. Toch? Of was ze echt zo afstandelijk en liefdeloos als Fleur altijd had gedacht? Zou dat niet nog erger zijn dan niets weten? Of stel dat ze een hekel aan elkaar kregen, of dat ze niets gemeenschappelijk hadden. Of dat ze elkaar niets te vertellen hadden, een voorwendsel moesten zoeken om voorgoed afscheid te nemen. Dat zou toch verschrikkelijk zijn?

Of misschien konden ze het juist heel goed met elkaar vinden, van dezelfde dingen houden, hetzelfde gevoel voor humor hebben, dezelfde gevoelens koesteren.

Hoe kon ze dat nu weten? Ze kende niemand die ook maar iets van haar moeder wist. Ze moest zelf beslissen, zonder enig advies behalve de mening van mevrouw duGrath (op basis van één brief), of ze contact wilde of niet.

Het werd haar te veel. Fleur zag het uitzicht uit haar slaapkamerraam door een waas van tranen. Toen haalde ze diep adem en stopte de pijn weg, zoals ze al zo vaak had gedaan sinds haar vader naar Hollywood was vertrokken. Ze zou later wel een beslissing nemen. Eerst moest ze erover nadenken.

'Caroline, met Joe. Ik vroeg me af of je al iets had gehoord.'

'Nee, Joe, nog niet. Je weet toch dat ik het je dan wel zou vertellen? Waarschijnlijk durft ze amper te schrijven. Het zal wel even duren voordat ze zover is.'

'Heb je zin om te lunchen?'

'Joe, ik zou dolgraag willen, maar deze week gaat Toby naar school en volgende week Chloe. Er is zoveel te doen.'

'Caroline, laat me je trakteren op een kerstlunch. Dat zou ik graag willen. Goed voor jou en erg leuk voor mij.'

'Hm, ja goed. Graag zelfs. Ik had gedacht dat ik tegen de kerst toch eindelijk weleens iets van haar zou hebben gehoord. Ik ben bang dat ze niets met me te maken wil hebben.'

'Dat geloof ik niet. Ik denk dat ze gewoon bang is. Ze is nog maar een kind.'

'Dat zal het zijn. Denk je, Joe, dat het een goed idee zou zijn een kerst-kaart voor Fleur naar Yolande duGrath te sturen? Dan zou zij het kunnen doorsturen. En ik dacht dat ik er misschien een verjaarscadeautje bij kan doen. Ze wordt op nieuwjaarsdag zestien. Wat denk jij?'

'Als je naar Londen moet voor de kaart en het cadeautje, lijkt het me een geweldig idee. Nee, serieus, waarom niet?'

'Goed dan, dat doe ik. Dank je.'

'Caroline, met Joe. Ik dacht dat je je misschien rot voelde. Omdat Fleur van-daag jarig is. Gelukkig Nieuwjaar.'

'Gelukkig Nieuwjaar, Joe. En ja, je hebt gelijk. Dank je, je bent een goede vriend.'

'Ik hoop nog steeds dat ik iets meer word.'

'Weet ik.'

'Caroline, heb je al iets gehoord?'

'Nee, Joe. Het zal er wel nooit van komen. Ik denk dat ik niet eens meer iets wíl horen. Ze is vast niet aardig. Dat ze niet eens heeft geschreven om me te bedanken voor mijn kerstcadeau. Ik bedoel, oorbellen met echte parels! Als ze ze niet mooi vond, had ze ze toch tenminste kunnen terugsturen. Ik bedoel...'

'Caroline, je staat toch niet te huilen?'

'Nee, natuurlijk sta ik niet te huilen.'

'Caroline, mijn krant heeft me gevraagd een serie artikelen te schrijven over wat zij de hogere klasse noemen. Oud geld, dat soort verhalen. Zou ik jou en Sir William daarover mogen interviewen?'

'Nee, natuurlijk niet. Dat zul je toch begrijpen. Ik dacht trouwens dat je filmrecensent was.'

'Was ik ook, maar nu mag ik reportages maken.'

'Gefeliciteerd, Joe, dat is geweldig. Ik ben blij voor je.'

'Zullen we gaan lunchen om het te vieren?'

'O... ik weet het niet. Wacht eens, iemand heeft William en mij kaartjes gegeven voor het Centre Court op Wimbledon, volgende week. Hij houdt niet van tennis en hij voelt zich trouwens ook niet zo goed. Heb jij zin om mee te gaan? Maria Bueno doet mee. Vind je dat leuk? Of vind je tennis dodelijk saai?'

'Tennis interesseert me opeens meer dan wat dan ook.'

'Mooi. Kun je woensdag?'

'Prima. Verder zeker geen nieuws?'
'Nee, Joe. Ik hoor vast nooit meer iets.'

De brief kwam op een hete, droge dag in augustus. Caroline zat in de tuin. Chloe was aan het tennissen met een vriendin. Ze was niet erg goed en Toby en Jolyon lachten haar uit en schopten een blikje rond over het veld.

Geachte Lady Hunterton,
Vorig jaar heeft u mij geschreven. Vorige maand ben ik verkracht in de metro en nu ben ik bang dat ik zwanger ben. Ik wil het niet aan mijn oma vertellen. Kunt u me alstublieft 500 dollar sturen voor een abortus? Ik denk dat u wel genoeg geld heeft.
    Vriendelijke groet
    Fleur FitzPatrick

Hoofdstuk 8

1961–1962

'Ik ga met je mee,' zei Joe. 'William hoeft het niet te weten. Ik zie je wel in het vliegtuig. Echt, schat, ik kan je dit niet in je eentje laten doorstaan.'

'Ik kan heel goed alleen gaan,' zei Caroline. Ze probeerde de warmte en het genot te onderdrukken dat ze voelde bij de gedachte enkele dagen met Joe door te brengen.

'Ik weet wel dat je het kunt, maar ik wil niet dat je het doet. Er staat je een rottijd te wachten en ik wil je erdoorheen helpen.'

'Wanneer ga je?'

'Op 27 december,' zei Caroline opgelucht. Ik vlieg om tien uur.'

'Dan ik ook. En wat vindt William ervan?'

'Niet bijster veel,' zei Caroline en ze verdrong haar herinnering aan Williams koude sombere gezicht en zijn gereserveerde toon toen hij naar haar verhaal had geluisterd. Hij had geknikt en gezegd: 'Goed, doe wat je doen moet. Laat me alsjeblieft weten wat je tegen de kinderen zegt.' Daarna was hij de kamer uit gelopen.

'En de kinderen?'

'Ik heb het hun nog niet verteld. Ik ga nu met Chloe praten.'

'Wat vertel je haar?'

'Niet veel. Een leugentje om bestwil.'

'Vind je dat verstandig? Ze is al bijna zestien.'

'Joe, ik zou denken dat ik mijn dochter ken.'

Chloe zat kerstcadeaus in te pakken. Ze keek op toen haar moeder binnenkwam.

'Ja, mammie?'

'Chloe, het spijt me vreselijk, maar na de kerst moet ik een paar dagen weg. Het spijt me trouwens dat ik me ermee bemoei, maar dat pakpapier zit binnenstebuiten.'

'O ja? Gut, ja. Waarom moet je weg?'

'Een... oude vriendin van me ligt op sterven. Ze woont in Amerika, in New York. Ik moet haar nog één keer opzoeken... met haar praten.'

'Amerika? Dat is ver weg. Wie is ze?'

'Eigenlijk was ze een vriendin van mijn moeder, van school. Ze heeft kanker en ze heeft nog maar een paar weken te leven.'

'Je hebt het helemaal nooit over haar gehad.'

'Nee, we spraken elkaar niet vaak.'

'En toch ga je helemaal naar Amerika?'

'Ja. Ze is erg goed voor me geweest toen ik jong was. Maar genoeg over waarom ik ga, zo belangrijk is dat niet.'

'Voor mij wel.'

Caroline keek naar Chloe. Waarom vond ze haar zo irritant, terwijl ze toch zo lief en aardig was? Ze zou haar ergernissen beter in de hand kunnen houden als Chloe maar eens als een puber naar haar uitviel, kwaad werd, de smoor in had. Maar ze was altijd geduldig, hulpvaardig en beleefd. Erger was nog dat ze zo aanhankelijk en lief was, net een puppy. Gelukkig zat Chloe negen maanden per jaar op school, anders had ze haar niet kunnen verdragen.

'Ik vind het lief dat je zo met me begaan bent, maar je hoeft er echt niet over in te zitten. Zul jij je een week lang redden? Pappa is er natuurlijk en ik heb gevraagd of Nanny kan komen...'

'O, mammie, niet Nanny. Ze behandelt me als een kind.'

'Dat zal wel, maar ik voel me geruster als zij er is.'

Chloe zuchtte. 'O, goed dan. Mammie, ik wil niet egoïstisch overkomen, maar mag ik toch naar het jachtbal, op oudejaarsavond?'

'Als je vader je kan brengen wel. Heb je iets om aan te trekken? Anders zou het lastig kunnen worden. Liefje, pas toch op met het plakband; het plakt allemaal aan elkaar en nu ook nog aan het pakpapier.'

'Verdikkeme. O, ik wou dat ik zo mooi kon inpakken als jij. Ja, ik heb die jurk die ik afgelopen najaar op school heb gemaakt. Die is wel mooi, al zeg ik het zelf. Het enige probleem is dat ik er geen schoenen bij heb. Zou ik misschien een paar schoenen mogen kopen?'

'Chloe, daar is geen tijd voor, niet voordat ik wegga. De winkels zijn dicht.'

'Maar ik heb alleen mijn schoenen voor school. Mag ik anders van jou een paar lenen?'

'Die zijn je te groot en de hakken zijn te hoog.'

'Ach, toe, mammie. Ze zijn maar een beetje te groot. En ik ben al bijna zestien.'

'Goed dan. Zoek maar iets uit. Maar ik wil niet dat je Nanny meesleept naar Ipswich. Daar is ze te oud voor. Nu ga ik mijn spullen bij elkaar zoeken. O, Chloe...' Ze aarzelde, zocht moeizaam naar de juiste, tactvolle woorden. 'Zul je goed op pappa passen? Hij voelt zich niet zo goed.'

'Wat is er met hem?'

'Dat weet ik niet,' zei Caroline naar waarheid. 'Als ik terug ben, ga ik met hem naar de dokter.'

'Mammie?'

'Wat is er, Chloe? Ik heb echt veel te doen.'

'Heb je... mijn rapport al gezien?'

'Ja,' zei Caroline verstrooid, 'ja, erg mooie cijfers. Goed gedaan.'

'Dank je.' Chloe wist dat haar moeder het niet had gezien; anders had ze geweten dat ze was voorgedragen komend semester hoofd van haar groep te zijn en dat ze nog voordat ze in de zesde klas kwam aanvoerder zou worden van het zwemteam.

Nou ja, haar vader zou wel trots op haar zijn. Ze zou het hem laten zien als haar moeder haar koffer aan het inpakken was. Ze vroeg zich af wie die oude vriendin was en waar ze het aan had verdiend dat haar moeder met de feestdagen haar gezin achterliet.

'Mag ik de brief lezen?' Joe ging naast Caroline zitten. 'Heb je genoeg ruimte zo?'

'Ja, ruimte zat. Dank je.'

'Over tien uur denk je daar wel anders over. Laten we iets te drinken bestellen – je kunt deze vlucht alleen volhouden als je straalbezopen bent – en bespreken wat we gaan doen.'

'Goed. Hier is de brief.' Ze reikte hem Joe aan. Hij was een week geleden gekomen en sindsdien had ze amper geslapen.

Joe las de brief zonder iets te zeggen en pakte toen haar hand. 'Arme jij.'

'Ja, zoals ik eerder zei, ze lijkt niet bijster aardig.'

'Waarschijnlijk is ze erg boos en gekwetst.'

'Ja, en bang.' De gin-tonic begon al te werken; opeens voelde ze zich warmer, zachter. Ze schoof haar hand onder die van Joe; hij begon zacht de handpalm te masseren. Ze keek hem aan, kwetsbaar, al haar gevoelens zichtbaar; hij glimlachte terug en streelde zacht haar wang.

'Ik moet je waarschuwen,' zei hij, 'dat dit slechts het begin is van een offensief tegen je vastberaden trouw aan je man.'

'Toch niet in het vliegtuig!' lachte Caroline.

'Er zijn toch toiletten. Heb je dan nooit gehoord van de "mile-high club"?'

'Nee,' zei Caroline.

'Je wordt automatisch lid als je seks hebt gehad in een vliegtuig. Ik weet alleen niet hoe je dat bewijst. Zullen we ook lid worden?'

'Nee.'

'Nou ja, misschien op de terugweg.'

'Misschien.' Ze glimlachte weer.

Joe trok zijn tas onder de stoel vandaan en trok er een stapel papier uit. 'Ik zal mijn best doen. Nu moet ik aan het werk. Ik loog niet tegen de krant toen ik vertelde dat ik een paar interviews had in New York.'

'Met wie?'

'Bobby Kennedy – hoop ik. Shirley Maclaine. Joe DiMaggio.'

'Jij gaat een leuke week tegemoet.'

'Dat hoop ik. Maar ik ben hier vooral om ervoor te zorgen dat jouw week niet al te ondraaglijk is.'

'Je bent aardig, Joe.'

'Weet ik.'

Caroline zat naar hem te kijken terwijl hij verdiept was in de knipsels die hij had meegebracht. Door haar vermoeidheid en de tweede gin-tonic die de stewardess had gebracht, had ze haar gevoelens bijna verraden. Het was bijna een wonder (dat durfde ze zichzelf nu wel toe te geven) dat ze hem zo lang had weerstaan. Hij was niet alleen ontzettend aantrekkelijk, maar hij was ook goed voor haar, zo bezorgd en attent, altijd zo complimenteus en bewonderend. En dan die idiote gewoonte van hem om te huilen als hij ergens ontroerd over was. Dat hij zo emotioneel was, maakte hem nog sexyer. Ook maakte hij haar aan het lachen, zijn goede humeur werkte aanstekelijk en hij maakte alles leuk. Maar hij was vooral erg sexy – en dat was nog het moeilijkst te weerstaan. Als hij naar haar keek, zijn groene ogen loom over haar lichaam liet glijden, van haar ogen naar haar mond, naar haar borsten, haar buik en haar dijen, werd ze slap van verlangen. En hoewel hij nooit verder was gegaan dan kussen, kon hij uitgebreid vertellen over wat hij met haar zou willen doen, met zo veel humor, honger en hoffelijkheid, dat ze vaak moeite had niet ter plekke haar slip uit te trekken en zich onder de tafel of in de taxi op hem te storten. Caroline raakte nog steeds erg opgewonden en ze was getrouwd met een man die haar niet kon bevredigen. Ze had het gevoel alsof er ergens diep in haar lichaam een grote veer was gespannen; ze kon die voelen bewegen en trekken; de enige reden waarom de veer niet losschoot, was dat haar lichaam dat niet toestond. Er zou een dag, een moment komen dat ze toegaf aan die continue druk; ze kon zich amper voorstellen wat er dan zou gebeuren.

Met moeite liet ze haar gedachten aan haar lichaam los en concentreerde ze zich op wat haar te wachten stond. Keer op keer las ze Fleurs brief, totdat het leek of de brief onder haar heftige gevoelens zou smelten.

Beste Caroline Hunterton,
Ik had gehoopt dat ik u nooit meer zou hoeven schrijven, maar mijn oma staat erop.

Ze heeft leverkanker en is letterlijk doodziek. Volgens de artsen heeft ze nog maar een paar weken te leven. Om de een of andere reden wil ze u zien; ze heeft het gevoel dat ze met u moet praten.

Waarschijnlijk wil ze u vragen om voor mij te zorgen, maar daar kan natuurlijk geen sprake van zijn. Het is duidelijk dat we dat geen van beiden willen. Ik ben bijna zeventien en kan mijn eigen brood verdienen. Verder zullen mijn tantes voor me zorgen.

Ze ligt in het staatsziekenhuis in Brooklyn en dat is best redelijk. Het zou fijn zijn als ze beter zou kunnen worden verzorgd, maar daar hebben we geen geld voor. Ik denk dat u geld genoeg heeft. Het zou mooi zijn als u ons hiermee zou kunnen helpen.

Eerst leek het me beter om elkaar nooit te ontmoeten, maar ik weet dat mijn oma gelukkiger zou sterven als ze het idee had dat we vriendinnen waren geworden. Daarom denk ik dat u met mij naar het ziekenhuis moet gaan.

Laat me alstublieft weten of u kunt komen en waar u verblijft. Misschien kunt u me bellen als u in New York bent.

Hoogachtend,
Fleur FitzPatrick

Het was een vreemde, hartverscheurende brief van een dochter die je al zeventien jaar niet uit je hoofd kunt zetten, dacht Caroline, maar het was tenminste niet zo schokkend als de vorige brief waarin ze over de verkrachting en haar zwangerschap schreef. Toen had ze naar New York willen gaan, om te proberen Fleur te helpen, haar pijn te verzachten. Toen ze de cheque stuurde, had ze dat ook aangeboden. Maar Fleur had een kort briefje teruggestuurd, waarin ze had verteld dat alles goed ging en haar had verzocht in Engeland te blijven. Joe had haar afgeraden ongevraagd naar New York te gaan.

'Dat zou het voor haar misschien alleen moeilijker maken. Blijkbaar maakt ze het goed. Iemand die op instorten staat, schrijft zoiets niet. Blijkbaar kan ze haar eigen zaken regelen. Laat haar met rust, want hoe kan ze erover praten met iemand die haar juist nader zou moeten staan dan wie ook, maar een vreemde is. Dat zou onmogelijk zijn en jullie zouden allebei gekwetst worden. Alsjeblieft, schat, ik weet dat het moeilijk is, maar laat haar met rust.'

Fleur toen met rust laten was het moeilijkste geweest wat ze ooit had moeten doen, behalve misschien haar op die eerste ochtend afstaan, maar het was haar gelukt. Ze had nog twee keer geschreven, gevraagd of het echt goed ging. Er was één laconieke ansichtkaart teruggekomen met de tekst: 'Alles is weer goed. Fleur FitzPatrick.'

Nu, bijna precies zeventien jaar na haar geboorte, zou ze haar zien, haar in de ogen kijken, met haar praten, haar hand uitsteken, haar aanraken, eindelijk te weten komen wat voor iemand ze was. En ze was vreselijk bang...

'Kan ik Fleur spreken?'

'Met wie spreek ik?' De stem klonk voorzichtig; een heldere, koele stem met een Amerikaans accent. Caroline sloot haar ogen, kneep harder in Joe's hand.

'Met... Caroline Hunterton.'

'Aha.' Ze kon de afstandelijkheid, de kilheid horen. 'U spreekt met Fleur FitzPatrick. Heeft... heeft u een goede vlucht gehad?'

'Prima, dank je,' zei Caroline, idioot ontroerd door deze poging tot beleefdheid. 'Uitstekend zelfs.'

'Waar logeert u?'

'In het St. Regis.'

'Waar is dat?'

'Aan East 55th Street,' zei Caroline.

'O, juist. Het lijkt mij het beste als u naar het ziekenhuis komt. Dan zie ik u in de hal. Het is in de buurt van Flatbush. U zult wel niet met de metro willen.' Er klonken enige minachting en spot in haar stem. 'Vraagt u de taxichauffeur maar u naar St Margaret's Hospital te brengen, bij Lafayette Street.'

'Hoe laat is het bezoekuur?'

'O, we kunnen elk moment van de dag naar haar toe. Ze zijn hier behoorlijk soepel als je doodgaat.'

'Goed. Vanavond dan? Zes uur?'

'Prima.' Ze had opgehangen.

Toen de taxichauffeur Brooklyn Bridge op stoof en gevaarlijk dicht naast de metro reed, werd Caroline zo misselijk dat ze dacht dat ze over moest geven. Ze had het gevoel dat ze al uren door eindeloze straten reden; ze werd eindeloos heen en weer geslingerd op de achterbank en ze voelde zich ziek, bang en kwetsbaar. Ze had enorme spijt dat ze Joe's aanbod om mee te gaan niet had aangenomen. Op het moment zelf had het laf geleken. Ze dacht dat Fleur haar erom zou minachten. Bovendien wilde ze met Fleur alleen zijn, voor zover de dynamiek van een groot ziekenhuis en de behoeften van een doodzieke vrouw dat toelieten. Maar nu verlangde ze naar hem, naar een troostende hand, een geruststellende stem, een goedgezinde geest. En ze kwam te laat; het was al bijna kwart voor zeven; ze had nooit gedacht dat het zo ver was; stel dat Fleur dacht dat ze niet kwam, dat ze niet op haar wachtte. Ze zou haar nooit terugvinden.

Opeens remde de taxi met een schok. Caroline belandde zo ongeveer op haar knieën; ze stak een hand uit om zich tegen te houden en stootte haar pols pijnlijk. Het leek onbelangrijk.

'We zijn er, dame, St Margaret's Hospital. Dat is dan 22 dollar.'

'Wat, 22 dollar?' Dat was diefstal. Nou ja, wat maakte het uit? Caroline trok met haar bezeerde hand een stapeltje bankbiljetten tevoorschijn. Kunt u eruit halen wat ik u verschuldigd ben?'

'Ja, zeg! Ik ben uw kindermeissie niet! Doe maar een flap van twintig en één van vijf.'

'O ja. Alstublieft.'

'Oké.'

Geen bedankt, geen goedenavond. Hij verdween in het donker, het enige menselijke contact op haar eenzame reis; langzaam, voorzichtig, alsof ze een mijnenveld betrad, liep Caroline de hal in.

Opeens besefte ze dat Fleur haar niet zou herkennen, geen idee had hoe ze eruitzag. Zij had wel een idee wat ze kon verwachten. Dat bracht haar in het voordeel. Het gaf haar opeens het nodige zelfvertrouwen, terwijl ze om zich heen keek. De hal zat stampvol mensen, gezinnen, mensen met kleine kinderen, huilende baby's; sommigen leken nergens op te wachten, sommigen stonden te praten, enkele mensen waren duidelijk verdrietig. De meeste mensen stonden in de lange rij voor de receptiebalie. Haar hart bonsde zo hart dat het haar de adem benam, haar ogen gleden wanhopig door de ruimte, op zoek naar een slank meisje met donker haar en blauwe ogen. Een meisje dat ze zeventien lange jaren geleden had gebaard en toen had moeten afstaan en met wie ze nu eindelijk herenigd zou worden. Maar ze was er niet. Toen ze vijf minuten had rondgelopen en overal had gekeken, wist Caroline zeker dat Fleur er niet was. Ze hield haar pijnlijke pols vast en vroeg zich af hoe Fleur zo wreed kon zijn en hoe ze ooit had kunnen denken dat ze haar zou vinden. Door de huilende baby's en het geroezemoes van stemmen heen werd er een onophoudelijke, onverstaanbare stroom boodschappen omgeroepen. Elk bericht werd afgesloten met een pieptoon, dan was er een korte, weldadige stilte, gevolgd door een tweede en derde toon. Opeens herkende Caroline een woord: een naam. Haar naam. Het klonk vreemd, doordat de klemtoon zangerig op de eerste én de derde lettergreep werd gelegd, Hún-ter-tón, maar toch, onmiskenbaar. Ze stond op en liep door de menigte voor de receptiebalie, zonder zich iets van de verontwaardigde reacties aan te trekken. 'Sorry,' zei ze steeds, 'sorry, ik word omgeroepen, sorry, sorry.' Achteraf besefte ze dat het zowel aan haar dure bontjas, haar Engelse uitstraling en haar aura van geld en gezag te danken was dat de menigte haar doorliet, als aan haar wanhoop. Deze mensen hadden geleerd te wijken voor gezag. Zeker in dit soort situaties.

'Ja, ma'am?' Ze stond nu voor de balie en werd aangekeken door een ongeduldige negerin. 'Kan ik u helpen?'

'Mijn naam werd net omgeroepen, Hunterton.'

'O ja. U moet naar afdeling 7B gaan. Mevrouw FitzPatrick is bij haar oma.'

'Afdeling 7B. Ja, ja, Natuurlijk. Hoe kom ik daar?'

'U neemt de lift, zevende verdieping. Uit de lift rechtsaf.' De negerin werd ongeduldig. 'Volgende.'

Caroline stapte in een volle lift, die knerpend omhoog kroop en op elke verdieping stopte. Afdeling 7B was aan het eind van een lange gang. Bij de ingang van de grote, nette, ontzagwekkende afdeling stopte ze. Ze keek de zaal in en liep toen langzaam naar achteren.

Ze zag haar meteen. Ze zat met haar gezicht naar de deur, maar ze keek naar de vrouw in het bed en streelde met een lieve glimlach haar hand. Toen boog ze voorover naar het kussen om iets te fluisteren. Caroline voelde haar tranen prikken en iets scherps in haar keel haken. Ze kon nog steeds niet degene zien die in bed lag, door de gedeeltelijk dichte gordijnen en alle kussens om haar heen. Ze liep verder door en Fleur keek op. Haar grote ogen stonden vermoeid en verdrietig. En een moment lang, voordat de verdedigingswerken in stelling kwamen, las Caroline niet alleen nieuwsgierigheid, wanhoop en angst in Fleurs ogen, maar ook een vonk van begroeting, van opluchting dat ze was gekomen.

'Fleur?' vroeg ze en ze stapte naar het bed toe. Het meisje knikte, hield haar wijsvinger voor haar lippen en wees naar beneden. Kathleen lag op haar rug, haar grijze haar als een krans om haar hoofd, haar gezicht vertrokken en bleek, haar slappe lippen bewogen af en toe en haar handen graaiden zacht, maar onophoudelijk naar de lakens. Ze was uitgemergeld, op haar enorme gezwollen buik na; haar armen waren dunne stokjes waar huid omheen hing; haar nek was zo dun dat die onmogelijk haar hoofd kon dragen. Caroline bleef lang naar haar staan kijken, naar Brendans moeder, en ze voelde een groot oprecht verdriet omdat ze haar nooit had gekend, nooit met haar had gesproken, terwijl ze haar zoon zo goed had gekend. Toen keek ze Fleur aan, Brendans dochter, die met een merkwaardig soort vertrouwen naar haar opkeek. In het verzengende mengelmoes van emoties die ze voelde, overheerste het moederlijke en het tedere, het besef dat dit kind genoeg had gehad en een adempauze nodig had.

'Kom maar mee,' zei ze vriendelijk, 'ze zal wel even blijven slapen. We kunnen in de buurt blijven en de verpleegkundige vragen ons te waarschuwen. Toe maar, Fleur, kom maar mee.'

En als een kind, gehoorzaam, in niets lijkend op de wrange, boze jonge vrouw die Caroline had verwacht, stond Fleur op en liep met haar van de afdeling af.

Bij de verpleegkundigenbalie stopten ze. 'We zijn familie van mevrouw FitzPatrick,' zei Caroline kordaat. 'Momenteel slaapt ze. Wij gaan even de gang op. Wilt u ons waarschuwen als ze wakker wordt?'

De jonge verpleegkundige knikte en zei dat ze dat beslist zou doen.

Ze liepen zwijgend naar de drankenautomaat; daar aangekomen trok Caroline haar portemonnee en vroeg: 'Wil je thee of koffie? Het klopt niet dat ik niet eens weet wat je wilt drinken.'

Maar dat ging Fleur te snel; ze was niet bereid haar zover te tegemoet te komen. Ze haalde haar schouders op en zei: 'Maakt niet uit.' Toen ging ze in elkaar gedoken op een bankje zitten en keek toe hoe Caroline stond te stuntelen met het vreemde muntgeld en de wispelturige automaat.

'Alsjeblieft,' zei Caroline. 'Thee, met suiker. Geweldige Engelse remedie tegen shock. Drink maar op.'

'Bedankt,' zei Fleur zonder Caroline aan te kijken; ze zat naar haar voeten te kijken, lange, slanke voeten in duur uitziende, bruinleren, lage pumps, merkte Caroline verstrooid op. Haar benen waren lang en erg slank, ze had lange, sierlijke vingers. Caroline had wel schoonheid verwacht, maar geen elegantie. Ze zat naar haar te kijken, haar in zich op te nemen, zoals ze dat bijna zeventien jaar eerder had gedaan. Nu ze haar terugzag, terug had gevonden, was er evenveel te zien, te verkennen.

Eindelijk begon Fleur te praten. 'Waarschijnlijk haalt ze de ochtend niet,' zei ze. 'Vanmiddag ging het opeens veel slechter met haar. Ze... ze kreeg een bloeding. De pijn was zo erg dat ik er bang van werd. Ze hebben haar zo vol gespoten dat ze nergens meer weet van heeft.' Ze keek Caroline aan, met tranen in haar ogen; ze duwde met een intens vermoeid gebaar haar haren naar achteren.

'Weet... weet ze dat ik zou komen?'

'Ja, ik heb het haar verteld. En ook dat we elkaar al hebben gesproken. Ik heb haar een paar leugens verteld, maar ik denk niet dat ze echt hoorde wat ik zei. Het maakte haar erg gelukkig. Ik zou niet weten waarom.' Ze keek Caroline koel aan; meer als het meisje van de brieven, het telefoongesprek.

'Ach,' zei Caroline, 'dat doet er niet echt toe, hè? Waarom, bedoel ik.'

'Nee, dat zal wel niet. Ik had u willen vragen of we haar konden verhuizen, maar dat heeft nu geen zin meer.'

'Nee, jammer genoeg niet. Waar zijn je tantes?'

'Een van hen is hier de hele middag geweest, maar toen moest ze naar haar kinderen. Een is er gestorven, vijf of zes jaar gelden. Een zal er zo wel komen. En de laatste, Edna, vliegt vanavond vanuit Californië hierheen. Ik hoop dat ze op tijd komt.'

'Mevrouw FitzPatrick! Kunt u snel komen, alstublieft? Uw oma vraagt naar u.'

Fleur stond op, liet het kartonnen bekertje vallen en sprintte door de gang met Caroline achter haar aan. Ze kwamen tegelijk bij het bed aan; Kathleen was wakker, ze zag er verward en bang uit. Ze greep naar Fleurs handen en hield ze vast. 'Stout kind. Waar was je nu? Ik heb je hier nodig.'

'Veel pijn, oma?'

'De pijn is niets vergeleken bij mijn zorgen om jou.' Heldere momenten wisselden af met hallucinaties. 'Heb je deze keer Caroline meegenomen?'

'Ja, oma, hier is ze. Kijk, pak haar hand maar.'

Ze duwde Carolines hand in de tengere, droge hand van Kathleen. Caroline hield haar hand voorzichtig vast en keek glimlachend naar de felle, blauwe ogen. Die ogen. Dáár kwamen ze vandaan. Ierse ogen.

'Je bent erg knap. Dat dacht ik wel. Brendan hield alleen van knappe meisjes.'

'Dank u.'

'Ik wil dat je me belooft dat je voor Fleur zult zorgen. Zij heeft geen geld, ik heb geen geld. Maar ze is slim en ze moet haar school afmaken. Brendan zou niet... zou niet...' De aanvankelijk zo dringende stem werd zwak, stierf weg.

'Dat doe ik. Ik zal voor haar zorgen, dat beloof ik. Ik zal haar meenemen en voor haar zorgen. Ze zal veilig zijn, we zullen van haar houden.'

'De meisjes kunnen niets voor haar doen. Geen van hen. Je móet. Fleur, je zult veilig zijn en er zal van je gehouden worden. Bij je moeder.' Kathleen was uitgeput, haar stem was zo zwak dat ze haar amper konden verstaan. Toen steeg er een nieuw geluid op uit haar keel, een schreeuw van ondraaglijke pijn.

Fleur keek bang, ze drukte als een bezetene op de belknop bij het bed. 'Zuster, snel, snel alstublieft, geef haar snel wat morfine, snel, toe nou!'

Kathleens doodsstrijd was lang en zwaar geweest, vertelde Caroline toen ze uitgeput bij Joe terugkwam in het hotel. Ze hadden bij haar gewaakt, zij, Fleur en Brendans zussen, ze hadden het volgehouden, zoals Kathleen het had volgehouden, ze hadden zich gedwongen te luisteren als zij het uit-schreeuwde van de pijn, ze hadden haar opluchting gevoeld als de morfine haar pijn verlichtte en ze hadden vol angst gewacht tot de pijn terugkwam. En elke keer als ze wegzakte, keken ze elkaar aan – Caroline één met hen, ver-bonden door verdriet en angst, door haar aanwezigheid, haar moed dit met hen te delen – en zeiden hun ogen: nu is ze dood, ze heeft ons verlaten; en elke keer klampte Kathleen zich wanhopig, dapper, huilend aan het leven vast. De priester kwam het heilig oliesel toedienen en vergaf haar haar zon-den. De nacht verstreek, het werd ochtend en om hen heen gingen leven en dood op de afdeling door; de verpleegkundigen maakten Kathleen wakker, wasten haar, verschoonden het bed, gaven haar morfine. Fleur viel op een gegeven moment in slaap met haar hoofd op Carolines schouder en Caroline realiseerde zich dat ze zich, ondanks alle gruwelen, alle pijn en verdriet om haar heen, sinds Fleurs geboorte niet zo rustig en gelukkig had gevoeld.

Toen Kathleen uiteindelijk stierf, zonder ophef, zonder drama, maar door steeds langzamer te ademen, met haar ogen open, maar kalm, bijna komisch, waren Fleur en Caroline alleen met haar; Edna was uitgeput van haar reis in slaap gevallen in een stoel in het dagverblijf, Kate was gaan telefoneren en Maureen was snel even teruggegaan naar haar gezin. Fleur keek naar Kath-leen en toen naar Caroline, haar ogen groot van angst, en Caroline knikte zacht en ging op zoek naar de verpleegkundige. Toen ze terugkwam, hield Fleur Kathleens hand vast, heel beheerst, terwijl de tranen over haar bleke gezicht stroomden. De verpleegkundigen sloten Kathleens ogen, trokken de lakens recht en vroegen Caroline en Fleur even weg te gaan; ze mochten straks terugkomen, als de verpleegkundigen hadden gedaan wat ze moesten doen. Fleur liep snel naar de gang en leunde trillend met gesloten ogen tegen de muur. Zonder erbij na te denken sloeg Caroline haar armen om haar heen en zei steeds opnieuw: 'Het is goed, Fleur. Ze heeft nu rust.' Fleur liet zich even troosten. Ze leunde tegen haar aan, legde haar hoofd op Carolines schouder en huilde: rustig, gemakkelijk, bijna gelukkig.

'Ze was er altijd,' zei ze telkens weer, 'altijd. Ze was mijn vader en mijn moeder, mijn familie, alles wat ik had,' en Caroline vond het niet kwetsend en moeilijk te verteren. Ze herhaalde steeds: 'Ik weet het, ik weet het,' en bedacht dat Kathleens dood, hoe pijnlijk en angstig ook, iets bijzonders had opgeleverd voor haar en haar kind.

Later, veel later, toen ze Kathleen allemaal hadden teruggezien, nu ze er zo vredig bij lag, en Fleur opeens heel volwassen de regie in handen nam en de verpleegkundigen bedankte, en ze de overlijdensakte hadden gekregen, bespraken ze kort de begrafenis. Maureen zei dat ze terug moest naar haar man en kinderen, Kate kondigde aan dat ze naar haar werk moest en Edna belde naar huis en vroeg haar man om met de kinderen naar New York te komen voor de begrafenis.

Toen zei Caroline eindelijk dat ze moe was en terug wilde naar haar hotel. Ze konden allemaal zien dat ze doodmoe was en Kate zei dat ze haar zou helpen een taxi te vinden en bedankte haar dat ze was gebleven. Samen liepen ze naar buiten. Het was onverwacht zonnig.

'Fijn dat je bent gekomen,' zei Kate weer op de trap. 'Mijn moeder was bezeten van het idee dat ze je wilde zien, dat er goed voor Fleur zou worden gezorgd. Ze beschouwde haar natuurlijk nog als een kind. Fleur kan heel goed voor zichzelf zorgen. Maar dat zag ze nooit. Voor haar was Fleur een baby, Brendans baby, voor wie zij moest zorgen.'

'Ja,' zei Caroline, 'dat begrijp ik.'

'En ze heeft je zomaar geschreven?'

'Ja,' zei Caroline voorzichtig. Ze wilde niets loslaten over Fleurs eerdere brief. Blijkbaar wist niemand wat er was gebeurd.

'Dat moet een grote verrassing voor je zijn geweest,' zei Kate een beetje onbeholpen, onzeker hoe ze het onderwerp moest benaderen, 'als je Fleur zo lang niet hebt gezien.'

Caroline beaamde het, maar zei erachteraan dat Fleur een mooi en lief meisje was, een dochter op wie ze trots kon zijn.

'Zeker,' zei Kate, 'en slim ook. Erg slim. Je zult het vast leuk vinden haar beter te leren kennen. Kijk, daar is een taxi. Kom ons alsjeblieft opzoeken, morgen misschien? En we hopen dat je naar de begrafenis komt. We hebben je er graag bij.'

Niemand kwam vijandig over, niemand leek zich ervan bewust dat ze Kathleen pas op haar sterfbed had leren kennen; doordat ze bij Kathleens doodsstrijd was geweest, hoorde ze erbij, bij de familie; die ene nacht was maanden, jaren van intimiteit waard.

Ze viel in slaap in de taxi zodra ze de chauffeur het adres had gegeven en ze werd pas wakker toen hij haar zachtjes heen en weer schudde, waarbij hij haar vriendelijk aankeek.

'Oké, dame, u bent er. Twintig dollar. Oké?'

'Oké.'

Joe was niet op zijn kamer; hij had een boodschap achtergelaten dat hij rond theetijd terug zou zijn. Ze was opgelucht; ze had tijd nodig voordat ze kon beschrijven wat er was gebeurd of haar emoties om Fleur met iemand kon delen. Zelfs met Joe. Ze lag een hele tijd in bad, bestelde thee en een broodje op haar kamer en ging op bed liggen; ze dacht dat ze niet snel weer zou slapen, maar ze viel gemakkelijk in een droomloze slaap en werd wakker van de telefoon. Even dacht ze dat ze thuis was en ze nam op met: 'Caroline Hunterton.'

'Hallo, met Fleur.'

'Fleur, hoe voel je je?'

'Redelijk. Ik bel je alleen om je te laten weten waar en wanneer de begrafenis is. Mijn tantes willen graag dat je komt.'

'Juist.' Fleur wilde blijkbaar niet de indruk wekken dat zij dat zelf ook wilde.

'Het is in de kerk van Zeven Smarten in Sheepshead Bay, bij Avenue Z. Overmorgen om twee uur.'

'Goed, Fleur, ik zal er zijn.'

'Ja, best.'

De verbinding werd verbroken. Nou ja, dacht Caroline, had ze dan dankbaar of vriendelijk moeten zijn? Ja, dacht ze, ze had me best mogen bedanken. Ze zuchtte. Fleur en zij hadden beslist nog een lange weg te gaan.

De begrafenis duurde lang; het was een complete requiemmis. Caroline, niet bekend met het katholieke geloof, was verbaasd; hierbij vergeleken gingen de begrafenissen bij de Church of Engeland snel. Maar ze vond het wel prettig dat de mis meer inhield dan iemand in hoog tempo naar het hiernamaals begeleiden; dit leek meer op de dood zelf, moeilijk, langgerekt, maar belangrijk en betekenisvol. Na de mis zagen ze hoe Kathleens kist in het graf zakte; Caroline stond tussen Kate en Edna in en had het gevoel dat ze erbij hoorde;

ze had tranen in haar ogen. Fleur stond op een afstandje, haar gezicht een strak, gesloten masker. Ze huilde niet.

Na afloop ging Caroline naar haar toe.

Fleur keek haar aan, vijandig, lomp. 'Ja?'

'Fleur, we moeten praten.'

'Ik zou niet weten waarover.'

'Ik wel.' Het was verbluffend dat ze tegenover dit ruwe, lompe kind haar geduld kon bewaren, terwijl haar andere dochter, zacht en meegaand als ze was, haar zo irriteerde. 'Vanwege mijn belofte aan je oma. Omdat ik wil dat er voor je gezorgd wordt.'

'Mijn oma is dood; ze zal het niet weten.'

'Nee, maar ik wel. En ik hou me aan mijn beloften.'

'O ja? Dat verbaast me.' De trekken van haar bleke, strakke gezicht bewogen krampachtig, haar stem trilde van de ingehouden tranen. 'Ik zou denken dat een moeder die haar kind kon weggeven, die zelfs niet wilde weten waar ze was, juist heel gemakkelijk beloften brak. Ik red me wel, Lady Hunterton. Ik zou nog liever gaan tippelen dan nu iets van u aannemen.'

'Fleur!' Kate had haar laatste woorden gehoord en kwam geschrokken naar hen toe. 'Fleur, hoe durf je zo tegen mevrouw... Lady Hunterton te spreken? Ze is zo goed voor je geweest, voor je oma...'

'Goed?! Noem jij het goed om twaalf uur aan een bed te zitten, nadat je zeventien jaar lang niets van je hebt laten horen? Geen brieven, geen bezoek, niets? Ik laat me niet door haar inpakken. Wat een nep. Staat daar een beetje te huilen, terwijl met haar hulp oma nog had geleefd. Ik moet naar huis. Huiswerk maken.'

Ze rende weg, blindelings bijna, tussen de graven door. Caroline keek haar na met haar hand voor haar mond om een uitroep te smoren, ze was bleek geworden.

'Het spijt me zo.' Kate keek haar vriendelijk aan. 'Ze is verschrikkelijk verdrietig. Ze was gek op onze moeder. Ze heeft haar hele leven lang alles voor haar gedaan.'

' Ik begrijp het wel,' zei Caroline. 'Kun je... wil je haar iets doorgeven? Misschien neemt dat iets van haar boosheid weg. Kun je haar vertellen dat ik de afgelopen zeventien jaar letterlijk elke dag aan haar heb gedacht en dat haar vader en ik hadden afgesproken dat hij me nooit zou vertellen waar ze was, omdat ik anders achter haar aan was gekomen om haar terug te halen.'

'Ja.' Kates harde gezicht stond onverwacht zacht. 'Dat zal ik haar vertellen, al weet ik niet hoeveel ze ervan zal begrijpen. Ik weet zeker dat ze wel zal bijdraaien. Het is echt een heel lief kind.'

'Dat geloof ik wel,' zei Caroline met een beverig glimlachje.

Ze was alleen in het hotel toen de boodschap kwam. Het was de dag na de begrafenis. Joe was twee dagen in Washington om Bobby Kennedy te interviewen; hij zou de volgende ochtend terugkomen en dan zouden ze naar huis gaan. Caroline was moe en depressief. Ze had de hoop opgegeven dat ze Fleur kon bereiken; ze had het huis in Sheepshead Bay gebeld; Kate had opgenomen en gezegd dat ze Fleur zou roepen, maar na een korte stilte had ze, duidelijk gegeneerd, gezegd dat Fleur blijkbaar niet thuis was en dat ze zou vragen of ze terugbelde.

Joe was geduldig en vriendelijk geweest. Hij had niets van haar gevraagd, maar hij had geluisterd naar haar verhalen over Kathleens dood, de begrafenis en Fleur en hij had haar raad gegeven (die neerkwam op niets doen en wachten tot Fleur bijdraaide). Verder had hij haar met rust gelaten, had hij op geen enkele manier druk op haar uitgeoefend. Dit ontroerde Caroline; het was ook een opluchting, maar onlogisch genoeg voelde ze zich ook schuldig tegenover hem; toen ze dat zei (op een zwak moment nadat Joe erop had gestaan dat ze voor het slapengaan een dubbele cognac dronk), had hij gelachen en gezegd dat ze nog tijd genoeg had om aan hem te denken als ze zich weer wat beter voelde. Maar Caroline had volgehouden dat ze zich nooit meer beter zou voelen als Fleur niet enigszins bijdraaide.

'Luister, schat. Dat kind heeft een afschuwelijk half jaar achter de rug. Ze stelt jou voor een deel daarvan persoonlijk aansprakelijk. Tegelijkertijd heeft ze je nodig, maar dat kan ze zichzelf, laat staan jou, gewoon niet toegeven. Ze levert een titanenstrijd met zichzelf. Met het leven. Heb gewoon geduld.'

'Ik ben niet bijster geduldig,' zei Caroline.

Ze had twee keer met Nanny gebeld. Iedereen maakte het goed, vertelde Nanny, al was Sir William erg moe. Chloe verheugde zich op het bal. Wilde ze Chloe even spreken?

Caroline bedacht dat Chloe wel de laatste persoon was die ze wilde spreken en onder een voorwendsel legde ze neer.

'Lady Hunterton?'

'Ja.'

'Ik heb een boodschap van Fleur FitzPatrick. Ze wilde u niet spreken, maar vroeg of u over een half uur naar haar toe wilt komen in de lobby.'

'Ja, dank u vriendelijk. Ik zal er zijn.'

'Ik wilde mijn excuses aanbieden.' Fleur maakte een alerte, dappere indruk. 'Ik had niet zo tegen u mogen praten. U was erg... aardig voor me in het ziekenhuis. En het was aardig van u om te komen.'

Ze had duidelijk geoefend op haar toespraakje. Caroline hield met enige moeite een glimlach in.

'Dat zit wel goed, Fleur. Ik hoop dat ik je een beetje heb geholpen.'

'Ja. Een beetje.'

'Mooi. Wil je thee?'

'Nou, ik heb het nogal druk. Ik heb niet veel tijd.'

'Waar heb je het zo druk mee?'

'Met school. Binnenkort heb ik examens.'

'Ga je graag naar school?'

'Ja, gaat wel.'

Caroline keek haar onderzoekend aan. 'We moeten een paar dingen doornemen. Vind je niet? Kijk, ik ben echt niet van plan je mee te nemen naar Engeland en je op kostschool te doen.'

'Gaat je dochter naar kostschool?' Blijkbaar gebruikte ze het woord 'dochter' opzettelijk, om duidelijk te maken dat zij zichzelf niet als zodanig zag.

'Ja. Ze vindt het er heerlijk. Hoe weet je dat ik een dochter heb?'

'Van mevrouw duGrath.'

'Aha.'

'Nou ja, ik heb wel wat tijd. Maar dan moet ik echt gaan.'

'Kom dan maar mee. Ze hebben hier een heuse Tea Room, waar ze de heerlijkste taartjes en toast serveren.'

'Ik heb geen trek.'

'Ik wel.'

Toen Fleur tegenover haar thee zat te drinken en (met zichtbare moeite) weerstand bood aan de schaal vol gebak, zei Caroline: 'Goed, hoe kunnen we de zaak het beste aanpakken?'

'Hoe bedoel je?'

'Nou, ik wil je helpen. Ik wil ervoor zorgen dat je door kunt leren, zodat je kansen op een goede baan toenemen. Ik heb geld, weet je.'

'Ja, dat weet ik. Ik bedoel...'

'Ja?'

'Het spijt me dat ik niet meer heb geschreven. Toen je het geld stuurde voor de abortus.'

'Geeft niet. Ik begrijp het.' Caroline was bang iets verkeerds te zeggen. 'Gaat het nu... weer... goed?'

'Ja, hoor.'

'Ik kan zien dat het lichamelijk goed met je gaat. Maar het moet erg traumatisch zijn geweest.'

'O, nee, niet echt.' Ze keek naar beneden en verkruimelde een taartje. Caroline probeerde haar hand te pakken, maar Fleur verzette zich. 'Het gaat prima, dat zei ik toch.' Ze keek nogal wild om zich heen en Caroline zag dat de tranen haar in de ogen stonden.

'Luister,' zei ze, 'je hoeft er nu niet over te praten. Maar ik heb een abortus gehad toen ik jonger was dan jij. Fysiek ging het allemaal prima, het werd... goed gedaan. Maar ik ben er nooit overheen gekomen en dat zal ook wel niet meer gebeuren. Ik wilde erover praten en lange tijd kon dat niet. Toen er eindelijk iemand naar me wilde luisteren, voelde ik me een stuk beter. Nog niet goed, maar beter.'

Fleur keek haar openlijk nieuwsgierig aan. 'Waarom moest je een abortus ondergaan?'

'O, ik was gewoon dom. Maar wat jij hebt meegemaakt, was vele malen erger.'

'Ja,' zei Fleur, niet op haar gemak, 'het was erg. Echt erg.'

'Wil je erover praten?'

'Liever niet.'

'Goed.'

Het bleef lang stil.

'Hield je echt van mijn vader?' vroeg Fleur opeens.

'Ja,' zei Caroline. De blik in haar ogen werd zacht, omfloerst, dwaalde af. 'Ik hield echt van hem. Meer dan ik ooit van iemand heb gehouden. Wat ons overkwam, was zo verschrikkelijk triest.'

'Wat dan?'

'Weet je dat niet?'

'Oma heeft wel iets verteld. Maar misschien kun je me nog iets meer vertellen.'

'O, lieve god. Geen wonder dat je zo'n hekel aan me had. Goed, ik zal het je vertellen.'

Ze begon te praten; ze vertelde Fleur hoe gelukkig Brendan en zij waren geweest, hoeveel ze van elkaar hadden gehouden, dat ze hadden willen trouwen. Hoe het kon dat Brendan niet wist dat ze zwanger was; hoe ze met William was getrouwd en hoe Brendan eindelijk terug was gekomen.

'Ik kon onmogelijk, echt onmogelijk, met hem meegaan. Ik kon toen William niet meer verlaten. Het was te laat. Maar ik kon je vader wel iets geven, jou. Dat leek dat iets beter te maken.'

'Toch begrijp ik het niet,' zei Fleur. Ze leek het verhaal moeilijk te kunnen bevatten. 'Ik begrijp nog steeds niet hoe je me kon weggeven. Alsof ik een of ander pakketje was.'

'Dat weet ik ook niet,' zei Caroline. 'Maar vergeet alsjeblieft niet dat ik erg jong was en erg eenzaam; het leek de enige juiste oplossing. Maar dat was het niet, absoluut niet. Ik heb er ontzettend veel spijt van. En zoals ik al tegen je tante Kate zei, ik heb sindsdien elke dag aan je gedacht en naar je verlangd.' Ze keek op, haar ogen schitterden van de tranen.

Fleur bleef haar aankijken. Toen glimlachte ze. 'Misschien moeten we elkaar een beetje leren kennen,' zei ze.

'O god,' zei Caroline, 'ik wil niet naar huis. Ik hou van New York. Ik ben hier gelukkig, voel me thuis.'

'Je zou er snel genoeg achter komen dat je hier niet thuishoort,' zei Joe. 'Het is een harde, onvriendelijke stad, niet geschikt voor mensen zoals jij. Bovendien ben je alleen gelukkig omdat je je dochter terug hebt. Het heeft niets met New York te maken. Als ze in Indochina had gewoond, zou je daar ook willen blijven.'

'Waarschijnlijk wel. Wat ben je toch wijs, Joe. Dank je voor alles. Ik weet niet hoe ik het zonder jou had gered.'

'Je had je er wel doorheen gesleept,' zei hij met een vreemde blik in zijn ogen. 'Jij kunt je overal redden. Jij hebt niemand nodig, Caroline, niemand.'

Ze zaten te eten. Hun vliegtuig vertrok de volgende ochtend. Caroline was zich er ongemakkelijk van bewust dat dit de laatste nacht in het hotel was, de laatste nacht met Joe, dat ze zich in een moeilijke, mogelijk gevaarlijke positie bevond nu alle spanning en verdriet van haar waren afgevallen. Ze wist niet goed hoe ze ermee om moest gaan. Joe was in een vreemde bui, hij was stil, onmededeelzaam en sprak bijna alles wat ze zei tegen.

Ze besloot de stier bij de horens te vatten en een beslissing te forceren. 'Joe,' zei ze, terwijl ze haar glas bijvulde, 'we moeten praten.'

'O,' zei hij, 'het lijkt me dat we dat afgelopen week al genoeg hebben gedaan.'

'Dat weet ik,' zei ze, 'maar niet over ons.'

'Nee, alleen over jou. Jou en Fleur en de tantes en haar oma en haar vader en haar verjaardag en hoe geweldig het was dat je voor de eerste keer haar verjaardag kon vieren en haar mee uit lunchen kon nemen en of ze liever een armband of een ketting voor haar verjaardag wilde. Het heeft ons danig beziggehouden.'

'Het spijt me.'

'Geeft niet. Ik had het moeten weten. Misschien ben ik niet zo onzelfzuchtig als ik dacht. Ik dacht dat ik een kruising kon zijn tussen een beschermengel en ridder Galahad, maar het heeft me niet genoeg opgeleverd.'

'Nee, dat begrijp ik. Maar,' Caroline haalde diep adem en probeerde luchtig te klinken, geamuseerd, amusant, 'nu is het allemaal voorbij. We hebben vanavond nog. We kunnen de hele avond over jou praten. Vertel eens iets over Kennedy. Je hebt eigenlijk...'

'Ach, verdomme, Caroline, ik wil niet over Kennedy praten. Ik wil helemaal niet praten. Ik wil met je naar bed en ik wil je helemaal suf neuken.'

Caroline keek hem aan en voelde een verlangen dat zo sterk was, zo fel dat ze bewoog op haar stoel. Ze slikte, keek weg. Toen keek ze Joe weer aan. Haar blik was open en eerlijk. 'Nou,' zei ze en ze liet de uitnodiging in de lucht hangen.

'Nee, Caroline,' zei hij. De woorden waren letterlijk schokkend. Terwijl ze hem aan zat te kijken, kreeg ze het koud, werd ze misselijk. 'Nee, niet op jouw voorwaarden. Ik wil niet, als je al je andere zaakjes hebt afgehandeld en je je beter voelt en je dochter je lijkt te vergeven, voordat je naar huis gaat, naar je man en je andere verplichtingen, dat je me inpast in je schema, een beetje van je tijd geeft en je elegante lange benen voor me spreidt. Dat is me iets te ordelijk, te pragmatisch. Eerlijk gezegd knap ik daarop af. Als je me wilt excuseren, ga ik naar mijn kamer. Ik moet nog iets afmaken.'

Ze ontbeten samen, zwijgend. Joe was beleefd, verstrooid; hij verdeelde zijn aandacht tussen de *New York Times* en een paar getypte pagina's, die hij zat te corrigeren. Caroline zat met een mengeling van woede en spijt naar hem te kijken. Toen dronk ze haar kopje leeg en stond ze op.

'Ik ga de laatste dingen inpakken,' zei ze. 'We moeten over ongeveer een half uur weg.'

'Prima.' Joe keek niet eens op. Ze nam de lift naar haar kamer, liep rond, pakte de laatste dingen in. Haar lichaam gonsde van de seksuele energie en frustratie; het deed letterlijk pijn en de enige manier om het te verdragen, was rondlopen. De gedachte aan Joe en aan wat ze niet hadden gedaan, was onverdraaglijk. En nu was haar kans verkeken; ze had het verpest. Ze had geen moeite voor hem gedaan, niet meer tijd aan hem besteed dan ze aan een portier van het hotel zou besteden; ze had hem gebruikt en nu kreeg ze haar trekken thuis.

Het maakte niet uit dat hij niet mee had hoeven komen. Hij wás meegekomen, hij had haar willen helpen, zoals hij haar al weken, maanden had geholpen. Natuurlijk hoefde ze niet met hem naar bed; dat leek amper belangrijk, maar ze was hem wel dankbaarheid verschuldigd, en fatsoen.

Ze keek op haar horloge. Over twintig minuten moesten ze weg. Hij zou wel op zijn kamer zijn. Ze moest in elk geval haar verontschuldigingen aanbieden, laten merken dat ze begreep wat hij had gezegd. Ze liep door de gang en klopte op zijn deur.

'Joe, ik ben het. Mag ik binnenkomen?'

'De deur is open.'

Ze liep naar binnen en keek naar hem. Hij stond uit het raam te kijken, zijn rug naar haar toe.

'Joe, het spijt me.'

'Maakt niet uit,' zei hij en hij draaide zich om, zijn ogen eindeloos moe. 'Ik had niet hoeven komen.'

'Nee, maar je bént gekomen. En in tegenstelling tot wat je gisteren zei, had ik het zonder jou niet gered. Ik ben ontstellend egoïstisch geweest en je heb alle recht boos te zijn. Maar Fleur had me nodig...'

'Fleur! Ja, Fleur en Chloe en de jongens, en dan die aristocratische uitgebluste echtgenoot van je...'

'Praat niet zo over William! Hoe durf je!'

'Ik durf het, omdat ik met hem, met hen allemaal, te doen heb. Ik begrijp wat je met hen doet. Je geeft ze een zorgvuldig afgemeten hoeveelheid tijd en aandacht, maar al die tijd geef je jezelf niet. Je gééft nooit, Caroline, niet echt. Je houdt altijd je eigen leven, je verplichtingen en de klok in de gaten.'

'Joe, dat is niet eerlijk.'

'Het is volkomen eerlijk. Je doet iedereen om je heen tekort. Geen wonder dat Fleur zo over je denkt. Dat zou ik ook doen.'

'Jij, klootzak!' Caroline liep naar hem toe en gaf hem een harde klap in zijn gezicht. 'Hoe kun je dat zeggen! Jij begrijpt helemaal niets van me. Ik wil nooit meer iets met je te maken hebben.'

De tranen van woede en verdriet stroomden over haar wangen; Joe keek naar haar en zijn blik werd opeens zacht. 'Het spijt me, Caroline. Dat was volslagen onterecht. Dat had ik niet mogen zeggen, ik wilde je alleen maar pijn doen. Ga even zitten, dan schenk ik iets...'

'Ik wil niets,' zei ze, 'trouwens, we moeten weg. We hebben,' ze keek op haar horloge, 'precies zeven minuten voordat de taxi komt.'

'Zeven minuten!' zei hij, opnieuw kwaad. 'Zeven minuten. Wat precies. Tja, in zeven minuten doe je niet veel, hè, Lady Hunterton? Anders raak je achter op je schema.'

Hij draaide zich weer om. Caroline veegde geërgerd haar tranen weg. Toen keek ze hem opeens aan, alsof ze hem voor de eerste keer zag, en bedacht dat ze nog nooit in haar leven, zelfs niet bij Brendan, zo'n sexy rug had gezien. Het ging niet alleen om de smalle heupen, de verbazend ronde, bijna meisjesachtige billen, de lange magere benen, het waren de licht gebogen schouders, de kwetsbare hoek van zijn nek, de manier waarop zijn warrige blonde haar op zijn boord viel. Dat alles en haar eigen verlangen, net weer opgezweept door haar rauwe emoties en woede, in aanmerking genomen, wist ze opeens wat ze moest doen, wist ze dat ze anders de rest van haar leven spijt zou hebben en dat zelfs afgewezen worden beter was dan weglopen. Ze haalde diep adem, deed een stap naar voren en sloeg haar armen om zijn taille, wreef zacht met haar hoofd tegen zijn rug en liet één hand langs zijn buik zakken, bereikte, zocht en vond zijn stijver wordende penis.

'Ik denk eerlijk gezegd dat we in zeven minuten heel veel kunnen doen,' zei ze.

Ze was zo geladen met frustratie, verlangen en genot om hem dat ze binnen seconden klaarkwam. Hij trok haar op het bed, trok haar rok omhoog en graaide naar haar slip terwijl Caroline hevig bibberend zijn rits omlaag trok en haar heupen omhoog en omhoog duwde, en toen hij in haar kwam, toen zij hem ontving in haar uitgehongerde, lege, hunkerende zelf, toen ze hem omvatte in een enorme stortvloed van genot, schreeuwde ze het uit, bewoog, twee keer, en daar was het, ze had het weer gevonden, een witheet geweld; ze klemde zich aan hem vast, kuste hem als een uitzinnige, terwijl ze huilde en ze hoorde zijn stem, voelde zijn handen op haar lijf en voelde hem toen ook klaarkomen, diep, ritmisch, eindeloos in haar; toen boog ze haar hoofd achterover en glimlachte naar hem, glimlachte in die wonderlijke groene ogen van hem en zei: 'Misschien moeten we ons ook maar aansluiten bij de "mile-high club".'

'Misschien wel,' zei Joe en ze zag dat hij huilde.

Net toen ze haar kamer uit zou gaan en controleerde of ze alles had, haar haren fatsoeneerde, zich omkleedde, allemaal tegelijkertijd, ging de telefoon.

Het was Fleur. 'Ik wilde je een goede reis wensen,' zei ze, 'en vertellen dat ik zo snel mogelijk naar Californië wil, om mevrouw duGrath op te zoeken en te zien of ik te weten kan komen waarom mijn vader is gestorven.'

'Waarom? Opeens?' Caroline probeerde tijd te rekken.

'Ik heb het altijd al gewild. Maar ik kon niet eerder. Niet zolang oma nog leefde. Ze zou me niet hebben laten gaan. Maar ik moet gaan. Ik moet weten wat er is gebeurd.'

'Fleur, ik weet niet of je er veel mee opschiet.'

'Waarom niet?'

'Het is misschien geen fijn verhaal.'

'Jij weet wat er is gebeurd, hè?' zei Fleur, haar stem kil, opeens afstande-lijk. Opnieuw gaapte er een akelige kloof tussen hen. 'Waarom kun je het me niet vertellen?'

'Nee, ik weet het niet. Niet echt,' zei Caroline kordaat, blij dat Fleur niet voor haar neus stond. 'Ik denk niet dat iemand dat weet.'

'Ik geloof je niet.'

'Hoor eens, Fleur, ik moet gaan. Ik moet mijn vliegtuig halen. Ik zal je schrijven wat ik weet, dat beloof ik. Goed?'

'O, laat ook maar. Ik zoek het zelf wel uit.'

'Fleur, dat kun je niet alleen. Dat red je niet.'

'Caroline,' zei de stem spottend, 'ik ben gewend om het in mijn eentje te redden.'

KRANTENKNIPSELS, ACHTERGROND VOOR HET HOOFDSTUK 'VERLOREN JAREN' IN *THE TINSEL UNDERNEATH*.

UIT DE *LOS ANGELES TIMES*, 19 AUGUSTUS 1957
IN DE VROEGE OCHTEND IS OP HET STRAND VAN SANTA MONICA HET LICHAAM VAN EEN MEISJE AANGESPOELD. DE SECTIE WEES UIT DAT ZE VIER MAANDEN ZWAN-GER WAS. TOT NU TOE HEBBEN ZICH NOG GEEN FAMILIELEDEN OF BEKENDEN GEMELD. ER LIJKT GEEN SPRAKE TE ZIJN VAN EEN MISDRIJF.

UIT DE *LOS ANGELES TIMES*, 4 SEPTEMBER 1957
VANDAAG IS DE LIJKSCHOUWING GEDAAN VAN DE JONGE VROUW DIE OP 19 AUGUSTUS JONGSTLEDEN DOOD OP HET STRAND VAN SANTA MONICA AANSPOEL-DE. ZE IS GEÏDENTIFICEERD ALS ACTRICE KIRSTIE FAIRFAX. GEMELD WERD DAT ZE AL ENIGE TIJD GEEN WERK HAD EN LEED AAN DEPRESSIES. MICHELLE ZWIRN, BUUR-VROUW EN VRIENDIN VAN MEVROUW FAIRFAX, VERTELDE DAT ZE HAD VERWACHT EEN ROL TE KRIJGEN IN EEN NIEUWE FILM VAN ACI WAARIN BYRON PATRICK DE HOOFDROL SPEELDE, MAAR DAT ZE DE DAG TEVOREN TE HOREN HAD GEKREGEN DAT HET NIET DOORGING. ZE ZEI DAT ZE NIET HAD GEWETEN DAT MEVROUW FAIRFAX ZWANGER WAS. MEVROUW ZWIRN LEEK TIJDENS DE ZITTING ERG VAN STREEK; LATER WERD DUIDELIJK DAT HAAR BROER GERARD ONLANGS ERNSTIG GEWOND IS GERAAKT EN WAARSCHIJNLIJK NOOIT MEER ZAL KUNNEN LOPEN.

DE GERECHTELIJKE UITSPRAAK LUIDDE DAT MEVROUW FAIRFAX ZELFMOORD HAD GEPLEEGD, MAAR ONTOEREKENINGSVATBAAR WERD GEACHT.

Hoofdstuk 9

Chloe had ernstige twijfels over haar feestjurk. Haar broers hadden de slappe lach gekregen toen ze haar in de jurk zagen. Ze hadden gezegd dat ze net een kerstcadeautje was, zij het volgens Jolyon 'een fors uitgevallen' cadeautje. 'Nu nog een strik,' zei Toby. Nanny, die op de herrie was afgekomen, zei dat het een mooie jurk was en dat het leuk was weer eens iets zelfgemaakts te zien. Dat baarde Chloe ook zorgen; stel dat iedereen het kon zien dat ze de jurk zelf had gemaakt en haar erom uitlachte. Pappa had gezegd dat ze er beeldschoon uitzag, maar dat zou hij ook hebben gezegd als ze een jutezak droeg. Daarom stond ze bezorgd naar zichzelf te kijken en vroeg ze zich af wat ze anders aan kon doen, of ze überhaupt wel naar het bal moest gaan. Niet voor de eerste keer, niet eens voor de honderdste keer, bedacht ze dat het heerlijk moest zijn een moeder te hebben die het kon schelen of haar dochter er leuk uitzag op feestjes, die dagenlang met haar op zoek ging naar de perfecte jurk. Veel meisjes op school hadden zo'n moeder. Ze vertelden hoe ze uitgebreid met hun moeder winkelden, lunchten, kwebbelden en giechelden – Chloe kon zich in haar wildste dromen niet voorstellen dat ze kon giechelen met haar moeder – hoe ze kleren pasten in de slaapkamer, hoe hun vader zonder het te weten voor hun jurk betaalde, hoe hun moeder hen thuis opwachtte om alles over het feest te horen. Chloe kreeg hooguit te horen dat ze er 'erg leuk' uitzag als ze naar een feestje ging; ze moest er altijd naar vragen, want Caroline zei het nooit uit zichzelf.

Nou ja, het maakte weinig verschil dat haar moeder in New York zat. En natuurlijk moest ze naar het bal gaan, de jurk was prima. Ze moest zich niet aanstellen, zei ze tegen zichzelf, en ze liep haar moeders slaapkamer binnen om schoenen te passen.

De schoenen in de klerenkast waren hopeloos: veel te hoge hakken. Caroline had haar gewaarschuwd. Ze waren niet alleen te geraffineerd, ze kon er amper op lopen, laat staan dansen. Ze keek om zich heen. Haar moeder was netjes; ze had nog een schoenenrek in een andere kast, gerangschikt op kleur; die hadden lagere hakken, maar ze waren een beetje ouderwets en stijf. Ach, dat was niet erg. De zwarte suède schoentjes waren mooi en ze pasten. Ze zwierde rond, opeens vol zelfvertrouwen, en kon zelfs een beeldje redden dat ze met de rok van het nachtkastje had gemaaid. Ja, dat ging. Het was niet perfect, maar het ging.

Toen zag ze een hoek van een doos onder het bed uitsteken. Mevrouw Jarvis had gebruikgemaakt van haar moeders afwezigheid om de kamer eens goed schoon te maken en had niet alles goed teruggezet. De schilderijen hingen opeens aan heel andere muren en de geëmailleerde doosjes op de toilettafel stonden door elkaar. Caroline zou vast nijdig zijn als ze thuiskwam. Ze had alles graag op zijn vaste plek. Nou ja, daar kon Chloe niet mee zitten. Misschien zaten er schoenen in die doos. Caroline gooide nooit iets weg. Chloe trok de doos onder het bed vandaan.

Nee, geen schoenen, alleen stapels oude foto's. Maar wat een foto's! Chloe ging er eens heerlijk voor zitten. Haar moeder als kind, rechtop en dapper op een dartel uitziende pony, terwijl een sterke Jack Bamforth de teugels vasthield. Een portret van Caroline met haar ouders. Jacqueline was adembenemend mooi, maar ze keek streng en Stanley lachte schalks naar zijn dochtertje. Caroline op een sportfeest. Caroline op een groot zwart paard tijdens een jachtpartij voor Moat House met Stanley naast zich op een schimmel, terwijl Jacqueline, die er prachtig uitzag, een blad vol glazen vasthield en glimlachte naar de jagermeester. Caroline die de acht of negen kaarsjes op haar verjaarstaart uitblies met haar vriendinnen om zich heen. En dan klassenfoto's, een paar sportteams, aangevoerd door Caroline, niet zo interessant. Chloe wilde de doos al terugduwen, toen ze onder de foto's een bruine papieren zak zag liggen. Onder de zak lagen tijdschriften.

Chloe hield van tijdschriften en ze trok ze geïnteresseerd tevoorschijn. Het waren vergeelde nummers van iets wat *Picturegoer* heette. Ze glimlachte toen ze haar lievelingsacteur Rock Hudson op een van de covers zag staan en begon door het nummer te bladeren. Het was niet bepaald het soort tijdschrift dat haar moeder zou lezen, laat staan bewaren; een van de pagina's was een beetje gevlekt, alsof het nat was geweest. Het was een roddelpagina, met allemaal fotootjes van filmsterren uit Hollywood, op feestjes, op de tennisbaan of poserend op het strand; er was één iets grotere foto van een knappe jongeman die een beetje op Tony Curtis leek en een strandbal aanreikte aan een mooi meisje. Volgens het bijschrift heette hij Byron Patrick. Nooit van gehoord. Waarschijnlijk had hij het niet gemaakt. Ze pakte de andere bladen. Dit was leuk. In het volgende nummer zag ze niemand die ze herkende, maar in het derde nummer stond een grote foto van diezelfde Byron Patrick, verkleed als Ali Baba, met een mes tussen zijn tanden. En er waren nog twee nummers opengeslagen bij foto's van Byron Patrick.

Chloe moest lachen, maar was ook verbaasd; blijkbaar had haar moeder een bevlieging gehad voor die meneer Patrick, maar waarom verstopte ze die bladen onder een stapel schoolfoto's? Nou ja, misschien herinnerden ze haar aan haar jeugd. Ze bladerde alle vijf nummers nog een keer door. De grote gemene deler was duidelijk Byron Patrick. In het laatste nummer zat een grote glanzende foto van hem, waarop hij stond te roken. De foto leek te zijn gesigneerd, maar je kon zien dat de handtekening erop gedrukt was. Blijkbaar had haar moeder de foto besteld. Wat raar. Voor het eerst in haar leven voelde Chloe zich een tikje superieur.

Onder de bladen lagen de brieven in een grote bruine envelop. Ze keek in de envelop, zag de brieven en begon alles terug te leggen. Ze was niet een kind dat in andermans spullen snuffelde. Maar haar nieuwsgierigheid was gewekt door meneer Patrick en deze onbekende kant van haar moeder: een lezeres van filmbladen en een fan van jonge Hollywood-acteurs. Misschien werkten de brieven verhelderend. Bovendien, dacht ze in een vlaag van irritatie en zelfmedelijden, als haar moeder er zou zijn geweest om schoenen met haar te kopen, had ze niet in haar slaapkamer hoeven zoeken naar afdankertjes en was ze niet in de verleiding gekomen. Ze haalde de brieven uit de envelop.

Er waren er maar drie, gewone, onschuldig uitziende brieven, woorden op papier. Ongelooflijk dat ze haar zo konden kwetsen.

De eerste was van ene mevrouw Jackson van een adoptiebureau in Ipswich, gedateerd 6 mei 1945.

Geachte Lady Hunterton,
Ik zou u zeer erkentelijk zijn als u de adoptieformulieren voor uw dochtertje kunt komen tekenen. Haar adoptiefouders willen de zaak natuurlijk graag afronden. Misschien kunt u binnenkort een keer langskomen op mijn kantoor.
Bij dezen feliciteer ik u van harte met uw recente huwelijk.
Hoogachtend,
Irene Jackson

De tweede was ook van mevrouw Jackson. Deze was boos, bijna dwingend.

Geachte Lady Hunterton,
Ik moet u dringend afraden om de voogdij van uw dochtertje over te dragen aan haar vader. Ik kan u verzekeren dat uw idee dat ze bij haar natuurlijke vader gelukkiger zou zijn, berust op een misverstand. Als moeder van het kind denkt u ongetwijfeld dat u weet wat het beste voor haar is. Tot mijn spijt moet ik u tegenspreken. U doet niet alleen haar beoogde adoptiefouders veel verdriet, iets wat u wellicht weinig zal interesseren, maar ook uw kind zelf, aangezien zij opeens wordt geconfronteerd met vreemden. Ik zou hebben verwacht dat de moederband waarover u zo fraai schrijft, u iets meer inzicht had verschaft in de behoeften van uw eigen kind.

Als u uw ondoordachte plan desondanks doordrukt, verzoek ik u uw advocaat te vragen onmiddellijk contact met me op te nemen.

Hoogachtend
Irene Jackson

De laatste brief was nogal gekreukeld en vlekkerig, geschreven op luchtpostpapier. Er stond geen adres op.

Lieve, lieve Caroline,
Ik weet dat we hebben afgesproken dat je nooit zult weten waar ik met Fleur woon, en daar houd ik me aan. Ik weet ook dat we hebben afgesproken dat ik nooit meer contact met je zou zoeken.

Toch wil ik je twee dingen laten weten.

Het eerste is dat Fleur helemaal is ingeburgerd. Ze is gelukkig, braaf en slim en mooi. Mijn moeder en haar tantes zijn stapel op haar. Ze zegt al een paar woordjes (in een sterk Amerikaans accent) en kruipt op haar magere knietjes razendsnel rond. Ze eet en slaapt voorbeeldig en speelt met propjes, touwtjes en wat er verder in de prullenbak zit, maar wil niets weten van het dure speelgoed dat ik voor haar heb gekocht. Iedereen zegt (natuurlijk) dat ze op mij lijkt, maar als ik zie hoe aandachtig ze naar me kijkt, of hoe ze haar hoofd in haar nek gooit als ze lacht, of als ze in mijn armen in slaap valt, haar hoofdje in de kom van mijn arm, weet ik dat ik bij jou ben, althans een klein deel van jou.

Het tweede is dat ik van je hou en altijd van je zal blijven houden. De wetenschap dat ik je nooit meer zal zien en de kracht om met die wetenschap te leven, zijn alleen op te brengen doordat ik Fleur heb, van haar hou en voor haar zorg.

Alle liefs van ons allebei,
Brendan

Chloe bleef lange tijd zitten. Ze merkte niet dat het donker werd, ze hoorde Nanny niet roepen, ze hoorde de jongens niet vechten en schreeuwen op de trap. Nadat ze de brieven, de filmtijdschriften en de foto's had teruggelegd, bleef ze als versteend zitten, staarde voor zich uit en vroeg zich af of die vreemde pijn in haar hart ooit weg zou gaan.

Ze wist niet precies wat ze voelde; shock, ja, verwarring, maar verder? Hoe erg vond ze het? Dat ze een zus had, die bijna een jaar ouder was dan zij? Dat haar moeder verliefd was geweest en zwanger was geworden van een andere man dan Chloe's lieve eigen vader, een kind over wie ze nooit had verteld. Hoe had dat kunnen gebeuren? Hoe had haar moeder zoiets kunnen doen? En hoe zou ze haar moeder ooit weer onder ogen kunnen komen, beleefd tegen haar kunnen zijn? Verklaarde dit haar moeders onverschilligheid voor haar, die af en toe veel weg had van afkeer? Kreeg deze Fleur alle liefde, tederheid en belangstelling die Chloe nooit had gekregen? Dat alles vroeg ze zich voorzichtig, bijna tastend af, alsof ze de ernst van een verwonding onderzocht, tegen een ontstoken kies duwde. En ze had nergens antwoord op.

Ze ging naar het bal, stond er zelf versteld van hoe leuk ze het vond, kwam thuis, sliep een paar uur en werd toen vroeg wakker met een verschrikkelijke hoofdpijn en het gevoel alsof haar hele lichaam zeer deed. Ze stond op, kleedde zich aan en liep naar de keuken. Fortnum en Mason, de gele labradors, en hun moeder Fenwick deden, zoals altijd, alsof ze de afgelopen tien jaar geen mens hadden gezien en liepen achter haar aan naar buiten. Het regende, maar dat kon Chloe niet schelen; ze maakte een lange wandeling door de velden en over de landweggetjes en toen ze naar het huis terugliep, zag ze dat Jack Bamforth zijn oude Standard Vanguard bij de stallen parkeerde. Chloe mocht Jack. Hij leek altijd te begrijpen dat ze niet graag reed en deed tenminste niet alsof ze aan een persoonlijkheidsstoornis leed; hij zwaaide toen hij haar zag en liep naar haar toe.

'Jij bent al vroeg op, Chloe. Gelukkig Nieuwjaar.'

'Gelukkig Nieuwjaar,' zei Chloe en ze barstte in tranen uit.

'Jij lijkt niet zo gelukkig,' zei hij met een glimlach en hij trok een smetteloze zakdoek uit zijn werkbroek. 'Wat is er gebeurd? Ruzie met je vriendje?'

'Ik heb geen vriendje,' zei Chloe, snikkend en glimlachend tegelijk, 'om ruzie mee te maken.'

'Wel zo prettig. Niets dan ellende, vriendjes.'

'Denk je?'

Hij keek naar haar, de vochtige bruine ogen, het strakke, bleke gezichtje, de hulpeloze mond en vroeg zich af wat er was. Haar moeder kon ze niet missen: Caroline gaf haar minder liefde en aandacht dan een poes haar jongen gaf. 'Gaat het goed met je vader?' vroeg hij op scherpe toon. De hele buurt praatte bezorgd over Sir Williams gezondheid.

'Ja, dat denk ik wel. Ja, prima.'

'Hebben je broers je weer zitten pesten?'

'Niet erger dan anders.'

'Wil je thee? Ik heb een thermoskan vol.'

'Ja, Jack, dat lijkt me heerlijk.'

'Kom dan maar mee naar mijn kantoor. Ik heb ook koekjes.'

'Ik heb geen trek.'

'Wat jij wilt. Nou,' zei hij, terwijl ze in een versleten leren stoel voor zijn bureau ging zitten, 'ga je me nu nog vertellen wat er is, of niet?'

'Ik... ik kan er niet over praten.'

'Heeft het met je moeder te maken?' vroeg hij voorzichtig.

'Ja. Nee. O, Jack. Ik kan er beter niet over praten. Het... het zijn familiezaken.'

'Praat dan met je vader.'

'O, nee!' Ze keek hem vol ontzetting aan. 'Nee, dat kan niet. Hij zou zo... nee, dat kan niet. Hij zou er nog meer verdriet van hebben dan ik.'

Ze keek Jack aan en zijn grijze ogen stonden erg teder, erg bedachtzaam. Het bleef lang stil voordat hij sprak. 'Chloe,' zei hij, 'het klinkt misschien vreemd, maar ik ken je moeder al heel lang. Sinds ze veel jonger was dan jij. Wij zijn heel vertrouwd met elkaar, zo vertrouwd als twee mensen uit verschillende standen en achtergrond maar kunnen zijn, ook al werk ik voor haar. En als ze een vriend nodig had, vooral toen ze jonger was, voordat ze met Sir William was getrouwd – aan haar moeder had ze niet veel – heb ik geprobeerd een vriend voor haar te zijn. Ik heb zelfs een toespraak gehouden op haar bruiloft. Ik ben erg op haar gesteld en ik denk dat het wederzijds is.'

Chloe staarde hem sprakeloos aan.

'Er is door de jaren heen weinig met haar gebeurd waar ik niet van weet. Daar heb ik natuurlijk nooit iemand over verteld. Maak je daar geen zorgen over. Je hoeft natuurlijk helemaal niets te zeggen, zeker niet nu meteen.

Maar als je eens met iemand wilt praten, of als je vragen hebt, kun je bij mij terecht. Ik kan mijn mond houden. Goed?'

Chloe knikte. Ze zei nog steeds niets.

'Mooi,' zei hij op kordate toon. 'Ik moet aan het werk. Je broers gaan vandaag jagen, dus moeten hun paarden op tijd klaarstaan. Je moeder moest vroeger haar eigen paard optuigen. Veel beter, eigenlijk. Maar die jongens kunnen in je moeders ogen geen kwaad doen.'

Chloe schudde haar hoofd.

'Dus kan ik maar beter voortmaken. Als ik jou was, ging ik ontbijten. Ik ben hier straks ook nog, als je me nodig hebt.'

'Dank je, Jack.'

Tegen halfelf was het opgehouden met regenen en scheen er een waterig zonnetje neer op de doorweekte velden; Jack stond net Carolines paard op te zadelen om ermee te gaan rijden voordat hij zijn stal afbrak, toen Chloe kwam aanlopen, bleek en beheerst, met een vastberaden blik in haar ogen.

'Jack,' zei ze snel, alsof ze bang was dat ze zich zou bedenken voordat ze was uitgesproken, 'weet jij wie Brendan is en of mijn moeder voor hem naar New York is?'

Hoofdstuk 10

1963

'Je bent ontslagen. Je kunt je jas pakken en gaan. Oké?'

'Maar...'

'Geen gemaar. Je was onbeleefd tegen die dame en dat flik je hier niet. Oké? Opgeduveld.'

Fleur duvelde op. Ze liep over straat en zwaaide woedend met haar tas. Het was gewoon niet eerlijk. Hoe moest ze nu het geld verdienen voor een ticket naar Los Angeles?

Ze wachtte nu al ruim een jaar; ze werd er gek van. En ze móest erheen, om te weten te komen wat er was gebeurd.

Ze geloofde geen woord van de brief die haar moeder haar had gestuurd. Althans, ze geloofde het wel, maar het was niet het hele verhaal. Haar vader was een verstandige, sterke persoonlijkheid geweest en hij zou nooit zo dronken zijn geworden dat hij niet wist wat hij deed en op de snelweg was aangereden. Ze had Caroline teruggeschreven om dit te benadrukken en ook om te vertellen dat ze mevrouw duGrath had horen zeggen dat het verhaal hem had gedood, het verhaal en het systeem, dat zij wilde weten welk verhaal en welk systeem. Als Caroline dat niet kon vertellen, zou ze het zelf moeten uitzoeken. Als ze daarvoor naar Los Angeles moest, zou ze gaan. Kon Caroline haar misschien geld sturen voor haar ticket?

Caroline had teruggeschreven dat ze niet alleen mocht gaan – ze probeerde gewoon te rekken – en dat ze zeker geen geld zou sturen; als ze echt moest gaan, zou Caroline meegaan. Ze schreef ook dat ze elkaar nog maar net kenden en sowieso meer tijd met elkaar moesten doorbrengen. Fleur was hier heel opgewonden over geworden en was zelfs begonnen aan een brief aan mevrouw duGrath om te zeggen dat ze kwamen. Maar toen had Caroline weer geschreven (en nu was Fleur heel kwaad geworden), deze keer om te zeggen dat ze nu niet kon komen, omdat haar man doodziek was, dat hij een hersentumor had die sterke stemmingswisselingen met zich meebracht. Hij zou er niet mee kunnen omgaan dat ze wegging en haar familie evenmin. Fleur had zo beleefd mogelijk teruggeschreven dat ze natuurlijk bij haar gezin moest blijven en dat ze wel kon wachten. Of Caroline moest haar toch geld sturen, dan ging ze alsnog alleen.

Caroline had teruggeschreven dat Fleur niet in haar eentje mocht gaan, dat ze maar moest wachten, ook al omdat ze er zelf bij wilde zijn als ze iets te weten kwam. Daarop besloot Fleur dat als ze ooit naar Hollywood wilde, ze Caroline uit haar hoofd moest zetten en het geld zelf moest proberen te verdienen.

Het baantje in de cafetaria was haar in de schoot geworpen; ze was knap en slank en leek een ideale serveerster. In sommige opzichten was ze dat ook. Ze was snel en netjes, kon hoofdrekenen en vergat nooit een bijgerecht of hoe iemand zijn koffie wilde. Alleen de klanten waren een probleem. Fleur kon maar weinig geduld voor andere mensen opbrengen, zelfs niet voor haar vriendinnen. Haar docenten en haar tantes hadden het op haar gemunt en ze had elke dag wel een woedeaanval. Maar de klanten waren erger: veeleisend, dom, ondankbaar, krenterig met hun fooien. Ze vond het steeds moeilijker om te glimlachen en onmogelijk beleefd te blijven. Vanavond was het haar niet gelukt en nu was ze ontslagen, terwijl ze nog maar zeventien dollar had gespaard.

Het was gewoon niet eerlijk. Waarom had zij het zo moeilijk? Andere meisjes hadden moeders die voor hen zorgden, om hen gaven; zij had alleen tante Kate, die elke dag kattiger werd. Ze miste haar oma verschrikkelijk Al was Kathleen oud geweest, in haar hart was ze altijd veel jonger dan haar dochters, altijd geïnteresseerd in waar Fleur mee bezig was, welke kleren ze wilde kopen, naar welke films ze ging, van welke muziek ze hield. Bij Kate wonen was vreselijk en geld om te studeren was er niet. Caroline had aangeboden haar collegegeld te sturen, maar ze geloofde niets meer van wat Caroline allemaal zei. Zij zou al haar geld wel nodig hebben om die dochter van haar naar een of andere dure school te sturen. Ze wilde trouwens helemaal geen geld van Caroline. Als ze zichzelf kon redden, gelijkwaardig was, konden ze misschien vriendinnen worden, eerder niet.

Hoe ze iemand kon worden, wist Fleur niet. Niet zonder een goede opleiding. Ze zou gewoon stenotypiste worden voor een of andere vieze vent, ze zou haar capaciteiten niet benutten en waarschijnlijk een ouwe vrijster worden. Was ze maar dood.

Toen ze thuiskwam, huilde ze uit zelfmedelijden en woede. Ze ging naar binnen, negeerde Kate, schonk zichzelf koffie in en ging naar haar kamer. Ze hoorde amper de telefoon overgaan.

'Fleur, je kent me niet. Ik heet Joe Payton en ik ben een vriend van je moeder. Ik ben in New York en ze heeft me gevraagd je op te zoeken.'

'Dat hoef je niet te doen.'

'Dat weet ik, maar ik wil het wel. Ik ben erg op je moeder gesteld en ik vind dat je moet weten dat ze zich zorgen om je maakt.'

'O ja? Goh. Waarom laat ze me niet gewoon weer vallen? Dan zou ze zich nergens zorgen om hoeven te maken.'

'Jij,' zei de Engelse, ietwat lijzige stem, 'verdient een pak op je donder.'

Fleur legde neer. De telefoon ging meteen weer.

'Ik weet niet wie jou heeft opgevoed, maar dat was uitermate onaangenaam en afwijzend, om van grof nog maar te zwijgen. Ik had willen proberen je te helpen. Ik had je zelfs een paar dingen willen vertellen waardoor je je misschien beter zou voelen. Maar nu heb ik daar helemaal geen zin meer in. Als je je excuses wilt aanbieden, kun je me bellen in het St. Regis. Anders mag je van mij weer in je schulp van zelfmedelijden kruipen en daar blijven.'

Fleur zat sprakeloos naar de telefoon te kijken. Wat wist hij, in zijn chique hotel, over eenzaamheid en angst, over geldzorgen? En waar haalde hij het lef vandaan om haar af te bekken? Stomme hufter. Nou, ze zou mooi niet haar excuses aanbieden. Hij zou Caroline ongetwijfeld vertellen dat ze hem had afgewezen en nog grof was geweest ook. Daarna zou ze nooit meer iets van hen horen. Prima, ze had die lui niet nodig. Ze redde het prima in haar eentje en...

'Nee, stomme trut,' zei ze hardop, 'je bakt er helemaal niets van.'

Ze ging op de trap zitten en bedacht hoezeer ze hulp nodig had en hoe aardig het was van Joe Payton, wie hij ook was, om haar hulp aan te bieden. Na een kop sterke koffie en de nodige valse starts lukte het haar zich genoeg op te peppen om de telefoon te pakken en het hotel te bellen.

'Spreek ik met meneer Payton? Met Fleur FitzPatrick. Het spijt me vreselijk dat ik zo onbeschoft was. Waarschijnlijk is er geen excuus voor. Ik... ik ben vanavond net ontslagen. Ik was van streek. Maar ik zou u wel heel graag ontmoeten. Mag dat?'

Het bleef lang stil. Toen zei Joe Payton: 'Goed. Jammer van je baantje.'

'Nou ja, het stelde niet veel voor. In een cafetaria.'

'Een baan is een baan. Maar je vindt vast weer iets anders. Zullen we morgen lunchen?'

'Graag. Waar?'

'In het hotel. Weet je waar het is?'

'Ja, dank u wel.'

Joe zat in de lobby op haar te wachten. Fleur keek naar hem, lang en mager, met *The Times* in zijn knokige handen, onmiskenbaar Engels in zijn uitgezakte sportjasje, ontzettend lange benen in een versleten grijze flanellen broek, een flink gat in de zool van een van zijn bruine veterschoenen, een knoop die aan een lange draad aan zijn versleten manchet hing, slordig bruin haar met blonde plukken, en haar vijandigheid smolt weg, haar achterdocht verdween: ze werd ter plekke verliefd op hem. Het gevoel raakte haar hoofd even sterk als haar lijf en haar hart.

'Meneer Payton? Ik ben Fleur FitzPatrick,' zei ze.

Hij stond op, zijn groene ogen keken haar vol belangstelling aan en hij stak haar zijn hand toe, een sterke, warme hand. Die eerste aanraking maakte een grote, onvergetelijke indruk op haar. 'Hoe gaat het?' vroeg hij met een ietwat knarsende stem. 'Je ziet er erg netjes uit. Daar kan ik niet tegenop.'

'O,' zei Fleur, blij verrast dat hij het had opgemerkt; ze had haar mooiste kleren aangetrokken, een grijze coltrui, op een korte Schotse rok, een zwarte panty en lage schoenen. Kates zwarte blazer paste er niet echt bij, maar haar eigen afgedragen duffelse jas kon helemaal niet. 'Nou ja, ik lunch niet elke dag buiten de deur.'

'Ik ook niet,' zei Joe. 'Zullen we?'

Ze bestelden. Fleur leek weinig onder de indruk van het menu en bestelde biefstuk en avocado.

'Of zullen we een tournedos delen?' vroeg Joe. 'Die zijn hier erg goed.'

'Ja, prima.'

Joe schonk haar een brede, vriendelijke glimlach; haar hart sloeg over. God, wat was er met haar aan de hand? Ze riep zichzelf tot de orde. Hij mocht dan nog zo sexy en aantrekkelijk zijn, maar hij was van de tegenpartij; voorzichtigheid was geboden.

'Goed, drink je?'

'Natuurlijk.'

'Sorry. Laten we een fles sancerre bestellen. Die is heerlijk. Goed, waar zullen we beginnen?'

'Ik weet het niet. Hoe gaat het met mijn moeder?'

'Ze is vreselijk verdrietig. En uitgeput. Wist je al dat haar man dood is? Ze heeft hem verpleegd, was continu bij hem. Dat was ontzettend zwaar.'

'Ja,' zei Fleur zo ingetogen mogelijk. 'Dat moet verschrikkelijk voor haar zijn geweest. Ik probeer er wel aan te denken. Maar soms is dat... moeilijk.'

'Dat zal wel. En je... ik bedoel, Chloe, was ontzettend gek op hem, ze is er helemaal kapot van. Dat maakt het ook moeilijk voor Caroline.'

'Wat is zij voor iemand?' vroeg Fleur; ze kon haar nieuwsgierigheid niet onderdrukken.

'Ik heb haar nog nooit gesproken. Maar ik geloof dat ze erg lief is, een ouderwets meisje.'

'Geen wonder dat haar moeder gek op haar is,' merkte Fleur zuur op.

'Geen wonder,' zei Joe nonchalant. Hij keek haar onderzoekend aan. 'Maar, Fleur, ze is ook erg gek op jou. Ze zou je alleen beter willen kennen. Er is nog iets,' zei Joe. 'Caroline wil echt graag je collegegeld betalen. Waarom wil jij dat niet?'

'Ik weet het niet,' zei Fleur, maar ze wist het best: ze wilde Caroline niet nog drie of vier jaar schatplichtig zijn, dankbaar en beleefd zijn. Toen kreeg haar praktische kant de overhand. 'Ik zou wel een secretaresseopleiding willen volgen. Dan kan ik een goede baan krijgen.'

'Ik zal het doorgeven,' zei Joe en hij glimlachte samenzweerderig.

Hij begrijpt het, dacht Fleur opgelucht. Hij begrijpt het echt. 'Weet mijn ouderwetse zus dat ik besta?' vroeg ze strijdlustig.

'Ja. Ze is erachter gekomen terwijl je moeder hier was. Ze is er erg van geschrokken, maar ze heeft het goed opgevat.'

'O.' Ze verwerkte deze informatie in stilte. 'Wat heb jij eigenlijk voor relatie met mijn moeder? Platonisch, of...' Ze wist dat het een brutale vraag was. Ze pakte dit niet goed aan, maar het leek haar vreselijk belangrijk. Ze moest weten wat Joe's positie was in deze ingewikkelde familieverhoudingen en hoe ze op hem kon en moest reageren.

'Ik denk niet,' zei hij losjes, 'dat jij daar iets mee te maken hebt. Misschien kan ik je uitleggen hoe ik je moeder heb leren kennen. Dat is relevant. Ik heb een boek geschreven en daar kwam je vader in voor. Ik praatte over hem op de radio en dat hoorde ze. Toen nam ze contact op.'

'O ja? Weet jij dan wat er echt is gebeurd?'

'Niet alles.'

'Vertel me alsjeblieft wat je weet.'

Hij keek haar onderzoekend aan. 'Dat wil ik wel doen,' zei hij vriendelijk, 'maar weet je zeker dat je het wilt weten? Het is bepaald geen leuk verhaal.'

'Ja, natuurlijk.'

'Goed, maar drink dan nog wat wijn.'

Ze nam een klein slokje. Ze had geen behoefte aan wijn, aan verzachting. Ze wilde de waarheid horen. 'Toe dan.'

'Er was een schandaal. Het betrof je vader. Er was veel publiciteit omheen en de studio liet hem vallen.'

'Wat voor schandaal? Om een vrouw?'

'Ja.'

'Wie was ze? Een filmster? Hij was erg knap, weet je. Alle meisjes waren gek op hem. Toen hij in New York was, had hij geen serieuze relatie. Waarschijnlijk was het daar anders.'

'Waarschijnlijk, ja. Nee, geen filmster. Een castingdirecteur. Maar toen ontstond er een ander... probleem.'

'O? Wat?'

Joe vond het duidelijk gênant. Hij nam nog een grote slok wijn en zei: 'Er was een schandaal om iemand anders. Het stond in een of ander ranzig roddelblaadje. Iemand met een slechte reputatie, voor zover ik het heb kunnen achterhalen. Je moet begrijpen dat ik alleen een paar oude knipsels heb gezien. Het is immers al lang geleden.'

'Ja,' zei Fleur. Haar hart bonsde zo hard dat het pijn deed. Ze had het gevoel dat Joe heel veel achterhield, maar het was tenminste iets.

'Die castingdirecteur, die Naomi MacNeice heette, was ontzettend kwaad. De studio liet hem vallen. Die mensen zijn verschrikkelijke prima donna's. Hij kreeg geen rollen meer en hij had geen geld. Hij woonde bij vrienden, toen hij werd aangereden.'

'En dat was alles?'

Ze vermoedde dat er meer achter zat en ze wilde weten wat, maar dat zou hij haar niet vertellen. Toch was het aardig dat hij wilde proberen haar te helpen, om een paar vragen te beantwoorden. Hij wilde haar duidelijk in bescherming nemen en dat was aardig, hoe misplaatst het ook was. Hij had zeker meer zijn best gedaan om haar te helpen dan wie ook. Ze glimlachte naar hem en zei welgemeend: 'Dank je. Ik ben zo blij dat je me dat hebt verteld. Ik móest het echt weten.'

Haar woorden hadden een merkwaardige uitwerking op Joe; hij keek haar aan en slikte, terwijl de tranen hem in de ogen sprongen. Hij trok zijn zakdoek tevoorschijn en veegde ze weg. Toen glimlachte hij naar haar en zei: 'Let maar niet op mij. Daar kan ik niets aan doen. Ik ben een softie.'

Fleur keek hem aan, diep getroffen, ontroerd door zijn tranen. 'Ik vind het mooi dat je huilt,' zei ze uiteindelijk. 'Mijn vader huilde ook. Mannen zouden moeten huilen, zei hij, ze zouden niet bang moeten zijn voor hun gevoelens.

'Hij had gelijk, al kan het wel gênant zijn.'

'Maakt niet uit. Het geeft niet wat andere mensen denken.'

'Nou, soms wel.'

'Ik vind van niet.'

'Huil jij weleens?'

'Ja, heel veel. Meestal uit woede,' zei ze erachteraan. 'Ik heb een verschrikkelijk humeur.'

'Net als je moeder,' zei Joe. 'Blijkbaar zijn die prachtige benen niet het enige wat je van haar hebt geërfd.'

'Blijkbaar,' zei Fleur. Ze voelde zich een beetje opgelaten, maar vond het heerlijk dat hij haar benen had opgemerkt, bewonderd. Het bleef even stil. Om de stilte op te vullen zei ze: 'Maar ik ben blij dat ik weet wat er is gebeurd. Het is veel minder erg dan ik had verwacht. Het heeft iets van seksuele voorlichting. Volwassenen doen ontzettend krampachtig, durven je amper aan te kijken en het ergste is nog dat het allemaal zo smakeloos klinkt.'

'Dat zal wel. Ik ben bang dat het verhaal over je vader ook nogal smakeloos klinkt.'

'Het ergste is nog wel,' Fleur wilde niet stilstaan bij de smakeloosheid, 'dat het niet had hoeven gebeuren. Als hij bij ons in New York was gebleven, had hij die vrouw niet leren kennen, als... nou ja, er zijn zoveel variabelen.'

'Helaas wel,' zei Joe, die een reusachtig, onuitgesproken 'als' in de lucht voelde hangen: als mijn moeder hem niet had weggestuurd...

'Nu begrijp ik wat mevrouw du Grath bedoelde toen ze zei dat het verhaal hem had gedood,' zei Fleur. 'Waarschijnlijk is dat zo. Dat roddelblad, hoe heette dat ook alweer? *Confidential?*'

'Nee, het oorspronkelijke verhaal stond in *Inside Story*. Nog ranziger.'

'Wie was de hoofdredacteur? En wie schreef het artikel? Weet jij dat?'

'Fleur, ik heb geen idee. Het bestaat al jaren niet meer. Wat was je met hen van plan? Moord en doodslag?'

'Nee,' zei Fleur, 'dat zou te snel, te gemakkelijk gaan. Het zou beter zijn ze langzaam te laten lijden. Vind je niet?'

Ze voelde zich beter. Stukken beter. De woede die ze had gevoeld sinds haar oma was overleden en ze kennis had gemaakt met haar moeder, was helemaal weggezakt. Nu kon ze de confrontatie met de waarheid aangaan.

Ze moest nog wel meer weten. Ze moest weten wat Naomi MacNeice voor vrouw was, dat ze haar vader nonchalant had opgepakt, had gebruikt en toen weggegooid alsof hij een papieren zakdoekje was. Ze moest weten wie die smerige leugens hadden verspreid en ze moest proberen het bewuste artikel te vinden. Zou mevrouw duGrath het hebben? Dan kon ze vragen of ze het mocht lezen. En haar verlangen om haar vaders graf te zien was bijna onverdraaglijk.

En dan moest ze natuurlijk nadenken over Joe: mooie, aardige, lieve, tedere Joe.

Ongeduldig en steeds kwader wachtte ze op bericht van Caroline; haar tolerantie en vergevingsgezindheid jegens haar moeder stonden op het punt te knappen.

Toen Caroline schreef dat ze onmogelijk vóór de herfst kon komen (en toezegde dat ze natuurlijk een secretaresseopleiding kon volgen), schreef dat haar kinderen nog steeds kapot waren van de dood van hun vader en dat ze hen niet alleen kon laten, scheurde ze de brief in snippers, gooide ze in de wc en trok huilend van woede keer op keer door. 'Rotwijf,' zei ze steeds, 'rotwijf, rotwijf.' Waarom was ze zo dom geweest haar te vertrouwen, naar haar te luisteren? Caroline had duidelijk geen belangstelling voor haar; ze was alleen maar bezig met die brave dochter en die arrogante rotjochies van haar – dat moesten ze wel zijn, alle jongens waren onuitstaanbaar en arrogant – en had geen tijd voor haar.

Een paar dagen later kwam er nog een brief.

Lieve Fleur,
Je bent vast erg van streek omdat je moeder voorlopig niet met je naar Los Angeles kan. Je moet proberen te geloven dat het haar ontzettend spijt. Haar leven is momenteel niet gemakkelijk. Ik ben blij dat je inderdaad die secretaresseopleiding gaat doen. En ik weet dat Caroline daar ook erg blij om is.

Ik denk wel dat het goed voor je zou zijn om naar Los Angeles te gaan en ik vroeg me af of je samen met mij zou willen gaan. Ik moet er toch heen, om onderzoek te doen voor een boek dat ik wil schrijven over de nieuwe lichting filmhelden van Hollywood en ik zou je gezelschap erg op prijs stellen. We zouden Yolande kunnen opzoeken en ik kan je de omgeving laten zien. Natuurlijk kunnen we dan ook naar het graf van je vader gaan. Ik moet je wel waarschuwen dat ik het erg druk zal hebben en om die reden niet de hele tijd bij je zal kunnen zijn.

Laat me weten wat je ervan vindt.
Joe Payton

Fleur las de brief een paar keer door. Toen gooide ze haar armen in de lucht en slaakte ze een luide vreugdekreet. LA! Met Joe! Dagenlang in zijn gezelschap zijn, de kans krijgen hem te bestuderen, hem te leren kennen. Het was een geweldig aanbod. Ze schreef hem meteen terug.

Beste Joe,

Ik ga graag met je mee naar LA. Wat verschrikkelijk aardig dat je me wilt meenemen. Ik beloof je dat ik zal proberen je niet tot last te zijn als je aan het werk bent. Wil je tegen Caroline zeggen dat ik er alle begrip voor heb dat ze geen tijd heeft om zelf te gaan en dat ik komend najaar graag met de secretaresseopleiding wil beginnen?

Met vriendelijke groet,

Fleur FitzPatrick

Fleur en Joe logeerden in Chateau Marmont. Dat was Yolandes idee.

Je vindt het vast geweldig (schreef ze Fleur). Je vader heeft er gelogeerd toen hij in Hollywood aankwam. Ik zou je graag zelf uitnodigen, maar ik heb geen ruimte voor logés. Ik weet niet hoe ik je verder kan helpen. Naomi MacNeice is uit de gratie en heeft iets te veel geslikt en gedronken. Het gaat niet goed met haar. Ze heeft een klein strandhuisje in Malibu. Ze zal je niet willen ontvangen, tenzij je haar kunt overbluffen. Ik ben blij dat je goed kunt opschieten met Joe Payton. Hij is een wijze, aardige man. Ik wist dat ik hem kon vertrouwen!

Liefs,

Yolande duGrath

Ze landden om een uur of twaalf in LA, in een gouden nevel tegen een blauwe lucht. Fleur was zo opgewonden als een kind. 'O, wauw,' zei ze steeds, 'o, wauw.'

Joe leek het niet erg te vinden. Hij glimlachte en raakte haar hand aan. Dat deed hij heel veel. Fleur vroeg zich wanhopig af of ze ooit intiemer zouden worden.

Hij had een huurauto gereserveerd en gaf Fleur onderweg naar het hotel een korte rondleiding door LA. 'Daar staat het Hollywood-bord. Wist je dat er vroeger "Hollywoodland" stond? Die laatste vier letters hebben ze in 1949 weggehaald. Kijk, dat is Sunset Boulevard, waar al die chique restaurants stonden, de Mocambo en de beroemde Garden of Allah, en Schwab's, waar alle werkloze acteurs rondhingen...'

'Mijn vader ook?'

'Waarschijnlijk wel, ja.' Hij legde zijn hand weer op de hare. 'Gaat het wel?'

Ze knikte. 'Ja, prima,' zei ze, met haar ogen op zijn hand gericht.

'Mooi. Hier wil ik de rondleiding afbreken. Laten we naar het hotel gaan en iets drinken. Dan gaan we daarna verder.'

'Ja, fijn.'

Net voor het avondeten reden ze naar Griffith Park en keken ze vanuit de sterrenwacht uit over de stad; de symmetrie van de stad werd verzacht door de avondschemer. Verderop lag de oceaan, heiig in het avondlicht, en de zon zakte er gestaag en zwaar in weg. Fleur zuchtte. Het was vreselijk, pijnlijk romantisch.

'Het is hier echt mooi,' zei ze. 'Hier zou ik wel heel lang willen blijven.'

'Herinner je je het helemaal niet?'

'Niet veel. Ik was pas twaalf.'

'Ja, natuurlijk. Nog een baby.'

'Nee,' zei Fleur, plotseling geïrriteerd, 'al behoorlijk volwassen.'

De volgende ochtend reden ze richting Venice. Yolande duGrath wachtte hen op met ijsthee.

'Leuk je weer te zien,' zei ze tegen Joe. 'En Fleur! Wat ben je groot geworden. En wat lijk je op je vader.'

'Echt waar? Dat zei oma ook altijd, maar ik dacht dat ze het verzon.'

'O nee. Je hebt zijn ogen, zijn haren, zijn lengte. Kijk dan eens naar die benen.'

'Haar moeder heeft ook lange benen,' zei Joe. Hij leek te voelen dat hij voor Caroline moest opkomen.

'O ja?' vroeg Yolande. 'Jammer dat ik haar nooit heb ontmoet. Byron heeft me zoveel over haar verteld. Ze klonk als een geweldige vrouw. Je zult wel blij zijn dat je haar hebt gevonden.'

Ze glimlachte naar Fleur, die merkte dat ze verstrakte. 'Ja, dat is fijn,' zei ze alleen.

'Joe, waar gaat je nieuwe boek over? Kan ik je deze keer ergens mee helpen?'

'Het gaat over de nieuwe jonge helden van Hollywood. Ken je ze?'

'Een paar maar. Ik ben beter in de oude lichting. Montgomery Clift, die is interessant. Ga je hem interviewen?'

'Ja, en Anthony Perkins.'

'O, dat is een leuke man.'

'Kan hij goed oetsen?' vroeg Joe lachend.

'Ja, meesterlijk. Leuk dat je dat hebt onthouden.'

'Yolande, iedereen in deze stad weet wat jij met "oetsen" bedoelt.'

'Zou ik dat artikel over mijn vader mogen lezen?' vroeg Fleur. Ze wist niet waar ze het over hadden en ze voelde zich plotseling erg gespannen.

'Maar liefje, dat heb ik niet.'

'Waar heb jij het gevonden, Joe?'

'In de knipselbibliotheek van de *Sunday Times*,' zei Joe. 'Ze hebben er alles, maar je mag niets meenemen. Sorry, liefje.'

Fleur keek hen allebei boos aan. 'Jullie houden het achter. Dat is niet eerlijk.'

'Schatje,' zei Joe, 'dat doen we niet. Dat moet je geloven.'

Ze geloofde het niet, maar ze kon er niets aan veranderen. Hij had haar wel 'schatje' genoemd. Ze voelde zich slap van vreugde.

Yolande stelde voor te gaan lunchen. 'Er is een geweldig Chinees restaurant. Dat vinden jullie vast heerlijk. Wil jij rijden, Joe? Het heet de Formosa, net voorbij Santa Monica. In de jaren vijftig was het heel populair. Daarna kunnen we naar Forrest Hill rijden in de Valley en naar Byrons graf gaan. Sorry, liefje, ik denk nog steeds aan hem als Byron. Voor jou was hij Brendan, hè?'

'Ja,' zei Fleur.

Die avond was ze erg stil. Ze had het aangekund de grafsteen te bekijken, was er een lange tijd blijven staan kijken, arm in arm met Yolande, had de inscriptie gelezen: 'Brendan FitzPatrick, 1919-1957. Geliefde vader en zoon.'

'Zullen we naar de kapel gaan?' vroeg Yolande vriendelijk.

'Ja,' zei Fleur, 'graag.'

En toen was ze weer twaalf, stond ze weer tussen haar oma en Yolande in, hield ze hun handen vast en probeerde ze uit alle macht niet te huilen, boorde ze haar nagels in haar handpalm om die andere, afschuwelijke pijn weg te drukken, zag ze hoe de kist van haar vader, groot, donker en verschrikkelijk, door de dubbele deuren verdween, met het boeketje van witte rozen dat ze erop had gelegd, met de kaart waarop ze had geschreven 'Pappie, veel liefs van Fleur.' Toen ze de kapel uit liep, het zonlicht in, keek ze Yolande aan met dezelfde wanhoop en verwarring als ze toen had gevoeld, en ontdekte ze dat haar pijn sindsdien amper minder was geworden.

'Ik denk dat ik maar eens vroeg naar bed ga,' zei ze na het eten tegen Joe.

'Goed idee. Wil je eerst nog ergens over praten?'

'Ik denk het niet, nee. Maar bedankt. Dat is erg aardig.'

'Ik mag je wel, Fleur. Ik vind het gemakkelijk om aardig voor je te zijn. En trouwens, je verdient het.'

De dag erop moest hij aan het werk; Fleur zei dat ze zichzelf wel zou vermaken. 'Zit over mij maar niet in. Ik red me wel.'

'Echt?'

'Echt.'

Toen hij weg was, zocht ze het nummer van ACI Studio's op en pakte met kloppend hart de telefoon.

'Morgen ga ik Naomi MacNeice opzoeken,' vertelde ze Joe tijdens het avondeten.

'Fleur, jij bent echt een bijzondere dame. Hoe heb je dat in godsnaam versierd?'

'O, ik heb ACI verteld dat ik familie van haar was,' zei Fleur, opgetogen over zijn huldeblijk. 'Toen kreeg ik haar nummer. Bij Naomi nam het dienstmeisje op. Ik liet vragen of mevrouw MacNeice zou willen praten met mevrouw FitzPatrick. Toen kreeg ik haar zelf aan de lijn.'

'Naomi zelf?'

'Ja. Ze vroeg wie ik was en ik legde uit dat ik de dochter was van Brendan FitzPatrick, die ze beter kende als Byron. En ze zei: "O, jij bent dat kleine meisje, hoe oud ben je nu? Elf of twaalf?" Ze vroeg wat ze voor me kon doen en ze ging maar door over hoe mijn vader niet kon acteren, maar zo'n knap gezicht had. Dat was hard, maar ik kon het wel aan.'

'En toen?'

'Toen vroeg ik of ik haar kon komen opzoeken. Ze zei dat ze niet wist waar hij was. Ik zei dat het niet erg was en dat ik haar toch graag zou opzoeken. Ze antwoordde: "Prima, morgenmiddag." Ze woont in Malibu Colony.'

'Fleur,' zei Joe, 'jij bent niet te geloven.' Hij aarzelde. 'Mag ik mee? Ik denk dat je wel wat morele steun kunt gebruiken. Ik beloof je dat ik je niet voor de voeten zal lopen.'

Ze zei lange tijd niets.

'Nee,' antwoordde ze uiteindelijk. 'Nee, ik ga liever alleen.'

'Oké,' zei Joe. Ze kon zien dat hij bezorgd was. 'Laat me je dan tenminste brengen. Het is een heel eind hiervandaan.'

Het was duidelijk dat Naomi MacNeice erg ziek was. Ze was zo mager als een lat, zo mager dat haar huid leek te blijven haken achter haar scherpe botten. Haar gezicht was verschrompeld, haar haar dun. Ze droeg een broekpak van turkooizen zijde die aan haar lijf hing als wasgoed aan een lijn. Als ze glimlachte, was haar mond bijna te breed voor haar smalle gezicht. En dit was dus die dame die zo veel macht had gehad in Hollywood dat ze mensen kon oppakken en weggooien alsof het papieren zakdoekjes waren. Goh, dacht Fleur, macht was maar erg betrekkelijk.

'Mevrouw MacNeice, ik ben Fleur FitzPatrick. Ik ben blij dat u me wilt ontvangen.'

'Kom binnen, liefje, dan krijg je thee. Je vindt het toch niet erg om binnen te zitten?'

'Nee hoor,' zei Fleur, 'natuurlijk niet.' Het huis was heet en donker. Het rook er muf; ze werd er een beetje misselijk van.

'Mooi. Ik zit niet meer zo graag in de zon. Dat is namelijk heel slecht voor je huid.'

Ze ging haar voor naar een donkere, verzonken kamer met in leer gebonden boeken aan de wanden. De open haard, symbool voor Californische welstand, brandde en het was ondraaglijk heet. Er stonden zwartleren stoelen, Chinese lakkasten en overal hingen foto's: Tony Curtis en Janet Leigh, Burton en Taylor, Mike Todd en Taylor, Gable, Bogey en Bacall. Stuk voor stuk met een brede lach, allemaal gesigneerd, 'Voor Naomi' of 'Lieve Naomi'. Fleurs ogen gleden langs de gezichten in de hoop haar vader te zien. Er waren er te veel en de kamer was te donker. Ze kreeg het gevoel alsof ze in een nachtmerrie was beland.

'Goed, wat kan ik voor je doen?' vroeg Naomi. 'Als je je vader zoekt, ik heb geen idee waar hij gebleven is. Hij is meteen vertrokken. Misschien moet je die agent in New York proberen. Die man over wie al dat gedonder was.'

'Wat een goed idee,' zei Fleur. 'U heeft zeker niet zijn nummer, hè?'

'O, zeker wel.' Het antwoord was bijna schokkend zelfverzekerd en efficiënt. 'Ik raak nooit een nummer kwijt. Moment. Mappy! Mappy! Mijn adresbestand, alsjeblieft?'

Er verscheen een Latijns-Amerikaans dienstmeisje met een zwart dossier; Naomi pakte het aan.

'Juist. Allebei in New York. Kun je daar komen, liefje?'

'Dat lijkt me wel,' zei Fleur.

'Als je maar voorzichtig bent. Het is zo'n gevaarlijke stad geworden. Goed dan, Clint, Kevin Clint. Enge man. Ja, hier, kijk, schrijf maar op, liefje, hier is een schrijfblok. Wat een naar stel. Wees voorzichtig met ze, liefje, niets tekenen, hoor. Die twee hebben Hollywood heel wat ellende bezorgd.'

'Ik zal uitkijken,' zei Fleur. 'Maar, eh, wat voor ellende?'

'O, gewoon dat ze bepaalde diensten terugverwachtten en je anders lieten vallen. Waar rook is, is vuur, natuurlijk. Daarom heeft dat artikel ook zoveel schade toegebracht.'

'Mevrouw MacNeice,' vroeg Fleur heel rustig en vriendelijk, 'heeft u dat artikel toevallig nog ergens?'

'O nee, liefje, ik heb elk nummer dat ik in handen kreeg laten vernietigen.'

'En u weet zeker niet wie het heeft geschreven?'

'Ik wil liever niet op alle details ingaan,' zei Naomi, die opeens verdrietig keek. 'O, het was zo zonde, zo dom van hem. Hij had alleen maar zijn mond hoeven houden. Maar zolang het duurde, hadden we het gezellig. En hij deed het goed. Ik pakte hem goed aan. Voor alles wat Tony Curtis deed, zocht ik iets vergelijkbaars. Hij leek op Tony, weet je. En het werkte.'

'Woonde mijn vader bij u, toen... toen hij het zo goed deed?'

'Ja, liefje, een deel van de tijd wel, al had hij natuurlijk zijn eigen appartement. Je moet wel een béétje afstand bewaren tot je acteurs. Maar ja, we waren veel samen. Maar dat wilde niet zeggen dat hij niet iets had kunnen hebben met Clint en Berelman. Niets stelt hier erg veel voor, liefje, niet op die manier, niet in Hollywood. Je doet wat je doen moet. Byron deed wat hij dacht dat hij moest doen, maar helaas kwamen ze erachter.'

'Wáárachter, mevrouw MacNeice?' Fleurs stem trilde een beetje. 'Alstublieft, vertel het me.'

'O nee, liefje, dat kun jij nog niet begrijpen. Al ben je erg groot voor je leeftijd. Maar ik moest hem natuurlijk wel vragen weg te gaan.'

'Uiteraard,' antwoordde Fleur automatisch, 'dat spreekt vanzelf.'

'Maar het is een lieve jongen. Charmant. Ik was erg gek op hem. Hij had veel vrienden. Dat bracht hem in de problemen. Je had toen die ontzettend knappe Engelse jongen. Ik heb hem nooit vertrouwd. Nu zou ik hem wel willen contracteren. Je weet zeker niet waar hij nu is, liefje?'

'Wie?' vroeg Fleur. Ze raakte steeds meer in de war en raakte vreemd genoeg in paniek.

'Hoe heette hij nu ook? Hij speelde in *Town Cousins*. Ik kom er zo wel op. Waar was ik gebleven?'

'U zei net dat mijn vader... te sterk betrokken raakte bij andere mensen.'

'Dat klopt. Hij kon het niet aan, snap je. Hij was niet slim genoeg voor ze. Niet slim genoeg.' Ze bleef lang zwijgen. Fleur begon te denken dat ze misschien in slaap was gevallen. Ze verschoof op haar stoel en kuchte. Naomi ging geschrokken rechtop zitten en keek naar haar. 'O, sorry. Ik ben steeds zo moe. Die vreselijke migraine altijd. Zou je het erg vinden om weer te gaan? Als je Clint of Berelman opzoekt, kunnen zij je misschien verder helpen. Kun je ze meteen vragen of ze nog interessant materiaal voor me hebben. Ik heb behoefte aan een grote ster, om weer in de running te komen. Zeg maar dat hij voor mijn part kippen mag neuken, als hij het voor de camera maar goed doet.'

'Ja,' zei Fleur, 'ik zal het doorgeven.'

'En wil je je vader de groeten doen, als je hem terugvindt?'

'Dat zal ik doen.'

Fleur liep naar de auto; het plotselinge zonlicht deed pijn aan haar ogen. Ze stapte in zonder iets te zeggen en zat met afgewend gezicht uit het raam te kijken.

'Gaat het?' vroeg Joe.

'Jawel, ik denk het wel. Ze was kierewiet. Totaal gestoord. Laten we iets gaan drinken.'

Ze gingen zitten bij Alice's restaurant aan de pier van Malibu en zaten naar de surfers te kijken. Joe bestelde een Bacardi-cola voor haar en nam zelf bier.

'Fleur, je moet niet...'

'O, Joe, het gaat best, écht. Maak je niet druk. Ik zei toch dat ze gek was. Er was geen touw aan vast te knopen. Ze dacht dat ik tien jaar was, of zo.'

'Aha.'

'Ze heeft me wel het adres van zijn agent gegeven. En dat van zijn talentenjager. In New York.'

'Fleur, ik snap echt niet wat je daarmee moet.'

'Ik wel. Ik moet ze vinden. Om te begrijpen waar mevrouw MacNeice het over had. Ze... ach het doet er ook niet toe.' Haar stem trilde. Ze draaide zich weer weg. Joe zag haar ogen glinsteren.

'Fleur, kijk me aan. Wat is er?'

'Niks,' zei ze geïrriteerd. 'Ik zei toch dat ze gestoord was. Er is niets.'

'Waarom huil je dan?' vroeg hij zacht.

'Ik huil niet. Niet echt. Het was een vervelend bezoek, dat is alles.'

'Goed, zeg dan maar niets. Wil je iets eten?'

'Nee.'

'Ook best.'

Veel later die avond kon ze huilen. Ze dacht dat ze zacht genoeg huilde, maar Joe hoorde haar en klopte aan. 'Gaat het? Naar gedroomd?'

'Niet gedroomd.' Fleur ging rechtop zitten, droogde haar tranen. 'O, Joe, die afspraak met mevrouw MacNeice was zo afschuwelijk.'

'Wil je er nu over praten?'

'Ja, ik denk van wel.' Ze snikte luid. Joe gaf haar een zakdoek. 'Dank je,' zei Fleur. Ze wilde hem zijn zakdoek teruggeven, maar Joe zei: 'Hou maar, ik heb stapels klaarliggen voor als ik huil.'

'Ook goed. Hoe dan ook, ze wekte de indruk dat... dat mijn vader iets verschrikkelijks deed. Met die kerels, Clint en Berelman. Wat denk je dat het was, Joe? Drugs misschien? Of, verdomme, Joe, of iets anders? Iets afgrijselijks? Wat denk jij? Wat wéét jij?' Haar gezicht vertrok krampachtig. Ze keek doodsbang. Ze zag eruit als een klein, bang kind.

'O, Fleur, ik weet het niet.' Joe was verbijsterd. 'Echt niet. Je zei dat ze gestoord was. Dat blijkt wel. Niet huilen, Fleur, besteed gewoon geen aandacht aan haar. Je kunt onmogelijk iets wat ze heeft gezegd serieus nemen. Doe jezelf dit niet aan.'

'Nee, natuurlijk niet,' zei Fleur. 'Maar ik moet die mannen vinden. Echt, Joe. En, o ja, ze zei ook iets over een Engelsman. Een jongen, zei ze. Kun jij daar iets mee?'

'Nee,' zei Joe hevig geïnteresseerd, 'nee, niets. Heeft ze een naam genoemd?'

'Nee, die was ze vergeten. Hij speelde in een film, hoe heette die ook alweer? Huppeldepup *Cousin.*'

'Toch niet Burton?' zei Joe ongelovig. '*My Cousin Rachel?*'

'Nee, dat was het niet. O, ik weet het niet meer. Het doet er ook niet toe.' Na een korte stilte zei ze: 'Joe, ik weet niet of ik dit aankan. Stel dat... dat...'

'Stel gewoon niets,' zei hij en hij trok haar in zijn armen. Ze lag stil tegen hem aan, genoot ervan dicht bij hem te zijn, vastgehouden te worden, voelde louter troost en rust. Hij streelde haar, haar rug, haar haren, haar nek en zei haar naam, steeds opnieuw, zacht, teder.

Na een tijdje ging ze rechtop zitten en schonk ze hem een waterig glimlachje. 'Sorry, ik kon het gewoon even niet meer aan.'

'Je hebt veel meegemaakt,' zei hij, 'erg veel,' en terwijl hij dat zei, zag ze de bekende tranen in zijn ogen. Dat gaf haar haar zelfbeheersing en moed terug.

'Hé, niet huilen, jij,' zei ze glimlachend. 'Dat is niet eerlijk. Dan begin ik ook weer. Wat ben je toch een goede vriend, Joe. Je huilt zelfs om me. Dat heeft nog nooit iemand gedaan, behalve mijn oma.'

Joe lag lang wakker. Hij dacht na over de steeds ingewikkelder wordende puzzel die Brendan FitzPatrick heette en vroeg zich af wat hij nu echt voor man was geweest. Caroline en Fleur hadden zo van hem gehouden en hij leek het nauwelijks te verdienen.

ACHTERGRONDINFORMATIE VOOR HET HOOFDSTUK 'VERLOREN JAREN' IN *THE TIN-SEL UNDERNEATH*. TRANSCIPTIE VAN TELEFOONGESPREK MET MICHAEL WILLIAMS, PORTIER VAN HET SANTA MONICA HOSPITAL IN AUGUSTUS 1957.

IK HERINNER ME DAT GERARD ZWIRN WERD BINNENGEBRACHT. IK ZOU HET GRAAG VERGETEN. VIJFTIEN JAAR LATER KAN IK HEM NOG STEEDS HOREN GILLEN. IK HEB NOG NOOIT IEMAND ZOVEEL PIJN ZIEN LIJDEN. HIJ WAS VAN DE PIER GEVALLEN. HET WAS EEN WONDER DAT HIJ NOG LEEFDE. HET WAS GEEN GELUK. ZIJN RUGGEN-GRAAT WAS OP VERSCHILLENDE PLAATSEN GEBROKEN. HIJ KON NIET PRATEN, MAAR HIJ GILDE HET UIT ALS HIJ OOK MAAR ENIGSZINS BIJKWAM.

IK WEET ECHT NIET WIE HEM BINNENBRACHT. IK HEB ER NIET ECHT OP GELET. IK WEET ALLEEN DAT HET EEN MAN WAS, EEN LANGE MAN. HIJ HAD HEM IN ZIJN AUTO GELEGD, DAT WAS WEL HET ERGSTE WAT HIJ HAD KUNNEN DOEN. HET VER-ERGERDE DE VERWONDINGEN. HIJ WAS ERG OVERSTUUR. WE BRACHTEN MENEER ZWIRN OP EEN BRANCARD NAAR DE EERSTE HULP. MEER KAN IK U NIET VERTELLEN. IK VROEG AF EN TOE HOE HET MET HEM GING, OMDAT IK HEM NIET UIT MIJN KOP KREEG. HIJ LAG MAANDEN IN HET ZIEKENHUIS ZONDER BETER TE WORDEN; TOEN GING HIJ NAAR EEN REVALIDATIECENTRUM. IK HEB HEM NOOIT MEER GEZIEN.

Hoofdstuk 11

'Doch ook mijn moeder – o, waar dit zo niet!'
Het leed en de intense pijn in de stem raakten Joe; raakte iedereen die Hamlet hoorde. Hij pakte Carolines hand, omdat hij dacht, vreesde dat het bij haar nog harder aankwam dan bij de meesten; ze reageerde niet, ze was ver weg, geheel opgegaan, in beslag genomen door de scène voor haar ogen.

'Wat heb ik dan gedaan, dat gij een taal,
Zo ruw, mij toe te buld'ren waagt?'

Gertrude keek met een zinnelijk domme blik in haar ogen naar haar zoon; haar zoon keek vol afkeer terug.

Wat een voorrecht erbij te mogen zijn, dacht Joe, bij het debuut van het National Theatre in het Old Vic, met Peter O'Toole als Hamlet, vol gespannen hartstocht; met Diana Wynyard als Gertrude, met Michael Redgrave, Rosemary Harris, Max Adrian, en vele anderen. Op de redactie van de *Mail*, een van de kranten waarvoor Joe schreef, waren er vier kaartjes bezorgd: twee voor de recensent en zijn vrouw, voor de andere twee hadden ze lootjes getrokken. Joe had altijd mazzel.

Hij had getwijfeld of hij Caroline mee zou vragen, omdat het toneelstuk misschien pijnlijk voor haar was: een dode echtgenoot, een nieuwe liefde, maar liefst twéé kritische, vijandige dochters. Momenteel had ze vooral verdriet van Chloe. Sinds ze Brendans brieven had gevonden en achter het bestaan van Fleur was gekomen, was Chloe erg afstandelijk geworden, en dat was sinds de dood van haar vader alleen nog maar veel erger geworden. Haar aanvankelijke felle vijandigheid had plaatsgemaakt voor een kille beleefdheid. Na de begrafenis was ze meteen teruggegaan naar school en haar vakanties had ze zoveel mogelijk bij vriendinnen doorgebracht. Caroline had het er moeilijk mee; ze was eraan gewend dat ze Chloe gemakkelijk kon overheersen, maar tegen haar afkeer kon ze weinig uitrichten.

Net zomin als Gertrude; Joe concentreerde zich weer op het stuk.

'Goed'nacht, moeder,' zei Hamlet met een verfijnde, beleefde ironie en hij sleepte Polonius achter zich aan; het doek viel en een plotselinge stilte maakte plaats voor opeenvolgende salvo's applaus. Stoelen klapten omhoog toen mensen opstonden om zich een weg te banen naar de bar.

'Wil jij naar buiten om te pauzeren?' vroeg hij aan Caroline, maar ze schudde haar hoofd; ze zat nog in het stuk. Ze stonden op om mensen te laten passeren en gingen toen weer zitten.

De stalles zaten vol bekende gezichten; iedereen was er, natuurlijk Laurence Olivier, stralend goedmoedig, de familie Redgrave, Kenneth Tynan, exotisch als altijd – Joe vroeg zich af of de geruchten over zijn homoseksuele relatie met Olivier klopten en besloot, nu hij ze zo samen zag, dat het best mogelijk was – massa's mooie meisjes, vele beroemde gezichten uit de roddelrubrieken: David Baily, Jean Shrimpton, Terence Stamp. Joe leunde tevreden achterover terwijl hij de doos bonbons leeg at die hij voor Caroline had gekocht. Hij keek naar hun gezichten, die allemaal de gladde zorgeloze glimlach vertoonden van premièrebezoekers, en vroeg zich af of je dat ook leerde op de toneelacademie.

'Neem me niet kwalijk,' zei iemand bij zijn oor en Joe stond op om de man te laten passeren. Hij had een opvallend mooi gezicht, zelfs in het illustere gezelschap. Een gezicht dat niet zozeer was gegroeid, maar uit botten, vlees en bloed leek te zijn gesneden, gehouwen. De brede, hoge jukbeenderen, de scherpe kaaklijn, de dichtersmond. Het haar was bruin, bijna goudkleurig, de ogen waren grijs met absurd lange wimpers; het enige wat hem behoedde voor volmaaktheid – en daarmee vrouwelijkheid – was de neus, die net iets te lang en niet helemaal recht was. Toch was het opmerkelijk, een genot om naar te kijken.

Hij glimlachte naar Joe, bedankte hem en liet een meisje voorgaan; zij was lang, slank en opvallend, met een wilde bos rood haar. Ze zag er bekend uit en toen Joe hen nakeek, wist hij weer wie de man was: Piers Windsor, een nieuw veelbelovend acteertalent, wiens Henry V zo spraakmakend was geweest, bij wiens Romeo vrouwen in zwijm vielen, die nu ging regisseren, en was er niet ook sprake van een musical? Hij was de gedoodverfde opvolger van Olivier.

Ze gingen zitten, drie stoelen bij Caroline vandaan. Windsor zat met zijn hoofd naar het meisje gebogen; zij keek glimlachend naar hem op en fluisterde iets in zijn oor. Caroline had hem ook herkend; ze straalde ervan.

'Hij ziet er echt ongelooflijk goed uit,' siste ze Joe in het oor. 'Dat had ik niet verwacht.'

'Waarom niet?' vroeg Joe, licht geïrriteerd door haar duidelijke bewondering.

'Meestal zijn ze niet echt mooi. Maar hij wel, net als in die film.'

'Welke film?'

Kiss and Don't Tell. Geweldig. En die andere, iets met Country. Ik weet het niet meer.'

'Ik wist niet dat jij zo vaak naar de film ging,' zei Joe.

'Alleen met de kinderen, in de vakantie.'

'Aha.'

Hoe heette die andere ook alweer. Ik kan het niet uitstaan. *Country Wife? Country Girl?* Joe, je móet het weten.'

'Nee, sorry. Goddank, daar is iedereen weer. Er is nog een heel eind te gaan. Je weet toch dat het stuk vijf uur duurt, hè?'

'Jawel,' zei Caroline.

Toen de lichten begonnen te dimmen, siste ze in zijn oor: 'Town. Niet Country. *Town Cousins.*'

'Hè? Waar heb je het over?'

'Die andere film met Windsor, die heette *Town Cousins.* Nu kan ik me weer concentreren.'

Joe schudde zijn hoofd, glimlachte toegeeflijk en ging verzitten in zijn stoel. Hij zag Piers Windsors perfecte profiel tegen het licht boven een deur en bedacht dat de man wel een klootzak zou zijn, een zelfingenomen, verwaande klootzak. *Town Cousins* was een stomme naam voor een film. Toen echode opeens, ongevraagd door zijn hoofd wat Fleur over haar bezoek aan Naomi MacNeice had verteld: 'Ze zei iets over een Engelse jongen... een film die huppeldepup *Cousin* heette...'

Hij dacht er verder niet aan, zette het resoluut uit zijn hoofd en ging helemaal op in het stuk.

Dat weekend ging hij voor de eerste keer naar Moat House en maakte hij kennis met Chloe. Hij vond haar prachtig, met haar donkerrode haar, haar bezeerde bruine ogen en haar rustige, mooie manieren. Zij was duidelijk niet te spreken over zijn bezoek; tijdens de lunch zei ze geen woord en daarna wilde ze snel weer naar haar kamer, maar hij vroeg haar een wandeling met hem te maken.

'Goed voor de spijsvertering, zoals mijn oude oma altijd zei. Ik weet dat je moeder wil gaan paardrijden en ik ben als de dood voor paarden. Dus wil jij wandelen?'

Met zijn opmerking dat hij bang was voor paarden stal Joe Chloe's hart.

'Ja,' zei ze, 'natuurlijk.'

Met een mengeling van ergernis en opluchting merkte Chloe dat ze van de wandeling genoot. Onder Joe's morsige, opgewekte vriendschappelijkheid smolt haar vijandigheid weg. Dat hij weinig zei, vond ze eerder rustgevend dan storend en ze voelde zich niet genoodzaakt de stilte te vullen met dom gekwebbel. Ze liepen de tuin uit, de laan door en een veld in. Het was koud en Joe trok zijn oude versleten jack om zich heen.

'Zoiets zou ik ook moeten hebben,' zei hij met een knik naar haar Barbour-jas. 'Hier heb je niks aan als het waait.'

'We hadden je een jas kunnen lenen,' zei Chloe.

'Volgende keer, misschien.'

Ze merkte dat het vooruitzicht haar wel aanstond.

'Het is hier mooi,' zei Joe en hij keek naar de zachte glooiingen die in Suffolk voor heuvels doorgaan. 'Eigenlijk hou ik niet van het platteland. Ik word er bang van. Maar dit heeft iets vriendelijks.'

Chloe keek hem nieuwsgierig aan. 'Je wordt er bang van? Hoe bedoel je?'

'Ach, ik ben een echt stadsmens. Ik wil kunnen verdwijnen als ik daar zin in heb, anoniem kunnen zijn. Op het land ben je zo verschrikkelijk zichtbaar.'

'O,' zei Chloe. Ze begreep het nog steeds niet helemaal, maar ze vond het wel leuk dat hij zijn onzekerheden liet blijken. De meeste volwassenen deden alsof ze de wereld aankonden. Op Jack Bamforth na, misschien. Joe had ongeveer hetzelfde effect op haar als Jack Bamforth. Op haar gemak, zelfverzekerd. Ze glimlachte naar hem. 'Ik voel me hier prettiger. Misschien hoef ik niet zo nodig te verdwijnen.'

'Wie weet. Ik heb genoten van de lunch. Ik heb gehoord dat jij de kok bent.'

'Alleen in de vakantietijd. Ik vind koken heerlijk. We hebben een kok gehad, maar ze werd te oud en het is moeilijk om een jonge kok te vinden.'

'Nou, jij bent de beste jonge kok die ik ken.'

'Dank je. Ik wil naar de koksschool, maar mamma is ertegen.'

'Waarom in hemelsnaam?'

'Ze vindt het onzin. Ze zegt dat ik beter naar de universiteit kan gaan. Heb jij gestudeerd?'

'Nee. Ik moest al mijn vrouwen onderhouden. En ik wist wat ik wilde worden.'

'Al je vrouwen?'

'Niet tegelijkertijd.'

'O.'

Hij glimlachte. 'Sorry, blijkbaar heeft je moeder niet veel over me verteld.'

'Ze vertelt me nooit iets.'

'Ik vertel iedereen altijd alles. Vervelend voor iedereen, maar ik vind het leuk. Ik trouwde toen ik zeventien was en voor de tweede keer toen ik twintig was. Ik ben dus echt een man van de wereld.'

'Wat ging er mis?'

'Ikzelf waarschijnlijk. Ik was erg onvolwassen.'

'Dat zullen de meeste mensen wel zijn op hun zeventiende,' zuchtte Chloe.

'Nee, hoor. Jij lijkt mij heel volwassen. Ik was dat niet. Hoe dan ook, momenteel ben ik niet getrouwd.'

'Wil je met mamma trouwen?'

Ze was zelf verbaasd over de directe vraag, maar ze voelde zich zo bezeerd, was nog steeds zo kwaad over de dood van haar vader, dat ze móest weten welke plaats hij innam in haar moeilijke nieuwe leven.

'Nee,' zei hij, 'ze is gewoon een goede vriendin. Ik heb geprobeerd haar door deze afschuwelijke periode heen te helpen. Meer niet. Ik ben wel erg gek op haar,' voegde hij eraan toe. 'Ze is een bijzondere vrouw.'

'O ja?'

'Zeker. Ze is een van de moedigste mensen die ik ken.'

'Mijn vader was ook erg moedig,' zei Chloe recalcitrant.

'Ja, dat weet ik. Ik vind het jammer dat ik hem niet heb gekend.' Hij keek haar onderzoekend aan. 'Jullie hadden een heel nauwe band, hè?'

'Dat klopt. Ik mis hem vreselijk,' zei ze en ze barstte in tranen uit.

Joe stond stil en keek naar haar, naar haar verdriet en eenzaamheid, haar trouw en voelde dat de tranen hem in de ogen schoten. Hij veegde ze weg met de rug van zijn hand en schraapte zijn keel. Daar kon hij nu niet aan toegeven.

'Vertel me eens meer over je vader,' zei hij. Hij pakte haar hand en gaf haar zijn nogal groezelige zakdoek. 'Vertel maar over jou en hem.'

Dat deed Chloe. Ze vertelde hem hoe haar vader altijd het meest van haar had gehouden, haar altijd had voorgetrokken boven haar broers; hoe hij altijd tijd voor haar had gemaakt, hoe hij naar haar was komen kijken als ze zwom tijdens wedstrijden, genoot van haar maaltijden, haar vertelde dat ze mooi was, deed alsof hij het niet merkte als ze iets omstootte – 'Ik ben vreselijk onhandig,' zei ze. 'Ik ook!' zei Joe – hoe ze zich bij hem gelukkig en veilig had gevoeld. Nu had ze het gevoel dat ze helemaal niemand meer had.

'Hij hield gewoon van me, denk ik,' zei ze nasnikkend en ze schonk Joe een waterig glimlachje. 'Mamma moet me niet.'

'Ik denk dat je je vergist,' zei Joe nadrukkelijk. 'Ik krijg de indruk dat ze wel degelijk van je houdt.'

'Nee, niet echt. Ze vindt me stuntelig, laf en irritant. Zo is het altijd geweest. Ik doe mijn best, dééd mijn best om in de smaak te vallen, maar de laatste tijd heb ik de moed opgegeven.'

Joe voelde zijn tranen weer branden. Hij snoof en pakte met een beschaamd lachje zijn klamme zakdoek terug. 'Als je me beter leert kennen, wat ik erg hoop, zul je merken dat ik snel huil. Een tikje gênant voor een man, maar ik kan er niets aan doen. Hoe dan ook, ik ben ook stuntelig, laf en irritant, maar dat weerhoudt je moeder er niet van mij aardig te vinden. Ik denk ook niet dat zulke dingen ertoe doen. Ik weet zeker dat ze erg veel van je houdt. Je lijkt me een stuk liever dan die broers van je.'

'Ze zijn vreselijk,' zei Chloe, 'ik haat ze.'

'Dat kan ik me voorstellen. Maar goed, ik wilde alleen maar zeggen dat ik hoop een vriend voor je te kunnen worden. Maar ik wil je niet het gevoel geven dat je me aardig moet vinden en moet accepteren, want dat is niet zo. Ik hoop niet dat je een hekel aan mij krijgt, maar ik zou het wel begrijpen.'

Chloe glimlachte naar hem. 'Ik denk niet dat ik een hekel aan je krijg.'

'Dat is een goed begin. Laat het me weten als je toch een hekel aan me krijgt. Dan blijf ik wel een tijdje uit de buurt.'

'Dank je,' zei Chloe, 'dat zal ik doen.'

Vanaf dat moment voelde Chloe zich steeds beter. In de daaropvolgende maanden kwam Joe vaker op bezoek; soms bleef hij zelfs logeren. Hij sliep in de logeerkamer en het intiemste wat Chloe haar moeder en Joe zag doen, was kussen bij aankomst en afscheid. Toch voelde ze instinctief dat ze erg intiem waren en als ze Joe niet zo aardig had gevonden, zo ongedwongen en attent, zou ze er grote moeite mee hebben gehad. Hij deed haar en haar wankele zelfvertrouwen veel goed; hij praatte met haar, vroeg haar overal haar mening over, liet haar lezen wat hij aan het schrijven was. Hij vertelde haar dat ze mooi en slim was, talent had. Het belangrijkste was misschien wel dat hij Caroline overhaalde haar de koksschool te laten volgen. Toen Caroline haar vertelde dat ze er op gesprek gingen, keek Chloe haar aan en zei: 'Joe heeft je zeker overgehaald.'

'Laten we zeggen dat hij me duidelijk heeft gemaakt hoe graag jij naar die opleiding wilt,' zei Caroline voorzichtig. 'Ik begrijp het nog steeds niet helemaal, maar je hebt in elk geval aanleg. En als je dan echt niet naar de universiteit wilt...'

'Nee, echt niet,' zei Chloe.

'Wat wil je ermee doen?' vroeg Caroline. Ze klonk oprecht verbaasd.

'Voorlopig wil ik zakenlunches en dergelijke gaan koken. Maar wat ik echt wil is trouwen en kinderen krijgen.'

'Chloe, wat ouderwets,' lachte Caroline.

'Ja,' zei Chloe koel. 'Blijkbaar ben ik dat.'

'Ik heb hem! Ik heb die baan!'

'Dat is geweldig, Fleur! Ik ben zo blij voor je.' Margie Anderson keek haar vriendin vol ontzag aan. 'Hoeveel ga je verdienen?'

'Bakken met geld.'

'Hoeveel is een bak?'

'Vijftig dollar per week.'

'Wauw!'

Fleur had al een tijdje geleden bedacht dat ze de reclame in wilde, maar sinds ze een film had gezien waarin Doris Day bij een reclamebureau aan Madison Avenue werkte, met Rock Hudson als een van haar klanten, wist ze het zeker. Ze begreep wel dat het er in werkelijkheid waarschijnlijk wel iets anders aan zou toegaan, maar ze had Doris Day vanuit het kantoorgebouw Madison Avenue op zien lopen, en ze had geweten dat zij ook zo'n leven vol glamour wilde. Glamour zat Fleur in het bloed. Ze kon er geen genoeg van krijgen, zwierf graag rond op Fifth Avenue, keek naar binnen bij het Plaza en het Pierre Hotel, bij Bonwits en Tiffany's om te verkennen welke soort glamour daar te vinden was; ze kon niet genoeg lezen over wat beroemdheden als Jacqueline Kennedy, haar zus Lee Radziwill, Baby Jane Holzer, Maria Callas en Truman Capote deden, waar ze naartoe gingen en wat ze droegen, zodat ze glamour kon herkennen als ze het zag. Ze herkende het in het reclamevak. 'Ik liep daar naar binnen,' vertelde ze Margie, 'en zag daar al die prachtige mensen die het ontzettend naar hun zin leken te hebben. Ik voelde me helemaal thuis.'

In de extraverte jaren zestig, toen alles en iedereen op uiterlijk gericht was, bereikte de reclame een nieuw stadium van genialiteit, originaliteit en narcisme.

Silk diMaggio, een middelgroot bureau (lees: met een jaaromzet van zestig miljoen dollar), bezat deze drie eigenschappen in hoge mate. Nigel Silk kwam uit een gegoede familie, die aan zijn zakelijk inzicht bijdroeg, terwijl Mick diMaggio het achtste kind was van Italiaanse immigranten die een delicatessenwinkel hadden in een zijstraat van Broadway. Mick schreef lekker lopende, mooie, grappige teksten die je niet meer loslieten. Hun doorbraak was gekomen toen tycoon Julian Morell hun had gevraagd een campagne te maken voor de lancering van Circe, zijn winkel in New York, en later voor zijn cosmeticamerk Juliana. Inmiddels was hun portfolio even indrukwekkend als divers.

Silk diMaggio was een goed en zelfbewust bureau dat zich nadrukkelijk profileerde. ('Mensen willen hier zo graag werken dat ze door de deur krúipen,' zei afdelingssecretaresse Poppy Blake tegen Fleur tijdens de rondleiding op haar eerste werkdag als leerling-secretaresse op de afdeling creatie.) Ze wonnen zeker drie grote onderscheidingen per jaar en zowel Silk als diMaggio was multimiljonair. Het bureau was gevestigd op de eerste en tweede verdieping van een modern gebouw aan Madison, halverwege tussen Brooks Brothers en Condé Nast. Er was een grote afdeling creatie die het midden hield tussen een kantoortuin en een open inrichting. Hier zaten de junior artdirectors en copywriters om een reusachtig tekenbord heen; ze tekenden en schreven, schreeuwden en gooiden papieren vliegtuigjes, ze bedachten rare of grappige campagnes en roddelden, ze werden opgewonden of humeurig, blij of bezorgd en leverden vaak uitstekend werk. De senior artdirectors en afdelingshoofden zaten in zijkamers hetzelfde te doen, zij het in iets meer rust en orde. Mick diMaggio had een kantoor op een galerij die bereikbaar was met een wenteltrap vanuit het midden van de afdeling. Daarvandaan hield hij toezicht op zijn medewerkers van 's ochtends vroeg tot heel laat in de avond. Zijn kantoormeubilair bestond uit een groot tekenbord, een hoge draaikruk, een koelkast en een stereo-installatie. Zijn bui kon worden afgeleid van zijn muziekkeuze: opera wees op triomf en opwinding, orkesten luidden intensieve hersenactiviteit in en ijle esoterische tonen waarschuwden voor depressie of zelfs wanhoop. Iedereen keek op bij de zeldzame gelegenheden waarop Mozart plaatsmaakte voor Puccini of zelfs Wagner: dat betekende dat hij een probleem had opgelost, een ijzersterke tekst had geschreven of een campagne het daglicht had doen zien. Op topdagen, als de muziek luid stond, verscheen hij boven aan de wenteltrap, zijn brede donkere gezicht stralend, met een fles champagne in één bruine, harige hand en een aantal glazen in de andere hand.

'Kom om me heen staan,' zei hij dan, 'we hebben er weer een. Luister, luister en kijk.' Dan stonden ze daar, alle junioren. Ze dronken champagne, keken naar zijn schetsen, lazen de honingzoete, grappige, charmante, uiterst relevante woorden. Dan leerden ze waar het om ging in de reclame. Hun meer ervaren collega's deden niet mee aan deze bewieroking; ze vonden het genotzuchtig en onnodig en deden alsof ze niets merkten van de drukte, het geschreeuw en het ploppen van kurken. Uiteindelijk kwamen ze toch. Mick stak zijn hoofd om de ene deur na de andere, wenkte hen en zei: 'Toe nou, kom ook. We hebben echt iets te vieren.' Dan stond iedereen bij elkaar en was er een kort, luidruchtig feestje, waarbij iedereen hem vertelde hoe geweldig hij was, om daarna weer aan het werk te gaan. Daarna liep Mick naar Nigel en probeerde hij de campagne aan hem te verkopen.

Nigel liet zich niet gemakkelijk overtuigen. Hij was totaal niet onder de indruk van creatief werk op zich; er moest een grondgedachte zijn, een commerciële reden om te zeggen wat je zei. Een grappige, slimme of aantrekkelijke reclame, zei hij, had alleen zin als deze het publiek ertoe overhaalde geld op de toonbank te leggen en met naam en toenaam naar het product te vragen. Hij had soms vreselijke ruzie met Mick; dan dreigde Mick te gaan werken bij Doyle Dane, Ogilvy's of Wells Rich Greene, die hem alle drie continu aanbiedingen deden. Best, zei Nigel dan, ga maar, ik help je wel je bureau leeg te ruimen. Maar Mick stapte nooit op en Nigel won bijna altijd.

Door te zien welke campagnes deze discussies overleefden en werden gepresenteerd aan de klanten, leerden de medewerkers meer over reclame dan op welke andere manier ook.

Vanaf het moment dat Fleur 's morgens bij Silk diMaggio binnenkwam, totdat ze 's avonds naar buiten moest worden gesleurd, was ze als betoverd. Ze leek instinctief te voelen hoe reclame werkte en waarom; ze voelde zich goed bij wat ze deed en ze voelde zich thuis. Ze had het gevoel dat ze was voorbestemd om dit werk te doen. Als ze wakker werd, was ze al blij bij het vooruitzicht van een nieuwe werkdag; ze vond werken leuker dan wat dan ook. Ze mocht van geluk spreken dat ze de baan had gekregen, dat wist ze, na een jaar uitzendbaantjes en zonder op meer te kunnen bogen dan een middelbareschooldiploma en een secretaresseopleiding. Ze had weliswaar de hoogte cijfers gehaald van haar jaar, maar ze wist ook dat de afdeling creatie het afgelopen half jaar al zes secretaresses had versleten en dat ze elke cent van de vijftig dollar per week dubbel en dwars verdiende. Feitelijk, zei ze tegen zichzelf, toen ze op haar eerste werkdag een uur te vroeg het huis in Sheepshead Bay uit liep, mochten zíj van geluk spreken dat zij er was.

Aan het eind van haar eerste maand waren Poppy en alle anderen op de afdeling ontzettend onder de indruk van Fleur. Ze was een harde werker. Het maakte haar niet uit hoe laat het werd, hoe dom het werk was dat van haar gevraagd werd. Ze kon niet alleen snel en accuraat typen, maar ook uiterst gedisciplineerd archiveren; ze maakte van een stapel vette, gescheurde bonnetjes voor broodjes, frisdrank en sigaretten een keurig kasoverzicht, zorgde ervoor dat iedereen op tijd, met de juiste aantekeningen, schetsen en teksten op vergaderingen was en deed tig andere dingen die niet in haar taakomschrijving stonden. Op verzoek begon ze om zes uur, en anders ook, om de studio op te ruimen, stapels kopieën of dozen vol dia's op volgorde te leggen; ze stond met groot geduld model tijdens fotoshoots, als perfectionistische artdirectors urenlang met reflectieschermen, flitslicht en groothoeklenzen in de weer waren, Ze boekte fotostudio's en locaties, annuleerde ze en boekte ze opnieuw; ze regelde broodjes, koffie, wijn en sigaretten voor vergaderingen, zonder ooit te vergeten dat Poppy alleen van roggebrood hield, dat hoofd copy, Will Wingstein, een bepaald merk oploskoffie dronk en dat Mick diMaggio geen ijs in zijn bourbon lustte.

Iedereen mocht haar en alle mannen – althans alle hetero's – vielen op haar; ze was zo mooi en op zo'n koele manier sexy, met haar diepblauwe ogen en haar donkere, in een boblijn geknipte haar, haar lange benen, steeds zichtbaarder naarmate de rokken korter werden, en haar slanke lichaam met de volle borsten. Ze kon ertegen als ze geplaagd werd, zelfs als er tegen haar geschreeuwd werd, en ze werd niet boos als oudere en hitsige medewerkers haar op de gang of in de lift een tikje tegen haar stevige kleine billen gaven. Toch was ze met niemand in het bijzonder bevriend. Ze bleef op zichzelf, mengde zich niet in ruzies, vetes of kantoorpolitiek. Ze ging gewoon elke dag naar kantoor om te werken en al doende te weten te komen wat haar collega's voor werk deden. Van meet af aan was voor haar duidelijk dat je op je eigen voorwaarden moet slagen in het leven, op je eigen manier, op eigen kracht; je leerde je zwakheden te verbergen en liet je niet beperken door de zwakheden van anderen. Dat ze zou slagen, wist Fleur zeker. Ze had al een verlanglijst liggen voor als het zover was.

Helemaal bovenaan, ver boven een eigen appartement, een kast vol kleren en een reeks affaires met mannen die ze onder de duim kon houden, stond het zuiveren van haar vaders reputatie en wraak nemen op degene die zijn reputatie had bezoedeld – en verantwoordelijk was voor zijn dood. Dat was nog steeds de drijvende kracht achter alles wat ze deed, ongeacht hoe gelukkig ze nu was en hoezeer ze zich bewust was van haar sterke punten. Het was een van de eerste gedachten waarmee ze 's morgens wakker werd en een van de laatste voordat ze 's avonds in slaap viel. Ze kwam nog niet in de buurt; ze was naar het adres van Clint en Berelman geweest, dat Naomi MacNeice haar had gegeven, maar daar zaten ze allang niet meer. Ze had gezocht in telefoonboeken, in *Variety Magazine* en theateroverzichten, maar tevergeefs. Het leek wel alsof Clint en Berelman nooit hadden bestaan, zo totaal waren ze van de aardbodem verdwenen. Ze had zelfs overwogen een advertentie te zetten in de rubriek Vermiste Personen, maar had ervan afgezien op aanraden van Poppy (die ze een deel van haar levensverhaal had toevertrouwd), die zei dat daar alleen gekken op afkwamen die geld wilden hebben. Ze had Yolande geschreven, in de hoop dat ze nog actief waren in Hollywood. Yolande had teruggeschreven dat ze er niet meer waren, maar dat ze naar hen zou uitkijken. Hiermee moest ze haar zoektocht voorlopig loslaten. Maar ze legde zich er niet bij neer dat ze haar bleven ontlopen.

Toen ze een half jaar bij Silk diMaggio was, werkte ze op een avond over toen de deur van haar kamer openging en Nigel Silk binnenkwam.

Fleur had ontzag voor Nigel. Mick begreep ze; hij streek haar in het voorbijgaan over het hoofd, knipoogde als ze hem koffie of cola bracht, vroeg hoe het met haar ging. Maar Nigel, voelde ze, was echt de baas: afstandelijk, autoritair, machtig. Ze was nog nooit zo iemand als hij tegengekomen; ze had haar hele leven op school gezeten met en gewoond naast diMaggio's in wording – slim, emotioneel en opvliegend – maar lange blonde mannen in maatpakken, merkoverhemden, handgemaakte schoenen en met dure koffertjes waren wezens uit een heel ander land, een vreemd ras met een taal, gebruiken en levenswijzen waar ze bijna niets van begreep.

Bijna niets.

'U bent mevrouw FitzPatrick, hè?' vroeg hij met dat ietwat afstandelijke, koele glimlachje van hem.

'Ja. Fleur FitzPatrick.'

'Wat een mooie naam. Zelf bedacht?'

'Nee hoor.'

'Nee, vast niet. Het is al laat, Fleur FitzPatrick. Erg laat zelfs.'

'Ik weet het, meneer Silk. Ik wilde dit nog even afmaken.'

'Kunt u dat morgenochtend niet doen?'

'Morgenochtend heb ik een fotoshoot en meteen daarna moet ik een lunch regelen voor tweeëntwintig man.'

'O ja? U werkt wel heel hard. Ik hoop dat u het genoeg naar uw zin heeft om al uw inspanningen te compenseren.'

'O, zeker,' zei Fleur. Ze leunde achterover in haar stoel en keek glimlachend naar hem op. 'Ik vind het hier helemaal geweldig.'

Er klonken zoveel plezier en zoveel pure, onverholen, intens tevreden overtuiging door in haar stem dat Nigel ervan schrok. 'Echt waar? Mooi. Dat moet ook, weet u, anders houden we de tent niet draaiende.'

'Dat weet ik,' zei Fleur glimlachend.

'Welnu, mevrouw FitzPatrick. Ik ga naar huis. Ik laat u liever niet alleen achter in het gebouw. Kan ik u een lift geven? Waar woont u?'

'Brooklyn.'

'Aha. En de dichtstbijzijnde metrohalte?'

'Nee, echt,' zei Fleur, 'ik zou dit graag willen afmaken. Geen probleem.'

'Nee, nee, dat sta ik niet toe. Kom maar mee...' Hij aarzelde even. 'Ik woon niet ver, aan Sutton Place. Mijn chauffeur heeft veel te weinig te doen. En ik ga vanavond niet meer weg. Mijn vrouw heeft acht doodsaaie mensen te eten gevraagd. Als u het niet vervelend vindt om een omweg te maken, zorg ik ervoor dat hij u thuisbrengt.'

Fleur keek naar hem, naar zijn grijze ogen, zijn perfecte kapsel, zijn mooie kleren, zijn lange, tengere gestalte en bedacht dat ze tot dit moment nooit precies had geweten wat een heer was. Ze besloot dat ze heren wel leuk vond. Hij was niet adembenemend mooi, zoals – nou ja, zoals Joe – maar wel erg aantrekkelijk.

'Ik vind een omweg helemaal niet erg,' zei ze. 'Dank u hartelijk.'

Later die avond zei meneer Perkins tegen mevrouw Perkins dat meneer Silk een oogje had op een nieuwe jongedame. Hij zou de situatie goed in de gaten houden, want het kon nog interessant worden. Hij vermoedde namelijk dat de jongedame ruimschoots tegen meneer Silk opgewassen was.

Nog geen maand later was ze met Nigel Silk naar bed geweest. Toen ze er later aan terugdacht, vroeg ze zich af waarom ze voor hem al haar principes opzij had gezet; ze begreep dat het was omdat hij haar zou helpen een van haar doelstellingen te bereiken. Niet een briljante carrière, dat kon ze met haar talent, energie en lef zelf wel bereiken. Wel kon hij haar pad effenen naar een chique levenswijze. Nigel Silk was als een stoomcursus glamour.

'Hij is natuurlijk getrouwd,' zei Fleur tegen Margie Anderson, omdat zij de enige was die ze het kon vertellen. 'Zijn vrouw is heel mooi en ze kent Jackie Kennedy. Ik las pas iets over haar in *Vogue*. Ze is steenrijk, veel rijker dan hij en ze hebben een appartement aan Sutton Place, een huis in Bar Harbor en een jacht. En ze staat op de lijst van best geklede vrouwen, nou ja, de lijst van *Woman's Wear Daily*. Ze is blond en heel lang.'

'Wat moet hij dan met jou?' vroeg Margie, die zo haar twijfels had over Fleurs nieuwste triomf.

'Omdat ze hem heeft gekocht en hij zich verveelt.'

'Hoe weet je dat?'

'Bureauroddels.'

'Je moet roddels niet geloven.'

'Ik geloof roddels altijd,' zei Fleur. 'Er zit altijd een kern van waarheid in.'

Het klopte ook, gedeeltelijk; Serena Silk behandelde Nigel als een gehoorzame huishond. Ze regelde hun sociale leven en daar voelden ze zich allebei goed bij. Nigel bezat zelf een studio in een pakhuis aan de rivier, vlak bij het zakencentrum. Het was een plek, vertelde hij Fleur tijdens de tweede (of derde?) keer dat ze na het werk iets gingen drinken, waar hij in volkomen rust kon werken als hij aan de drukte van het bureau wilde ontsnappen, aan de telefoontjes en de onophoudelijke onderbrekingen. Fleur had beleefd geknikt en ingestemd met zijn aanbod het haar te laten zien. Behalve een bureau, een lichtbak en de nodige bureauaccessoires stond er een erg groot bed.

Fleur had nog niet veel ervaring met seks. Op de middelbare school was ze met een paar klasgenoten en een jonge ober van een restaurant in Sheepshead Bay naar bed geweest, en ze had een affaire gehad met een leraar (waardoor ze zwanger was geworden en de abortus had moeten laten plegen die Caroline had betaald; daar voelde ze zich soms schuldig over, maar dan zei ze tegen zichzelf dat het wel het minste was wat haar moeder voor haar kon doen, nadat ze haar had weggegeven en jarenlang had genegeerd). Ze had wel genoeg ervaring om te weten dat Nigel Silk er weinig van bakte. Maar alles om de affaire heen was leuk: zo gingen ze na het vrijen altijd samen douchen en zeepten ze elkaar in met Chanel No. 5-zeep. Het douchen was beter en spannender dan de seks; het was leuk, net als in de film – het had glamour. Hij had haar een grote witte badjas geschonken en ze zaten uren te praten en champagne te drinken, terwijl ze naar de lucht keken. Soms bracht hij een picknick mee, kreeft of zalm en heerlijke exotische salades en perziken of frambozen, of rijpe Franse kazen, zoals brie en roquefort. Dat was ook leuk. Soms bracht ze er de nacht door (dan zei ze tegen tante Kate dat ze bij Margie logeerde) en ontbeten ze samen met koffie, croissants en jus d'orange, terwijl ze de zon boven het water zagen opkomen.

Hij had de regie, bepaalde de afspraken; hij nam haar nooit mee uit; de studio was hun terrein en daar bleef het bij. Serena wist er niets van, zei hij. Als ze het wist, zou het nog geen ramp zijn; het zou haar niet kunnen schelen.

In het weekend maakte hij nooit afspraken; hij gaf haar cadeautjes, sieraden, een leren Gladstone-tas, kleren en vooral lingerie, die ze in de studio moest bewaren, maar nooit op kantoor mocht dragen. Dat was frustrerend, maar het was leuk te weten dat ze er waren en leuk om ze in de studio te dragen. Ze leerde snel veel bij. Nigel had haar ook geld gegeven om naar een goede kapper te gaan. En al mocht ze buiten hun afspraken zijn kleren dan niet dragen, ze had een grote voorraad Chanel No. 5, dus rook ze altijd duur, wat haar een goed gevoel gaf. Ze had hem ook kunnen overtuigen dat niemand het merkte als ze dure schoenen droeg, zodat hij haar nu af en toe een paar liet kopen. Ook betaalde hij haar rijlessen en nam haar zelfs een lang weekend mee naar Miami. Dat vond ze een teleurstelling, want in plaats van Palm Beach, waar ze heen wilde, gingen ze naar Miami Beach, waar ze niets aan vond, zelfs al hadden ze de grootste suite in het Alexander Hotel. Ze nam aan dat hij bang was in Palm Beach bekenden tegen te komen.

De verhouding beviel Fleur uitstekend. Ze was absoluut niet verliefd op Nigel, ze had toch weinig te doen in haar vrije tijd en ze vond dat ze veel uit de relatie haalde. Ze deed, vertelde ze zichzelf, een cursus glamour en zou summa cum laude afstuderen. Het enige wat ze terug hoefde te doen was naar Nigel luisteren, medeleven tonen en hem vertellen dat hij geweldig was in bed.

Nigel had haar één leugen verteld: dat het Serena niet zou kunnen schelen als ze erachter kwam. Op een avond zat Fleur in de studio op Nigel te wachten toen de deur openging en Serena binnenkwam Ze was erg beleefd, op het charmante af, vertelde Fleur dat het tijd was dat ze wegging, dat het zo wel genoeg was en dat ze dat ook tegen Nigel had gezegd. Ze vroeg haar om de sleutels van het appartement en om haar creditcards. Fleur voelde zich voor de eerste keer in verlegenheid gebracht; ze zei dat ze geen creditcards had, maar overhandigde Serena de sleutel.

'Ik hoop,' zei Serena met een lief glimlachje, 'dat je je niet inbeeldt dat hij verliefd op je was.'

'O nee,' antwoordde Fleur met een even lief glimlachje, 'iedereen kan zien dat Nigel alleen verliefd is op zichzelf.'

Toen Serena weg was, pakte ze alle kleren, lingerie en sieraden in de leren Gladstone-tas. Op het laatste moment deed ze de badjas erbij.

Ze wist niet goed of ze moest lachen of boos moest worden; verdriet had ze zeker niet. Maar het zou wel leuk zijn om Nigel op stang te jagen, hem ongerust te maken en hem pijn te doen. Stomme klootzak.

Fleur schreef Nigel een brief. Ze adresseerde de envelop aan het reclamebureau met linksboven de opmerking 'strikt persoonlijk' en postte haar brief op weg naar huis.

De volgende ochtend reikte mevrouw Delmont hem de envelop aan met samengeknepen lippen. Ze hield hem nauwlettend in de gaten toen hij de brief las, terwijl ze deed alsof ze de post sorteerde. Ze zag dat hij heel bleek werd en, duidelijk geschrokken, de brief in kleine snippers scheurde. Daarna bleef hij een hele tijd uit het raam kijken. Uiteindelijk stond hij op en schonk hij zich een bourbon zonder water in.

'Wat stond er dan in?' vroeg Margie de volgende avond vol ontzag bij een espresso.

'O,' zei Fleur koel, met een vreemd lachje. 'Ik heb geschreven dat ik na de kerst was gestopt met de pil en dat ik over tijd was. Dat ik het hem zou laten weten zodra ik er zeker van was en dat ik als rechtgeaarde katholiek natuurlijk niet aan een abortus kon denken.'

'O, Fleur,' zei Margie, 'wat ben jij slim.'

'Weet ik,' zei Fleur.

ACHTERGRONDINFORMATIE VOOR DE BEGINHOOFDSTUKKEN OVER HOLLYWOOD IN *THE TINSEL UNDERNEATH*. INTERVIEW MET ESTELLE MAPLETON, DIENSTMEISJE VAN NAOMI MACNEICE.

IK MOCHT MENEER PATRICK GRAAG. HIJ WAS ALTIJD ZO AARDIG VOOR ME. HIJ WAS ECHT. JE ZIET HIER NIET VEEL ECHTE MENSEN. HIJ HEEFT ME EEN KEER HONDERD DOLLAR GELEEND. HIJ ZEI: 'IK WEET DAT JE HET ME VOORLOPIG NIET KUNT TERUGGEVEN, MAPPY,' ZO NOEMDE MEVROUW MACNEICE ME, MAPPY, AFSCHUWELIJK! 'MAAR DAT IS NIET ERG.'

MAAR HIJ WAS EEN BEETJE DOM. PASTE NIET ECHT IN HET SYSTEEM. ZIJN PROBLEEM WAS DAT HIJ MENSEN VERTROUWDE, ZELFS MEVROUW MACNEICE. ER WAS ALTIJD IEMAND DIE AAN HEM HING, DIE HIJ PROBEERDE TE HELPEN. HIJ ZEI ALTIJD: 'IK HEB GELUK GEHAD, MAPPY. IK VIND DAT IK IETS TERUG MOET DOEN.'

IK KAN ME NIET HERINNEREN DAT HIJ DE NAAM ZWIRN OOIT HEEFT GENOEMD, MAAR DAT ZEGT NIETS. IK KAN ME WEL IETS OVER KIRSTIE FAIRFAX HERINNEREN. DAT WAS ERG TRIEST. ZO'N MOOI MEISJE. BYRON HAD HAAR ERGENS ONTMOET EN PROBEERDE MEVROUW MACNEICE OVER TE HALEN HAAR EEN ROLLETJE TE GEVEN. ZE HADDEN ER RUZIE OVER . ZIJ WAS ERG JALOERS. HIJ HOEFDE MAAR NAAR EEN MEISJE TE KIJKEN OF ZE GING DOOR HET LINT. EN TOEN HOORDEN WE DAT HIJ OOK NAAR JONGENS HAD GEKEKEN.

HET WAS HEEL ERG, HET SCHANDAAL. IK GENEERDE ME VOOR MEVROUW MACNEICE. ZE HEEFT NOG NOOIT IEMAND ZO SNEL DE DEUR UITGEZET. HIJ KREEG NIET DE KANS IETS UIT TE LEGGEN, IETS TEGEN TE SPREKEN. DE ENE DAG HAD HIJ

EEN APPARTEMENT, EEN AUTO EN MOOIE KLEREN EN DE VOLGENDE DAG HAD HIJ HELEMAAL NIETS MEER. IK VROEG HAAR, MEVROUW MacNEICE: 'HOE MOET DAT NU MET MENEER PATRICK?' EN ZE ZEI DAT ZE ZIJN NAAM NOOIT MEER WILDE HOREN, DAT HIJ VOOR HAAR NIET MEER BESTOND. HIJ BELDE NOG EEN PAAR KEER. IK PROBEERDE HAAR OVER TE HALEN MET HEM TE PRATEN, MAAR ZE WEIGERDE. ER WAS ÉÉN AFSCHUWELIJKE DAG, TOEN HIJ NAAR HET HUIS AAN SAN YSEDRO KWAM. HIJ BLEEF DE HELE DAG VOOR HET HEK STAAN EN AANBELLEN. DAN GING IK NAAR BUITEN OM TE ZEGGEN DAT HIJ NAAR HUIS MOEST GAAN, DAT ZE HEM NIET WILDE ZIEN. 'IK HEB GEEN HUIS, MAPPY,' ZEI HIJ, 'TENZIJ JE HET STRAND MEE-REKENT.' DAT WAS KORT VOOR HET ONGELUK. TOEN ZE THUISKWAM, REED ZE VLAK LANGS HEM HEEN NAAR BINNEN. VOLGENS PARSONS, DE CHAUFFEUR, HAD ZE HEM KUNNEN DOODRIJDEN, ZO DICHTBIJ. IK DENK DAT ZE ECHT GEK OP HEM WAS EN DAT ZE ONTZETTEND GEKWETST WAS.

DAT DACHT PARSONS OOK. WIJ MOCHTEN MENEER PATRICK ALLEBEI GRAAG. WEET JE, ZIJN PROBLEEM WAS DAT HIJ TE EERLIJK WAS. EN HIJ VERTROUWDE MEN-SEN. DAN MOET JE HIER NIET DOEN.

DAT HEEFT HEM UITEINDELIJK DE KOP GEKOST. ZIJN VERTROUWEN IN MENSEN. HET SPIJT ME DAT IK NIET MEER HEB GEDAAN.

Hoofdstuk 12

1965

'Chloe, ik hou van je. Trouw met me!'
Joe Payton likte zijn vingers zorgvuldig een voor een af en keek naar haar. 'Ik kan niet toestaan dat een vrouw die zulke chocolademousse maakt me ontglipt. Word de mijne en ik beloof je een leven vol nooddruft.'

Chloe giechelde. 'Zo'n aanzoek kan ik niet weerstaan. Vertel jij het aan mamma, of zal ik het doen?'

'O, doe jij dat maar.'

'Goed. Geef nu die schaal maar terug. Er zit nog veel te veel in om te verspillen.'

'Als ik het opeet, is dat geen verspilling.'

'Je krijgt het ook, alleen wat later. Kijk toch, nu heb je allemaal chocola aan je mouw.'

'En ik zag er net zo onberispelijk uit.'

Hij veegde halfslachtig met zijn zakdoek over de mousse en smeerde het alleen wat gelijkmatiger uit. Aangezien er al een gat zat bij zijn elleboog en de kraag zo was versleten dat er bijna niets van over was, maakte hij het nauwelijks erger.

Hij zuchtte. 'En nu, liefje, moet ik naar de stad. Je moeder had allang terug moeten zijn van haar rit, maar dat is ze niet, zoals we allebei kunnen zien. Kun jij haar vertellen dat ik weg ben en niet weet wanneer ik terugkom? Het ligt er maar aan hoelang die preview duurt en of die verrukkelijke mevrouw Christie er is. Dat laatste kun je trouwens beter niet zo zeggen; daar komen maar misverstanden van.'

'Goed, tot ziens.'

'Dag liefje.'

'Dag Joe. O, Joe...'

'Ja, liefje?'

'Denk je niet dat je een betere kans maakt bij mevrouw Christie als je een schoon overhemd aantrekt?'

'Goed idee. Dank je.'

'Oké.'

Chloe keek zijn Jaguar E Type vertederd na toen Joe met gierende banden de hekken uit scheurde. Ze was gek op Joe.

Net iets meer dan een jaar na de dood van haar vader had hij zijn intrek genomen in Moat House, 'op parttime basis,' zoals hij zelf zei. Zijn sjofele etage op Primrose Hill hield hij wel aan, omdat hij nooit van het platteland zou kunnen houden, zoals hij Chloe uitlegde. Ze had absoluut niet het gevoel dat haar vader voor iemand anders opzij was geschoven, maar meer dat de familie was uitgebreid, een soort opvolger, die hij zelf vast had gemogen en geaccepteerd.

Door de komst van Joe was haar relatie met Caroline ook verbeterd; ze hadden veel gepraat over haar verleden, haar relatie met Fleurs vader, maar nauwelijks over Fleur, dat was echt te pijnlijk. Joe had uitgelegd hoe het had kunnen gebeuren en haar pijn kunnen verzachten – voor een deel. Ze had absoluut niet het gevoel dat haar moeder van haar hield. Joe had in veel dingen gelijk, maar daarin niet. Chloe had het gevoel dat Caroline haar tolereerde, haar goede humeur en haar hulpvaardigheid waardeerde en dat ze blij was dat ze zo goed met Joe kon opschieten, maar dieper gingen haar gevoelens voor Chloe duidelijk niet. Chloe had wel weer vrede met het leven, behalve als ze aan Fleur dacht. Meestal hield ze die gedachten met pure wilskracht op afstand, maar als haar wilskracht het begaf, werd ze verteerd door jaloezie.

Ze wist dat Joe Fleur had leren kennen. Toen hij probeerde haar te vertellen dat ze Fleur aardig zou vinden, had ze hem beleefd maar dringend verzocht dat onderwerp te laten rusten.

'Ik wil niets over haar horen, Joe. Ik zou liever doen alsof ze niet bestond.'

En Joe had zijn schouders opgehaald en haar zijn liefste glimlach geschonken. Hij zei dat ze zich altijd nog kon bedenken. Chloe zei dat dat niet zou gebeuren. Ze bande haar uit haar gedachten met een mengeling van verbetenheid en angst. Ze wist zeker dat Fleur grappig was, zelfbewust, mooi en slank; dat ze niet overal tegenaan liep en dat Caroline met haar wel lange, ontspannen, intieme gesprekken voerde. Alleen al de wetenschap dat ze bestond, aan de andere kant van de wereld woonde, deed haar voortdurend, bijna lichamelijk pijn, maar daar zou ze mee moeten leven. Het zou niet weggaan. Net als haar overgewicht en onhandigheid moest ze het verdragen en proberen ermee om te gaan.

Eén keer, toen ze met Joe had gegeten omdat Caroline ergens met de jongens naartoe moest, en twee glazen wijn had gedronken, had ze dat tegen Joe gezegd. Hij had haar stomverbaasd aangekeken en in plaats van over Fleur te beginnen had hij gezegd dat ze inderdaad onhandig was en dat hij dat vreselijk lief vond, maar dat ze absoluut niet te zwaar was, dat moest ze toch weten, dat ze juist een stuk was, en hoe eerder ze dat accepteerde, hoe beter.

Daarna was Chloe naar boven gegaan en had ze zichzelf voor het eerst in jaren in de spiegel bekeken. Tot haar grote verbazing zag ze dat hij gelijk had, oké, misschien geen stuk, maar ze was wel erg afgevallen. Ze had de vrij zware bouw van haar grootvader, maar ze had geen grammetje vet op haar lijf. Ze was slank en ze leek ook langer; haar gezicht had vorm gekregen, opeens had ze jukbeenderen en een prachtig gebogen kaaklijn; haar bruine ogen leken groter en haar mond breder en sprekender. Haar haar zat een beetje wild; dat donkere rood was wel mooi, maar misschien moest ze het eens goed laten knippen. Een boblijn? Haar benen waren ook slanker, beter in vorm. Ze waren weliswaar niet zo mooi als Carolines benen – 'rasbenen' volgens Jack – maar absoluut niet verkeerd. Waarschijnlijk zou ze die moderne korte rokken wel kunnen dragen. Chloe trok haar roze tweedrok op, draaide naar links en naar rechts, zoog haar wangen naar binnen, pruilde als een fotomodel en voelde een wilde, bedwelmende opwinding. Ze was mooi. Echt waar. Mooi! En beter nog: ze was bijna slank. Het was verbazend. Verbluffend. Waarom had ze dat zelf niet gezien? Waarom had Joe Payton dat haar moeten vertellen?

Ze bedacht eens te meer dat als haar moeder wat meer aandacht aan haar had geschonken, ze het misschien wel had geweten. Was háár moeder met háár gaan winkelen, daar in Amerika? Had ze háár verteld wat haar zou staan, had ze erop gestaan die jurk en deze trui voor haar te kopen, was ze met háár naar de kapper gegaan? Had ze háár geholpen met make-up? Had ze met háár gelachen en grappen gemaakt?

Chloe liet haar gedachten met moeite los en ging weer naar beneden, naar de keuken, waar Joe verdiept was in de *Sunday Times*. Ze gaf hem een kus op zijn woeste blonde haar

'Wat ben je toch een goede vriend,' zei ze alleen.

Joe moest opeens heel erg zijn neus snuiten.

Chloe had al snel een baan gekregen bij de cateraars Browne and Lowe. Jenny Brownlowe, die zowel Brown als Lowe was, had één blik geworpen op haar glimlach, haar nette kleren en haar goede manieren en geweten dat ze nauwelijks een blik op Chloe's diploma of de brieven van de school hoefde te werpen. Chloe begon als de nummer drie in het team, vooral voorbestemd om groenten te snijden en boodschappen te doen, maar binnen enkele maanden hielp ze menu's plannen. In de keuken was ze competent, rustig, handig. Ze had een geweldig gevoel voor eten: ze kon al voorspellen hoe iets zou smaken voordat ze een recept helemaal had gelezen. Ze kon de bereiding van drie zeer verschillende gerechten zo plannen dat ze allemaal tegelijk geserveerd of bezorgd konden worden. Chloe's kalmte en haar vermogen rust te brengen in de ruimte waar ze werkte, waren onbetaalbaar voor Jenny.

Na één jaar bij Jenny Brownlowe was Chloe gelukkiger dan ze ooit voor mogelijk had gehouden en wist ze dat ze er geweldig uitzag. Ze was nog meer afgevallen, ze had haar rode haar lang laten groeien (in plaats van het te laten knippen, zoals ze van plan was geweest) met een pony die haar bruine ogen accentueerde en ze had geleerd hoe ze zich moest kleden. Korte wollen en katoenen jurkjes met gehaakte randjes stonden haar geweldig, net als lichtelijk overdreven make-up: lange valse wimpers, oogschaduw in verschillende kleuren, donkere blusher, licht paarlemoerkleurige lipstick. Voor het eerst in haar leven keek ze met plezier in de spiegel.

Chloe droomde ervan de belangrijkste persoon op aarde te zijn voor iemand die van haar hield en haar waardeerde, een man die voor haar zorgde, tijd voor haar maakte, die vond dat ze het waard was naar te luisteren. Iemand als Joe, dacht ze, maar Joe was niet haar type. Hoeveel ze ook van Joe hield, hoe sexy hij duidelijk ook was, ze viel niet op hem. Chloe hield van vormelijke, ernstige mannen die zich goed kleedden en verfijnde manieren hadden, mannen met donker haar. Haar held was Cary Grant.

Ze had nog nooit verkering gehad. Chloe wist dat ze niet erg sexy was, maar misschien zou ze sexy worden als de liefde zich aandiende, of misschien zou het dan minder belangrijk zijn. Dat de liefde íets zou veranderen, stond voor haar vast. Ze hoopte maar dat het snel gebeurde.

Toen Joe weg was, zette ze nog wat koffie voor zichzelf en dacht ze aan de dag die voor haar lag. Meestal was ze doordeweeks niet in Suffolk, maar ze had afgelopen zondag gewerkt en Jenny Brownlowe had erop gestaan dat ze een dag vrij nam.

'Ga tch eens op zoek naar die woning waar je het steeds over hebt.'

'O ja,' zei Chloe. Ze probeerde enthousiast te klinken. Haar huizenjacht was nogal halfslachtig verlopen. Het idee alleen te wonen of een woning te delen met een of meer meisjes stond haar niet erg aan. Als ze in Londen moest overnachten, sliep ze in de bergruimte van Joe's etage; het kwam hun allebei goed uit. Eerst had Caroline, die jaloers was op hun vriendschap, zich eraan geërgerd, maar Joe had gezegd dat hij haar graag in de buurt had en dat hij het erg prettig vond dat ze zijn woning schoonmaakte en opruimde.

Hoe dan ook, het was vandaag veel te mooi weer om zich door de eindeloze straten van Earl's Court en Kensington te slepen. Ze besloot in de tuin te gaan werken. Ze had een grote en ambitieuze kruidentuin achter Moat House aangelegd en nam tot Jenny's verrukking de oogst mee naar haar werk.

Tussen de middag stopte ze, met pijnlijke spieren, moe maar voldaan. Ze besmeerde wat toast met Marmite (haar lievelingseten als ze alleen was) toen de telefoon ging. Het was Joe.

'Liefje, ik ben zo dom geweest mezelf buiten te sluiten. Alles wat ik nodig heb, zoals portefeuille en autosleutels, ligt binnen. Ik kan het redden tot na die ellendige preview, maar dan moet ik echt mijn huis in. Er staat me bij dat jij vanavond hierheen komt, of hoopte ik dat alleen maar?'

'Dat hoopte je maar,' zei Chloe. 'Maar ik moet morgen vroeg beginnen, dus eigenlijk kan ik beter vanavond al teruggaan. Ik zal je redden, Joe, maak je geen zorgen.'

'Chloe, ik hou van je. Trouwens, waarom kom je niet naar de film kijken? Als beloning. Dan kun je je na afloop onder de groten der aarde begeven. Hoe klinkt dat?'

'Doodeng,' zei Chloe. 'Ik verwacht dat je de hele tijd mijn hand vasthoudt. Waar moet ik zijn?'

'Wardour Street 79. Souterrain. Volg het getinkel van de glazen. Ik zal op je wachten.'

Joe vond achterin twee plaatsen naast elkaar, stelde haar voor aan de man naast haar, een journalist van de *Daily Express*, en probeerde zijn lange benen een plek te geven, eerst onder zijn eigen stoel en toen onder de stoel voor hem.

'Verdomme, Payton, zit stil,' zei een kleine, glimlachende man voor hem. 'Straks ga je nog popcorn eten ook.'

'Sorry, Donald', zei Joe. 'Donald Zec,' zei hij tegen Chloe, 'van de *Daily Mirror*. Erg belangrijke man. Nietwaar, Donald?'

'Ontzettend. Wie is dat prachtige schepsel naast je? Ik dacht dat je gelukkig getrouwd was, of toch zo goed als, Joe. Je bent echt walgelijk.'

'Dit is mijn officieuze stiefdochter,' zei Joe. 'Chloe Hunterton.'

'Stiefdochter!' zei Donald. 'Maak dat de kat wijs. Blijf jij maar dicht bij mij, meisje. Ik zal wel voor je zorgen. Waarom kom je niet naast me zitten? Deze man is werkelijk volkomen immoreel. Ik kan het niet verdragen je gevaar te zien lopen.'

'Het is wel goed,' glimlachte Chloe, terwijl ze zich uit haar jas wurmde. 'Hij is echt mijn officieuze stiefvader en ik kan hem wel aan.'

'Gelukkig maar. Dit wordt een vreselijke film, Joe. Ik heb mijn recensie al af.'

'Komt zij nog?'

'Ik geloof van wel, met gevolg en al...'

'Hebben jullie het over Julie Christie?' vroeg Chloe.

'Nee, schat, we hebben het over de ster. Maar ik ben meer geïnteresseerd in een van de bijrollen. Biedt hoop voor de filmindustrie. Heet Tabitha Levine. Ze heeft een kleine, maar belangrijke rol. Iedereen let op haar.'

'O,' zei Chloe nederig en ze besloot ook op te letten.

Donald Zec had gelijk, het was weliswaar geen vreselijke, maar wel een zeer middelmatige tragikomedie waarin Margaret Lamont, die de hoofdrol speelde, trouwde met een veel jongere man die haar vervolgens verliet voor haar dochter (Tabitha Levine). Na afloop werd er halfslachtig geklapt en rende iedereen naar de bar. Joe begeleidde Chloe die kant uit.

'Julie komt niet,' vertelde hij. 'Ik heb net bericht gekregen van haar impresario. Ik wil wel even kijken of ik Tabitha Levine iets kan vragen. Ze staat daar. Wil jij even wachten?'

'Ja, natuurlijk,' zei Chloe.

Ze wierp een nieuwsgierige blik op Tabitha. Ze was lang en zeer bleek, met lang donkerrood haar dat een beetje op het hare leek, maar dan met wilde krullen. Er stond een grote groep mensen om haar heen die bulderend lachten om alles wat ze zei.

'Wat een trutje,' zei Donald Zec tegen haar. 'Heb jij alles wat je nodig hebt, schatje?'

'O ja, dank u,' zei Chloe. 'Ik heb het erg naar mijn zin. Komt Margaret Lamont nog?'

'Lijkt me wel. Ze komen uiteindelijk allemaal aankakken, alsof ze niet verwacht hadden iemand aan te treffen. Best zielig. Kijk, daar is Sam Brixton, de regisseur. En daar hebben we Margaret.'

Margaret Lamont had veel weg van Zsa Zsa Gabor; ze liep met een donkere zonnebril en een stralende lach op naar binnen en omhelsde Sam Brixton.

Chloe draaide zich om om nogmaals naar Tabitha te kijken en duwde tegelijkertijd haar haren uit haar gezicht. Iemand mompelde 'verdomme' en ze besefte dat ze tegen zijn elleboog had gestoten, zodat hij wijn had gemorst.

'O nee,' zei ze blozend, 'o, het spijt me vreselijk, laat me...'

'Ach, het is helemaal niet erg.' De man had zijn stem weer zorgvuldig in bedwang. 'Het is geen probleem. Bij deze gelegenheden is altijd het hutje-mutje. Het was gelukkig een witte, dus valt het mee.'

Chloe dwong zichzelf haar slachtoffer aan te kijken; hij was lang, slank en zeer modieus gekleed; hij had goudbruin haar, prachtig gekapt, en een gezicht dat de omschrijving 'fijnbesneden' verdiende, met hoge jukbeenderen en een bijna meisjesachtige mond. Zijn ogen waren groot en een bijzondere tint grijs en toen hij naar haar glimlachte, ontblootte hij verbijsterend witte tanden. Hij droeg een lichtgrijs pak, waarvan het linkerpand onder de wijnspatten zat, een zijden overhemd van heel licht turkoois, en rookte door een lange sigarettenhouder. Chloe dacht dat ze nog nooit iemand had gezien die zo volmaakt was; het was alsof iemand hem had verzonnen.

'Het spijt me zo,' zei ze weer, 'echt verschrikkelijk. Laat me een nieuw glas voor u halen.'

'O nee, ik heb eigenlijk al te veel gedronken. We hadden een fles onder de stoel verstopt.'

'Lieve hemel,' zei Donald Zec, die was teruggekomen met een voor driekwart volle fles fijn. 'Piers Windsor. Wat verschaft ons deze eer, waarde heer?'

'Ik kom Tabitha ophalen,' zei Piers.

'O ja? Wat interessant. Ik zal het straks meteen aan mijn roddelcollega's vertellen als ik op de krant ben. Kennen jullie elkaar? Chloe Hunterton, Piers Windsor.'

'Ik vrees van wel,' zei Chloe gegeneerd. 'Ik heb tegen zijn glas gestoten.'

'Kan geen kwaad. Zet hem op zijn plek. Deze man heeft meer pakken, Chloe, dan de meeste mensen zakdoeken hebben. Na één keer gooit hij ze weg, alsof het papieren zakdoekjes zijn. Wat wordt je nieuwe project, Piers? Of houdt deze productie niet meer op?'

'Ik hoop van wel,' zei Piers Windsor. 'Romeo en Julia is erg vermoeiend. Ik loop wel te broeden op een plannetje, Donald; dat hoor je wel als het vorm heeft gekregen.'

'Graag,' zei Zec. 'Welnu, lieve Chloe, je begeleider zoekt je en ik moet terug naar de krant. Leuk je gesproken te hebben. En jou, Piers. Joe, je mag haar helemaal hebben, bofkont.'

Zec was verdwenen en Piers schonk Chloe nog één stralende glimlach voordat hij naar zijn vrienden liep. Joe pakte haar arm en zei: 'Laten we naar de Chinees gaan.'

Zwijgend zaten ze in een Chinees restaurant in Gerrard Street, terwijl Joe op een stapel papieren servetten zijn stukje over Tabitha Levine schreef en Chloe een paar onsmakelijke loempiaatjes over haar bord heen en weer schoof.

'Hoe raakte je in hemelsnaam aan de praat met Piers Windsor?' vroeg Joe, terwijl hij de servetjes in zijn zak propte.

'Ik stootte tegen zijn glas,' zei Chloe. 'Het spijt me Joe, ik maak je belachelijk tegenover je beroemde vrienden.'

'Welnee,' zei Joe, 'ik ben juist blij. Die man verdient het dat er wijn op hem wordt gemorst.'

'Hij leek me heel aardig,' zei Chloe, 'en erg aantrekkelijk. Wat doet hij?'

'Jij bent echt een onschuldig zieltje, hè?' vroeg Joe. 'Hij is een acteur, schattebout. Een heel beroemde acteur.'

'Ja, natuurlijk,' zei Chloe, 'nu weet ik het weer. Ik heb pas iets over hem gelezen. Hij doet momenteel Hamlet of zoiets.'

'Nee, Romeo,' zei Joe, 'bij de Royal Shakespeare Company, oftewel de RSC. Te oud voor die rol, maar blijkbaar erg goed.'

'Nou ja, ik wist dat het iets met Shakespeare was. Ik ben niet zo goed in namen onthouden,' zei ze er verontschuldigend achteraan.

'Gezichten blijkbaar ook niet. Heb je zijn film dan niet gezien? *Town Cousins.* Die heeft hem beroemd gemaakt.'

'Nee,' zei Chloe benepen.

'Ach, het maakt niet uit,' zei Joe. 'Dat was toch ruim voor jouw tijd. De laatste tijd heeft hij alleen toneel gedaan, serieuze projecten ook. Hij neemt zichzelf veel te serieus, naar mijn smaak. Maar hij is slim. En hij heeft zeer veel talent. Helaas weet hij dat. Maar goed, liefje, laten we naar huis gaan. Ik moet nog van alles doen.'

Het laatste waaraan Chloe dacht voordat ze in slaap viel, was het knappe gezicht van Piers Windsor en de afschuwelijke aanblik van de steeds groter wordende vlek op zijn smetteloze grijze pak. Ze hoopte dat ze hem nooit meer zou zien.

Joe had Piers Windsor en de vreemde halve gedachte die hij die avond in het Old Vic had opgeroepen helemaal uit zijn hoofd gezet; hij dacht er zelfs niet meer aan toen hij met hem praatte tijdens de preview. Pas later, toen hij in het Chinese restaurant met Chloe zat te praten over *Town Cousins*, schoot het hem weer te binnen. En zelfs toen kon hij het zich nog niet precies herinneren: alleen een flard van het gesprek dat Fleur had gevoerd met Naomi Mac-

Neice. Iets over een Engelsman en een film die *Cousins* heette. Ach, dacht hij, toen hij ging verliggen op de kuilen in zijn matras – elke keer dat ze bij hem kwam, dreigde Caroline die in brand te steken – het had waarschijnlijk, vrijwel zeker, niets te betekenen, toeval, meer niet. Naomi was in de war. Fleur was van streek geweest en niet erg samenhangend. In die tijd waren er waarschijnlijk wel duizend Engelse acteurs in Hollywood geweest met wie Naomi kennis had gemaakt. Maar ze hadden niet allemaal in een film gespeeld die *Town Cousins* heette. Ho, wacht, niet eens *Town Cousins*, 'huppeldepup *Cousin*,' had Fleur gezegd. Hij vroeg zich af wat Naomi had verteld. Misschien moest hij het Fleur vragen. Toen bedacht hij waar dat toe zou leiden en rilde. Fleur op het eerstvolgende vliegtuig hierheen met een doorgeladen pistool in haar handtasje.

Nee, het was onzin dat er een verband was met Brendan en hij moest het uit zijn hoofd zetten. Natuurlijk was de man akelig genoeg om wat dan ook te doen. Glibberig sujet. Joe mocht hem absoluut niet.

Hij keek op zijn horloge. Verdomme, zo viel hij nooit in slaap. Hij stond op, schonk zichzelf een stevige hoeveelheid whisky in en ging liggen lezen in zijn recensie-exemplaar van *In Cold Blood*, het nieuwste boek van Truman Capote. Hij werd zwetend wakker toen hij de telefoon hoorde rinkelen.

'Payton? Met Harry Oliver, *Evening News*.'

'O, Harry, goedemorgen.'

'Gaat het, Joe? Je klinkt een beetje gammel.'

'Ja hoor, best.' Joe schudde zijn hoofd en wreef in zijn ogen. 'Zware nacht gehad.'

'Bofkont. Kun je een spoedklus doen?'

'Ja, lijkt me wel. Wat is het?'

'Ik wil een portret van die Windsor. Iedereen heeft het opeens over hem.'

'Piers Windsor?' vroeg Joe. Opeens kon hij weer helder denken.

'Die, ja. Ik wil het wel snel. Laten we zeggen, over drie dagen.'

'Nou, dat weet ik niet.' Joe wist dat hij het toch wel zou doen en werd opeens vreselijk nieuwsgierig. 'Dat ligt eraan hoe diep ik moet gaan.'

'Heel diep. Ik wil hem bij hem thuis; hij heeft een landhuis ergens in Berkshire, waar hij paarden houdt. En mogelijk een vriendje. Zou me niets verbazen.'

Dit saillante detail hechtte zich in Joe's hoofd aan andere halve feiten en toespelingen. 'Een vriendje? Is hij van dattum?'

'Weet ik niet. Zou kunnen. De meesten zijn van dattum. Hij ziet er wel naar uit, vind je niet? Hij is ook nooit hertrouwd. Heeft bij premières rijen jonge actrices aan zijn armen, gek op zijn oude moeder. Wat denk je?'

'Ik denk dat je een vunzige geest hebt,' zei Joe vrolijk. 'Verder nog rod-dels?'

'Nee, niets tastbaars. Ik lul ook maar wat. Maar hij is wel interessant en erg in het nieuws. Dat ding waar hij mee bezig is, die musical, weet je daar iets van?'

'Eh, nee,' zei Joe.

'Nou, het wordt heel groots. Origineel. Op basis van een of ander gedicht. Ik weet niet meer van wie.'

'Ja, wel,' zei Joe, "The Lady of Shalott". Ja, natuurlijk, ik weet het weer.' Windsor was wel méér dan interessant. Misschien had het ermee te maken dat hij bijna naast hem had gezeten in de schouwburg, misschien alleen omdat het een interessant artikel beloofde te worden dat veel aandacht zou krijgen – het had absoluut niets te maken met die halve gedachte – maar hij wilde het doen. Hij wilde meer te weten komen over Piers Windsor. 'Ja, goed,' zei hij, 'maar het staat of valt met de vraag wanneer ik hem kan spre-ken. Hij is nogal een lastpak.'

'Doe het zo snel mogelijk. Maar binnen drie dagen. Honderd pond goed?'

'Ik wil 125,' zei Joe.

'Dan wil ik het in twee dagen.'

'Flikker op,' zei Joe vrolijk. Hij legde neer en begon meteen aantekenin-gen te maken.

De pr-man van Piers Windsor was niet erg hulpvaardig. Meneer Windsor was uitgeput na *Romeo* en zeer druk met *The Lady of Shalott*. Hij had al verschil-lende interviews gegeven en het verbaasde hem eigenlijk dat de *Evening News* niet eerder was gekomen. Als meneer Payton zijn verzoek op schrift wilde stellen, zou hij zien wat hij kon doen...

Joe belde de RSC. Bij de artiesteningang wisten ze echt niet hoe laat meneer Windsor binnen zou komen, maar als meneer Payton zijn naam en telefoonnummer wilde achterlaten... Het leek zeer onwaarschijnlijk dat meneer Windsor hem zou willen ontvangen.

Who's Who, de lijst van beroemde Britten, vermeldde twee adressen voor Piers Windsor: Stebbings in Drewford, Berkshire, en Sloane Street in Lon-den, maar de telefoonnummers bleken geheim. Joe postte twee ansichtkaar-ten, naar elk adres één, met het verzoek om een interview. Hij zag verder dat Piers lid was van de Garrick Club (daar liet hij ook een boodschap achter) en de RAC.

Toen belde hij impulsief de RSC weer. Hadden ze nog plaatsen voor die avond? Het toeval wilde dat er een afzegging was, tweede rij stalles. Schofterig duur. Dat zou de *Evening News* betalen. Joe reserveerde en vertrok toen naar Fleet Street en de *Evening News.*

'Het dossier over Piers Windsor, alstublieft,' zei hij tegen de bibliothecaris.

'Welke? Er zijn er drie.'

'O, eh, de vroege jaren, tot – even kijken – 1960.'

'Jeugd?'

'Waarom niet?'

Hij ging erbij zitten. De beginjaren waren altijd het interessantst. Over Windsors jeugd was weinig bekend. Geboren in 1921. Een paar mooie foto's van een jongetje met gouden krullen. Vader bankier, moeder toegewijd, op zijn achtste naar kostschool, Abbots Park en daarna St Luke's, arme ziel. Op zijn dertiende won hij een toneelprijs voor de rol van Julia; dat wierp wel een smet op een jong leven. Ging in 1939 bij de luchtmacht, maar bracht de oorlog op de grond door bij de radareenheid in Plymouth. Na de oorlog de toneelacademie RADA, waar hij zijn latere vrouw Guinevere Davies leerde kennen. Toen repertoiretheater en een kortstondig huwelijk. Een scheiding in 1954, nog meer repertoiretheater tot 1958, toen hij Mercutio speelde in het Old Vic, gevolgd door de film *Town Cousins,* waarmee hij beroemd was geworden. Dat bracht Joe in 1960, zonder dat de naam Hollywood één keer was gevallen, zodat hij onmogelijk Brendans pad had kunnen kruisen of iets met Naomi MacNeice of de andere namen te maken kon hebben.

Joe was erg teleurgesteld, maar zijn gezonde verstand kwam tussenbeide. Wat een absurd idee, wat een hopeloze onderneming. Alsof Piers Windsor iets te maken kon hebben met Brendan FitzPatrick en de zielige manier waarop hij aan zijn einde was gekomen. Hoe kwam hij erbij? Hij moest wel gek zijn. Midlifecrisis, dacht hij somber. Hij bracht het dossier terug.

'Bedankt,' zei hij. 'Ik kan beter de latere dossiers ook lezen.'

Piers Windsor (zo las Joe op verschillende plaatsen) had een uniek project opgepakt om het gedicht 'The Lady of Shalott' van Tennyson tot een musical te bewerken (mits hij genoeg financiële steun kreeg) die volgend jaar in het West End zou worden opgevoerd. Hij had de rechten gekocht, maandenlang aan de eerste opzet gewerkt en voerde nu besprekingen met schrijvers, tekstschrijvers, componisten, castingbureaus en sponsors.

'Het wordt uniek en heel mooi,' had hij tegen een journalist van de *Express* gezegd. 'Ik kan me niet herinneren ooit ergens zo opgewonden over te zijn geweest.'

'Nou, bravo,' zei Joe hardop tegen de stralend lachende Piers op de foto. Toen besefte hij dat het al zeven uur was en hij te laat zou komen voor de voorstelling.

Piers Windsor was zonder enige twijfel een verdomd goede acteur. Hij pakte je verbeelding bij de kladden en deed ermee wat hij wilde. Je kon de tedere, hartstochtelijke, half angstige liefde van Romeo gewoon aanraken. Hij speelde iedereen, zelfs hoofdrolspeelster Melanie Welsh, van het toneel. De kritiek, reëel en gedeeltelijk erg vals, dat hij veel te oud was voor de rol van Romeo, leek opeens irrelevant; zijn fysieke schoonheid, zijn tengere gestalte en iets wat hij met zijn stem had gedaan – hij klonk lichter, gevoeliger – maakten hem absoluut geloofwaardig. Bij de pijn die zijn stem deed trillen, toen hij zei: 'De nacht heeft lang haar kaarsen opgebrand,' hield de hele zaal zijn adem in en toen hij over Julia heen boog en zei: 'Zo sterf ik met een kus,' merkten stoere mannen dat ze erg moesten slikken en zochten hun vrouwen naar hun zakdoek. Joe keek toe door een mist van tranen, hij voelde echte pijn.

Dat schreef hij ook in het briefje dat hij inleverde bij de artiesteningang; het werkte. Vijf minuten later liet Piers weten dat Joe naar zijn kleedkamer kon komen. Hij zat zich af te schminken, breed glimlachend, charmant, elegant; Joe had al spijt dat hij gekomen was, zo grondig verpestte het zijn genoegen in Romeo en Julia. Maar hij stapte glimlachend naar binnen en stak zijn hand uit.

'Meneer Windsor, dat was geweldig. Echt geweldig. De tranen stonden me in de ogen.' Verdomme, hij was al even erg als Windsor zelf.

'Wat aardig. Uit uw mond beschouw ik dat als een groot compliment, meneer Payton. Wat verschaft mij de eer? Iets drinken? Viv, wil jij een flesje sancerre opentrekken?'

Viv, een dikke nicht van middelbare leeftijd (een aanwijzing? vroeg Joe zich af. Nee, de meesten waren homo) die in een hoek van de kleedkamer kleren stond te persen, haalde een fles uit een ijsemmer, trok die open en schonk twee glazen in.

'Erg lekker,' zei Joe, 'bedankt.'

'Niet helemáál op temperatuur, ben ik bang,' zei Piers Windsor, terwijl hij kleine slokjes nam. 'Het is hier te warm voor wijn. Maar u zou me vertellen waarom u hier bent.'

'U komt er morgenochtend sowieso achter, of vanavond, als u nog naar de Garrick gaat. Ik heb u een paar kaarten gestuurd en overal boodschappen achtergelaten met het verzoek om een interview.'

'Wat leuk. Voor wie?'

'De *Evening News*.'

'Hm – ik weet het niet.' Piers trok zijn valse wimpers los en keek Joe bedachtzaam aan in de spiegel. 'Ik heb de laatste tijd zoveel interviews gegeven. Iedereen heeft het over *The Lady*. En ik ben niet zo dol op de *Evening News*. U werkt daar toch niet?'

'Nee,' zei Joe snel, 'freelance.'

'Ik bedoel maar, als het nu het magazine bij de *Sunday Times* was...'

Joe dacht snel na. Hij had goede connecties bij de *Sunday Times*. Ze zouden vast een stuk willen. Hij zou meer uit Windsor kunnen trekken. En om de een of andere reden was hij nog steeds vreselijk nieuwsgierig. Hij gokte wild (en onethisch). 'Zou u het wel doen als het voor de *Sunday Times* was?'

'Ja absoluut, beste man.'

'Kunnen we dan foto's maken in uw huis? Op Stebbings?'

'Nou, dat weet ik niet. Ik hecht enorm aan mijn privacy. Is Sloane Street een alternatief? Dat voelt meer als een hotel.'

'Ik weet vrijwel zeker dat ik het stuk voor het magazine zou kunnen schrijven,' zei Joe. 'Ik zal ze morgenochtend bellen. Maar ik weet zeker dat ze geen genoegen nemen met Sloane Street. Misschien kunnen we een deal maken.'

'Goed,' zei Piers, 'als jij me in de *Sunday Times* krijgt, zal ik nog eens nadenken over Stebbings.'

De volgende ochtend belde Joe de *Sunday Times* en bood hun Piers Windsor aan op locatie in Berkshire; ze vonden het (zoals verwacht) een prachtig idee. Toen belde hij Harry Oliver bij de *Evening News* en vertelde hem (met enig schuldgevoel) dat Piers Windsor hem niet te woord wilde staan. Daarna belde hij Piers Windsor en vertelde hem dat hij aanstaande zondag met een fotograaf naar Stebbings zou komen.

Stebbings was een schitterend, stijlvol huis, opgetrokken uit rood steen, met mooie kamers, prachtige tuinen en een geweldig uitzicht achter het huis over de heuvels. Joe en de fotograaf werden naar de salon gebracht, kregen koffie voorgezet en wachtten drie kwartier totdat Windsor arriveerde. Hij zag er bestudeerd nonchalant uit in een spijkerbroek en een roomkleurige polotrui.

'Het spijt me.' Glimlachend gaf hij beide mannen een hand. 'Een gesprek met de bank over *The Lady*. Er kwam geen eind aan, maar ik geloof dat we weer een stukje verder zijn. Dat moet gevierd worden. Maar goed, waar zullen we beginnen?'

'Hier, lijkt me,' zei de fotograaf, 'en dan een paar foto's in uw werkkamer. Ik neem aan dat u die heeft. En misschien een paar in de stallen?'

'Prima, als ik zelf een paar afdrukken kan krijgen. Ik heb een prachtige nieuwe merrie, vorige week gekocht. Ik zou graag een paar mooie foto's van haar willen hebben.'

'Natuurlijk,' zei Joe, met een waarschuwende knipoog naar de fotograaf. 'En misschien een paar foto's in de keuken? Ik begrijp dat u van koken houdt.'

'Dat klopt. Goed idee. Er komt straks nog een vriendinnetje lunchen. Dat wordt vast erg leuk allemaal.'

'Nou en of,' zei Joe. Erg cosmetisch allemaal, dacht hij. God, wat had hij een hekel aan deze man.

Het duurde ruim een uur om alle foto's te maken en de fotograaf was net weer aan het inpakken toen er een donkergroene Mini Cooper de oprit op scheurde. Er klom een erg mooi, roodharig meisje uit. Aha, dacht Joe, Tabitha Levine. De Lady zelf. Nog cosmetischer.

Tabitha omhelsde Piers en kuste hem op beide wangen. 'Lieveling, je hebt helemaal niets over de pers verteld.'

'Ik wist het zelf niet,' zei Piers. 'Wil jij nog worden gekiekt?'

'Ach, ik weet het niet...' Haar onwil was charmant, duidelijk niet gemeend.

'Alstublieft, mevrouw Levine,' glimlachte Joe. 'Het zou zo veel toevoegen aan mijn artikel. Het zou de reportage áfmaken.'

'O ja, lieveling, alsjeblieft,' zei Piers. 'Dan kunnen we laten vallen dat je misschien – alleen misschien – in aanmerking komt voor de Lady. Het levert geweldige publiciteit op. En het is voor de *Sunday Times*. Niets ordinairs.'

'O... nou ja, goed dan,' zei Tabitha Levine. 'Ik wil alleen wel even iets aan mijn gezicht doen. Kunt u daarop wachten?' vroeg ze aan de fotograaf.

'Natuurlijk. Zolang het duurt.'

Het duurde ruim drie kwartier. Piers begon tegen Joe te praten, diste met veel ervaring details op uit zijn vroege jaren.

'Ik heb een ontzettend gelukkige jeugd gehad. We waren met z'n drietjes. Mijn vader stierf toen ik veertien was. Dat was natuurlijk tragisch, maar tot die tijd was het echt perfect. Het was natuurlijk niet allemaal leuk. Ik moest op mijn achtste naar kostschool. Dat vond ik niet zo fijn, maar het heeft me zeker geen kwaad gedaan en de vakanties waren altijd geweldig. Ik had het naar mijn zin op St Luke's; wist je dat ik op mijn dertiende de toneelprijs heb gewonnen voor Julia? Daar wordt altijd hartelijk om gelachen.'

'Ja, dat zal wel,' zei Joe. Hij maakte aantekeningen: kostschool bellen voor citaten, waar is moeder nu, jaargenoten op St Luke's. 'Heeft dat de aanzet gegeven voor uw latere toneelambities?'

'O nee, niet echt. Ik speelde wel in toneelstukjes op kostschool en dat vond ik altijd leuk. Waarschijnlijk hou ik er gewoon van om alle aandacht te krijgen.' Piers lachte bescheiden.

Verdomd als het niet waar is, dacht Joe.

En zo ging het maar door, de tijd bij de luchtmacht ('Ik vond het zo jammer dat ik aan de grond werd gehouden, maar ik had nu eenmaal flair voor radar'), van radar naar RADA en daarna repertoiretheater.

'En toen leerde u uw vrouw kennen?'

'Ja,' zei Piers ontspannen. Zijn grijze ogen waren groot en open. 'Guinevere Davies. Ze was een geweldige actrice en een geweldige vrouw. We waren erg verliefd op elkaar. Maar zoals u weet doet onze beroepsgroep het niet zo goed op de huwelijksmarkt. Na twee jaar begonnen onze carrières te botsen en leek een scheiding onvermijdelijk.'

'Wat was de grootste steen des aanstoots,' vroeg Joe. In zijn hoofd hield hij de jaartallen bij.

'O, zij kreeg een prachtige rol aangeboden: Jennifer Dubedat in *The Docter's Dilemma* in Bristol. Ik had net een aanstelling voor zes maanden gekregen in Edinburgh en nam – zelfzuchtig – aan dat ze mee zou gaan. Al zei ik het niet en probeerde ik niet aan te dringen.'

'Nee, natuurlijk niet,' zei Joe.

'En... nou ja, daarna ging het bergafwaarts. We scheidden in... 1956, ergens rond die tijd.'

'En u deed de hele tijd repertoiretheater? Totdat u in 1958 de beroemde Mercutio deed? Dat is vrij lang.'

'Meneer Payton, er zijn acteurs die het repertoirecircuit nooit meer uit komen,' zei Piers. 'Maar ja, dat klopt. De gezelschappen werden natuurlijk steeds beter. Uiteindelijk belandde ik ook in Bristol.'

'En nooit geprobeerd een gooi te doen naar Hollywood?' Joe probeerde de vraag terloops te stellen, maar was bang dat deze nogal zwaar overkwam.

'Nee, nooit.' Verbeeldde hij het zich of was het antwoord echt een fractie te snel, te kordaat? Hij keek naar Piers. Zijn glimlach was jongensachtig spijtig. 'Misschien had ik het moeten doen. Toen had ik het fabelachtige geluk dat Hollywood naar mij toe kwam voor *Town Cousins*. De rest weet je.'

Joe luisterde terwijl Piers vertelde over zijn rollen, zijn interpretaties, zijn ambities en zijn theorieën over acteren. Hij manoeuvreerde terloops in de richting van een mogelijk heikele vraag. 'Hoe ver bent u met de financiering van *The Lady of Shalott?*

'O, al heel ver.' Een mooie, beheerste glimlach. 'Het punt is dat je het geld krijgt als je de namen krijgt. Met de namen heb ik ontzettend veel geluk gehad. David Montague wordt de dirigent. Damian Lutyens doet de liedteksten; hij is jong, maar hij heeft enorm veel talent en is erg bekend. Lydia Wintour ontwerpt de kostuums en het decor en Julius Hovatch heeft onder voorbehoud getekend voor de rol van ridder Lancelot. Dat we Julius binnenhaalden, was eigenlijk de grote doorbraak. "Zeg maar tegen de anderen dat ik het tegen vakbondstarief doe," zei hij en dat was natuurlijk helemaal geweldig, want dan gaat iedereen daarin mee en zo bespaar je duizenden ponden.'

'Ja, natuurlijk,' zei Joe. Het waren indrukwekkende namen. David Montague dirigeerde vaak in het Royal Opera House (waar zijn vrouw een prima donna was), Damian Lutyens was momenteel de lieveling van alle recensenten en Julius Hovatch speelde in het ene kassucces na het andere, zowel in toneelstukken als musicals. Natúúrlijk deed iedereen hem na. En dan Tabitha Levine, met haar adembenemende schoonheid, haar prachtige stem en haar korte maar duizelingwekkende reeks successen; onlangs nog een schitterende reprise van *Guys and Dolls*, gearrangeerd door David Montague. Piers Windsor had blijkbaar evenveel talent om een productie zakelijk te leiden als hij had voor acteren.

'Waarom maakt u de overstap van acteren naar productieleiding?' vroeg Joe, opeens oprecht geïnteresseerd.

'Ach, het is niet echt een overstap,' zei Piers met een verwijtende ondertoon, 'ik regisseer immers al jaren. Zoals deze *Romeo*, en vorig jaar *As You Like It*. Musicals zijn een nieuwe tak van sport. Ik wil er al jaren een doen. Het is erg spannend om alle elementen te combineren. Maar ik blijf een acteur, Joe. Ik acteer zelfs als ik regisseer.'

'Ja, natuurlijk,' zei Joe, op nadrukkelijk nederige toon.

Tabitha Levine verscheen in de deuropening. Ze zag er niet echt veel mooier uit dan bij aankomst. 'Piers, lieveling, de fotograaf wacht op ons in de keuken. Kun je komen?'

'Natuurlijk. Joe, neem iets te drinken; het staat daar. Ik ben zo terug.'

'Dank u,' zei Joe. Hij nam een glas tonic en bestudeerde de inhoud van de boekenkast: erg voorspelbaar allemaal, toneelbiografieën, kunstboeken, hele rijen Dickens en Trollope. Toen zag hij op de bovenste plank zijn eigen boek staan.

Nieuwsgierig trok hij het uit de kast; het zag er ongelezen uit. Op het titelblad stond 'Piers Windsor, juni 1960'. Joe bladerde naar het hoofdstuk over Byron en er viel een kaartje uit, waarop in een schuin en nogal aanstellerig handschrift was geschreven: 'Piers, ben je nu niet blij dat je hieraan bent ontsnapt? Het leest lekker weg. Geniet ervan. Van harte gefeliciteerd. Liefs, Guinevere.'

Wat zou ze daarmee bedoelen? dacht Joe.

Opeens was mevrouw Guinevere Windsor een interessante persoon om mee te praten.

Hij kreeg haar adres via de vakbond. Ze woonde in de buurt van Cardiff en presenteerde een kunstprogramma voor de regionale televisie. Hij belde de tv-zender en vroeg of ze zijn nummer aan haar wilden doorgeven.

Vervolgens gebeurde er bijna een week niets. Hij worstelde met het stuk dat saai en voorspelbaar dreigde te worden. Op een middag wilde hij al bijna de moed opgeven, toen de telefoon ging en hij een diepe, zangerige stem hoorde vragen: 'Meneer Payton? Met Guinevere Davies.'

'Mevrouw Davies,' zei Joe, 'wat ontzettend aardig dat u belt.'

'Wat kan ik voor je doen?' vroeg ze.

'Ik ben journalist, zoals u weet. Twee dingen. Ten eerste ben ik een inventarisatie van alle kunstprogramma's aan het maken voor de *Guardian*.' God, wat moest hij toch veel leugens vertellen. 'Dus zou ik graag over het uwe praten. Ten tweede, dit is nogal brutaal, ben ik bezig met een portret van uw ex voor de *Sunday Times*. Ik ben nog op zoek naar achtergrondinformatie, om het meer jeu te geven. Heeft u nog mooie anekdotes over uw leven samen die u met mij wilt delen?' Het bleef lang stil en Joe zette zich al schrap voor de kiestoon, maar die kwam niet.

'Ik ga echt niet roddelen,' zei ze. 'Ik ben veel te gek op die man. We zijn altijd vrienden gebleven. Ik vond uw boek over Hollywood-schandalen trouwens erg goed. Ik heb het Piers nog eens voor zijn verjaardag gegeven.'

'O ja? Wat leuk.' Joe's hart begon hard te bonzen. 'Waarom dacht u dat hij het zou willen lezen?'

'O, ik dacht dat hij die begintijd in Hollywood wel interessant vond. Hij was... verdomme, ik moet naar de studio. Sorry. Ik bel je wel als ik er verder over na heb kunnen denken.'

'Alstublieft. Ik ben echt niet op zoek naar roddels,' zei Joe ernstig.

'Dat zijn journalisten altijd,' lachte Guinevere. 'Ben je echt een artikel aan het schrijven over kunstprogramma's?'

'Nee,' zei Joe deemoedig. Hij vond haar te aardig om zijn leugen vol te houden.

'Dacht ik al. Maar ik zal je toch bellen.'

Hij belde ook de kostscholen. Het schoolhoofd van Abbots Park vertelde hem dat zijn voorganger uit Piers' tijd helaas was overleden, maar dat de verpleegkundige nog wel leefde en waarschijnlijk wel verhalen kon vertellen.

'Dat lijkt me geweldig,' zei Joe.

De verpleegkundige was een stevige tante die mevrouw Gregson heette. Joe kon zich niet voorstellen dat zij kleine jongetjes met heimwee had getroost. Ze kon zich alle jongens nog herinneren, iets waarop ze duidelijk trots was. Piers Windsor was aardig, maar niet sociaal, vertelde ze. 'Ook was hij niet sportief, dat helpt ook nooit. Zelfs na het eerste jaar had hij zijn draai nog niet gevonden. Hij werd geplaagd, maar dat hoort erbij. Daar word je hard van.'

'Natuurlijk,' zei Joe, die erg met de kleine Piers te doen had. 'Weet u nog of hij aan toneelstukken meedeed?'

'Ja, hij was erg goed. In zijn laatste jaar speelde hij de hoofdrol in *Toad of Toad Hall.* Hij gaf die pad een geheel eigen interpretatie en het was geweldig. Ik kan me herinneren dat hij in een van de voorgaande jaren meneer McGregor zou spelen in *Peter Rabbit,* maar dat hij vervangen moest worden omdat hij zijn tekst niet kon onthouden. Maar als Toad was hij geweldig. Zijn moeder was een charmante vrouw. Erg mooi. Ze zat over hem in omdat hij zo'n heimwee had.'

'En zijn vader?' vroeg Joe.

'O, die kwam nooit, voor zover ik me kan herinneren. En nu denk ik dat ik wel genoeg heb verteld.' Ze stond op en glimlachte streng; het interview was duidelijk afgelopen.

Het hoofd van St Luke's was niet zo behulpzaam. Hij zei dat hij Joe's verzoek in overweging nam en terug zou bellen. Drie dagen later belde Piers.

'Hoor eens, Joe, ik vind het niet fijn als je in mijn verleden zit te spitten zonder dat met mij af te stemmen. Als je iets wilt weten, kun je het mij vragen.'

'Sorry,' zei Joe, 'ik wilde echt niet...'

'Natuurlijk niet. Ik weet ook dat het vrij standaard is. Ik ben vast overdreven gevoelig. Op mezelf. Maar je wilt duidelijk meer weten. Ga met me lunchen. Wat dacht je van de Garrick Club, ergens volgende week? Donderdag?'

'Ja, graag,' zei Joe.

Hij belde Guinevere; ze was terughoudend. 'Ik heb nog eens nagedacht,' zei ze, 'en ik denk niet dat ik moet beginnen met vertellen. Ik hou namelijk nooit meer op.'

'Dat klinkt juist geweldig,' zei Joe, 'maar...'

'Nee echt, beter van niet. Sorry, Joe. Het leek me juist zo leuk je te leren kennen,'

'Dat is wederzijds. Misschien vind ik alsnog een aanleiding, Maar, eh, u wilde net vertellen waarom u dacht dat Piers mijn boek interessant zou vinden toen u naar de studio moest. Wilt u dat misschien nog vertellen?'

'Dat lijkt me nogal logisch,' zei Guinevere koel. 'Hollywood was in die tijd een en al glamour en schandalen. Dat zou hij geweldig vinden.'

'Daarom gaf u hem het boek?'

'Natuurlijk.'

'Uitstekend. Het ga u goed, mevrouw Davies.'

Hij wist wanneer hij verslagen was. Zo te horen had Piers Guinevere bewerkt.

De lunch in de Garrick was erg prettig. Mild gestemd door de anderhalve fles bordeaux die ze deelden en door wat hij had gehoord over Piers' vroege jeugd, voelde Joe meer sympathie voor hem. Hij stelde ook vast dat Piers óf homoseksueel was, óf sterke neigingen daartoe had. Joe ging prat op zijn seksuele intuïtie; hier zou hij een jaarsalaris om durven verwedden.

'Vertel eens iets over je vader,' zei hij opeens.

Totaal overrompeld wierp Piers hem een scherpe blik toe en keek toen naar beneden. Joe had een flikkering van woede in zijn ogen gezien en zette zich schrap voor verdere tuchtiging, maar toen Piers weer opkeek, glimlachte hij.

'Mijn vader was er nooit,' zei hij. 'Altijd maar aan het werk, altijd weg. Maar erg gul. Hij probeerde waarschijnlijk gewoon goed voor ons te zorgen.'

'Had je een nauwe band met hem?'

'Nee, niet echt. Helemaal niet, eigenlijk.' Dat was bijna te snel. Daar zat wel iets. 'Dat kan ook niet als je iemand bijna nooit ziet. Toen hij stierf, was ik verschrikkelijk verdrietig. Nu zou ik hem nooit leren kennen. Ik hield... wel degelijk... van hem.' De woorden kwamen moeizaam.

'En je moeder?'

'Maar natuurlijk hield ik van haar; heel veel. Ze was geweldig. Zo dapper en... vrolijk. Altijd grapjes. Ze was er altijd als ik haar nodig had. Ik had een keer een oorontsteking en ze kwam naar school en waakte de hele nacht bij me. Daar was mevrouw Gregson niet zo blij mee.' Hij lachte. 'En natuurlijk kwam ze altijd naar voorstellingen en zo. Nu is ze erg verzwakt, de arme schat, hartproblemen. Ze woont in een verzorgingshuis. '

'Dat is erg sneu.'

'Ja, ik zou niet willen dat ze lastiggevallen werd.' Zijn opmerking was niet mis te verstaan.

'Uiteraard. Eh...' Joe wilde niet laten merken dat hij naar Abbots Park was geweest. 'Wat was het eerste toneelstuk waarin je hebt gespeeld?'

'Mijn grootste glorie beleefde ik als Toad in *Toad of Toad Hall*. Toen genoot ik van mijn eerste applaus. Ik werd drie keer teruggeroepen.'

'Vond je dat zo leuk?' vroeg Joe grijnzend.

'Ik vrees van wel,' zei Piers met enige gêne. 'Het was geweldig. Acteurs zijn onverbeterlijk.'

'Je bent tenminste eerlijk,' zei Joe. 'Nog andere stukken?'

'Even kijken. Nee, niet veel. Jozef in het kerststuk. Figurant in *Peter Rabbit*, staat me bij. Dat was in de eerste jaren. De jonkies kregen geen echte rollen.'

Joe vroeg niet door over meneer McGregor. Misschien had mevrouw Gregson zich vergist.

'Erg veel dank voor de lunch,' zei Joe. Ze liepen de Garrick Club uit. 'Ik denk dat ik nu wel alles heb. Zou je het vervelend vinden als ik nog met Tabitha praat?'

'Helemaal niet. Over *The Lady*, bedoel je toch? Het is erg belangrijk, Joe, dat je duidelijk maakt dat al deze mensen alleen onder voorbehoud tekenen. De zoektocht naar de Lady is een goede publiciteitsstunt. Ik heb nog steeds niet het groene licht gekregen van de financiers. Als het doorkomt terwijl je je stuk schrijft, zal ik het laten weten. Hoe lang heb ik daarvoor?'

'O, ongeveer een week, misschien twee. Het moet ook nog worden opgemaakt. We kunnen altijd een zin invoegen. Maar goed, ik moet een smoking gaan huren bij Moss Bros. Nogmaals veel dank.'

'Ik loop met je me,' zei Piers. 'Ik wil een nieuwe jachtrok bestellen.'

'Doe jij daaraan?' vroeg Joe verrast. Piers leek niet hard of ongevoelig genoeg om van jachtpartijen te genieten.

'Soms, ja. Ik ben er niet gek op, maar ik wil niet dat mijn buren in Berkshire denken dat ik een mietje ben.' Hij lachte net iets te lang.

Joe keek hem aandachtig aan. Hij was een vreemde man, een mengsel van lichte charme, ernst en ijzeren wilskracht, als het om zijn werk ging – en grote fysieke moed, blijkbaar. Joe zou liever een week niet eten of drinken dan meedoen aan de jacht. Hij was misschien niet aardiger dan Joe had verwacht, maar hij was beslist interessanter.

Bij de deur van Moss Bros kwamen ze Chloe tegen. Ze zag er erg mooi uit in een zachtroze angorajurk, maar ze was zichtbaar in de war.

'Liefje,' zei Joe, 'wat doe jij hier in hemelsnaam? Jij hoeft toch niet in smoking naar dat bal?'

'Nee,' zei Chloe, 'maar we moeten volgende week een paar kelners in vol ornaat laten opdraven voor een dansfeest. Mevrouw Brownlowe had me gevraagd alvast wat jasjes te reserveren.'

'Juist,' zei Joe. 'Piers, je kent Chloe toch?'

'Dat klopt,' zei Piers met een lichte buiging over Chloe's hand en hij keek haar glimlachend aan. 'We hebben elkaar onder nogal... opwindende omstandigheden ontmoet, nietwaar, mevrouw Hunterton?'

Chloe bloosde.

'En waarom bestelt u jasjes voor kelners, mevrouw Hunterton?'

'O, dat is voor mijn werk,' zei Chloe. Ze leek nog steeds vreselijk zenuwachtig.

Joe kreeg medelijden met haar en legde uit wat ze voor werk deed.

'O, geweldig,' zei Piers. 'Doet u ook zakenlunches, dat soort dingen?'

'Zeker,' zei Chloe, 'dat is een van onze hoofdactiviteiten.'

'Dat vind ik interessant. Mijn impresario organiseert voortdurend lunches en de catering is altijd weer een probleem. Heeft u een kaartje of iets dergelijks?'

'Ik denk van wel,' zei Chloe. Ze zocht in haar tas en vond een nogal kreukelig, smoezelig kaartje. 'Het spijt me, dit is mijn laatste kaartje.'

'Dank u. Ik zal u vast en zeker bellen.'

'Nou, goed. Neem me niet kwalijk. Ik moet gaan,' zei Chloe. 'Dag meneer Windsor, dag Joe.'

'Charmant,' zei Piers Windsor. Hij keek haar na. 'Absoluut charmant.'

'Dat is ze,' zei Joe. Hij vroeg zich af waarom hij zich zo ongemakkelijk voelde.

Tabitha kon hem verder niets nieuws over Piers vertellen (ze bevestigde alleen stilzwijgend zijn overtuiging dat hij homoseksueel was). Eigenlijk kon ze hem nergens meer over vertellen, behalve over zichzelf. Ze was mooi, sexy, grappig en volkomen egocentrisch. Joe vond haar erg aantrekkelijk en ze gingen heel lang lunchen in Caprice (op haar aandringen); het kostte hem veel geld, want hij mocht in zijn sjofele spijkerbroek en sportjasje het restaurant niet in en moest snel bij Simpsons een nieuw pak kopen. Goed, het had stijl en het zou indruk maken op de beroemde mevrouw Levine. Toen ze om kwart over vier nogal wankel naar buiten liepen, besloot hij dat het de moeite waard was geweest.

'Ik heb zo genoten,' zei Tabitha. 'Ik had niet verwacht dat ik het zo naar mijn zin zou hebben. Maar mag ik één ding zeggen? Je bent aardig en grappig, en ontzettend sexy, maar ik vond dat je verschoten spijkerbroek je leuker stond dan dat fatterige pak.'

'Dank je,' zei Joe.

Hij was erg tevreden over zijn artikel, al vond hij het een tikje vlak. Hij dacht dat het Piers recht deed, zonder kruiperig te zijn, maar hij kreeg een telefoontje van de advocaten die hem vertelden dat er een paar hachelijke zinnen in stonden en ze vroegen hem ze te herschrijven. Verbaasd vroeg Joe wat er hachelijk aan was.

Volgens de advocaten wekte hij de indruk, hoe subtiel ook, dat Piers homoseksueel was en dat zou grond voor een rechtszaak kunnen zijn. Joe herschreef de gewraakte zinnen zorgvuldig en bedacht dat hij niet had kunnen vaststellen dat Piers Windsor samen met Brendan FitzPatrick in Hollywood was geweest, maar dat er weinig twijfel zou bestaan over zijn seksuele voorkeuren als hij er toen was geweest. Hij dankte God op zijn blote knieën dat hij Fleur niets nieuws kon vertellen en voegde als postscriptum aan zijn gebed toe dat Piers Windsor nu voorgoed uit zijn leven was verdwenen.

Hoofdstuk 13

1965–1966

'Ik ben bang dat er een paar dingen veranderen,' zei Mick diMaggio. Hij keek Fleur somber aan en opeens voelde ze zich erg misselijk. Ze werd ontslagen! Nigel had iets gezegd, of iemand anders, of ze waren erachter gekomen dat ze die keer in augustus vroeg weg was gegaan om naar het concert van de Beatles te gaan. Of Poppy had verteld dat ze vijf dollar uit de kas had geleend toen ze moest overwerken en te laat bij de bank was. Dat was gemeen. Ze had het de volgende ochtend meteen teruggelegd. Poppy was toch haar vriendin? Ze keek Mick recht aan; zo gemakkelijk gaf ze zich niet gewonnen.

'Suzy gaat weg,' zei hij. 'Heel vervelend. Ze moet zo nodig groepshoofd copy worden bij Bates. Eeuwig zonde.' Hij schudde triest zijn hoofd. 'Ik moet haar natuurlijk vervangen. Ik heb bedacht dat ik Hank Barr maar op haar plek zet. Dan zou ik er een junior copywriter bij moeten hebben. En ik dacht dat jij misschien een test zou willen doen, een tekst schrijven. We zijn tevreden over je, Fleur, en we zouden graag willen dat je hogerop kwam.'

'Verdomme,' riep Fleur. Ze kon er niets aan doen. Ze werd altijd erg grof als ze opgewonden werd. 'Verdomme.'

'Ik ben bang,' zei Mick, 'dat je het daar niet mee redt.'

Fleur slaagde voor de test; ze hoopte maar dat het niets met Nigel Silk te maken had; dat hij Mick niet had gevraagd haar een baan te geven om haar af te kopen. Ze dacht niet dat Mick een copywriter zou aanstellen aan wie hij niets had. Dior koos ook niet voor kreukvrij polyester in plaats van zijde.

Ze zag Nigel nog maar zelden. Een paar weken na Serena's optreden en haar wraakbriefje had hij haar benepen gevraagd of het goed met haar ging.

Toen had ze zeer tegen haar zin moeten zeggen dat ze niet zwanger was. Sindsdien had hij haar listig ontweken. De hele affaire had haar beeld van mannen als egocentrische, oneerlijke egoïsten alleen maar versterkt. Er waren natuurlijk uitzonderingen: haar vader, Joe, Mick misschien. Maar verder? Laat maar. Ze had wel andere dingen aan haar hoofd dan liefde: haar carrière. Ze leek op de goede weg te zijn.

Haar eerste tekst die in druk verscheen, was maar een kleine advertentie in de gezondheidsrubrieken van vrouwenbladen, maar het was woord voor woord haar tekst. Ze had het gevoel alsof ze posters in heel New York had hangen. Het middel, Prefit, voorkwam vocht vasthouden voor de menstruatie. Het was geen chic product, dat moest zelfs Fleur toegeven, maar het kon haar niet schelen.

'Neem Prefit,' schreef ze, 'en je voelt die spanning wegstromen.'

'Dat is erg goed, Fleur,' zei Mick. 'Voelt het echt zo?'

'Nou... ja, natuurlijk,' zei Fleur. 'Daarom heb ik het opgeschreven.'

'Het is een mooie tekst. En een goed concept. Slimme meid.'

Een paar weken later kwam haar grote kans: ze ging aan de slag als assistent copywriter voor een nieuwe klant, T. & J. Stores, een kleine keten van kruidenierswinkels die op zoek was naar een nieuwe merkuitstraling. Fleurs directe baas, Hank Barr, had Mick al drie strategieën aangereikt, maar Mick had ze elke keer afgewezen. Hank, die zich toch al onzeker voelde, was wanhopig. Fleur trof hem een keer tussen de middag aan achter zijn bureau met zijn hoofd in zijn handen en vroeg of hij erover wilde praten. Hank zei: 'Nee, dank je, erg aardig,' en praatte er vervolgens een hele tijd over.

'Mick zei dat ik die zaken persoonlijkheid moet geven. Ik heb de efficiënte aanpak geprobeerd, de budgetvriendelijke aanpak en zelfs de "we hebben meer dan je denkt"-aanpak. Dat vond Mick wel goed, maar daarvan zei Nigel weer dat het niet strategisch was. Sindsdien is het alleen maar bergafwaarts gegaan.'

Fleur keek hem aandachtig aan. Ze had veel van Nigel geleerd door hun gesprekken in de studio en wist precies wat hij met strategie bedoelde. Niemand koos een winkel omdat deze efficiënt of zelfs goedkoop was; dat probeerden ze allemaal te zijn. Een winkel moest een echte persoonlijkheid hebben, eentje die de klant bij zou blijven. Er moest iets herkenbaar anders aan zijn; ook al was dat het feit dat het er minder opgeruimd was dan elders. 'Het antwoord zit in het product. Als je maar hard genoeg zoekt, vind je het altijd.' Blijkbaar had Hank nog niet hard genoeg gezocht.

'Ik heb het,' zei Fleur. Ze was zo opgewonden dat ze er misselijk van werd.

Hank keek haar bedachtzaam aan. 'Wat heb je?' vroeg hij.

'De strategie. En misschien zelfs de slogan. Voor T. & J. Luister. "De winkel die kleiner is dan hij lijkt."'

'Wat? Maar Fleur, dat klinkt niet echt slim.'

'Je bent zelf niet slim,' zei Fleur ongeduldig. 'Hank, ik heb gisteren de hele middag in een T. & J. rondgelopen. Er kwam een vrouw binnen en de eigenaar vertelde haar dat haar zoontje te hard reed op zijn skateboard. Toen zei ze dat hij de functie had van een buurtwinkel.'

'Dus?' vroeg Hank niet-begrijpend.

'Zie je dan niet hoe spannend dat is? Een echt concept. Het geeft T. & J. een warm Amerikaans verhaal om te vertellen. Achter de façade van de supermarkt schuilt nog steeds een echte, ouderwetse winkel.'

Hank keek haar nadenkend aan. Toen pakte hij opeens zijn pen op en begon te schrijven. 'Fleur, je hebt me misschien op een idee gebracht. Haal je even koffie?'

'Geen enkele moeite,' zei Fleur en ze stampte boos de kamer uit.

De presentatie was een week later. Er kwamen vier bonzen van T. & J.; Mick, Nigel en Hank waren erbij, Bobby Wilson, die de contacten met T. & J. onderhield, was erbij zijn en Fleur was erbij als Hanks assistente. Ze was opgewonden, nerveus. De avond ervoor was ze uren bezig geweest met de vraag wat ze aan moest. Uiteindelijk koos ze voor een nieuw zwart pakje met een grijze kasjmier trui. Ze vond het leuk kleren die ze van Nigel gekregen had te dragen tijdens vergaderingen. Het maakte hem een beetje nerveus. Ze droeg ook altijd het Gucci-horloge dat ze van hem had gekregen. Het was een soort wraak, klein maar fijn. Op een dag, beloofde ze zichzelf, zou ze iets beters bedenken.

Ze luisterde met ontzag naar Micks presentatie, wilde dat hij nooit meer ophield.

'Persoonlijkheid,' zei hij. 'Het is zo ondefinieerbaar, vindt u niet? We willen het allemaal hebben. Die eigenschap die maakt dat mensen je onthouden, je opmerken, weten dat je er bent. Ik wil het in elk geval wel.'

Alsof hij het niet al had, dacht Fleur, die haar ogen niet van hem af kon houden.

'Elk bedrijf wil persoonlijkheid hebben. Elk bedrijf droomt ervan dat zijn merknaam een persoonlijkheid wordt, zoals Schweppes, zoals Volkswagen. En weet u waarom? Niet alleen om de winst, al is dat ook heel prettig. Maar ook om deel uit te maken van het nationale bewustzijn, een begrip te worden, voor bijna iedereen betekenis te hebben. Dat is nog eens iets. Dat is roem. Een soort onsterfelijkheid. Wij denken dat jullie dat kunnen bereiken met jullie winkels. Zo'n sterk concept hebben we voor jullie. Iets wat zich in de verbeelding van mensen nestelt, zodat ze naar jullie winkels komen, ook al moeten ze ervoor omlopen. Hank, wil jij het overnemen?'

Hank nam het over. Hij presenteerde Fleurs gedachtegang, Fleurs concept, Fleurs slogan. Na aanvankelijke aarzeling ging T. & J. mee. Silk diMaggio kreeg het account. Hank Barr nam iedereen mee uit en iedereen werd dronken.

Fleur zat laat die avond aan haar bureau, bijna ondraaglijk gekwetst door het feit dat Hank haar op geen enkele manier zijn erkentelijkheid had laten blijken, toen Mick diMaggio terugkwam, haar omhelsde en zei dat ze haar neus moest snuiten.

'Ik vind dat Hank zich vandaag erg hufterig heeft gedragen. Als zijn geluksroes is gezakt, zal ik hem dat vertellen ook. Je moet bedenken dat hij weinig talent heeft. Dat maakt mensen erg onzeker. Veeg je tranen weg. Ik heb een voorstel. Ik wil een vrouw in de juiste leeftijdsgroep op Juliana. Er zit al een groot team op, maar nu die jeugdcultuur steeds groter en belangrijker wordt, denk ik dat jouw inbreng waardevol zou zijn. Ik beloof je hiermee niet de herfstcampagne, hoor, alleen hier en daar een stem in het kapittel. Wat vind je ervan?'

'Verdomme,' zei Fleur. Ze was zo verbaasd en opgewonden dat ze niets anders kon uitbrengen.

'Daar red je het ook deze keer niet mee, liefje,' zei Mick. Hij ging staan en keek grijnzend op haar neer. 'We hebben maandag een belangrijke vergadering met Julian Morell, vooral om de lentepromoties te bespreken. Kom ook maar en trek dan dat zinnenprikkelende korte rokje aan dat je vandaag aanhad. Julian houdt van mooie meiden.'

Fleur vond Julian Morell de meest opwindende man die ze in haar hele leven had ontmoet. Hij was een Engelse aristocraat, met het raffinement, de charme en het beschaafde zelfvertrouwen van Nigel, maar tegelijk met een warmte en een gevoeligheid die Nigel niet bezat. Hij was lang en slank, met donker haar en erg donkere ogen en toen ze aan hem werd voorgesteld als het nieuwste lid van het Juliana-team, nam hij haar hand en boog er licht over heen. Zijn ogen waren warm, onderzoekend en op de een of andere manier uitnodigend tegelijk. Fleur zou zich maar al te graag toestaan uitgebreid over hem te fantaseren als ze niet had geweten hoe kleurrijk zijn privéleven was: gescheiden van zijn eerste vrouw en nu verwikkeld in een knipperlichtrelatie met de verbijsterend mooie Camilla North, de creatief directeur van zijn bedrijf. Hij had affaires met de modellen uit zijn advertenties. Hij was een geweldige cliënt ('Die zijn zeldzaam, liefje, zoals je weet,' zei Mick) en een grote aanwinst in haar leven.

Het werk aan Juliana nam veel van haar tijd in beslag. Zoals bij alle cosmeticabedrijven waren er het hele jaar door productintroducties. Het team kreeg onophoudelijk proefmonsters toegestuurd om uit te proberen, bekend mee te worden, commentaar op te geven, mee te werken. Toen ze in november op het account kwam, moesten er zomercampagnes worden gepland, kleuren voor de volgende herfst worden besproken, geuren worden ontwikkeld voor de kerst daarna.

De meeste tijd werkte ze natuurlijk niet aan de reclameteksten, maar schreef ze teksten voor de verpakkingen en de displays. Maar ze ervoer bijna lichamelijk hoe haar zelfvertrouwen en haar vakkundigheid toenamen. En haar opgewonden plezier in haar werk week geen seconde.

'Ik zeg dit niet vaak,' zei Mick, 'maar het lijkt wel of je hier aanleg voor hebt.'

'Er is nog iets wat je niet vaak zegt,' zei Fleur. 'Dat is: wil je opslag?'

Mick lachte en zei dat ze gelijk had, dat zei hij inderdaad niet vaak en dat zou hij nu ook niet doen. Twee weken later kreeg ze alsnog opslag en kon ze op zoek gaan naar een eigen appartement.

Ze vond haar eigen appartement zes weken later, een kleine zolderetage aan de Upper West Side, tussen Amsterdam en Columbus Avenue, op loopafstand van Zabars Deli. Eigenlijk was het geen echt appartement, maar een grote kamer, met een badkamertje aan de ene en een keukentje aan de andere kant. Er was geen verwarming of airconditioning en de warmwatervoorziening was op z'n zachtst gezegd primitief: of het was zo heet dat je je eraan brandde, of het was zo koud dat het amper de moeite waard was. Het appartement was extreem koud toen ze ernaar kwam kijken en ze kon voorspellen dat het er binnen een paar maanden extreem warm zou zijn. De buurt was kleurrijk, lawaaiig, etnisch gevarieerd, vergeven van de huilende baby's, vechtende jochies, harde muziek laat op de avond, flink wat misdaad – en vriendelijke gezichten. Haar hospita, Mary Steinberg, was de uitgeputte moeder van vijf kinderen onder de zeven jaar, getrouwd met een beroepssaxofonist die gemiddeld twee dagen per maand werkte. De Steinbergs waren meteen gek op Fleur. Ze nodigden haar uit voor hun familiefeestjes op de vrijdagavond, verontschuldigden zich onophoudelijk voor de huilende baby's en de saxofoon. Het kon Fleur helemaal niets schelen, het was haar huis, haar thuis en ze was nog nooit zo gelukkig geweest.

Het eerste weekend schuurde en verniste ze samen met Edna's echtgenoot de vloer. Kate, die het echt vreselijk vond dat ze wegging, haalde de oude naaimachine van Kathleen tevoorschijn en naaide gordijnen van fijn netel-doek voor de zomer en zware wollen gordijnen voor de winter. Ze ging naar de rommelmarkt in Greenwich Village en kocht kleden voor op de vloer, een grenen kastje, een ovale spiegel op een voet en een victoriaanse porseleinen lampetkan met waskom. Ze kocht een kledingrek uit de failliete boedel van een modehuis en hing afgedankte schetsen op die ze uit de prullenbakken van het bureau had gevist (met Poppy's toestemming). Ze gaf alleen veel geld uit aan haar bed, dat ze nieuw kocht bij Macy's. Fleur sliep slecht en haar enige hoop op een redelijk aantal uren vergetelheid hing nauw samen met een goed bed. Op een van de rommelmarkten vond ze een gescheurde patchworkquilt en ze vroeg Maureen, die handig was met naald en draad, hoe ze deze kon repareren. Ze stelde zich ten doel één lapje per week te vervangen, maar het was langzaam, moeilijk werk. Ze werd ongeduldig toen ze na drie maanden nog maar twee lapjes had vervangen. Het leek weinig uit te maken; het zag er nog steeds geweldig uit. De hele kamer zag er geweldig uit; ze was er vreselijk trots op.

'Kan ik zaterdag mijn broer meenemen naar je feestje?' vroeg Poppy. 'Hij lijdt aan een gebroken hart; misschien kun jij hem opfleuren.'

'Natuurlijk,' zei Fleur. 'Er bestaat een kans dat we uit de kamer barsten, maar hij is meer dan welkom. Ik wist helemaal niet dat je een broer had, Poppy. Hoe heet hij?'

'Reuben, helaas,' zei Poppy. 'Onze ouders hadden nogal absurde ideeën over namen. We hadden liever Mary en Mike geheten of zoiets, maar ja, zo word je tenminste niet snel vergeten.'

'Neem hem toch maar mee.' Fleur lachte tevreden. Ze had zin in haar housewarmingparty.

'Hij is niet erg spraakzaam,' zei Poppy, 'ik zeg het maar vast.'

'Ik hou wel van rustige mensen,' zei Fleur met plotselinge weemoed in haar stem. Joe was rustig.

Ze had veel te veel mensen uitgenodigd; ze zaten met tweeëntwintig man in haar hete, volle kamer. De vloerplanken kraakten onheilspellend en iedereen morste drank over elkaar doordat ze zich amper konden bewegen. Maar toch was het leuk. Saul Steinberg kwam een tijdje op zijn saxofoon spelen, op de overloop, zodat ze niet doof werden – 'Livemuziek, liefje, wat chic,' zei Poppy – en nodigde hen uit om beneden in de keuken koffie te komen drinken. Iedereen stommelde naar beneden en Fleur belandde naast Reuben op de keukenvloer. Ze had amper vijf woorden met hem kunnen wisselen. Hij was ontstellend aantrekkelijk; ze had één blik op hem geworpen en bedacht dat de oplossing voor een van haar mindere, zij het dringende problemen, acute seksuele behoeftigheid, in zijn handen kon liggen. Letterlijk, dacht ze grijnzend.

Hij was erg lang en bijna te mager; hij had slungelige armen en benen, met grote benige handen, hij had donkerblond haar en zijn ogen hadden een kleur die ze alleen kon omschrijven als 'modder'; zijn gezicht zat onder de sproeten en als hij lachte, wat zelden voorkwam, liet hij scheve tanden zien.

'Wat doe je?' vroeg ze aan hem en ze reikte hem een dampende mok aan. Hij zuchtte en zei dat hij displays ontwierp voor Bloomingdale's; een hele tijd later zei hij erachteraan dat het afschuwelijk werk was. Wat was er zo afschuwelijk aan, vroeg Fleur. Hij antwoordde dat hij dat niet zo goed wist en verzonk daarna in een somber stilzwijgen waar hij de rest van de avond niet meer uit kwam. Kort na twaalven gingen Poppy en hij weg; hij gaf Fleur een hand en zei dat het een interessante avond was geweest.

'Ik vrees dat je broer me niet mag,' zei ze maandagochtend tegen Poppy.

'Hoe kom je erbij?' zei Poppy. Reuben had gezegd dat hij het erg leuk vond met haar te praten.

'Maar hij praatte niet,' zei Fleur een beetje geërgerd. 'Hij heeft de hele avond maar iets van twintig woorden gezegd.'

'Fleur,' zei Poppy, 'dat is voor Reuben heel erg veel.'

'Zelfs als hij niet diepbedroefd is?'

'Zelfs dan. Hij zit inmiddels nog dieper in de put. Het meisje heeft definitief met hem gebroken. Gisteren heeft hij de hele dag op zijn bed naar het plafond liggen kijken. Hij is erg emotioneel.'

'Mooi,' zei Fleur. Haar zeer beperkte ervaring had uitgewezen dat emotioneel gelijkstond aan goed in bed.

'Spreek ik met Fleur?'

'Ja, met Fleur.'

'Aha.'

Toen was het een hele tijd stil. Fleur wachtte, kuchte en zei: 'Ja?'

Ze wilde bijna neerleggen toen de beller zei: 'Met Reuben Blake.'

Toen was het weer een hele tijd stil. Fleur glimlachte. 'Ja, Reuben?'

'Ik heb kaartjes voor een kunstexpositie in de Village.'

'Wat leuk,' zei Fleur. Ze was niet van plan het gemakkelijk voor hem te maken.

Na nog een lange stilte vroeg hij: 'Wil je mee?'

'O ja,' zei Fleur met een nog bredere glimlach, 'ja, Reuben, graag.'

Ze spraken af op Village Square. Hij kwam tien minuten te laat aansjokken, zijn ledematen leken onafhankelijk van elkaar te bewegen, zijn haar zat in de war. Fleur besefte met een steek van pijn waarom ze hem meteen zo graag had gemogen: hij deed haar aan Joe denken.

Niet dat hij zich als Joe gedroeg; Joe praatte, maakte grapjes, luisterde, leefde mee. Reuben was er gewoon. Hij begroette haar niet eens, maar knikte, glimlachte, zei: 'Sorry,' en wees naar een kleine galerie aan 7th Avenue. Fleur nam zich geamuseerd voor niet te praten voordat hij iets zei en liep met hem mee naar de galerie. Het was een tentoonstelling van primitieve kunst uit het begin van de eeuw. Fleur liep langzaam rond, verrukt, in de ban van de betovering, de onschuld van de tentoongestelde objecten. Reuben was ze half vergeten. Ze bleef vooral lang staan bij een schilderij van een prairie, veel tinten geel en blauw, met een piepklein rood huis in het midden. Reuben had zijn ronde allang gelopen en liep nu kriskras de galerie door. Opeens dook hij naast haar op. 'Mooi?'

'Prachtig,' zei Fleur. 'Het is op de een of andere manier... zo tevreden.'

'Dat zal wel,' zei Reuben en hij verdween weer. Toen ze alle schilderijen had bekeken, zag ze hem buiten staan, in de avondzon. Ze liep naar buiten en keek glimlachend, ietwat uitdagend naar hem omhoog; na iets van zestig seconden stapte ze van haar voornemen af en vroeg: 'En nu?'

'Je zult wel honger hebben,' zei Reuben en ze zei dat dat klopte. 'Zin in pizza?' vroeg Reuben en ze zei: 'Ja, nou en of.' Dus liepen ze naar Ray's Pizza, bestelden voor ieder een pizza en aten deze staande op. Fleur dacht steeds maar: nu zal hij toch wel iets zeggen, maar dan bleef hij nog zwijgen.

'Ik breng je thuis,' zei hij, toen ze hun pizza ophadden, en ze zei, nee, nee, dat hoefde niet, maar hij drong aan en ze pakten de metro. Hij zat naast haar en glimlachte af en toe een beetje vaag. Ze stapten uit bij 79th Street en liepen haar straat in. Er liepen veel mensen ondanks de kou en ze hoorden de grillige tonen van Sauls sax. Opeens glimlachte hij en zei: 'Hé, je woont hier echt erg leuk.' Toen zei hij: 'Fijne avond,' en hij liep op zijn gemak weg, voordat ze de kans had gekregen hem te bedanken.

Ze ging slapen in de volle overtuiging dat de hele avond een ramp was geweest. De volgende ochtend kon zelfs Poppy haar niet geruststellen – hij was altijd zo, altijd rustig en hopeloos verlegen – en zat ze lang naar het lege vel in haar typemachine te kijken. Ze probeerde iets grappigs en interessants te schrijven over vloeibare eyeliner, ervan overtuigd dat ze gedoemd was de rest van haar leven zonder mannen door te brengen. Toen ging de telefoon. Het was de galerie waar ze de avond ervoor waren geweest. 'We willen even zeker weten, mevrouw FitzPatrick, dat we inderdaad het juiste schilderij voor u hebben klaarstaan.' Ze zei dat ze zich moesten vergissen, dat ze geen schilderij had gereserveerd of betaald en ze zeiden, ja hoor, er stond er één, dat *Prairie* heette en in haar naam was betaald, met het telefoonnummer van Silk diMaggio als contactnummer. Klopte dat? Ze hadden ook een schilderij dat *Prayer* heette. Ze zouden haar liever niet het verkeerde schilderij bezorgen.

Fleur zei dat het klopte en liep naar Poppy om haar te vertellen wat Reuben had gedaan. Poppy zei dat hij het blijkbaar erg naar zijn zin had gehad. Toen ging Fleurs telefoon opnieuw en nu was het Reuben, die haar vertelde dat hij er gisteravond zo van had genoten om met haar te praten, dat het zo bijzonder was dat hij een meisje had leren kennen met wie hij kon praten en dat hij graag weer met haar wilde afspreken. Had ze vanavond iets te doen?

Fleur zei van niet.

Een soort liefde, dacht ze. Zeker seks en seksueel verlangen; in de lange stiltes van die avonden konden ze elkaar aan zitten kijken en werd hun honger bijna tastbaar. Hij had haar voor het eerst gekust nadat ze drie keer uit waren geweest. Ze waren naar de bioscoop geweest om *Dr Zhivago* te zien (Fleur al voor de derde keer, maar ze kon er nog steeds plezier en verrukking voor opbrengen) en gingen daarna naar een restaurant in Little Italy. Terwijl ze zaten te eten, zei Reuben opeens: 'Ze is mooi, Julie Christie,' en Fleur zei: 'Jazeker, maar Omar Sharif ook.' Hij glimlachte naar haar en zei: 'Ik vind jou ook mooi,' en dook weer in zijn bord *tagliatelle al forno*. Fleur was zo verbaasd dat ze bijna geen hap meer door haar keel kreeg. Zoals altijd bracht hij haar zwijgend thuis en op de trap van nummer drieëndertig draaide hij haar gezicht naar het zijne en zei: 'Ik meen het, je bent mooi,' en hij boog voorover en kuste haar. Zo was ze nog nooit gekust. De kus bereikte elk hoekje van haar lichaam. Ze voelde hem in haar keel en haar borsten, in haar rug en, o god, in haar bekken, en ze voelde hem in haar benen, in haar hoofd en in haar hart. En toen de kus voorbij was, keek ze omhoog en zei: 'Ik wil je heel erg, ontzettend bedanken voor het schilderij. Ik wist eerder niet of ik je kon bedanken,' en hij zei dat ze haar verdomme niet hadden moeten bellen, maar gewoon na afloop van de tentoonstelling het schilderij hadden moeten bezorgen bij het reclamebureau. Ze was zo overdonderd doordat hij zo lang praatte dat ze glimlachte en hem opnieuw kuste.

'Nou,' zei hij, 'ik moet gaan,' en hij verdween in telgang de straat uit zonder om te kijken. Ze keek hem na, aangedaan en verlangend, maar ook blij en triomfantelijk.

Ze deed nu alle verpakkingsteksten voor Juliana. Niet wereldschokkend, geen teksten waarmee je onderscheidingen won, maar toch belangrijk. Ze had Julian gevraagd of ze een paar dagen bij een van de verkooppunten van Juliana mocht werken, zodat ze beter begreep waarnaar vrouwen zochten als ze cosmeticaproducten kochten. Julian vond het geweldig en zorgde ervoor dat ze bij Bergdorf's kon werken. Door daar te staan en geconfronteerd te worden met rijke, veeleisende ijdele vrouwen, die ze niet alleen beleefd, maar ook eerbiedig te woord moest staan, leerde ze dat ze vooral gevleid wilden worden, wilden horen dat de cosmetica die ze kochten hooguit een versiering, een aanvulling vormden voor een toch al aantrekkelijk uiterlijk. Dat verwerkte ze in elke tekst die ze schreef. 'Second Look foundation flatteert en accentueert de mooie huid waarmee je bent geboren'; 'Skim-on oogschaduw neemt de zachte textuur van jouw oogleden aan'.

Julian was er erg blij mee; het was zo'n simpel idee, zei hij, maar het was precies goed. Hij vroeg Mick uit te zoeken of het kon worden uitgewerkt tot een aparte campagne.

'Tuurlijk,' zei Mick. 'Bella, liefje, wat vind jij ervan?'

Bella Buchanan was de artdirector van het account; ze was blond met babyblauwe ogen en zag eruit als een engel. Ze had een gruwelijke hekel aan Fleur. Waarom wist Fleur niet.

'Natuurlijk zou dat geweldig zijn,' zei Bella met een perfecte glimlach richting Julian. 'Ik heb het concept immers zelf aan Fleur voorgesteld toen ze me vertelde over haar ervaringen bij Bergdorf's. Ik ben alleen maar blij dat je er tevreden mee bent.'

'Dat...' begon Fleur en ze viel stil, beet op haar liep en zei: 'Dat is inderdaad waar.'

Aan het eind van die middag kwam Mick naar haar toe. 'Dat waren mooie teksten,' zei hij. 'Kwam Bella echt met dat idee?'

'Wat denk je zelf?' vroeg Fleur.

'Braaf,' zei Mick en hij klom weer in zijn arendsnest. Vijf minuten later klonk Stravinsky door het kantoor; Mick bevond zich blijkbaar in het pijnlijke voorstadium van een nieuwe campagne.

'Weet jij waarom Bella zo'n hekel aan me heeft?' vroeg Fleur die avond aan Poppy. Ze stonden dia's uit te zoeken na afloop van een presentatie.

'Waarschijnlijk gewoon jaloezie,' zei Poppy. 'En niet alleen beroepsmatig.'

'Pardon?'

'Fleur, zij was Nigels vriendinnetje. Voordat jij... daarom is ze erg jaloers op je.'

'O,' zei Fleur, 'juist. Eh... weet iedereen het?'

'Bijna niemand. Ik weet het alleen omdat ik nu eenmaal alles weet. Ik denk dat Mick het ook wel weet. Maar daar blijft het wel bij. Nigel is erg discreet. Hoor eens, het maakt niet uit. Het was moeilijk en je hebt het goed aangepakt. Hoe dan ook, Bella ging je voor. Het is heel lang aan geweest. Ik dacht, en Mick met mij, dat het weleens echt iets kon worden. Maar... nou ja, Serena heeft de wind eronder. Ze zijn nog steeds... hoe zal ik het zeggen... erg op elkaar gesteld.'

'Zijn er echt zoveel?'

'Echt. Hoewel er na jou niemand meer is geweest. Dat moet je goed doen. Bijna een jaar en Nigel is nog steeds niet van bil gegaan.'

'Dat zal wel meevallen,' zei Fleur bitter.

'Met Serena? Dat had je gedacht.'

Fleur lachte. 'Wie weet. Had ik maar geweten dat jij het wist. Dan had ik kunnen praten. Was ik er sneller overheen gekomen.'

'Zoals jij het deed, was het beter. Praten helpt niet altijd. Hoe dan ook, daarom heeft Bella zo'n hekel aan je. Bovendien ben je jong en mooi en heb je nog enig talent ook.'

'Dat zeg je zeker ook tegen de andere meisjes,' giechelde Fleur.

Ze begon naar Reuben te verlangen. 'Is hij altijd zo langzaam?' vroeg ze aan Poppy.

'Komt voor,' zei Poppy vaag. Soms was ze net zo zwijgzaam als haar broer.

Uiteindelijk was het een andere zwijgzame man, Buster Keaton om precies te zijn, die hen indirect bij elkaar bracht. Ze hadden in de metro gezeten, op weg naar haar appartement, en ze had in een achtergelaten krant gelezen dat Keaton was overleden.

'O, wat is dat nou triest,' zei ze. 'Ik was zo gek op hem. Jij vindt hem vast ook geweldig.'

'Goed, vertel dan maar waarom ik Buster Keaton zo geweldig zou vinden.' Reuben brak in in haar gedachten.

'Hij zei ook nooit iets,' zei Fleur glimlachend. 'Joe vindt hem ook goed,' zei ze er gedachteloos achteraan. Ze herinnerde zich dat Joe dat had verteld toen ze door Hollywood reden.

'Wie is Joe?'

'O,' zei Fleur snel, bang om het uit te leggen, voor de vragen die dat opriep, 'iemand die ik ken.'

'Is dat alles?'

'Ja,' zei ze en doordat ze zich in haar krant begroef, zag ze de uitdrukking op zijn gezicht niet.

Toen ze bij Amsterdam aankwamen, bracht hij haar thuis, zei: 'Welterusten' en hij liep weg.

'Reuben,' riep ze geschrokken. 'Reuben, wat is er?'

'Niets,' zei hij en hij liep door.

Fleur rende achter hem aan. 'Reuben, alsjeblieft! Heb ik iets verkeerds gezegd?'

'Er is duidelijk al iemand anders en ik wil je niet delen,' zei hij alleen en hij wilde alweer verder lopen. Het was de langste zin die ze hem tot nu toe had horen zeggen.

'O!' zei Fleur en ze keek naar zijn rug en zijn hangende hoofd en er ging een steek van vreugde en verlangen door haar hele lichaam, zo scherp en zo duidelijk dat het bijna pijn deed. Ze raakte zijn lange, magere rug aan en zei: 'Reuben, niet weggaan. Er is niemand anders. Echt niet. Ik wil graag dat je blijft.'

Hij draaide zich weer om en keek haar aan. Het enige wat ze in zijn gezicht, in zijn ogen kon lezen, was seks, rauw, begerig; hij nam haar gezicht in zijn handen en kuste haar, heel hard, anders dan alle voorgaande keren.

'O god,' zei hij alleen. Ze pakte zijn hand en alsof ze vluchtten voor een vreselijk gevaar renden ze het huis in en de trap op, haar appartement in. Ze stond in de deuropening naar hem te kijken, terwijl ze zwaar ademhaalde. Hij duwde haar jas van haar schouders en gleed met zijn handen onder haar trui omhoog. Ze voelde hoe zijn duimen haar tepels masseerden, kreunde zacht en liep achteruit, heel langzaam en heel voorzichtig, naar het bed. Ze ging liggen, trok in een snelle, vreugdevolle beweging haar trui uit en lag met open armen voor hem.

'Verdomme,' zei hij. 'Verdomme, wat ben je mooi.' Met één hand streelde hij haar gezicht, terwijl hij met de andere zijn rits opentrok en probeerde zijn spijkerbroek uit te trekken. Toen knielde hij aan het voeteneind, kuste haar borsten, plaagde de tepels met zijn tong en ze kreunde weer en zei: 'Wacht, wacht,' en zij trok haar rok en slip uit. Hij ging iets rechter zitten, keek naar haar en trok zacht en teder haar benen uit elkaar om haar daar te kussen, te likken, tussen haar schaamhaar te zoeken naar haar clitoris, zijn handen om haar billen gevouwen, en ze voelde hoe hij zijn bestemming bereikte, voelde hoe heet ze werd, voelde zich smelten, duwde zich tegen hem aan, uit schrijnende honger. Hij ging door, bewerkte haar en ze voelde dat ze ging klaarkomen maar wilde het niet, niet nu, op deze manier. Ze duwde zijn hoofd achterover en zei: 'Alsjeblieft, in me, nu.' Hij stond op, keek naar haar en ging toen voorzichtig op haar liggen. Ze voelde zijn penis tegen haar vagina duwen en toen zijn reis naar binnen beginnen, steeds verder naar haar diepste binnenste. Hij was erg groot, vulde haar steeds meer, steeds dieper. Ze voelde, leek bijna te kunnen zien hoe nieuwe plekken, nieuwe grenzen zich in haar ontvouwden en ze bewoog zich niet, lag hem alleen maar te verkennen, terwijl hij haar verkende. Opeens zei hij: 'Kijk naar me. Nu. Snel,' en ze deed haar ogen open en keek in de zijne, zag een nieuwe naaktheid die ze nog niet kende, niet had willen kennen, een blik van absolute overlevering, totale kwetsbaarheid; terwijl ze naar hem keek, voelde ze haar hoogtepunt beginnen en ze bewoog, voorzichtig, naar hem toe, voelde zijn hitte op de hare. Hij zei: 'Lig stil. Helemaal stil,' en hij begon zelf te bewegen, eerst zo langzaam en teder dat ze het amper kon voelen, maar toen sneller, harder en hij leek in haar een heel nieuwe plek aan te raken en ze klom verder en verder omhoog in een verblindend zoet genot dat maar doorging, elke golf sterker dan de vorige, en ze kon horen hoe ze het uitschreeuwde in vreemde wilde gillen van genot en hij was daar ook, zei heel hard: 'Verdomme, wat ben je mooi,' en begon klaar te komen in sterke ritmische schokken. Ze lag met gekromde rug, haar hoofd achterover, en greep de zijkanten van het bed vast, bijna bang voor het genot dat hij haar gaf en voor haar vermogen het te voelen.

Na afloop lagen ze heel lang stil; hij trok de quilt over hen heen, omarmde haar, legde haar hoofd op zijn schouder en kuste haar haren. Ze zei niets, helemaal niets, maar glimlachte naar hem. Toen ging hij opeens rechtop zitten en zei: 'Ik moet plassen.' Ze lachte en zei: 'Daar.'

Toen hij terugkwam, leek hij weer meer op de Reuben die ze kende, onhandig en hoekig, met een scheef lachje. 'Wat ben je toch grappig,' zei ze.

'Hoezo?'

'De meeste mensen praten niet als ze vrijen, maar jij praat meer dan je anders doet.'

'Ik weet het,' zei hij. 'Ik heb gewoon meer te zeggen.' Hij ging weer naast haar liggen.

'Hou je niet van praten?' vroeg ze nieuwsgierig. 'Of zie je gewoon het nut er niet van in?'

'Ik zie het nut wel,' zei hij, 'maar ik kan de juiste woorden niet vinden.'

'Misschien oefen je gewoon niet genoeg,' zei ze kordaat. 'Ik wil je wel wat lessen geven.'

'Ik vind het juist prettig dat je niet hebt geprobeerd me aan de praat te krijgen,' zei hij bedachtzaam. 'De meeste meisjes blijven maar vragen stellen. Daar word ik zenuwachtig van.'

'Word je snel zenuwachtig?'

'Heel snel.' Hij keek weer naar haar en vroeg: 'Ga je het me nu vertellen? Wie Joe is?'

'Nou... hij is een vriend. Het is nogal... ingewikkeld. Maar het was niet wat je denkt. Vind je het erg als ik het je niet vertel?'

'Nee,' zei hij na een lange stilte. 'Het enige wat ik echt erg vind, zijn leugens. Ik ben echt bang voor leugens. En voor onvriendelijkheid.'

'O,' zei Fleur. Ze keek hem nadenkend aan. Als ze een nauwere relatie aangingen, zou ze hem er toch een paar moeten vertellen.

Hoofdstuk 14

1966

'Ik ben op zoek naar mevrouw Chloe Hunterton.'

Hé, dacht Chloe, volgens mij ken ik die stem. 'Ja, daar spreekt u mee.'

'Chloe, met Piers Windsor. Misschien herinner je je me nog?'

'O... ja, natuurlijk. Hoe gaat het?'

'Ik zit in een lastig parket. Het spijt me dat ik je thuis bel, maar een aardige dame op je werk gaf me je telefoonnummer. Ik wil morgen graag een lunch laten verzorgen bij mijn impresario op kantoor. Een ander cateringbedrijf heeft ons laten zitten. Zou jij kunnen, denk je?'

'Nou,' Chloe aarzelde. 'Voor hoeveel personen?'

'Tien.'

'O, juist. Klein gezelschap. Het punt is, meneer Windsor, dat mevrouw Brownlowe momenteel in Schotland een debutantenbal verzorgt.'

'En jij dan? Jij zou toch wel iets kunnen regelen?'

Hij is gek, dacht Chloe, ik heb nota bene wijn op zijn pak gemorst. 'Ik? Maar...'

'Ja?'

Opeens vatte ze moed; natuurlijk kon ze dat. Ze had het wel vaker gedaan. En hij was zo aardig, zo charmant, het werd vast leuk. 'Ja, dat zal wel gaan,' zei ze. Ze had het gevoel alsof ze pijlsnel in een lift naar beneden suisde en haar maag in haar keel zal. 'Als mevrouw Brownlowe akkoord gaat. En ik moet de menu's en dergelijke natuurlijk met haar afstemmen, maar ik heb al eerder kleinere lunches verzorgd.'

'Mooi. Ik heb het volste vertrouwen in je. Volgens je stiefvader ben je een genie. En hij zei dat ik vooral moest vragen naar je chocolademousse.'

Aha, hij had dus navraag gedaan. Wel zo verstandig. 'Eh... wat voor soort lunch wilt u?'

'O, iets kouds. Dat lijkt me prima. Zalm of zoiets. We hebben enkele potentiële investeerders uitgenodigd.' De lift leek nog sneller naar beneden te gaan. Chloe deed even haar ogen dicht, dat deed ze altijd als ze probeerde te kalmeren. 'Goed,' was alles wat ze zei.

Om zes uur 's morgens stond ze in de keuken met Sarah, het nieuwe meisje. Minty, de meer ervaren hulp, was met Jenny Brownlowe op pad. Ze had amper geslapen en bij het aankleden hadden haar handen zo getrild dat ze een nagel had gescheurd en een rits stuk had getrokken, maar zoals altijd was ze kalm zodra ze de keuken binnenstapte.

'Goed. Ik dacht aan koude kip-kerrie. Dat is gemakkelijk. En we beginnen met vegetarische miniquiches. Verschillende soorten interessante salade en chocolademousse toe. Op speciaal verzoek. Er is niets moeilijks aan en er kan onderweg niets mis mee gaan. Als jij met het deeg begint, maak ik de mousse. Gelukkig hadden we veel te veel kip voor dat bal.'

'Eh... Chloe,' zei Sarah, 'ik ben bang dat de kip bedorven is.'

'Nee, dat kan niet.'

'Toch is het zo. Ruik maar.'

'O god, dan moet ik meteen naar Smithfield.'

'Ik zou maar opschieten. De ochtendspits kan elk moment beginnen.'

'O jee,' zei Chloe, 'dit is niet leuk meer.'

Dat was nog maar het begin. Chloe kwam vreselijk in de file te staan, toen gooide Sarah de quiches die ze net had gemaakt op de grond. De room voor de mousse klonterde en toen ze uiteindelijk weg konden, had Chloe's auto een lekke band.

Uiteindelijk stapten ze in een taxi met minder dan een half uur speling. Het eten zat in dozen en aluminium bakken. De taxichauffeur was gemoedelijk, maar somber. 'Er is een of ander staatsbezoek. In het centrum staat alles stil. Dat redden we nooit in een half uur.'

'Het moet,' zei Chloe. 'Het kan niet anders.'

'Gaat u maar bidden,' zei de taxichauffeur.

'Dat heeft vast geen zin. We hebben de hele dag al pech.'

'Met de ondergrondse zou u er sneller zijn, tot Holborn, en dan een taxi.'

'Maar... o, best. Toch bedankt.'

De ondergrondse denderde voort: Earl's Court werd Knightsbridge, Hyde Park Corner. 'Volgende halte Green Park,' zei Chloe tevreden. 'Vier haltes tot

Holborn.' De trein stopte. Pakweg twee minuten gebeurde er helemaal niets. Toen hoorden ze de motor loeien. De trein schudde, maar viel weer stil. Chloe voelde hoe het zweet op haar voorhoofd uitbrak; de paniek balde samen in haar keel. Ze zou het liefst gaan schreeuwen. Ze omklemde haar dozen en sloot haar ogen. Het was tien voor twaalf. Niets kon haar nu nog redden.

Ze liepen de hele trein door, achter de bewaker aan. De cabine van de bestuurder stond ter hoogte van het eind van Green Park. De bewaker stapte naar binnen, fluisterde de man iets in het oor; hij luisterde en zei toen iets in een onverstaanbaar Schots accent. De bewaker draaide zich om.

'Kom op, snel, nu er niemand kijkt.'

'Dank u, u bent geweldig.' Ze ging op haar tenen staan en kuste hem op zijn wang.

'Zo kan-ie wel weer,' zei hij met een gegeneerd lachje en hij wreef over de plek die ze had gekust.

'We hebben nog één minuut,' zei ze tegen de taxichauffeur op Piccadilly, 'om naar – even kijken – Smithfield te gaan. We betalen u het dubbele tarief.'

'Kan lastig worden,' zei de chauffeur.

'Drie keer zoveel?'

'Makkelijk.' De chauffeur keerde zijn auto waar het niet mocht, haalde aan de verkeerde kant van de weg in, reed door rood en reed zelfs tegen eenrichtingsverkeer in; hij deed er zes minuten over. De rit kostte drie pond; Chloe gaf hem tien pond.

'Laat maar zitten,' zei ze en ze rende het gebouw in.

Piers' impresario heette Geoffrey Nichols en blijkbaar was hij zeer voornaam en erg geslaagd; de gasten, besefte Chloe, waren bankmensen die werden gepaaid om Piers' toneelbewerking van *The Lady of Shalott* te financieren. Het was duidelijk een belangrijke lunch en er werd eigenlijk helemaal niet over toneel gepraat, laat staan over acteurs of musici (behalve als kostbare kapitaalgoederen), alleen maar over geld. Zijn gasten leken aanvankelijk op hun hoede, bijna vijandig, maar naarmate de maaltijd voortschreed en er meer wijn werd ingeschonken, draaiden ze bij. Tegen drieën waren ze luidruchtig en opgewekt; hun moppen werden steeds schuiner en hun geroddel werd steeds kwaadaardiger. Ze garandeerden Piers dat hun beslissing niet lang op zich zou laten wachten en dat het antwoord waarschijnlijk ja zou zijn. Piers' boekhouder deelde financiële overeenkomsten, omzetprognoses en winstverwachtingen uit. De bankiers waren opeens stil en beangstigend nuchter. Chloe voelde hoe ze werd meegezogen in de spanning; ze wilde maar dat ze toestemden. Om halfvier zat haar taak erop; de tafel was leeg, op de cognac, sigaren, asbakken en koffie na. De borden stonden aan de kant en zij en Sarah zaten rustig te lezen, terwijl het geluid op de achtergrond aanzwol en wegebde. En toen gebeurde het.

Een van de mannen kwam de keuken in, zijn sigaar losjes tussen de vingers, op zoek naar een doek; hij had wijn gemorst.

'Zal ik u helpen?' vroeg Chloe.

'Nee, laat maar,' zei hij. 'Ik kan zo'n mooi meisje als jou toch niet achter mijn kont laten opruimen?' Hij zwaaide met zijn sigaar, terwijl hij zijn andere hand uitstrekte naar een doek. De askegel raakte Chloe's wang; de pijn leek van heel ver te komen, zo langzaam werd ze zich ervan bewust. Eerst kromp ze in elkaar en toen schreeuwde ze het uit. Ze kon er niets aan doen.

'O, mijn god,' zei hij, 'wat ben ik toch een kluns. Het spijt me. Laat eens kijken.'

'Nee,' zei Chloe tussen opeengeklemde tanden door; ze hield haar hand tegen haar gezicht. 'Nee, echt, het stelt niets voor.'

'Wat is er gebeurd?' Piers Windsor stond in de keuken; hij keek vreselijk bezorgd.

'Het is niets,' zei ze, 'heus.'

'Mag ik heel even kijken?'

Hij trok heel voorzichtig haar hand weg; zijn hand was warm en heel droog, merkte ze, voorzichtig, teder. Heel even vergat ze haar pijn dankzij een nieuwe emotie die ze niet kon duiden; ze stond hem aan te kijken alsof ze erop vertrouwde dat hij haar pijn kon verzachten.

'Dat is een nare wond. Ik denk dat we je naar de eerste hulp moeten brengen.'

'O, nee,' zei Chloe, 'nee echt niet. Het gaat wel weer. Misschien kan ik de afwas even laten staan om naar mijn huisarts te gaan; of misschien kan Sarah afwassen.'

'Ik denk,' zei hij met een glinstering in zijn grijze ogen, 'dat je wel onder de afwas uit kunt komen. Maar ik vind echt dat je naar de eerste hulp moet. Het is een grote brandwond. Er bestaat gevaar voor ontsteking. Ik ga met je mee. Probeer dapper te zijn.'

Ze was dapper, erg dapper. Het deed verschrikkelijk pijn. De brandwond zat op haar wang, net boven haar kaaklijn. De co-assistent die haar behandelde (nadat ze naar haar gevoel uren had gewacht), zei dat ze nog van geluk mocht spreken; er zou wel een licht litteken van overblijven, maar het zou haar schoonheid niet ontsieren. Hij grijnsde naar haar en vond het duidelijk niet leuk dat ze niet teruglachte.

'Ik zal het verbinden en dan moet u de komende drie dagen bij me terugkomen voor controle.'

'Heeft u iets tegen de pijn?' Chloe klemde haar kaken op elkaar om te voorkomen dat ze ging klappertanden.

'Heeft u zo'n pijn?' Hij leek verbaasd. 'We zullen u een valiuminjectie geven. Dat scheelt.'

Uiteindelijk bracht Piers haar naar Joe's huis en kwam Sarah die nacht logeren. Het ongelukkige toeval wilde dat Joe een paar dagen met Caroline weg was; dat gebeurde bijna nooit, waarom juist nu? Kribbig van de pijn, nadat het valium nagenoeg was uitgewerkt, lag ze eindeloos te draaien op haar kussen. Af en toe stond ze op om door de kamer te lopen.

Ze werd wakker van de deurbel en liep wankelend naar de deur om open te doen. Er stond een jongen met een enorm boeket: witte lelies, rozen en fresia's zaten samengebonden met een enorme witte strik.

'Dank je,' zei ze en ze nam ze mee naar binnen, ging zwakjes op de bank zitten en vouwde met trillende vingers het kaartje open.

'Ik leef met je mee. Oprechte excuses, Piers Windsor.'

'Lieve hemel,' zei Joe toen hij binnenkwam en zijn tassen op de grond gooide. 'Waar komen die vandaan?'

'Piers Windsor,' antwoordde Chloe.

'Heeft Piers Windsor je bloemen gestuurd? Waarom?'

'Dat is nogal een lang verhaal,' zei Chloe; tot haar verbazing begon ze bijna te huilen.

'Vertel! En liefje, wat heb je aan je gezicht?'

'Een brandwond.' Nu begon Chloe echt te huilen, tranen van opluchting, omdat ze nu eindelijk met Joe kon praten over haar verwonding. Het was vijf dagen geleden, maar het deed nog steeds pijn en ze was er nog steeds van onder de indruk. 'Maar het was het waard,' zei ze licht hikkend, nadat ze alles had uitgelegd. 'Hij heeft het geld voor zijn stuk.'

'O, dat maakt alles goed,' zei Joe; het sarcasme droop van zijn stem. 'Stomme klootzak.'

'Toe nou, Joe, hij kon er niets aan doen. En ik kan je niet zeggen hoe aardig hij is geweest.'

'Dat mag verdomme ook wel,' zei Joe. Hij leek erg overstuur.

Piers belde haar elke dag. Ze vond het verbazend en charmant dat de telefoontjes zich ontsponnen tot heuse, vrij lange gesprekken. Na een week wilde hij haar meenemen naar een specialist om advies te vragen over plastische chirurgie. 'Ik weet dat het maar een klein litteken is,' zei hij, 'maar het zit op je mooie gezichtje.'

Nadat ze bij de specialist waren geweest (die haar aanraadde minstens een jaar te wachten), nodigde Piers haar uit voor de thee bij Fortnum and Mason en praatte uitgebreid met haar over haar leven. Hij leek volkomen gefascineerd door haar antwoorden die ze zelf verschrikkelijk saai vond. Op een zeker moment zei ze enigszins wanhopig: 'Je vindt me vast erg vervelend,' maar hij antwoordde: 'Chloe, ik kan je niet zeggen hoezeer je me interesseert en hoezeer ik van je gezelschap geniet. Ik zou de hele avond wel met je willen blijven praten. Echt waar.'

Op dat moment kwam er een meisje naast hun tafel staan; ze had lang zwart haar en een bleek gezicht. Haar ogen waren zwaar opgemaakt, met dikke valse wimpers boven en onder en een vette streep eyeliner. Ze droeg een broekpak van rood kant en droeg een hondje onder haar arm.

'Piers, je bent het echt! Niet te geloven. Aan de thee in Fortnum's. Wat heerlijk je te zien.' Ze boog voorover en kuste hem. Toen ging ze op het randje van zijn stoel zitten en beet in een van zijn sandwiches, terwijl ze Chloe volkomen negeerde. 'Je vindt het toch niet erg, hè? Ik verga van de honger en Geoffrey is er nog niet.'

'Nee,' zei Piers glimlachend. 'Chloe, dit is Annunciata Fallon. Annunciata, Chloe Hunterton.'

Annunciata glimlachte zo kort en zo koel dat je haar lippen amper zag bewegen en wijdde haar aandacht weer aan Piers. Chloe zat rustig naar haar te kijken en hoopte dat haar withete woede en verwarring niet opvielen.

'Hoe gaat het, schat? Het speet me zo dat ik je vorige week niet op het feest van *Hair* zag. Het was zó leuk.'

'Tja, ik had willen gaan, maar uiteindelijk redde ik het niet. Ik hoorde dat het er... wild toeging.'

'Dat is zo, erg wild. Iedereen was er, behalve jij – en Suzy, natuurlijk.'

'Nou ja, Suzy is in Los Angeles.'

'Ga jij niet die kant uit?'

'Natuurlijk niet,' zei Piers. Zijn stem was opeens scherp. 'Nog los van alle andere dingen ben ik momenteel erg druk met *The Lady of Shalott*.'

'Ach, ja, *The Lady*. Vordert het al?'

'Het ziet er goed uit, vind ik,' zei Piers. 'Ik heb het meeste geld nu binnen. En Dominic heeft definitief getekend. Maar...'

'Nee! Je wilt toch niet zeggen dat je nog geen Lady hebt?'

'Nog niet, nee.'

'Ik hoorde dat Tabitha...'

'Nou, misschien.'

Chloe was verbaasd. Tijdens de lunch had ze gehoord dat Tabitha zeker de Lady zou spelen. Ze hield zich stil; dit was niet een gesprek waarin ze zich kon of mocht mengen.

'Je zou kunnen overwegen een onbekende te nemen,' zei Annunciata. Ze glimlachte naar hem, met zo veel hulpeloze, naakte begeerte in haar donkere ogen dat Chloe ervan schrok.

'Liefje, ik zou niets liever willen. Vooral als jij die onbekende was. Maar ik kan het me niet veroorloven. Ik moet er een gevestigde naam op zetten. Voor de financiering.'

'Nou ja.' Ze stond meteen op, zette alle schijn van charme aan de kant. 'Ik zal je van je thee laten genieten. Daar is Geoffrey ook net. Tot ziens, Piers.'

Toen Annunciata weg was, keek Piers Chloe een beetje verontschuldigend aan. 'Het spijt me. Ze was erg lomp.'

'Niets van gemerkt,' loog Chloe. Ze voelde zich ellendig doordat Piers Annunciata 'liefje' had genoemd.

'Ze heeft erg veel talent, maar weinig manieren. Afschuwelijk om mee te werken. Ze lijkt nooit te begrijpen waarom ze geen rollen krijgt.'

'Misschien moet iemand het haar eens uitleggen,' zei Chloe verwonderd.

'Dat gebeurt ook, maar ze is erg neurotisch. Ze heeft al twee keer een overdosis genomen. Het is gemakkelijker om eromheen te praten.'

'Mijn hemel,' zei Chloe. Ze keek naar Annunciata, die nadrukkelijk met haar rug naar hen toe zat. 'Waarschijnlijk is jouw vak vergeven van de... nou ja, neurotische mensen.'

'Ik ben bang van wel,' zei Piers, met zijn vriendelijke, charmante glimlach. 'Het is een neurotisch beroep. Het is erg prettig iemand als jij te leren kennen, die zo overduidelijk niet neurotisch is.'

'Nou,' zei ze en ze viel stil. Wat haar aan het incident met Annunciata van haar stuk had gebracht, was dat ze even niet langer Piers' vriendin was, maar iemand die niets bij hem te zoeken had, geen deel uitmaakte van zijn wereld.

Piers keek haar even nadenkend aan en zei toen: 'Hoe zit dat bij jou? Ben jij een ambitieuze jonge vrouw, die haar eigen zaak wil met duizenden werknemers? Je eigen hotelketen, bijvoorbeeld?'

'Lieve hemel, nee,' zei Chloe. 'Ik ben helemaal niet ambitieus. Althans, niet op die manier.'

'Hoe dan wel?'

'Het is mijn ambitie,' zei ze met neergeslagen ogen – ze geneerde zich altijd een beetje om er met anderen over te praten, maar tegelijkertijd wilde zij erg graag dat hij het wist – 'om een gelukkig gezin te stichten. Dat is eigenlijk alles, ik wil trouwen met iemand van wie ik hou, ik wil heel veel kinderen en een huis vol vrolijk lachende mensen. Ik wil dat mijn kinderen het gevoel hebben dat ik er altijd voor hen ben en dat zij voor mij het allerbelangrijkste zijn.' Ze stopte en keek met een mengeling van schaamte en strijdlust naar hem op. 'Dat zal jou wel erg saai in de oren klinken. Ik ben niet bepaald een kind van de swingende jaren zestig.'

Piers keek haar aan en stak opeens zijn hand uit om haar wang te strelen en haar haren naar achteren te duwen. 'Het klinkt geweldig,' zei hij, 'absoluut niet saai. Ik denk eigenlijk dat je maar met mij moet trouwen.'

Hij had het natuurlijk niet gemeend en zij had het geweten, maar toch vond ze het een zeer aangrijpende opmerking. Ze zat zich af te vragen wat ze daar in hemelsnaam op kon zeggen, toen hij vroeg: 'Heb je morgenavond iets te doen? Anders zou ik je heel graag mee uit eten nemen.'

Chloe zat hem aan te kijken en voelde de vreemdste dingen met haar gebeuren. Ze was ontzettend gelukkig, opgewonden, ze voelde zich vervuld van energie, zelfvertrouwen en plezier. Het hele restaurant leek opeens erg licht en erg mooi. Alle aanwezigen leken warm en vriendelijk te glimlachen.

'Dat hoeft niet,' zei ze uiteindelijk. 'Dat hoef je echt niet te doen.'

Piers glimlachte naar haar. 'Dat weet ik,' zei hij, 'maar ik wil het.'

Hij wachtte haar op in de cocktaillounge van de Ritz. Ze was het grootste deel van de dag bezig geweest om geschikte kleding te vinden en was uiteindelijk gezwicht voor een heel eenvoudig uitziende, enkellange doorknoopjurk in zwarte crêpe van Ossie Clark, met lange nauwe mouwen en een diep uitgesneden decolleté. Ze had haar haren opgestoken en zich zwaar opgemaakt met dubbele valse wimpers (geïnspireerd door Annunciata) en veel donkerbruine oogschaduw. Ze wist dat ze er geweldig uitzag, nog beter dan hij al had verwacht; hij bleef haar even aankijken, voordat hij opstond en vooroverboog om haar wang te kussen.

Ze zaten aan tafel urenlang te praten. Er waren twee korte Annunciata-achtige onderbrekingen. Eerst een erg opvallend uitziende oudere blondine die Piers verrukt omhelsde alsof ze hem vijf jaar niet had gezien en haar wantrouwend aankeek; daarna een erg knappe jongeman met zwart krullend haar die Piers al even verrukt omhelsde en hem 'lieverd' noemde. Piers stelde hen allebei voor aan Chloe, praatte heel kort met hen, legde haar uit dat de vrouw een impresario was en de man de muziek schreef voor *The Lady of Shalott*.

Zijn niet-aflatende intense belangstelling voor haar gaf Chloe zelfvertrouwen. Ze zei weinig, zat naar hem te luisteren en probeerde te eten. Een groot deel van de tijd praatte hij; hij vertelde over zijn eigen leven, over een vrolijke vader en een liefhebbende moeder – die nu in een verzorgingstehuis in Sussex woonde – een gelukkige jeugd, een 'nog vrij onstuimige oorlog bij de luchtmacht. Toen dat allemaal voorbij was, kon ik bij RADA terecht.'

'En?'

'O, dat ging heel goed.'

'Wat betekent dat?'

'Nou.' Hij glimlachte quasizielig. 'Dat betekent dat ik een paar prijzen won en een plaats kreeg in het repertoirecircuit. God, wat was dat leuk. Daar leerde ik Guinevere kennen en trouwde met haar. Zij was een actrice, een meisje uit Wales, met alle muzikaliteit van dien. We waren een tijdlang gelukkig. Toen brak zij als eerste door. Kon Ophelia doen in het Old Vic in Bristol. Kreeg wat kapsones.'

'Zijn jullie daarom uit elkaar gegaan?' vroeg Chloe vriendelijk, voorzichtig.

'Eigenlijk zou je met dat soort dingen moeten kunnen omgaan. Dat zou je in ons beroep verwachten. Dan had het nog goed kunnen gaan. Maar ze... ze.' Hij keek haar aan met een felle, rauwe pijn in zijn ogen.

'Wat deed ze?'

'Laat maar. Dat wil je niet weten. Het geraaskal van een man op leeftijd.'

'Ik wil het wel weten. Vertel het alsjeblieft.'

Hij aarzelde, maar zei toen: 'Goed. Ze was zwanger. De dag dat ze erachter kwam, kreeg ze een rol in het Old Vic in Bristol aangeboden. Het kind kwam haar niet uit en ze... ze liet het kind weghalen. Ik kon het niet aan. We gingen uit elkaar.'

Het bleef lang stil. Chloe was diep, pijnlijk geschokt, geschokt over zijn verdriet dat hij klaarblijkelijk nog steeds voelde en over een vrouw die een baby kon opgeven, alleen voor een rol in een toneelstuk.

Hij glimlachte zwakjes. 'Die dag, toen ze het me vertelde, zwoer ik dat ik niet meer zou trouwen, tenzij ik iemand leerde kennen die ik kon... kon vertrouwen.'

'En dat is nooit gebeurd?'

'Nog nooit.'

'Aha, juist.' Chloe kon zichzelf wel slaan om haar stompzinnige antwoord.

Hij vertelde verder over zijn ontluikende carrière, van bijrolletjes naar hoofdrollen, toen het witte doek. 'Misschien is de rest bekend,' besloot hij. 'En anders maakt het ook niet uit.'

Chloe wilde niet zeggen dat de rest niet bepaald bekend was. Glimlachend vroeg ze: 'En, ben je naar Hollywood geweest?'

'Ja, maar pas toen ik al oud was. Dat was om *Town Cousins* te maken. Heb je die gezien?'

Chloe schudde haar hoofd. 'Het spijt me, nee. Joe heeft me erover verteld.'

'Lieveling, dat hoeft je niet te spijten. Het was een domme film. Maar ik werd er erg bekend door. En rijk. En dankzij de volgende, *Kiss and Don't Tell*, dat geweldige genre dat de Amerikanen de "comedy thriller" noemen, kon ik gaan regisseren. Sorry, het was niet de bedoeling je een stoomcursus toneelgeschiedenis te geven.'

'Dat geeft niet,' zei Chloe. Ze probeerde erachter te komen waarom ze zich licht in het hoofd voelde en besefte dat het kwam doordat hij haar 'lieveling' had genoemd. 'Ik vind het leuk. Ik voel me dom omdat ik er zo weinig van weet. Maar waarom ben je niet eerder naar Hollywood gegaan?'

'Dat trok me niet,' zei hij terwijl hij zijn sigarettenkoker tevoorschijn haalde en in zijn zak naar zijn aansteker zocht, 'die auditiecultuur is professionele zelfmoord. Maar het is al twaalf uur. Ik kan je beter naar huis brengen. Ik hoop dat je je niet al te zeer hebt verveeld. Waarschijnlijk ga je meestal met hippe jonge kerels uit in dito clubs.'

Chloe huiverde. 'Nee, echt niet. En ik heb genoten van vanavond.'

'Mooi. Terwijl ik je thuisbreng, kun jij voor de verandering iets vertellen. Ik wil alles horen over die afschuwelijke broers van je en over je ongelukkige jeugd. Ik neem tenminste aan dat het een ongelukkige jeugd was. De meeste mensen die iets voorstellen, hebben een ongelukkige jeugd gehad.' Toen de auto voor Joe's huis stopte, leunde hij voorover en kuste haar zacht op haar mond. 'Ik ben onder de indruk van je,' zei hij. 'Ik vind je erg mooi.'

Chloe wist niet wat ze moest zeggen.

Toen ze binnenkwam, zat Joe aan tafel te ploeteren op een artikel. Hij was eerder die avond niet thuis geweest; hij keek naar haar in haar jurk, met haar opgestoken haar en haar valse wimpers en glimlachte. 'Wauw,' zei hij, 'je ziet er geweldig uit. Wie is die arme stakker?'

'Ik begrijp niet wat je bedoelt,' zei Chloe uit de hoogte en instinctief wist ze dat ze de identiteit van de stakker in kwestie beter voor zich kon houden. Ze wist dat Joe er op z'n zachtst uitgedrukt niet blij mee zou zijn. Ze wilde de avond overdenken, koesteren: de kus, het feit dat Piers haar mooi had gevonden; ze wilde onderzoeken wat zij voor hem voelde, de indrukken verkennen die haar lichaam, haar hart en haar zelfgevoel overspoelden. Ze glimlachte naar Joe, kuste hem op zijn kruin en ging naar bed. Ze lag lange tijd in het donker te staren, naar Joe's typemachine te luisteren en zich af te vragen wat haar overkwam en waar het toe zou leiden; midden in de nacht werd ze verhit en onrustig wakker en besefte ze dat haar ene hand haar borst omklemde, terwijl de andere zacht de vochtige, gevoelige plek tussen haar benen verkende.

Toen ze de volgende avond thuiskwam, wachtte Joe haar op. Zijn gezicht stond op onweer. 'Chloe, ben jij gisteravond echt uit geweest met Piers Windsor?'

Chloe was zelf verbaasd over haar koele reactie: 'Ja, hoe weet je dat?'

'Hij belde net.'

'Ik zie niet wat jij ermee te maken hebt. Heeft hij...' Chloe probeerde zo nonchalant mogelijk te klinken, 'heeft hij nog een boodschap achtergelaten?'

'Ja, of je hem wilt terugbellen. Chloe, waar ben je mee bezig? Waarom ben je met hem uit geweest?'

'Omdat hij me uitnodigde, dat is alles.'

'O ja? Dus als iemand je vraagt, ga je met hem uit?'

'Als ik dat wil, ja.'

'Chloe, die man is...' Joe zweeg abrupt.

'Die man is wát?' vroeg Chloe.

'O, volkomen ongeschikt. Ik begrijp je gewoon niet. Ik snap er niets van.'

'Er valt niets te begrijpen en ik zie niet in waarom hij zo ongeschikt is. Ik vind hem lief.'

Dat had ze beter niet kunnen zeggen. Het was te naïef. Ze had Piers charmant moeten noemen, of verrukkelijk, amusant wellicht, maar niet lief.

'Wat Piers Windsor verder ook moge zijn,' zei Joe, 'hij is niet lief. Hij is onbetrouwbaar, manipulatief, een gladjanus.'

'Doe niet zo belachelijk,' zei Chloe. 'Hij is niets van dat alles. Hij is ontzettend goed voor me geweest. Ik ben erg gek op hem en ik ga met hem uit als ik dat wil. Ik zie niet wat jij daarmee te maken hebt.'

'Chloe, alsjeblieft.' Hij klonk zo verdrietig dat ze ervan schrok. 'Ik verzeker je dat hij je onmogelijk geluk kan brengen. En ik heb er wel degelijk mee te maken. Ik hou van je.'

'Wees dan zo goed om te erkennen dat ik volwassen ben, Joe, en dat ik zelf kan bepalen met wie ik uitga.'

'Wil je dan nog vaker met hem uit?' Joe duwde met een wild gebaar zijn haren naar achteren.

'Ja, waarschijnlijk wel. Kijk niet zo, Joe. Ik ga niet met hem trouwen. Ik wil alleen maar met hem uit.'

Twee weken later ging Piers met haar naar bed. Na hun eerste etentje had hij haar bijna elke avond gezien; hij had zoveel mogelijk afspraken afgezegd en al zijn energie op haar gericht. Ze was echt overdonderd door al zijn aandacht, door de mate waarin hij bezeten leek van haar.

Omdat ze erg snel tevreden was, genoot ze met volle teugen. Hij nam haar mee naar het theater voor *The Odd Couple* en *Half a Sixpence*, naar de bioscoop voor *The Ipcress File* en *Thunderball*, de nieuwe James Bond; hij ging met haar eten in nog mooiere restaurants, zoals Inigo Jones, het Arethusa en Caprice. Op een zondag reed hij met haar naar zijn landhuis in Berkshire en liet hij haar zijn paarden zien, raspaarden, waarmee hij net begon te racen. Hij bood haar zelfs aan op een van zijn paarden te rijden, maar ze weigerde zo fel dat hij begon te lachen en zei dat het niet verplicht was.

Ze werd meegesleept door de vloedgolf van Piers' romantiek. Haar aanvankelijke twijfels over haar gevoelens voor hem, of het echte liefde was, of louter een bevlieging, dankbaarheid, of gevoeligheid voor vleierij, verbleekten bij de glans van zijn hofmakerij: bloemen, cadeautjes, gedichten die hij haar voorlas aan de telefoon, de dingen die hij zich herinnerde (vandaag is het vier weken geleden dat je die lunch hebt verzorgd, veertien dagen na onze eerste afspraak, precies een week geleden dat je me vertelde dat je misschien van me zou kunnen houden) – het was allemaal te veel voor haar, onweerstaanbaar, onomkeerbaar, ze werd dolverliefd.

Voor het eerst in haar leven voelde ze zich gewaardeerd, belangrijk, sterk; ze was gelukkig, vrolijk, bijna duizelig van plezier. Ze dacht er niet over na hoe het zou aflopen; dat er ooit een einde aan zou komen, stond vast, dat het pijnlijk en akelig zou zijn ook, maar ondertussen genoot ze van elke nieuwe dag. Daar kon niets, noch Joe's overduidelijke afkeuring, noch Carolines koele vragen, zelfs niet bezorgdheid van vriendinnen die van de affaire wisten, iets aan veranderen.

Ze begreep alle bezorgdheid wel, maar vond het eerder amusant dan hinderlijk dat iedereen leek aan te nemen dat ze zo dom was, zo blind, zo naïef dat ze zelf niet zag hoe moeilijk de situatie was.

'Ik ga niet met hem trouwen,' zei ze steeds, lachend om hun bezorgde afkeuring. 'Ik ga alleen maar met hem uit.'

Hij leek in haar ogen heel rijk en had toegeven dat hij dat ook was. 'Ik heb gedaan wat iedereen je altijd afraadt: geïnvesteerd in verschillende toneelproducties. Gelukkig zat iedereen ernaast.'

Hij had wat hij noemde 'een huisje' in Londen, aan Sloane Street. Chloe vond het erg groot. De inrichting was saai, maar duur, met veel antiek, extreem uitziende moderne kunst aan witte muren en beige kleden. Chloe was zo bang er iets op te morsen dat ze niet eens met een kop thee de glanzend witte keuken uit durfde. Overal stonden foto's van beroemdheden, in gezelschap van Piers (de koningin gaf hem een hand tijdens een première) of alleen, uitbundig gesigneerd, variërend van 'Piers, schat, veel liefs, Vivien en Larry' tot 'Piers, maatje van me' van Michael Caine. Chloe bekeek ze vol ontzag; ze kon absoluut niet begrijpen waarom iemand die (op z'n minst) goed bevriend was met Julie Christie, Vanessa Redgrave, Jane Asher (het huidige vriendinnetje van Paul McCartney) en Hayley en Juliet Mills zoveel tijd met haar wilde doorbrengen.

Stebbings Hall, in Berkshire, was persoonlijker en stukken mooier, een prachtig voorbeeld van een klassiek georgian landhuis, met smaak en in stijl ingericht. Hier stonden minder foto's en aan de muren hingen achttiende- en negentiende-eeuwse schilderijen. Er was een kleine bioscoopzaal ingericht en Chloe smeekte minstens een van zijn films te mogen zien en onder protesten en gelach draaide Piers *Kiss and Don't Tell* voor haar. Ze keek vol ontzag toe. 'Je speelt zo goed,' zei ze steeds. 'Ik kan niet geloven dat jij het bent en dat ik je ken.'

Aan het slot kuste Piers haar en zei dat ze hem vleide, dat hij houterig speelde, maar ze hield vol dat ze hem geweldig vond en dat ze de film nog eens wilde zien.

Na de eerste avond was hij terughoudend geweest over zijn privéleven. Hij verzekerde haar dat hij haar alles had verteld wat er te weten viel, en toen ze vroeg naar andere vrouwen, andere relaties, zei hij vaag dat er verscheidene waren geweest, enkele daarvan heel lang, maar dat ze geen van alle belangrijk waren. 'Ik zei toch dat ik mijn hart niet opnieuw in gevaar bracht.'

Ze geloofde hem omdat ze dat wilde, maar ze merkte dat het haar moeite kostte. Ze had al snel ontdekt dat de luchtige, ontspannen charme aan de oppervlakte een intensiteit verborg, een aanleg voor donkerdere, somberdere gevoelsuitbarstingen die niet helemaal leken te stroken met een evenwichtig emotioneel leven. Maar omdat haar bemoeienis met Piers Windsor zo kortstondig, bijna onwerkelijk was, meende ze dit te kunnen negeren. Het enige wat belangrijk was, was wat hij liet zien, en dat was het enige wat zij wilde zien.

Maar na die twee weken, na een bijzonder heerlijke avond, na opnieuw een luxueus etentje ('Omdat we elkaar precies twee weken kennen,' zei hij glimlachend) keek hij haar boven zijn glas cognac aan en vroeg: 'Chloe, heb je zin om mee te komen naar mijn huisje? Het is nog niet zo laat.'

'Ja, leuk,' zei ze en ze keek hem aan met een mengeling van blijdschap en moed.

Ze had er veel over nagedacht, met zowel verlangen als angst. Ze was nog maagd en hij wist het, maar dat maakte haar bezorgdheid en schaamte er niet minder om. Hij had haar vaak gekust, haar borsten, dijen en billen gestreeld. Chloe merkte dat ze dat fijn vond en dat besef was een opluchting voor haar. Ze raakte niet snel opgewonden en had ongerust bedacht dat ze misschien zelfs frigide was, maar het genot dat door haar lijf joeg als Piers haar aanraakte, maakte die mogelijkheid in elk geval onwaarschijnlijk. Ze zat stilletjes naast hem in de auto, een lichtgrijze Rolls-Royce (die, zoals Joe pijnlijk juist had opgemerkt, precies bij Piers' ogen kleurde) die bestuurd werd door een chauffeur in uniform. Ze voelde zich nooit prettig in deze auto, maar nu was ze nerveus, niet alleen om wat haar te wachten stond, maar ook om hoe ze zich zou voelen en hoe ze zich moest gedragen. Wat moest ze doen, vroeg ze zich af, hoeveel moest ze bewegen, reageren? Zou het pijn doen? Echt bang voor pijn was ze niet, maar ze zag niet in hoe ze een bevredigende partner zou kunnen zijn. Ze keek opzij, zijn profiel leek ernstig en ze was zo ongerust dat ze bijna overwoog er alsnog van af te zien. Ze kon altijd zeggen dat ze plotseling ongesteld was geworden, of zich misselijk voelde, of gewoon dat ze van gedachten was veranderd. Hij was zo toegeeflijk, zo zichtbaar blij met alles wat ze deed dat ze zeker wist dat hij het haar zou vergeven en haar zoals gewoonlijk voor Joe's deur zou afzetten.

Maar nee. Ze wilde met hem naar bed, omdat ze van hem hield, volkomen van hem hield; ze zou letterlijk voor hem kunnen sterven. In hun twee weken samen had hij nooit iets gedaan wat ze niet prettig vond. En ze wilde dat hij haar minnaar werd, zodat hun affaire compleet was. Het zou niet lang meer kunnen duren, hij zou nu wel snel genoeg van haar krijgen en ervandoor gaan met een van de eindeloos mooie geraffineerde vrouwen die hij kende. Ze moest het zo luisterrijk mogelijk tot het onvermijdelijke einde zien te brengen en zich in elk geval in stijl laten ontmaagden. Ze moest gewoon even dapper zijn, meer niet, dapper en ontspannen. Ze leunde achterover, haalde diep adem. Het zou goed komen. Natuurlijk wel.

Het begon ermee dat ze een glas brak, een whiskytumbler van geslepen glas die op het tafeltje naast zijn bed stond. Ze had een beetje rondgelopen, naar de boeken gekeken die er lagen, geprobeerd nonchalant te doen. Het viel om en brak doormidden. Toen Piers na een telefoongesprek binnenkwam, trof hij haar in tranen aan, op haar knieën bij de scherven.

'Hé,' zei hij, 'wat heb je nu weer gebroken?'

'Je glas,' zei ze met grote betraande ogen. 'Ik vind het zo erg.'

'Ik niet, het maakt niet uit. Hoe vaak moet ik je nog zeggen dat ik je onhandigheid lief vind? Je bent net een puppy en ik ben gek op puppy's.'

'Ik wil niet op een puppy lijken,' zei Chloe een beetje verontwaardigd. 'Ik ben liever een... een slanke, exotische kat die nooit iets omgooit.'

'Dat bén je niet en daar ben ik blij om. Veeg je tranen weg en wacht hier. Ik ga een glas champagne voor je halen, en een nieuw glas voor mezelf, zodat we ons allebei lekker kunnen ontspannen. Goed?'

Chloe knikte troosteloos. 'Goed.'

De slaapkamer was minder spartaans dan de rest van de woning, zag ze nu. Als ze niet beter had geweten (hoopte te weten), zou ze aannemen dat er een mevrouw Windsor was. Het zijden behang was beigeachtig roze, er lagen witte tapijten, de gordijnen en de quilt op het bed hadden een paars met roze William Morris-patroon. Ze keek in zijn aangrenzende kleedkamer en kon een uitroep niet onderdrukken. Het was net een kledingwinkel, met open kasten, zodat alles voor het grijpen was. Er hingen hele rijen pakken, jasjes, broeken en smokings; aan één kant lagen stapels overhemden, aan de andere kant stapels truien; er waren vier rijen schoenen, drie broekenpersen, stropdassen en riemen per strekkende meter. Op een toilettafel stonden talloze flessen eau de toilette. Chloe hield eigenlijk niet van mannen die geurtjes opdeden, maar ze nam aan dat hij ze op het toneel gebruikte, al had ze af en toe gemerkt dat Piers, weliswaar niet onaangenaam, ergens naar rook. Ze liep snel de kleedkamer uit om de slaapkamer verder te verkennen.

In één erker stond een antiek bureau met stoel, in de andere een chaise longue. Aan de muur hingen negentiende-eeuwse aquarellen. Het was een zachte, vriendelijke kamer. De boeken naast het bed waren ook opmerkelijk: *Far from the Madding Crowd, Jane Eyre* en *Rosemary's baby*. Alle drie vrouwenboeken, zoals Joe zou zeggen. Piers' gezicht keek haar aan vanaf de omslag van de *Sunday Times Magazine:* daar zou Joe's artikel wel in staan, het artikel dat hen bij elkaar had gebracht. Denkend aan Joe, wetend wat hij zou doen en zeggen als hij wist dat ze hier was, liep ze naar het raam. Ze had het opeens koud en voelde zich tegelijkertijd erg eenzaam.

'Kijk aan,' zei Piers. Hij kwam glimlachend binnen maar leek zelf ook nerveus. 'Kom bij me op het bed zitten, dan kunnen we iets drinken en nog een beetje kletsen. En dan kun je gewoon naar huis gaan, hoor, als je wilt. Ik zal je niet tegen je zin vasthouden.'

'Ja, goed,' zei Chloe.

Ze zat op het bed naar hem te kijken en champagne te drinken. Hij leunde voorover en kuste haar, eerst voorzichtig en toen, toen ze reageerde, harder; zijn tong zocht de hare. Hij nam het glas van haar aan en duwde haar zacht achterover op de quilt.

'Ik wil niet dat je bang wordt,' zei hij, 'en ik wil dat je weet wat ik voor je voel. Ik heb vreselijk veel zin in je. Ik vind je erg mooi en ik wil je laten genieten en je gelukkig maken. Want jij hebt mij de afgelopen weken gelukkig gemaakt, erg gelukkig zelfs. Zo gelukkig dat ik het amper kan geloven.'

Chloe keek hem zwijgend in de ogen. Hij begon haar borsten te strelen door haar zijden jurk. Ze duwde zijn handen weg, ging rechtop zitten en trok haar jurk soepel over haar hoofd uit. Ze droeg er een zwarte onderjurk onder, die hij van haar schouders liet glijden terwijl hij ze kuste. Daarna kuste hij de bovenkant van haar borsten en likte ze. Zijn tong gleed naar de ziltige warme van haar decolleté en daarna, teder plagerig, om haar kleine roze tepels, eerst de ene, toen de andere.

Chloe sloot haar ogen, het genot stroomde door haar lichaam, over-spoelde haar, ze voelde zich warm, vloeibaar, vitaal. Ze gooide haar armen opzij en duwde haar borsten, haar lichaam omhoog. Hij keek even op om de blik in haar ogen te zien en glimlachte.

'Wees niet bang,' zei hij, 'wees alsjeblieft niet bang. Ik zal voor je zorgen.'

Het was allemaal verschrikkelijk snel voorbij. Het ene moment streelde en kuste hij haar en vertelde hij hoeveel hij van haar hield; en bijna meteen daarna (leek het wel) lag ze daar, een beetje somber (en gekneusd) en opnieuw verbijsterend eenzaam, nu alle warme en heerlijke gevoelens waren weggeëbd, hun blije beloften op de een of andere manier niet waargemaakt. Ze hoorde hem vertellen hoe mooi ze was, tussen zijn kussen door, op haar haren, in haar nek, op haar schouders. Hij bedankte haar en beloofde haar dat het de volgende keer voor haar ook fijn zou zijn.

'Welnu,' zei hij de volgende ochtend, toen ze wakker werd in een straal zon-licht en zag dat hij op het bed naar haar zat te kijken in een nogal bont zij-den nachthemd, 'daar ben je dan, een vrouw van de wereld. Hoe voel je je?'

'Prima,' zei Chloe, niet geheel naar waarheid (want het deed nog steeds pijn, en de tweede keer was precies hetzelfde geweest, eerst heerlijk, maar toen snel en bijna eng).

'Ik ga wat ontbijt regelen,' zei hij met een ietwat vreemde blik, 'en dan moeten we praten.'

'Goed,' zei Chloe. Dat was het dan. Ze was natuurlijk hopeloos slecht in bed geweest en nu ging hij haar vertellen dat het uit was. Nou ja, ze was nu tenminste geen maagd meer. Ze hoopte maar dat ze niet zwanger was. Of misschien hoopte ze van wel. Ze leunde achterover om de mogelijkheid te overdenken en dommelde weer een beetje in; hij wekte haar met een kus op haar voorhoofd.

'Kom op, ga rechtop zitten. We moeten aan de slag. Jus d'orange? Croissantje?'

Ze knikte, wetend dat ze toch niets naar binnen zou kunnen krijgen. Ze pakte het glas jus aan en zette zich schrap voor de onvermijdelijke afwijzing.

'Chloe, kijk me eens aan.'

Ze draaide zich om, zijn blik was vriendelijk.

'Wat denk je dat er van ons moet worden?' vroeg hij.

'Ach, ik weet het niet,' zei Chloe, 'waarschijnlijk niets.'

'Dat zou toch jammer zijn,' zei hij bijna vrolijk. 'Vertel, hoe zie jij de rest van je leven?'

'Dat weet je,' zei ze, 'ik wil trouwen en heel veel kinderen krijgen.'

'Ik ook,' zei hij.

Het bleef lang stil. Chloe was verstijfd van angst.

'Chloe,' zei hij, 'ik vind je een heel bijzonder mens. Heel bijzonder. Je bent zo verschrikkelijk jong en toch lijk je heel volwassen. Volwassener dan veel mensen die twee keer zo oud zijn als jij. Ik vind je ook mooi, erg opwindend en heel erg aardig.'

De pil wordt verguld, dacht Chloe; had ze toch nog een mooie herinnering.

'Ik... ik ben al mijn hele leven op zoek naar iemand als jij. Op zoek gewéést. En ik wil je niet meer laten gaan, maar ik ken je pas een paar weken. Het is belachelijk kort. Om een beslissing op te baseren. Voor ons allebei. Neem maar wat jus.'

Chloe dronk gehoorzaam; hij vulde haar glas bij.

'Maar ik ben bang, ontzettend bang je kwijt te raken. En ik heb altijd al snel kunnen beslissen. Dat geldt misschien niet voor jou. Hoe dan ook, ik heb het je twee weken geleden gevraagd, bij Fortnum's en nu vraag ik het weer: Chloe, wil je met me trouwen, alsjeblieft?'

Chloe zei niets. Ze staarde hem naar haar gevoel een lange tijd aan. Toen lachte ze en gaf een schreeuw van plezier; ze gooide haar armen om zijn nek en bedekte zijn gezicht met kussen. De jus d'orange spreidde zich langzaam en kleverig uit over de witte lakens en de paarse zijden quilt.

Eerste interview met Richard Davies, de broer van Guinevere, voor het hoofdstuk 'Liefde en huwelijk' in The Tinsel Underneath. Kan misschien geciteerd worden.

'Ik moest hem niet. Meteen al niet. Begreep niet wat Guinevere in hem zag. Hij was slim en arrogant en hij was niet goed voor haar. Ze kenden elkaar van RADA en ze was vanaf het eerste moment bezeten van hem. Ze zei dat ze nooit zo iemand als hij had ontmoet. Was het maar zo gebleven! Ik begreep natuurlijk niets van al dat theatergedoe, al die toneeltypes, ze hebben andere manieren, maar toch, een mens is een mens en er is geen méér oprecht, door en door goed mens dan Guinevere.

Ze maakte zich los van ons gezin om te gaan acteren. Mijn vader is boer, net als zijn vader en opa en overgrootvader waren geweest. Net als ik. Maar mijn moeder geeft les; misschien heeft Guinevere het van haar, het talent en de hersens. Je zou Guinevere moeten horen praten. Alsof je een boek leest. Een en al citaten, uit Shakespeare of zo. Je krijgt het idee dat ze het niet expres doet; ze doet het niet om te laten zien hoe slim ze is. Maar dat is ze wel. Ze hoeft een gedicht of toneeltekst maar één of twee keer te lezen en ze kent het uit haar hoofd. En voor je ogen wordt ze een oude vrouw of een jonge vent, zonder kostuum, make-up, wat dan ook, puur door haar toneelspel. Ik zal nooit de eerste keer vergeten dat we haar op het grote toneel zagen, het was in het Van-brugh, het theater van RADA. Ze voerden St Joan op, van Shaw, en zij was Joan. Ze stond daar op toneel en hield een toespraak over eeuwige gevangenschap. En ik zat te huilen op mijn stoel. Mijn moeder huilde ook, zelfs mijn vader. En zij stond daar op het toneel, onze Guinevere, en maakte iedereen aan het huilen. Ach, dat was geweldig.

Maar goed, die avond maakten we kennis met hem. 'O,' zei hij, 'wat zullen jullie verschrikkelijk trots zijn,' en ik had zin om te zeggen dat hij op moest flikkeren. Zo ben ik eigenlijk helemaal niet. We wáren ook allemaal trots. Mijn moeder vond hem aardig, maar mijn vader deelde mijn mening. Aansteller, zei hij steeds, aansteller, wat ziet ze in hem?

Niemand van ons begreep het, zelfs mijn moeder niet. Ik denk dat Guinevere dat voelde; ze nam hem maar één keer mee naar Wales, los van de bruiloft; ze wist dat het niet klikte. Maar ze was erg defensief, wilde geen kwaad woord over hem horen, ze hield echt van hem. De bruiloft was vreselijk, heel ongemakkelijk, gespannen, maar Guinevere was zielsgelukkig. Het leek wel of ze naar het altaar zweefde. Ze had alles zelf georganiseerd, zelf de jurk gemaakt, de muziek uitgekozen, de toespra-

KEN, ALLES. EEN VAN ZIJN VRIENDEN LAS EEN GEDICHT, DAVID MONTAGUE HEETTE HIJ, HIJ WAS DIRIGENT, MAAR HAD EEN PRACHTIGE STEM, DAT MOET IK HEM NAGEVEN. GUINEVERE LAS OOK EEN GEDICHT VOOR; HET WAS ERG MOOI. EEN VAN DE STROFEN LUIDDE: 'VANDAAG IS MIJN LEVEN ECHT GEBOREN.' IK STOND NAAR HAAR TE LUISTEREN EN TE KIJKEN NAAR HAAR MOOIE GEZICHT, NAAR HET HAAR DAT ALS EEN SLUIER LANGS HAAR RUG VIEL, EN IK DACHT: WAAROM HIJ? EN HET WAS OOK VERSCHRIKKELIJK. NIET IN HET BEGIN, MAAR NA EEN PAAR JAAR WEL. IK DENK EERLIJK GEZEGD DAT HIJ JALOERS OP HAAR WAS. ZE MAAKTEN OOK VAAK RUZIE. HET WAS HOPELOOS EN HET WAS AFSCHUWELIJK HAAR GELUK ZO TE ZIEN SLINKEN. TOEN WERD ZE ZWANGER EN DAARNA GING HET ECHT MIS. IK HEB NOOIT BEGREPEN WAAROM, WANT ZE WILDE DIE BABY ONTZETTEND GRAAG, MAAR HIJ GING BIJ HAAR WEG EN ZIJ VERLOOR DE BABY.

Hoofdstuk 15

1966

'Ik ga op bezoek bij de andere grote liefde van mijn leven,' zei Joe, 'die in Amerika.'

Caroline richtte haar hoofd met een ruk op. Joe had de neiging om onaangenaam nieuws te verpakken als grapje. 'Wie?' vroeg ze.

Hij grijnsde, pakte haar hand en drukte er een kus op. 'Ik vind het heerlijk als je jaloers bent. Ik vind het echt opwindend.'

'Ik ben niet jaloers,' zei Caroline geërgerd.

'Jawel. Zij heeft ook rood haar en de langste wimpers die ik ooit gezien heb.'

'Joe, hou op. Over wie héb je het?'

'Yolande,' zei hij. 'Yolande duGrath. Mijn oude vriendin in Los Angeles.'

'O,' zei Caroline. Ze klonk opeens vlak. 'Die vriendin van Brendan.'

'Die ja,' zei Joe. Hij zag hoe diep de herinnering aan Brendan haar raakte en vreemd genoeg deed dat hem pijn. Hij zei tegen zichzelf dat die vent toevallig wel de eerste liefde van Carolines leven was geweest, maar natuurlijk was het meer dan dat. Brendan leefde voort, niet alleen in haar hart, maar ook in het echt, in zijn dochter. De dochter die niet alleen haar obsedeerde, maar Chloe ook.

Joe vond Fleur erg verontrustend. Het ging niet alleen om haar Ierse schoonheid, haar lange slanke lichaam met de volle borsten; niet eens om haar sensualiteit en onmiskenbare passie; het ging om de vreemde combinatie van kwetsbaarheid en intense moed, haar behoefte aan liefde en de manier waarop ze volhield dat ze niemand nodig had. Hij dacht vaker aan haar dan hij zelfs zichzelf durfde toe te geven.

'Ik zou willen dat je nu niet wegging,' zei Caroline prikkelbaar. 'Chloe's relatie met Piers Windsor zit me dwars.'

'Het spijt me,' zei Joe, 'maar ik moet naar LA. Ik moet een serie artikelen schrijven. En ik moet mensen opzoeken in New York.'

'Ga je nog naar... naar Fleur?' vroeg Caroline.

'Als ik kan,' zei Joe. Hij hoopte dat het nonchalant genoeg klonk.

'Wat is dit leuk,' zei Fleur. 'Ik ben zo blij dat je er bent.'

Hij had haar op kantoor gebeld met de vraag te gaan lunchen; zij had voorgesteld te picknicken in Central Park en had kip, bagels, kaas en fruit gekocht. Joe nam een fles wijn en een paar blikjes cola light mee. Hij wist dat ze dat liever dronk.

Ze droeg een broek met afgeknipte pijpen en een wit T-shirt; haar donkere haar, iets langer gegroeid, in een paardenstaart. Het was hoogzomer en erg warm; ze was bruin en haar ogen leken nog dieper blauw. Ze had sproeten op haar neus en toen ze naar hem grijnsde, zag hij haar tanden, wit en gelijkmatig.

'Je ziet er geweldig uit,' zei hij.

'Dank je. Wat ontzettend aardig om me te komen opzoeken.'

'Ach,' zei hij, 'ik moet toch een oogje in het zeil houden, vind ik.'

'Hoezo? Ik ben een grote meid.'

Ze had gelijk. Sinds zijn laatste bezoek was ze volwassen geworden, beheerster en zelfverzekerder, iets afstandelijker ook. Nou ja, ze was inmiddels – hoe oud? – eenentwintig. Officieel volwassen.

'Dat weet ik wel,' zei hij, 'maar Caroline maakt zich zorgen om je.'

'Ik zou niet weten waarom,' zei ze, opeens weer uitdagend.

Hij grijnsde opgelucht. 'Dan ben je erg dom. Hoe dan ook, ik ga morgen naar Californië.'

'O god,' zei ze en haar ogen werden donker van verlangen. 'O god, ik zou zo graag meegaan. Ik krijg het gevoel alsof ik echt vorderingen maak, maar ik kan er niet mee verder, omdat ik er niet heen kan en daardoor is het vreselijk, erger dan voordat ik begon.'

'Ga dan mee,' zei Joe en hij voelde zijn hart bonken van pure angst en opwinding. Hij schrok van zijn onverantwoorde uitnodiging.

Het was heel lang stil en toen zei ze: 'Dat gaat niet, Joe. Ik ben met zes campagnes tegelijk bezig. Ik zou nu moeten werken, al is het zaterdag. Later in het jaar ga ik, dat heb ik mezelf beloofd. Vertel eens, ga je Yolande opzoeken?'

'Natuurlijk.'

'Wil je haar alsjeblieft vragen of ze weet wie en/of waar Kevin Clint en Hilton Berelman zijn? Ze zijn niet in New York. Ik heb alles geprobeerd, ben zelfs naar het adres gegaan dat ik van die oude heks had gekregen. Niets, niemand had zelfs maar van hen gehoord. Ik heb Yolande al weken geleden geschreven, maar nog niets gehoord.'

'Fleur, denk jij echt...' Zijn stem stierf weg terwijl zij tegen hem uitviel.

'Ja, Joe, dat denk ik echt! Ik moet het doen. Het is zo ongelooflijk belangrijk voor me. Ik begrijp niet dat je dat moet vragen.' Ze keek hem aan en zuchtte. 'Hoe vaak moet ik het je nog vertellen? Op de een of andere manier, Joe, moet ik uitzoeken wat er is gebeurd. Verder mag iedereen mijn vader dan vergeten zijn, ik niet.'

'Je moeder ook niet,' zei Joe voorzichtig.

'Ze heeft een vreemde manier om het te laten blijken.'

'Ze is anders dan jij,' zei hij. 'Ze draagt haar hart niet op de tong.'

'Aardig dat je wilt geloven dat ze er een heeft.'

Het bleef even stil, toen zei Joe: 'Je zou jezelf hiermee flink kunnen bezeren, Fleur.'

'Dat zei Yolande ook. Het doet nu al pijn. Erger kan niet.'

'Dat hoop ik maar,' zei hij vriendelijk.

'Dat gebeurt niet. Waarom ga je eigenlijk naar LA?'

'O... een serie van de *Sunday Times* over de Californische mythe.'

'Welke mythe?'

'Dat wat nu hier gebeurt, morgen in Groot-Brittannië gebeurt.'

'O,' zei ze, 'oud verhaal.'

'Klopt,' zei hij. 'En natuurlijk zal ik het Yolande vragen. Ik heb ook niets meer van haar gehoord. Zelfs geen verjaarskaart. Niets voor haar.'

Yolande zat niet in haar stoffige stampvolle appartement in Venice, ze lag in het staatsziekenhuis. Haar huid was geel, haar wimpers zaten scheef en haar rode haar was dun en grijs.

'Zo dom,' zei ze, 'ze zeggen steeds dat ik ziek ben, maar het gaat prima met me. Ik heb gezegd dat ik volgende week naar huis ga.'

Joe wreef haar over haar hand. 'Goed zo. Laat dat niet op je zitten.'

'Hoe gaat het met die lieve Fleur?'

'Volgens mij wel goed. Ik hoor niet zo vaak iets van haar. Maar ze is dolblij met haar baan en te oordelen naar haar horloge moet het haar goed gaan.'

'Ik ben blij dat ze gelukkig is. Arm kind.'

'Ze zei dat ze je had geschreven,' zei Joe voorzichtig.

'Dat klopt, over Clint en Berelman. Ze heeft vergeefs New York uitgekamd, op zoek naar hem, en wilde weten of ik kan helpen. Ik liep nog na te denken over wat ik zou doen, toen ik ziek werd. Wil je zeggen dat het me spijt? Konden we haar maar van haar plan afbrengen, Joe.'

'Je kunt Fleur niet tegenhouden als ze iets in haar kop heeft,' zei Joe. 'Wie waren die kerels eigenlijk?

'Clint was een impresario en Berelman was een talentscout. Allebei even verschrikkelijk.'

'Maar hadden zij... iets te maken met Brendans dood?'

'Zijdelings wel,' zei Yolande. 'Zij brachten hem hier. Maar...' Opeens vertrok haar gezicht van pijn. 'Joe, liefje, wil jij bellen voor de verpleegkundige? Ik denk dat ik een injectie nodig heb.'

De verpleegkundige kwam en gaf haar een injectie. Yolande leunde zwaar achterover, na enige tijd werd haar gezicht zachter, meer ontspannen.

'Dat is beter, denk ik... ik moet misschien even gaan slapen. Wil je morgen terugkomen, liefje? Om verder te kletsen?'

Joe boog voorover om haar te kussen. 'Natuurlijk.'

Ze had kanker, vertelde de arts, borstkanker met overal uitzaaiingen. 'Het zit in de lymfeklieren. We kunnen niets doen, alleen de pijn verzachten. Ze is een erg leuke vrouw,' voegde hij eraan toe. 'U zou die verhalen van haar eens moeten horen.'

'Ik ken ze,' zei Joe.

Toen hij de volgende ochtend terugkwam, was haar bed leeg. Ze was vroeg in de ochtend overleden. Joe stond totaal verslagen naar het bed te kijken. Hij voelde zich diepgetroffen.

'Ze heeft geluk gehad,' zei een langslopende verpleegkundige. 'Ze kreeg een hartaanval. Dat heeft haar een hoop pijn bespaard.'

'Ja, vast,' zei Joe. Hij ging in zijn huurauto zitten op het parkeerterrein van het ziekenhuis, leunde met zijn hoofd tegen het stuur en huilde.

Er kwamen tientallen mensen op haar begrafenis, de acteurs en actrices die ze had lesgegeven, gevleid, afgebekt en geplaagd; er zaten grote namen tussen, maar ook onbekenden. De begrafenis alleen zou al een geweldig artikel opleveren. Hoewel hij zichzelf erom haatte, maakte Joe in gedachten uitgebreide aantekeningen. Na afloop werkte hij ze in het hotel uit tot een artikel. Toen ging hij zitten overdenken wat hij tegen Fleur kon zeggen.

Fleur zou heel erg van streek zijn, om twee redenen: ze was echt erg gek op Yolande geweest, maar bovendien was ze koortsachtig op zoek naar een aanwijzing die haar bij Clint en Berelman bracht. Nu kon Yolande hen niet langer helpen en liep het spoor opnieuw dood. Misschien zouden ze het nooit meer kunnen oppakken, en misschien was dat maar goed ook. Niets wat Fleur nog over haar vader kon ontdekken, zou haar kunnen helpen of goed doen.

Joe lag op bed na te denken over Brendan FitzPatrick: over wat Caroline hem had verteld en wat hij zelf had ontdekt. De twee portretten leken niet erg op elkaar. Voor Caroline was hij een held geweest, een vriendelijke held vol bravoure die midden in de oorlog in Suffolk was aangekomen en haar had overdonderd. Maar voor iedereen die hij had gesproken was Brendan een nietsnut, een charmante zwakkeling zonder talent of tact. Wat moest hij met dat enigma, vroeg hij zich voor de honderdste, zo niet de duizendste keer af, met deze man van wie Caroline zo had gehouden, van wie Fleur zo had gehouden en die dat zo overduidelijk nergens aan had verdiend?

Of misschien toch? Wie was de echte Brendan FitzPatrick, hoe was hij werkelijk geweest; wat was er echt met hem gebeurd? Hij mocht dan een hekel aan hem hebben gekregen, zo niet aan Brendan, dan wel aan de man die hij was geworden, Byron Patrick, de klootzak met zijn verblindende lach en zijn rollende spieren, hij voelde zich net zo gedreven als Fleur om de zaak tot op de bodem uit te zoeken, te ontdekken wie hem had verraden, hem genoeg had gehaat om over hem te praten tegen de roddelpers. Byron had hem tenslotte bij Caroline gebracht. En bij Fleur.

Joe lag op bed bourbon te drinken en na te denken over Fleur. Wat moest hij met haar aan? In plaats van haar te helpen het spoor te volgen kon hij haar beter op een dwaalspoor zetten. Alleen... alleen zou ze het nooit opgeven. Ze zou hem die verschrikkelijke, minachtende, boze blik toewerpen en hem gewoon passeren om alleen verder te gaan. En ze zou er komen. Ze zou Clint en Berelman vinden, en wie ze nog meer moest vinden. Hij moest er voor haar zijn, haar helpen waar hij kon; dat was hij haar verschuldigd. Het was het minste wat hij kon doen.

Om drie uur 's nachts werd hij zwetend wakker. Hij had zijn kleren nog aan en de airconditioning stond uit. Hij had afschuwelijk gedroomd, dat hij over de Pacific Coast Highway had gereden en dat er een dronken man naar zijn auto toe was gelopen, schreeuwend en zwaaiend met zijn handen. Hij had ergens om gesmeekt. Maar wat? Joe kleedde zich uit en kreeg het koud. Om zijn aandacht af te leiden van zijn nachtmerrie over Brendan begon hij zijn artikel te herlezen, herkauwde de details van de begrafenis, probeerde zich ervan te verzekeren dat hij geen kostbaar miniatuurtje was vergeten. En toen wist hij wat hij was vergeten: een misselijk mannetje met een haarstukje dat zijn hand tot moes kneep. Hij was zonder aanleiding naar hem toe gekomen en had gezegd: 'Hai, ik ben Perry Browne, pr-manager. Wat was Yolande toch een geweldige vrouw. Wat verschrikkelijk triest. Jij hebt dat boek geschreven, hè, *Scandals*? Fraai staaltje onderzoeksjournalistiek. Ik heb het met veel plezier gelezen. Misschien kunnen we eens samen iets doen.' En hij had Joe zijn kaartje in de hand gedrukt. Hij was niet de enige geweest. Een kreukelig, groezelig stapeltje in de zak van zijn jasje getuigde van de smakeloosheid van Hollywood.

Perry Browne leek geen specialisme te hebben, hij leek gewoon indruk te willen maken. Waarschijnlijk allang ontslagen en nu een van de snelgroeiende groep freelancers die zich in het roddelcircuit staande probeerden te houden. Maar als hij Yolande had gekend en *Scandals* had gelezen, wist hij misschien iets over Byron. Hij zou hem straks bellen. Het was een kleine kans, maar het was toch de moeite waard.

Ze werden niet toegelaten in de Polo Lounge van het Beverly Hills Hotel, omdat Joe geen stropdas droeg, maar na bemiddeling door Perry Browne en na een blik op Joe's perskaart – veel effectiever – mochten ze bij het zwembad zitten. Perry bestelde een margarita en Joe nam bier.

'Ik vond het zo leuk dat je belde,' zei Perry. 'Ik was er erg blij mee. Wat was het een ontroerende begrafenis, Joe. Ik moet zeggen dat ik een groot deel van de ceremonie door een zee van tranen heb gekeken. Deze stad zal Yolande nooit vergeten, nooit.'

Joe wilde zeggen dat de stad al een heel aardige poging tot vergeten had gedaan toen ze in het ziekenhuis lag, maar hield zijn mond.

'Vertel eens, Joe, wat kan ik voor je doen? Ik moet zeggen dat ik het geweldig zou vinden om met je samen te werken. Ik heb zoveel contacten in deze stad en ik heb zo'n bewondering voor wat je schrijft. Waar werk je momenteel precies aan? Voor welke krant?'

'Een serie artikelen voor de *Sunday Times*,' zei Joe.

'De *Sunday Times*! Wat geweldig!' zei Perry. 'En zo toevallig. De laatste keer dat Michael Boxman hier was, zijn we gaan eten en hij zei dat ik maar met een idee hoefde te komen en hij zou me een opdracht geven.'

Joe nam aan dat hij met Michael Boxman Mark Boxer bedoelde en glimlachte flauwtjes. 'En? Is er iets uit voortgekomen?' vroeg hij een tikje kwaadaardig.

'Nou ja, ik heb het zo druk gehad dat ik er nog niet aan toe ben gekomen. Maar dat komt nog wel, Joe, absoluut. Al wil ik natuurlijk niet in jouw vaarwater gaan zitten.'

Hij gaf met een stralende glimlach een tikje tegen zijn haarstukje. Het waaide nogal bij het zwembad. De wind blies het foute parfum van zijn aftershave Joe's kant uit. Joe was blij dat ze niet in de Polo Lounge zaten.

'Eh, meneer Browne?'

'Zeg alsjeblieft Perry. Alsjeblieft!'

'Goed, Perry. Ik doe onderzoek voor een nieuw boek. Over het oude studiosysteem. Ik dacht dat je me misschien op weg kon helpen.'

'Ja, natuurlijk, graag zelfs. Ik ben natuurlijk niet langer... verbonden aan een studio, maar dat maakt me ook flexibel. Had je al een... vergoeding in je hoofd, Joe?'

'Niet echt,' zei Joe hulpeloos, 'het hangt ervan af.'

'Waarvan?' vroeg Perry. Hij zag er opeens alerter uit, als een fret op leeftijd. 'Ik bedoel maar dat mijn tijd kostbaar is, Joe, dat hoef ik je niet te vertellen. *Time* betaalt heel veel geld, en ik bedoel héél veel geld, voor hun showbizzpagina's.'

'O ja?' vroeg Joe, 'dan wil ik graag weten wie daar je contactpersoon is. Vorige week heb ik iets voor hen geschreven en daar kreeg ik vijftig dollar voor.'

'Echt waar?' Perry maakte een onzekere indruk. 'We zullen allemaal wel onze specialismen hebben. Joe, laten we zeggen vijftig dollar per dag. Dan zijn we allemaal tevreden.'

'Prima,' zei Joe nonchalant. Hij was niet van plan veel van Perry's tijd in beslag te nemen. 'Stuur maar een rekening. Maar bij welke studio heb je eigenlijk gewerkt?'

'Waar níet, Joe? Ik heb bij Universal gezeten, bij MGM, Paramount, ACI...'

Joe werd opeens overmand door opwinding. Byron had bij ACI gezeten. Dit had hij niet durven hopen.

'Wanneer werkte je bij ACI, Perry?'

'In dezelfde tijd als Naomi MacNeice. We werkten nauw samen. Arme Naomi, ze is zo ziek. Ik ga bijna elke week even bij haar langs.'

'Je was er dus toen Byron Patrick voor ze werkte?'

'In zijn begintijd wel, ja. En als ik ervan had geweten, had ik je graag geholpen met je boek, maar toen was ik er natuurlijk al weg. Ruzie met Naomi. Erg moeilijke vrouw, Naomi.'

Joe knikte vriendelijk. 'Dat heb ik gehoord, ja. Kende je Byron goed?'

'Goed genoeg,' zei Perry met een gekwelde blik in zijn ogen. 'Weet je, Joe, hij was moeilijk, erg moeilijk. En hij kon heel grof zijn. Soms kreeg ik het gevoel dat hij me niet mocht.'

'Dat zal toch niet,' zei Joe voorzichtig.

'Ja, echt,' zei Perry. 'Het doet er nu niet meer toe. Hij was dom. En ik was erg verdrietig toen hij stierf. Erg verdrietig .'

'Echt waar?' vroeg Joe. 'Maar waarom noemde je hem dom, Perry?'

'O, vanwege zijn keuze van vrienden. Het gezelschap waarin hij verkeerde.'

'Tja,' zei Joe, 'waarschijnlijk niet al te fris. Kende je die mensen?'

'Ik bleef liever bij ze uit de buurt,' zei Perry zo waardig mogelijk.

Joe hield met moeite zijn stem in bedwang. 'Kun jij je herinneren of zich destijds in die vriendenclub een Engelse acteur bevond?'

Perry klonk een beetje ongeduldig. 'Zoals ik al zei, bleef ik bij ze uit de buurt. Je zag hier toen veel Engelse acteurs. Ze vochten om een rol, wilden allemaal doorbreken. Waarschijnlijk kende hij er verscheidene. Hij buitte zijn charmes ook wel erg uit. Uiteindelijk had hij alles aan zichzelf te danken.'

'O ja?' vroeg Joe. 'Misschien had hij gewoon een vriend nodig.'

'Daar had hij het niet mee gered. Deze stad vergeeft niet gemakkelijk.'

'Dat zal wel,' zei Joe. 'Vertel eens, Perry, kende jij een stel mannen die Clint en Berelman heten?'

Perry's blik werd waakzaam. 'Hilton kende ik wel, Kev minder goed. Ze waren ooit heel groot.'

'Juist. Kende Byron ze ook?'

'Absoluut!' zei Perry. 'Hilton en hij waren erg dik met elkaar toen Byron naar Hollywood kwam. Kevin had hem ontdekt in New York. Maar ze kregen ruzie en toen hij doorbrak, wilde hij niets met ze te maken hebben. Met zulk gedrag schiet je toch niets op!'

'Maar als ze zo groot waren...'

'Joe, we hebben elkaar allemaal nodig,' zei Perry met een gekwelde blik. 'Hilton maakte toen een moeilijke tijd door. Het zou zoveel voor hem hebben betekend als Byron hem een beetje had geholpen. Maar dat deed hij niet. Dat deed Hilton volgens mij echt pijn.'

'Was jij dan zo dik met Hilton?'

'Dat ligt eraan hoe je dat bedoelt! Beroepsmatig wel, maar privé niet. Ik hield niet van zijn stijl. Helemaal niet.'

'Weet je wat er daarna met hen is gebeurd?' vroeg Joe.

'Kevin zit nog in New York, voor zover ik weet, en Hilton is in San Francisco gaan wonen. Hij heeft daar vrienden en dacht dat hij opnieuw zou kunnen beginnen.'

'Als talentscout?'

'Ja, hij was erg goed.'

'O, Perry, wat vond je trouwens niet prettig aan zijn stijl? Wil je nog iets drinken? Hetzelfde?'

'Dat lijkt me heerlijk. Dank je.'

Joe bestelde drank en leunde achterover. Hij genoot van de warmte, de zon op zijn gezicht, het ijskoude bier. Elke keer dat hij zijn ogen opendeed, zag hij meer mooie, schaars geklede vrouwen. Hij zou aan dit leven kunnen wennen.

'Wat vroeg je ook alweer?' vroeg Perry, die bevallig van zijn margarita dronk door een roze rietje. 'O ja, over Hilton. Ach, hij was erg flamboyant. En hij kon nogal smakeloos zijn.'

'In welk opzicht?' vroeg Joe. Hij kon zich absoluut geen gedrag voorstellen dat in de ogen van Perry Browne smakeloos was.

'Nou, hij vloekte. Waar vrouwen bij waren. Daar heb ik altijd een hekel aan gehad. En jij, Joe? Dacht ik al. En hij vertelde rare verhalen. Ik heb hem er een keer op aangesproken. Ik zei: Hilton, daar zitten we niet op te wachten tijdens het eten.'

'Wat zei hij toen?' vroeg Joe geïnteresseerd.

'Hij werd erg grof. Ik zou niet graag herhalen wat hij precies zei. Maar ik vind dat je soms een standpunt moet innemen. Voor je overtuiging moet uit-komen.'

'Helemaal mee eens,' zei Joe.

Perry keek hem opeens oplettend aan.

'Hoe dan ook, Joe, ik kan me niet voorstellen dat je nog meer wilt weten over Hilton Berelman. Dit is een zakengesprek. Vertel jij maar in welke stu-dio's je geïnteresseerd bent en dan kom ik wel met ideeën. Niemand kan tip-pen aan mijn contacten, geloof me.'

Toen Joe in zijn hotel terugkwam, lag er een verzoek Fleur terug te bellen. Hij schonk zichzelf een dubbele bourbon in en ging ervoor zitten.

'Hai, Fleur.'

'Joe! Waarom heb je niet eerder gebeld? Ik wacht al vijf dagen.'

'Liefje, ik heb helaas slecht nieuws.'

'Wat voor slecht nieuws? Kan Yolande zich Clint en Berelman niet herin-neren?'

'Fleur, schat, ze kan zich helemaal niets meer herinneren.'

Het was lang stil. Toen vroeg Fleur voorzichtig, bang: 'Hoe bedoel je, Joe? Is ze... is ze...'

'Ze is overleden, Fleur, drie dagen geleden. Ik vind het zo erg voor je.'

'Verdomme! Verdomme, Joe, waarom heb je niet gebeld? Is de begrafenis al geweest?'

'Ja, gisteren.'

'Verdomme, Joe. Wat ben jij een klootzak.' Hij kon de pijn in haar stem horen. 'Ik zou zijn gekomen. Dat weet je toch. Ze is zo aardig voor me geweest. God, wat ben jij een klootzak.'

De verbinding werd verbroken. Joe bleef naar de telefoon zitten kijken, rillerig en misselijk. God, wat was hij een domme, gevoelloze hork. Waarom had hij Fleur niet gebeld om het haar te vertellen, om haar de kans te geven om te komen als ze kon? Weer had Fleur hen nodig gehad en weer hadden ze haar laten vallen. Geen wonder dat ze zo gekwetst was, zo vijandig tegenover hen.

Hij besloot te gaan wandelen; hij reed naar Santa Monica en liep een paar uur langs het strand, vervuld van zelfhaat. Hij at niet, maar ging op zijn kamer zitten werken en probeerde dronken te worden. Toen ging de telefoon: Perry Browne.

'Joe? Ik heb de namen voor je van een paar mensen in Venice, met wie je kunt praten. Als je mijn naam noemt, willen ze beslist meewerken.'

'Dank je,' zei Joe. Terwijl Perry een lijst namen opsomde, nam hij niet eens de moeite ze op te schrijven. 'Bedankt,' zei hij toen Perry uitgesproken was; hij sliep al half.

'O ja, Joe, ik heb ook een telefoonnummer van Hilton Berelman voor je.'

Joe was meteen klaarwakker. 'Ja?'

Hij schreef het nummer op. Opeens voelde hij zich alert en nogal dronken.

'O, noem me alsjeblieft Hilton.' De stem door de telefoon klonk helder en geamuseerd. Om de een of andere reden dacht Joe dat hij Hilton veel meer zou mogen dan Perry.

'Goed, Hilton, ik doe momenteel onderzoek voor een boek over het ster-rensysteem van Hollywood. Ik zou het enorm waarderen als je me aan een paar concrete voorbeelden kunt helpen.'

'Je eerste boek?'

'Nee, ik heb er al eerder een geschreven. Over Hollywood-schandalen.'

'O, dat. Niet gelezen.'

'Je mist er niets aan. Maar, vertel eens, Hilton...'

'Hoe kom je aan mijn naam?'

'Van een dame die je misschien nog wel kent, Yolande du Grath.'

'Ja, bijzondere vrouw. Hoe gaat het met haar?'

'Ze is helaas overleden.'

'Dat meen je niet! Ach, wat jammer. Pasgeleden?'

'Ja. Het heeft me erg geraakt. Ze was een goede vriendin.'

'Arme Yolande. Wat ontzettend jammer.' Hij was even stil.

Joe besloot ter zake te komen. 'Maar Hilton, als je een paar verhalen voor me hebt, zou ik dat geweldig vinden.' Puur uit gewoonte maakte hij aantekeningen. Hij was zo moe dat de letters zwommen voor zijn ogen. Om wakker te blijven vroeg hij: 'Zegt de naam Byron Patrick je eigenlijk iets?'

'Zeker wel. Die kwam oorspronkelijk bij mij vandaan. Hoe ken jij zijn naam?'

'O, die had Yolande genoemd.'

'Hij deugde niet. Geen talent. Hij kreeg wat hij verdiende.'

'Wat kreeg hij precies?'

'Uiteindelijk helemaal niets. Hij werd aangereden en ging dood. Hij was dronken en zwalkte over de Pacific Coast Highway. Hij had op het strand gewoond bij Santa Monica. Straatarm.'

'Maar waar verdiende hij dat aan?'

'Hij behandelde mensen niet goed,' zei Berelman kort. 'Zijn impresario, Kevin Clint, en ik hebben veel voor hem gedaan. Kevin was erg goed als het om een gezicht ging, maar van talent had hij minder verstand. Hij is dood. Ik mis hem. Maar goed, we haalden Byron naar Hollywood, bezorgden hem een contract, kochten mooie kleren voor hem, de hele rimram. Maar toen die MacNeice hem naar ACI haalde, wilde hij dat allemaal niet meer weten. Praatte niet eens met ons op feestjes.'

'Juist,' zei Joe, die zich afvroeg wat hij zou zeggen. Hij wilde niet al te veel meeleven, maar hij moest iets zeggen, anders was hij Hilton kwijt. 'Dat klinkt niet bepaald vriendelijk. Maar...' Blijkbaar had hij de juiste toon getroffen, want Hilton kwebbelde ontspannen verder.

'Maar goed, zijn verleden haalde hem in. En Kevin ook, natuurlijk.'

'Zijn verleden?'

'Ja. Hij werd schuldig bevonden aan de enige misdaad die Hollywood nooit vergeeft. Nog steeds niet. Althans, officieel niet. Niet als het om helden gaat.'

'Bedoel je dat Byron... homofiel was?' Joe probeerde zo onschuldig mogelijk te klinken.

'Nou en of. Hij lustte er wel pap van. Hij was bi, natuurlijk. Althans, Rose Sharon hield vol dat hij hetero was. Maar ik ken veel mensen die dat uit persoonlijke ervaring kunnen weerleggen.'

'Rose Sharon? Kende zij Byron dan? Dat wist ik niet.' Rose Sharon was een van de grote Hollywood-sterren van haar generatie, met drie Oscarnominaties. Elke film waarin ze speelde, was een groot succes. Waarom had hij niet eerder over dat verband gehoord? Waarom had Yolande dat niet verteld?

'Joe, het is een echte lovestory. Typisch Romeo en Julia. Daar maakte Naomi natuurlijk ook een eind aan, net als aan al het andere. Maar goed, toen kwam Byron in de roddelpers te staan. Meestal kocht een studio de bladen om als ze er lucht van kregen. Maar Byron was daar niet belangrijk genoeg voor. Ze lieten hem gewoon stikken.'

'Juist,' zei Joe. 'Weet jij eigenlijk wie zijn vuile was buiten heeft gehangen?'

'Joe, ik weet het niet.' Hilton klonk opeens blasé, geïrriteerd. 'Een of andere informant. Hollywood is ervan vergeven. Meestal zijn het hoertjes. Hoor eens, dit is echt oud nieuws. Laten we het over interessantere dingen hebben. Joe, kun je iets gebruiken over Floy Jacoby? Luister naar mijn woorden: die griet gaat het maken. Daar kunnen we allebei van profiteren...'

De volgende ochtend schreef Joe Fleur een lange brief. Hij vroeg haar hem te vergeven dat hij haar niets over Yolande had verteld en vertelde haar dat hij had ontdekt dat Kevin Clint was overleden en dat Berelman al jaren weg was uit Hollywood. Na lang nadenken schreef hij ook dat hij had ontdekt dat haar vader in zijn eerste jaren in Hollywood een liefdesrelatie had gehad met Rose Sharon. 'Lang voordat ze zo beroemd werd. Blijkbaar heeft Naomi MacNeice die relatie de kop ingedrukt. Ik denk niet echt dat ze met je zou willen praten, maar het is in elk geval het proberen waard.' Hij hoopte maar dat hij hier goed aan deed, maar hij vond dat hij Fleur iets moest aanbieden om zijn fouten goed te maken.

Ze zou zeker proberen met Rose te praten; Rose zou vrijwel zeker haar verzoek afwijzen. En daarna, hoopte hij, zou Fleur het eindelijk loslaten.

Alleen was loslaten niet bepaald iets voor Fleur.

TRANSCRIPTIE VAN TELEFOONGESPREK MET HILDA FOSTER, ZUS VAN KIRSTIE FAIRFAX, VOOR HET HOOFDSTUK 'VERLOREN JAREN' IN *THE TINSEL UNDERNEATH*.

SORRY, MAAR IK WIL ER NIETS MEE TE MAKEN HEBBEN. DAT HEB IK NOOIT GEWILD EN DAT ZAL IK OOK NIET WILLEN. ZE IS DOOD EN KOMT NOOIT MEER TERUG. WAAROM ZOU JE DAN TWINTIG JAAR LATER EEN OF ANDERE ZAK AAN DE SCHANDPAAL NAGELEN? NOU, DAT WIL JE TOCH? EN IK ZEG AL, KIRSTIE SCHIET ER

NIETS MEE OP. ARME KIND, HELEMAAL IDOLAAT VAN STERREN, DAT WERD HAAR ONDERGANG. WAARSCHIJNLIJK WAS DIE VENT MET WIE ZE OMGING NET ZO ERG. NEE, IK WEET NIET WIE HIJ WAS. IK ZEG TOCH DAT IK ER NIETS MEE TE MAKEN WIL HEBBEN. WE HEBBEN ER TOEN UITGEBREID OVER GEPRAAT MET DE POLITIE EN TOEN KONDEN WE OOK NIET HELPEN. ZE SCHREEF NOOIT, BELDE OOK BIJNA NOOIT. WE WISTEN ALLEEN DAT ZE HEM OP EEN OF ANDERE AUDITIE HAD LEREN KENNEN EN DAT HIJ PROBEERDE HAAR TE HELPEN. EN DAT HIJ GEK OP HAAR WAS. MAAR HET LIEP FOUT AF EN ZE WERD NOG ZWANGER OOK. ZO GAAN DIE DINGEN. HET IS ROT. NATUURLIJK WAREN WE ER KAPOT VAN, MAAR DAT IS LANG GELEDEN. HET LEVEN GAAT DOOR.

TRANSCRIPTIE VAN TELEFOONGESPREK MET LOU BURNS, CAMERAMAN BIJ ACI IN DE JAREN VIJFTIG.

NATUURLIJK HERINNER IK ME BYRON. HIJ WAS EEN TOFFE VENT. KON ABSOLUUT NIET ACTEREN, MAAR HIJ ZAG ER GOED UIT EN HIJ HAD MEVROUW MacNEICE IN ZIJN ZAK. WAT WIL JE NOG MEER? HIJ GING NET LEKKER, TOEN DE PLEURIS UIT-BRAK. IK HEB NOOIT GEWETEN OF ER IETS VAN WAAR WAS. JE WIST IN DEZE STAD TOCH NOOIT WIE WAT MET WIE DEED. NOG NIET, TROUWENS. HET HOORT ALLE-MAAL BIJ DE ACT. ZELFS NAAR DE WC GAAN GEBEURT NIET SPONTAAN. HIJ HEEFT ZICHZELF IN DE VINGERS GESNEDEN. VEEL TE GOED VAN VERTROUWEN. HIJ ZAG DE BUI NOOIT HANGEN. JA, KIRSTIE FAIRFAX HERINNER IK ME OOK. ALLEEN OMDAT ZE DOODGING. DE DAG DAARVOOR WAS ZE IN DE STUDIO. DAAROM KWAM DE POLITIE. HIJ HAD GEPROBEERD HAAR TE HELPEN, BIJVOORBEELD DOOR EEN SCREEN-TEST VOOR HAAR TE REGELEN IN EEN VAN ZIJN FILMS. TOEN ZE DE ROL NIET KREEG, GAF ZE BYRON DE SCHULD. HET WAS EEN BIMBO, EEN GEWILD SLETJE. ZE DEED HET MET HALF HOLLYWOOD, VROUWEN EN MANNEN. GEBRUIKTE ZO ONGE-VEER ALLES. WAS ZE NIET ZWANGER? ZE KWAM BINNEN MET EEN KLEIN MANNETJE, EEN DANSER. HARTSTIKKE HOMO. 'WAAR IS BYRON?' VROEG ZE. 'IK MOET HEM IETS VERTELLEN.'

    IK VERTELDE DAT HIJ ER NIET WAS EN ZIJ ZEI: 'ZEG MAAR DAT KIRSTIE IS LANGS GEWEEST.' TOEN WAS ZE WEG EN IK HEB HAAR NOOIT MEER GEZIEN.

Hoofdstuk 16

1966

'Het heeft geen zin om hierover door te gaan,' zei Caroline. 'Dit is complete onzin, Chloe. Natuurlijk kun je niet met Piers Windsor trouwen.'

'Caroline,' zei Joe, op zachte, waarschuwende toon, 'laat Chloe even uitpraten.'

'Ik ben uitgepraat,' zei Chloe. 'Ik ga met hem trouwen, al heel snel.'

'Maar liefje, waarom zo snel?'

'Dat lijkt me duidelijk. Ik ben zwanger.'

'Chloe!' Het kostte Caroline moeite om rustig te blijven en de situatie te verwerken. 'Je hoeft niet te trouwen alleen omdat je zwanger bent.'

'O nee? Jij wilt zeker dat ik het laat weghalen?'

'Chloe, doe niet zo dom. Natuurlijk niet. Ik zeg alleen dat je niet hoeft te trouwen, totdat... totdat je het zeker weet.'

'Ik weet het zeker. En waarom zouden we níet trouwen? Je lijkt niet te begrijpen dat we van elkaar houden.'

'Chloe, je kent... Piers,' het kostte Caroline moeite de naam uit te spreken zonder te spugen, 'je kent hem nu vier of vijf maanden. Dat is nog niet zo lang.'

'Lang genoeg.'

Joe sprak heel langzaam, heel voorzichtig, omdat hij haar niet op stang wilde jagen. 'Chloe, liefje, denk alsjeblieft na. Piers is minstens twintig jaar ouder dan jij. Hij leidt een leven waar jij niets van weet. Als je met hem trouwt, krijg je te maken met uiterst lastige situaties en met mensen met wie je niets gemeenschappelijk hebt. Misschien vind je dat nu niet belangrijk, maar als straks het nieuwe eraf is, is dat wel belangrijk. Je leven wordt ongelooflijk ingewikkeld; jij bent verlegen en... nou ja, jong. Ik zie gewoon niet hoe je met hem gelukkig kunt worden, of liever gezegd,' voegde hij er zo tactvol mogelijk aan toe, 'met zijn leven.'

'Ik wel,' zei Chloe en hij hoorde de tranen in haar stem. 'Ik weet dat ik verlegen ben. Daardoor hebben mensen me al mijn hele leven afgedaan als dom. Daardoor vinden jongens me niet leuk. Ik heb een hekel aan het soort mannen met wie jullie zouden willen dat ik trouwde. Maar Piers houdt van me, hij vindt me geweldig en wil dat ik zijn vrouw wordt. Dat maakt me een stuk minder verlegen, dat kan ik je wel vertellen.'

'Maar, Chloe...'

'Houd nou op met je gemaar. Ik ga met hem trouwen en voor het geval je vindt dat hij me niet zwanger had mogen maken, dat was absoluut mijn eigen schuld. Hij dacht dat ik aan de pil was, maar dat was niet zo. Geef hem dus maar niet de schuld.'

'Chloe, dat is absurd.' Caroline was heel bleek, op twee blosjes van woede na. 'Er bestaat een voorbehoedsmiddel waar jullie blijkbaar geen van beiden aan hebben gedacht. Je hoeft niet met iemand naar bed te gaan alleen omdat je verliefd op hem bent.'

'O ja?' vroeg Chloe kil. 'Dan heb ik een mooi voorbeeld aan jou.'

'Chloe, alsjeblieft,' zei Caroline, 'niet doen.'

'Wat niet doen?' vroeg Chloe. 'Niet over praten? Waarom niet?'

'Omdat het hier helemaal niets mee te maken heeft,' zei Caroline.

'Nou,' zei Chloe, 'niet helemaal, lijkt me. Als jij meer tijd en aandacht aan me had besteed, als...'

'Chloe,' zei Joe, 'hier schieten we niets mee op. We willen dat je gelukkig wordt, meissie, meer niet.'

'Dan laat je me met Piers trouwen,' zei Chloe. 'Ik ben volwassen en ik weet wat voor mij het beste is. Ik dacht al dat jullie het zouden afkraken zonder te proberen het te begrijpen. Ik ga terug naar Londen. Ik kwam het alleen even vertellen.'

'Chloe, wacht,' zei Caroline.

Ze was al weg.

'Ik snap het gewoon niet,' zei Joe een uur later. Caroline en hij zaten bij de open haard in de salon; het was een koude dag in augustus en na de scène met Chloe leek het nog kouder. 'Ik snap wel dat zij smoorverliefd op hem is, maar ik begrijp niet waarom hij met haar zou willen trouwen.'

'Misschien is hij ook wel smoorverliefd,' zei Caroline somber. 'Ze is jong en erg knap. Ze is... nou ja, was... nog maagd. Dat zal zijn reusachtige ego wel hebben gevoed.'

'Maar hij kent massa's knappe jonge meisjes,' zei Joe. 'Ze staan te dringen om hem in hun broekje te laten. Ook veel meer zijn stijl. Chloe past gewoon niet bij hem.'

'Misschien gaat het daar juist om.'

'Ik weet het niet. Ik zou denken dat hij meer op knappe jongetjes valt.'

'Dat meen je niet!'

Maar hij zag de onrust in haar ogen.

Later zei ze dat hij met Piers moest gaan praten.

'Het is immers allemaal jouw schuld.'

'Je wordt bedankt! Waarom mijn schuld?'

'Jij hebt ze toch aan elkaar voorgesteld?'

'Nee, niet echt,' zuchtte Joe. Voor de zoveelste keer vroeg hij zich af wat Caroline zou zeggen of doen als ze wist waarom hij in Piers' verleden was gedoken. Goddank had zijn onderzoek niets opgeleverd, niets bewezen.

'Piers? Joe Payton. Ik wil met je praten.'

'Natuurlijk.' Piers' stem klònk net als altijd glad als zijde. 'Wil je met me lunchen?'

'Ja prima,' zei Joe. Hij kon er net zo goed uit slepen wat hij kon.

'Luister,' zei hij, toen ze in het grillrestaurant van het Savoy aan de Steak Diane zaten, 'ik wil weten waarom je met haar wilt trouwen. Waarom niet gewoon een affaire? Waarom houd je haar niet aan als minnares? Je bent erg destructief bezig.'

'Joe, alsjeblieft!' Piers' grijze ogen waren erg groot, zijn gezicht was open. 'Ik hou écht van haar.'

'Als je van haar hield,' zei Joe onomwonden, 'zou je niet met haar trouwen. Dan zou je haar met rust laten.'

'Wat oneerlijk! Waarom zou ik haar met rust moeten laten?'

'Omdat ze niet opgewassen is tegen je leven,' zei Joe wanhopig. 'Ze is jong, nog maar twintig, Piers, in godsnaam, en ze is jong voor haar leeftijd, absoluut niet geraffineerd, verschrikkelijk verlegen. Het zou een marteling voor haar worden zodra de eerste verliefdheid voorbij is. Bovendien is ze niet de vrouw die jij nodig hebt. Zij is niet wat je zoekt, Piers.'

'Je zit er volkomen naast,' zei Piers ongedwongen en hij dronk zijn glas leeg. 'Je onderschat haar volkomen. Ze heeft een heel sterke persoonlijkheid. En ze is wel degelijk wat ik zoek.'

Joe keek hem plotseling ingespannen aan. 'Hoeveel weet jij over haar, Piers? Over haar achtergrond?'

'O, alles wat ik moet weten,' zei Piers. 'Ik weet dat ze een typisch product is van haar stand en opleiding. Ik weet dat ze verlegen is en te weinig zelfvertrouwen heeft. Dat is volgens mij te wijten aan haar moeder.'

'O ja?' vroeg Joe op scherpe toon. 'Waarom?'

'Dat lijkt me wel duidelijk,' zei Piers. 'Caroline is koud en afstandelijk. Ze heeft amper een band met Chloe. Het is duidelijk dat ze gek is op de jongens, die trekt ze verschrikkelijk voor. Ik vind het niet vreemd dat Chloe verlegen en onzeker is.'

Hij wist het dus niet. Des te beter.

'Hoe dan ook,' vervolgde Piers, 'ik denk dat ze het prima zal redden. Ik zal haar daarbij helpen.'

'Door haar zwanger te maken? Het is absurd. Het maakt alles nog vele malen moeilijker. Ze voelt zich beroerd, ze is uitgeput, ze...'

'Ja, dat spijt mij ook,' zei Piers rustig. 'Vooral omdat ze er zo ziek van is. Ik had geen idee – ze zei dat ze aan de pil was. Ik snap wel hoe het op jullie over moet komen. Ze heeft nogal een eigen willetje,' zei hij er met een zuur lachje achteraan. 'Ze is niet zo hulpeloos en kneedbaar als jullie lijken te denken. Maar... het spijt me, Joe. Ik heb haar al lang voordat ze zwanger werd ten huwelijk gevraagd. Ik hou van haar. Ik wil haar bij me hebben. Ik heb haar nodig.'

'Ja, maar waarom? Waarom heb je haar nodig, Piers?' vroeg Joe. Hij keek vol haat naar Piers, naar zijn beroemde, prachtig gevormde hoofd, zijn grote grijze ogen, zijn meisjesachtig lange wimpers en zijn kapsel uit de spuitbus.

'Dat zei ik al,' zei Piers vriendelijk, maar ferm, met een licht verwijt in zijn ogen. 'Ik hou van haar. Zit alsjeblieft niet over haar in, Joe. Ik zal goed voor haar zorgen. Ze redt het prima.'

Chloe zou verbaasd zijn als ze dit gesprek had kunnen horen. Ze vond helemaal niet dat ze het prima redde. Ondanks haar intense liefde voor Piers en zijn constante verzekering dat hij gek op haar was, had ze het ongelooflijk moeilijk. Als ze niet zwanger was geweest, zou ze het liefste zijn weggelopen, maar ze wist dat het te laat was om zich te bedenken. Ze zou niet zijn weggelopen van Piers, maar van het leven waarin ze terecht was gekomen. De toneelkliek laat amper buitenstaanders toe en heeft een geheel eigen taal, eigen gewoonten en inwijdingsceremonieën, waarop je je onmogelijk kunt voorbereiden, hoeveel levenservaring je ook hebt.

De meeste mensen in Piers' vriendenkring behandelden haar aanvankelijk overdreven beleefd, om haar daarna te negeren, op een incidenteel glimlachje na. Sommigen, vooral mannen van Piers' generatie, waren aardig en beleefd. Maar zowel oudere vrouwen als meisjes tolereerden haar hooguit, of behandelden haar minachtend.

Ze deed haar best het zich niet aan te trekken, om aan gesprekken deel te nemen, de vijandigheid en koelheid te negeren; ze maakte zichzelf wijs dat het een fase was waar ze doorheen moest, dat het vast beter zou worden, dat het er sowieso niet toe deed, dat Piers van haar hield en dat al het andere er niet toe deed – maar het was nog steeds moeilijk.

Eén lunch spande de kroon. Ze waren vlak voor hun huwelijk uitgenodigd bij Maria Woolf in Oxfordshire. Zij leidde een kring die nauw verwant was aan die van de acteurs, maar dan voor de beau monde, rijk en chic. Maria Woolf was een overdreven duur geklede blondine met te veel juwelen. Haar blauwe ogen en haar kleine mondje stonden in schril contrast met een meedogenloze ambitie en totale zelfverheerlijking; ze was getrouwd met de steenrijke industrieel Jack Woolf. Maria investeerde veel geld in Piers' toneelproducties, waaronder *The Lady*, en daarom was ze belangrijk voor hem. Piers had Chloe ervan verzekerd dat ze van het feestje zou genieten, enorm veel plezier zou hebben, dat er allerlei leuke mensen zouden komen, dat hij bij haar zou zijn en dat de meeste mensen een moord zouden doen om te mogen komen. Chloe zou een moord doen om niet te hoeven gaan.

Er waren ontzettend veel gasten; Piers reed de poort van huize Woolf door – een prachtig achttiende-eeuws herenhuis in de buurt van Oxford – en toen ze de verscheidene groepjes mensen zag – allemaal prachtig gekleed – kreeg ze het Spaans benauwd. De meesten leken Piers te kennen en zwaaiden naar de auto; talloze vrouwen wierpen hem kushandjes toe. Chloe kromp in elkaar, dwong zichzelf kalm te blijven en overwoog Piers te vertellen dat ze misselijk was en naar huis wilde, maar ze wist dat dat niet ging. Ze moest doorzetten. Zoals ze zichzelf de afgelopen maanden al zo vaak had verteld: het zat in het pakket, het hoorde erbij als zij mevrouw Windsor wilde worden

Tot de lunch begon was het nog niet zo erg: Maria Woolf begroette haar met een ijskoude hoffelijkheid, voordat ze Piers demonstratief op de lippen zoende en hem vertelde dat ze hem had gemist en tot in de details wilde horen waar hij mee bezig was. Gelukkig trok een andere gast haar aandacht en Piers liep gearmd met Chloe naar verschillende mensen om hen voor te stellen. Chloe stond lief te glimlachen en probeerde niet te letten op hoe saai mensen haar leken te vinden; ze raakte met iemand in gesprek en besefte plotseling dat Piers niet langer naast haar stond. Geheel in paniek verontschuldigde ze zich en ging naar hem op zoek.

Toen werd er vanaf het terras 'Lunch!' geroepen en daar stond Maria

Woolf een bel te luiden en te lachen met Piers naast zich. Daarna verdwenen ze in het huis, met een lange rij mensen achter zich aan. Chloe liep snel naar voren; nu wist ze tenminste waar Piers was. Ze vond het moeilijk om het huis binnen te komen; ze bleef zachtjes duwen en 'sorry' zeggen, liep snel langs het enorme buffet vol zilveren schalen vol zalm, rosbief, kip in bladerdeeg (ondanks haar stress zag ze dat het een fraai effect had en bedacht ze dat ze het ook weleens kon maken), bergen krieltjes, asperges en peultjes en grote schalen vol sla, met het idee dat Piers wel eten voor haar zou hebben gehaald, dat hij haar niet compleet zou negeren, en kwam licht buiten adem in de eetzaal aan. Aan een van de lange tafels zag ze eindelijk Piers zitten. Hij leek echter niet op zoek naar haar en hij had geen extra bord voor zich staan. Hij zat tussen Maria Woolf en een andere vrouw in en schonk hun wijn in, terwijl hij met ingespannen aandacht luisterde naar wat Maria vertelde en ietwat verstrooid de ander een klopje op haar hand gaf. Elke stoel aan zijn tafel was bezet en iedereen kende elkaar en praatte en lachte met elkaar. Hij was haar blijkbaar compleet vergeten. Chloe voelde zich misselijk, ze liep achteruit de zaal uit met haar ogen op hem gericht, als een konijn dat een vos tegenkomt, en bad dat hij haar niet zou zien. Vervolgens botste ze tegen een kelner op die zijn armen vol had met flessen wijn.

'O,' zei ze, 'neem me niet kwalijk. Kunt u me vertellen waar de wc is?'

De kelner keek haar ijzig beleefd aan en zei: 'Ja, mevrouw, door die hal daar.'

Ze vluchtte erheen en ging verdoofd van ellende zitten. Ze wist niet wat ze moest doen, maar hoopte tegen alle logica in dat Piers haar zou gaan missen; misschien zou hij iemand sturen. Maar er kwam niemand en na tien of vijftien minuten borstelde ze haar haren, deed wat parfum op en liep de hal in.

Iedereen was verdwenen; er kwam een sterk gegons uit de eetzaal. Chloe liep door en gluurde voorzichtig naar binnen. De zaal zat vol; nergens waren meer lege plekken. Piers was nog steeds in gesprek met Maria, onverschillig voor haar afwezigheid. Ze stond als versteend, haar keel was dichtgeknepen, ze voelde zich belachelijk, vernederd en wilde net weglopen toen ze een hand op haar schouder voelde.

'Ha, de aanstaande mevrouw Windsor. Jij bent zeker ook te laat? Je bent veel te mooi om in je eentje te lunchen. Zullen we samen naar binnen gaan? Dan kun je me alles over jezelf vertellen. Kom mee, pak een bord, dan gaan we in een rustig hoekje uitgebreid kennismaken.'

Chloe keek omhoog in het gezicht van een van de meest aantrekkelijke mannen die ze ooit had gezien. Hij was lang en zwaargebouwd; hij had dik blond haar en felblauwe ogen in een zongebruind gezicht. Ze schatte hem op een jaar of vijfendertig, misschien iets ouder. Toen hij naar haar glimlachte, leek zijn gezicht te verkreukelen, waardoor hij net een klein jongetje leek.

Hij maakte een zitplaats voor haar in een hoek en zei: 'Ik heet Ludovic, Ludovic Ingram, en ik ben advocaat. Ik ben een vriend van onze gastvrouw en een vriend van je verloofde. Raar om aan Piers te denken als een verloofde. Hij lijkt veel te oud voor jou. Waarom dump je hem niet, dan kun je met mij trouwen. Ik ben vrijgezel, net gescheiden. Volgens mij vind je dat veel leuker.'

Ze zat naar hem te luisteren, nam af en toe een hapje en begon zich beter te voelen. Ze bedacht dat ze nog nooit iemand zo aardig had gevonden. Tegen de tijd dat Piers haar opmerkte, naar haar toe kwam en zei: 'Chloe, waar zat je toch de hele tijd?' kon ze koeltjes antwoorden: 'Ik heb zitten praten met deze uitermate aantrekkelijke man, Piers,' en zelfs op de terugweg in de auto maakte ze geen stennis. Maar ze was die dag en haar ellende evenmin vergeten als haar woede, omdat Piers het had laten gebeuren; het werd een maatstaf waarmee ze andere onaangename voorvallen vergeleek; slechts weinig voorvallen kwamen erbij in de buurt.

Een paar dagen later probeerde ze uit te leggen hoe vreselijk het was geweest, hoe kwetsend ze zijn gedrag had gevonden, maar hij lachte, omhelsde haar en vertelde dat ze het zich inbeeldde, dat hij het geweldig had gevonden als ze naar hem toe was gekomen en dat hij zeker wist dat ze in een mum van tijd erg zou genieten van dat soort gelegenheden. 'Wees nou niet zo gevoelig, lieveling, iedereen is gek op je, echt waar.'

Dat betwijfelde ze, maar dat Piers van haar hield, en zij van hem, leed geen twijfel. Wat ze ook moest doorstaan, met wie ze ook te maken kreeg, het was het waard. Kon iedereen maar zien hoezeer ze ernaast zaten en hoe gelukkig ze was.

Ze trouwden op een zonovergoten dag in september. Na een nogal kleurloze ceremonie bij de burgerlijke stand in Ipswich was er een kleine, maar alleraardigste receptie in Moat House. Joe en Caroline waren zeer verbaasd dat Piers nadrukkelijk geen toeters en bellen wilde en dat hij de pers erbuiten wilde houden; het paste niet bij een man wiens hele leven zo gericht was op ophef en vertier als hij.

Zijn moeder was te oud om te komen; ze had een zwak hart en kon het verpleeghuis in Sussex niet uit, maar Chloe vertelde Joe dat ze haar al een aantal keren had opgezocht, dat ze een lieve en erg knappe oude dame was, die

Flavia heette. Flavia had haar verteld dat ze zo blij was dat Piers eindelijk weer een vrouw had gevonden, en dan nog zo'n lief meisje, dat ze echt het gevoel had dat ze wel zou kunnen dansen op de bruiloft. Piers' getuige was Damian Lutyens, een erg aardige jongeman, met woest donker haar en fonkelende donkere ogen. Chloe mocht hem graag, maar Joe vond hem een merkwaardige keuze en vroeg zich af wat zijn relatie met Piers was; waarom had Piers niet een vriend van zijn eigen leeftijd gevraagd in plaats van deze exotische jongeling? Het versterkte zijn angstige voorgevoel alleen maar.

De Woolfs waren uitgenodigd, omdat Piers zei dat Maria anders zo kwaad zou zijn dat ze onmiddellijk haar steun aan *The Lady* zou intrekken; Chloe vond het afgrijselijk, maar had niet geprotesteerd. Liza en David Montague kwamen ook; Liza was een operazangeres, een diva, en David was dirigent. Ze waren heel anders dan de Woolfs en erg aardig voor Chloe. Liza kende Piers van RADA; ze was goed bevriend geweest met Guinevere, maar leek geen vooroordelen te koesteren tegen Chloe. Ze was donker en imposant, erg groot en mooi en ze had de neiging Chloe tegen haar boezem te drukken, waarbij ze haar vertelde dat ze bij haar terecht kon als ze ooit een vriendin nodig had. De enige andere genodigden van Piers' kant waren Tabitha Levine, tot verrukking van Joe, ene Giles Forrest, die werd geroemd als de nieuwe Osborne en wiens toneelstuk, *The Kingdom*, Piers aan het Lezen was – 'met een hoofdletter L, begrijp je?' zei hij tegen Chloe – en Giles Fawcett, een toneelrecensent die nauw bevriend was met Piers en de Montagues.

Op de Woolfs, en misschien Tabitha Levine, na, was Chloe heel tevreden met Piers' gastenlijst en haar enige probleem was zelf gasten vinden die erbij pasten. Haar vriendinnen waren niet erg indrukwekkend en ze vroeg zich af wat de Woolfs van hen zouden vinden, maar vooral hoe ze hen zouden behandelen; dan was er Jenny Brownlowe, die sowieso de catering verzorgde en dus in een vrij dienstige positie verkeerde; verder was er op Joe na alleen familie, en de Bamforths natuurlijk; die hoorden erbij. Bij dat besef werd ze akelig en voelde ze zich een grotere mislukking dan ooit; het schoot haar door het hoofd dat Fleur ongetwijfeld talloze interessante mensen op haar bruiloft zou kunnen vragen en het kostte haar moeite die gedachte van zich af te zetten. Uiteindelijk koos ze alleen drie van haar beste vriendinnen en hun partner, haar broers en de Bamforths. Piers moest een beetje lachen om haar keuze van de Bamforths en vroeg haar zelfs of het verstandig was, maar Chloe hield voet bij stuk. 'Er zijn momenten geweest waarop ik het zonder Jack niet had gered en ze komen,' zei ze en ze liep de deur uit.

Ze vroeg Caroline of zij nog iemand wilde uitnodigen en Caroline had geantwoord dat ze dat maar beter niet kon doen, dat de gastenlijst al angstwekkend genoeg was zonder er ook nog de notabelen van Suffolk op los te laten. Prima, had Chloe gezegd, en ze wilde al weglopen toen Caroline haar terugriep.

'Chloe,' zei ze een beetje omzichtig, 'je hebt Piers zeker niet verteld over... over je...'

Chloe zei uiterst verontwaardigd dat ze het hem natuurlijk niet had verteld, dat het niets, maar dan ook niets met hem te maken had, met niemand, en dat ze hoopte en bad dat hij er nooit achter zou komen. 'Ik hoop dat je het met me eens bent,' zei ze.

'In dat geval,' zei Caroline kordaat, 'moeten we zeker niemand uit Suffolk uitnodigen. Je weet maar nooit wat iemand zich laat ontglippen. En ja, Chloe, ik ben het met je eens.'

Twee dagen voor het huwelijk belde Piers Caroline op: 'Caroline, zou ik je nog één gast in de maag mogen splitsen? Of is dat al te afschuwelijk?'

'Niet al te afschuwelijk, maar wel tamelijk afschuwelijk,' zei Caroline. 'Wie is het?'

'Een bevriende journalist. Hij heeft een tijd in Amerika gezeten. Ik wist niet dat hij terug was, maar we kennen elkaar al erg lang en hij zou erg gekwetst zijn als hij niet werd uitgenodigd.'

'Goed dan,' zuchtte Caroline, 'maar je weet dat het een lunch is. Ik moet alle tafels herschikken. Ik hoop dat hij niet getrouwd is?'

'Nee. Dank je, Caroline. Hij heet Magnus Phillips. Joe zal hem wel kennen.'

Joe vond het zowel intrigerend als vermakelijk. 'Magnus Phillips is een typische roddeljournalist. Van het ergste soort. Hij heeft net een ontluisterend boek geschreven over ballet. Erg hard. Het verbaast me enorm dat Piers hem als vriend beschouwt. Waarschijnlijk verkeerd ingeschat. Jij vindt hem vast aardig,' zei hij erachteraan.

'Waarom zou ik?' vroeg Caroline.

'Je houdt wel van een beetje ruig,' antwoordde Joe en hij kuste haar. 'Ruiger dan Magnus vind je ze niet.'

Caroline draaide haar gezicht weg.

Op de bruiloft droeg Chloe een jurk van Ossie Clark. Het was een lange jurk van crèmekleurige crêpe met een hoge taille die haar buik aan het zicht onttrok. In haar gekrulde haren waren verse witte rozen waren gestoken en ze zag er zo mooi uit dat zelfs Caroline een brok in haar keel kreeg toen ze haar aan Joe's arm bij de burgerlijke stand binnen zag komen. Piers droeg een lichtgrijs pak met een crèmekleurig zijden overhemd – 'speciaal laten maken,' vertelde hij Joe – en een donkerrode das; hij zag er belachelijk knap uit. Damian ging iets flamboyanter gekleed, in crèmekleurig linnen, maar hij was ook prachtig.

Maria, gekleed in een wit pak en een opzichtige witte vos om haar schouders die ze dramatisch omsloeg als ze aandacht tekortkwam, stond erop voor de lunch een toespraak te houden. Ze zei dat ze wist dat ze een beetje een indringer was bij dit familiefeest, maar dat ze erg blij was erbij te zijn. Ze waren allemaal de mysterieuze Magnus Phillips vergeten, die zich niet bij de plechtigheid had laten zien, totdat ze een luid bulderend geluid op de oprit hoorden en ze keken allemaal toe toen een in het leer geklede figuur van een grote BMW-motor stapte.

'God,' zei Piers, 'daar hebben we Magnus. Die ouwe duivel.' Hij leek erg onder de indruk.

Magnus stapte de hal binnen en zette zijn helm af. 'Goedemiddag,' zei hij tegen Caroline, 'Magnus Phillips. Het spijt me dat ik zo laat ben. Motorpech. Ik heb mijn best gedaan. Kan ik me omkleden?'

'Natuurlijk,' zei Caroline met ijzige zelfbeheersing, 'we gingen net aan tafel. Janey, breng jij meneer Phillips naar een van de gastenkamers?'

Ze had zich buitensporig geërgerd aan zijn gedrag en zijn verschijning in een donker pak en een dito stropdas nam haar irritatie maar ten dele weg. Hij nam haar hand, maakte een buiging en zei zeer formeel: 'Lady Hunterton, nogmaals mijn excuses. Midden op de A12 begaf mijn motor het. Dat is me nog nooit overkomen. Ik hoop dat ik de bruiloft niet heb verstoord.'

'Nee, natuurlijk niet,' zei Caroline licht geprikkeld; ze deed haar best om beleefd te klinken. 'Vervelend dat u zo'n moeilijke reis heeft gehad.'

Magnus Phillips ging rechtop staan en glimlachte en zeer tegen haar zin merkte ze dat ze erg in beroering werd gebracht door wat ze zag. Hij had donker, bijna zwart haar, was van gemiddelde lengte en zwaargebouwd. Hij droeg een duur donkergrijs pak, dat hij in een tas achter op zijn motor had meegebracht en dat maar licht gekreukt was, een lichtblauw overhemd, een grijs met rood gestreepte stropdas en veel te veel goud: een horloge, een grote zegelring, protserige manchetknopen. Hij zag eruit, dacht ze, als een succesvolle gangster. De blik in zijn fonkelende donkere ogen was hevig geïnteresseerd, alsof ze een nader onderzoek waard was, en tegelijkertijd uiterst waarderend.

'Bent u echt de moeder van de bruid? Niet de grote zus, of zo?' Zijn accent was nadrukkelijk arbeidersklasse, laag en plat, en hij had een sexy stem.

'Nee,' zei Caroline, die zich kordaat van zijn blik losmaakte. 'Absoluut haar moeder. Kom binnen. Piers, hier is je dolende gast. Zullen we aan tafel gaan?'

De lunch liep op rolletjes. Caroline zat naast Damian en vond hem charmant en boeiend, ze zag dat Joe Tabitha aan de andere kant van de tafel duidelijk ook charmant en boeiend vond. Maria was indruk aan het maken op Giles Forrest en Jack was duidelijk gecharmeerd van Chloe's beste vriendin Lucinda Bryant Smith. De Montagues praatten met iedereen en leidden Jack Bamforth, die de wijn verzorgde, telkens af met vragen over een renpaard dat ze wilden kopen, terwijl Chloe op een roze wolk dreef en zich afvroeg wanneer ze wakker zou worden.

Na de lunch hield Joe een korte, maar leuke toespraak over dat hij niet echt een dochter kwijtraakte, omdat hij er geen had, en hoopte dat hij er geen zoon bij kreeg, aangezien hij stukken jonger was dan de bruidegom. Toen stond Piers op om te zeggen dat hij besefte hoeveel geluk hij had, dat de talenten en goede eigenschappen van zijn vrouw te veel waren om op te noemen, maar hij zou beginnen te zeggen dat ze mooi, slim, goedmoedig en ongelooflijk dapper was om met hem te trouwen en dat hij alles zou doen wat in zijn macht lag om voor haar te zorgen. Toen boog hij over haar heen, pakte allebei haar handen vast en zei: 'Bedankt dat je met me bent getrouwd, Chloe.'

De onderdrukte, maar onmiskenbare kotsgeluiden van Toby en Jolyon beurden Joe weer een heel eind op en hielpen hem de dag door.

Daarna ontspande iedereen zich en werd er nog heel veel gedronken. Damian probeerde Caroline uit te leggen wat een lyricus was en Giles Forrest zei te hopen dat zijn werk voor *The Lady* beter was dan wat hij voor *Angels* had geschreven. Damian zei dat hij dat ook hoopte. Caroline vroeg wat *Angels* was en Magnus Phillips legde met een zeker kwaadaardig genoegen uit dat het een productie was waaraan Piers en Damian een paar jaar eerder hadden gewerkt en die was geflopt.

'Niet eerlijk,' zei Piers. 'De recensies waren geweldig, maar het publiek had er geen trek in.'

Hij glimlachte, maar keek er ongemakkelijk bij. Magnus vroeg hem of hij wist waar het publiek geen trek in had.

'O, de chemie miste,' zei Piers. 'Sommige dingen werken gewoon niet. Ze spreken niet tot de verbeelding van het publiek. Dit werkte ook niet. Ik begrijp nog steeds niet waarom niet, al moet ik zeggen dat de regisseur het beter in de jaren dertig had kunnen plaatsen, zoals ik oorspronkelijk had voorgesteld. Maar hij beheerde de financiën. Nou ja, het is voorbij. Maakt niet uit.'

'Tuurlijk,' zei Magnus. Zijn gezicht drukte respect uit. Joe vond hem opeens een stuk aardiger.

'Ik vond *Angels* prachtig,' zei Maria. 'Ik vond het verschrikkelijk oneerlijk. Maakt niet uit, Piers, we zullen ze wel krijgen.'

'Zeker,' zei Piers.

Magnus zei dat ze wel genoeg over toneel hadden gepraat en vroeg Joe hoe zijn boek *Scandals* het had gedaan.'

'Redelijk,' zei Joe kortaf.

'Vond u het leuk, Lady Hunterton?' vroeg Magnus en Caroline antwoordde dat ze ervan had genoten en voelde zich plotseling ongemakkelijk, zonder te begrijpen waarom.

Het gesprek werd algemener. Chloe en Piers gingen naar boven om zich te verkleden. Jack Woolf wisselde van plaats om met Caroline te praten en Maria begon een ongelooflijk expliciet gesprek met Jack over de paardenfokkerij. Tabitha begon te flirten met de jongens, die zich, op de kotsgeluiden tijdens Piers' toespraak na, voorbeeldig hadden gedragen. Toby werd een vrij onaantrekkelijke puber, groot en dik. Jolyon zag er beter uit. In gezelschap van zijn broer was hij onuitstaanbaar, maar in zijn eentje was hij redelijk gezeglijk. Hij had die ochtend zelfs tegen Chloe gezegd dat hij hoopte dat ze erg gelukkig zou worden en dat als Piers niet aardig voor haar was, hij ervoor zou zorgen dat Toby hem voor zijn kop zou slaan. Jack, die in de deuropening had staan luisteren, was hier zeer door ontroerd en voor het eerst voelde hij enige genegenheid voor Carolines zoons. Joe zat te flirten met Liza Montague, omdat hij haar wilde strikken voor een interview. Hij was zo dronken dat hij zelfs een vlaag van genegenheid voelde voor Piers. Kort daarna waren Chloe en Piers verdwenen en bleef iedereen achter met een gevoel van anticlimax.

'Goed,' zei Caroline, 'iemand nog iets drinken? Koffie?'

'Koffie lijkt me heerlijk,' kirde Maria, 'en dan, Jack, schat, moeten we gaan.'

'Prima,' zei Caroline en ze verdween in de keuken.

De keuken was leeg en nu ze eindelijk niet meer hoefde te glimlachen of te doen alsof ze blij was, ging ze met een plof aan tafel zitten en voelde ze dat de tranen haar in de ogen sprongen. Dat was heel ongebruikelijk, want Caroline huilde nooit; ze zei altijd dat Joe genoeg huilde voor hen allebei.

Ze dacht aan Chloe die als maagd was geofferd op het altaar van Piers' ijdelheid en bedacht hoe slecht ze in staat was daarmee om te gaan. Met een intensiteit die bijna op bidden leek, hoopte ze dat het haar zou lukken gelukkig te worden. Onwillekeurig dacht ze aan haar andere dochter, aan hoe zij korte metten met Piers had gemaakt als ze hem was tegengekomen. Ze bedacht ook dat ze hen nu allebei kwijt was en ze voelde een felle pijn in haar hart. Ze liet haar hoofd even op haar armen rusten en probeerde haar zelfbeheersing te bewaren.

'Caroline? Gaat het?' Jack Bamforth was de keuken in gelopen op zoek naar spuitwater.

Caroline keek op en zei: 'Niet echt, Jack. Ik weet niet hoe ze het zal gaan redden.'

'Ze redt het wel,' zei hij en hij legde zijn arm losjes om haar schouder. 'Chloe is taaier dan ze lijkt. Altijd al geweest.'

'Denk je dat echt? Ik hoop zo dat je gelijk hebt, Jack. God, het lijkt nog maar kortgeleden dat ze is geboren. En de jongens. Het lijkt een eeuwigheid geleden dat ik... sinds Fleur.'

'Ja, dat is alweer even geleden,' zei Jack en hij wreef haar over haar rug, alsof ze een paard was. 'Daar dacht ik pas nog aan.'

'O ja, Jack?' Caroline hief haar betraande gezicht op. 'Echt waar?'

'Nou, het was een roerige tijd, hè? Al met al. Eerst de baby en toen je huwelijk met Sir William en toen... nou ja, er is veel gebeurd.'

'Je hebt gelijk,' zei Caroline. 'En nu is het allemaal voorbij. Jack, zou jij koffie willen zetten? Dan ga ik boven even mijn gezicht bijwerken. Ik zie er vast vreselijk uit en...' Ze stond op en draaide zich naar de deur, waar Magnus Phillips met grote interesse stond te luisteren.

'Wat een verrukkelijke vrouw,' zei Magnus tegen Joe. 'Helemaal alleen van jou?'

'Helemaal van mij,' beaamde Joe en hij nam een grote slok cognac. Hij was erg dronken; dat moest ook wel, het was de enige manier om zijn verlies van Chloe, zijn angst en verdriet om haar, te verdragen. 'En absoluut helemaal verrukkelijk.' Met moeite richtte hij zijn blik op Magnus. 'Magnus, wat kom je hier eigenlijk doen?'

'Heel oude vriend van Piers,' zei Magnus. Het kostte hem ook moeite te articuleren, maar het lukte wel beter.

'Ammehoela,' zei Joe. 'Je bent zeker iets verschrikkelijks over hem aan het schrijven, hè?'

'Zeker niet,' zei Magnus, zo waardig mogelijk. 'Alleen een kort artikel voor de *New Yorker*. Het idee streelde zijn ijdelheid. Lekkere cognac, Joe. En dan de blozende bruid, wat een schatje.'

'Nou en of. Ik hou van haar alsof ze mijn dochter is. Was het maar waar. Was het maar waar! Neem nog wat cognac, Magnus. Het staat ervoor.'

Caroline kwam binnen met de koffie; ze glimlachte beheerst.

'Ze is verrukkelijk,' zei Magnus weer. 'Jij moet wel een geweldige vent zijn, Joe Payton, om zo'n vrouw te hebben.'

'Ben ik ook,' zei Joe stralend, 'een geweldige vent.'

'Niet te geloven dat ze drie volwassen kinderen heeft.'

'En toch,' zei Joe licht hikkend, 'is ze dat. Helemaal hun moeder.'

'En toen...' begon Magnus, maar Caroline, die aandachtig naar hen had zitten kijken, kwam naar hen toe en zei: 'Joe, de Woolfs gaan weg. Kom je ze gedag zeggen?' en Joe stond op en liep niet al te vast op zijn benen naar de oprit om de pastelblauwe Rolls van de Woolfs uit te zwaaien.

Daarna ging iedereen zo zoetjesaan weg en werd er uitgebreid afscheid genomen. Uiteindelijk ging Magnus naar boven om zijn motorkleding weer aan te trekken.

Op de oprit boog hij opnieuw glimlachend over Carolines hand en ze bedacht dat leer hem beter leek te passen dan een pak en dat hij er nu veel minder als een gangster uitzag. Opmerkelijk was ook dat hij opeens stukken nuchterder leek.

'Ik vind het zo leuk u te leren kennen en dat ik hier vandaag mocht zijn,' zei hij, terwijl hij haar oplettend aankeek. 'Nogmaals excuses dat ik zo laat was.'

'Dat zit wel goed,' zei Caroline. 'Weet u wel heel zeker dat u nog kunt rijden?'

'Zeker. In de frisse lucht ben ik gegarandeerd zo weer nuchter. U bent,' voegde hij eraan toe, 'de mooiste moeder van de bruid die ik ooit heb mogen ontmoeten. Ik meen het. Dank u voor uw gastvrijheid.'

'Graag gedaan,' zei Caroline op een toon die het tegendeel deed vermoeden. Met een blik op Joe, die in de richting van het huis zwalkte, zijn jasje binnenstebuiten en zijn armen om de twee jongens heen, zei ze erachteraan: 'Ik kan er beter voor zorgen dat Joe gaat liggen. Excuseer me.'

'Joe boft maar,' zei Magnus. 'Ik zou willen dat u ervoor zorgde dat ik ging liggen. Ooit. Dag Lady Hunterton.' En hij verdween met luid gebulder en een wolk uitlaatgas.

Caroline ging op zoek naar Joe, die al lag te slapen op de bank in de salon en niet wakker te krijgen was.

Ze riep de honden en maakte een lange wandeling. Ze was ongerust over wat Magnus Phillips had kunnen horen. Ze liep keer op keer haar gesprek met Jack na in haar hoofd en probeerde zich ervan te overtuigen dat het gesprek niets betekende voor iemand die niets van Fleur wist, van haar geschiedenis. Ze slaagde erin te kalmeren. Maar toen herinnerde ze zich opeens weer de geïnteresseerde blik in zijn bedachtzame, onderzoekende ogen, en zelfs toen ze weer thuis was, iets van de restjes had gegeten, Joe in bed had gekregen, een bad had genomen en drie hoofdstukken had gelezen uit Pierre Salingers briljante boek *With Kennedy*, voelde ze zich nog steeds bang en bezorgd over wat Magnus had gehoord en wat hij ermee zou doen, als hij dat zou willen.

ACHTERGRONDINFORMATIE VOOR HET HOOFDSTUK 'LIEFDE EN HUWELIJK' IN THE TINSEL UNDERNEATH. EERSTE OPGENOMEN INTERVIEW MET LIZA MONTAGUE, EEN VRIENDIN VAN PIERS WINDSOR, SINDS 1959 GETROUWD MET DIRIGENT DAVID MONTAGUE. MAG UIT GECITEERD WORDEN.

IK KEN HEM SINDS – EVEN DENKEN – 1953. TOEN KENDE HIJ GUINEVERE NOG MAAR NET EN WAREN ZE NOG HEVIG VERLIEFD. GOD, WAT WAS HIJ VERLIEFD. ZO IS PIERS NATUURLIJK. GEOBSEDEERD. HIJ WORDT VERLIEFD – OP EEN MAN, EEN VROUW, EEN KIND, EEN IDEE, EN DAT IS HET HELEMAAL. VERDER IS NIETS BELANGRIJK. ZE KENDEN ELKAAR VAN RADA. IK ZAT OP HET CONSERVATORIUM EN IK LEERDE GUINEVERE KENNEN TIJDENS EEN KERSTCONCERT. ZE HAD ZELF EEN PRACHTIGE STEM. HEEL MUZIKAAL, HEEL WELSH. ZE HAD EEN ZANGOPLEIDING MOETEN DOEN. DAT ZEI IK VAAK. IN HET DAAROPVOLGENDE SEMESTER KWAM IK HAAR TEGEN BIJ EEN CONCERT. O, LIZA, ZEI ZE, IK BEN VERLIEFD. DE VERJAARDAG VAN MIJN LEVEN IS GEKOMEN. ZO PRAAT ZE ALTIJD, IN CITATEN. OP EEN AVOND GINGEN WE MET Z'N DRIEËN ETEN. IK HAD MIJN TWIJFELS. HIJ ZAG ER PRACHTIG UIT, BLEEF ER GEWELDIG UITZIEN TOT OP ZIJN STERFDAG, DE ARME SCHAT, EN WAS ERG CHARMANT. HIJ KON VAN DIE ONTZETTEND GEDETAILLEERDE VRAGEN STELLEN, ZODAT JE HET GEVOEL KREEG DAT HIJ ONTZETTEND GEÏNTERESSEERD WAS IN ALLES WAT JE ZEI. MAAR HET WAS ALLEMAAL NEP, WANT IN WERKELIJKHEID LUISTERDE HIJ MAAR HALF. VROUWEN VIELEN ER ALTIJD VOOR. EN MANNEN, ALS HIJ ZIJN ZINNEN OP HEN HAD GEZET. HOE DAN OOK, GUINEVERE EN HIJ WAREN STAPELGEK OP ELKAAR, KONDEN NIET VAN ELKAAR AFBLIJVEN, DUS UITEINDELIJK ZEI IK: LIEVERDS, WAAROM GAAN JULLIE NIET NAAR HUIS, EEN POTJE NEUKEN? GUINEVERE ZEI, OKÉ, MAAR PIERS KEEK NOGAL GEGENEERD. HIJ HAD ER EEN HEKEL AAN ALS VROUWEN GROVE TAAL GEBRUIKTEN OF ÜBERHAUPT OVER SEKS PRAATTEN. HIJ WAS NOGAL EEN OUD WIJF.

ZE TROUWDEN EIND DAT JAAR. GUINEVERE LEEK NOG STEEDS DOLGELUKKIG. HET WAS ZO'N VREEMDE BRUILOFT. HAAR FAMILIE LEEK VERBIJSTERD. HAAR MOEDER VOND HEM BLIJKBAAR GEWELDIG, MAAR HAAR VADER EN BROER HADDEN HUN TWIJFELS. EN DAN HUN FAMILIE. HET WAS EIGENLIJK EEN BEETJE SNEU. DE BRUILOFT WAS BIJ HAAR THUIS, MAAR AL HAAR LONDENSE VRIENDEN KWAMEN EN WE WAREN LUIDRUCHTIG EN FLAMBOYANT, LIEPEN ONS ONTZETTEND AAN TE STELLEN EN IK DENK DAT DE FAMILIE HET GEWOON NIET AANKON. PIERS HIELD EEN VRESELIJKE TOESPRAAK, VERTELDE HOE GELUKKIG HIJ WAS EN WAT EEN GESCHENK DE DAVIES HEM HADDEN GEGEVEN. TOEN LIEP HIJ NAAR GUINEVERE EN ZEI: 'BEDANKT DAT JE MET ME BENT GETROUWD, GUINEVERE.' IK MOEST BIJNA OVERGEVEN. HIJ WAS OOK VEEL TE FORMEEL GEKLEED. ZIJN MOEDER, DIE LIEVE FLAVIA, HAD EEN

CRÈMEKLEURIG KANTEN PAKJE AAN, OOK OVERDREVEN. ZE HUILDE DE HELE DIENST DOOR EN DAARNA, TIJDENS DE RECEPTIE, WAS ZE DAMESACHTIG EN STRALEND. IK WAS GEK OP FLAVIA, MAAR ZE HAD HEM VRESELIJK VERWEND. DAAR BEGON ALLE ELLENDE MEE.

OP HUN BRUILOFT HEB IK MIJN MAN LEREN KENNEN. HIJ WAS MET EEN STEL LONDENAREN MEEGEKOMEN. HIJ STOND NAAST ME TERWIJL PIERS ZIJN TOESPRAAK HIELD EN FLUISTERDE IN MIJN OOR: 'WAT IS HIJ BELACHELIJK, VIND JE NIET?' IK MOEST HET WEL MET HEM EENS ZIJN.

DAARNA ZAG IK ZE EEN JAAR LANG NIET, DOORDAT IK MET EEN VERSCHRIKKE-LIJK OPERAGEZELSCHAP OP TOURNEE WAS. IK KWAM GUINEVERE IN LONDEN TEGEN. IK VOND HAAR EEN BEETJE MAT. ZE ZEI DAT HET GOED GING, DAT ZIJ AF EN TOE WERK HAD, MAAR DAT PIERS HET MOEILIJKER HAD. 'HIJ WIL GEEN BIJROLLEN, LIZA,' ZEI ZE, 'DUS HEEFT HIJ BIJNA GEEN WERK.'

IK VROEG HAAR NAAR HUN HUWELIJK EN ZE ZEI ALLEEN DAT HET GEWELDIG GING EN VROEG TOEN HOE HET MET MIJ WAS. EEN PAAR WEKEN LATER VROEGEN ZE ONS TE ETEN. HET WAS GEEN PRETTIGE AVOND. PIERS WAS PRIKKELBAAR EN MOEI-LIJK. GUINEVERE HAD ME GEWAARSCHUWD NIET OVER WERK TE BEGINNEN EN IK PROBEERDE HET TE ONTWIJKEN, MAAR WAAR MOET JE HET DAN OVER HEBBEN? WAT VOORAL OPVIEL, WAS DAT PIERS ZICH NOGAL – 'VIJANDIG' IS TE STERK UIT-GEDRUKT – AFSTANDELIJK OPSTELDE. AFSTANDELIJK EN KRITISCH. GUINEVERE KON NIETS GOED DOEN. DE LAMSBOUT WAS TE GAAR, ER STONDEN TE VEEL BLOEMEN, ZELFS HET LICHT WAS TE FEL. EN ZIJ DEED TE VEEL HAAR BEST, TERWIJL ZE HEM GEWOON EEN KNIETJE HAD MOETEN GEVEN.

NA HET ETEN STELDE PIERS AAN DAVID VOOR OM NAAR DE PUB TE GAAN, WAT NOGAL VREEMD WAS, AANGEZIEN WE ELKAAR ZO LANG NIET HADDEN GEZIEN. TOEN ZE WEG WAREN, VROEG IK GUINEVERE WAT ER IN HEMELSNAAM AAN DE HAND WAS. IK ZAL NOOIT VERGETEN WAT ZE ZEI. ACH, LIZA, DE LIEFDE BEKOELT. MEER WILDE ZE ER NIET OVER KWIJT. ZE ZEI DAT HET GOED MET HAAR GING, DAT ZE ZICH GEWOON AANSTELDE. DAARNA PRAATTEN WE OVER WERK, DAT LEEK VEI-LIGER. IK KWAM ER ALLEEN NIET ACHTER WIENS LIEFDE WAS BEKOELD.

TOEN DE MANNEN TERUGKWAMEN, LEKEN ZE VROLIJKER EN WE WERDEN ALLE-MAAL ERG DRONKEN. DAARNA DACHT IK EEN JAAR LANG WEINIG AAN ZE; IK MAAKTE FURORE IN MILAAN EN DAVID WAS IN NEW YORK. TOEN IK TERUG-KWAM, HOORDE IK DAT ZE UIT ELKAAR WAREN. IK BELDE GUINEVERES MOEDER OMDAT IK NIET WIST WAAR ZE WAS. ZE WAS ERG VERDRIETIG EN ZEI DAT ZE HET NOOIT HAD VERWACHT VAN PIERS. WAT, VROEG IK, EN ZE ZEI, EEN ZWANGERE VROUW ACHTERLATEN. ZO EENVOUDIG LAG HET NATUURLIJK NIET – NOOIT – EN PAS JAREN LATER KWAM IK ACHTER DE WAARHEID. TOEN IK GUINEVERE WEER ZAG, HAD ZE NET DE BABY VERLOREN EN SPEELDE ZE JENNIFER DUBEDAT IN BRISTOL. ZE

ZEI DAT ZE ER NIET OVER WILDE PRATEN. HET WAS EEN GRUWELIJKE VERGISSING GEWEEST EN ZE KON ZICH NIET VOORSTELLEN DAT ZE ZO STOM WAS GEWEEST. LATER, JAREN LATER, TOEN IK ZELF HUWELIJKSPROBLEMEN HAD, VERTELDE ZE ME ALLES, ECHT ALLES, EN BEGREEP IK HET.

IK HAD HEM PAKWEG TIEN JAAR NIET GEZIEN. HIJ ONTWEEK ME, WAARSCHIJN-LIJK UIT SCHAAMTE EN SCHULDGEVOEL. IK WILDE HEM OOK NIET ZIEN, ZO BOOS WAS IK, ZO TROUW AAN GUINEVERE. HIJ KWAM PAS WEER IN MIJN LEVEN TOEN HIJ EEN FILMSTER WAS EN TOEN HIJ HET GEVOEL HAD DAT HIJ MET ME KON PRATEN; TOEN LEGDE HIJ UIT HOE HIJ AANKEEK TEGEN WAT ER GEBEURD WAS. HIJ PLAATSTE HET TEGEN DE ACHTERGROND VAN ZIJN EIGEN SUCCES, IN PLAATS VAN DIE MOEILIJ-KE BEGINJAREN. DAT TEKENT HEM WEL.

HIJ HAD ECHT EEN BEANGSTIGEND GECOMPLICEERD KARAKTER.

Hoofdstuk 17

1967

Chloe stond in de foyer van het Princess Theatre, hield Piers' arm vast, glimlachte in het flitslicht, begroette deze en gene en vroeg zich af wat ze zouden zeggen als ze wisten dat ze geen onderbroek aanhad.

Los daarvan was ze met grote zorg gekleed voor deze gelegenheid: ze droeg een lange witkanten jurk die was behangen met honderden kristallen druppeltjes, met een hoge taille, diep uitgesneden om haar geweldige decolleté goed te laten uitkomen. Haar donkerrode haar was hoog opgestoken en eveneens bedekt met glinsterende druppeltjes. Om haar nek droeg ze een prachtig barok parelsnoer. Haar donkere, theatrale make-up, met een dubbele rij valse wimpers, was professioneel opgebracht door een meisje dat was gestuurd door *Harper & Queen* voor een fotosessie met Piers, afgelopen middag, bedoeld om de aandacht af te leiden van haar achtenhalve maand zwangere buik. Ze had een cape van wit vossenbont achteloos om haar schouders hangen en onder de zoom van haar jurk waren de witte satijnen slippers nog net zichtbaar. Maar een onderbroek droeg ze al weken niet meer. Vanavond was ze wel van plan geweest er een aan te doen, maar na een worsteling van enkele minuten, eerst zittend, toen staand, had ze het opgegeven; ze had het Piers wel willen vragen, maar hij was te misselijk van de zenuwen, te zeer bezig met zijn eigen kleding – een smoking, een authentiek victoriaans overhemd met plooien, een zwartfluwelen cape met een rode zijden voering – om erg veel aandacht te besteden aan de hare en op haar bibberige: 'Zie ik er zo goed uit?' antwoordde hij alleen: 'Ja, natuurlijk.' Zoiets intiems als haar onderbroek voor haar omhoogtrekken, zat er niet in.

Maar goed, het was zijn avond, de belangrijkste tot nu toe, de wereldpremière van *The Lady of Shalott,* het hoogtepunt na twee jaar werk. Vanavond zou hij de wereld zijn creatie laten zien, het werk dat was ontsproten aan zijn verbeelding en dat hij met moed, visie en een stalen vastberadenheid tot in detail had uitgewerkt. Chloe keek naar hem, zag de geforceerde glimlach die ze inmiddels zo goed kende; ze wist dat hij even misselijk was van de zenuwen en de ellende als zij.

Chloe keek onopvallend op haar horloge: nog maar tien over zeven. Ze had het gevoel hier al uren te staan en voelde haar rugpijn opkomen. Ze begon te denken dat als ze nog iemand in vervoering 'Piers, schat!' en daarna een stuk gedempter 'Chloe' hoorde zeggen, ze heel hard zou gaan gillen, toen er een zware arm om haar schouder werd geslagen, een kus op haar wang werd geplant en een zeer welkome, ietwat hese stem in haar oor fluisterde: 'Hallo, schattebout, jij ziet er veel te chic uit om familie van mij te zijn.'

'Joe!' riep Chloe, 'o, Joe, wat ben ik blij je te zien. Blijf naast me staan en hou mijn hand vast. Geef me het gevoel dat ik meetel, al is het maar een beetje.'

'Goed,' zei Joe en hij nam zijn plaats in, waarbij hij een volslanke blonde die probeerde over Chloe heen Piers te zoenen, vriendelijk maar beslist opzijschoof. 'Goede opkomst, liefje. Piers zal wel blij zijn.'

'Natuurlijk is hij niet blij,' zei Chloe. 'Hij vertelt me al de hele dag dat hij dood wil. *The Lady* flopt, de recensenten maken hem af, de investeerders raken hun geld kwijt en wij zijn rijp voor het armenhuis.'

'Chloe, lieveling!' Piers klonk prikkelbaar en gespannen. 'Kijk, hier is Damian, o, en Liza.'

Ze wist wat hij bedoelde: Hou op met kletsen met Joe en concentreer je op mij en mijn vrienden. Ze bewoog zich in een poging haar rugpijn te verzachten, glimlachte naar Liza Montague, liet zich door haar kussen en omhelsde Damian en kuste hem terug.

'Je ziet er geweldig uit, Chloe,' zei Damian, 'prachtig. Hoe gaat het met de meester?'

'Vreselijk natuurlijk,' zei Chloe glimlachend. 'Hij weet gewoon dat het een ramp wordt, dus is het eigenlijk beter iedereen weg te sturen voordat het begint.'

'Natuurlijk,' zei Damian en hij gaf haar een kneepje in haar hand. 'O, god, daar is Maria. Ik zal terstond haar voeten gaan kussen.'

Maria schreed lang en statig door de menigte, haar enorme boezem gevangen in zwart satijn, een split in haar lange rok bood zicht op haar benen, die ondanks haar postuur nog altijd slank waren.

'Damian, mijn schat. Wat zie je er schitterend uit. Is het niet spannend? Wat ben ik trots op jullie allemaal. Piers, moeten we nog niet naar binnen? Het theater loopt vol.'

'Nee, nog niet, lieve Maria,' zei Piers en Chloe herkende de ondertoon in zijn stem die Maria niet opviel. 'Waarom ga jij niet alvast naar binnen? Is Jack er al?'

'Ja, hij staat daar ergens,' zei Maria onverschillig. 'Met dit soort gelegenheden heb je niets aan hem; hij kan nooit namen onthouden. Nee, ik moet er niet aan denken zonder jou naar binnen te gaan. Chloe, liefje, heb je het zo warm? Waarom vraag je meneer Payton niet of hij je stola aanneemt?'

Wat ze bedoelt, dacht Chloe, is dat ik een rode kop heb, dat die vos overdreven is en dat ze Joe weg wil hebben. Maria mocht Joe niet, omdat hij haar niet zo eerbiedig behandelde als ze dacht te verdienen en een keer een paar harde woorden over haar had geschreven in een artikel over mecenassen; ze zou het beslist niet goedkeuren dat hij erbij stond, onmiskenbaar familie, op wat zij evenzeer als haar avond beschouwde als die van Piers.

'Hallo, Chloe.' Haar moeder was koel en elegant in zwart, haar rode haar opgestoken, een ietwat afstandelijke glimlach om haar lippen. 'Joe, hoe laat ben jij weggegaan? Ik heb uren geprobeerd je te bellen.'

'Dan zal het uren geleden zijn geweest,' zei Joe ongedwongen. 'Je ziet er erg mooi uit, Caroline. Wil je iets drinken?'

'Nee, dank je. Hoe voel je je, Chloe?'

'Redelijk,' zei Chloe, 'onder de omstandigheden.'

Caroline knikte. 'Mooi,' zei ze. Meer niet.

Geen opbeurende woorden, dacht Chloe, geen complimenten, geen geruststelling, zelfs geen kus. Ze vroeg zich vaak af of Caroline tegen Joe warmer, vriendelijker deed; ze nam aan van wel, al had ze het nooit gezien. Ze glimlachte flauwtjes naar haar en toen zag ze Magnus Phillips, die in zijn smoking meer weg had van een bokspromotor dan van een premièrebezoeker, naar hen toe komen, met een wulpse blondine in een ontzaglijk kort zwart jurkje onder een suikerspinkapsel aan zijn arm.

'Dat ze überhaupt de moeite heeft gedaan die jurk aan te trekken,' fluisterde Joe.

Chloe glimlachte flauwtjes.

'Wat ziet u er goed uit, mevrouw Windsor! Nog mooier dan op uw trouwdag.'

'Dank u, meneer Phillips. Wel iets dikker, vrees ik.'

'Ach, alleen op de daartoe meest geëigende plaats. En Lady Hunterton, een waar genoegen.'

Caroline knikte koeltjes. Magnus kuste haar hand, Chloe's wang en stapte toen op Piers af.

'Goedenavond Piers, gefeliciteerd.'

'Doe dat straks maar,' zei Piers licht geërgerd.

'Goed. Toitoitoi dan, jongen. We moeten maar eens snel afspreken om over dat boek te praten. Dit is trouwens Sally-Ann, Piers. Sally-Ann heeft ook toneelaspiraties. Kom maar mee, liefje,' zei hij tegen Sally-Ann, 'wij gaan lekker zitten.'

'Eén-nul voor meneer Phillips,' zei Joe, met een waarderende grijs naar Magnus' achterhoofd.

'Nou,' zei Piers uiteindelijk, toen ze dacht dat haar rug het zou begeven, 'misschien moeten we maar eens naar binnen gaan. Goedenavond, Caroline, wat zie je er prachtig uit. En Joe, wat leuk.' Hij draaide zich om, bood zijn andere arm aan Maria. Zij haakte in en slaagde erin hem naar voren te trekken, bij Chloe vandaan, zodat zij achter hen aan moest.

Ze keek verward om zich heen; ze was Joe kwijtgeraakt – hij stond met Caroline te praten – feitelijk was ze iedereen kwijt, want Damian was met Liza meegelopen. Daar stond ze dan, enorm groot, lelijk, rood aangelopen en verlaten. Ze probeerde haar zelfbeheersing te bewaren, te glimlachen en zo zelfverzekerd mogelijk in haar eentje naar de stalles te lopen, en toen voelde ze het, diep in haar lichaam, bijna verborgen, maar onmiskenbaar, een scherpe, harde ruk, die aanvoelde als een mengeling van pijn en druk en al had ze het nooit eerder gevoeld, ze wist precies wat het was. Haar weeën begonnen, twee weken te vroeg, op de voorste rij van de stalles, op de meest besproken première van de afgelopen tien jaar, in de aanwezigheid van tientallen fotografen en journalisten, op de belangrijkste avond in het leven van haar man.

Chloe stond volkomen stil, probeerde kalm te blijven. De pijn, als het zo mocht heten, werd al minder, maar het leed absoluut geen twijfel dat deze terug zou komen. Wat moest ze doen? Piers was al verdwenen, buiten haar bereik; Joe en Caroline waren verdwenen in de menigte; ze kon toch kwalijk Damian of Liza om hulp vragen?

Omdat ze niets beters kon bedenken ging ze naar de wc. Ze moest toch al heel erg nodig, ondanks het feit dat ze uit voorzorg de hele middag niets had gedronken en het grootste deel van het half uur voor hun vertrek op de wc had doorgebracht. Piers had gezegd dat ze pertinent niet de hele avond naar de wc mocht rennen. 'Ik weet dat het inherent is aan je zwangerschap, lieveling, maar het zal zeker ook met zenuwen te maken hebben. En het is niet... niet bijster appetijtelijk.'

'Je kunt de pot op met je appetijtelijk,' zei Chloe tegen zichzelf, terwijl ze met moeite haar jurk over haar buik trok, erg moeilijk in de nauwe toiletruimte, en ging zitten. Ze voelde haar hart pijnlijk kloppen, haalde diep adem en probeerde zich te herinneren wat de verloskundige tegen haar had gezegd.

Om te beginnen duurde het natuurlijk een eeuwigheid voordat een eerste baby werd geboren. Minimaal twaalf uur, waarschijnlijk langer. Het was dus zeer onwaarschijnlijk dat haar baby het levenslicht zou zien in de stalles van het Princess Theatre. Ze kon de voortgang, de ernst, van haar situatie aflezen aan de regelmaat van de weeën en de tijd ertussen. Als ze dat in de gaten hield, zou ze een heel redelijk idee hebben van hoe ze ervoor stond. Licht rillend stond Chloe op en ze liep zijwaarts het hokje uit; ze was behoorlijk bang voor wat haar te wachten stond, maar dat woog niet op tegen haar angst om hoe Piers zou reageren als ze hem vertelde wat er aan de hand was. Jammer dan. Hier kon ze echt niets aan doen.

Terwijl ze zichzelf in de spiegel bekeek, haar haar gladstreek, zich over haar voorhoofd streek zonder te weten waarom, ging de laatste bel. God, hij zou helemaal gek worden. Ze tilde haar rokken op en rende door de inmiddels verlaten foyer de al duister wordende zaal in, over het middenpad, en ging dankbaar, ademloos zitten op haar plaats op het moment dat David Montague binnenkwam en onder daverend applaus zijn plaats op het podium innam. Piers, gespannen en bleek in het duister, keek haar zo woedend aan dat ze misselijk werd. 'Sorry,' mimede ze en hij keek weg, Joe pakte haar hand.

'Gaat het?'

Ze knikte, maar tegelijkertijd begon de volgende wee. Iets heftiger en langer, iets pijnlijker. Ze keek op haar horloge en zag dat deze precies tien minuten na de vorige kwam. Ze werd bang. Wat moest ze doen? Ze haalde diep adem, deed haar best te kalmeren; ze voelde Piers' ergernis om het zachte geluid.

Toen ging het doek op en stierf de spookachtige ouverture weg, en even vergat ze alles behalve wat ze voor zich zag.

Ze had decorschetsen gezien, modellen, had eindeloze gesprekken bijgewoond; ze had ook tekeningen gezien van de kostuums. Ze had de teksten gelezen, de muziek op de piano horen spelen; ze had Tabitha met Julius Hovatch, die de ridder speelde, in het prille begin thuis horen repeteren met Piers en David, maar niets van dit alles had haar voorbereid op wat ze nu zag. Piers had haar niet op de repetities toegelaten, dus was het voor haar net zo nieuw en betoverend als voor de rest van het publiek.

Toen Tabitha van achter haar weefgetouw haar openingslied had gezongen nam ze de eerste van vele luidruchtige ovaties in ontvangst. Chloe keek opzij naar Piers en zag dat de tranen hem in de ogen stonden. Ondanks alles was ze diep ontroerd.

Lydia Wintour, die zowel de decors als de kostuums had ontworpen, had wonderen verricht. De sprankelende kleuren van de troep jonkvrouwen, van

de in rood fluweel geklede page en de begrafenis met haar pluimen en lichten lichtten op tegen het grijs van de spiegel waarin de Lady de wereld zag,
en waren meteen weer verdwenen. Toen de pasgetrouwde jonge geliefden
opkwamen bij maanlicht, zuchtte het publiek van genot en klonk er een
applaus, heel zacht, om de betovering niet te doorbreken.

Dat er applaus klonk, kwam goed uit, want op dat moment voelde Chloe
opnieuw, weer heviger, een trekkende pijn. Onwillekeurig hield ze haar adem
in en stopte ze haar vuist in haar mond om te voorkomen dat ze een kreet zou
slaken. Ze zou iets moeten doen.

Ze keek naar Piers. Hij zat in totale concentratie te kijken en zijn gezicht
leek wel uit steen gehouwen; ze wist dat ze hem onmogelijk kon storen. Ze
draaide zich naar Joe, raakte zijn hand aan en fluisterde bibberend in zijn oor:
'Joe, ik denk dat ik ga bevallen.'

Joe draaide zich naar haar toe en op zijn gezicht zag ze naast liefde,
bezorgdheid en acute paniek ook een zekere geamuseerdheid dat zoiets haar
moest overkomen.

'Red je het tot de pauze?' fluisterde hij in haar oor. 'Daarna neem ik je
mee.' Ze knikte glimlachend en hij hield haar hand heel stevig vast.

Ze richtte haar aandacht weer op het toneel, concentreerde zich, bijna
mediterend, op de eb en vloed van de muziek, dwong zich kalm te blijven.
Plotseling, het leek bijna onmiddellijk, terwijl de ridder zijn pijl afschoot,
briljant uitgevoerd in een flits wit licht en een echo van de snaren, kwam de
pijn weer, fel, doordringend, en ontsnapte haar een zacht gekerm. Joe wendde zijn blik af van het toneel, van de Lady en van ridder Lancelot die in haar
spiegel door het korenveld reed. En toen de ridder begon te zingen en het
orkest luid inzette, zei hij 'Nu?' Ze knikte, beet op haar lip en zag dat Piers
hun een blik vol pure haat toezond, terwijl hij fluisterde: 'Wees alsjeblieft stil.'

Toen was het goddank pauze. Ze stond op, glimlachte dapper, eens te
meer pijnvrij, verontschuldigde zich en baande zich een weg door de menigte die zich rondom Piers verdrong. Joe liep achter haar aan en negeerde Carolines vragende gezicht. In de foyer omarmde hij haar, maar ze zei: 'Wil jij een
taxi regelen? Ik moet Piers een briefje schrijven.'

Ze gaf het briefje aan een van de zaalwachten en liep toen naar de deur.
Joe stond naast een taxi op haar te wachten; hij hielp haar naar binnen en
pakte teder haar hand vast.

'De London Clinic,' zei hij tegen de chauffeur, 'en snel.'

'Popperdepop,' zei de chauffeur, 'mijn kans om beroemd te worden. Aardig van u, maar liever niet.'

De taxi schoot vooruit.

Weer een wee, weer feller, langduriger; ze kneep in Joe's hand.

'Gaat het?'

'Niet echt.' Ze probeerde te glimlachen.

'Als je eerst maar in het ziekenhuis bent,' zei hij. 'Ik heb ze gebeld. Ze dachten natuurlijk dat ik Piers was.'

'Ja,' zei Chloe, 'natuurlijk dachten ze dat.' Ondanks haar angst en haar pijn hoorde ze hoe troosteloos ze klonk.

Joe hielp Chloe het ziekenhuis in (in elkaar gekrompen, bleek, naar adem snakkend), riep om hulp en eindelijk bevrijd van de verantwoordelijkheid, maar niet vrij van medelijden, angst en liefde, zag hij hoe ze werd weggereden, haar ogen groot van pijn en angst, de absurde parelketting losgemaakt, bungelend aan haar hand, het ingewikkelde kapsel uit elkaar gevallen, terwijl een zuster haar handen vasthield en rustig met haar praatte. Hij bedacht dat als Piers Windsor nu zou binnenkomen, hij hem waarschijnlijk zou vermoorden.

'Meneer Payton? Ik hoorde dat u hier was. Wat trouw. Het is een meisje, een prachtig meisje, en mevrouw Windsor en zij maken het allebei uitstekend. Moe, maar uitstekend.'

Meneer Simmonds, de gynaecoloog die Chloe door de ongelooflijk snelle, zware bevalling had geloodst, onder de indruk van haar moed, haar gelatenheid en ontroerd door haar eenzame triomf, was de wachtkamer binnengelopen om Joe het nieuws te vertellen.

Het was wel zo goed dat ze het theater hadden verlaten; Pandora Windsor kwam ter wereld op het moment dat het publiek de sterren van de musical een staande ovatie gaf en het doek voor de zeventiende keer was opgegaan. Veel vrouwen huilden al sinds Lancelots laatste lied ('She Has a Lovely Face') en de hele zaal brulde 'Bravo' en juichte. Piers Windsor, de man die de visie had gehad om de musical op te zetten, die de acteurs, de ontwerpers en musici bij elkaar had gebracht om samen de betovering tot stand te brengen, die de eerste versie van de musicalbewerking had geschreven, wiens idee het oorspronkelijk was geweest, stond tussen de Lady en de ridder in, hij hield hun handen vast. Natuurlijk moest hij daar zijn; die nacht kon hij natuurlijk niet weg om bij zijn vrouw te zijn terwijl zij beviel van zijn baby. Natuurlijk niet. Geen sprake van.

'Joe! Wat heerlijk je te zien.' Chloe leunde tegen de kussens en stak haar hand uit. 'Dank je voor alles. Er was een moment toen het echt heel erg werd en ik dacht dat ik moest proberen Piers hierheen te halen. Maar dat ging natuurlijk niet. Dit is zijn avond. Dat kan ik toch niet voor hem verpesten, hè, Joe?'

'Nee, natuurlijk niet,' loog Joe dapper. Hij verraadde alles waar hij in geloofde uit liefde voor haar en keek naar haar gezicht, bleek van pijn en uitputting. Ze had haar baby, Piers' dochter, in haar armen.

Joe ging zitten, pakte een van haar handen en drukte er een kus op. 'Je hebt het zo goed gedaan, Chloe. Ik ben zo trots op je.'

Meneer Simmonds stak zijn hoofd om de deur. 'Mevrouw Windsor, nog meer bezoek voor u.'

'O,' zei Chloe. Ze deed een zwakke poging om rechtop te gaan zitten. 'O, Piers.' Haar ogen glansden en ze werd nog iets bleker. De bezoeker was echter Caroline, met een groot boeket lelies in haar armen en Chloe zakte achterover in de kussens, haar gezicht opeens donker en doods.

'Liefje, hoe voel je je?' vroeg Caroline. Joe kon zich niet herinneren dat ze Chloe ooit eerder 'liefje' had genoemd.

'Prima,' zei Chloe. Het kostte haar duidelijk moeite om te glimlachen. 'Dank je. Het is een meisje, mam. Is ze niet prachtig?'

'Ze is erg mooi.' Caroline leek werkelijk aangedaan bij de aanblik van haar kleindochter. 'Deze bloemen zijn van Piers. Hij vroeg,' haar stem was even kil, maar lukte het haar te glimlachen, 'vroeg me tegen je te zeggen dat hij van je houdt en dat hij komt zodra het feestje op gang is gekomen. Hij vond dat hij tenminste zijn gasten moest ontvangen.'

'Uiteraard,' zei Chloe. Ze keek naar Pandora's hoofdje en beet op haar lip. 'Ik begrijp het.'

'Hij was zo blij.' Caroline praatte sneller dan gewoonlijk. 'Zo blij. En, Chloe, de musical was geweldig; ze werden zeventien keer teruggeroepen.'

'Hemeltjelief,' zei Chloe, 'zeventien keer. Wat is hij toch goed. Mam, Joe, het spijt me, maar ik ben vreselijk moe. Ik wil graag even gaan slapen. Het is niet erg aardig, maar...'

'We zullen je lekker laten slapen,' zei Joe. 'Welterusten, liefje. Goed gedaan.' Hij kuste haar wang en proefde het zout van haar tranen.

De volgende morgen was hij terug in de kliniek. Chloe deed haar best om gelukkig te lijken.

'Wat heerlijk je te zien,' zei ze. 'Komt mamma ook weer?'

'Misschien morgen. Ze moest vanochtend in allerijl terug naar Suffolk, want Jolyon heeft vakantie. Ik moest je de hartelijke groeten doen.'

'Dank je. Ze heeft me een prachtig boeket gestuurd. Kijk. Veel mooier dan die belachelijke lelies.' Ze glimlachte nogal kwaadaardig.

'En hoe laat kon Piers zich eindelijk losmaken van zijn gasten?' vroeg Joe. Hij probeerde zo luchtig mogelijk te klinken, omdat hij anders zeker zou gaan schreeuwen.

O, zei ze, hij was er ruim voor drieën, waarschijnlijk nog eerder. Ze was te slaperig geweest om te zien hoe laat het was. Maar het was zo moeilijk geweest om op zo'n avond weg te gaan en zijn gasten achter te laten en wat was het bijzonder dat Pandora zich precies op zo'n avond aandiende, als kroon op zijn werk. Straks had hij om elf uur een persconferentie en daarna zou hij komen. Terwijl ze praatte werden er continu bloemen, kaarten en telegrammen binnengebracht en op een zeker moment bracht de verpleegkundige een enorme mand witte lelies, rozen en fresia's binnen. Chloe pakte het kaartje, las het, werd een beetje rood en zei lachend: 'O, wat belachelijk.'

'Van wie zijn ze?' Joe keek geboeid naar haar reactie.

'O,' zei ze, 'van Ludovic Ingram. Een vriend van Piers.'

'Je kijkt erbij alsof hij meer een vriend van jou is.' Joe pakte het kaartje op en probeerde een plek te zoeken voor de mand. 'Voor de mooiste moeder van Engeland,' stond er, 'was ik de vader maar. Ludovic.'

'Wie ís die man?' vroeg Joe.

O, zei ze, een beroemde advocaat, gescheiden, ontzettend geraffineerd en slim, die met haar flirtte.

'Is hij knap?' vroeg Joe.

'Ja, ongelooflijk knap. Als hij acteur was, zou hij altijd de romantische held spelen.'

'Wat heerlijk voor je, liefje,' zei Joe glimlachend. Toen werd er een bestelling van Harrods bezorgd: een groot boeket rode rozen met middenin een doosje. Ze deed het doosje open en vond een diamanten ring. Chloe keek naar het kaartje en zei 'Aah,' maar de toon was niet helemaal goed. Terwijl ze de ring aan haar vinger schoof en ernaar zat te kijken, las Joe het kaartje. Er stond: 'Voor de lieve moeder van mijn lieve Pandora. Ik hou van je.' Joe bedacht hoe gemakkelijk het zou zijn geweest de ring bij Harrods te bestellen en hoe moeilijk, vrijwel onmogelijk, om gisteravond uit het theater weg te gaan om Chloe bij te staan tijdens de bevalling. En toch had Piers dat moeten doen, Joe zou het hebben gedaan, iedere man die van zijn vrouw hield, had het gedaan.

Joe ging zitten, pakte haar hand en vroeg: 'Hoe gaat het met mijn onofficiële kleindochter?'

'Geweldig. En wat een idee. Jij ziet er niet uit als een opa, stiefopa of anderszins. Je ziet er zelfs jonger uit dan Piers, maar dat mag je niet verder vertellen.'

'Doe ik niet,' zei Joe, 'al zie ik niet waarom niet, aangezien ik veel jonger ben dan Piers.'

'O ja, natuurlijk.'

De telefoon ging. Chloe nam op.

'Hallo? O, Piers, schat. Wat heerlijk van je te horen. Wij maken het prima. Ja, ze is prachtig en ze is benieuwd naar jou. Wat? O, wat jammer. Nee, natuurlijk niet, als je dan vanavond maar komt.' Haar stem klonk geforceerd opgewekt. 'Ja, prima. Joe houdt me gezelschap en waarschijnlijk komt mamma straks ook nog. En wat geweldig over die film. Wat? Ja, ik heb ze gelezen. Wat zijn ze allemaal lovend, hè? Zelfs de *Guardian*. Dag schat, ik zie je dan tegen de avond. Probeer... probeer op tijd te zijn.' Ze leunde tegen de kussens en keek uit het raam.

'Gaat het?' vroeg Joe.

'O... o ja. Prima. Het is zo spannend. Er komt een of andere Hollywood-bobo invliegen om met Piers te praten over de filmrechten voor *The Lady*.' Ze zuchtte. 'Dus kan hij vanochtend waarschijnlijk niet komen. Maar hij is zo opgewonden, alle recensies zijn zo positief. Elke krant is lyrisch over *The Lady*. Ik heb gisteravond de recensies gelezen. Blijkbaar ben ik met een genie getrouwd, Joe.'

'O ja?' vroeg Joe.

Ze was even stil en zei toen: 'Joe, ik weet dat je Piers niet erg mag, maar ik ben echt gelukkig, weet je. Hij is zo goed voor me en hij houdt erg veel van me.'

'Natuurlijk.' Joe hoopte dat zijn stem zijn gevoelens niet zou verraden. 'Als jij maar gelukkig bent, liefje. Dat is het belangrijkste.'

'Ik wil zo snel mogelijk naar huis, om een gezinnetje te zijn,' zei ze en ze reikte naar Pandora's wieg om haar hoofdje te strelen. 'En dat zal me heel gemakkelijk vallen. Ik heb een geweldige kraamzuster en daarna komt er een heel lieve kinderjuffrouw. Samen kunnen we Pandora tevreden houden.' Ze glimlachte naar Joe, maar keek daarna smachtend naar Pandora in haar wieg, boog naar haar toe en streelde haar gezicht. 'Is ze niet prachtig, Joe? Vind je haar niet prachtig?'

'Niet zo mooi als haar moeder.' Joe gaf haar een kus.

'O, ik ben bang dat je je vergist. Ik zie er nogal uitgeput uit en ik ben zo verschrikkelijk dik,' zuchtte Chloe. 'Piers stelde voor dat ik een paar weken naar een gezondheidsinstituut ga om mijn conditie op peil te brengen en af te vallen, maar ik vind het een vreselijk idee.'

'Ik ook,' zei Joe. 'Je bent een moeder, niet een van zijn sterretjes. Zeg maar dat je niet wilt.'

'Heb ik ook gedaan,' zei Chloe snel. 'Hij zei het ook alleen maar omdat ik zat te klagen over hoe dik ik was. Echt waar. Hij is zo lief voor me en doet zo zijn best om voor me te zorgen.'

'Zo hoort het ook,' zei Joe.

'Ja, weet ik,' zei Chloe. 'En ik zorg voor hem. Hij is heel anders dan je denkt, Joe. Helemaal niet zo zelfverzekerd. Eerder nerveus en gevoelig.'

'Vast wel,' zei Joe. 'Chloe, heb je hem ooit verteld... ik bedoel, weet hij van...'

'Nee,' zei Chloe snel. 'Niet dat hij het erg zou vinden, natuurlijk, maar omdat ik niet wil dat hij het weet. Ik heb er sowieso niets mee te maken. Het is mamma's leven, mamma's verleden. Misschien zeg ik het ooit wel, maar nog niet.'

'Niemand vertelt het hem als jij dat niet wilt,' zei Joe.

Chloe ging weer achterover liggen en raakte glimlachend zijn hand aan. 'Je bent zo lief, Joe. Mam boft maar. Ik hoop dat ze dat beseft.'

'Dat hoop ik ook,' zei Joe en hij glimlachte zo overtuigend mogelijk.

INTERVIEW MET DAMIAN LUTYENS, VOOR HET MIDDENDEEL VAN *THE TINSEL UNDERNEATH*. MAG UIT GECITEERD WORDEN.

HIJ WAS EEN GEWELDIGE VRIEND. IK WEET DAT IEDEREEN DACHT DAT WE MEER WAREN DAN VRIENDEN, MAAR DAT IS NIET ZO. IK WAS ZIJN GETUIGE TOEN HIJ MET CHLOE TROUWDE. ZOIETS VRAAG JE NIET AAN EEN MINNAAR. DE AVOND ERVOOR WAS HIJ DOODSBANG. HIJ NAM ME MEE UIT ETEN BIJ DE RITZ EN WERD VRESELIJK DRONKEN. 'IK SNAP NIET DAT IK DIT WEER DOE, DAMIAN,' ZEI HIJ. 'ECHT NIET. WAAROM ZOU HET DEZE KEER WEL LUKKEN? IK BEN NIET VERANDERD.'

IK PROBEERDE HEM TE KALMEREN, GERUST TE STELLEN, MAAR HET WAS LASTIG, OMDAT IK OOK NIET WIST WAAROM HET DEZE KEER WEL GOED ZOU GAAN. HIJ ZOU NIET MOETEN TROUWEN, ZEKER NIET MET CHLOE. HET WAS EEN VREEMDE RELATIE. IK BEDOEL, ZE IS LIEF EN MOOI EN WE ZIJN ALLEMAAL GEK OP HAAR, MAAR ZE WAS ABSOLUUT GEEN GESCHIKTE VROUW VOOR HEM. IN DE LOOP VAN DE TIJD WERD ZE ER WEL BETER IN, MAAR IN HET BEGIN WAS HET AFSCHUWELIJK. IK DENK DAT ZE GEEN VAN BEIDEN WISTEN HOE VRESELIJK HET ZOU WORDEN.

ZE WAS EEN OBSESSIE VOOR HEM; DAT WAS HET EIGENLIJK. ER WAS ALTIJD WEL IEMAND. EN ELKE KEER DACHT HIJ DE OPLOSSING TE HEBBEN. VOOR ALLE PROBLEMEN.

'ZE IS ZWANGER, DAMIAN,' ZEI HIJ, TERWIJL HIJ NAAR ZIJN BORD KEEK. HIJ AT DE HELE AVOND GEEN HAP; DE KELNERS WAREN ERG ONTDAAN.

Ik wist het niet en ik was geschokt. Ik vroeg me af of ze het opzette-lijk had gedaan, om hem te vangen. Toen ik dat zo voorzichtig mogelijk opperde, zei hij: 'O nee. Zo is ze niet. Guinevere heeft dat wel geprobeerd. Ik wilde bij haar weg en dat wist ze; toen is ze zwanger geworden in de hoop dat ik zou blijven. Ik kon het niet, niet onder die omstandigheden. Ik dacht dat ze zonder mij beter af zou zijn. Dat geloofde ik echt, Dami-an. Wat denk jij?'

Ik zei dat ik dat niet wist. Hij huilde bijna.

'Ik ben een typisch geval, Damian,' zei hij. 'Mijn leven is een zootje.'

Ik zei dat dat voor de meeste mensen gold. Hij zei dat het voor hem sterker gold, dat hij een leven verwoest had zien worden, van iemand die hem heel dierbaar was. Ik vroeg hem hoe, maar dat kon hij niet ver-tellen, zei hij.

'Maar ik wil het nu allemaal goed doen, Damian. Echt waar,' zei hij.

Ik was er eerlijk gezegd niet erg mee bezig; hij zei wel vaker rare din-gen, vooral als hij over Guinevere begon.

Hij raakte toen nogal geagiteerd. Ik vond het tijd worden hem thuis te brengen. Hij werd altijd herkend, weet je. Het laatste wat we wilden, was een foto in de roddelrubrieken van een dronken Piers die huilde op zijn vrijgezellenavond. Ik rekende af en bestelde een taxi. Ik ging met hem terug naar Sloane Street. De volgende ochtend zou hij in alle vroegte naar Suffolk worden gebracht.

'Ik haat East Anglia,' zei hij, 'daar zou ik geen oog dichtdoen.'

Toen we bij zijn huis aankwamen, vroeg hij of ik nog iets wilde drin-ken. Ik zei dat het al erg laat was, maar hij zei dat hij niet alleen wilde zijn. Dat hij bang was. 'Eentje maar, Damian,' zei hij, 'één drankje.' Dus ging ik mee naar binnen, tegen mijn zin.

Hij had een grote foto van Chloe op de piano staan. Dat vond ik een goed teken. Ik zei dat ze erg mooi was. 'Ja,' zei hij, 'ze is mooi, een mooi kind. Wat doe ik haar aan, Damian?' Dat zei hij steeds opnieuw. Waar was hij mee bezig? Het was erg triest, echt afschuwelijk. Ik overwoog tegen hem te zeggen dat het nog niet te laat was, maar ik durfde niet. Stel dat hij overstag was gegaan, dan had ík het gedaan. Ik heb er nog steeds spijt van.

Hoofdstuk 18

1967

'O, kijk Pandora. Joe's boek!'
Chloe duwde de kinderwagen over King's Road en keek vol verrukking naar haar dochtertje. Ze zag mensen naar Pandora lachen. Dat was niet zo vreemd; ze was half uit haar wagen gekropen en zat nu op haar knietjes. Ze lachte naar iedereen die ze zag en ontblootte haar eerste melktandjes. Ze zag er echt verschrikkelijk uit. Chloe had haar een koekje gegeven en het liep in een natte drab over haar kin. Er zat ook koek aan haar wangen, haar handen, zelfs aan haar voorhoofd. Maar wat was ze mooi, dacht Chloe, volmaakt mooi. Ze had grote grijze ogen met zwarte wimpers, een roomkleurig babyhuidje en donkerrode krullen (waar nog meer koekresten in zaten). Iedereen zei dat ze uitzonderlijk mooi was, zelfs haar oma Caroline, zelfs haar ooms Toby en Jolyon. Haar andere oma, haar vader en zijn vrienden raakten er zelfs niet over uitgepraat.

Piers had zich ontpopt tot een bewonderende, liefhebbende vader, die de meest ongelooflijke dingen wilde doen, zoals Pandora in bad doen, haar (ietwat voorbarig) sprookjes voorlezen voor het slapengaan en zelfs af en toe haar luier verschonen. Chloe, nog steeds smoorverliefd op haar man, leerde langzaam met zijn leven om te gaan en ze was dankbaar dat haar kind hen nader tot elkaar bracht.

Het openbare gedeelte van haar leven was betrekkelijk gemakkelijk; doordat ze van nature efficiënt was, kostte het haar weinig moeite om Stebbings en hun nieuwe huis in Londen – hoog en stijlvol aan Montpelier Square – te runnen. Maar hun privéleven vond ze nog steeds moeilijk. Ze kwam erachter dat Piers een compleet mysterie voor haar was. Hoe intens hij ook van haar hield, hij leek steeds – hoe moest ze het zeggen? – moeilijker bereikbaar. Hij praatte nooit over zijn gevoelens (behalve om te zeggen hoeveel hij van haar hield), over zijn hoop of zijn angst (tenzij het over de volgende productie ging, en die daarna); hij leek een bijna neurotische behoefte te hebben om een deel van zijn leven voor zichzelf te houden. Soms ging hij in het weekend een paar uur de stad in en zei hij vaag dat hij een afspraak had. Dan kwam hij heel laat thuis, lang na het avondeten; zonder enige aanleiding kon hij heel afstandelijk worden, dan merkte ze dat hij haar vreemd, bijna kil aankeek. Dan weer moest hij naar New York of naar Los Angeles, meestal met de vage uitleg dat hij een vergadering had met producers, acteurs, impresario's; hij bleef maar een paar dagen weg, maar hij vloog ongeveer een keer per maand. Ze had voorgesteld nu en dan met hem mee te gaan, maar hij had het haar afgeraden, gezegd dat ze zich alleen maar zou vervelen. Toen ze aandrong, zei hij kort en bondig: 'Chloe, dit hoort erbij en dat moet je accepteren; het heeft absoluut geen zin dat je alsmaar de Atlantische Oceaan met me oversteekt.'

'Het gaat niet om alsmaar,' had Chloe gezegd, geprikkeld tot moed. 'Ik wil gewoon één keer mee. Ik ben nog nooit in Amerika geweest.' Toen ze zag dat ze hem niet kon overhalen en dat haar verzoek hem alleen maar ergerde, had ze het opgegeven.

Zelf stond hij erop altijd te weten waar ze was, elk moment van de dag. Het was voorgekomen dat ze met Pandora op bezoek was gegaan bij vriendinnen en al kletsend de tijd was vergeten of onverwacht was blijven lunchen en een uur of wat later dan gepland was thuisgekomen; dan had hij haar ongerust, zelfs boos opgewacht en wilde hij weten waar ze precies was geweest en wat ze had gedaan. Eerst had ze hem ermee geplaagd, maar ze was gaan beseffen dat het geen zin had, dat hij er echt over inzat. Daarom belde ze eindeloos naar huis en raakte ze enorm gespannen als ze vastzat in het verkeer of hem om een andere reden niet kon bereiken. Hij was jaloers op haar vriendinnen en ze werd erg goed in het verzinnen van smoezen om haar vriendinnen te bezoeken zonder dat hij ervan wist. Hij was ook vreselijk jaloers op Joe, dus leerde ze ook te liegen over haar afspraken met hem. Zelf onderhield Piers verscheidene intensieve vriendschappen, met Damian, met David Montague en zijn vrouw Liza, met Giles Forrest. Met hen voerde hij lange gesprekken, tot diep in de nacht, terwijl zij verwaarloosd en eenzaam zat te wachten. Dan viel ze op de bank in slaap of sloop ze stilletjes naar boven. Hij maakte het altijd weer goed, bezwoer haar zijn eindeloze liefde en vree met haar als een bezetene, alsof hij besefte dat hij haar had gekwetst.

En dan de seks op zich; dat vond ze nog altijd het moeilijkste van de relatie. Het was nog net zo onbevredigend, net zo'n anticlimax als in het begin;

het geweldige voorspel, haar verlangen naar hem, het vertrouwen (tanende, moest ze toegeven) dat het deze keer fijn zou zijn, dat de vonkjes van genot vonken zouden worden, dat de zachte tederheid in triomf zou veranderen, maar om de een of andere reden gebeurde het nooit en naderhand lag ze voor de zoveelste keer bijna te huilen, bang dat ze een teleurstelling voor hem was, zich afvragend wat ze kon doen, moest doen. Ze probeerde er een paar keer met hem over te praten, maar haar pogingen om het onderwerp te bespreken waren zo omzichtig dat hij gewoon aannam dat zij hem wilde. Voorlopig had ze het opgegeven, was ze een beetje verdrietig, teleurgesteld zelfs, en voelde ze zich machteloos. De enige troost – een aanzienlijke troost – was dat hij in bed heel tevreden met haar leek, haar naderhand altijd vertelde hoe geweldig ze was, hoe heerlijk het was geweest. Nou ja, het was niet alles, verre van dat. Als ze zich echt ellendig voelde, echt bang, vertelde ze zichzelf dat hij niet met haar had hoeven trouwen, dat hij iedereen had kunnen krijgen die hij wilde. Het leed absoluut geen twijfel dat hij van haar hield en van haar genoot. Het ging goed, zei ze tegen zichzelf. Het zou wel goed komen. En ze wist zeker dat mettertijd haar eenzaamheid en angst, zowel om zichzelf als om hem, minder zouden worden.

Toen zag ze Joe's boek, *Scandals*. Ze wilde het al jaren lezen, maar het boek was niet meer te koop. Joe had gezegd dat hij zijn laatste exemplaar aan een dronken collega had uitgeleend, beloofd zijn uitgever om een exemplaar te vragen, maar deed het nooit. Ze had zelfs Piers gevraagd of hij het had, maar hij had geantwoord dat hij er nog nooit van had gehoord en niet geïnteresseerd was. Maar daar lag het, tweedehands, afgeprijsd voor een pond. Ze stopte het in de kinderwagen en ging naar huis. Toen ze thuiskwamen was Pandora moe en zeurderig; ze deed haar snel in bad, riep Rosemary, het kindermeisje, en vergat het hele boek, totdat ze de volgende ochtend in de kinderwagen naar een handschoen zocht.

Toen Piers beneden kwam voor een erg laat ontbijt, had ze het voor zich, bladerde erdoorheen, niet echt geïnteresseerd in de politieke en financiële schandalen. Met iets meer interesse dook ze in het hoofdstuk over Hollywood, waar de naam Byron Patrick haar aandacht trok. Tien minuten later had ze zich nog niet bewogen, behalve om de pagina's om te slaan en Pandora in stukjes gesneden wentelteefjes te voeren; ze keek op naar Piers, schonk hem een snelle, nerveuze glimlach en schoot met het boek in haar handen de eetkamer uit, terwijl ze God dankte dat Piers (die in de krant alleen recensies en theaterroddels las) zo verdiept was in een artikel over de financiële toekomst van het Royal Court Theatre dat hij het niet opmerkte.

'Joe,' zei ze met trillende stem. 'Joe, ik heb je schandalenboek gekocht. Waarom heb je me dat niet verteld?'

'Wat verteld, liefje?' vroeg Joe en ze wist meteen dat hij wist wat ze bedoelde.

'Dat weet je best, over Byron Patrick, of Brendan, of hoe hij ook heette,' zei ze. 'Fleurs vader. Ik wist niet dat hij op zo'n afgrijselijke manier was gestorven. Ik wou dat ik het had geweten.'

'Maar waarom dan?' vroeg Joe vriendelijk. 'Wat zou dat voor verschil hebben gemaakt?'

'Weet ik veel. Gewoon. Misschien... het is zo armoedig en treurig. Ik vind dat ik het had moeten weten. Het geeft me een ander... gevoel. Over zijn dochter. Ik heb meer met haar te doen, voel me minder vijandig.'

'Ach, het is al lang geleden. Het gaat nu prima met haar – met Fleur. Ze heeft het goed verwerkt.'

'Dat kan niet. Niet als ze enig gevoel heeft. Je had het echt moeten vertellen.' Het leek zo onverdraaglijk triest dat Fleurs vader, Brendan, of Byron, zoals Hollywood hem had gedoopt, de dappere held van wie haar moeder zo had gehouden, onder zulke armoedige omstandigheden was gestorven. Het maakte Fleur op de een of andere manier minder sterk, minder gevaarlijk, belangrijker in haar leven. Ze vroeg zich af of ze Piers niet toch over Fleur moest vertellen en stond op het punt om naar beneden te gaan en te vragen of hij even tijd voor haar had, toen de telefoon ging en Piers opnam en even later de trap op vloog om haar te vertellen dat David Montague net had gebeld om te vertellen dat de Variety Club *The Lady* had voorgedragen als Beste Musical en dat ze vrijwel zeker zouden winnen. Het leek geen goed moment om hem lastig te vallen met iets wat zo ingewikkeld en moeilijk was. Daarna was hij dagenlang weg en vervolgens moest hij drie weken naar New York. Toen ontdekte ze (blij) dat ze weer zwanger was. Daarna leken Fleur en haar vader iets uit een zo ver verleden dat ze het beter kon laten rusten. Ze hadden immers niets te maken met haar leven nu. Absoluut niets.

Toen ze had neergelegd, zat Joe naar zijn telefoon te kijken. Hij wist niet waarom hij zich zo ongemakkelijk voelde. Toen hij het besefte, werd hij bijna misselijk. Er had een exemplaar van *Scandals* in de bibliotheek van Stebbings gestaan; hij had het in zijn handen gehad. Als het er nog stond, zou Chloe het hebben gevonden. En als het er niet meer stond – waarom dan niet?

Op een kille, donkere dag in november zat Fleur door de *Harpers Bazaar* te bladeren op zoek naar een advertentie voor Juliana, toen ze een artikel tegenkwam met de kop 'Vrouwen van...' Het bijschrift onder een van de foto's van vrouwen van luidde 'Chloe Windsor, de aantrekkelijke roodharige vrouw van de Britse acteur en impresario Piers Windsor, hier afgebeeld in haar Londense huis met haar dochtertje Pandora, houdt er verfrissend ouderwetse ideeën over het moederschap op na. Ze vertelde ons dat ze zich geen bevredigender carrière kan voorstellen dan zorgen voor een hopelijk groot gezin. Mevrouw Windsor draagt een witte satijnen baljurk van Belville Sassoon. Het kanten jurkje van Pandora is afkomstig van White House.'

Fleur had het gevoel dat ze heel hard was gestompt, eerst in haar maag en daarna tegen haar hoofd. Zou het haar zijn? Dat kon toch niet. Zoveel toeval bestond niet. Belachelijk. Waarschijnlijk waren er honderdduizenden Chloe's. Ze had nooit een foto van haar gezien, en daar had ze ook nooit behoefte aan gehad. Ze had niet gewild dat Joe over haar praatte. Lief, had hij haar genoemd, ouderwets. Dit was geen ouderwets meisje. Dit was een erg mooie, moderne vrouw. Maar wanneer had hij dat ook alweer gezegd? Jaren geleden. Maar toch. Nee, ze stelde zich aan. Maar dat rode haar dan? Het leek op Carolines haarkleur. Wat dan nog? Massa's meisjes met rood haar. Die allemaal Chloe heetten? Natuurlijk. Waarschijnlijk kende zij ze zelf. Ze kon er geen bedenken.

'Ken jij meisjes die Chloe heten?' vroeg ze met verstikte stem aan Poppy.

'Denk het niet,' zei Poppy. 'Gaat het? Je ziet er vreselijk uit.'

'Ja, best,' zei Fleur. Ze voelde zich vreselijk. Ze moest het weten, hoe belachelijk het ook leek. De volgende drie uur leek ze wel in trance. Ze deed alsof ze iets origineels probeerde te bedenken om over mascara te zeggen, maar ze voerde feitelijk niets uit.

Toen iedereen weg was, belde ze Joe in Londen, op zijn kosten.

Ze hoorde hem opnemen, hoorde vragen of hij de kosten accepteerde, hoorde hem aarzelen en uiteindelijk 'ja, goed' zeggen en werd doorverbonden.

'Joe? Met Fleur.'

'Dat dacht ik al,' zei hij en haar hart sloeg over bij het horen van zijn lijzige, krakerige stem. 'Hoe gaat het?'

'Prima. Joe, sorry als ik je stoor, maar ik... je moet me iets vertellen. Is... is Chloe getrouwd met Piers Windsor? Die oude acteur?'

Na een korte stilte zei hij: 'Ja, dat klopt. Al zou ik hem niet echt oud noemen.'

'Hij lijkt mij vrij oud,' zei Fleur. 'Hoe lang geleden zijn ze getrouwd?'

'O,' zei hij voorzichtig, 'ruim een jaar geleden.'

'Leuk voor haar,' zei Fleur. 'Misschien een vreemde vraag, maar waarom heeft niemand dat mij verteld? Ze is tenslotte mijn zus.'

'Nou, Caroline vond... althans...' Joe's stem stierf weg.

'O, Caroline vond zeker dat ik het niet hoefde te weten. Tja, ik ben natuurlijk een schande voor de familie. Dat snap ik. Niet dat ik familie bén. En wat vindt hij ervan? Wat heeft Caroline over mij verteld?'

'Niets natuurlijk,' zei Joe.

'Ik begrijp het,' zei Fleur. Ze was opeens heel misselijk, en heel zwak, alsof ze bijna flauwviel. Ze pakte haar mok met koude koffie en nam een flinke slok. Het kantoor draaide om haar heen.

'Fleur, gaat het? Het spijt me als ik je verdriet heb gedaan.'

'O ja,' zei ze en ze drukte de pijn en het rauwe verdriet van deze nieuwste afwijzing weg, van de ontdekking dat Joe, juist Joe, zo bot, zo ongevoelig kon zijn, 'het gaat prima. Maak je geen zorgen. Ik ben helemáál niet overstuur. Waarom zou ik?'

'Fleur,' zei hij, 'het is geen...'

'Ik heb geen zin om erover te praten,' zei ze en ze legde neer.

Daarna zat ze bijna verbaasd naar de foto te kijken, naar Chloe's bruine ogen. Eindelijk wist ze hoe ze eruitzag. Al die jaren had ze aan haar gedacht en haar afgedaan als een vijand, die alles had wat zij niet had. Nu had ze niet alleen een gezicht, maar ook een karakter, een meegaand karakter; ze droeg kleren (prachtige dure kleren), woonde in een huis (een opzichtig, duur huis), ze sprak domme, sentimentele woorden en hield een overdreven aangeklede baby vast. Maar hoe dééd ze het? Hoe zorgde ze ervoor dat ze alles kreeg: liefde, luxe, veiligheid, de genegenheid en geborgenheid van haar naasten? Hoe had dit duffe wezen zo'n rijke, beroemde vent kunnen trouwen? Nou ja, ze begreep waarom ze hem natúúrlijk niet over haar hadden kunnen vertellen. Een buitenechtelijk kind dat door haar moeder naar de andere kant van de wereld was gestuurd, was een schande voor de familie. Stel dat hij zich had bedacht.

Stel dat ze op de ongetwijfeld grootse en modieuze bruiloft had willen komen, waarschijnlijk in Carolines mooie landhuis; stel dat ze als een boze fee tussen de glimlachende, gelukkige feestgangers was opgedoken; natúúrlijk hadden ze haar niet over de bruiloft kunnen vertellen.

'Ik zal je nog wel krijgen,' zei ze tegen de foto, 'wacht maar af.'

Vlak voor de kerst moest Piers opeens weer weg. 'Sorry, lieveling, het is maar voor een paar dagen. Ik moet een producer in LA spreken over een nieuw idee van me, een geweldig idee, al is het nu nog maar in het beginstadium.'

Chloe was boos, verdrietig, misselijk van haar zwangerschap; ze vond de gedachte dat hij wegging verschrikkelijk, maar zonder te klagen pakte ze een tas voor hem in en bracht hem naar het vliegveld. Toen had ze een lange dag voor zich, zonder afspraken, en ze besloot op bezoek te gaan bij Piers' moeder.

Ze belde Rosemary om te horen of het met Pandora allemaal goed ging en zei dat ze tegen vieren thuis zou zijn. Ze belde het verzorgingstehuis om haar komst aan te kondigen en reed richting Sussex.

Ze was dol op Flavia en zou haar graag vaker willen zien. Maar Piers was niet al te attent. Er was altijd wel een reden om niet op bezoek te gaan, maar als hij ging, werd duidelijk hoe gek ze op elkaar waren en hadden ze elkaar zo veel te vertellen dat Chloe zich weer een buitenstaander voelde; maar Flavia was zo lief voor haar geweest, had haar verteld hoe heerlijk ze het vond weer een dochter te hebben, dat ze haar vaker wilde zien.

Ze had al verschillende malen aangeboden in haar eentje naar Flavia te gaan, maar Piers vond dat een slecht idee. 'Ze is erg zwak,' had hij gezegd, 'lang niet zo sterk als ze lijkt. Je moet voorzichtig met haar omgaan.'

'Ach, Piers, ze is geen schichtig paard,' zei Chloe geërgerd. 'Iedereen kan zien dat ze gewoon nooit uitgekletst raakt. Laat me nou gaan, Piers. Ik zou het heerlijk vinden en zij ook.'

'Het lijkt me echt beter van niet,' zei Piers. 'Haar arts heeft nadrukkelijk gezegd dat ze zich rustig moet houden'

Chloe bedacht dat het soort gesprekken dat Piers met zijn moeder voerde, idiote anekdotes waar vooral heel hard om gelachen moest worden, haar bepaald niet rustig hielden, maar dat zei ze niet. Ze raakte zo geïrriteerd door zijn veelvuldige afwezigheid en zijn weigering haar mee te nemen, dat de gedachte ongehoorzaam te zijn haar goed deed. En het zou Flavia ook goed doen; waarschijnlijk kreeg ze niet vaak bezoek.

Toen Chloe aankwam, zat Flavia in een stoel bij het bed. Ze zat een beetje uit het raam te kijken. Flavia was nog altijd een mooie vrouw, met dik, golvend wit haar en grote grijze ogen, net als Piers. Ze droeg een roze kamerjas over een wit nachthemd met ruches. Om haar nek droeg ze een gouden medaillon en om haar magere vingers verschillende mooie ringen. Bij hun eerste kennismaking had ze Chloe verteld dat ze nog steeds veel moeite deed er zo goed mogelijk uit te zien. 'Ik mag dan een bedlegerige oude vrouw zijn, dat wil nog niet zeggen dat ik er zo wil uitzien.'

'Flavia,' zei Chloe, 'hallo.'

Het duurde even voordat Flavia bij haar positieven kwam, maar toen glimlachte ze stralend. 'Chloe, liefje, wat heerlijk je te zien. En je hebt fresia's meegebracht, mijn lievelingsbloemen. Ze ruiken zo heerlijk. Heb je die stoute man van je ook meegebracht?'

'Nee,' zei Chloe, 'hij zit weer eens in het vliegtuig naar Los Angeles.'

'Mooi! Dan kunnen wij lekker kletsen.'

'Ik heb een paar foto's van Pandora voor je meegebracht,' zei ze, terwijl ze Flavia's wang kuste. 'Ik had haar wel willen meebrengen, maar dat kwam even niet uit. En ik heb ook heel goed nieuws.'

'Wat, liefje?'

'Ik ben weer zwanger.' Ze bloosde ervan.

'O, liefje, wat heerlijk. Ik ben zo blij voor je, en voor Piers dat hij jou heeft gevonden. Hij wilde altijd zo graag een gezin. Het is geweldig nieuws, ook voor hem. Misschien wordt hij nu eindelijk volwassen,' zei ze een beetje streng.

'Hij lijkt mij al heel volwassen.' Chloe was verbaasd over zoveel openheid van zo'n liefhebbende moeder.

'Ach, liefje, hij is net een kind. Nooit verantwoordelijkheidsgevoel getoond, altijd het middelpunt van de belangstelling geweest. Mijn schuld natuurlijk, ik heb hem verwend. Daarna heeft de hele wereld hem verwend, op één persoon na, Guinevere. En kijk wat er is gebeurd.' Ze keek erg verdrietig.

'Maar ik dacht...'

'O, laten we het niet over andere mensen hebben. Je zult wel niet veel tijd hebben. Ik zal thee bestellen en vragen of ze een vaas brengen voor die prachtige bloemen en dan mag je me de foto's laten zien. Wanneer ben je uitgerekend?'

'In mei.'

'Een zomerbaby. Zoveel gemakkelijker dan de winter. En hopelijk wordt deze niet tijdens een première geboren. Slechte timing, liefje. Maar wat geweldig dat Piers nog voor het feest bij je kwam kijken.'

'Eh, ja,' zei Chloe. Blijkbaar had Flavia de details door elkaar gehaald. Niet zo vreemd.

'En kun je je draai al beter vinden? Tussen al die moeilijke mensen en zo?'

'Veel beter.' Chloe keek Flavia aan en zei: 'Ik wist niet dat je dat zo goed begreep.'

'Natuurlijk. Het moet vreselijk voor je zijn geweest. Ze waren ook niet altijd even aardig voor mij. Ik werd tijdens premières heel vaak genegeerd.' Ze gaf Chloe een klopje op haar hand. 'Ik vind je geweldig. En nog zo jong. Je bent nog maar eenentwintig. Natuurlijk is dat beter. Je leert sneller. Ik was pas twintig toen Piers werd geboren. Op mijn negentiende ben ik getrouwd. Ook met een flink oudere man.'

'Ja,' zei Chloe, 'Piers heeft me over hem verteld.'

'Niet veel, waarschijnlijk,' zei Flavia kordaat. 'Piers is er goed in onaangename feiten te verzwijgen. Mijn man was nogal een bruut, liefje. Niet dat hij me sloeg, hoor, en hij heeft altijd goed voor ons gezorgd. Maar hij was er nooit; Piers zag hem zelden. En hij was een vervelende oude man. Daarom hebben Piers en ik zo'n hechte band.'

'Aha,' zei Chloe.

De verpleegkundige kwam de thee brengen, en een vaas.

'Wil jij inschenken, liefje? Vertel nog eens iets over Pandora. Zegt ze al woordjes?'

'Nou...' Chloe vertelde honderduit over geluiden die net woordjes leken, over bewegingen die op kruipen leken, over nieuwe vaardigheden, over haar zorgen (zou ze de nieuwe baby wel accepteren?), over lachjes en tranen, kortom over alles wat moeders nu eenmaal bijzonder vinden aan hun kind, en Flavia genoot ervan. Af en toe vertelde ze iets over Piers' jeugd en toen Chloe besefte dat ze er moe uitzag en stil achteroverleunde, was het al donker.

'O, Flavia, het spijt me. Je bent natuurlijk ontzettend moe. Ik zal meteen gaan. Moet ik een verpleegkundige roepen?'

'Nee, liefje, het gaat prima. Ik ben liever moe in jouw gezelschap dan uitgerust in mijn eentje. Waarschijnlijk wil je nog wel een kopje thee voordat je gaat, misschien een koekje erbij. Je ziet er zelf ook moe uit. O, en kun je me misschien goede raad geven? Kun je mijn tas pakken, liefje? Ik heb een brief gekregen van een journalist – even kijken – Magnus Phillips. Hij wil me komen opzoeken.'

'Waarom in hemelsnaam?' vroeg Chloe. Ze vertrouwde Magnus Phillips niet helemaal en het verbaasde haar dat Piers hem blijkbaar wel vertrouwde. Het was een vreemde vriendschap.

'Hij doet onderzoek voor een boek over Piers. Lees maar.'

Het was een beleefde brief, vol verontschuldigingen wegens het storen, beloften niet te veel tijd in beslag te nemen, dankbaarheid als ze zou willen meewerken. Het leek onschuldig, maar als Piers een boek over zichzelf wilde, waarom liet hij het Magnus Phillips dan schrijven? Zijn laatste boek was schandalig, verschrikkelijke onthullingen over een politicus en diens wangedrag op seksueel en professioneel gebied. Phillips had half Engeland geïnterviewd om achter de waarheid te komen – als het de waarheid was. Ze vroeg zich af of Piers besefte dat Magnus al aan het boek werkte. Ze hadden er alleen heel vaag over gesproken. Wie had hij nog meer aangeschreven? Waarschijnlijk wist Piers het best, bedacht ze met een zucht. Het zoveelste dat hij voor haar geheimhield.

'Als ik jou was,' zei ze voorzichtig, 'zou ik het eerst aan Piers vragen als hij weer terug is. Om zeker te weten of hij het ermee eens is. Magnus is een aardige man; hij is zelfs op onze bruiloft geweest, maar ik wist niet dat hij al aan het boek begonnen was.'

'Goed idee, liefje, dankjewel. Ik wist dat je me kon helpen. Vind je het niet vervelend dat Piers zo vaak weg is?' vroeg ze nonchalant, terwijl Chloe haar spullen bij elkaar zocht.

'Ja, natuurlijk – ik mis hem. Ik ben elke keer weer blij als hij terug is.'

'Waar is hij deze keer heen? Hollywood? Tegenwoordig lijkt het niet meer zo ver. De eerste keer dat hij ging, leek het de andere kant van de wereld.'

'Toen hij in *Town Cousins* speelde?'

'Nee, daarvoor. Hij is er eerder geweest, heeft hij dat niet verteld?'

'Nee,' zei Chloe. Ze hoorde weer zijn stem, die eerste avond in de Ritz. Ze wist nog precies wat ze die avond hadden gezegd. Ze had hem gevraagd of hij in zijn beginjaren naar Hollywood was geweest. Nee, had hij gezegd, dat trok me niet. Die auditiecultuur is professionele zelfmoord. Waarom zou hij over zoiets liegen?

'Hij praat er niet graag over,' zei Flavia, die haar verwarring zag. 'Het werd helemaal niets en hij was nog steeds niet over Guinevere heen. Hij wil niet dat mensen het weten. Je kunt beter niet laten merken dat ik het heb verteld. Rare jongen. Ik zei toch dat ik hem had verwend. Ga nu maar, liefje. Geef Pandora een dikke kus en pas op jezelf. Heel lief dat je bent gekomen. Ik heb een heerlijke dag gehad.'

Chloe reed langzaam naar huis; ze was erg moe en het nieuws dat Piers eerder naar Hollywood was geweest zat haar dwars. Niet dat het er echt toe deed, maar het was het zoveelste voorbeeld van zijn dwangmatige behoefte een groot deel van zijn leven geheim te houden.

Hoofdstuk 19

1968

Toen ze Piers Windsor voor het eerst zag, was Fleur poedelnaakt. Ze stond op het punt naar bed te gaan en had de televisie aangezet om naar het nieuws te kijken (het bureau had haar een kleurentelevisie gegeven, zodat ze naar de reclames kon kijken). Ze stond als versteend te kijken naar zijn veel te knappe gezicht, naar zijn mooie kleren, zijn maatpak en zijn handgemaakte schoenen (sinds haar affaire met Nigel had ze verstand van schoenen), de overjas om zijn schouders, het leren koffertje in zijn hand. Hij zag er absoluut goed uit, dat moest ze toegeven. Als je daarop viel. Zij hoefde hem niet. Chloe mocht hem hebben.

Hij werd geïnterviewd bij zijn aankomst op Kennedy Airport. Ze luisterde naar de beroemde, muzikale stem, de volmaakte stembuigingen, zijn Engelse accent, die vertelde hoe heerlijk hij het vond in New York te zijn, hoe trots hij was *The Lady* hier op de planken te brengen. 'Hoe lang blijft u, meneer Windsor? En zult u ook audities houden?' O, ongeveer drie weken, misschien vier, en ja, natuurlijk, veel audities. Als goede actrices en dansers een kans wilden maken op een rol in *The Lady,* hoopte hij dat ze contact met hem opnamen (zei hij tegen de camera, met een prachtige, langzame glimlach). Waar ze hem konden vinden? In het theater natuurlijk, waar *The Lady* werd opgevoerd, het Warwick. Was er nog een kans dat Tabitha Levine ook in New York de hoofdrol zou spelen? Die kans was klein, zei Piers Windsor (en Fleur zag dat zijn kaakspieren zich licht aanspanden, dat zijn glimlach ietwat geforceerd was), aangezien de vakbond in New York het haar erg moeilijk maakte een werkvergunning te krijgen, maar hij had de hoop niet opgegeven. Natuurlijk zou het geweldig zijn om een nieuwe actrice te vinden en haar de rol gestalte te zien geven, maar er was niet veel tijd meer en dat had je voor die rol wel nodig. De Lady vereiste zorg, begrip en ja, ook liefde en...'

Fleur zette de televisie uit; ze kon het niet meer verdragen. Wat een glad-janus! Wat een eersteklas gladjanus. Het idee dat hij familie van haar was, fei-telijk haar zwager was, maakte haar kotsmisselijk. Nou ja, ze zou hem wel nooit tegenkomen. Goddank!

'Fleur, mag ik binnenkomen?'

Mary Steinberg stond voor de deur met haar baby aan haar borst; ze zag er uitgeput uit.

'Natuurlijk. Koffie?'

'Waarom niet, ik doe vannacht toch geen oog dicht. Dit kind is een nachtmerrie. Maar goed, er was post voor je. Vanochtend per ongeluk tussen de onze geraakt. Sorry.'

'Geeft niet.' Fleur sneed de envelop open. 'Ik...' Toen viel ze stil, verbaasd; haar ogen gleden over de woorden, haar hart bonkte als een bezetene.

Coldwater Canyon Road, Los Angeles, april 1968

Lieve Fleur,
Goed nieuws! Ik kom volgende week een paar dagen naar New York en ik vroeg me af of we elkaar eindelijk kunnen zien; misschien samen iets eten, of zoiets? Ik logeer vanaf maandag in het Pierre. Bel me. Ik kan amper wachten je te ontmoeten!
Liefs,
Rose

'Godallemachtig!' zei Fleur. 'Nondedju, hé! O god.'

Ze had Rose Sharon geschreven bij MGM, waar ze volgens de filmbladen voor werkte, nadat ze Joe had ondervraagd over mogelijke gevolgen van zijn reis naar LA. Hij was zo vaag mogelijk geweest, maar had haar uiteindelijk over Rose verteld, dat zij en Brendan volgens Berelman 'net Romeo en Julia' waren geweest. 'Ik geloof niet dat ze je zal willen ontvangen, Fleur.'

'Niet geschoten is altijd mis,' zei Fleur. 'Je bent erg negatief, Joe.' Ze legde neer.

Ze had geen antwoord gekregen en was daardoor erg overstuur geweest, maar niet verrast. Het was natuurlijk een verwend, verwaand kreng. Natuur-lijk reageerde ze niet op een brief van een meisje van wie ze nooit had gehoord, dat zomaar opeens meldde dat ze met haar wilde praten over een man met wie ze lang geleden een affaire had gehad. Zes maanden later las ze dat Rose Sha-

307

ron in India was voor opnamen en dat ze naar de verkeerde studio had geschreven, aangezien ze niet langer voor MGM werkte, maar voor Universal. Ze probeerde het opnieuw en Universal stuurde haar het adres van Rose Sharons fanclub. Ze schreef naar de fanclub en kreeg een gesigneerde foto en een lidmaatschapspasje.

Hevig gefrustreerd stuurde ze opnieuw een brief naar Universal; ze schreef 'Persoonlijk' en 'Urgent' op de envelop; uiteindelijk, bijna een jaar na haar eerste poging, kreeg ze een brief van Rose Sharons secretaresse dat mevrouw Sharon voor opnamen in Europa was, maar dat ze haar bij thuiskomst zeker haar brief zou laten lezen.

Eind dat jaar, net na de Kerst, kwam er een omzichtig verwoord briefje van Rose, waarin stond dat ze het geweldig vond van haar te horen, dat ze zich Fleurs vader natuurlijk nog kon herinneren en dat ze altijd welkom zou zijn als ze in Los Angeles was.

Fleur schreef terug dat ze niet vaak in LA kwam, maar bedankte haar voor haar brief en schreef dat ze echt graag over haar vader wilde praten. Ze kreeg een iets warmer briefje terug: Rose zou het volgende voorjaar naar New York komen en dat ze dan beslist contact zou opnemen. Ja, ja, zei Fleur boos tegen de brief en gooide deze demonstratief in de prullenbak – iets wat niet veel mensen zouden doen met een brief van een wereldberoemde filmster en waardoor ze zich zeker een uur een stuk beter voelde. En nu, nog maar een paar weken later, kreeg ze deze geweldige brief. Misschien was Rose Sharon dan toch niet zo'n verwend, verwaand kreng.

Ze was geen van beide; ze was aardig, zag er nog steeds geweldig uit, al moest ze al ver in de dertig zijn (rekende Fleur uit). Ze had goudbruin haar en blauwe ogen, een prachtige perzikhuid en een mooie, lieve glimlach. Fleur begreep volkomen dat haar vader verliefd op haar was geworden.

Fleur werd opgehaald door haar secretaresse, Martha Johns, een vrouw met staalgrijs haar en een streng mantelpakje. Ze bracht haar naar de suite waar Rose haar glimlachend begroette. 'Fleur! Als je eens wist hoe vaak ik aan jou heb gedacht. O, je bent precies je vader.'

'Echt waar?' vroeg Fleur. 'Wat aardig.' En ze barstte in tranen uit.

Rose wuifde Martha Johns weg en duwde Fleur een handvol Kleenex in de handen. Toen zei ze: 'Ik voel me zo schuldig dat ik nooit contact heb gezocht. Maar eerlijk gezegd wist ik niet of het je zou helpen. Yolande vond het beter om niets te doen. Dom van mij. Maar goed...'

'Leefde Yolande nog maar,' zei Fleur; ze snoof hard en droogde haar tranen.

'Ja, ik mis haar ook zo. Het brak mijn hart. Ik was in India toen ze stierf.'

'Ja, dat weet ik,' zei Fleur.

'O ja? Je bent blijkbaar een goede detective. Wil je koffie?'

Fleur knikte.

'Kom maar zitten. Hoe oud ben je eigenlijk?'

'Ik ben drieëntwintig,' zei Fleur.

'Mijn god. Ja, dat moet ook wel. Je vader vertelde me dat je pas tien was toen hij naar Hollywood ging. O, wat speet hem dat. En wat miste hij je.'

'O ja?' vroeg Fleur. 'Dat wist hij goed te verbergen.'

'Geen brieven?'

'Bijna niet,' zei Fleur. 'Hij heeft me ook nooit laten komen, zoals hij in het begin had beloofd.'

'Fleur, dat ging niet,' zei Rose. 'Geloof me. Eerst had hij geen geld, niemand van ons had geld. En later... kon hij je niet laten komen. Het was gewoon onmogelijk.'

'Waarom?'

'Naomi had het niet goedgevonden. Weet je van Naomi?'

'Ik heb haar ontmoet,' zei Fleur.

'Echt waar?' zei Rose. 'Je bent écht een goede detective. Wanneer?'

'Een paar jaar geleden. Ze was kierewiet.'

'En nóg. Het zal wel heel moeilijk te begrijpen zijn, maar als Naomi je in haar macht had, had je geen eigen leven meer. Ze ruimde mij uit de weg en ze zou jou zeker niet hebben getolereerd.'

'Waarom liet je dat toe, dat ze je uit de weg ruimde?'

'Om dat te begrijpen moet je in Hollywood wonen. Het is de hardste plaats op aarde. Honderden, duizenden mensen vechten om op te vallen, al is het maar even. Als je een kans kreeg, greep je die. Je deed wat je werd opgedragen. Dat deed je vader ook.'

'Maar vond je dat niet erg?'

'Natuurlijk. Verschrikkelijk. Maar ik begreep het.'

'O,' zei Fleur. Ze voelde zich steeds beroerder in plaats van beter.

'Wat kan ik precies voor je doen?' vroeg Rose. 'Ik neem aan dat je een reden hebt om contact op te nemen. Tenzij je een listig vermomde journalist bent.' Ze lachte. 'Ik waarschuw je: ik hou niet van journalisten.'

Fleur forceerde een glimlach. 'Ik probeer antwoorden te vinden,' zei ze, 'op moeilijke vragen. Ik had nooit durven hopen dat je me zou helpen. Maar... wil je helpen?'

'Als ik kan,' zei Rose voorzichtig. 'Hoe kom je aan mijn naam?'

'Dat is een lang verhaal,' zuchtte Fleur. 'Via iemand die Joe Payton heet. Hij is wel een journalist. Iemand zou hem hebben verteld dat jij en mijn vader "net Romeo en Julia waren". Klopt dat?'

Rose glimlachte en keek haar aan met de lieve, peinzende blik die voor miljoenen fans zo bekend was. 'Dat is waar,' zei ze. 'Ik hield echt van die klootzak. Hij was lief, grappig, vriendelijk, al had hij vrijwel geen talent – sorry, Fleur, maar het is zo – en we hadden het geweldig samen. We woonden in een appartementje aan La Brea en we waren straatarm. Ik werkte als serveerster en hij als pompbediende, maar ik ben mijn hele leven niet zo gelukkig geweest als toen. Het was een mooie tijd.'

'Maar hij... wist jij van mijn bestaan?'

'Natuurlijk. En over je moeder en dat romantische oorlogsverhaal. Je zou er een film van kunnen maken. Hij was zo trots op je. Hij zei vaak dat hij je zou laten komen als hij het had gemaakt. Ik dacht niet dat het hem zou lukken.'

'Maar hij hád het toch gemaakt?'

'Ja. God mag weten hoe. Nou ja, Brendan zag er natuurlijk erg goed uit. Hij was erg fotogeniek.' Ze schonk Fleur koffie bij. 'Op een bepaald niveau is het mooi meegenomen als je kunt acteren.'

'Ik vind het fijn dat je hem Brendan noemt,' zei Fleur. 'Dat geeft me het gevoel dat je hem echt kende.'

'Het was zo'n mooie naam. Brendan FitzPatrick. Echt iets voor Hollywood om dat te veranderen. Zelf heet ik eigenlijk Rose Kildare. Eerst noemden ze me Rose de Sharon, om me een bijbels tintje te geven omdat ik danste in een verschrikkelijke film over Mozes. Gelukkig viel het 'de' er daarna snel af,' zei ze lachend. 'Vertel, wat wil je weten?'

'Nou...' Fleur aarzelde. 'Weet je... o, het is zo moeilijk uit te leggen. Ik wil gewoon...'

Rose legde haar mooie, slanke hand op Fleurs hand. 'Laat mij het maar zeggen. Je wilt weten wat er precies is gebeurd. Hoe dat verhaal in *Inside Story* kwam. Of het waar was.'

'Ja,' zei Fleur, 'en wiens schuld het was.'

'Dat is lastig. Je kunt zoveel mensen de schuld geven, van Naomi tot de uitgever van *Inside Story*, tot iederéén in Hollywood. En tot op zekere hoogte ook je vader zelf.'

'Maar dat begrijp ik niet. Wat deed hij dan verkeerd?'

'Twee dingen. Hij maakte een paar vijanden. En op een bepaald moment had hij, denk ik...' Ze aarzelde, alsof ze zich afvroeg of ze verder moest gaan en zei toen: 'Ik denk dat hij een of meer homoseksuele relaties had. Hoe kortstondig ook.'

'O,' zei Fleur geschokt. 'O, mijn god.'

'Wist je dat niet?' Rose keek zelf geschokt. 'O, Fleur, Fleur, het spijt me zo. Ik dacht dat je het artikel had gelezen, de roddels had gehoord.'

Het was lang stil. Toen zei Fleur met verstikte stem: 'Ik denk dat ik er al bang voor was, door wat mevrouw MacNeice zei. Maar ze was zo gek. Ik heb het weggestopt.'

'Maar het artikel heb je niet gezien?'

'Nee,' zei Fleur toonloos. 'Ze hebben het bij me vandaan gehouden. Heb jij het?'

'Ja,' zei Rose na een korte aarzeling. 'Weet je zeker dat je het wilt lezen? Het is niet erg fraai en het vertelt ook niet erg veel. Er worden alleen toespelingen gedaan.'

'Mag ik het lezen?'

'Ja, ik haal het voor je. Neem nog wat koffie.'

Fleur schudde haar hoofd. Ze zag dat haar knokkels wit waren doordat ze zo hard in de armleuningen van haar stoel had geknepen.

De kop luidde: 'Byron en de boys.'

Wat heeft Byron Patrick, verstokt vrijgezel en hoofdrolspeler in de tweede divisie van ACI, te zeggen op beweringen dat hij in zijn begindagen erg intiem was met bepaalde heren in Hollywood? Dat dachten we al: 'Geen commentaar,' hoorden we bij monde van zijn pr-man Perry Browne. Waarom bedenken die jongens niet eens iets origineels? Byron, die vaak feesten en partijen bezoekt in het kielzog van Naomi MacNeice, sinds zij hem vijftien maanden geleden een contract aanbood, zou een hechte band hebben met Lindsay Lancaster, het snoepje van de maand bij ACI. Weet die jongen eigenlijk wel wat hij wil?

'Wie was Lindsay Lancaster?' vroeg Fleur. Haar stem leek van heel ver weg te komen, niet bij haar te horen.

'O, liefje, ze stelde niets voor. Gewoon een sterretje in die tijd. Ik geloof dat ze is getrouwd met een of andere arme drommel die een conservenfabriek heeft of zoiets.'

'O, o ja.' Fleur las het artikel nog twee keer. Toen verborg ze haar gezicht in haar handen en begon te huilen.

Rose ging naast haar zitten en sloeg haar armen om haar heen. 'Niet huilen, Fleur,' zei ze. 'Het spijt me zo verschrikkelijk.'

'Je begrijpt het niet,' zei Fleur. 'Ik hield zo vreselijk van hem. Hij was volmaakt, zo vriendelijk en sterk, zo dapper en zo grappig. Als we het echt moeilijk hadden, maakte hij ons aan het lachen. Hij was nooit kwaad, nooit te moe om te spelen, om spelletjes te verzinnen, om te doen wat ik wilde. En nu... nu...'

'Maar luister nou eens,' zei Rose. 'Dat hij biseksueel was, betekent niet dat hij niet al die andere dingen was. Dat hij niet grappig en dapper was, of sterk. Hij is niet veranderd, niet intrinsiek. Hij is toch je vader, die van je hield. Je kunt nog steeds van hem houden om wie hij was. Dat deed ik ook.'

Fleur keek haar aan. 'Echt? Kon je dat?'

'Op de een of andere manier wel. Luister, Fleur. Hollywood is een verschrikkelijk oord. Als je er binnenkomt, laat je je moraal achter. Niemand weet nog wie of wat hij is. Je wordt er... erg pragmatisch. Vooral als je honger hebt. En helemaal,' ze glimlachte naar Fleur, 'als je dochtertje honger heeft.'

Fleur keek haar aan en vroeg: 'Maar wie denk je dat het verhaal de wereld in heeft geholpen? Iemand als Perry Browne of Hilton Berelman? Mijn vader streek hen allebei tegen de haren in.'

'Klopt. Maar zij zouden niet rechtstreeks met *Inside Story* hebben gepraat. Dat druiste tegen hun eigenbelang in. Ze wilden hun naam niet verbinden aan een homoseksueel schandaal. Voor informatie werden enorme geldsommen betaald. Roddelbladen stuurden privédetectives op onderzoek uit of ze betaalden hoertjes om gesprekken op te nemen. Het was een smerige handel.'

'Denk jij echt dat het genoeg was om mijn vader te nekken?'

'Dat is wel gebleken. Daarna ging het snel bergafwaarts: ze namen hem alles af, het appartement, zijn kleren, de auto. Hij probeerde figurantenrollen te krijgen. Dat is moeilijk als je een ster bent geweest, maar zelfs dat lukte niet. Hij was besmet, de arme schat. En toen... ach...'

'Wat gebeurde er toen?'

'Toen begon hij te drinken, echt zwaar te drinken. En... nou ja, je weet de rest.'

'Ja,' zei Fleur, 'ik denk van wel.' Ze glimlachte moeizaam. 'Ten dele. Rose, wie denk jij dat het verhaal heeft verkocht? Heeft hij, eh, er ooit met je over gepraat?'

'Niet met mij. Pas toen het al te laat was en toen alleen terloops, indirect.'

'Weet je nog wat hij zei?'

'Wat hij zei... in zijn woorden?'

'Ja, graag.'

'Hij zei: "Ik praat te veel, Rose, altijd al gedaan. Ik ben nog dommer dan ik al dacht." Meer wilde hij er niet over zeggen. Ik vroeg of hij erover wilde praten, of ik iets kon doen en hij zei nee, beter van niet. Hoe minder ik wist hoe beter. Waarschijnlijk had hij gelijk. Daarna hebben we er nooit meer over gepraat. Maar, Fleur, ik wil niet dat je denkt dat hij een of andere cruisende homo was. We hebben een jaar samengewoond, en ik kan je verzekeren dat hij dat niet was.'

'En hij ging... niet met iedereen naar bed?'

'Dat denk ik niet, Fleur. Hij deed gewoon wat hij moest doen. Het spijt me, het is geen leuke manier om erachter te komen, maar dat is het soort gedrag waarmee erg veel mensen zich in Hollywood handhaven. Je moet heel sterk zijn om weerstand te bieden aan succes, als het op je weg komt, ook al vind je de voorwaarden nog zo vreselijk. Vooral als je erom zit te springen. Dommer dan slapen met Naomi, moet ik zeggen, was dat hij mensen als Berelman en Clint tegen zich kreeg toen hij succes had. Dat was echt onverstandig. En hij wás ook niet verstandig. Hij had te veel vertrouwen in mensen, praatte te veel. Dat moet je daar niet doen.'

Fleur zweeg. Ondanks alles voelde ze zich bijna getroost. Toen zei ze: 'Rose, ik moet weten wie het heeft gedaan, wie er heeft gepraat. Begrijp je?'

'Natuurlijk. Ik was ook gek op mijn pa; ik zou dat net zo doen. Maar je hebt een moeilijke klus voor de boeg. Het is zo lang geleden.'

Fleur schonk haar een waterig glimlachje. 'Ik zou je heel dankbaar zijn als je me op de een of andere manier kunt helpen. Zou dat sterretje, die Lindsay Lancaster, of hoe ze ook heette, iets hebben gehoord?'

'Ik denk het niet,' zei Rose, 'maar het is natuurlijk een poging waard. Ik zal zien wat ik me kan herinneren. Maar ik heb je echt alles verteld wat ik weet. Ik vind je erg dapper, Fleur. Het belangrijkste om te onthouden, ondanks alles wat er is gebeurd, is dat je vader nog steeds een aardige, goeie vent was. Ik was echt erg gek op hem. En hij was zo bang dat jij erachter zou komen.'

'Jammer, maar helaas,' zei Fleur. Ze had het afgrijselijke gevoel dat ze zo weer kon gaan huilen.

Rose stond op en zei: 'Tijd voor een drankje. Hou je van champagne? Mooi. Laten we het dan nu over iets anders hebben, over jou bijvoorbeeld, en over wat je doet.'

Terwijl ze in een soort wanhoop door Central Park liep, vroeg Fleur zich af of Joe dit al steeds had geweten. Ze dacht van wel, dat hij te laf was om het haar te vertellen. Ze had een nog grotere hekel aan hem dan ooit. Maar Rose Sharon had haar geweldig opgevangen. Ze had het gevoel echt een vriendin voor het leven te hebben gevonden. Daar had ze er niet veel van.

Ze voelde zich afschuwelijk. Ze was hevig geschokt, maar besefte ook dat ze het altijd al had geweten, of instinctief vermoed, en dat ze het had verdrongen. Haar hele lichaam deed pijn. Ze kon niet eten en sliep nog slechter dan gewoonlijk. Ze lag nachtenlang wakker, rusteloos, koortsachtig na te denken over Rose' woorden: 'Hij was toch je vader, hij hield toch van je.' Maar het was moeilijk, erg moeilijk. Zoals altijd als ze zich ellendig voelde, werd ze fel en vijandig; Reuben was de enige die durfde te vragen wat er was. Fleur zei dat ze er niet over wilde praten. 'Prima,' zei Reuben en hij omhelsde haar. Voor de duizendste keer bedacht Fleur dat niemand haar zo tot rust kon brengen als hij. Ze was zich er ook ongemakkelijk van bewust dat ze hem maar bitter weinig teruggaf voor alle steun en liefde die hij haar bood. Zodra ze zich beter voelde, beloofde ze zichzelf, zou ze hem belonen voor alles wat hij deed. Maar toen gebeurde er iets waarvan ze erg opknapte, en waardoor Reuben nog verder zakte op haar prioriteitenlijstje.

Tien dagen nadat ze de aankomst van Piers Windsor op Kennedy had gezien, werd ze uitgenodigd voor een directielunch met Julian Morell en Camilla North. Tijdens de lunch zouden de lay-outs, het beeld en de tekst voor de zelfbruinercampagne worden gepresenteerd. Ze was trots dat ze erbij mocht zijn.

'Dank je,' zei ze tegen Mick, toen hij bij haar bureau stopte om te zeggen dat hij haar erbij wilde hebben. 'Wat een verrassing.'

'Ach, liefje, je hebt een belangrijke bijdrage geleverd. En ook aan de andere lentecampagne. Je zou zelfs kunnen zeggen dat het concept achter de campagne "Nu nog mooier!" bij jou vandaan komt. We zijn niet helemaal gek, weet je.'

'Natuurlijk niet,' antwoordde Fleur met haar liefste glimlach.

De vergadering verliep goed; Fleur was zo opgewonden dat haar bijna ontging wat Nigel tijdens de lunch tegen Camilla zei. Bijna, maar niet helemaal.

'Jij zult Piers Windsor vast weleens ontmoet hebben,' waren zijn precieze woorden. De rest van haar leven zou ze ze horen, net als Camilla's antwoord.

'Ja, een paar keer. Is hij momenteel niet hier om zijn nieuwe productie op te zetten?'

'Klopt. Ik moet vanavond met hem dineren. Serena wil zijn medewerking voor een van haar liefdadigheidsacties en ze zit in het bestuur van het Warwick Theatre, waar zijn musical, hoe heet die ook alweer, o ja, *The Lady of Shalott,* wordt opgevoerd.'

'O, goh,' zei Camilla. Ze maakte duidelijk dat Nigel niet moest proberen indruk op haar te maken, omdat dit toch niet lukte. 'Ik ben niet zo gek op dat soort musicals. Ik was een van de weinige mensen die de *West Side Story* vreselijk vond. Dat ligt ongetwijfeld aan mij. Ik weet zeker dat meneer Windsor erg goed is en dat ik honderden kilometers zou willen afleggen om hem Shakespeare te zien spelen. Heb je zijn Hamlet gezien?'

'Ja,' zei Nigel, 'ik vond het...'

Camilla zou nooit weten wat hij vond, want op dat moment riep Julian Morell haar om een tekstdetail te bespreken en met een mooie glimlach naar Nigel liep Camilla naar Julian toe. Fleur stond naar Nigel te kijken en terwijl ze een zeker genoegen voelde om zijn gêne toen Camilla midden in een zin bij hem wegliep, was ze druk bezig de nieuw verkregen informatie te verwerken. Piers Windsor was binnen haar bereik gekomen, binnen het bereik van de ongeschikte, de natúúrlijk doodgezwegen zus. Stel dat ze hem kon ontmoeten, met hem kon praten, hem kon vertellen wie ze was? Wat zou dat verschrikkelijk zijn voor Chloe en Caroline; dan moesten ze niet alleen haar uitleggen, maar ook waarom ze haar niet eerder hadden genoemd. Het idee was onweerstaanbaar. Haar kans om wraak te nemen, een verrukkelijke, zoete wraak die voor het grijpen lag. Die kans kon ze niet laten glippen. Onmogelijk.

Rond halftwee excuseerde ze zich en liep ze rechtstreeks naar Nigels kantoor. Verdomme, de deur zat op slot. Nu kon ze niet in Nigels agenda kijken.

Wie wist nog meer waar hij ging eten? Ja, Serena natuurlijk. Tja, ze zou haar kunnen bellen om het te vragen. Serena's secretaresse zou het weten, misschien zou de huishoudster het weten. Wie nog meer? Perkins natuurlijk! Die goeie Perkins, Nigels chauffeur, die altijd zo aardig voor haar was, die zou het weten. Maar zou hij het zeggen? Het was het proberen waard.

Ze wist dat Perkins nooit het gebouw uit liep als Nigel er was, voor het geval Nigel hem nodig had. Nigel was grillig en dat hij nu een directielunch had, wilde niet zeggen dat hij niet plotseling met zijn gasten naar een restaurant, een club of zelfs naar zijn huis wilde. In het begin van Perkins' carrière was het één keer voorgekomen dat hij een kerstcadeautje was gaan kopen voor zijn kleinzoon, wetende dat Nigel in vergadering was, toen Mick en hij hadden besloten hun cliënt mee te nemen naar Chinatown in de hoop hem over te halen tot een campagne. Toen Perkins nergens te vinden was, hadden ze Micks vuile, zij het waardevolle oldtimer moeten nemen. Perkins mocht van geluk spreken dat hij niet werd ontslagen en hem was duidelijk te kennen gegeven dat hij Nigels kantoortijden moest aanhouden, meestal in de parkeergarage onder het gebouw. Fleur keek op haar horloge. Ze kon niet langer wegblijven. Ze moest maar hopen dat ze Perkins straks te pakken kon krijgen.

De lunch duurde tot even na tweeën. Camilla was niet dol op lunches en probeerde ze meestal snel af te werken. Fleur zag hoe ze een stukje bleekselderij over haar bord schoof en kon zich niet voorstellen dat ze erg zou genieten van andere vleselijke genoegens.

'Mag ik weg?' vroeg ze aan Mick, zodra de liftdeuren dicht waren. 'Ik heb het erg druk.'

'Tuurlijk, liefje. Fijn dat je er was.'

'Ik vond het interessant,' zei Fleur. Ze glimlachte liefjes en ging weg.

Perkins zat in zijn domein de personeelsadvertenties te lezen in de *New York Times*. En hoorde haar niet binnenkomen Hij had diverse advertenties rood omcirkeld. Fleur prijsde haar geluk, sloop vlak achter hem en legde haar handen over zijn ogen.

'Wie is dat?' vroeg Perkins. 'Karen, als jij dat bent, zal ik...'

'Ik ben Karen niet, wie dat ook moge zijn, maar Fleur FitzPatrick.'

'Mevrouw FitzPatrick! Niet te geloven. Wat doet u hier? Behalve een oude man een hartaanval bezorgen.'

Ze haalde haar handen weg en ging voor hem staan. 'Ik zie dat u op banenjacht bent.'

'Nee,' zei hij onzeker, 'natuurlijk niet. Ik zoek iets voor mijn zoon.'

'O,' zei Fleur. 'Ik dacht hij lasser was, meneer Perkins, in plaats van een ervaren chauffeur die Engels kan spreken.'

'Wat gemeen van u, mevrouw FitzPatrick. Gaat het goed met u?'

'Ja, uitstekend, Perkins. Ik wil graag iets van u weten.'

'Wat wilt u weten?'

'Waar meneer Silk vanavond gaat eten.'

'Waarom zou ik dat vertellen?'

'O, toe, ik moet het weten.'

'Hoezo? Jullie zijn toch...'

'Nee, natuurlijk niet. Ik moet het gewoon weten.'

'Dat kan ik niet vertellen. Dan zet ik mijn baan op het spel.'

'Zo te zien is uw baan toch al niet helemaal zeker, meneer Perkins. Als meneer Silk wist dat u een andere zoekt. En geen referenties. Ach, jee...'

'Mevrouw FitzPatrick, wat heb ik u ooit misdaan?'

'U bent altijd erg aardig geweest en ik zou het hem niet vertellen.' Ze wachtte even. 'Tenzij u me geen andere keuze laat. Alstublieft, meneer Perkins, vertel het me.' Ze keek hem zo smekend mogelijk aan. 'Het heeft niets met meneer of mevrouw Silk te maken, maar met de man met wie ze dineren. Ik móet hem zien. Ik zweer dat ik geen scène zal maken of de Silks in verlegenheid zal brengen. Ze zullen waarschijnlijk niet eens weten dat ik er ben, laat staan waarom. Maar het is vreselijk belangrijk voor me, meneer Perkins, verschrikkelijk belangrijk.'

'Nou...' hij aarzelde. 'Nee, dat kan ik niet doen.'

Ze trok de krant van zijn knieën. 'Toe nou, meneer Perkins. U vindt Nigel Silk niet eens aardig.'

'U brengt me in de problemen, mevrouw FitzPatrick. Nou goed. Four Seasons, acht uur.'

'Meneer Perkins, ik hou van u. Hier is uw krant terug.'

'Reuben, niet tegenstribbelen. Je hoeft niet eens voor een glas water te betalen. Zorg gewoon dat je er bent, oké? In pak. Ik weet dat je er één hebt. Ik zie je daar. Halfnegen? Goed? Tafel op jouw naam.'

Ze was uren bezig met de voorbereiding. Ze ging onder de douche, waste haar haar, schoor haar benen; ze spoot Joy over haar hele lichaam. Ze paste al haar jurken (alle drie) en koos voor een simpel zwart jurkje met een split aan de zijkant. Haar tanden klapperden van de zenuwen. Ze stak haar haar op en bracht overdreven veel make-up op. Koos voor grote oorbellen en bijpassende armbanden. Deed haar nepbontjas in regenboogkleuren aan, spoot nog wat Joy op, stopte al het geld dat op haar rekening stond in een tasje dat ze op de vlooienmarkt had gekocht en ging op zoek naar een taxi die haar naar haar prooi zou brengen.

Om tien voor halfnegen kwam ze bij het restaurant aan; prachtig op tijd, ze zouden al aan tafel zitten en Reuben was er nog niet. Ze betaalde de taxichauffeur, haalde een paar keer diep adem en liep het restaurant in met haar jas over haar arm. Ze stond bij de ingang en keek rond. Eerst was alles wazig en zou ze niemand hebben herkend, maar toen, door het lawaai, het geroezemoes, het ballet van kelners die van tafel naar tafel liepen, de geïnteresseerde blikken van de vrouwen, de bewonderende blikken van de mannen, zag ze de Silks. Nigel leunde achterover in zijn stoel en besteedde aandacht aan de vrouw naast hem, terwijl Serena haar blik liet rusten op, goeie god, op hem. Op Piers Windsor, die haar aankeek, glimlachte, iets zei.

Alsof ze werd voortbewogen door een kracht waarover ze niets te zeggen had, liep Fleur glimlachend naar de tafel en zei – verbaasd over haar kalmte – 'Nigel! Leuk je te zien. En mevrouw Silk, wat een prachtige jurk. Nee, blijf rustig zitten,' terwijl Nigel en de andere mannen aanstalten maakten. Een van hen stond toch op, hij, Piers Windsor stond voor haar op, een lange, slanke gestalte.

Hij keek haar glimlachend aan en vroeg, zonder zijn blik van haar gezicht te halen: 'Nigel, mogen wij worden voorgesteld aan je lieftallige vriendin?'

Haar eerste instinctieve reactie was dat hij homoseksueel was; het was niet zozeer zijn uiterlijk, zelfs niet zijn nogal indringende charme, het was subtieler, een indruk van fijngevoeligheid, van inzicht; ze kon het niet benoemen. Toen ze de blik op zijn gezicht zag, was ze minder zeker. Nigel, zijn gezicht gespannen van gêne en, waarschijnlijk, woede, antwoordde: 'Ja, natuurlijk. Dit is Fleur FitzPatrick. Ze werk voor ons. Fleur, dit is Piers Windsor, van wie je vast wel hebt gehoord, en dit zijn onze vrienden Henry en Sybil Fletcher. Mijn vrouw ken je al.'

Fleur gaf Serena een hand. Zij raakte deze zo kort mogelijk aan, alsof ze bang was zich te branden. Toen gaf Fleur de Fletchers een hand en wendde zich weer tot Piers Windsor en zei: 'Ik kan u niet zeggen hoe geweldig ik het vind u te ontmoeten. Daar droom ik al van sinds ik klein was.' Toen kwam Reuben binnen. Hij zag er opmerkelijk netjes uit, maar hij zag haar niet en werd naar zijn tafel gebracht, gelukkig een heel eind bij de Silks vandaan, dus zei ze: 'O, daar is mijn vriendje. Ik moet gaan. Leuk u te ontmoeten meneer Windsor. Meneer en mevrouw Fletcher, Nigel, mevrouw Silk. Prettige avond. Eet smakelijk.' Ze liep sierlijk bij de tafel vandaan, met een glimlach naar alle aanzittenden, liep met gespreide armen naar Reuben en kuste hem op zijn wang, zich ervan bewust dat de ogen van iedere man in het restaurant op haar waren gevestigd, voor die van Piers Windsor, donker van schrik sinds hij haar naam had gehoord.

Ze ging zitten, glimlachte naar Reuben, pakte het menu en keek ernaar zonder iets te zien. Ze had haar gedachten bij de herinnering aan die ogen, die haar geschokt, bijna bang aankeken, in een gespannen, bleek gezicht. Ze probeerde het te begrijpen, maar ze wist niet eens waar ze moest beginnen. Ze wist alleen dat ze verder moest met Piers Windsor, meer over hem te weten moest komen, moest weten waarom hij zo op haar reageerde. Dat zou geen probleem zijn.

De volgende ochtend deed Nigel Silk erg koel tegen haar. Dat had ze van tevoren geweten en ze wist ook dat hij haar niets kon verwijten. Zij was met haar vriendje gaan eten en het was puur toeval dat hij er ook was geweest. Ze had het volste recht in de Four Seasons te eten en het zou onbeleefd zijn geweest als ze hem, Serena en zijn gasten niet had aangesproken.

Wat ze nu wilde was met Piers Windsor praten zonder dat er iemand bij was. Dat zou leuk zijn. En ze wilde weten waarom hij zo schrok van haar naam. Had hij haar vader gekend? Vast niet. Het was te onwaarschijnlijk, belachelijk gewoon. Maar toch was er iets geweest. Iets vreemds. Ze moest hem leren kennen. Uitzoeken wat het was. Het was te belangrijk om los te laten. Bovendien was ze geïnteresseerd in zijn seksuele voorkeur. Ze had de hele nacht aan hem liggen denken en had steeds sterker het gevoel gekregen dat hij op zijn zachtst gezegd ambivalent was. Dat zou Chloe de nodige hoofdbrekens bezorgen. O, wat was dit leuk. Ze genoot. Ze was niet langer gekwetst, niet eens boos, ze was alleen nog heel erg opgewonden, triomfantelijk, gefascineerd. Ze zag in dat wat ze deed riskant was en het vervulde haar met een intens genoegen dat bijna seksueel was.

Ze ging meneer Perkins een fles whisky brengen – wraak nemen was duur – en zei: 'Cadeautje voor u. Dank u wel voor uw hulp. En ik heb geen stennis gemaakt, hè?'

'Niet dat ik weet,' zei meneer Perkins.

'Meneer Perkins, toen u meneer Windsor gisteravond naar het Pierre bracht...'

'Het Plaza,' verbeterde Perkins automatisch. 'Waarom wil je dat weten?'

'Nergens om.' Fleur schonk hem haar liefste glimlach.

'Kunt u me doorverbinden met de heer Windsor? Piers Windsor? Dank u.'

Het bleef lang stil. Toen hoorde ze: 'Met wie spreek ik?'

'Met Fleur FitzPatrick. De vriendin van meneer Silk.'

Weer een lange stilte. 'Meneer Windsor is er momenteel niet, mevrouw FitzPatrick. Kan ik een boodschap aannemen?'

'Wilt u zeggen dat ik heb gebeld en vragen of hij terugbelt? Mijn nummer op het werk is 212-765-7657. O, en wilt u zeggen dat ik hem graag iets wil vertellen en dat het hem weinig tijd kost?'

Fleur leunde achterover en wachtte totdat hij terugbelde. Dat hij zou bellen, was wel zeker. Hij kon het zich niet veroorloven niet te bellen.

Twintig minuten later ging haar telefoon. 'Mevrouw FitzPatrick? Met Piers Windsor. Ik kreeg het verzoek u terug te bellen.'

'O, meneer Windsor, wat aardig van u. Ik wilde u alleen vertellen dat... o, jee, het is een tikje gênant. U wilt het vast niet horen.'

Het was lang stil. Toen zei hij: 'Dat kan ik zo niet beoordelen. Misschien wel.' Er klonk een lach in de stem, hij leek niet bepaald ongemakkelijk of bezorgd. Nou ja, dacht Fleur, hij is tenslotte een van de beste acteurs van zijn generatie.

'Het punt is... o, jee. Goed. Het punt is, meneer Windsor, dit is vast heel stout van mij, maar nu ik u heb ontmoet, denk ik dat u het wel begrijpt; mijn tante is smoorverliefd op u. Echt, smoor. Ze heeft al uw films gezien en toen u hier Hamlet speelde, is ze ook geweest; ze heeft uren in de rij gestaan voor een kaartje. Maar nu is ze ziek, echt ziek, begrijpt u? Het zou zoveel voor haar betekenen als u een foto voor haar zou willen signeren, met een boodschap. Zou dat te veel gevraagd zijn?'

Ze kon de opluchting horen, hoorde het door de telefoon stromen. 'Natuurlijk niet, mevrouw FitzPatrick, het zou me een waar genoegen zijn. Ik zal mijn secretaris vragen er morgen één te posten.'

'O, dat is erg aardig van u, maar het punt is dat ze morgen naar het ziekenhuis moet – voor tests. Ik zou haar de foto graag willen meegeven. Het zou zoveel verschil maken. Ik vroeg me af of ik een foto in uw hotel zou mogen ophalen?'

'Natuurlijk. Ik leg er wel één neer bij de receptie.'

'Dat is vreselijk aardig. Ik kan u niet genoeg bedanken. U bent zo begrijpend en... en lief. Eh, zou u dat al over een uurtje willen doen?'

'Nou...' Hij aarzelde, zijn goede humeur en geduld raakten een beetje op, dacht ze. Toen: 'Ja, ik zou niet weten waarom niet.'

'Dank u wel. O, dank u wel! Ze zal er zo blij mee zijn. Bent u er straks? Zodat ik u persoonlijk kan bedanken?'

Hij zei niets. Toe dan, klootzak, zeg ja. Geef toe. Wat kan het voor kwaad. Je kunt me nog een keer bekijken. Zien of ik echt ben, wie je denkt dat ik zou kunnen zijn. Fleur, Brendans dochter. Daar ben je bang voor, hè? Toch? En je vond me leuk. Je bewonderde me. Dat weet ik zeker. Toe dan, Piers Windsor, zeg ja. Zeg ja, zeg ja.

'Ach, ja. Goed. Ik ben om vijf uur in de lobby, goed? Maar ik heb niet veel tijd.'

'Geweldig. Nogmaals veel dank.'

Toen hij beneden kwam, zat ze in de lobby. Hij leek een beetje... wat was het? Niet echt zenuwachtig. Gespannen misschien. Maar hij stapte glimlachend op haar af met een envelop in zijn handen. Ze stond op en gaf hem een hand.

'Wat bent u toch aardig.'

'Mevrouw FitzPatrick, wat leuk u weer te zien. Ik kon alleen deze foto vinden. Hij is een beetje oud, of misschien moet ik zeggen: een beetje jong, maar ik neem geen verzameling foto's mee op reis, ben ik bang.' Hij glimlachte spijtig, een beetje verlegen. 'Hoe dan ook, ik bedacht dat ik niet weet hoe uw tante heet. Het zou leuker voor haar zijn als ik het persoonlijk maak.'

'Wat attent,' zei Fleur. 'Ze heet Edna.'

'Juist.'

Hij ging zitten en zij ging naast hem zitten; ze had haar kortste rok aangetrokken en ze kon zijn ogen op haar benen voelen rusten. Hij vond ze beslist mooi. Veel homo's vielen op benen. Ze kon goed met homo's opschieten. Ze had het lichaam en de instelling waarbij ze zich goed voelden. En zij voelde zich bij hen op haar gemak. Ach, wat maakte het ook uit? Behalve dat Chloe nog dommer was dan ze al had gedacht. Ze ving zijn blik en glimlachte; ietwat verward glimlachte hij terug.

'Goed dan. Voor Edna. Ik hoop dat je je snel weer beter voelt. Piers Windsor. Wat vind je daarvan?'

'Geweldig. Zo zul je er wel honderden schrijven. Is dat niet saai?'

'Ach, niet meer zo vaak,' zei hij. 'Saai is het zeker niet. Het is heerlijk dat mensen zoveel interesse tonen, je goed vinden. En dan is het heerlijk om iets terug te doen.'

Zal ik ter plekke overgeven, dacht Fleur, of proberen het binnen te houden? 'Nou, even goed is het erg aardig. Mag ik u iets te drinken aanbieden om u te bedanken?'

'O jee,' zei hij, 'u bent blijkbaar een van die geëmancipeerde vrouwen. Daar kan ik helemaal niet mee omgaan.' Hij ontspande zichtbaar; had het idee dat ze niets wist, waar hij ook bang voor was geweest.

Ze voelde zijn blik weer op haar benen rusten, bewoog ze, zodat er nog iets meer dijbeen te zien was, keek hem recht aan en glimlachte. 'Vast wel. We zijn echt niet eng. We lijken erg op de andere soort, alleen zeggen en doen we wat op dat moment juist lijkt. Maar u moet in uw beroep toch honderden geëmancipeerde vrouwen tegenkomen. En uw vrouw? Ik geloof dat ze erg jong is. Zij is toch geen ouderwets meisje?' Niet te geloven, ze praatte met Piers over zijn vrouw. Haar zus. Opeens werd ze bang; ze mocht dit niet uit de hand laten lopen.

'O, juist wel. Een echt ouderwets meisje. Daarom ben ik met haar getrouwd.'

'Dat is vast erg prettig voor u.' Ze beet op haar lip. 'U zegt het toch niet tegen Nigel, hè? Dat ik dit heb gevraagd. Hij zou me ontslaan.'

'Vast niet. Hij lijkt erg charmant. Wat doet u voor hem? Bent u het meisje voor alle werk?'

Wat was die man erg! Wat deed Chloe in godsnaam met hem? Ze moest nog een veel grotere trut zijn dan ze zich had kunnen voorstellen. En stukken dommer.

'Nee, zeker niet.' Ze kon haar verontwaardiging niet helemaal onderdrukken. 'Ik ben copywriter.'

'O, sorry. Dat was ondoordacht. Misschien is het beter als ik ú iets te drinken aanbied, om het goed te maken.' Zijn zelfvertrouwen groeide. Ze kon het voelen. De angst was bijna weg. Hij dacht dat hij veilig was en nu wilde hij gewoon met haar flirten. Gladjanus! Wat een gladjanus. Met een vrouw en twee kleine kinderen.

'O, maar...'

'Ach, toe.' Hij stond op en glimlachte naar haar. 'Ik beloof dat ik zal proberen geen domme dingen te zeggen.'

'O, oké. Graag. Dank u wel.'

Ze had het geflikt. Ze was op de goede weg.

Hoofdstuk 20

1968

Chloe was 's morgens vroeg onderweg naar Londen toen ze het afgrijselijke nieuws hoorde; ze ging op de rem staan, zette haar auto aan de kant en zat te trillen achter het stuur. Ze had erover zitten nadenken of ze Ludovic Ingram moest vragen peetvader te worden van haar zoontje Edmund – Piers wilde dat erg graag, maar Chloe dacht dat ze hem hiermee alleen maar zou aanmoedigen haar het hof te maken – toen de muziek waar ze met plezier naar luisterde opeens werd onderbroken. '... een extra nieuwsbulletin,' zei de nieuwslezer, zelf hoorbaar aangedaan. 'Senator Robert Kennedy, de broer van de vermoorde president, verkeert nog steeds in kritieke toestand. Nadat hij afgelopen nacht in Los Angeles werd neergeschoten, heeft hij drie uur lang neurochirurgie ondergaan. Hij was in Los Angeles om een toespraak te houden, nadat hij Senator McCarthy bij de verkiezingen had verslagen. Mevrouw Ethel Kennedy is in het ziekenhuis en...'

Chloe zette de radio uit; dat Piers in Los Angeles was, bracht het nieuws dichterbij. Wat was Amerika toch een gewelddadig, beangstigend land! Het was nog maar twee maanden geleden dat Martin Luther King was vermoord, bijna vijf jaar na de moord op John Kennedy. Het was walgelijk; waar moest het heen met de wereld?

Ze bleef even zitten, vermande zich en reed langzaam naar Londen. Daar staarde ze naar de televisiebeelden van de aanslag die keer op keer werden herhaald. Toen tussen de middag het nieuws kwam dat de senator was overleden, huilde ze bittere tranen, alsof hij familie van haar was geweest. Ze huilde om Ethel, de kinderen, om Jackie en om Rose, die nu een tweede zoon moest begraven.

Ze besloot Piers te bellen; ze wilde hem spreken, misschien knapte ze daarvan op. Al was dat niet erg waarschijnlijk. Chloe kreeg steeds sterker het gevoel dat zij de krachtbron was in hun relatie, dat zij voor stabiliteit moest zorgen, zijn wereldvreemde bestaan een basis moest geven. Piers zorgde voor de stress, de angst en de onzekerheid; ze moest hem niet lastigvallen met haar verdriet. Maar ze was bezorgd, omdat hij daar was, midden in het tumult. Ze moest hem spreken; misschien waren er wel rellen. Die waren er de laatste tijd zo vaak. Ze belde internationale inlichtingen en kreeg het telefoonnummer van het Beverly Hills Hotel.

'Meneer Windsor, alstublieft.'

'Sorry, mevrouw, hij is gisteren al vertrokken.'

'Vertrokken? Onmogelijk. Wilt u dat nog een keer controleren?'

Even later kwam de receptioniste weer aan de telefoon. 'Sorry, mevrouw, hij is echt weg.'

'Heeft hij een adres of een nummer achtergelaten?'

'Nee, sorry mevrouw. Wilt u uw naam achterlaten, voor het geval hij terugkomt?'

'Nee, laat maar.' Ze wilde niet dat het meisje zou denken dat ze een bedrogen echtgenote was. 'Bedankt.'

Maar wat nu? Waar hing die klootzak nu weer uit? Waarom zei hij nooit waar hij was? Stel dat er iets gebeurde, wat moest ze dan? Ze begon zich af te vragen waarom hij het deed, bij wie hij was, en de tranen van frustratie en ellende sprongen haar in de ogen. De telefoon ging en ze greep de hoorn. Dat moest hem zijn. Waarschijnlijk had die receptioniste zich gewoon vergist.

'Piers? Piers, ik...'

'Sorry, Chloe, ik ben het, Magnus Phillips. Wat is er? Waarom ben je zo van streek?'

Ze veegde driftig haar tranen weg, probeerde haar stem in bedwang te houden. 'O, niets hoor. Hallo, Magnus.'

'Er is wel iets. Wat is er gebeurd?'

'Ach...' Ze had er al spijt van zodra ze begon te vertellen, maar ze moest het kwijt. 'Ik kan Piers niet bereiken. Ik dacht dat hij in het Beverly Hills zat, maar daar is hij niet.'

'Hij zal wel weer zitten te vergaderen met Hollywood-bobo's,' suste Magnus.

God, hij leek te denken dat ze achterlijk was.

'Dat kan, maar dat is het punt niet. Hij is gisteren uit het hotel vertrokken zonder een boodschap achter te laten of wat dan ook. Meestal zou ik daar natuurlijk niet mee zitten,' zei ze snel. 'Hij is altijd overal en nergens, maar nu, met die aanslag op Kennedy, wilde ik hem even spreken, horen dat het goed met hem gaat, snap je?'

'Chloe, het gaat vast prima met hem,' zei Magnus. 'Hij was vannacht waarschijnlijk niet in de buurt van het Ambassador Hotel. En zelfs als hij daar was...'

'Nee, natuurlijk niet,' zei Chloe. 'Maar ik was bang voor rellen of iets dergelijks, begrijp je?' Ze was zich er pijnlijk van bewust dat ze erg dom klonk en alle vooroordelen van Piers' vrienden bevestigde. Was ze hier maar nooit over begonnen.

'Er zijn geen rellen,' zei Magnus ferm, 'maar als je wilt, kan ik dat navragen bij de nieuwsredactie. Wil je dat ik Piers voor je opspoor? Broodschrijvers als ik hebben zo onze trucjes.'

'O, nee,' zei Chloe vol afgrijzen. Ze moest er niet aan denken hoe Piers zou reageren als het Magnus lukte hem op te sporen. 'Erg aardig van je, Magnus. Dank je. Het spijt me dat ik zo'n zeur ben.'

'Dat ben je niet,' zei hij en hij klonk vriendelijker dan gewoonlijk. Hij zei dat hij over een paar minuten terug zou bellen en verbrak de verbinding. 'Geen rellen,' zei hij twee minuten later. 'Het is erg rustig en vredig in LA. Een mooie zonnige dag. Waarschijnlijk is hij naar het strand.'

'Dat zal wel,' zei Chloe. Ze voelde zich ellendig. 'Je zegt dit toch niet tegen hem, hè? Dat ik zo bezorgd was? Hij doet graag geheimzinnig. Een van zijn eigenaardigheden.'

'Natuurlijk niet,' zei Magnus. 'Ik zal je geheim bewaren.'

In de daaropvolgende jaren zou ze nog vaak aan die opmerking denken.

De volgende ochtend belde Piers.

'Dag lieveling. Alles goed?'

'Nee,' zei Chloe, 'niet echt. Ik heb me vreselijk zorgen gemaakt. Piers, waar zát je?'

'Hoe bedoel je? Je weet toch waar ik ben?'

'Nou, nee. Gisteren probeerde ik je te bellen in het Beverly Hills en kreeg ik te horen dat je was vertrokken. Waar zat je in hemelsnaam? En waarom zei je dat niet? Ik word dit zo zat, Piers. Stel dat ik je dringend nodig had. Ik maakte me vreselijk zorgen om je, nadat Kennedy was vermoord. Het is zo gemeen, je weet hoe ik...'

'O, nee, hè?' zei Piers. 'Hoe vaak moet ik dit nog aanhoren? Ik heb je al tig keer verteld dat ik geen burgerlijke echtgenoot ben die je elk moment van de dag kunt bereiken. Ik ben naar Herb Leverson geweest om die productie in elkaar te draaien; het werd laat en ik ben blijven slapen. Ik ben er nog steeds. Ben je nu tevreden? Ik moet echt kunnen manoeuvreren, Chloe. Ik kan mensen als Leverson niet vertellen dat ik naar het hotel moet omdat jij me misschien zoekt.'

'Je had me moeten bellen. Of een boodschap moeten achterlaten.'

'Dat heb ik geprobeerd, maar het telefoonnet hier was overbelast. Hoe dan ook, ik blijf nog een paar dagen. Het is een traag en moeizaam project. Ik wil niet dat je me hier belt, we zitten in een delicate fase, maar ik zal jou vanavond weer bellen, als je wilt. Morgen ben ik weer in het Beverly Hills.'

'Best,' zei Chloe. 'Doe geen moeite, Piers. Ik heb geen zin om met je te praten.'

Ze legde neer. Klootzak. Klootzak. Ze was te boos om zich bezeerd te voelen. Later kreeg ze spijt; hij had gelijk: hij moest echt tijd en ruimte krijgen om te kunnen werken. Ze kon niet van hem verwachten dat hij de hele tijd naar huis belde. Ze had zich ontzettend onredelijk opgesteld. Nu zou de sfeer bij zijn thuiskomst gespannen zijn. En ze had zich aangesteld tegen Magnus Phillips. O, god.

Vroeg in de avond stond Joe op de stoep met een bosje zieltogende bloemen. 'Ik vroeg me af of je zin had om mee uit eten te gaan.'

'Ontzettend lief van je, Joe, maar ik denk van niet. Ik ben vreselijk moe. Ned heeft kougevat en huilt aan één stuk door. Laten we hier iets eten.'

'Ja, prima. Alles is lekker.'

Ze zette hem een omelet en een tomatensalade voor en ze dronken samen bijna een hele fles wijn leeg. Chloe begon zich beter te voelen en vertelde Joe hoe ze zich had aangesteld.

'Dat vind ik geen aanstellerij. Hij moet je gewoon vertellen waar hij zit.'

'Ja, weet ik. Maar dat is soms vast lastig. En ik was toch al van streek. Om Kennedy. Het is zo triest. Die familie lijkt wel verdoemd. Ik vind het zo erg voor Ethel, met al die kinderen. Eigenlijk maar goed dat Piers er niet is. Ik heb erom zitten huilen. Hij wordt altijd boos als ik huil.'

'O ja?' vroeg Joe, op die koele toon waarmee hij altijd reageerde als ze iets over Piers vertelde wat hem niet zinde. 'Waarom zou je niet mogen huilen?'

'Het zal wel heel irritant zijn. Je weet hoe emotioneel ik ben.'

'Niet echt,' zei Joe. 'Ik vind je juist heel sterk.'

'Misschien zie je me niet zo vaak als hij.'

'Jammer genoeg niet. Wanneer komt hij terug?'

'Over een paar dagen, denk ik.'

'Hij is daar graag, hè?'

'Nou ja, hij heeft er veel vrienden. Hij komt er ook al zo lang. Het zal wel een tweede thuis voor hem zijn.'

'Komt hij er echt al zo lang?' Joe klonk heel nonchalant, bijna ongeïnteresseerd.

'Langer dan we allemaal dachten,' zei Chloe. Ze klonk geamuseerd, bijna toegeeflijk. 'Hij is wel erg kinderachtig. Je hebt geen idee.'

'Hoezo?'

'Hij is zo overgevoelig. Kan niet tegen kritiek. Ach, het is gemeen om hem zo af te kraken als hij er niet is.'

'Liefje, je kraakt hem niet af. Volgens mij geef je juist toe aan zijn ijdeltuiterij. Dat vind ik lief.'

'Ach, dat valt wel mee.'

'Maar vertel, hoe lang komt hij dan al in LA?'

'Je mag het niet doorvertellen, Joe. Ik heb zijn moeder beloofd dat ik het tegen niemand zou zeggen. Maar jou kan ik vertrouwen. Hij is namelijk al voor zijn grote doorbraak naar Hollywood geweest. Hij heeft er altijd over gezwegen, heeft het zelfs ontkend, omdat het zo'n fiasco was. Er is zelfs nooit een screentest gedaan. Is dat niet sneu? Het is ook wel lief dat hij zo onzeker is.'

'Heel lief,' zei Joe. 'Zullen we deze fles leegmaken? En heb je daarna een rode? Ik ben wel toe aan iets stevigs.'

Zo, dat was... interessant. Joe deed zijn best om het alleen maar interessant te vinden. Niet meer dan dat. Interessant dat zo'n geslaagde, zo'n begaafde artiest zich zou schamen voor een mislukt uitstapje naar Hollywood. Interessant dat hij zich zo schaamde dat hij ontkende er te zijn geweest. Interessant dat Naomi MacNeice, die zo nauw betrokken was bij Byron Patricks ondergang, het in haar onsamenhangende verhaal tegen Fleur had gehad over een Engelsman en een film van Piers. Gewoon interessant.

Piers kwam zielsgelukkig uit Hollywood terug. Hij had Herb Leverson weten te strikken voor een verfilming van *A Midsummer Night's Dream* die al heel lang op zijn verlanglijstje stond. Hij leek absoluut niet geïnteresseerd in de dood van Bobby Kennedy, of in Chloe's verdriet erover, maar leek haar in elk geval te hebben vergeven dat ze stennis had gemaakt over zijn verdwijning. Hij leek zelfs erg blij te zijn haar te zien en gaf haar behalve een bos rode rozen een tas die hij in de Chanel-winkel in het Beverly Hills Hotel had gekocht. 'De volgende keer dat ik naar LA ga, moet je mee, Chloe. Je vindt vast het geweldig.'

'Ja, vast,' zei Chloe, te opgelucht dat hij haar had vergeven om erop te wijzen dat hij haar altijd had ontmoedigd om mee te gaan.

Ned zou worden gedoopt in het kerkje bij Stebbings. Piers, die op een wolk zweefde vanwege *A Midsummer Night's Dream*, gebruikte het als een excuus voor een feestje.

'Jullie komen toch wel, Joe? Mamma en jij?' Chloe klonk bezorgd toen ze Joe belde. 'Ik heb jullie echt nodig.'

'Ja, natuurlijk komen we. Ik kan niet wachten.' Joe zuchtte bij de gedachte aan Piers' zoveelste besloten voorstelling.

Chloe had Jolyon gevraagd Neds peetvader te worden. 'Grappig, hè, als je bedenkt wat een hekel ik vroeger aan hem had. Maar nu is hij heel lief en hij is gek op de kleintjes.'

'En wie nog meer?'

Chloe klonk iets minder blij. 'Nou, Maria Woolf wordt peetmoeder. Ze financiert Piers' volgende project.'

'Wat? De film? Ik dacht dat die Amerikaanse filmbons dat ophoestte,' zei Joe.

'Doet hij ook. Dit is weer iets anders, een modern stuk van een belangrijke schrijver, die iedereen de nieuwe John Osborne noemt.'

'Toch niet Giles Forrest?' vroeg Joe.

'Ja die. Is hij goed?'

'Gaat best,' zei Joe, 'vorig jaar heeft zijn eerste stuk allerlei prijzen gewonnen.'

'Dat gaat met dit stuk weer gebeuren. Het gaat over politiek.'

'Klinkt spannend.'

'Joe, wat gemeen. Hoe dan ook, Maria financiert het en Piers wil haar bedanken. Terecht.'

'Zijn er nog meer peetouders?'

'Nou, ik dacht zelf aan Damian, maar die vriendschap lijkt nogal bekoeld. Ik weet niet waarom. We hebben hem al in geen maanden gezien. Heel raar, als je bedenkt dat hij hier zo ongeveer woonde. Onze uiteindelijke keuze is nogal vreemd, Magnus Phillips. Niet bepaald het peetvadertype, vind ik zelf, maar Piers wil het heel graag. Hij vindt Magnus geweldig. Dat is hij natuurlijk ook. Hij was heel aardig toen ik... nou ja, hij is gewoon heel aardig.'

'Is hij nog steeds bezig met dat boek over Piers?'

'Nee, Piers is van gedachten veranderd. Hij heeft dat boek over politici gelezen en zag ervan af.'

'Heel verstandig.'

'Hij heeft zelfs Flavia een brief gestuurd. Magnus, bedoel ik. Wilde met haar praten. Dat gaf voor Piers de doorslag. Ik was eerlijk gezegd erg opgelucht. Maar zoals ik al zei, ik vind Magnus aardig. En ik vind hem erg sexy.'

'Ja, je moeder ook al,' zei Joe. Het speet hem dat Magnus geen boek over Piers zou schrijven. Het zou erg leuk zijn geweest het te lezen. Hij had zelf nog wel wat anekdotes willen aandragen.

De dag van het doopfeest was het mooi weer, warm en onbewolkt. Joe en Caroline kwamen samen met Jolyon rond het middaguur op Stebbings aan. Op het grasveld stond een tent en onder de grote kastanjeboom stonden tafels, bedekt met flessen champagne en glazen. Aan een witte piano zat een man in een wit rokkostuum te spelen uit moderne klassiekers als de *West Side Story*, *Hair* en (uiteraard) *The Lady of Shalott*. Piers ontving zijn gasten met een ontspannen glimlach op de trappen voor het huis. Hij droeg een witte broek, een roze overhemd en witte instapschoenen. Hij was erg bruin en zijn haar was lichter, dankzij een coupe soleil. Hij stak zijn hand uit naar Joe en legde tegelijkertijd zijn arm om zijn schouder. 'Hallo, schoonvader,' zei hij. 'Fijn dat je er bent.'

Joe vond het geen leuk grapje. 'Goedemorgen, Piers,' zei hij kortaf.

'En oma! Je ziet er geweldig uit, Caroline, ongelooflijk charmant en jong. Wat een prachtige jurk. En Jolyon, goed je te zien. Help me herinneren dat we straks even praten over dat baantje. Maria, mijn schat, wat zie je er betoverend uit. Jack, beste jongen, welkom. Schenk jezelf iets te drinken in. Chloe is daar ook ergens. Ik moet mij hier van mijn taak als gastheer kwijten.'

'Wat voor baantje?' vroeg Joe achterdochtig aan Jolyon.

'O, hij kan me misschien werk bezorgen bij een impresariaat,' zei Jolyon. 'Gewoon een paar weken aan het eind van de zomer, voordat ik ga studeren,' zei hij er haastig achteraan.

'Wat verschrikkelijk aardig,' zei Caroline liefjes. 'Dat had hij eerst wel met mij mogen bespreken, vind ik.'

'Ach, mam, doe nou niet moeilijk,' zei Jolyon. 'Hij bedoelt het goed.'

'Ja, vast,' zei Joe. Het zat hem niet lekker en hij wist niet waarom. Het wás aardig van Piers, erg aardig, om een onervaren jochie van achttien aan een vakantiebaantje te helpen, op een plek waar hij misschien alleen maar in de weg liep. Maar het was wel zo netjes geweest als Piers het had besproken met Caroline.

'Kijk, daar staat Chloe,' zei Jolyon, die graag van onderwerp wilde veranderen. 'Chloe, hier zijn we!'

Chloe zag er adembenemend mooi uit in een roze batisten jurk en een strohoed met een brede rand, echte rozen en roze linten. Ze was duidelijk nerveus en ontzettend opgelucht hen te zien. 'Mam, wat zie je er schitterend uit. Ha, Joe.'

'Zie ík er niet schitterend uit?' vroeg Joe klaaglijk.

'Nee,' zei Caroline. 'Het spijt me van dat overhemd, Chloe. Joe heeft er koffie op gemorst toen we onderweg stopten en hij had natuurlijk geen schoon overhemd bij zich. Ik geneer me echt.'

'Het is niet erg,' zei Chloe. 'Ze zijn hier allemaal zo op stijl gefixeerd dat ze straks denken dat het hip is om een bruine vlek midden op een wit overhemd te hebben.'

'Hé, Chloe,' zei Jolyon, 'jij wordt nog grappig op je ouwe dag.'

'Dank je,' zei Chloe. Haar glimlach had een hoge zuurgraad. 'Ik hou ook van jou. Die jurk staat je echt prachtig, mam.'

'Dank je,' zei Caroline minzaam. 'Het is een Ossie Clark.'

Joe keek haar verbaasd aan. Hij lette tegenwoordig amper meer op hoe ze eruitzag.

Het was een mooie jurk, heel luchtig, van blauw met groene stof waarop bloemmotieven waren gedrukt. Hij nam zich voor voortaan beter naar haar te kijken.

'Magnus!' zei Chloe. 'Leuk dat je er bent. Kom erbij.'

Magnus glimlachte naar iedereen, kuste Chloe's hand en richtte zijn aandacht toen op Caroline.

'Moeder van de bruid,' zei hij, 'je ziet er meer uit als haar zus dan ooit tevoren.'

'Zal ik hem schoppen?' vroeg Chloe lachend. 'Of doe jij dat?'

'Geen van beiden,' zei Caroline, 'dat soort dingen hoor ik graag.' Haar mond glimlachte, maar haar ogen, gericht op die van Magnus, hadden een plechtige uitdrukking.

Joe onderdrukte een plotselinge angst. Wat een paljas was hij toch. En zo vulgair. Absoluut niet Carolines type.

'O, god,' zei Jolyon, waarmee hij de ongemakkelijke stilte doorbrak. 'Wie is dat? Wat een benen.' De benen waren van een uitzonderlijk lang en slank meisje met een massa donker haar en grote donkere ogen.

'Dat,' zei Chloe op gedempte toon, 'is Annunciata Fallon. Actrice. Althans, dat wil ze worden. Ze wilde ontzettend graag de Lady zijn. Kijk uit, Jolyon, ze lust je rauw.'

'Geen moeite mee,' zei Jolyon. 'Wil je me aan haar voorstellen?' Hij stond vol ontzag naar Annunciata te kijken, die een witsatijnen overhemd droeg met splitten tot haar taille boven een witsatijnen korte broek.

'Natuurlijk,' zei Chloe, 'maar je bent gewaarschuwd.'

'Wat een uitermate geschikt pakje om mee naar een doopfeest te gaan,' mompelde Caroline.

'Annunciata,' riep Chloe, 'mag ik je voorstellen aan mijn moeder, Caroline Hunterton, en mijn bijna-stiefvader, Joe Payton. En dit is mijn broer, Jolyon. Magnus Phillips ken je natuurlijk.'

Annunciata keek iedereen koeltjes aan en knikte bijna onmerkbaar. 'Hoe maakt u het?' vroeg ze met een verveelde uitdrukking op haar fijnbesneden, minachtende gezicht. Het was lang stil.

'Eh, kent u Piers al lang?' vroeg Jolyon een beetje hulpeloos.

'O ja, eeuwen. Ach. Je weet wel.'

'Annunciata is actrice,' zei Chloe snel. 'Ze speelt misschien in het nieuwe stuk.'

'Wat spannend,' zei Caroline, al even koeltjes.

'Ach, je weet wel,' zei Annunciata weer.

'Wat een mooi huis, hè?' vroeg Jolyon. 'Het is ook een mooie streek. Woont u hier in de buurt, mevrouw Fallon?'

'Nee, natuurlijk niet,' zei ze, alsof hij iets belachelijks had gevraagd. 'Ik woon in Londen.'

'U boft maar,' zei Jolyon. 'Waar ongeveer?'

'Zuidwest. Moment alsjeblieft. Magnus, schat, vertel eens over je boek. Het klinkt reuzespannend. Politiek is zo sexy.' Ze haakte haar arm in de zijne en trok hem bij hen vandaan.

'Ik heb je gewaarschuwd.' Chloe keek glimlachend naar Jolyons rode gezicht.

'O nee, ze is geweldig,' zei hij. 'Absoluut geweldig.'

'Hm,' zei Joe.

'Chloe, mijn schat. Eindelijk. Ik heb overal naar je gezocht. Mijn god, wat zie je er mooi uit. Kunnen we niet samen weglopen en dit saaie doopfeest laten schieten?'

'Straks misschien,' lachte Chloe. 'Joe, mam, dit is Ludovic Ingram. Hij is... tja, hij is... wat ben je eigenlijk, Ludo?'

'Nou, ik ben verliefd op uw dochter,' zei Ludovic tegen Caroline. 'Ik probeer haar steeds over te halen bij Piers weg te gaan en met mij weg te lopen. Het is een project waar ik continu aan werk. In mijn vrije tijd ben ik advocaat.'

Joe keek naar Ludovic, die behalve aantrekkelijk duidelijk ook erg aardig was, en bedacht dat het veel beter voor Chloe zou zijn als ze inderdaad met hem wegliep. Hij zette de gedachte resoluut maar spijtig uit zijn hoofd. Dat ging natuurlijk niet, maar het was fijn dat Chloe binnen deze clique een vriend had.

Even later zag hij Magnus staan. Hij stond met een glas in zijn hand uiterst geamuseerd een groepje mensen te bestuderen dat om Piers heen stond.

'Aan het werk?' vroeg Joe met een grimmig lachje.

'Uiteraard,' antwoordde Magnus. 'Wat zijn deze mensen fascinerend, vind je niet?'

'Zeker.' Joe keek Magnus bedachtzaam aan. 'Ik heb van Chloe begrepen dat je stopt met de biografie van Piers.'

'Ik denk van wel.' Magnus' gezicht verraadde niets. 'Hij is iets te smakeloos voor wat ik in gedachten heb. Tenzij ik een interessant schandaal uit zijn verleden, of recenter, opduik, wat mij overigens hoogst onwaarschijnlijk lijkt, ga ik me op iets anders richten. Ik voel wel iets voor mevrouw Taylor. Of mevrouw Onassis.'

'Wie niet?' vroeg Joe. 'Trouwens, je kunt toch moeilijk een schandaal onthullen uit het leven van een man als je peetvader bent van zijn zoon?'

'Nee, hè?' Magnus grijnsde breed.

Voor het eerst in zijn leven had Joe zowaar bijna met Piers te doen.

Voor de lunch werden Joe, Caroline en Jolyon aan tafel geplaatst met zeven mensen die ze niet kenden. Chloe schoot in paniek heen en weer om mensen te plaatsen die hun bord vol hadden geladen en geen zitplaats konden vinden en Piers zat in een wel zeer luidruchtig gezelschap bij de deur en vulde hun glazen bij met champagne.

'Onze eregast is nergens te bekennen,' mompelde Caroline.

'Wie bedoel je?' vroeg Joe.

'Ned. Je weet wel. Het is zijn feestje.'

Joe lachte en gaf haar plotseling een kus op haar neus. 'Soms,' zei hij, 'begrijp ik precies waarom ik van je hou.'

Maar ze keek niet naar hem. Toen hij haar blik volgde, zag Joe dat ze naar Magnus zat te staren.

Links van Joe zat een broeierige man van middelbare leeftijd zijn eten naar binnen te werken, terwijl hij bleef doorpraten. Het zag er niet fraai uit. Een stoel verder zat een vrouw van in de dertig, erg mooi, zwaar opgemaakt. Ze zag hem kijken en glimlachte flauwtjes. 'Felicia Strang,' zei ze.

'Joe Payton. Dit is Caroline Hunterton.'

'En waar kent u Piers van?' vroeg ze uiterst minzaam.

'Ik ben de moeder van zijn vrouw,' antwoordde Caroline, nog minzamer.

'O,' zei ze vaag, 'o ja. Zo'n mooi meisje. U zult wel trots zijn.'

'Waarop?' vroeg Joe.

'Dat ze met Piers is getrouwd. Dat is geweldig voor haar.'

'Wij vinden het eerder geweldig voor hem,' zei Joe. 'Kunt u misschien de boter aangeven?' Hij luisterde naar twee meisjes die aan weerszijden van Jolyon met elkaar zaten te praten over waar ze hun kleding voor Ascot zouden kopen. 'Twee vriendinnetjes van me hebben elkaar uitgedaagd jurken van Biba aan te trekken,' zei een van hen, 'met echt héél grote hoeden natuurlijk.'

'O, wat lollig,' zei de ander. 'Denk je dat ze het gaan doen?'

Jolyon leek buiten zichzelf van gêne en verveling. Joe knipoogde naar hem. Hij zag Annunciata hun kant op komen en siste naar Jolyon: 'Let op.'

Jolyon keek verbaasd. Joe leunde achterover, stak zijn arm uit en raakte Annunciata's hand aan. Ze keek hem koel aan, met een half lachje, en zei: 'Hai,' met zo'n gebrek aan belangstelling dat Joe bijna naar adem hapte.

'Mag ik je heel even iets vragen?' zei Joe.

'Natuurlijk, maar ik moet Piers iets doorgeven. Ik kan zo proberen terug te komen.'

'Heel even,' zei Joe. 'Zie je, ik schrijf voor de *Sunday Times* en ik ben bezig met een serie artikelen over jonge Engelse actrices. Als het je interesseert, kun je me misschien bellen. Hier heb je mijn kaartje.'

Annunciata keek hem aan en haar blik werd zachter, liever. 'Wat ontzettend aardig,' zei ze. 'Dat zou ik geweldig vinden. Echt geweldig. Hemeltje lief, ik kan me niet voorstellen dat je mij erbij wilt hebben, al speel ik volgend seizoen wel Portia in *The Merchant of Venice* in Stratford, als dat je interesseert. Eh, Fergie, schuif eens een stukje op. Ze ging met één bil op de knie van Joe's buurman zitten, duwde haar haren naar achteren en keek Joe aan. 'Wat zul jij een interessant beroep hebben. Ik zou dolgraag ook zoiets doen.'

'Het kan heel leuk zijn,' zei Joe. 'Moment alsjeblieft. Ik zie iemand die ik even moet spreken.'

Hij draaide zich naar Caroline, maar ze was opgestaan; toen hij naar haar zocht, geïrriteerd omdat ze zijn huzarenstukje had gemist, zag hij haar aan de andere kant van de tent net iets te aandachtig met Magnus staan praten.

Toen Ned werd gedoopt, gedroeg hij zich voorbeeldig; hij verzette zich niet, huilde niet en glimlachte zelfs naar zijn moeder, toen deze hem aannam van zijn peetmoeder.

'Wat een schatje,' zei Maria Woolf met een zenuwachtig lachje. 'Vind je niet dat het precies Piers is? Ik hoop dat ik mijn taken goed zal vervullen, al ben ik bang dat ik nogal een hedonistische peetmoeder zal zijn.'

'Des te beter,' zei Piers en hij kuste haar hand. 'Mettertijd kun je hem inwijden in alle genoegens van het leven. Hij boft met jou.'

'Ach, toe nou, Piers. Zeg, zouden wij even over dat nieuwe stuk kunnen praten? Daarna moeten Jack en ik echt gaan. We hebben vanavond gasten. O jee, de baby heeft op mijn mouw gekwijld. Chloe, zou jij een doekje willen halen, of iets dergelijks?'

Toen uiteindelijk alle gasten weg waren, gingen Joe en Caroline met Jolyon en Chloe in de keuken zitten. Rosemary had de kinderen meegenomen. Pandora was moe en nukkig en had overgegeven over haar witte jurk. Piers was nergens te bekennen. 'Hij zal wel een bespreking hebben met iemand,' zei Chloe vaag. 'Het was heerlijk jullie te zien. Jolyon, je hebt het geweldig gedaan. En Annunciata zei nog tegen me dat ze je erg knap vindt.'

'Goh,' zei Jolyon en hij werd weer knalrood.

'Nou, nou, nou,' zei Joe. 'Je hebt een leuke bewonderaar, Chloe. Meneer Ingram. Erg aardig. We hebben nog even staan praten bij de taart.'

'Ik mag hem ook graag,' zei Chloe.

Piers kwam binnen, rood aangelopen, opgewonden. 'Wat een geweldige dag en wat heerlijk dat jullie dit met ons wilden delen.'

'Toe nou, Piers, ze zijn familie,' zei Chloe. 'Natuurlijk wilden ze dit met ons delen.'

Ze zei het lief, maar met een ondertoon. Goed, dacht Joe, ze leert het, eindelijk.

'Geweldig,' herhaalde Piers. 'En lieveling, Maria heeft definitief toegezegd dat ze gaat investeren in *The Kingdom*. Wat een vrouw, hè? En wat een hoed! Ik was bang dat die in de doopvont zou belanden.'

'Die hoed was groter dan de vont,' zei Caroline met een vriesdroge glimlach.

'Ja, hè? Goed, hebben jullie je vermaakt? Ik hoop van wel. Ik zag je praten met Fergie, wat een leuke man, en een van de beste karakterspelers van zijn generatie. Volgens George Devine. Hij was er ook, heb je hem gesproken? Hij heeft het Royal Court opgericht. Een interessante man om te interviewen ook. Als je wilt, Joe, regel ik het zo voor je.'

'Dank je, maar dat kan ik zelf ook,' zei Joe. 'Eh, Piers, kunnen wij even babbelen?'

'Natuurlijk,' zei Piers. 'Ik vroeg me trouwens af of je een stuk zou willen schrijven over een film die ik ga maken, een musicalversie van de *Dream*, met Tabitha als Titania. Is dat niets voor je?'

'Waarschijnlijk wel,' zei Joe, 'laten we het daar ook over hebben.'

'We gaan even een frisse neus halen,' zei Piers. 'Dan laat ik je ook mijn andere baby zien, een veulen.'

'Ik ben niet dol op paarden,' zei Joe, 'maar als ze vastgebonden zijn, gaat het wel.'

'Ja, natuurlijk, hij staat in een stal,' zei Piers. 'Red jij het een paar minuten, Chloe?'

'Dat lijkt me wel,' zei ze.

Piers liep met Joe het huis uit. Ze volgden een lang pad naar de stallen. 'Geen zorgen, hoop ik?' zei Piers. 'Chloe is geweldig, zo'n lief moedertje.'

'Nee, absoluut niet,' zei Joe, 'ze ziet er goed uit.'

'Dit stuk over de *Dream*, hè,' begon Piers.

'Wil het graag schrijven,' zei Joe oprecht, 'als je eraan gaat werken. Ik weet zeker dat de *Sunday Times* het graag zal plaatsen. Nee, ik wilde het met je hebben over Jolyon.'

'Jolyon? O ja, hij heeft toneelambities. Ik zou hem graag helpen. Zo'n lieve jongen. Goede manieren.'

'Ja. En hij zou natuurlijk dolgraag voor je impresario werken. Als je dat echt kunt regelen. Dat was een leuke verrassing. Voor Caroline ook.'

'Natuurlijk. Het wordt geen topbaan. Iets als koerier. Maar hij kan wel de sfeer opsnuiven.'

'Het enige probleem is dat hij heel lang zou moeten reizen,' zei Joe. 'Ik denk niet dat ik hem in huis kan nemen. Ik ben zo vaak weg en hij is erg jong.'

'O, dat is helemaal geen probleem,' zei Piers. 'Hij kan een kamer krijgen bij ons in Londen. Ik ben daar momenteel continu. Chloe is natuurlijk hier, maar ik ben vrijwel elke avond thuis, om mijn tekst te leren en aan de *Dream* te werken. Ik beloof dat ik goed voor hem zal zorgen.'

'Wat aardig,' zei Joe. 'Dat had ik niet verwacht. Ik zal wel met Caroline moeten praten.'

'Natuurlijk. Was dat alles?'

'Ja, eigenlijk wel. Is dat het paard?'

'Ja. Wat is hij mooi, hè? Wat een prachtige, donkere vos. Hij heet Dream Street. Geweldige stamboom. Ik wil een paar jaar vlakkebaanrennen met hem doen en daarna met hem fokken.

'Hij lijkt me schichtig.' Joe keek ongerust naar de rollende ogen en opengesperde neusgaten van het dier. 'Wordt hij nog rustiger?'

'Ik hoop het. Ik wil hem niet laten castreren. Voor mij is hij een langetermijninvestering. Ik heb er veel geld in gestoken.'

'Nou ja, zolang Chloe maar niet probeert op hem te rijden,' zei Joe.

'Chloe? Beste man, ik zou het zelf niet eens proberen. Alleen beroepsrijders mogen erop. Zullen we trouwens teruggaan?'

'Ja, best,' zei Joe. Hij keek naar Piers, die neerbuigend naar hem glimlachte, en bedacht wat een hekel hij toch aan hem had. Tot zijn eigen verbazing zei hij: 'Ik heb begrepen dat jij in je jonge jaren in Hollywood bent geweest, Piers. Had ik dat maar eerder geweten, dan had je me misschien kunnen helpen bij het onderzoek voor mijn boek.' Hij had verwacht dat Piers hooguit een beetje gegeneerd zou reageren, maar de heftige reactie van Piers kwam als een verrassing. Hij werd niet gewoon bleek, maar ziekelijk groen en daarna paarsrood; zijn lichte ogen fonkelden. Is hij bang of boos? vroeg Joe zich af. Of geschokt? Het was in elke geval stukken heftiger dan gêne.

Hij stond naar Joe te kijken en Joe naar hem, naar de paniek in zijn ogen; toen leunde hij nonchalant tegen de muur en plukte een denkbeeldig pluisje van zijn pak. Toen hij weer naar Joe keek, had hij een geamuseerde blik in zijn ogen. Zijn stem was luchtig, zelfverzekerd.

'Lieve hemel,' zei hij, 'van wie heb je dat gehoord?'

'O,' zei Joe, voor het eerst blij dat Yolande veilig in de hemel was (dat kon niet anders, dacht hij), 'van een heel lieve dame, die me heeft geholpen met mijn boek. Ze heet Yolande duGrath. Een dramadocente bij Theatrical. Herinner je je haar?'

'Helaas niet. Maar wat een naam, Yolande duGrath. Ze had zelf moeten gaan acteren.'

'Dat heeft ze in haar jeugd ook gedaan.'

Piers keek hem aan en Joe prikte door de minzame blik en het spijtige lachje heen en wist wat hij dacht: te riskant om dit te ontkennen, beter hierin meegaan, het ontkrachten.

'Tja, Joe, ik ben bang dat je achter mijn geheimpje bent. Zelfs Chloe weet het niet. Ik praat er nooit over. Misschien stom, maar ik ben er niet trots op. Ik was er niet lang, nog geen jaar. Ik heb verschrikkelijke dingen gedaan, verschrikkelijk. Een paar afschuwelijke kostuumdrama's en zelfs een dansende piraat gespeeld in een musical over muiterij op een schip.'

'Die zou ik graag eens zien,' zei Joe. 'Wanneer was je er precies?'

'Eh, medio jaren vijftig.'

'O ja? Precies de tijd waar ik onderzoek naar deed. Heb je mijn boek gelezen?'

'Welk boek, Joe?'

'Het heet *Scandals*.' Joe keek hem aandachtig aan.

'Nee,' zei Piers. Zijn blik was open, bijna geamuseerd. 'Ik heb er zelfs nooit van gehoord. Heeft het goed verkocht?'

'Niet verschrikkelijk goed.'

'Dat zal een teleurstelling zijn geweest. Ik zou het graag eens lezen. Heb je nog een exemplaar dat ik kan lenen?'

'Nee, helaas,' zei Joe. 'Het laatste heb ik aan mijn lieve oude moeder gegeven. Chloe vroeg er ook al naar. Ze zei dat ze het wil lezen, nu ze in zekere zin ook in het vak zit.'

De paniek in Piers' ogen was met een seconde weer weg. 'De arme schat. Ze vindt het nog steeds erg moeilijk om ermee om te gaan, ben ik bang. Maar het went wel, dat weet ik zeker.'

'Ja,' zei Joe, 'vast wel. Met jouw steun. Hoe dan ook, een van de schandalen die ik heb onderzocht, had te maken met een man die Byron Patrick werd genoemd. Hij was veelbelovend, maar raakte betrokken bij een onfris zaakje. Heb jij hem gekend?'

'Nee,' zei Piers na een korte stilte. Het klonk alsof hij elk woord afwoog. 'Nee, ik ben bang dat ik zelfs nooit van hem heb gehoord. Maar wel weer een mooie Hollywood-naam. Goede god, wat een rare plaats.' Ze waren weer terug bij het huis en hij was volkomen ontspannen, op zijn gemak. 'Ha, Jolyon, ik zei net tegen Joe dat je wel bij mij aan Montpelier Square kunt logeren als je bij de impresario werkt. Als je dat wilt, tenminste.'

'Ja, ontzettend graag,' zei Jolyon, 'dank u wel.'

'Dat kunnen we beter nog even kortsluiten met je moeder,' zei Joe. 'Kom mee, we moeten terug. Ik moet vanavond nog een artikel schrijven.'

Terwijl ze de kronkelige oprit van Stebbings afreden, wist Joe zeker dat Piers had gelogen. Het was onmogelijk, ondenkbaar zelfs, dat iemand die toen in een klein, incestueus plaatsje als Hollywood had gewoond, niet van Byron Patrick zou hebben geweten. Byron Patrick, Hollywoods eerste Grootmeester van de Wijn, jonge hoofdrolspeler bij ACI, onderwerp van ettelijke regels tekst in de roddelrubrieken; Byron Patrick, het bekende speeltje van de bekende Naomi MacNeice; Byron Patrick, middelpunt van een van de vele onsmakelijke schandaaltjes van Hollywood. Het leed absoluut geen twijfel dat Piers zijn naam had gekend en aangezien hij erover had gelogen, leed het evenmin twijfel dat hij iets te verbergen had. Iets wat hij voor veel mensen wilde verbergen, maar vooral voor Joe Payton, die een paar pagina's in zijn boek over Byron Patrick had volgeschreven en wiens interesse in de ware toedracht van zijn dood alleen maar toenam.

Hoofdstuk 21

1968

E en van Joe's lievelingsspelletjes was 'Stel dat...' Stel dat Adolf Hitler iets meer talent had gehad en was toegelaten op de Weense kunstacademie? Stel dat Michelangelo hoogtevrees had gehad of dat Mozart sterker was geweest, gezonder had geleefd, zodat hij niet op zijn vierendertigste was overleden? En stel dat Caroline de deur uit was geweest toen hij in *Woman's Hour* werd geïnterviewd? En stel (deze versie hield hij voor zichzelf) dat die afschuwelijke vrouw voor zijn hotel niet zijn taxi voor zijn neus had weggekaapt, zodat hij drie minuten op de volgende had moeten wachten en zo drie minuten later op het vliegveld was aangekomen? Dan zou er veel van zijn persoonlijke geschiedenis en dat van zijn teerbeminden heel anders zijn gelopen. Beter. Absoluut.

Maar de vrouw stond er, ze wás afschuwelijk en hij kwam drie minuten later dan gepland aan op het vliegveld. Hij was tevreden over het werk dat hij had gedaan, de mensen die hij had kunnen spreken: een artikel over de bestorming van Hollywood door de Britten, momenteel door Jacqueline Bisset, die zoveel succes had met *Bullitt*. Ze was aardig voor hem geweest en ze was mooi en sexy (helaas wel erg goed in het pareren van vragen) en nu wilde hij ontzettend graag naar huis. Terwijl zijn taxi bij het vliegveld aankwam en aansloot in de lange rij, zag hij een man en een meisje het vliegveld verlaten.

De man in een beige linnen pak kende hij, dat was Piers Windsor. En het meisje dat hem toelachte en zijn hand pakte, kende hij nog beter; dat was Fleur.

Hij wist zich geen raad. Had geen idee wat hij moest denken, zeggen, doen. Hij had er alles wat hij had (niet veel) voor overgehad als hij haar niet had hoeven zien, het niet had hoeven weten. Maar hij had haar gezien en daar moest hij iets mee doen. Hij dacht aan Chloe, die in Londen zat met haar gezinnetje. Als Piers in het gezelschap van iemand anders was geweest, wie dan ook, zou hij hen beiden hebben willen doden. Het feit dat Fleur bij hem was, Chloe's eigen zus, die haar willens en wetens bedroog, maakte het nog honderd keer, duizend keer erger. En waar was Fleur mee bezig? Was het puur voor haar gerief? Of nam ze wraak op de zus die ze al haar leven lang haatte?

Hoe dan ook, het was onverdraaglijk; hij moest haar tegenhouden, zodat Chloe kon worden gered, zodat Fleur zelf misschien van haar eigen excessen kon worden gered. Wat Piers betreft – Joe wilde niet eens aan Piers denken. Nog niet.

Tijdens de vlucht zat hij stevig aan de bourbon, staarde naar de schemering en voelde zich steeds ongelukkiger, zieker, banger. En hij voelde nog iets anders, iets wat hij zichzelf niet durfde toe te geven.

Toen hij thuiskwam op Primrose Hill – wat was hij blij dat hij zijn woning had aangehouden! – belde hij het reclamebureau waar Fleur werkte. Ze was een weekje weg, kreeg hij te horen. Op vakantie.

'Kunt u vragen of ze me belt zodra ze terug is?' zei hij. 'Joe Payton, in Londen. Zeg maar dat het belangrijk is.'

Daarna wachtte hij met een mengeling van angst en woede haar telefoontje af.

'Hai Joe, met Fleur. Is er iets gebeurd?'

'Ja,' zei hij. Ze moest zelfs in Amerika de woede in zijn stem kunnen horen. 'Er is iets gebeurd.'

'Wat dan?'

'Dat weet je best, Fleur. Dat weet jij zelfs heel goed.'

'Nee.' Ze klonk verbaasd. 'Natuurlijk weet ik dat niet.'

'Jij hebt het zelf laten gebeuren, Fleur. Wat doe je Chloe aan? Haar kinderen, haar huwelijk? Waar ben je mee bezig, Fleur? Waar ben je in godsnaam mee bezig?'

'Ik... Joe, waar heb je het over?'

'Ga nou niet de onschuldige uithangen. Ik kom net uit LA, Fleur. Ik heb jullie gezien.'

'O.'

'Hoe kon je? Hoe kon je zoiets doen? Je bent nog erger dan ik dacht. Ik wist wel dat je een leugenaar bent, ik was bang dat je een bedriegster bent. Wat ik niet wist, was dat je ook nog volslagen harteloos bent. Stop ermee, Fleur, onmiddellijk. Anders – ik zweer het je – zal ik ervoor zorgen dat je stopt.'

'Joe,' begon ze, 'het stelt n...'

Maar hij legde neer. Hij kon het niet meer aanhoren.

Het hele incident maakte hem vreselijk overstuur. Hij voelde zich vergiftigd; misselijk, alles deed pijn. Hij wist niet wat hij moest doen, of hij Piers ermee zou confronteren, Fleur zou schrijven; hij kon het met niemand bespreken. Caroline voelde dat er iets was, begon hem vragen te stellen en toen hij weigerde erover te praten, trok ze zich terug, zoals zo vaak tegenwoordig. Ze dreven uit elkaar; dat maakte hem ook verschrikkelijk van streek. Hij probeerde zich te concentreren op zijn werk, maar dat leek onmogelijk. Op een dag, drie weken na zijn terugkeer uit Los Angeles, zat hij achter zijn bureau toen de telefoon ging. Het was Magnus Phillips.

'Hé, Joe. Alles kits?'

'Ja, gaat wel,' zei Joe voorzichtig. Hij vertrouwde die Phillips niet; hij wist zomaar veel te veel over hen allemaal.

'Trek in een biertje?'

'Ja, lekker, maar ik kan en wil je er niets voor teruggeven.'

'Ik vraag niet veel,' zei Magnus.

'Dat biertje wil ik in elk geval,' zei Joe.

'El Vino's? Morgen tussen de middag?'

El Vino's was de journalistenkroeg die bijna recht tegenover de rechtszalen lag. Net als alle quasiclubs had El Vino's zo zijn normen, ongeschreven regels en kledingeisen (niet bijster hoog); je had er een helder hoofd nodig en een flinke portie lef, je moest er op je hoede zijn en beschikken over de ware esprit de corps. Vrouwen mochten geen drankjes bestellen aan de bar en moesten achterin zitten. Joe had er veel gelukkige uren doorgebracht en kon zich daarvan maar weinig helder voor de geest halen. Toen hij er binnenstapte en het lawaai, de hitte en de rook over hem heen viel, vroeg hij zich, zoals altijd, af waarom hij er niet vaker kwam.

Magnus stond aan de bar te praten met David Farr van de *Chronicle*.

'Gefeliciteerd,' zei Joe tegen Farr, die was uitgeroepen tot Beste Journalist van het Jaar. 'Je hebt het verdiend.'

'Dank je,' zei Farr. 'Maar ik zou graag met je ruilen, Payton. De hele dag flirten met al die filmsterretjes.'

'Tja, ach, dat heeft ook wel iets,' zei Joe bescheiden.

'Wat wil je drinken, Joe?' vroeg Magnus.

'Een glas bier,' zei Joe, vastbesloten het bij één glas te houden. Hij kon er overdag niet goed tegen.

Drie glazen later zat hij in een hoek met Magnus en nog een journalist van de *Sketch* en probeerde hij zich ervan te overtuigen dat hij niet zo dronken was als hij zich voelde.

'Moet gaan,' zei de collega van de *Sketch*. 'Vanmiddag hebben we een bespreking over de anti-Vietnamdemonstratie die morgen in Grosvenor Square wordt gehouden. Kan vervelend worden.'

'Stomme yanks,' zei Magnus onverwacht. 'Wat hebben wij met hun domme oorlog te maken? Het kost de politie kostbare mankracht en als je niet uitkijkt, snijden ze politiepaarden de buik open.'

'O, maar het heeft niets met Vietnam te maken,' zei de man van de *Sketch* opgewekt. 'Het is gewoon een excuus om geweld te plegen, een paar agenten in elkaar te slaan. Maar het verkoopt wel kranten. Dag, Magnus. Dag, Joe.'

'Dag,' zei Joe.

'Mooi,' zei Magnus. 'Wat nu?'

Joe keek hem verbaasd aan. 'Ik dacht dat je iets van me wilde.'

'Ach, nee. Neem nog een biertje.'

'Nee, dank je. Of misschien een groot glas tonic. Om weer helder te worden.'

'Je kunt hier geen pure tonic drinken,' zei Magnus. 'Dat is net zoiets als vrouwen aan de bar toelaten. Geen sprake van. Die feministen krijgen kapsones. Stomme trutten. Whisky? Daar word je helder van.'

'Ja, goed, maar dan moet ik echt gaan.'

Er zat wel erg veel whisky in zijn glas. Joe dronk het erg snel leeg. Hij dacht dat het dan misschien minder effect zou hebben.

'Ik heb Germaine Greer ooit ontmoet,' vertelde hij. 'Ze is erg sexy. Erg mooi.'

'Geloof er niks van,' zei Magnus.

'Geloof het maar. Je zou geen nee tegen haar zeggen.'

'Zeker wel,' zei Magnus. 'Ik wil niet eens aan die potten denken.'

'Magnus, ze is niet lesbisch, dat zei ik toch. Ze is erg sexy.'

'Iemand zou ze moeten opsluiten,' zei Magnus ferm, 'en de sleutel moeten weggooien.'

'Tja,' zei Joe goedmoedig, 'dat is ook een standpunt. Wil je er nog een, Magnus? Die gleed er net lekker in.'

'Ja, graag.' Joe was te dronken om te merken dat Magnus hem een geamuseerde blik toewierp.

'Ik heb pas je boek gelezen,' zei Magnus. Hij pakte zijn glas.

'Welk boek?'

'*Scandals*. Het las lekker. Moet ook leuk zijn geweest om het te schrijven.'

'Was ook zo.'

'Wat je over Hollywood schreef, was geweldig. Erg van genoten.'

'O ja?'

'Heb je die Patrick zelf ontmoet?'

De naam drong door in Joe's benevelde brein. Opeens voelde hij zich alert, op zijn hoede, bijna opgewonden. 'Nee.'

'Hoe heb je erover gehoord, over het verhaal?'

'Van ene Yolande duGrath.'

'O ja? Wat doet ze?'

'Ze gaf les.'

'Aha. Waarin?'

'Acteren. Ze coachte acteurs.'

'Ze zit zeker vol verhalen?'

'Ja, nou.' Joe had het naar zijn zin.

'Ik moet met iemand in Hollywood praten.'

'Waarom?'

'O, voor een serie artikelen. Zoiets als wat jij hebt gedaan. Maar niet zo goed, natuurlijk.'

'Uiteraard.' Joe grijnsde.

'Alleen ga ik nog iets dieper het riool in. Ik duik in de politiearchieven.'

'O ja?'

'Ja.'

'Dat is kostbaar,' zei Joe.

'Dat wel. Maar de *Sketch* heeft nog steeds geld.'

'Natuurlijk.'

'Denk jij dat ik die Yolande aan de praat kan krijgen?'

'Ik ben bang van niet.' Joe klonk intens verdrietig.

'Waarom niet?'

'Ze is dood.'

'Klootzak,' zei Magnus flegmatiek. Het was even stil. Toen vroeg hij: 'Ben je ooit iets tegengekomen over een actrice die Kirstie Fairfax heet?'

'Nee,' antwoordde Joe naar waarheid. 'Hoezo?'

'Ze had iets met die Patrick van je.'

'O ja?' Joe raakte meteen geïnteresseerd. 'Wat precies?'

'Ik weet het niet. Hij had geprobeerd haar aan een screentest te helpen. Dat stond tenminste in de kranten.'

'Kan je niet helpen,' zei Joe. Hij had het gevoel dat hij voorzichtig moest manoeuvreren. 'Waarom stond dat in de krant? Wat is er sindsdien met haar gebeurd?'

'Ze is dood. Al jaren. Zelfmoord. Volgens de kranten.'

'Ach,' zei Joe.

'Nog andere ideeën? Mensen die ik kan opzoeken?'

'Niet echt.' Joe pijnigde zijn hersenen om Magnus een onschuldige naam te kunnen geven. Hij moest met een naam komen, anders leek het net of hij dwarslag. Hij zei een tikje roekeloos: 'Je zou Naomi MacNeice kunnen proberen. Voormalig castingdirecteur bij ACI. Byron Patrick was haar speeltje. Ze kende alles en iedereen. Ik geloof dat ze nu in Malibu woont. Zou het voor je kunnen navragen.'

'Nee,' zei Magnus, 'ze zit tegenwoordig in een eh, instelling. Ze is volledig van het pad en ze is stervende. Ik heb het geprobeerd.'

'In dat geval,' zei Joe, 'kan ik je niet helpen. Sorry, Magnus. Ik moet trouwens weer eens gaan. Ik vond het erg gezellig.'

Later die avond had hij een vreselijke kater en vroeg hij zich af wat Kirstie Fairfax in godsnaam te maken had met Byron Patrick, wat Magnus echt van plan was, of hij daar iets aan kon of moest doen en zo ja, wát.

Toen Fleur het gebouw uit liep, zag ze Joe. Hij stond bij de draaideur aandachtig naar haar te kijken. Het was ruim een maand na haar reis naar LA met Piers. Joe had geschreven dat hij naar New York zou komen, dat hij haar wilde spreken; hij stond haar blijkbaar op te wachten. Ze zuchtte en liep naar hem toe. Er zat niets anders op. Dit zou niet leuk worden.

'Hallo, Joe.'

Hij keek haar aan, zijn ogen donker van afkeer en van een intense woede, die ze bij hem niet had verwacht. Zijn gezicht was gespannen en bleek. Zijn kleding was nog armoediger dan gewoonlijk en zijn haar was erg vet. Ze werd slap van haar oude, half verdrongen verlangen naar hem.

'Eigenlijk denk ik dat we naar mijn hotel moeten gaan om te praten.' Zijn stem was zo koud en somber dat ze begon te rillen. 'Maar tegelijkertijd ben ik zo bang dat ik je dan misschien wil vermoorden, dat het veiliger is in een openbare gelegenheid te zitten.'

'Nee,' zei ze pijnlijk getroffen, 'we gaan naar je hotel. Als je me zo haat en me wilt doden, kun je dat misschien maar beter doen.'

Aan zijn blik kon ze zien dat ze heel even tot hem was doorgedrongen; toen trok hij zijn woedeschild weer op.

Zoals gewoonlijk verbleef hij in het St. Regis. Ze gingen in de bar zitten en zaten een tijdlang zwijgend tegenover elkaar te drinken zonder elkaar aan te kijken. Toen zei hij: 'Fleur, ik kan je niet zeggen hoezeer ik geschokt ben.'

'Joe, wat heb ik nu precies voor schokkends gedaan?'

'Als je dat niet weet, ben je nog erger dan ik dacht. Fleur, die man met wie jij vrijt, is de man van je zus. Waarom doe je dat in godsnaam? Wat heb je eraan?'

343

Ondanks haar vaste voornemen rustig te blijven voelde ze een golf van woede en pijn opkomen. 'Joe, je moet naar me luisteren. Het is niet wat je denkt.'

'O nee?' vroeg hij.

'Nee. Die man had iets te maken met mijn vader. Dat weet ik zeker.'

'O, Fleur, in godsnaam...' Zijn stem klonk anders. Hij ontweek haar blik.

'Joe, jij weet iets, hè?'

'Laat mij hier alsjeblieft buiten.'

'Dat kan ik niet. Je bent erbij betrokken. Niet liegen, Joe. Ik ken je te goed.'

'Dit schiet niet op. Vertel me liever hoe je Piers hebt leren kennen. Hoe heb je dat voor elkaar gekregen?'

'Hij was uit eten met mijn baas. Ik ben het restaurant binnengelopen.'

'Opzettelijk? Om hem te ontmoeten? Maar waarom?'

'Dat zal ik je vertellen,' zei ze met pijn in haar stem. 'Het had te maken met iets wat jij zei.'

'Ja ja, het is dus mijn schuld dat jij een affaire hebt met de man van je zus.'

'Dat is het juist. Ze is mijn zus, we hebben dezelfde moeder en na al die jaren word ik nog steeds weggestopt, als een smerig, lastig geheim. "O," zei jij, "natúúrlijk hebben we Piers niets over je verteld." Nee, natuurlijk niet. Mijn bestaan wordt doodgezwegen. Voor het geval hij het afkeurt, veroordeelt. We kunnen niet het huwelijk van die lieve Chloe in gevaar brengen. Dat zou vreselijk zijn. Daarom vertellen we natuurlijk niets over haar buitenechtelijke zus.'

'Fleur,' zei Joe, 'zo be...'

'Hoe denk je dat ik me toen voelde? Denk je dat ik me de moeite waard voelde? Gekoesterd? Gewaardeerd?'

'Nee,' zei hij, 'dat zal wel niet.'

'Inderdaad. Ik kan je niet vertellen, Joe, hoeveel pijn dat deed. Maar ik nam het op de koop toe, zoals ik alles op de koop toe neem. Maar ik voel me wel zo vreselijk bekocht. Mijn leven is één grote kat in de zak.'

'Fleur, alsjeblieft,' zei hij.

'Daarmee begon het dus. Ik wilde jullie terugpakken. Hem vertellen wie ik was. Maar toen... toen maakte ik kennis met hem.'

'Ja? Je gaat me toch niet vertellen dat het liefde op het eerste gezicht was, hè?'

'Flikker op, zeg. Die vent is een... ach, dat doet er ook niet toe. Het punt is dat hij mijn naam hoorde en, Joe, hij scheet peuken. Het was ongelooflijk.'

'Wat zei hij?' vroeg Joe op scherpe toon. Haar zintuigen reageerden meteen.

'Niets, natuurlijk.'

'Fleur,' zei Joe, en ze kon horen dat hij zich weer ontspande, 'Fleur, dit is absurd. Het is duidelijk dat je geen aanknopingspunten hebt. Je bent gewoon vreselijk paranoïde als het om je vader gaat. Je moet ophouden, het loslaten.'

'Joe, dat kan ik niet. Probeer me alsjeblieft te begrijpen. Ik zag het, in zijn ogen. In die mooie, beroemde ogen. Panische angst. Alsof hij een spook had gezien. En in zekere zin had hij dat waarschijnlijk ook.'

'En toen?'

'Toen verontschuldigde ik me en ging ik naar mijn tafeltje. De volgende dag heb ik hem in zijn hotel gebeld en gevraagd of hij voor iemand een foto van zichzelf wilde signeren. Hij wist, meende te weten, dat ik niets over hem wist en nodigde me uit iets met hem te drinken. Nu waant hij zich veilig en kom ik steeds dichterbij. Hij mag me. Ontzettend graag. Hij wil graag bij me zijn. Dat doet me goed, op verschillende manieren.'

Ze bedacht dat er nog nooit iemand zo kil, met zoveel afkeer naar haar had gekeken. Ze rilde.

'Jij komt dus steeds dichterbij. Heeft hij je vermoedens al bevestigd? Heeft hij zoiets gezegd als, trouwens, Fleur, ik heb je pa gekend, we waren samen in Hollywood?'

'Nee. Hij ontkent dat hij toen in Hollywood is geweest.'

'O ja? Nou, daar heb je je bewijs, hè?'

'Ach, Joe, in godsnaam. Daar gaat het juist om. Natuurlijk zou hij me niet vertellen dat hij mijn vader heeft gekend. Niet als hij iets... iets rots heeft uit-gehaald.'

'Toe nou, Fleur. Op basis van een verwrongen fantasie breek jij in in het huwelijk van je zus...'

'Het is geen verwrongen fantasie. Geloof me. Die man weet iets over mijn vader. Hij wil niet zeggen wat hij weet en daarom denk ik dat het iets ergs is.'

'Maar stel dat je vader degene was die iets ergs heeft gedaan? Er is erg veel belastend bewijs tegen hem.' Hij klonk iets redelijker, rustiger. Hij luisterde nu tenminste. Ze voelde zich iets beter.

'Ik weet het niet, Joe. Dat is ook bij mij opgekomen, maar ik denk het niet. Hij zag er echt bang uit, anders kan ik het niet beschrijven. En ik moet het weten, dat moet.'

'Hoe lang ga je hiermee door?'

'Zo lang als nodig is. Als Piers Windsor mijn vader schade heeft berok-kend, als – stel – hij degene was die met de roddelbladen heeft gepraat, wil ik wraak. Ik ben door zijn schuld een groot deel van mijn leven erg eenzaam en ongelukkig geweest. Ik wil op z'n minst dat hij eenzaam en ongelukkig wordt.'

'Fleur, je weet niet waar je over praat. Het is nogal een – hoe zal ik het noemen? – neurotisch idee.'

'Ik weet het wél en het is niet neurotisch.'

'Aha. En deze wraak, is die ook gericht op Chloe?'

'Ach, Chloe kan me niets schelen.' Fleur keek hem aan. 'Misschien wordt ze wel gekwetst. Ik vind het eerlijk gezegd niet erg belangrijk.'

'Dat is een ongelukkige en weerzinwekkende houding.'

'Ik ben ongelukkig, Joe. Jammer, maar helaas. Of ik ook weerzinwekkend ben, weet ik niet.'

Hij bleef haar even zwijgend zitten aankijken. 'Ik snap niet wat je ermee denkt op te schieten,' zei hij uiteindelijk.

'Nou,' zei ze, 'ik moet eerst met zekerheid vaststellen dat hij iets heeft uitgehaald. Hem dwingen het me te vertellen. Het is de enige manier die ik kan bedenken. En dan wil ik dat hij weet hoeveel pijn en ellende het mij heeft gebracht. Ik wil hem bang maken. Ik wil dat hij het beseft.'

'Ik ben nog nooit zo kwaad geweest,' zei Joe, 'en ik heb nog nooit zoveel walging gevoeld of me zo geschaamd.'

Fleur keek hem aan. 'Dat doet echt pijn,' zei ze. 'Ik dacht dat je mijn vriend was.'

'Dat ben ik ook geweest,' zei hij, 'en dat was geweldig. Ik vond het heerlijk om je te helpen. Jij hebt het verpest, Fleur. Jouw schuld.'

'Ik weet het,' zei ze rustig.

'Nu ben je zo verwoestend bezig. Zo vernietigend. Het is gestoord. Verschrikkelijk. En om niets. Je doet iedereen pijn, jezelf incluis. Hoe zit dat met dat vriendje van je? Hoe zou hij zich voelen? Of weet hij het?'

'Nee,' zei Fleur, 'hij weet van niets.'

De vraag wat Reuben van haar affaire met Piers zou denken, stopte ze diep weg.

'Ik hoop dat hij er niet achter komt. Heb je daar wel aan gedacht?'

'Ja, natuurlijk.' Tranen van schuldgevoel en wanhoop welden op in haar ogen. 'Natuurlijk wel, maar...'

'Dat moet hij maar pikken, zeker? Op de koop toe nemen. Arme stakker.'

'Joe, alsjeblieft,' zei Fleur, 'ik moet dit doen. Ik weet gewoon dat er iets is.'

Ze voelde zijn afstandelijkheid, zijn afkeer. Het deed pijn, maar ze zou ermee moeten leven.

'O, Fleur!' Joe leunde achterover en ze zag iets in zijn blik wat ze herkende, maar niet kon duiden. 'Fleur, dit is complete waanzin. Je ziet iemand reageren op je naam, of meent het te zien, en meteen baseer je daar een hele aanklacht op. Daarbij gedraag je je ook nog eens wanstaltig. Je hebt absoluut geen normbesef, geen fatsoen. Alsjeblieft, Fleur, ik smeek je, laat dit los. Breek met Piers Windsor. Blijf bij hem vandaan. Je wilt me toch niet vertellen dat je verliefd op hem bent?'

'Nee,' zei Fleur, 'natuurlijk niet. De helft van de tijd kan ik hem niet uitstaan. Hij is eng. Ik heb met hem te doen, al wil ik dat niet.'

'Waarom?' De vijandigheid in Joe's blik maakte even plaats voor oprechte belangstelling.

'Hij is zielig,' zei Fleur. 'Een zielig hoopje mens. Ik weet niet wat Chloe je over hem heeft verteld, maar...'

'Niets,' zei Joe. 'Ze lijkt erg gelukkig met hem.'

'Dan is ze erg dom,' zei Fleur.

'Waarom is zij dom?' vroeg Joe.

'O nee,' zei Fleur, 'ik ga niet jouw werk voor je opknappen. Als jij niet ziet wat er mis is met Piers, met hun huwelijk, ga ik je dat niet voorkauwen. Maar volgens mij zie je het wel. Je bent niet dom.'

Ze zag in zijn ogen dat hij het zag, natuurlijk wel, maar dat ze er nooit over zouden praten, omdat het dan een tastbaar, reëel gevaar zou worden, in plaats van iets wat zo lang mogelijk weggestopt kon worden. En nu ze hem zo naakt en kwetsbaar voor zich had, wist ze dat ze haar kans moest grijpen.

'Joe,' zei ze, 'jij weet iets, hè? Over Piers? Over de hele zaak?'

'Natuurlijk niet.' Hij antwoordde te snel en keek haar niet recht aan.

'Ik geloof je niet.'

'Fleur, laat dit los, alsjeblieft.'

'Zeg het, Joe. Kijk me aan en zeg wat je weet.'

Hij keek haar aan en zijn ogen vertelden het haar.

'Hij was er toen dus wel?'

'O, verdomme, Fleur. Hou op.'

'Was hij er? Echt?'

'Ja,' zei hij, 'hij was er.'

'Wanneer?'

'Tegelijkertijd. Meer weet ik niet, Fleur. Ik zweer het.'

'Klootzak,' zei ze. 'Toen ik dit moest weten, verzweeg je het voor me. Hoe kón je, Joe? Hoe kón je? Hoe heb je het ontdekt, Joe? Wanneer?'

'Bij toeval. Zijn moeder zei er iets over tegen Chloe. Ik heb het je niet verteld omdat je het moet laten rusten. Het stelt allemaal niets voor. Het is een heel vaag spoor. Hij zegt dat hij er niet over wil praten, omdat hij vreselijk faalde, niet eens een screentest kreeg. O, Fleur, wat had het voor zin om het je te vertellen?'

'Dan zou ik het hebben geweten,' zei ze. 'Dan had ik er iets mee kunnen doen.'

'Het stelt niets voor. Helemaal niets. Piers kan me niets schelen, Fleur. Je mag met hem doen wat je wilt. Maar er zijn ook onschuldigen bij betrokken. Denk aan Chloe. Zij kan hier helemaal niets aan doen. Haar treft geen blaam. Ze vecht voor haar huwelijk. Alsjeblieft, Fleur, ik smeek je, laat het los.'

Fleur kreeg het bloedheet en begon te rillen. Ze stond op, keek naar Joe en begon iets te zeggen. In haar woorden lagen alle pijn en al het verraad besloten dat ze ooit had gevoeld. 'Praat niet met mij over Chloe, Joe, over Chloe pijn doen. Ik mag gekwetst worden, dat is prima. Ik mocht weggegeven worden, naar Amerika gestuurd worden, om het leven van mijn moeder niet te verstieren. Ik mocht gekwetst worden, achtergelaten worden, terwijl mijn vader naar Hollywood ging en ik mocht gekwetst worden, achtergelaten worden, toen hij stierf. Ik mag gekwetst worden terwijl ik probeer te achterhalen wat er echt is gebeurd, wat erachter stak. En nu mag ik weer gekwetst worden, doordat jij me verraadt, tegen me liegt, en het enige voor me achterhoudt wat ik echt moest weten. En dan denk je dat je me kunt vragen het allemaal los te laten. Alleen om Chloe te redden, om haar veiligheid bij haar beroemde echtgenoot te waarborgen, bij haar volmaakte kindertjes en haar rimpelloze leventje? Hoe kon je, Joe? Hoe kon je? Juist jij, jij die ik als mijn vriend zag. Oké, oké, dat heb ik misschien verpest, maar als je niet zo dom was, zou je dat kunnen begrijpen. Nou, ik kán het niet loslaten en ik wíl het ook niet, begrijp je, want... want...' Opeens kon ze niet verder, haar stem werd verstikt door pijn en tranen.

Joe stond op. Zijn blik was nu teder, geschokt en omfloerst door tranen. Hij raakte haar gezicht aan, volgde het spoor van haar tranen. Heel even dacht zij dat hij verder zou gaan; ze stond hem aan te kijken, durfde amper te hopen, na te denken.

Maar toen zei hij aarzelend, rustig: 'Sorry, Fleur, maar dat kan ik niet accepteren. Ik weet wat je hebt doorgemaakt, ik weet hoe zwaar je het hebt gehad en ik begrijp dat je een... een weinig rooskleurig beeld hebt van je familie. Maar dat pleit je gedrag nog niet goed. Ik ben ontzettend gek op je, Fleur, maar dit kan ik niet door de vingers zien. Het spijt me. Het is hard en immoreel, ik vind het schokkend. Stop alsjeblieft. Desnoods om mijnentwil.'

'Dat kan ik niet,' zei Fleur. Ze voelde zich diepellendig, teleurgesteld en verraden. Ze stond te kijken naar Joe, die zo lang haar vriend, haar bondgenoot was geweest. Die de tijd en moeite had genomen om haar dingen uit te leggen, die geprobeerd had haar te helpen. Joe, op wie ze al jaren gek was,

die ze verdomme onweerstaanbaar aantrekkelijk vond. Op dat moment verdwenen haar liefde en vertrouwen helemaal, zodat ze zich eenzamer voelde
dan ooit tevoren.

'Kun je niet? Of wil je niet?' vroeg hij. Zijn stem klonk kil.

'Ik kan het niet. Dat jij dat niet begrijpt!' antwoordde ze en ze liep het
hotel uit en stond op het trottoir uit te kijken naar een taxi, terwijl ze hard,
wanhopig huilde, als een kind dat in de steek is gelaten.

Wat ze zag als Joe's verraad, trof haar zwaar. Ze wilde er graag over praten,
Reuben, of misschien Poppy erover vertellen, ze wilde worden getroost,
gesteund, begrepen, maar dat kon niet. Dit was te persoonlijk, te pijnlijk.
Iets waar zij helemaal alleen in vastzat. Ze was in shock, bijna in de rouw. Ze
had fysieke pijn; het voelde alsof ze was geschopt, gekneusd, over een storm-
baan was gesleept. Ze sliep nog slechter dan anders, had geen trek en als ze
at, kreeg ze buikpijn. Ze had plotselinge huilbuien, tijdens vergaderingen,
tijdens lunches, boven haar typemachine. Mick zag het, zelfs Nigel zag het;
ze vroegen haar of het wel ging. Prima, zei ze dan, met een boze blik; ze haatte hen ook, mannen waren de vijand.

Toen ze herstelde, zich beter begon te voelen, kwam er in plaats van de
pijn een harde, hete woede. En nog iets anders. Een nog sterkere, helderder
visie. Ze wilde niet alleen Piers Windsor raken (en wie haar vader nog meer
had vernietigd), ze wilde hen allemaal raken, Chloe, Caroline en vooral Joe.
Dan wist hij tenminste hoe het was om ellendig, afgewezen en eenzaam te
zijn.

Joe's woorden lieten haar niet los. Zijn bezorgdheid om Reuben, de woorden 'arme stakker' spookten op de vreemdste momenten door haar hoofd.
Hoe kon zij iemand die zo van haar hield zo bedriegen? Ze probeerde de
gedachte te verdringen – vergeefs.

'Wil je erover praten?' had hij gevraagd, toen ze de dag erop in een restaurant in huilen uitbarstte. Ze schudde haar hoofd, forceerde een glimlach
en hij glimlachte terug, trok zijn schouders op en zei: 'Oké.' Hij bracht haar
thuis en op de drempel omhelsde hij haar innig; hij stelde niet eens voor binnen te komen.

'O, Reuben.' Fleur keek naar zijn vriendelijke, lelijke gezicht dat zo
bezorgd stond. 'O, Reuben, er gaat niets boven jou.'

Ze verdiende hem niet, dat zei Joe ook al, maar hij was er en hij wilde er
zijn. Ze had vaak het gevoel dat ze zonder hem helemaal nergens meer in
kon geloven.

ACHTERGRONDINFORMATIE VOOR HET VROEGE HOLLYWOOD-DEEL VAN *THE TINSEL UNDERNEATH.*

FRAGMENT UIT *SCANDALS* VAN JOE PAYTON. MAG VAN UITGEVER UIT WORDEN GECITEERD.

HET LIJDT WEINIG TWIJFEL DAT HET STERRENSYSTEEM VAN HOLLYWOOD EINDVERANTWOORDELIJK IS VOOR BYRON PATRICKS DOOD. HET SYSTEEM VEREIST DAT ALLE SPELERS HONDERD PROCENT VLEKKELOOS ZIJN, ZOWEL OP HET WITTE DOEK ALS ACHTER DE COULISSEN. ZE MOETEN IN HOGE MATE AARDIG, AANTREKKELIJK, CHARMANT EN FATSOENLIJK ZIJN. SEKSUEEL OF SOCIAAL ONACCEPTABEL GEDRAG MOET GEHEEL AAN HET ZICHT ONTTROKKEN BLIJVEN. ZOLANG HET PUBLIEK NIET MERKT DAT HOLLYWOOD GROSSIERT IN COCAÏNEGEBRUIKERS, ECHTBREKERS EN HOMOSEKSUELEN, DAT ZICH BINNEN DE VERGULDE MUREN DE WILDSTE EXCESSEN AFSPELEN, BEDOELD OM DE MEEST OBSCENE BEHOEFTEN TE BEVREDIGEN, IS ER NIETS AAN DE HAND. ER WORDT VEEL GELD BESTEED, VEEL MOEITE GEDAAN OM DIE STILTE TE GARANDEREN, ZOLANG DE BETROKKENEN DE PRIJS WAARD ZIJN. BYRON WAS NIET BELANGRIJK GENOEG OM BESCHERMD TE WORDEN. HET WAS GOEDKOPER OM DE INVESTERING VERSNELD AF TE SCHRIJVEN EN DE RODDELBLADEN DE VRIJE HAND TE GEVEN DAN OM HEN AF TE KOPEN. HOLLYWOOD HAD HEM GEMAAKT EN ZONDER VERDERE GEDACHTEN MAAKTE HOLLYWOOD HEM WEER MET DE GROND GELIJK. IN DE NAZOMER VAN 1957 VIEL HIJ TEN PROOI, NIET ALLEEN AAN DE JOURNALIST DIE HET ARTIKEL SCHREEF, NIET ALLEEN AAN DEGENE DIE HEM TIPTE, MAAR AAN HEEL SMAKELOOS HOLLYWOOD. HIJ HAD GEEN KANS; ZE WAREN TE SLIM VOOR HEM.

OPMERKING: HIER INVOEGEN: 'MAAR WÍE WAS ER NU PRECIES TE SLIM VOOR HEM?' PITTIG EN STERK.

Hoofdstuk 22

'Lady Hunterton? Met Magnus Phillips. Ik zou graag een afspraak met u maken.'

Directe, onschuldige woorden, die verhulden wat ze zouden ontketenen. Ze zouden haar de rest van haar leven achtervolgen, jaar in jaar uit zouden ze nagalmen in haar hoofd.

Ach, had ze gezegd, ach, ik weet het niet: verstandig, voorzichtig, bang om allerlei redenen. Ze voelde argwaan tegen Magnus, tegen zijn motieven, tegen zijn reputatie als journalist, tegen de manier waarop hij andermans leven ontwrichtte, tegen alles wat haar relatie met Joe verder zou kunnen verslechteren. En tegen zichzelf, omdat ze voelde dat ze misschien niet was opgewassen tegen de verleiding, want als ze één man seksueel aantrekkelijk vond, dan was het Magnus.

'Ik zal het even uitleggen. Ik ben voor mijn krant een artikel aan het schrijven over de paardenraces. Ik dacht dat u de aangewezen persoon was om vragen aan te stellen.'

'Daar zijn toch speciale verslaggevers voor?' vroeg Caroline op scherpe toon.

'Zo'n soort artikel wordt het niet. Het gaat juist om de ménsen achter de paarden. Al die sappige details over hengsten en stoeterijen en merries dekken. En ik dacht dat die charmante vriend van u, meneer Bamforth, me misschien zou kunnen helpen.'

'Dat lijkt me prima,' zei Caroline opgelucht en teleurgesteld tegelijk. 'Jack is de absolute autoriteit als het gaat om fokken en stambomen.'

'Geweldig,' zei Magnus. 'Wanneer zou ik kunnen langskomen?'

'Maakt niet uit,' zei ze. 'Zie maar. Jack is er altijd.'

'O, maar ik zou niet helemaal naar Suffolk willen komen als ik niet meteen u kan opzoeken. Dat zou wel erg dom zijn, vindt u niet?'

En Caroline, zich ervan bewust dat zij zelf erg dom was, sprak de donderdag erop rond lunchtijd met hem af.

Hij kwam al om acht uur 's ochtends op zijn motor aanrijden. Het werd net licht en ze was nog niet aangekleed.

'Ik ben iets te vroeg voor onze lunch,' zei hij met een grijns. Zijn donkere ogen gleden over haar heen. Ze stond in de deuropening en trok haar zijden kamerjas nog iets dichter om zich heen, alsof ze een maagdelijk schoolmeisje was. Ze kon zichzelf wel slaan dat ze niet op tijd was opgestaan, dat ze er nog slaperig uitzag, zonder make-up, dat haar zevenenveertig jaren haar aan te zien waren. 'Maar ik dacht dat er wel veel te bespreken was en de wegen waren leeg. Het was een geweldige rit.'

'Je bent zeker al om vijf uur vertrokken,' zei ze. 'Wil je koffie?'

'Heerlijk. Motorrijden maakt dorstig.' Hij volgde haar naar binnen en ging in de keuken zitten. Hij keek met openlijk genoegen toe hoe ze de ketel op het fornuis zette; haar kamerjas viel open en onthulde een verschoten T-shirt; ze trok de kamerjas snel weer dicht. 'Wat een prachtig huis,' zei hij. 'Heeft u er bezwaar tegen als ik rook?'

'Natuurlijk niet,' zei Caroline, die grote bezwaren had, maar bang was dat hij haar een nog grotere tut zou vinden als ze dat zei. Magnus haalde een verfrommeld pakje Disque Bleu en een duur uitziende gouden Dunhill-aansteker tevoorschijn en stak een sigaret op. Hij blies een grote rookwolk uit en keek strak naar haar borsten. Caroline zou de geur van Franse tabak altijd blijven associëren met fysiek onbehagen.

Ze maalde bonen en de geur van koffie vermengde zich met de geur van rook en motorolie die om hem heen hing. Het was allemaal op een verontrustende manier erotisch.

'U zet lekkere koffie,' zei Magnus. 'Dat kunnen maar weinig vrouwen.'

'Echt?'

'Ja. Chloe is kok geweest, hè? Heeft ze zeker van u.'

'Ik ben geen kok. Weet je,' zei ze, zonder te begrijpen waarom ze hem dit vertelde, 'Ik heb zelfs nog nooit een taart gebakken.'

'Lieve hemel,' zei hij, 'en dat met... drie kinderen?'

'Ja,' zei ze en ze voelde een steek van angst, een rilling van gevaar, toen ze met moeite haar blik afwendde. 'Wil je misschien iets eten?'

'Nou,' zei hij, 'u heeft zeker geen Cooper's Oxford-marmelade?'

'Zeker wel,' zei Caroline enigszins verontwaardigd.

'Dan wil ik graag wat toast met marmelade. Ik ben er verslaafd aan, eet het de hele dag door. Dank u.'

Ze roosterde een paar boterhammen en zette de pot marmelade naast hem neer. Hij smeerde de marmelade ontzettend dik op de toast en schrokte die naar binnen.

'Mmm,' zei hij na verloop van tijd, met iets van spijt in zijn stem. 'Dat was heerlijk. Wilt u me nu bij meneer Bamforth brengen? Of me vertellen waar ik hem kan vinden? Hij zal wel vroeg beginnen.'

'Als je vijf minuten wacht, zal ik me even aankleden en breng ik je naar hem toe.'

'Vijf minuten?' grijnsde hij. 'Dat is erg snel voor een vrouw. Kleedt u zich ook zo snel uit?'

Caroline voelde dat ze bloosde. 'Ik heb het nooit geklokt,' zei ze kwaad en ze maakte dat ze de keuken uit kwam.

Ze maakte niet zelf een lunch voor hem klaar: dat straalde te veel intimiteit uit, vond ze, zeker na vanochtend, en wekte te zeer de indruk dat ze hem wilde behagen. 'Ik dacht dat we wel naar de pub konden gaan,' zei ze toen ze tussen de middag naar de stallen liep. 'Kom je ook mee, Jack?'

'Ja, maar niet te lang,' zei Jack. 'Ik moet vanmiddag naar een pony kijken voor Pandora. Meneer Windsor had gevraagd of ik het aanbod in de gaten wil houden.'

'O ja?' zei Caroline. 'Dat wist ik niet. Wat vindt Chloe ervan?'

'Je kunt niet alles bijhouden, Caroline.' Jack grijnsde naar haar toen ze in de Range Rover stapte. 'Chloe staat inderdaad niet te juichen. Ik ga wel met mijn eigen auto. Dan hoeven jullie niet weg als ik moet gaan.'

Ze aten in de rokerige warmte van de Hare and Hounds een grote portie hartige taart. Jack en Magnus dronken bier en Caroline, nog steeds niet op haar gemak, bang om te ontspannen, dronk tonic. Jack praatte verder over raspaarden, paardenraces, de vlakkebaanrennen en de handel in jaarlingen. Caroline zat stil toe te kijken hoe Magnus aantekeningen maakte. Ze vroeg zich af waarom ze zo zeker wist dat Jacks verhaal hem absoluut niet interesseerde.

Uiteindelijk stond Jack op. 'Ik moet gaan, Caroline. Tot straks.'

'Dag, Jack, dankjewel. Koop alsjeblieft niets als je er niet honderd procent zeker van bent.'

'Natuurlijk niet. Dag, meneer Phillips.'

'Dag, Jack. Ontzettend bedankt. Aardige vent,' zei hij, toen Jack weg was. 'Maar niet bijster onderdanig, hè?'

'Jack is een vriend,' zei Caroline. Ze vergat even op haar hoede te zijn. 'Hij mag dan de stalmeester zijn, ik ken hem al mijn hele leven en hij weet meer van me dan wie ook. Hij heeft me door allerlei crises heen geloodst – de dood van mijn ouders, de dood van mijn man...'

'De geboorte van al je kinderen?'

'Ja,' zei ze snel. 'Hij is echt een geweldige man. Heel bijzonder. Ik hou van hem.'

'Grote woorden.'

'Sterke emoties.'

'En wat vindt hij van je schoonzoon?'

De vraag overviel haar een beetje. 'Weet ik veel. Daar hebben we het nooit over.'

'Dat is vreemd, als jullie zo dik met elkaar zijn. Maar misschien hoef je het niet te bespreken.'

'Wat bedoel je precies?' vroeg Caroline.

'Ik bedoel dat hij niet bepaald de ideale keuze is, hè?'

'Magnus,' zei Caroline en ze keek hem recht in de ogen. 'Voorzichtig met wat je zegt.'

'Het spijt me. Ik mag hem ook niet. Ik snap niet hoe ik me heb laten overhalen.'

'Ik heb niet gezegd dat ik hem niet mocht,' protesteerde Caroline.

'Nee, je hebt het niet gezegd.'

Het was even stil.

'Ik had begrepen dat die biografie niet doorging.'

'Ach, ik ben er niet echt mee bezig, ik hou alleen de mogelijkheid open. Kijk niet zo ongerust.'

'Ben ik niet,' zei Caroline.

'Zoals je waarschijnlijk weet, wordt er natuurlijk wel over hem... geroddeld,' zei hij. Hij haalde zijn sigaretten uit zijn zak en bood ze haar aan.

Ze schudde haar hoofd. 'Waarover?'

'Ach, hetzelfde als altijd. Wat over zoveel acteurs wordt gezegd.'

'Hoe moet ik dat weten?'

'Caroline!' Hij schudde plechtig zijn hoofd, zijn ogen fonkelden en hij keek haar doordringend aan. 'Zo naïef kun je niet zijn! Over homofilie, natuurlijk. Dat is altijd al zo geweest. Het stelt niets voor, maar het is vrij kwaadaardig. Vraag maar aan Joe. Hij moet het ook hebben gehoord.'

'Als dat zo is, heeft hij het nooit verteld,' zei Caroline. Ze hoopte dat ze kordaat genoeg klonk. 'Wat bedoel je met geroddel? Dat mensen er alleen over... praten? Of dat ze het gerucht verspreiden om... schade toe te brengen?'

'O nee, alleen het eerste,' zei Magnus. 'Tafelpraat, geroddel in de artiestenfoyer. Van die dingen. Maar dat kan op zich al erg schadelijk zijn.'

'Maar niets in de bladen?'

'Nee. Nog niet, althans.'

'Je klinkt alsof dat onvermijdelijk is,' zei Caroline. Ze voelde paniek opkomen.

'Niet onvermijdelijk,' zei hij met een nadenkende blik, 'maar wel degelijk mogelijk. Al is de wet heel duidelijk over smaad.'

'Wat wil je daarmee zeggen?

'Dat Piers weinig reden heeft om zich zorgen te maken. Zelfs al kloppen de geruchten.'

Opeens was Caroline kwaad op zichzelf, omdat ze zich tot dit gesprek had laten verleiden, en op hem. 'Magnus,' zei ze, 'ik vind dit nogal beledigend. Je hebt het over de man die met mijn dochter is getrouwd. En ik hoop niet dat je wilt suggereren...'

'Ik suggereer niets, Caroline. Ben gewoon bot. Het spijt me als ik je heb beledigd. Ik heb er wel bij gezegd dat dit soort dingen vaker voorkomt. Zowel het geroddel als het gedrag.' Hij grijnsde. 'Maar vertel eens, heb jij die Byron Patrick weleens ontmoet?'

De onverwachte vraag, zo kort op het verontrustende gesprek over Piers, overviel haar volkomen. Ze zat Magnus aan te kijken en voelde dat al het bloed uit haar gezicht wegtrok. 'Wat zei je?'

'Ik vroeg of je die Byron Patrick had gekend. Joe heeft over hem geschreven.'

'Nee,' zei ze en ze sloot haar ogen, vermande zich. 'Natuurlijk niet. Waarom zou ik?'

'O, ik wist niet hoelang je Joe al kende. Had gekund. Je hebt zijn boek zeker wel gelezen?'

'Ach, vluchtig. Niet echt mijn genre.' Ze probeerde tijd te rekken, op verhaal te komen, maar vroeg zich af of hij haar hier niet al eerder eens naar had gevraagd.

'O. Het was maar een idee. Je weet daar dus niets van? Van zijn dood en zo? En het artikel in dat roddelblad?'

'Absoluut niet,' zei ze. 'Heeft dit eigenlijk nog iets te maken met uw artikel over raspaarden?' Ze had zichzelf weer in de hand en was opeens razend op hem, omdat hij probeerde haar erin te luizen.

'Nee. Dit heeft te maken met een boek dat ik wil schrijven. Over Hollywood en zijn schandalen.'

'Maar niet over Piers?'

'Nee, tenzij er nieuw feitenmateriaal komt bovendrijven.'

'U gaat toch niet over dezelfde mensen schrijven als Joe?'

'Nee, niet echt. Al heeft iedereen in dat wereldje met elkaar te maken. Je zou nog raar opkijken. Zoals al vaak is gezegd, is Hollywood net een dorp.'

'O ja?' vroeg Caroline. 'Ik zou het niet weten. Ik kan u in elk geval niet helpen. En ik moet weer eens op huis aan. Ik heb veel te doen.'

'Ik ook.'

'O ja?'

'Ja, ik moet dat paardenartikel schrijven.'

'Weet u, ik geloof niet dat dat artikel er ooit komt,' zei Caroline.

'Bah, wat cynisch, Lady Hunterton

'Eerder realistisch, meneer Phillips.'

Ze bracht de rest van de week tobbend en piekerend door. Wat was die klootzak van plan? Waarom die bedekte toespelingen op Piers? Probeerde hij haar te waarschuwen, of iets wijs te maken? Het was zorgwekkend, bijna beangstigend. Ze kon alleen maar hopen dat het geroddel beperkt bleef tot artiestenfoyers en tafelpraat. Misschien kon ze Joe eens nonchalant vragen of hij nog iets had gehoord, maar ze dacht dat hij het haar dan zelf wel had verteld.

De vraag over Brendan, duidelijk bedoeld om haar van haar stuk te brengen, was nog zorgwekkender geweest. Zou Magnus haar antwoord ook maar één seconde hebben geloofd? Waarschijnlijk niet. Wat een doortrapte, slimme, gevaarlijke klootzak! Haar wantrouwen was terecht geweest. Wat dom dat ze hem had laten komen. Wat goedgelovig, naïef en zielig. Ze zou hem voortaan uit de weg gaan. Als er zaterdag een artikel van hem in de *Daily Sketch* stond over volbloedpaarden, zou ze hoogstpersoonlijk zijn kont kussen.

Op zaterdag kwam Jack Bamforth naar het huis met de *Daily Sketch* in zijn handen en een grote grijns op zijn gezicht.

'Hier is het dan,' zei hij.

'Volbloed of blauw bloed?' stond er over de hele breedte. 'Magnus Phillips steekt zijn hoofd uit boven chique staldeuren.'

Caroline begon te lezen en zachtjes te giechelen.

'Waar lach je om?' vroeg Jack.

'Nee, niks. Het is maar goed dat ik mijn gedachten voor me heb gehouden.'

Later die ochtend belde Magnus.

'Hebben jullie mijn artikel gezien?'

'Ja,' zei Caroline. 'Het stond stikvol onjuistheden. En ik weet niet wat mijn vriendin Jane Pinchbeck nu aan het doen is. Waarschijnlijk is ze haar advocaten aan het bellen. Dat heb je waarschijnlijk niet van Jack gehoord.'

'Natuurlijk niet,' zei hij. 'Heel veel dank.'

'Zit wel goed. Trouwens, Magnus?'

'Ja?'

'Wat je me vertelde over Piers, over het geroddel.'

'Ja?'

'Jij ziet ze vrij vaak. Denk je dat... dat Chloe ermee zit?'

'Dat denk ik niet. Bovendien is Chloe zo onschuldig en zo gek op je schoonzoon dat ze zelfs als ze Piers een oud dametje in elkaar zag slaan, nog zou denken dat hij een scène aan het repeteren was.'

'Ik hoop dat je gelijk hebt. En noem hem alsjeblieft niet mijn schoonzoon, dan voel ik me zo oud. Dag, Magnus.'

'Nee,' zei Chloe. 'Nee en nog eens nee. Sorry, Piers, maar dat is een weerzinwekkend, afschuwelijk idee. Ik word er misselijk van. Zeg zoiets alsjeblieft nooit meer.'

'Ach, in godsnaam, Chloe,' zei Piers, 'stel je niet zo aan.' Zijn grijze ogen leken wel graniet. 'Ik vraag het alleen maar.'

'Ik weet wat je vraagt,' zei Chloe, 'en het antwoord is nee. En als je het nog één keer ter sprake brengt, gaan wij met z'n drieën naar huis en kun jij hier verder je gang gaan.'

'God, dit is belachelijk,' zei Piers. 'Het is niet te geloven dat het überhaupt ter sprake komt.'

'Ik kan het helaas wel geloven,' zei Chloe. 'Ga alsjeblieft weg. Maak zo snel mogelijk die rotfilm af. Dan kunnen we hier weg.'

'Ach, toe nou, Chloe,' zei Piers. Hij keek haar bijna wanhopig aan. 'Ik heb Pandora hiervoor nodig. Het zijn maar een paar korte scènes. Ze zou er geknipt voor zijn.'

'Piers, Hollywood is vergeven van de kinderen die dolgraag in films willen spelen. Ze hebben moeders die dolgraag willen dat hun kroost in films speelt. Waarom neem je er daar niet een van?'

'Chloe, het lijkt wel of je het niet begrijpt. Dat zou me dagen kosten, misschien wel weken. Ik zoek een klein, mooi kind met rood haar en toevallig zit er eentje in de kamer hiernaast. We zitten toch al over ons budget heen, we lopen toch al achter op schema. Nu zou je ons een beetje kunnen helpen, iets waar je bepaald niet in uitblinkt. Doe eens gek.'

'Klootzak,' zei Chloe, verbaasd over de felheid van haar reactie. 'Verschrikkelijke klootzak. Ik doe voor je wat ik maar kan. Er staat bitter weinig tegenover en...'

'Nee, hè,' zei Piers. 'Bespaar me je zelfvernedering. Het punt is dat als je dít voor mij zou kunnen doen, je mijn leven stukken eenvoudiger zou maken. Maar ondertussen maak je het juist veel moeilijker.'

'Het spijt me als ik jou het leven moeilijk maak, Piers. Maar ik ben meer begaan met Pandora. Ik wil en ik zal hier niet mee akkoord gaan. Zo nodig zal ik met Pandora teruggaan naar Engeland. Ik heb toch al verschrikkelijk heimwee.'

Hij keek haar even zwijgend aan en zei toen: 'Ik heb echt helemaal niets aan jou. En ik begin je gedrein steeds meer zat te worden.' Toen ging de telefoon. Hij nam op en niet alleen zijn stem klonk anders, zijn hele gezicht straalde warmte uit. 'O,' zei hij, 'ja, Robin, hallo. Nee, natuurlijk komt het uit. Goed, ik ben over vijf minuten bij je.' Hij legde neer en keek Chloe aan. 'Ik moet gaan,' zei hij. 'We praten er nog wel over. Misschien wil je er nog eens over nadenken als je wat rustiger bent.'

'Ik ben volkomen rustig,' zei Chloe, 'en ik hoef er niet over na te denken. Pandora wordt geen kindsterretje. Dag, Piers.' Ze pakte een tijdschrift op en begon aandachtig te lezen.

Piers liep de kamer uit en sloot de deur zacht achter zich. Hij schreeuwde nooit, smeet niet met deuren. Hij werd uiterst beheerst kwaad. Heel irritant. Ze zou willen dat hij wel schreeuwde en deuren dichtsloeg.

Toen hij weg was, stond ze voorzichtig op en nam een lange, hete douche terwijl ze tot een besluit probeerde te komen. Als Piers echt wilde dat Pandora in die rotfilm speelde, dan kon hij haar krijgen. Ze kon er weinig tegen doen. Haar bedreigingen stelden weinig voor; dat wist hij ook. Of ze moest Pandora meenemen naar huis. Ze besefte dat ze daar echt toe bereid zou zijn. Pandora was toch al vroegrijp en schandelijk verwend, ze was zich bewust van haar uiterlijk, haar charme en talent. Stel je voor dat ze haar nu ook nog eens in haar vaders film liet spelen, toestond dat ze dag in dag uit bij de opnamen was, verwend werd, de hemel in geprezen werd, bewonderd en vertroeteld werd. Dat zou verschrikkelijk zijn. Chloe kreeg een steeds grotere hekel aan de filmbusiness en het idee stond haar bijna fysiek tegen. En als Pandora ook maar even lucht kreeg van de mogelijkheid, had je de poppen helemaal aan het dansen. Pandora was het liefste kind ter wereld, zolang ze haar zin kreeg. Zo niet, dan was het huis te klein.

Chloe liep haar slaapkamer binnen. Ze kon Pandora horen lachen en keek door het raam. Ze speelde bij het zwembad in een azuurblauwe bikini die Piers voor haar had gekocht (daar was Chloe ook al niet blij mee, ze vond het

vreselijk als kleine meisjes zich verkleedden als kindsterretjes; toen ze dat
tegen Piers zei, begon hij te lachen en zei hij dat Pandora voor hem een ster
was, geen kindsterretje, maar een heel bijzondere ster). Haar lijfje was goudbruin van de zon en haar donkerrode haar zat in een knotje. Ze was klein,
eigenlijk nog maar een baby, nog geen drie. Ze was mooi; ze zou een betoverende volgelinge zijn van Titania (die ook rood haar had) en een vriendinnetje voor het roodharige elfje. Ze begreep waarom Piers haar wilde laten spelen. Maar dat ging mooi niet door. Ze zou een manier vinden om hem tegen
te houden.

Ze vond het verschrikkelijk om hier te zijn; ze was eenzaam, ze verveelde zich
en ze miste haar vriendinnen, Joe en zelfs haar moeder vreselijk. Joe was hier
een paar maanden geleden geweest en, enigszins tot haar verbazing, Magnus
Phillips ook. Hij had gezegd dat hij onderzoek deed voor een artikel over
dubieuze castingpraktijken. Piers had koel tegen hem gedaan en Chloe
gevraagd hem niet uit te nodigen, maar ze was zo blij geweest een bekende te
zien (die, toen hij op een feestje naast haar stond, over bijna iedereen in de
kamer wel een vette roddel wist) en een Engelse stem te horen, dat ze erop
had aangedrongen. Magnus was na vier dagen in LA alweer verdwenen, met
de vage opmerking dat hij een paar dagen naar de kust ging; toen hij terugkwam, stapte hij binnen een etmaal alweer in het vliegtuig, tot Chloe's grote
teleurstelling en tot Piers' duidelijke opluchting.

'Ik dacht dat je Magnus aardig vond,' zei ze die avond tijdens het avondeten, dat in Californië al om zes uur werd opgediend. Piers antwoordde dat
hij Magnus graag mocht, maar iets te veel verhalen had gehoord over hoe
onbetrouwbaar hij was. Daarom wilde hij voortaan liever meer afstand houden.

Ze had een paar vriendschappen gesloten met vrouwen in haar dansklas-
je, maar hartsvriendinnen waren het bepaald niet, al waren ze nog zo gemakkelijk en leuk in de omgang. Óf ze hadden geen gevoel voor humor, óf ze
misten enig gevoel voor verhoudingen, want ze konden even geanimeerd en
even lang praten over hun gewicht, hun huid, hun dagindeling, of hoe ze op
seks reageerden als over de Vietnam-oorlog. Soms, als ze met hen in de zon
zat, voelde Chloe zich wegzakken en begon ze de gespreksthema's door elkaar
te halen, want voor haar waren ze volkomen uitwisselbaar.

Ze had geleerd hoe ze zich kon handhaven, hoe ze het leven hier kon verdragen, maar ze vond er nog steeds niets aan. Ze voelde zich alleen, klein en
onbelangrijk, nog meer dan in Londen; ze voelde dat ze werd gedoogd, al
deed iedereen zo zijn best aardig voor haar te zijn (waarover ze zich dan weer

schuldig voelde) en haar de vernedering van de nieuwste roddels te besparen. Maar natuurlijk wist ze het. Na twee of drie jaar Londen wist ze, accepteerde ze dat de geruchten ergens op gebaseerd waren.

Na de lunch ging Chloe winkelen; ze kocht drie idioot dure jurkjes. Ze gaf altijd geld uit na een ruzie; dat was de enige manier die ze kon bedenken om wraak te nemen op Piers. Hij had haar gevraagd haar uitgaven even te beteugelen, omdat hun jaar in Los Angeles erg duur was en ze een financieel probleempje – probleempje! – hadden. Daar kon ze niet echt mee zitten; ze voelde zich zo ellendig en onzeker dat het pijn deed. Hielp ze Piers dan werkelijk zo slecht en zat ze echt alsmaar te dreinen? Als dat zo was, dacht ze, opeens razend, was dat zijn eigen schuld. Hij had haar zelfvertrouwen bepaald geen goed gedaan. Maar toch, ze moest ermee leven. Ze moest er het allerbeste van maken. Ze had momenteel geen keus.

Ze kookte zelf, legde wijn in de koeling, trok een van de nieuwe jurkjes aan. Ze zat naast het badhuisje op Piers te wachten. Om tien uur legde ze de wijn terug in de koelkast en vroor het eten in. Ze wist, of dacht te weten waar hij was en bande de gedachte resoluut uit haar hoofd. Het was de enige manier om het te verdragen. Hij liet niets van zich horen en kwam pas na middernacht thuis. Ze hoorde hem thuiskomen en lag uren wakker, half hopend half bang dat hij naar haar toe zou komen. Hij kwam niet.

De volgende ochtend zag hij er bleek en moe uit en deed uiterst kil tegen haar. Hij kuste de kinderen en vertrok na een ontbijt dat in totale, pijnlijke stilte werd gegeten. Chloe bracht een ellendige ochtend door naast het zwembad en besloot in een opwelling, met de moed der wanhoop, naar de studio te gaan om met Piers te lunchen. Ze had er een hekel aan, vond het vreselijk om zich in al haar Engelse tuttigheid tentoon te stellen aan de acteurs en de filmploeg, om hun onwrikbare wereldje binnen te dringen (hoe vriendelijk ze haar ook altijd verwelkomden); maar de felheid van haar ruzie met Piers maakte haar rusteloos en ze voelde, zoals altijd, dat zij degene was die het moest bijleggen. Hij zou het waarschijnlijk leuk vinden dat ze de moeite nam om naar de studio te gaan en hij zou haar in het openbaar niet onvriendelijk behandelen. Hij koesterde trouwens nooit lang wrok.

Ze trok een van de andere nieuwe jurkjes aan, een wit ontwerp van zijde van Valentino, en reed naar de studio in de lichtblauwe Mercedes cabriolet die Piers voor haar had gehuurd. Ze was misselijk van de zenuwen. Ze wist dat ze zich aanstelde, dat iedereen haar dolenthousiast zou begroeten. Piers zou haar ondanks alles liefhebbend kussen en zou plaats voor haar maken aan tafel (hij lunchte altijd met de filmploeg samen, nooit alleen in zijn caravan; het hoorde bij de joviale uitstraling waarvoor hij zo zijn best deed). En ja hoor, de man bij de poort begroette haar glimlachend en zei: 'Hai, mevrouw Windsor.' Vervolgens kwam ze op het parkeerterrein een paar acteurs tegen die ze kende; ze kusten haar verrukt en zeiden dat het heerlijk was haar te zien en dat ze er geweldig uitzag. 'Ze zijn net met de laatste scène bezig, op Toneel Twee,' zeiden ze. Ze liep naar Toneel Twee, ging stilletjes door een van de zij-deuren naar binnen en liep langzaam naar de filmset. Zoals altijd was ze ver-baasd over het grote aantal mensen dat blijkbaar zelfs bij een korte scène aan-wezig moest zijn: niet alleen de regisseur, cameramannen, licht- en geluidstechnici, de grimeurs, kapsters en kleedsters, maar tientallen mensen eromheen, timmerlieden, loopjongens, toneelknechten en een menigte die alleen leek toe te kijken. Ze bedacht elke keer weer hoe vreemd het was dat deze enorme, schijnbaar ongeordend krioelende mensenmassa achter de camera's net zozeer deel uitmaakte van de film als de acteurs ervóór en dat ze even belangrijk waren, dat zij net zo goed rollen speelden en hun talent bij-droegen. Toch waren ze in het eindresultaat, de film, alleen zichtbaar als namen op de titelrol. Ze ging bij hen staan, een beetje ongemakkelijk; stel dat ze werd opgemerkt, op de een of andere manier de opnamen zou verstoren, problemen zou veroorzaken.

Het was letterlijk de laatste scène. Puck had net gezegd: 'Weldra maken we alles goe, of noem Puck een leugenaar. Goede nacht nu al te gaar!' en zijn armen uitgestrekt naar Piers en Tabitha, die hem lachend hun handen toesta-ken. Chloe keek betoverd toe, vergat haar verdriet. Ze keek naar de adembe-nemende schoonheid van het sprookjesbos dat midden op de filmset leek te zijn ontsproten, dat zo realistisch en geloofwaardig leek, ondanks de stalen balken met snoeren en lampen erboven, ondanks de camera's, de betonnen vloer, het voortdurende komen en gaan van mensen in vuile spijkerbroeken en witte T-shirts. Dáár ging het om, dat was echt, de massa's bloemen, de tou-wen met bladgroen eromheen, de flarden blauwwitte mist die om het elfen-volk met bleke, etherische gezichten heen dreven. Ze keek naar het wilde, faunengezicht van Robin die zich beurtelings tot Piers en Tabitha wendde en met zijn prachtige, heldere stem uitriep, nee zong: 'Nu Puck tot afscheid voor u buigt,' en geloofde er helemaal in, even maar, totdat iemand achter haar zachtjes vloekte en een sigaret opstak. Opeens stond deze hele scène symbool voor de vreemde verwarrende, onwerkelijke wereld van de film en voor de nachtmerrie van de hele situatie; ze keek naar Robin Goodfellow, of was het Robin Leveret, de klootzak. God, ze haatte die man, zoals hij daar stond, hand in hand met Piers. Verbeeldde ze het zich of wreef hij echt met zijn vin-gers over Piers' handpalm? En keek Oberon hem zo teder en liefhebbend aan, of Piers zelf? Ze besefte dat ze geen idee had waar de midzomernachtsdroom ophield en waar deze wrange, warme dag begon, waar Athene verdween en Los Angeles ervoor in de plaats kwam, waar Titania weer Tabitha werd; het was één eindeloos lange, verwarrende nachtmerrie.

Ze besefte dat de opnamen waren gestopt, dat iedereen begon op te breken; ze haalde diep adem en liep verder naar voren, in de richting van het toneel, waar Piers geconcentreerd stond te praten met de assistent-regisseur en Robin Leveret. Ze wachtte opnieuw, bang om te storen. Ze bestudeerde Robin aandachtig, alsof hij een aparte biologische soort was (wat hij ook best zou kunnen zijn, bedacht ze met een cynisch lachje). Hij had een enorme uitstraling, ook al was hij klein en tenger; hij was ook ouder dan hij leek, ouder dan het mooie jongetje dat op het toneel (en in films) te zien was, maar een man van dik in de twintig, misschien nog ouder. Het deed haar veel genoegen dit op te merken, de fijne rimpeltjes rond de grote blauwe ogen, de ietwat pruilende prachtige mond, het wit in zijn gouden krullen.

'Hai, mevrouw Windsor, hoe gaat het?'

Het was Cathy, een van de grimeurs; blij dat ze een bekende was tegengekomen, stond Chloe even met haar te praten, toen ze besefte dat Piers van toneel was verdwenen. Aan de lange tafel die was gedekt voor de lunch en waar een grote groep mensen op hun eten wachtte, zag ze hem niet. Ze dacht dat hij misschien naar zijn caravan was gegaan, een paar honderd meter verderop. Ze liep er langzaam naartoe, zenuwachtig om hem onder ogen te komen. Ze probeerde de deurknop. Geen beweging. Ze klopte, geen reactie.

De gordijnen voor de raampjes waren dicht. Ze liep terug naar de tafel; geen Piers te zien. Misschien was hij bij iemand anders in de caravan, misschien... God, wat een nachtmerrie. Ze had niet moeten komen; het was een slecht idee. Ze drong binnen in Piers' wereld, ze had hier niets te zoeken. Ze stond op het punt om stilletjes terug te lopen naar haar auto, toen ze opeens Tabitha zag lopen, met een sigaret tussen haar vingers en haar blauwgroene mantel om haar taille geknoopt, haar rode haar met bloemen onder een baseballcap, haar voeten in gympen. Chloe wilde eigenlijk niet met haar praten, maar Tabitha had haar gezien en er was geen ontkomen aan.

'Hallo, Chloe, wat leuk,' zei ze. 'Wat kom je doen?'

'Ik kwam Piers opzoeken,' zei Chloe. 'Hallo.'

'Weet hij dat je er bent?' vroeg Tabitha. Chloe zei dat hij geen idee had, het was een verrassing. Tabitha dacht dat hij aan tafel moest zitten, haakte haar arm door die van Chloe en liep met haar mee.

Piers zat er nog steeds niet, maar iedereen was ontzettend aardig, maakte plaats, haalde iets te eten. Tabitha vroeg of ze al opnamen had gezien en Chloe zei, ja, ze waren allemaal prachtig. Mark Warren, de assistent-regisseur, kwam naast haar zitten en zei dat ze heel graag haar reactie wilden horen. Ze bleven maar wijn bijschenken en er bleven maar mensen bij komen, de helft in elfenkleding en de andere helft in spijkerbroeken en T-shirts, of zelfs elfentunieken boven een spijkerbroek. Chloe begon zich vreemd te voelen, ze wist niet meer precies waar ze was of wat ze kwam doen. En nog steeds geen spoor van Piers of van Robin Leveret.

'Hij zal wel ergens aan het repeteren zijn,' zei Tabitha, die haar rusteloosheid opmerkte. 'Hij verdwijnt wel vaker rond lunchtijd. Of misschien ligt hij te slapen. Hij is de laatste tijd erg moe, dat zul jij ook wel gemerkt hebben.'

'Ja, dat klopt,' zei Chloe met een dappere glimlach, al was het niet waar; opeens voelde ze zich afschuwelijk, wanhopig. 'Ik moest trouwens maar weer eens gaan; doe hem de groeten als je hem ziet.' Ze stond op en op dat moment kwam Robin Leveret aanlopen; een beetje rood, met sprankelende ogen.

Hij zag haar niet, plofte neer, schonk zichzelf een groot glas wijn in en zei: 'O, god, dat heb ik echt nodig.'

Tabitha zag er nu een beetje ongemakkelijk uit. 'Robin, schat, Chloe is er. Jij hebt Piers zeker ook niet meer gezien?' zei ze en er klonk iets in haar stem wat Chloe had leren herkennen, een code, iets omzichtigs.

'Chloe, schat, wat heerlijk! En wat geweldig dat die verschrikkelijke man van je er nu niet is, nu kunnen wij van je gezelschap genieten. Heb je al gegeten?'

'Ja, dank je,' zei Chloe. 'Ik wilde net gaan. Weet jij waar Piers is?'

'In zijn caravan,' zei Robin, iets te nonchalant. 'Ik heb hem meteen na de opnamen naar binnen zien gaan.'

'Dat kan niet,' zei Tabitha, nog steeds gespannen, 'we lopen allemaal al uren op zijn deur te bonken.'

'Dan moet je nog een keer bonken. Ik weet zeker dat hij binnen is.'

'Ach,' zei Chloe, 'het maakt ook niet uit. Hij zal wel liggen te slapen. Ik laat die arme man maar met rust en ga naar huis.' Ze dacht dat Tabitha en Robin opgelucht keken, maar Mark Warren zei dat dat toch niet kon. Chloe was toch niet voor niets gekomen? Bovendien gingen ze toch bijna weer aan het werk.

'Kom mee,' zei hij met uitgestoken hand, 'dan gaan we hem samen wakker maken.' Hij maakte de deur open, terwijl Chloe maar bleef zeggen dat het niet echt nodig was. Toen het licht naar binnen viel, zag ze dat hun komst wel degelijk nodig was, want Piers lag bewusteloos, in foetushouding op de grond met zijn armen om zichzelf heen geslagen, zijn gezicht was asgrauw en uit zijn mond kwam een straaltje braaksel.

Het werd allemaal keurig in de doofpot gestopt. Hij werd vliegensvlug naar het ziekenhuis gebracht, waar zijn maag werd leeggepompt. Hij had een heel potje slaappillen ingenomen en had ook flink wat alcohol in zijn maag. Zodra hij buiten gevaar was, werd hij naar huis gebracht. Er werd een persbericht opgesteld waarin stond dat de werkdruk hem te veel was geworden en dat hij met zijn vrouw naar Palm Springs ging voor een korte vakantie.

Chloe, misselijk van angst en spijt, was niet van zijn zijde geweken sinds ze hem hadden gevonden.

'Stel geen vragen,' zei de arts, 'laat hem er zelf maar over beginnen. Hij vertelt het wel als hij zover is. Verwen hem maar, geef hem alle aandacht en geef hem voorlopig in alles zijn zin. Het is duidelijk dat hij zich diep-ongelukkig en uiterst onzeker voelt. Hij is vreselijk uitgeput en zeer mager.' Zijn blik en zijn stem hielden een verwijt in.

Uiteindelijk vertelde Piers haar dat hij geen idee had waarom hij het had gedaan, behalve dat hij zich wanhopig, uitgeput, ziek, onbegrepen en een-zaam had gevoeld. Chloe wist dat hij haar maar een fractie van de waar-heid vertelde, maar ze wilde laten zien hoeveel ze van hem hield en hoe-zeer ze hem steunde. Denkend aan de woorden van de arts stond ze hem toe Pandora in *A Midsummer Night's Dream* te laten spelen.

AANTEKENING VOOR HET HOOFDSTUK 'INGESTORT' IN *THE TINSEL UNDERNEATH*. CITATEN UIT *PSYCHIATRISCH HANDBOEK*, PRIEST EN WOOLFSON.

'ER BESTAAT ZONDER TWIJFEL BIJ DE PATIËNT VAAK EEN BEHOEFTE OM AANDACHT TE KRIJGEN OF DE GEVOELENS EN HANDELINGEN VAN ANDEREN TE MANIPULEREN.' (POGING TOT ZELFMOORD.) 'EEN OVERDOSIS IS EEN MANIER OM PROBLEMEN NAAR BUITEN TE BRENGEN.'

DEGENEN DIE ZICHZELF DAADWERKELIJK DODEN, ZIJN 'MANNEN, VAKER OUD DAN JONG UIT HOGERE SOCIALE KLASSEN.' (ARME OUDE MANIPULATIEVE VOORNAME PIERS.)
DEGENEN DIE MISLUKTE POGINGEN ONDERNEMEN ZIJN DAARENTEGEN VAAK 'JONGE VROUWEN UIT DE LAGERE KLASSEN.' (ARME KIRSTIE.)
MAAR HAAR POGING MISLUKTE NIET. WAAROM NIET? WAS HET ECHT MAAR EEN 'POGING'? WILDE ZE ECHT DOOD?

'HET IS EEN MYTHE DAT DEGENEN DIE EROVER PRATEN, HET NOOIT DOEN.' IS DAT ZO?

KIRSTIE IS WEL HET MOEILIJKST TE PLAATSEN STUKJE IN DEZE PUZZEL. HET WAS EEN DOOR DE WOL GEVERFD, GEHARD MEISJE. WAAROM ZOU ZE ZELFMOORD PLEGEN? ALLEEN OMDAT ZE ZWANGER WAS? WAAROM GEEN ABORTUS? HEEFT ZE HET GEDAAN OM EEN ROL TE KRIJGEN? VOLGENS LOU BURNS WAS ZE EEN GEWILD SLETJE DAT HET NAAR HAAR ZIN HAD. GEEN WANHOPIGE NEUROOT.

ER KLOPT IETS NIET.

Hoofdstuk 23

1969

'O nee,' zei Caroline tegen het stukje papier naast de telefoon. 'Geen denken aan.'

Een uur later ging de telefoon. 'Caroline?'

'Ja, meneer Phillips. Met Caroline Hunterton spreekt u.'

'Ik had gebeld. Blijkbaar heb je de boodschap niet gekregen.'

'Jazeker,' zei Caroline.

'Dan heb je zeker nog geen tijd gehad om me terug te bellen?'

'Jawel,' zei Caroline, 'maar ik besloot niet te bellen.'

'Waarom niet?' Magnus klonk geamuseerd, zeker van zichzelf.

'Onze laatste afspraak is me niet zo goed bevallen.'

'Wat heb ik misdaan?' Hij klonk oprecht verbaasd. 'Volgens mij heb ik me als een keurige heer gedragen.'

'Meneer Phillips,' zei Caroline, 'u zult nooit een keurige heer worden.'

'Jammer hoor. Hoe dan ook, ik wil je iets vertellen. Ik vind dat je het moet weten.'

'Volgens mij wíl ik het niet weten.'

'Misschien wel.' Het bleef een tijd stil. Toen zei hij: 'Ik vind je verschrikkelijk aantrekkelijk. Je bent erg sexy en ik wil graag een verhouding met je beginnen.'

Caroline legde neer.

Een uur later belde hij weer. 'Ik zal het anders stellen. Zelfs ik kan begrijpen dat het niet netjes was. Ik wil je leren kennen en dán wil ik een verhouding met je beginnen.'

Caroline kon een glimlach niet onderdrukken. 'Dat zou een keurige heer ook niet zeggen.'

'Nou ja, je zei al dat ik er nooit een zal worden.'

'Dat klopt.'

'Heb je dan alleen verhoudingen met keurige heren?'

'Ik heb geen verhoudingen, meneer Phillips.'

Ze legde neer en liep naar de keuken om thee te zetten. Ze was in de war en vroeg zich af waarom het zo goed voelde. Toen ze de theebus wegzette, zag ze de pot Cooper's Oxford staan en voelde ze een raar soort spijt.

Veel later die avond belde hij weer.

'Magnus, toe...'

'Dat klinkt al veel beter dan meneer Phillips.'

'Waarom laat je me niet met rust?'

'Het spijt me, dat gaat niet. Nog niet. Weet je zeker dat je me niet beter wilt leren kennen?'

'Ja, heel zeker.'

'Ik heb je blijkbaar verkeerd ingeschat,' zei hij met zo'n diepe zucht dat ze weer moest glimlachen.

'Blijkbaar. Waarom dacht je dat ik belangstelling zou hebben?'

'O... verveling. Frustratie. Een zekere... ontvankelijkheid.'

'Dat heb je totaal mis,' zei Caroline en ze hoopte dat ze overtuigend klonk.

'Jammer. Is Joe bij je?'

'Nee.'

'Woont hij niet bij je?'

'Ja, natuurlijk wel.'

'Maar nu is hij er niet?'

'Doordeweeks meestal niet,' zei ze en ze kon zich wel voor haar hoofd slaan. Wat een ontzettend domme opmerking.

'Hm,' zei hij, 'dat moet wel een hartstochtelijke relatie zijn.'

'Meneer Phillips, ik ben niet van plan mijn relaties met u te bespreken.'

'Zelfs niet de onze?'

'Wij hebben geen relatie.'

'Aha. Wil je me dan één ding vertellen?'

'Waarschijnlijk niet.'

'Wat heb ik de laatste keer voor verschrikkelijks gedaan?'

'Daar wil ik het niet over hebben.'

'Ik heb je zeker kwaad gemaakt door over Piers Windsor te praten. Het spijt me. Ik ben niet erg... tactvol.'

'Ik denk eerlijk gezegd,' zei ze, 'dat er meer achter zat.'

'Nee, dat is niet waar. Maar je hebt recht op je eigen mening.'

'Ik krijg het gevoel dat u eigenlijk alleen informatie van me wilt. Voor die verschrikkelijke verhalen van u.'

'Ze zijn niet allemaal verschrikkelijk. En je beoordeelt me verkeerd.'

'Ik denk het niet. Adieu, meneer Phillips.'

Drie dagen later stond ze haar paard af te zadelen na een bijzonder aangename jachtpartij, toen ze voor het huis een luid geronk hoorde.

'O nee,' zei ze.

Toen ze de hal binnenliep, vertelde mevrouw Conway, de schoonmaakster, Magnus Phillips dat ze nog niet terug was. Ze was zich er sterk bewust van hoe ze eruitzag, haar gezicht zat onder de modder en haar witte rijbroek zat vol vieze vegen; haar haren hadden onder haar cap gezeten en plakten tegen haar hoofd.

'Je ziet er geweldig uit,' grijnsde Magnus.

'Dank je. Ik ga in bad. Mevrouw Conway zal wel thee voor je zetten. Mevrouw Conway, ik denk dat meneer Phillips ook wel wat toast wil, met marmelade.' Onwillekeurig, geheel tegen haar zin, glimlachte ze naar hem. Ze had altijd bewondering gehad voor volharding.

'Neem nog wat wijn.'

'Nee, dank je. Ik moet naar huis.'

'Ik vond het erg gezellig vanavond.'

'Ik ook. Dank je.'

'Zullen we nog eens afspreken?'

'Nee.'

'Waarom niet?'

'Dat weet je best. Vooral vanwege Joe. De andere redenen ken je ook.'

'Caroline, ik zweer je dat ik nooit meer zal proberen je uit te horen. Ja, ik vroeg me inderdaad af of je die Patrick had gekend. Dat was echter niet mijn belangrijkste reden om naar je toe te komen. Ik had echt je hulp nodig bij dat stuk. Het kan me geen zak schelen met wie Piers Windsor het doet of wat iemand daarover te zeggen heeft. Ik heb gewoon ontzettend veel zin in je. Ik vind je prachtig en wil je... beter leren kennen.' Opeens stak hij zijn hand uit en streelde haar wang. Carolines lichaam reageerde acuut en ze zette zich schrap. Hij voelde het en glimlachte.

'En jij?'

'Dat weet je. Vanwege Joe.'

'Volgens mij is daar weinig van over,' zei hij. 'Een goede gewoonte. Het leven is te kort om je te beperken tot gewoonten, vooral als het goede gewoonten zijn.'

Caroline zei dat hij zich vergiste.

Hij was niet onder de indruk.

'Je begrijpt het gewoon niet. En nu moet ik echt naar huis. Het was heerlijk – wás. Je gaat toch niet meer naar Londen, op die barrel?'

'Die barrel is toevallig wel mijn grote liefde. Ja, ik ga terug, tenzij jij iets gerieflijkers weet.'

'Toe nou, Magnus,' zei Caroline, 'ik meen het. Hier blijft het bij.'

'Wil je dan helemaal niet meer van me weten?'

'Nee,' zei ze en ze wist dat hij door de leugen heen prikte.

Die nacht kon ze niet slapen. Ze dacht aan Joe en aan wat Magnus had gezegd. Dat het alleen nog een gewoonte was.

Er was veel meer. Tederheid, genegenheid, dankbaarheid. En een goed werkende relatie. Ze vielen elkaar niet lastig, stelden weinig eisen. Gaven elkaar misschien ook niet veel meer. Maar ze voelden zich er goed bij. Zij kon in Suffolk blijven wonen en haar plattelandsleven leiden, terwijl hij in Londen kon wonen; ze zagen elkaar wanneer het zo uitkwam. Het was vredig, ideaal eigenlijk.

Ze was nog steeds erg gek op Joe. En ze wist dat hij gek was op haar. Het kwam nog steeds voor dat ze naar hem keek, naar dat charmante chaotisme van hem, dat lange, slonzige lijf, die trage glimlach, en dat ze weer helemaal overdonderd werd. Dan wilde ze hem weer helemaal. Maar dat kwam niet vaak meer voor. Ze kon zich niet herinneren wanneer ze voor het laatst hadden gevreeën. Maanden geleden. Dat was jammer. Ze kon zich opeens scherp voor de geest halen hoe fijn het was geweest en vroeg zich af wat er was gebeurd. Maar als hij afstand had genomen, dan gold dat zeker ook voor haar. Ze leken er geen van beiden mee te zitten. Ze waren er niet boos over. Ze hadden gewoon andere dingen aan hun hoofd.

Maar toch was het te mooi om af te danken. Ze zou Magnus niet meer zien.

Hij kwam nog twee keer naar Suffolk om haar mee uit eten te nemen. Nodigde zichzelf op een zondag uit in Moat House toen Joe weg was. Tijdens een etentje in de week erop vertelde hij haar dat het leven te kort was voor verder gevlei en dat hij met haar naar bed wilde. Anders was het afgelopen.

'Er is nooit iets begónnen,' zei Caroline koel en ze liep het restaurant uit. Ze was een paar dagen van slag. Toen belde hij op.

'Ik weet niet hoe het met jou zit, maar ik wil nog wel iets meer tijd investeren. Zullen we morgen iets gaan eten?'

'Dat gaat niet. Ik ga niet naar Londen.'

'Ik kom wel naar Suffolk. Op mijn motor.'

Na aankomst was hij smerig en bezweet. Met een grote grijns haalde hij een geplette bos rode rozen uit zijn leren jack. Caroline voelde zich zwak.

'Ik wil voor het eten even douchen.'

Ze liep met hem naar boven. 'Dit was vroeger mijn badkamer,' zei ze. 'Hier ben ik ontmaagd.'

'Laat mij je dan nu weer ontmaagden.'

'Je kunt niet twee keer worden ontmaagd.'

'Jawel. Een vastgeroest huwelijk is net zoiets als de maagdelijke staat. Daar kun je uit bevrijd worden. Dat heb ik helemaal zelf bedacht.'

'Nee, dank je,' zei Caroline. 'In elk geval niet hier. Te ongerieflijk.'

'Caroline, seks hoort niet gerieflijk te zijn. Geen wonder dat je zo gefrustreerd overkomt.'

Caroline liep de badkamer uit.

Die avond drong hij niet aan. Hij trakteerde haar op een maaltijd, vertelde haar dat hij in jaren niet zo'n sexy vrouw had ontmoet als zij, praatte over het boek dat hij aan het schrijven was over een Amerikaanse ballerina – 'dus níet over Piers, niet eens over Hollywood. Je zou me echt iets meer moeten vertrouwen.' De danseres, zei hij, zag er goddelijk uit, zweefde als distelpluis over het toneel. Na een voorstelling ging ze naar huis en gaf ze zich over aan triotjes, met een jongen en een meisje. Ze snoof ook cocaïne. En ze had al jarenlang een verhouding met haar vader. Ondertussen lag de wereld aan haar voeten en nodigden presidenten en premiers haar op hun feestjes uit.

'Het klinkt als een walgelijk boek.'

'Dat verkoopt. Maar nu moet ik gaan, want ik moet nog een artikel schrijven. Ik zal je morgenochtend bellen. Waarom zie je niet wat goed voor je is?'

Luid ronkend reed hij weg door de zachte nacht. Ze bleef achter met het zeurderige gevoel dat ze een kans had laten schieten.

Ze deed haar uiterste best Joe trouw te blijven. Hij was de laatste tijd wat gedeprimeerd en daardoor afstandelijker dan normaal. Hij had zelfs al ruim een maand geen weekend meer in Suffolk doorgebracht.

Magnus had haar gevraagd hem te bellen als ze van gedachten veranderde.

'Ik wil graag met je afspreken,' zei ze.

'En als ik dat nou eens niet meer wil?' vroeg hij.

'Dat overleef ik ook wel.'

'Kom vanavond maar naar mij toe.'

'Nee, ik ga niet naar Londen. Kom jij maar weer naar Suffolk.'

'Goed, maar dan wil ik het met je doen in je oude badkamer.'

'Dat is goed,' zei Caroline, die slap en nat werd bij de gedachte.

'Het is niet alleen seks,' zei ze toen ze na afloop zwak en bijna huilend van genot en voldoening achterover lag. 'Dat is niet de enige reden waarom ik bij je wil zijn.'

'Goh. Waarom dan nog meer?'

'Ik weet het niet. Bij jou voel ik me... slim.'

'Je bent ook slim.'

'Weet ik. Ik denk dat ik het was vergeten.'

Hij was zeven jaar jonger dan zij – net veertig. Hij was ongelooflijk intelligent en kon haar overal van overtuigen. Hij kwam uit een arbeidersmilieu; zijn vader was vrachtwagenchauffeur geweest. 'Maar wel een zeer belezen vrachtwagenchauffeur, een autodidact; hij droomde ervan dat ik advocaat zou worden. Dat wilde hij graag. Of rechter. Minder was niet goed genoeg. Hij had de dag van zijn leven toen ik toelatingsexamen deed voor het middelbaar onderwijs. De op één na mooiste dag van zijn leven was toen ik ging studeren in Bristol.'

'En hoe voelde hij zich toen je eerste ranzige artikel van de pers rolde?' vroeg Caroline scherp.

'Toen was hij al dood,' zei Magnus kortaf. 'Een kettingbotsing op de M1 in de mist.'

'Het spijt me.'

'Dat speet mij ook.'

Caroline was boos op zichzelf om haar botte opmerking. Hoe kon ze dat goedmaken?

'Maar eerlijk gezegd,' zei hij, 'heb je gelijk. Hij zou erg teleurgesteld zijn.'

'En je moeder?'

'Gestorven toen ik vijftien was. Kanker.'

'Dus was je alleen met je vader?'

'Ja, en hij was er niet vaak. Altijd aan het werk.'

'Moeilijk voor je,' zei Caroline voorzichtig.

'Erg moeilijk. Maar ik ben er wel zelfstandig van geworden.'

'Dat moet bijna wel.'

Hij had Engels gestudeerd, was summa cum laude afgestudeerd. Toen was hij naar Londen verhuisd en had hij een baan gekregen bij de *Daily Sketch*.

'Ik ben precies de man die jullie zoeken,' had hij tijdens zijn sollicitatiegesprek tegen de hoofdredacteur gezegd. 'Ik ben een liberaal die links stemt, een arbeider met een opleiding. Ideaal dus.'

De hoofdredacteur had zich geërgerd aan zoveel arrogantie, maar omdat hij het wel met hem eens was, werd Magnus aangenomen.

Hij was een briljante verslaggever, kon iedereen een verhaal ontfutselen. Hij was meedogenloos, kende geen scrupules. Hij kon het grootse middelmatig doen lijken en het oprecht goede een zweem van huichelachtigheid geven. Niemand kon een citaat zó compleet verdraaien; niemand kon een onschuldige opmerking zo aanvullen dat het een doodsklok werd.

In zijn vrije tijd speelde hij squash met een verbetenheid die zijn tegenstanders angst aanjoeg en reed hij op zijn motor met 150 kilometer per uur over de snelweg. Hij zei dat het hem ongeremder maakte.

Vrouwen vonden hem ongenietbaar óf onweerstaanbaar, soms allebei tegelijk. Hij verspilde weinig tijd met mooie woorden of tedere gebaren. Zijn benadering van Caroline was typerend.

Hij vertelde haar dat hij zijn tijd had afgewacht. 'Ik wilde je meteen al. Toen ik op de bruiloft bij je aan tafel zat, had ik een stijve. Zelfs tijdens die slappe speech van Piers. Maar ik wist dat ik er niets mee opschoot. Zelfs niet bij Pandora's doopfeest. Je zag er nog steeds iets te tevreden uit. Dus heb ik gewacht. Daar ben ik goed in,' zei hij met een grijns.

Naarmate de tijd verstreek, begon ze hem aardiger te vinden. Hij hield er een merkwaardige verzameling normen en waarden op na, streng en objectief, maar wel consequent, en hij was extreem eerlijk. Hij zat er absoluut niet mee dat zijn verhalen levens ontwrichtten. Hij zag er – zei hij – geen kwaad in. Hij wachtte mensen op, luisterde gesprekken af, won het vertrouwen van buren, leraren en vrienden van zijn slachtoffer en voelde zich er helemaal niet bezwaard over.

'Heb je dan nooit medelijden?' had Caroline in het begin verbluft gevraagd.

'Niet echt,' zei hij grijnzend. 'Als mensen zich in de nesten werken, verdienen ze het eruit geschoten te worden. Als ze iets verbergen, hebben ze daar een reden voor – meestal geen goede.'

'Maar Magnus, denk aan de kinderen, de ouders...' Ze dacht aan Brendan.

'Caroline, mensen moeten zélf aan hun kinderen en ouders denken voordat ze iets immoreels of doms doen. Ik kan niet verantwoordelijk worden gehouden voor het onverantwoordelijke gedrag van anderen.'

Stukje bij beetje ontdekte ze meer over hem. Hij was getrouwd geweest met een medestudente en was na een paar jaar van haar gescheiden. 'Dat ze mij veroordeelde, kon ik haar wel vergeven, maar niet dat ze me verveelde.' Vervolgens had hij lange tijd met een ander meisje samengewoond. Waarop die relatie stuk was gelopen, werd niet helemaal duidelijk. 'Het ging gewoon niet meer.' Later kwam ze erachter dat het meisje er maandenlang een relatie naast had gehad. Caroline vermoedde dat het Magnus meer dwarszat dat hij was belazerd dan dat hij haar aan een ander was kwijtgeraakt. Daarna had hij verschillende los-vaste relaties gehad.

'En nu met jou. Erg prettig.'

Ze waren uit eten in Londen. Joe zat in Amerika.

'Ik ben niet eens los-vast, Magnus. Ik ben zo goed als getrouwd. Verliefd,' ze voelde hoe ze over haar woorden struikelde, 'op de man met wie ik samen-woon.'

'Onzin.'

'Enne, kinderen?'

'Hoe bedoel je?'

'Had je geen kinderen willen hebben?'

'Nee, niet echt. Ik vind kinderen vervelend. Ik hoef mezelf niet zo nodig voort te planten. Ik wil in een relatie graag de volle aandacht en met kinde-ren gaat dat niet. Vertel eens wat over jouw kinderen. En waarom hebben Joe en jij eigenlijk geen kinderen?'

'Zo'n soort relatie is het nooit geweest.'

'Heel verstandig. Vertel dan maar over de anderen.'

Ze vertelde hem over William. En over Chloe, Toby en Jolyon.'

'En waarom was je met die slaapverwekkende graaf getrouwd?'

Opeens was Caroline razend. 'Heb niet het lef om zo over William te pra-ten. Ik hield heel erg van hem. Welterusten.'

Hij keek gelaten toe terwijl ze het restaurant uit liep.

Zij reed trillend van woede naar Joe's huis.

De volgende ochtend ging om zes uur de telefoon. Het was Magnus.

'Het spijt me ontzettend dat ik je beledigd heb.'

Ze zei niets.

'Mag ik binnenkomen?'

'Waar ben je?'

'Om de hoek.'

Ze zuchtte. Precies het soort gedrag waar ze geen weerstand tegen kon bie-den. 'Ja, best.'

Toen hij binnenkwam, zag hij er bijna beschroomd uit. Hij was onge-schoren en vreselijk smerig.

'Ik heb de afgelopen drie uur rondgereden op mijn motor, even naar Brighton heen en weer.'

'Je bent gek.'

'Weet ik. Mag ik douchen?'

'Ja, prima.'

'Kom je ook?'

'Geen denken aan.'

Ze stonden samen onder de douche. Terwijl het water over hen heen stroom-de, hield hij haar vast en kuste haar. Het was anders, zacht.

Hij duwde haar naar beneden; ze knielde onder de warme waterval. Hij knielde voor haar.

'Lieve, lieve Caroline,' zei hij en hij duwde voorzichtig haar benen uit elkaar.

Ze voelde hoe hij in haar kwam. Ze raakte in de war van het water, ze voelde zich vreemd, vervreemd van zichzelf, zich er alleen van bewust dat zijn penis in haar drong, dat haar vagina hem met zoet, speels genot verwelkom-de. Ze ging op hem zitten en bewoog op en neer. Ze kwam snel tot een intens hoogtepunt. Hij deed er langer over. Hij zat geknield en duwde zich in haar, steeds harder, steeds dieper. Toen hij klaarkwam, kwam zij weer; schreeuwend van genot volgde ze hem.

Het water werd koud; ze wikkelden zich in handdoeken en zaten in de keuken koffie te drinken. Ze vroeg zich af hoe ze dit kon doen, in Joe's huis. Ze was geschokt over haar eigen gedrag.

'Caroline, het liefst zou ik nu allerlei dingen tegen je zeggen,' zei Magnus. Hij duwde haar natte haar naar achteren.

'Niet doen,' zei Caroline, 'alsjeblieft. Het is te gevaarlijk.'

Maar nog steeds had ze hem niets over Brendan of Fleur verteld.

Het was te kostbaar, te geheim, te veel van haar. Bovendien vertrouwde ze hem niet helemaal. In meerdere opzichten.

Hoofdstuk 24

Fleur vroeg zich af wat Piers' fans van hem zouden vinden als ze hem nu konden zien: hij lag op zijn rug met zijn mond open en maakte zeurderige snurkgeluiden, terwijl er een straaltje speeksel uit zijn mondhoek sijpelde. Zijn haar, dat prachtige haar met gouden strepen, zat in de war; Fleur zag met grote interesse dat zijn haarwortels een paar tinten donkerder waren, of grijs. Niet bepaald een Romeo, eerder Romeo's vader.

Ze draaide zich om, omdat ze niet over hem wilde nadenken, laat staan over wat zij hier deed, in het enorme bed in zijn suite in het Algonquin. Ze vroeg zich af of ze nu zou toeslaan, vandaag, vanochtend, als hij wakker werd. Of ze hem zou overvallen, het hem zou vragen. Misschien was een subtielere benadering toch beter. Die aanpak begon echter te vervelen. Ze was nu al bijna een jaar bezig en ondanks al haar moeite bleef hij bij zijn verhaal dat hij voor 1959 nooit in Hollywood was geweest. Natuurlijk was het niet echt een jaar; dit was hun vierde afspraak. En op een lang weekend in Californië na waren het enkele overnachtingen. Zelfs het lange weekend was geen heel weekend geweest. Ze had het wel interessant gevonden dat hij geen hotel in LA had gewild, maar haar zo snel mogelijk had meegenomen naar Catalina Island, naar het geweldige, victoriaans aandoende Glenmore Plaza. Vervolgens had hij haar daar ruim een dag alleen achtergelaten, alleen gezegd dat hij weg moest voor zaken, maar dat hij terug zou komen. Ze had het niet echt erg gevonden, maar wel irritant; het sloeg een flink gat in het weekend.

Als het allemaal maar wat leuker was, zou ze het minder erg vinden. Nigel was tenminste gul geweest en had gevoel voor humor. Piers niet. Hij was niet echt een vrek; hij zat altijd in dure hotels en bestelde de beste champagne op de kaart. En zo te zien besteedde hij een vermogen aan zijn kleren, maar hij gaf haar nooit cadeautjes, alleen bloemen, soms een sjaal. En gevoel voor humor had hij zeker niet. Piers' idee van een grap was een langdradig toneelverhaal over iemand die een fout had gemaakt.

Hij was een waardeloze minnaar; ze had nooit medelijden willen hebben met Chloe, maar nu voelde ze het bij vlagen als ze eraan dacht hoe klein en onbevredigend Piers' kleine penis was. Of hij kwam vrijwel onmiddellijk klaar of het duurde een eeuwigheid, waarbij hij evenveel variatie en fantasie liet zien als een vrachtwagen op de snelweg. In beide gevallen keek hij haar na afloop zielstevreden aan en zei hij dat hij hoopte dat ze net zo had genoten als hij. Hij was beter in het voorspel, vooral in zoenen – Fleur nam aan dat hij de nodige trucs van zijn tegenspelers had opgepikt – praatte veel in bed, zowel van tevoren als na afloop. Waarschijnlijk was dat wel leuk als je hem mocht. Het was erg poëtisch en vleiend. Fleur vond het maar irritant.

Ze had hem aan de praat gekregen over Chloe; blijkbaar vond hij haar als vrouw saai en onbevredigend. 'Natuurlijk ben ik gek op haar, maar ze is zo jong en onervaren. De arme schat heeft grote moeite met de sociale kant van mijn leven. En ze begrijpt mijn werk niet echt; dat kan ook niet en dat is helemaal niet erg. Maar bij jou, Fleur, heb ik het gevoel dat je begrijpt wat ik wil doen, al kennen we elkaar nog maar kort. Met deze film, bijvoorbeeld. Dat vind ik erg spannend.'

Hij was duidelijk gek op zijn kinderen, althans op Pandora. 'Dat zul je misschien niet begrijpen en het is verschrikkelijk dat ik haar met jou bespreek, maar ze is zo verschrikkelijk mooi en zo intelligent, zo ongelooflijk gevoelig voor haar leeftijd. Ik ben zo trots op haar.'

Fleur vond het vreselijk saai, maar de verhalen over Chloe waren fascinerend, zelfs over haar uiterlijk. 'Ze is echt erg knap, op zo'n frisse, Engelse manier, compleet onbedorven, daarom werd ik verliefd op haar. Niet echt gevoel voor de juiste kleding, de arme schat, maar dat komt nog wel. De huizen bestiert ze juist weer geweldig; we hebben zo'n lief huisje in Londen. En dan natuurlijk mijn landhuis. Dat heb ik al jaren en dat is veel meer míjn huis, maar zelfs dat kan ik haar toevertrouwen...'

Al even fascinerend vond ze zijn seksuele voorkeuren. Haar eerste indruk dat hij homofiel was, bleek niet geheel juist. Ze was ervan overtuigd dat hij sterk homofiele neigingen had, maar het leed geen twijfel dat hij ervan genoot met haar te vrijen. Hoewel hij niet erg goed was in bed, raakte hij gemakkelijk verschillende keren achter elkaar opgewonden – niet gek voor zo'n ouwe lul, dacht Fleur. Hij hield van strelen, zoenen en zelfs van knuffelen. Dat was het enige wat hem voor haar innam. Waarschijnlijk zou een psycholoog het allemaal kunnen terugvoeren op zijn jeugd en zijn geliefde moeder. Bij gebrek aan beter las ze pseudomedische tijdschriftartikelen over homo's en biseksuelen en concludeerde dat hij waarschijnlijk bi was.

Ze kreeg een steeds grotere hekel aan hem, aan zijn ijdelheid, zijn verwaandheid en zijn egocentrisme. Hij had ook goede eigenschappen: hij was goedmoedig, aardig en kon diepzinnig overkomen. Maar zijn fouten waren in de meerderheid. Nou ja, alsof zij zo volmaakt was. Tijdens deze nachten moest ze altijd ontzettend aan Reuben denken. Nu had ze een geweldige seksuele relatie met iemand van wie ze hield, en nog ging ze – om een of andere dubieuze persoonlijke reden – als het zo uitkwam met een ander naar bed. Ze moest ermee kappen, besloot Fleur, en snel ook, voordat er brokken van kwamen, voordat ze Reubens hart brak en haar zelfrespect kwijtraakte.

God, wat duurde deze nacht lang. Ze zag op haar horloge, Nigels horloge, dat het pas drie uur was. Morgen was een belangrijke dag: ze ging op gesprek. Een headhunter had haar benaderd namens Browne Phillips Ivy, een van de meest prestigieuze middelgrote bureaus in Manhattan. Het was voorgesteld als een kennismakingsgesprek, maar ze wist wat dat betekende: we willen je binnenhalen. Steeds als ze daaraan dacht, voelde ze zich licht in haar hoofd, geprikkeld, gewaardeerd. Fleur had die waardering hard nodig; haar laatste confrontatie met Joe had haar eigenwaarde geen goed gedaan.

Toen ze wakker werd, was het nog donker. Gelukkig maar. Ze was altijd bang dat ze haar vergaten te wekken. Ze keek op de klok: halfzes. Waar was ze wakker van geworden? Ze draaide zich om. Piers lag niet langer in bed. Ze hoorde hem rondlopen in de badkamer en toen hoorde ze dat de telefoonhoorn voorzichtig werd opgepakt. Fleur ging half overeind zitten, opeens klaarwakker.

Ze kon niet het hele gesprek volgen, durfde niet het tweede toestel te gebruiken, maar wat ze hoorde, was zo interessant dat al haar geduld, al haar moeite in één klap werden beloond. Om halfnegen nam ze afscheid en ging vol goede moed naar haar afspraak bij Browne Phillips Ivy. Deze dag kon niet meer stuk.

'U heeft een uitstekende staat van dienst, mevrouw FitzPatrick. Erg fraai, zeker gezien uw leeftijd. En dat in vijf jaar.' Chuck Laurence leunde glimlachend achterover in zijn stoel. Hij was een van de creatieve groepshoofden bij Browne Phillips Ivy, maar leek niet bijster op Mick diMaggio. Hij was meer van het type Nigel: Engelse voorouders, oud geld, maar minder chic en gladjes. Hij was lang en nogal slungelig, met keurig bruin haar en felblauwe ogen.

'Zeer fraai. Vooral wat u heeft gedaan voor T. & J. Stores. Wij hebben een vergelijkbaar account, zoals u weet. Uw cosmeticawerk is ook interessant. Maar vertel eens, waarom wilt u weg bij Silk diMaggio? De samenwerking is duidelijk een succes.'

'Ach, je moet verder,' zei Fleur. 'In de reclame is zes jaar vrij lang. Ik vind het er heerlijk, maar mijn voeten jeuken. Toen jullie belden, of toen Macphersons belde, was dat net het duwtje dat ik nodig had, en in de goede richting. En daar ben ik dan.'

'Daar ben ik blij om. Maar luister: ik moet het intern bespreken en dan kom ik erop terug. Fijn dat u bent gekomen.'

'Mooi, bedankt voor uw tijd.'

Diezelfde dag nog belde hij haar om te vragen of ze wilde terugkomen voor een gesprek met Baz Browne. Ze móest het Poppy vertellen; het was zo spannend.

'Tjee,' zei Poppy, 'Baz Browne! Je gaat het maken. Fleur.'

'Lijkt me wel,' zei Fleur.

'Ik heb ook nieuws,' zei Poppy. 'Ik ga trouwen.'

Poppy's verloofde leek in de verste verte niet goed genoeg voor haar. Hij heette Gill Hillman. Hij was aantrekkelijk, lang, joods en grappig, maar dat waren dan ook zijn enige goede eigenschappen, voor zover Fleur kon beoordelen. Hij was vaak somber en had soms een verschrikkelijk humeur. Zijn middelgrote advocatenkantoor in Manhattan presteerde niet geweldig. Fleur begreep wel waarom. Als zij iemand een vermogen betaalde om haar problemen op te lossen, zou ze willen dat hun besprekingen aangenaam verliepen. Misschien deed hij voor cliënten meer moeite dan voor haar, maar haar gaf hij bij elk gesprek het gevoel dat ze dom was. De zin 'Ik vrees dat je niet begrijpt waar het om gaat' lag hem op de lippen bestorven. Het was duidelijk dat hij Fleur niet mocht. Mogelijk was hij jaloers op de aandacht die Poppy haar gaf. Ook deed hij weinig moeite te verbergen dat hij Reuben maar een paljas vond. Toen Fleur daar met Reuben over praatte, haalde hij zijn schouders op en zei hij, gelijkmoedig als altijd, dat Gill een beetje een superieure klootzak was, maar dat Poppy van hem hield. Dus moest hij wel deugen.

'Ik hoef niet met hem te trouwen,' zei hij met zijn liefste glimlach.

Mevrouw Blake stond duidelijk ook niet te springen van vreugde. Gill deed moeite om aardig tegen haar te zijn, maar ze zei tegen Fleur dat ze het vrij moeilijk vond om met hem te praten. Fleur vond dat heel opmerkelijk uit de mond van Reubens moeder. 'Maar Poppy houdt van hem, dus zal het vast allemaal goed komen. Ze is erg verstandig.'

Poppy was gek op Gill. Op een wijnovergoten avond bracht ze Fleurs angsten ter sprake: 'Ik weet dat jullie hem nogal moeilijk vinden. Dat is hij ook. Daarom hou ik juist zo van hem. Hij heeft me nodig. Hij doet lomp omdat hij verlegen en onzeker is. Hij weet dat hij weinig charmant is. Maar als hij ontspannen is en we met z'n tweetjes zijn, is het een schatje.'

Fleur herinnerde zich dat Gill haar had vertelde dat ze niets had begrepen van *Midnight Cowboy*, de film die ze de avond ervoor met z'n allen hadden gezien, laat staan van de Vietnam-oorlog, en ze probeerde Poppy te geloven.

'Dat is mooi,' zei ze een beetje onzeker.

'En hij is gek op me. Ik zal je nog iets vertellen, Fleur. Hij is geweldig in bed. Ik heb nog nooit zo lekker gevreeën. Echt.'

'Kijk, nu kom je met argumenten,' zei Fleur.

Ze wist niet wat ze kon doen met de informatie die ze die ochtend had gehoord toen Piers aan de telefoon was, ze wist alleen dat het belangrijk was, waardevol. Het waren maar flarden, gedempt door de tussenmuur. Hij had een gesprek gevoerd met een of andere Zwirn (zoveel mensen konden er niet zijn met die naam). Ze wist niet waar hij naartoe had gebeld, alleen dat het binnen Amerika was. Hij had liefdevol geïnformeerd naar iemand anders en de hoop uitgesproken snel te kunnen komen (wáár te komen?). Het belangrijkste was wel zijn belofte om 'de toelage te verhogen'. Ze borg het op in haar geheugen en herkauwde het twee of drie keer per dag, tevreden dat ze eindelijk iets waardevols had gehoord.

Browne Phillips Ivy bood haar de functie van senior copywriter aan voor drie accounts, met een salaris van 35.000 dollar per jaar. Fleur haalde diep adem en zei dat ze een bod onder de 40.000 niet in overweging kon nemen. Ze was de hele ochtend misselijk, totdat ze belden om te vertellen dat ze akkoord gingen, maar dat ze er hard voor zou moeten werken. Fleur zei dat ze daarvan uitging en liep naar Mick om haar ontslag in te dienen. Ze wist dat ze beter kon wachten tot ze het contract had, maar ze vertrouwde BPI en wilde het moeilijkste deel achter de rug hebben. Wat het vooral zo moeilijk maakte, was dat Mick zo aardig was. Hij was duidelijk van streek en vertelde dat ze haar vreselijk zouden missen en dat hij echt niet wist wat Julian Morell zou zeggen. Hij had wel verwacht dat ze voor zichzelf ging beginnen, maar niet dat ze voor de concurrentie ging werken. Ze zei dat ze inderdaad voor zichzelf wilde beginnen, maar dat ze eerst nog wat meer ervaring moest opdoen.

Nigel was niet zozeer van streek als wel geïrriteerd. Op haar laatste werkdag trakteerden Mick en hij haar op een geweldige lunch in de Four Seaons. Ze kwamen allemaal behoorlijk aangeschoten terug en gingen op kantoor vrolijk door met drinken. Fleur had voor een vermogen aan champagne gekocht. Ze was van plan haar salarisverhoging te investeren in een nieuw appartement. 'Ik woon hier heel graag,' zei ze verdrietig tegen Mary, 'maar het is erg vaak nogal ongerieflijk, vooral als het heel koud of heel heet is. Zo'n bovenverdieping aan Central Park lijkt me helemaal te gek.'

Mary omhelsde haar, voor zover haar zwangerschap het toeliet, en zei dat ze hoopte dat Fleur zich niet te verheven zou voelen om af en toe op bezoek te komen.

'Mary,' zei Fleur met iets van pijn in haar stem, 'jullie zijn mijn familie. Probeer me maar eens buiten de deur te houden.'

Ze belde Rose Sharon in Los Angeles. De werkster vertelde dat ze aan het filmen was op locatie en de eerste drie maanden niet terugkwam, maar dat ze zou vragen of mevrouw Sharon terug wilde bellen.

'Dank je,' zei Fleur en ze legde ontmoedigd neer. Ze was nogal teleurgesteld in Rose. Ze had niets meer laten horen over dat kindsterretje, Lindsay Lancaster. Ze had niets meer laten horen, punt. Ze zou het wel erg druk hebben. En waarschijnlijk vond ze het niet erg belangrijk.

Soms kwam Fleur bijna in de verleiding de moed op te geven. Ze had het druk, was carrière aan het maken, ze was gelukkig. En het was zo'n oud, dood spoor. Het ging allemaal zo tergend langzaam; niet zo vreemd als je bedacht dat zij het in haar eentje deed, dat ze het opnam tegen de hele wereld. Wat schoot ze ermee op? Ze haalde alleen maar oude wonden open. Maar dan herinnerde zich ze weer, even scherp als altijd, die woede die ze had gevoeld bij het bericht over de dood van haar vader. Over de manier waarop. Dan las ze het knipsel uit *Inside Story* voor de zoveelste keer, keek ze naar het mooie, lachende gezicht van haar vader en herinnerde ze zich hoe hij vroeger was – heel anders dan *Inside Story* beschreef, en hoeveel ze van hem had gehouden. Dan wist ze dat ze hem niet kon verraden door alles bij het oude te laten. Ze moest het ranzige verhaal over hem zien te ontzenuwen. Hij verdiende beter. Als zij het niet deed, deed niemand het.

Browne Phillips Ivy was heel anders dan Silk diMaggio: groter, ouder, formeler, minder leuk. Het hogere management was écht hoger, verheven boven de andere afdelingen. Het idee dat iemand zo het kantoor binnenliep en over je schouder keek, zoals Nigel altijd deed, was belachelijk. Niemand kende elkaars voornaam en toen Fleur aan Baz Browne en Col Ivy werd voorgesteld, spraken ze haar aan als mevrouw FitzPatrick. Ze wist dat ze dat voorlopig zouden blijven doen. BPI was geen reus, zoals een JWT of een Ogilvy, maar het was een groot bureau aan Madison Avenue dat veel aanzien genoot. Het kantoor was soberder dan Silk diMaggio. De mensen van accounts vormden een uiterst conservatief front, droegen donkere pakken, werkten keihard en hadden ieder een eigen kantoor. De creatieven hoefden niet te denken dat ze hun gang maar konden gaan. Integendeel: ze hadden te maken met budgetten, marktonderzoek en media. Fleur vond het geweldig. Ze had de kloof tussen accountmanagement en creatieve mensen nooit begrepen. Het was haar stokpaardje.

De werkwijze was nogal een cultuurschok voor Fleur, maar ze wist dat werken voor een groot beursgenoteerd bureau niet alleen goed was voor haar loopbaan, maar dat ze hier ervaring zou opdoen met geheel nieuwe aspecten van het reclamevak

Ze kreeg drie accounts: Morton's, een keten van goedkope kledingwinkels, Stobbs, een kleine uitgeverij die gespecialiseerd was in salontafelboeken, en Pettit's, dat met Petfoods streed om het marktleiderschap in diervoeding.

Ze werkte samen met twee artdirectors, die ze geen van beiden erg goed vond. Ricky Pentry zat op Morton's en Pettit's en Julia Miller deed Stobbs. Omgekeerd vonden ze haar aardig en leken ze ontzettend blij dat ze in hun team kwam. Op haar eerste werkdag namen ze haar mee uit lunchen en vertelden ze dat Sol Morton een vreselijke man was – 'zowel op kantoor als privé,' zei Julia somber – dat Dick Rankin, de marketingdirecteur van Pettit's, het bureau in het algemeen en hun groep in het bijzonder leek te zien als zijn eigen kantoor in New York, en dat Bernard Stobbs de aardigste man van Manhattan was, maar dat je aan hem evenveel had als aan een 'steigerbouwer met hoogtevrees'.

'Het groepshoofd wil over geen van hen kritiek horen,' zei Julia. 'Wees gewaarschuwd.'

'Ik ben gewaarschuwd,' zei Fleur.

Ze maakte kennis met Sol Morton. Hij was Joods, klein en stevig (maar niet dik), met donker haar. Hij droeg een enorme hoeveelheid gouden juwelen en rookte op elk moment van de dag grote sigaren. Hij was agressief, grof, defensief als het om zijn winkels ging – en had een geweldig gevoel voor humor. Fleur mocht hem meteen.

'Nou,' zei hij, terwijl hij haar van top tot teen bekeek, 'ik kan wel zien dat jij nooit in mijn winkels komt.'

'Jazeker wel,' zei Fleur beheerst, 'ik kom er heel vaak.'

'Sinds je op dit account bent gezet, zeker.'

'Nee hoor, lang voordat ik van het account wist.'

'O ja? Wat heb je er dan gekocht?' Zijn zwarte oogjes schoten cynisch heen en weer.

'Tasjes.'

'Wat voor tasjes?'

'Van die geweldige kleine schoudertasjes. Die gewatteerde tasjes die zo aan Chanel doen denken. En zijden overhemden.'

'Hoe heb je over Morton's gehoord? Onze advertenties?'

'Nee,' zei Fleur. Ze haalde diep adem en keek nerveus naar Chuck Laurence. 'Een vriendin heeft me getipt.'

'Hm, dat zegt genoeg over jullie advertenties, Chuck. Ik wil je wel vertellen dat ik die nieuwste campagne vreselijk vind. Foto's van vrouwen in plastic zakken: toe nou! Ik wil dat mensen een reden zien om naar Morton's te gaan, geen *l'art-pour-l'art*-gezeur. Laten we eens horen wat Fleur ervan vindt.'

Fleur keek hem recht aan. 'Daar kan ik geen mening over geven.'

'Onzin. Je bent nieuw op dit account en daarmee ben je nog praktisch een consument. Hoe reageer jij op plastic zakken? Kom op, ik sta te wachten.'

'U kunt wachten tot u een ons weegt,' zei Fleur. 'Natuurlijk kan ik mijn mening niet geven, dat weet u best. Dit is mijn eerste week hier, meneer Morton, dat is niet eerlijk. En niet netjes.'

'Sol, liefje, zeg maar Sol.' Opeens lachte hij, blies een wolk rook uit. 'Goed, ik vraag het je volgende week wel. Laten we het over de media hebben, Chuck. Het heeft geen zin om over de campagne te praten. Wat mij betreft mag die zo door het toilet. Laten we eerst maar eens kijken wat Fleur bedenkt.'

Het was een lange ochtend; hij verwierp alles, elke krant, elk tijdschrift op *Cosmopolitan* na, elke tv-zender. Hij vertelde ze dat ze liepen te klooien, dat zijn oma meer van reclame wist dan zij en dat ze er niet te vast op moesten rekenen dat ze het account konden behouden.

'Ik ben om me heen aan het kijken, Chuck. Ik zeg het maar. Ik wil reclame, geen kalenderspreuken.'

Natuurlijk gingen ze met hem lunchen, in het Roosevelt Hotel om de hoek. Het was destijds een pleisterplaats voor reclamejongens. Geen chic hotel, maar het restaurant was goed en het lag in hartje reclameland. Sol Morton at zich een weg door de kaart en dronk twee grote martini's, ruim een fles bordeaux en rondde af met twee dubbele cognacs. Na afloop leek hij iets nuchterder dan toen ze aan tafel gingen. Hij zat naast Fleur en wreef het grootste deel van de maaltijd zijn been tegen het hare. Ze verdroeg het gemoedelijk en bedacht dat ze er wel over zou beginnen als ze hem wat beter kende.

Toen ze weer op kantoor kwamen, zakte Ricky op zijn stoel en gooide zijn armen de lucht in. 'Het is om te huilen,' zei hij.

'Dat zullen we waarschijnlijk ook wel doen als we het account kwijtraken,' zei Chuck. 'Fleur, wat vond je van onze Sol? Die onzin over de schetsen heb je goed gepareerd. Dat had wrijving kunnen geven.'

'Dat heeft hij tijdens de lunch ruimschoots goedgemaakt,' zei Fleur op scherpe toon.

'O, god,' zei Chuck, 'het spijt me. Misschien...'

'Zit er niet over in,' zei Fleur. 'Het is mijn probleem. Voorlopig althans. Kan ik vanavond het marktonderzoek doornemen en er morgen op terugkomen?'

'Ja, lijkt me goed. Je zult ook zien dat er iets in staat over de Engelse markt, Fleur. Hij droomt van winkels in Europa.'

Haar nieuwe appartement was geweldig; precies wat ze zichzelf had beloofd, een verbouwde bovenverdieping aan de Upper West Side: een enorme woonkamer, een klein slaapkamertje, een keukentje en een badkamer. Ze had zelfs iemand gevonden om voor haar schoon te maken en eens in de week de was te doen. 'Ik maak nu zulke lange uren, langer dan ooit,' zei ze een beetje beschaamd tegen Poppy. 'En ik kan het me veroorloven; het is een cadeautje voor mezelf.'

'Prachtig, toch,' zei Poppy met een grijns. 'Al huur je een heel leger bedienden. Dat is jouw zaak.'

'Weet ik, maar toch voel ik me bezwaard,' zei Fleur. 'In Sheepshead Bay hadden we geen bedienden.'

'Dat zou ook niet goed zijn geweest, noch voor de bewoners van Sheepshead Bay, noch voor de bedienden,' zei de klassenbewuste Poppy. 'Jij bevordert de economie en profiteert meteen van de schone was.'

De hulp heette Tina, ze was zwart en even dik als opgewekt. Ze werkte 's morgens vroeg – dan was ze er al voordat Fleur naar haar werk ging – of 's avonds laat; ze hield graag dezelfde tijden aan als haar man, die bij de metro werkte. 'We staan samen op en we gaan samen naar bed,' zei ze lachend, waarbij haar massa vrolijk trilde en drilde. 'Mijn man heeft me graag in de buurt. De hele tijd.' En ze gaf Fleur luid giechelend een por in haar ribben. Ze toonde een moederlijke interesse in Fleur en maakte zich zorgen over haar werktijden, over het weinige wat ze in de koelkast had liggen en over het feit dat ze geen man leek te hebben.

'U moet eens een paar kilo aankomen, mevrouw Fitz, dan vindt u vast wel een man die voorgoed tegen u aan wil kruipen,' zei ze.

Fleur probeerde haar uit te leggen dat zij niet zo'n man wilde, maar het was duidelijk dat Tina haar niet geloofde.

Toen Fleur de avond na haar lunch met Sol Morton thuiskwam, stond Tina de was op te vouwen.

'Ze hebben ons op de nachtdienst gezet,' zei ze bij wijze van verklaring. 'Ik heb soep voor u gekookt. U eet niet genoeg, mevrouw Fitz.'

'Ik eet genoeg,' zei Fleur. Ze ging uitgeput zitten bij de soepkom. Het zag er heerlijk uit en rook geweldig. 'Maar dit eet ik er graag bij. Je verwent me, Tina.'

'Wie zou het anders moeten doen?' vroeg Tina ad rem. 'U ziet er trouwens moe uit.'

'Zo voel ik me ook,' zei Fleur. 'Zware dag gehad. Zware lunch, met een vieze ouwe man.'

'Liefje, doe mij die man. Mijn Rob heeft me al vier nachten niet meer aangeraakt. Ik denk dat hij vreemdgaat.' De massa ging op en neer. Fleur glimlachte naar haar.

'Je zou hem niet aardig vinden. Niet jouw type.'

'Maakt niet uit, mevrouw Fitz. Na vier nachten is iedereen mijn type. Zal hij goed voor u zorgen?'

'Ik denk van niet. Niet zoals jij dat bedoelt. Trouwens, Tina, heb jij weleens kleren gekocht bij Morton's?'

'Morton's? Die kledingzaken? Nee, nooit. Te kleine maten.'

'Dat zal wel, maar als ze jouw maat hadden?'

'Ik denk het niet, mevrouw Fitz. Ze zijn me te duur.'

'Te duur? Ze zijn juist bespottelijk goedkoop.'

'Geintje zeker. Ze zien er zo duur uit.'

'Interessant. Dank je, Tina. Tot morgen.'

Het laatste wat ze dacht voordat ze in slaap viel, was dat rijke vrouwen Morton's te goedkoop vonden, terwijl arme vrouwen de kleding te duur vonden.

'Iedereen zit ernaast,' zei ze drie dagen en ruim twintig gesprekken over Morton's later tegen Chuck Laurence.

'Waarmee?'

'Met Morton's. Althans, niemand ziet het. In het marktonderzoek staat dat Morton's geen merkuitstraling heeft, dat het er gewoon ís. Dat is niets nieuws. Maar iedere vrouw die ik naar Morton's heb gevraagd, heeft er een compleet ander beeld bij. Opmerkingen varieerden van ordinair tot poenig, van goedkoop tot duur.'

'Anekdotisch bewijs, Fleur. Pas daarmee op. Daar gaan wij bij BPI erg voorzichtig mee om.'

'Ik weet het. Ik weet het, maar zoals ik al zei, wordt het gestaafd door marktonderzoek. Het punt met Morton's is dat niemand het verwacht. Want waar hebben we het over? Boetiekjes? Nee. Warenhuizen? Nee. Zijn ze hoerig? Ook niet. Ze zijn uniek. Ze zijn gewoon... gewoon...' Haar stem stierf weg. Ze keek Chuck aan en voelde hoe het bloed uit haar gezicht weg- trok. 'Ik denk dat ik even ergens ga nadenken,' zei ze. 'Ik weet misschien iets.'

'Ik vind het leuk,' zei Sol Morton. 'Ik vind het geweldig. Het is slim. Natuurlijk moet het nog verder worden uitgewerkt. Maar het heeft in elk geval meer impact dan die stomme plastic rotzakken. "Gewoon, Morton's." Het hééft iets. Iets chics.'

'Dat moet je op die stomme rotzakken zetten,' zei Fleur. 'In de hoek, boven het logo. Het woord "gewoon" bedoel ik. En op de reclameborden, overal op. Dan gaat iedereen eraan denken als "gewoon, Morton's". Uniek, dat vind je nergens, niet te vergelijken met andere winkels.'

'Nee,' zei Sol Morton. 'Dat kan niet. Te duur. We hebben een miljoen van die zakken. Bovendien denk ik dat je dan te ver gaat.'

'Helemaal niet,' zei Fleur. 'Trouwens, tegen de tijd dat deze campagne van start gaat, zijn die tasjes allemaal op. Zet het maar op de volgende lading tassen. Hoewel, dit is wel een merkcampagne; je zou er meteen mee moeten beginnen, of als de campagne start.'

'Op radio en televisie zal het geweldig klinken. Erg leuke jingle.'

'Dat zingt straks iedereen,' zei Chuck.

Fleur dacht dat hij elk moment zelf kon gaan zingen.

Met Bernard Stobbs had ze een compleet ander probleem. Niet alleen zij. Hij was een charmante, goed opgeleide man met wit haar en een vriende- lijk gezicht, die ontzettend waardeerde wat ze voor hem deden, maar geen flauw benul had wat hij wilde zeggen. En als hij het wel wist, bedacht hij zich de dag erop.

'Gewoon mooi beeld,' zei hij bijvoorbeeld. Dan maakten ze een aantal prachtige advertenties met de kaften van zijn boeken of de huizen waarover een van zijn laatste boeken ging. Dan schudde hij zijn hoofd en zei, nee, nee, prachtig hoor, maar ik denk bij nader inzien dat kopij beter werkt bij boeken. Gewoon mensen in woorden vertellen wat ze krijgen.'

Uiteindelijk vond ze de oplossing: ze liet Bernard Stobbs zelf op zijn eigen charmante wijze vertellen over zijn boeken (hij kon er hele nachten over praten als hij de kans kreeg) en drukte af wat hij zei. In een groot lettertype, met foto's uit de boeken en van de kaften ertussendoor. Het werden prachtige posters en mensen in de metro en op straat bleven stilstaan, zelfs als het licht op groen sprong, omdat ze zijn prachtige woorden lazen. Het leverde Fleur een salarisverhoging op. Net zo belangrijk was dat Bernard Stobbs haar intens dankbaar was, niet omdat zijn boeken veel beter verkochten (en dat deden ze), maar omdat zijn bezoeken aan BPI een stuk prettiger en relaxter waren geworden.

Ze was uitsluitend met haar werk bezig. Al het andere stond in de wacht. Ze maakte lange dagen en ging vrijwel alleen met vakgenoten om. Afspraken genoeg. Het was zaak gezien te worden, terwijl je in de juiste kleding naar kekke restaurants ging om hippe gerechten te eten. 'Het lijkt wel een soort compensatiegedrag voor mensen die geen hoofdrol mogen spelen op Broadway,' zei Fleur, toen ze op een zaterdagmiddag eind november bij Mary in de keuken op een stoel neerplofte na een wel bijzonder drukke week. 'Het is uitputtend, dat kan ik je wel vertellen.'

'Het klinkt geweldig,' zei Mary en ze veegde en passant twee snotneuzen, terwijl ze kind nummer drie appelmoes voerde. 'Je hebt zeker geen vacature voor iemand die ooit veelbelovend was en zich nu hooguit vijf seconden lang ergens op kan concentreren?'

'Nee, maar al onze campagnes zijn gericht op mensen die zich hooguit vijf seconden ergens op kunnen concentreren.' Ze keek Mary aandachtig aan. 'Als je ooit merkt dat je je weer langer dan vijf seconden kunt concentreren, wij zijn altijd op zoek naar mensen die marktonderzoek doen. Je weet wel, mensen vragen wat ze van dit of dat product vinden. Veel belwerk. Je zou het hier kunnen doen, Mary, terwijl je diezelfde snotneuzen schoonveegt. Wat denk je?'

'Klinkt geweldig,' zei Mary. 'Laat maar weten hoe.'

Begin december belde Rose terug.

'Fleur, het spijt me vreselijk. Ik zat in Mexico. Vergeef me.'

'Uiteraard,' zei Fleur en ze probeerde nonchalant te klinken. 'Maakt niet uit. Hoe was Mexico?'

'Prachtig,' zei Rose. 'Je zou het geweldig vinden. Misschien kunnen we een keer samen gaan.'

'Wie weet,' zei Fleur. 'Eh, Rose, je hebt zeker niets meer gehoord over Lindsay Lancaster?'

'Nee, niets. Ze is getrouwd. Dat dacht ik al. Verhuisd. Acteert niet meer. Ik kan je niet helpen, Fleur. Ik heb echt mijn best gedaan. Sorry.'

Er klonk echt spijt door in haar stem. Fleur was even ontroerd, totdat ze bedacht dat Rose een van de beste actrices van haar generatie was. Ze kon spijt, berouw, liefde en verlangen op commando uitstralen zodra de camera begon te lopen.

'Nou ja,' zei ze, 'is niet erg.' En toen hoorde ze zichzelf onbesuisd, misschien onbezonnen, vragen, waarschijnlijk omdat ze het iemand moest vragen: 'Rose, zegt de naam Zwirn jou iets? Of anders Gerard?'

Het bleef lang stil. Toen zei Rose: 'Nee, lieverd, ik denk het niet. Ik zal erover nadenken en als me nog iets te binnen schiet, laat ik het je weten. Hoezo?'

'O, niets,' zei Fleur. 'Gewoon iets wat ik heb opgevangen.'

Piers stuurde haar een protserige kerstkaart met een foto van zijn landhuis voorop. Ze bestudeerde de foto aandachtig; het zag eruit als een echt landhuis. Hij moest wel rijk zijn. Hij liet ook een grote bos rode rozen bezorgen met een kaartje waarop stond: 'Ik mis je al een half jaar. Hopelijk wordt het nieuwe jaar beter.' Fleur gooide de kaart in de vuilnisbak en bracht de rozen naar Mary.

In de *New York Times* las ze dat Piers Windsors *A Midsummer Night's Dream* een Oscarnominatie had en dat zijn vrouw zwanger was van de derde.

Ondanks alles had ze gehoopt met de kerst iets van Joe te horen, maar dat gebeurde niet. Zoals altijd schreef Caroline haar een kerstkaart met een cheque erbij (dit jaar was het een extra vette, voor vijfhonderd dollar, wat betekende dat ze vloerbedekking kon laten leggen, mooi). Ze schreef Caroline vroeger dan normaal een bedankbriefje, waarin ze vertelde dat ze altijd mocht langskomen. Dat deed Caroline toch nooit. Ze las een stuk dat Joe voor de *Sunday Telegraph* had geschreven over toneelvrouwen en vond het gedeelte over Chloe belachelijk vleiend.

Sol Morton nodigde haar uit voor een kerstlunch in de Seafare of the Aegean en vertelde haar dat ze niet alleen bloedmooi was, maar ook erg veel talent had. Als ze ooit voor zichzelf wilde beginnen, moest ze het zeggen; hij wilde haar wel steunen en hij zou haar zeker het Morton-account gunnen. Hij maakte het ook zeer duidelijk dat hij graag zou willen dat hun relatie persoonlijker werd.

Fleur vertelde dat ze zich erg gevleid voelde, maar dacht dat zijn tweede aanbod ten koste kon gaan van hun zeer goede werkrelatie. En als ze ooit voor zichzelf begon, zou ze graag werk van hem aannemen.

Reuben nodigde haar uit de kerst in Sagaponack te vieren, waar zijn moeder een huis had. Poppy moest naar Gills ouders in New Jersey en mevrouw Blake was verdrietig. Fleur zei dat ze het heerlijk zou vinden. Met hun drieën hadden ze een leuke Kerst; ze aten en dronken heel veel, maakten wandelingen over de South Shore, speelden backgammon en praatten langdurig over Gill – wat zag Poppy toch in hem?

Begin januari meldde Julia Miller dat ze naar Greys ging. Bella Buchanan was een van de sollicitanten naar de zo ontstane vacature. Fleur moest Chuck tot haar spijt meedelen dat ze eerder met Bella had gewerkt en dat ze geen hoge dunk van haar had.

Sol Morton had besloten dat hij zijn winkels opnieuw wilde laten inrichten. Er deden zeven designbureaus een gooi naar de zeer omvangrijke opdracht. Mede dankzij de beschroomde aanbevelingen van Fleur FitzPatrick bleek de winnaar een vrij excentrieke jongeman te zijn die Reuben Blake heette.

Poppy en Gill trouwden in maart in de synagoge aan Gramercy Park. Na de plechtigheid volgde een vrij ingetogen lunch voor familie en enkele vrienden in het Carlyle. Als Poppy's bruidsmeisje en erefamilielid zat Fleur tussen Reuben en mevrouw Blake in. Poppy's moeder was het ene moment opgewonden en dan weer emotioneel. Gill hield een lange, pretentieuze speech en Fleur betwijfelde meer dan ooit of Gill echt zo verlegen en onzeker was als Poppy zei. Zijn ouders waren eenvoudig, bescheiden en zenuwachtig. Ze had arrogante kopieën van Gill verwacht. Rond vijf uur 's middags verdwenen Gill en Poppy, ze gingen op huwelijksreis naar de Bahama's. Reuben en Fleur nodigden mevrouw Blake uit voor een etentje om haar op te vrolijken. Ze zei dat ze onmogelijk kon eten, maar dat ze wel naar de bioscoop zou willen. Na de film *Bob and Carol and Ted and Alice* bracht Reuben zijn moeder naar huis, nadat hij Fleur teder had gekust en had verteld dat Natalie Wood mooi was, net als zij.

Fleur lag de halve nacht wakker van de vraag of wat ze voor Reuben voelde echt liefde was.

Later die maand, net toen ze zelf alles over de geheimzinnige Zwirn begon te vergeten, kwam er een brief van Rose.

Lieve Fleur,

Vergeef me dat het weer zo lang heeft geduurd. Ik ben bang dat ik je ook deze keer niets kan vertellen. Ik heb rondgevraagd, met oude vrienden gepraat, mijn oude fotoalbums doorgebladerd en mijn geheugen opgefrist; ik heb echt mijn best voor je gedaan. Helaas kan ik nergens iets vinden over iemand die Zwirn heet. Zelfs niet in het telefoonboek. Het spijt me zo, Fleur. Je hebt niet echt veel aan me, hè? Kom je me snel een keer opzoeken?

    Liefs,

    Rose

Fleur zuchtte en borg de brief in haar bureau op. Rose was heel lief en aardig, maar je had inderdaad niets aan haar.

Hoofdstuk 25

'Joe, toe nou! Je verbaast me echt. En dat voor een journalist. *Private Eye* loopt erg achter op de roddels.'

'Maar Chloe...'

'Ik kan me niet herinneren dat er ooit niet over is gepraat,' zei Chloe. Ze leunde achterover op de grote bank in de salon van Montpelier Square en hield haar pasgeboren dochter liefkozend in haar armen. Ze glimlachte kalm naar Joe. 'Het komt elk jaar weer terug. Piers is homo, Piers gaat bij me weg, Piers heeft een vriendje in Los Angeles. Damian Lutyens, Robin Leveret, Tom Cobley. Ik moet zeggen, van David Montague wist ik het nog niet. Van wie heb je dat?'

'O, eh, tijdens een lunch van *Private Eye*,' zei Joe.

'Beseffen ze dan niet dat Liza en hij al ruim tien jaar getrouwd zijn?'

'Ik weet het niet,' zei Joe. Hij zag er verward uit. Ze had hem nog nooit zo ellendig meegemaakt.

'Ach, het zal nog wel een paar keer de kop opsteken. Er gaan altijd nare geruchten over Piers, over de meeste acteurs. Hij heeft me er zelf voor gewaarschuwd. Het stelt niets voor, ze houden het publiek zoet. Je kunt ze maar beter negeren. Tegenspreken heeft geen zin.'

'Maar Chloe...'

'Ja, Joe?' Ze hoorde hoe haar toon scherper werd, voelde haar glimlach verflauwen. Verdomme, dacht ze, misschien moet ik zelf maar gaan acteren.

'O... niets.'

'Hoor eens, Joe,' zei Chloe. Ze leunde voorover. 'Ik zou het toch weten als Piers homo was? En ik kan je vertellen dat ik in dat geval bij hem weg zou zijn gegaan. De kinderen had meegenomen. Hij heeft natuurlijk fouten en hij kan erg moeilijk zijn, maar ik...' Ze kon horen hoe ze bijna onmerkbaar aarzelde, ging toen verder: 'Ik hou van hem en we hebben een goed huwelijk. Jullie zaten er allemaal naast en ik had gelijk. Wil je dit nu alsjeblieft uit je hoofd zetten en er met niemand over praten en tegen je vriend Richard Ingrams zeggen dat Piers een rechtszaak tegen hem zal aanspannen als hier maar één woord over in die afschuwelijke krant van hem verschijnt? Dat heeft hij altijd gezegd en dat doet hij ook.'

'Goed,' zei Joe. 'Het spijt me, liefje. Ik wilde je absoluut niet van streek maken, maar het leek me – ons – nodig je te waarschuwen. We wilden niet dat het je zou overvallen.'

'Dankjewel. Dat was erg aardig,' zei Chloe beleefd, alsof iemand haar net een autoritje of een tweede dessert had aangeboden, 'maar ik... we kunnen wel voor onszelf zorgen.'

'Ja, natuurlijk,' zei Joe.

Toen hij Caroline over het gesprek vertelde, was Joe nog steeds erg van streek. 'Of ze heeft zelf acteerlessen genomen, of ze gelooft echt wat ze zegt. Ik geloof meer in het laatste. Misschien is het zelfs waar.'

'Laten we het hopen,' zei Caroline. Ze klonk onzeker.

Joe keek haar scherp aan. 'Je lijkt niet erg overtuigd.'

'O... ik weet het niet.' Ze ontweek zijn blik. 'Jij heb altijd gezegd dat je dacht dat hij homo was. Dat weet je best.'

'Ja, dat klopt. En er zijn door de jaren heen ook toespelingen geweest. Maar Chloe heeft gelijk, er zijn altijd geruchten over acteurs. Het mag ze amper verbazen, zoals ze zich gedragen. Kijk nou naar Piers, al die kleren. En hij laat zijn haar verven. Zoals hij mensen omhelst. Mannen dus. Mij kan het niet schelen wat hij uitspookt, zolang hij Chloe er niet mee kwetst. Maar het zal hem amper verbazen dat er gepraat wordt.'

'Blijkbaar verbaast het hem ook niet,' zei Caroline. 'Maar laten we hopen dat je vriend meneer Ingrams ernaast zit. Zoals zo vaak.'

'Vaak ook niet,' zei Joe. 'Hij is er echt goed in de waarheid te achterhalen. Hij gaat tot het uiterste als hij denkt dat het waar is. Dat maakt hem zo'n ontzettend goede journalist.'

'Ontzettend goed,' zei Caroline huiverend, 'met de nadruk op ontzettend.'

'Chloe lijkt het onder controle te hebben. Niet al te aangedaan. Goddank. Maar ja, als ze zou zien dat Piers arsenicum in haar thee deed, zou ze zeggen dat hij dacht dat het suiker was.'

'Zoiets zei Magnus ook al,' zei Caroline en ze werd een beetje rood toen Joe haar aankeek.

'Magnus? Wanneer heb je met Magnus gepraat?'

'O, pas nog. Nou ja, pas, de laatste keer dat Chloe en Piers een feestje gaven. Dat weet je toch nog wel?'

'Niet echt, nee.' Hij keek haar nadenkend aan. 'Maar ik heb nu eenmaal een vreselijk geheugen.'

'Ja,' zei Caroline, 'dat is waar.'

Later die dag, toen Chloe met Kitty door het park liep, vroeg ze zich af hoelang ze het nog zou kunnen verdragen. De pijn, de vernedering, de afwijzing, de noodzaak om te huichelen tegen mensen als Joe. Mensen van wie ze hield. Ze dacht aan zijn bezorgde gezicht toen hij haar waarschuwde voor *Private Eye*. Het was duidelijk dat hij zichzelf moed had ingedronken. Ze moest bijna lachen. Ze dachten blijkbaar dat ze nog steeds lief, onschuldig en blind was. Ze moesten eens weten. Zouden ze geschokt zijn? Haar begrijpen? Aanmoedigen? Ze kon wel wat steun en begrip gebruiken. Ze had het zwaar, elke keer weer. Het begon er altijd mee dat hij langer weg bleef en met vage verklaringen of ingewikkelde smoezen kwam, en daarna kwamen uiteindelijk het verdriet, de confrontatie, de zelfvernedering en de beloften. De helft van de tijd wist ze dat het hooguit een hartstochtelijke flirtpartij was, een emotioneel spelletje zoals Piers in het begin ook met haar had gespeeld. Hij hunkerde naar complimenten, bewondering, waardering. Andere keren ging de relatie verder, werd die serieuzer, intenser – en in de meeste gevallen werd er gevreeën. Daar kon ze nu beter tegen, ze werd er alleen moe van. Ze had meer begrip voor de oorzaak en steeds minder voor het gevolg. Waar ze vooral moe van werd, waren de beloften aan het eind, dat het nooit weer zou gebeuren, dat hij veranderd was, oprecht berouw voelde, dat hij haar trouw zou zijn, dat het voorbij was. Ze raakten haar niet, die beloften, ze kon ze bijna niet meer aanhoren. De schok en de vernedering van het begin hadden plaatsgemaakt voor berusting. Ze kon er niets tegen aanrichten, of ze moest bij hem weggaan. Zover wilde ze niet gaan. Waarschijnlijk hield ze nog steeds van hem – ze hield in elk geval wel van haar kinderen, van het gezin waarnaar ze zo had verlangd. Ze waren nog steeds bij elkaar, je kon zelfs zeggen dat ze een gelukkig gezin vormden. Dat wilde ze zo houden, ze wilde haar kinderen niet blootstellen aan een scheiding met alle ellende van dien.

Maar gemakkelijk was het niet. Het was verdomd moeilijk. Omdat haar privéleven en haar gezin alles voor haar betekenden, omdat ze geen werk had, zich nergens achter kon verstoppen, zichzelf en haar pijn nergens in kon begraven, moest ze het onder ogen zien, ermee leven, continu. Er was niemand met wie ze erover kon praten, wie ze het zelfs maar kon vertellen; het was te gevaarlijk, en zo ging het maar door, als een vreselijke wond die ze voor iedereen moest verbergen.

Het verbaasde haar steeds weer dat ze dat kón. Er was een periode geweest dat ze zich zo ongelukkig voelde dat ze een psychotherapeute om hulp had gevraagd, een vriendelijke, zachtaardige vrouw die rustig had gewacht terwijl Chloe worstelde met haar loyaliteit. Uiteindelijk had ze haar verhaal uit haar getrokken, had ze haar aangemoedigd urenlang, dagenlang te praten over Piers, zijn seksuele wangedrag. Ze had haar duidelijk gemaakt wat Piers zelf moest doorstaan: een onophoudelijk gevoel van frustratie en verlangen, onzekerheid over wat hij echt wilde en een onbevredigd gevoel bij alles wat hij deed.

'Te oordelen naar wat je hebt verteld, vooral de hoge eisen die hij in bed aan je stelt, is hij geen homo, maar bi – dat zijn we tot op zekere hoogte allemaal – maar met het constante onbevredigde gevoel, het gemis dat daarbij hoort; daarom is hij altijd op zoek,' had ze gezegd en ze had erop aangedrongen geduldig, vriendelijk, tolerant te zijn. Ze had gesuggereerd dat Piers zelf gebaat zou zijn bij therapie. Maar toen Chloe het hem voorstelde, was hij vreselijk kwaad geworden en had hij dagenlang gehuild. Hij had therapie geprobeerd, vertelde hij, met alle ellende en vernedering van dien, maar het had hem niets opgeleverd. 'Behandel me niet als een paria,' had hij uiteindelijk geschreeuwd. 'Ik hou van je en ik verlang heel wat meer naar jou dan omgekeerd. Wat wil je nog meer?'

Niets, had ze bang gezegd, geschrokken van zijn woede, niets natuurlijk, oké Piers, het spijt me, ik had het niet mogen zeggen. Die nacht had hij als een bezetene met haar gevreeën; ze vond het vreselijk. Ze hoorde weer haar therapeute zeggen: 'Hij moet je vertrouwen, Chloe; hij is vooral bang dat je hem laat vallen.'

Ze vond een onverwachte bondgenote in Liza Montague, die er zelf over begon toen ze Chloe tijdens een feestje huilend op de wc aantrof. Een erg dronken Piers had zijn arm om Damian Lutyens' schouders geslagen, een fles champagne in zijn andere hand. Samen zongen ze op even hoge als valse toon een oud variéténummer, 'Zeg mij, schone maagd'. Het was erg grappig, maar Chloe kon er de humor niet van inzien.

'Confronterend, zeker?' vroeg Liza opgewekt vriendelijk, nadat ze haar had omhelsd en een zakdoek had aangereikt. 'Arm kind. Ik heb nog tegen David gezegd dat we je moesten waarschuwen, maar hij wilde er niets van weten.'

'Ik zou toch niet hebben geluisterd,' zei Chloe. Ze snoot haar neus en glimlachte geforceerd. 'Ik zou hebben gedacht dat je de zoveelste volwassene was die mijn geluk probeerde te verstieren.'

'Wat voel ik me nu oud!' riep Liza. 'Maar dat zei David ook. Luister, liefje, het stelt niet veel voor. Hij houdt ontzettend veel van je. Echt ontzettend veel. Dat heeft hij me verteld. Vele malen.'

'Echt waar?' vroeg Chloe.

'Ja. Dat moet je geloven. Anders kun je beter bij hem weggaan.'

'O, dat zou ik nooit doen,' zei Chloe. 'Ik geloof heel sterk in het huwelijk, weet je. En in het gezin. Ik moet aan mijn kinderen denken. Het is alleen... zo pijnlijk. Ik hou zo verschrikkelijk van hem, nog steeds, en het is zo'n afwijzing.'

'Ja, natuurlijk is het dat,' zei Liza kordaat. 'Maar vergeet niet dat Piers acteur is.'

'Geen moment,' zei Chloe sarcastisch.

'Ik bedoel dat je hem niet langs een conventionele, traditionele meetlat kunt leggen. Echt niet. Acteurs zijn gokkers. Ze gokken met het leven.'

'Hoe bedoel je?' vroeg Chloe.

'Ik bedoel dat ze risico's nemen. Om te slagen in de toneelwereld moet je ontzettend taai, extreem sluw en meedogenloos zijn. Je kunt in hoge mate de koers bepalen. Het is een erg zwaar leven en je kunt op verschillende manieren ontsnappen. Voor sommigen is het drank, voor anderen drugs of godsdienst. En vaak is het seks.'

'Ja,' zei Chloe. Haar stem klonk erg vlak, erg moe. 'Dat begrijp ik.'

Liza glimlachte naar haar. 'Piers kan geen huismus zijn, zelfs niet voor jou.'

Omdat Liza zo aardig was, wilde Chloe niet zeggen dat er misschien een gulden middenweg was tussen een huismus zijn en de ene homoseksuele relatie na de andere onderhouden. Toch voelde ze zich erg getroost.

Zelf werd ze voortdurend sterk in de verleiding gebracht door Ludovic Ingram. Hij verklaarde haar nog steeds op halfserieuze toon zijn niet-aflatende liefde; steeds als ze elkaar tegenkwamen, smeekte hij haar bij Piers weg te gaan en met hem te trouwen. Ze vond hem bijzonder aantrekkelijk en zijn gedrag bekoorde haar. Nu haar zelfachting zo onder druk stond, kon ze wel wat bevestiging gebruiken. Hij was niet alleen uitermate charmant en amusant, maar ook erg sexy. Aangezien ze zelf zeer behoeftig was en nu tenminste wist dat de seksuele problemen voor een aanzienlijk deel bij Piers lagen, dat ze niet frigide was, was het idee van vrijen met Ludovic zo nu en dan onweerstaanbaar. Hij had af en toe een affaire en hij praatte er altijd met haar over, alsof hij goedkeuring zocht, en verzekerde haar dat het niets voorstelde en dat hij alleen maar op haar zat te wachten. Ze geloofde hem maar al te graag. Hij hield haar fysiek op afstand, zei dat één kus genoeg was om de stoppen te laten doorslaan. Soms, als ze aan het dansen waren en zij zich sterk bewust was van zijn kracht, zijn fysieke aantrekkingskracht, wilde ze niets liever dan toegeven en ten minste een affaire met hem beginnen. Eén keer had hij haar bij zo'n gelegenheid in de ogen gekeken en heel rustig gezegd: 'Ik meen het echt, Chloe. Ik ben smoorverliefd op je.' Ze had geglimlacht, een beetje onzeker, en gezien dat één woord van haar hun vriendschap onherroepelijk zou veranderen. Ze was zo snel mogelijk van de dansvloer gevlucht, bang voor zichzelf, voor wat ze misschien zou doen.

De volgende ochtend had hij haar gebeld, luchtig-flirterig als altijd, duidelijk bedoeld om de spanning weg te nemen. Hij had gezegd dat hij zijn campagne zou voortzetten, dat hij hoop bleef koesteren, maar dat ze in de tussentijd vrienden moesten blijven. En dat waren ze ook, maar ze rilde bij het idee wat er zou gebeuren als hij ontdekte hoe ongelukkig en onbevredigend haar huwelijk was.

En toen dreigde het echt uit de hand te lopen.

Het begon toen Flavia overleed: plotseling, even rustig en zacht als ze had geleefd, gleed ze uit het leven weg. Piers was weg. Het was een afschuwelijke schok voor hem. Hij huilde urenlang als een kind. 'Ik hield zoveel van haar,' zei hij, 'zo vreselijk veel. Ze was er altijd voor me. We betekenden heel lang alles voor elkaar.'

Chloe wist niet hoe ze hem kon troosten; ze had hem nog nooit zo overstuur meegemaakt. Dagenlang kwam hij nauwelijks zijn kamer uit; hij sprak op haar begrafenis, maar stortte in voordat hij was uitgesproken. Zelfs Pandora kon hem niet afleiden. Toen begon hij als een bezetene afspraken te maken, wilde geen avond, zelfs geen lunch doorbrengen met minder dan tien à twaalf man. Hij stond erop dat ze het ene etentje na het andere gaf, dat ze elk weekend logés uitnodigde op Stebbings, dat ze meeging naar afspraken door het hele land. Zijn enthousiasme werd steeds manischer, hij dronk enorm veel en viel elke avond stomdronken in bed. Chloe was verbijsterd en vroeg haar therapeute om hulp en om raad. De therapeute suste en troostte.

'Zo ontsnapt hij aan zijn verdriet. Het is niet de beste manier. Hij ziet zijn verdriet niet onder ogen. Daar moet jij hem mee helpen. Want als hij het niet doet, komt er misschien een dag dat hij zijn verdriet, om haar of om iemand anders, niet aankan.'

In de jaren daarna zou Chloe nog vaak aan die woorden denken. En toen nam Piers' ontsnappingspoging heel andere vormen aan.

'Chloe? Hai, met Jolyon.'
    'Hallo, Jolyon. Hoe gaat het?'
    'Prima. Is Piers er ook?'
    'Nee, hij is aan het lunchen met een paar bonzen. Ze gaan praten over een reprise van Tsjechov.'
    'Daar wilde ik het ook met hem over hebben.'
    'O ja? Waarom?'
    'Nou... nou, hij zei dat ik misschien voor hem kon werken.'
    'Jolyon, wat geweldig! Ik zal zeggen dat je hebt gebeld. Kom anders vanavond iets drinken.'
    'Oké, prima.'
    Wat lief, dacht ze, dat Piers zoveel moeite deed om haar broertje te helpen. Ondanks alles was hij toch een verschrikkelijk aardige man. Ze bofte maar, ondanks alles.

Die avond kwam Jolyon iets drinken. Piers vond het geweldig hem te zien en vertelde dat hij inderdaad de ontwerper had gesproken en dat hij kon beginnen, zodra Lydia Wintour zich kon vrijmaken uit het nogal saaie operadecor waarmee ze nu bezig was.
    'Je vindt Lydia vast geweldig,' zei hij tegen Jolyon. 'Ze heeft ontzettend veel talent. Zij heeft het decor ontworpen voor *The Lady*.'
    'Dat weet ik,' zei Jolyon. Hij was helemaal blij.
    Chloe keek naar hem en glimlachte tevreden. Hij was zo'n leuke jongen geworden, zo vriendelijk en bescheiden. Hij zag er geweldig uit, met zijn donkerrode haar en bruine ogen. Heel anders dan die afschuwelijke Toby, die alle bange beloften uit zijn jeugd leek te hebben waargemaakt. Hij leek een vergaarbak van negatieve genen: groot en onhandig, zwaargebouwd, met kleine priemoogjes in een rood gezicht en een slappe mond met volle lippen; bovendien was hij vervuld van het lompe zelfvertrouwen dat eigen leek te zijn aan niet bijster intelligente jongens die op kostschool hadden gezeten. Als hij geen driedelig grijs droeg voor zijn baan bij de bank, droeg hij broeken met extra wijde pijpen en overhemden met bloemmotief en laarzen met plateauzolen. Zijn donkere haar, waarin iets te veel slag zat, was te kort geknipt en verder droeg hij enorme bakkebaarden die in een punt uitliepen en die eruitzagen alsof ze waren opgeplakt. Hij zweette snel, maar doordat hij vond (en regelmatig luid verkondigde) dat cosmetica voor mietjes was, kon hij behoorlijk stinken.

Maar Jolyon was een schatje; hij kwam vaak op bezoek en zijn nichtjes en neefje waren gek op hem. Hij was nog steeds smoorverliefd op Annunciata Fallon, die hem compleet had genegeerd sinds Joe's artikel over haar niet was geplaatst, zelfs als ze tijdens een diner naast hem zat, iets wat vaak voorkwam. Annunciata werd als een van Piers' favorieten vaak uitgenodigd; het verbijsterde Chloe, maar zat haar niet langer dwars. Hoe saai, zelfgenoegzaam en egocentrisch ze Annunciata ook vond, ze streelde Piers' onverzadigbare ego en verlichtte op dat gebied Chloe's taak enigszins.

Die avond liet Jolyon zijn sjaal hangen. Het was een erg mooie sjaal, kasjmier en zo te zien gloednieuw. Bepaald niet goedkoop, dacht ze bijna verbaasd, die had hij vast cadeau gekregen. Hij zou hem missen. Ze deed de sjaal in een grote envelop en schreef Jolyons adres erop.

'Rosemary,' zei ze aan het ontbijt, 'wil jij deze sjaal posten als je Pandora naar de kleuterschool brengt? Hij is van mijn broer; hij zal hem wel missen.'

Piers keek op van de krant. 'Ik neem hem wel mee, lieveling,' zei hij. 'Ik moet toch gaan. Lieveling, je móet dit stuk lezen over Peter Brooks *Dream*. Het klinkt geweldig, zo anders dan de onze. Verschrikkelijk modern; blijkbaar willen ze alle elfjes jute aantrekken en bestaat het decor uit een kale witte doos. Het is vast heel doordacht, maar toch vraag ik me af wat de massa ervan maakt. Ik heb een donkerbruin vermoeden dat onze versie hen meer aanspreekt.'

'Ja, ik zal het wel lezen,' zei Chloe, die dat absoluut niet van plan was. 'Ga je vandaag iets bijzonders doen, Piers?'

'O, niet echt. Ik ben druk met Tsjechov. Ik zou Vanessa er zo graag in hebben, maar ik weet niet of ik haar kan krijgen.'

'Ga je nog met iemand lunchen?'

'Absoluut niet. Ik zit opgezadeld met een heleboel saaie impresario's. Hoezo?'

'O, nergens om. Ik ga misschien lunchen met een vriendinnetje. Vandaar.'

'Goed, lieveling. Mijn god, het ziet ernaaruit dat *Jezus Christ Superstar* de nodige records gaat breken. Slimme jongen, die Lloyd Webber. Misschien moeten we hem eens te eten vragen.'

'Ja, prima,' zei Chloe.

Toen ze die middag Kitty custardpudding zat te voeren, werd er aangebeld. Het was Jolyon, hij had zijn sjaal om.

'Hallo, Chloe. Ik heb gisteren mijn boek laten liggen. Steinbeck. *Of Mice and Men*. Heb je het gevonden?'

'Nee,' zei Chloe, 'maar ik zal even kijken. Je was nogal vergeetachtig gisteravond, Jolyon. Hoe heb je je sjaal zo snel teruggekregen?'

'O, Piers had hem bij zich toen we gingen lunchen,' zei Jolyon nonchalant. 'Hij was nogal nijdig, omdat ik hem had laten hangen.'

'Heb je geluncht met Piers? Bij zijn impresario?'

'Nee, in de Ivy. Om te vieren dat ik meewerk aan Tsjechov.'

'Aha,' zei Chloe langzaam. 'Dat was dan zeker een heel spontane afspraak.'

'Ja, nogal. Piers belde al heel vroeg om het af te spreken, en om me de les te lezen over de sjaal.'

'Heel vroeg? Voor het ontbijt?'

'O ja, rond halfacht al. Hij belde me wakker.'

'Ik snap het.' Rustig blijven, Chloe, het stelt waarschijnlijk niets voor; Piers doet nu eenmaal graag stiekem. 'Waarom was hij boos over de sjaal?'

'Omdat ik die van hem had gekregen. Pasgeleden.'

'Piers heeft je die sjaal gegeven? Maar waarom, Jolyon? Dat is een ontzettend dure sjaal.'

'O, om me te bedanken. Ik gaf hem de naam van iemand die een wandschildering kan maken voor een vriend van hem.'

'Hij moet wel héél erg dankbaar geweest zijn,' zei Chloe. Ze was erg misselijk en te bang om zich af te vragen waarom.

'Lieveling, vind je het erg als ik dit weekend in Londen blijf?' vroeg Piers. 'Ik heb nog zoveel werk.'

'Natuurlijk niet. Ik vind een weekend in Londen wel leuk.'

'O, nee schat, doe dat maar niet. Je weet hoe graag de kinderen naar Stebbings gaan.'

'Piers, het maakt ze niet uit waar ze zijn, zolang wij bij hen zijn. Pandora wil alleen maar bij jou zijn.'

'Maar lieveling, Pandora wil op de pony. Dat heeft ze gezegd.'

'Ze kan hier in het park rijden. Dat vindt ze ook leuk.'

'O, best. Maar het wordt allemaal heel saai. We moeten veel bespreken over Tsjechov.'

'Ik blijf wel uit je buurt,' zei Chloe kordaat.

Twee uur later belde Peter Walton, Piers' nieuwe stalknecht. Hij was aardig en Chloe mocht hem graag.

'O, hallo Peter,' zei ze, 'er zijn toch geen problemen?'

'Helemaal niet, mevrouw Windsor. Maar ik kreeg net een telefoontje uit Oxford. Daar staat een pony die misschien geschikt is voor Pandora. Het klinkt goed. Een schimmel, ongeveer 130 centimeter hoog. Ze kunnen hem maar een paar dagen vasthouden. De vraag is of u zaterdag met me kunt gaan kijken.'

'Nou... ja, oké. Eigenlijk had ik in Londen willen blijven, maar Pandora zou me nooit vergeven als we de perfecte pony lieten schieten.'

'Dat lijkt mij ook.'

De pony was erg mooi met een holrond hoofd en een lange voorlok die bijna in zijn kalme ogen hing. Hij heette Misty en Pandora werd verliefd op hem.

'Alsjeblieft, mammie, mag ik hem hebben?'

'Ik moet het aan pappie vragen. Ik zal hem meteen bellen.'

'Pandora is verkocht,' zei ze lachend tegen Piers. 'Wat zal ik doen? Zal ik hem kopen?'

'Nou... jij bent niet bepaald een paardenkenner. Ik wil hem liever zelf even zien.'

'Maar Piers, ze kunnen hem alleen morgen nog vasthouden. Peter vindt hem zeer geschikt.'

'Oké, dan kom ik morgen wel kijken. Ik ben rond lunchtijd bij je, eerder red ik niet.'

'Maar ik was van plan terug te gaan naar Londen.'

'Doe maar niet. Ik zie je morgen.'

'O, ook best,' zei Chloe. Ze was erg moe en had er weinig zin in om met drie jengelende kinderen terug te rijden naar Londen. Rosemary had een weekend vrij.

Ze kookte voor hen, keek met hen naar de *Muppet Show* en deed ze toen in bed. Toen schonk ze zichzelf een groot glas wijn in en ging met de gids voor de tv zitten om haar avond te plannen.

Er was niet veel, maar later die avond was er een documentaire op BBC2 over decorontwerpers, onder anderen Lydia Wintour. Dat zou Jolyon moeten zien; hij wist vast niet dat het kwam. Ze belde hem, maar kreeg geen gehoor.

Niet zo vreemd, op zaterdagavond, zei ze tegen zichzelf. Misschien zou Piers het wel willen zien. Ze belde naar huis. De telefoon ging een aantal keren over, voordat het antwoordapparaat aanklikte. Raar. Blijkbaar wilde Piers niet worden gestoord. Toen ze de boodschap hoorde, verstijfde ze; ze kneep zo hard in de hoorn dat haar knokkels wit werden. Piers had een nieuwe boodschap ingesproken, zeer geaffecteerd. 'Met Piers Windsor. Ik ben er niet. Sorry. Maar laat een boodschap achter en ik bel vanavond nog terug. Fijn dat u gebeld heeft.' Waar Chloe van schrok, was niet de bood-schap zelf, maar het gegiechel vlak voor het einde. Alleen Jolyon giechelde zo.

Rustig, Chloe. Oké, Jolyon is bij Piers. En waarom ook niet? Hij werkt aan die productie. Natuurlijk is hij er ook bij. En natuurlijk heeft Piers me dat niet verteld. Hij vertelt nooit meer dan strikt noodzakelijk is. Dat ze het hele weekend op Stebbings zou zitten vanwege die pony was toeval. Piers zou nooit... zoiets zou Piers niet doen. Zelfs Piers zou nooit... Schenk jezelf wijn bij en doe niet zo hysterisch.

Hij belde om halftien en klonk schuldbewust. 'Het spijt me, lieveling. We waren bezig met audities en ik heb de telefoon laten overgaan. Kan ik iets voor je doen?'

'Nee, dank je. Er is vanavond een documentaire waarin Lydia voorkomt. Ik dacht dat je het misschien zou willen zien.'

'Dank je, lieveling, wat lief van je. Als ik even kan, ga ik kijken. We heb-ben het hier behoorlijk druk.'

'Wie zijn we?'

'O, Geoffrey. En Jim natuurlijk.'

'Jim Prendergast? Waarom is hij er?'

'Omdat het over geld gaat, lieveling. Het lijkt wel of je me niet gelooft. Wil je hem even spreken?'

'Natuurlijk niet. Wie zijn er nog meer?'

'Dit lijkt wel een derdegraads verhoor! Tabitha is er. Ik wilde haar voor Masha en het is een wonder dat ze beschikbaar is.'

'O. Is... Jolyon er ook?'

'Jolyon? Natuurlijk niet. Waarom zou hij?'

'O, ik weet het niet. Als jullie echt over Tsjechov zitten te praten...'

'Lieveling, ik ben gek op je broer, maar zoveel heeft hij nog niet in te bren-gen. Welnu, als ik even kan, ga ik straks naar dat programma kijken. Nog-maals bedankt dat je aan me hebt gedacht. Welterusten, lieveling. Ik zie je morgen in Oxford. Breng Peter alsjeblieft mee.'

'Wat? Ja, natuurlijk. Welterusten, Piers.'

Om elf uur en twaalf uur probeerde ze Jolyon nogmaals te bereiken. Geen gehoor. Hij zou wel aan het feesten zijn

Piers vond dat Misty in alle opzichten voldeed en kocht hem. Peter bracht hem naar Stebbings. Piers en Chloe reden achter elkaar aan naar Londen. Pandora huilde voortdurend, omdat ze, nu ze eindelijk haar pony had, tot vrijdag moest wachten om hem te zien. Chloe knipperde met haar koplampen naar Piers dat hij moest stoppen en plantte Pandora bij hem in de Rolls. 'Het is jouw dochter,' zei ze vrij grimmig. 'Breng jij haar maar tot bedaren,' en ze reed weg voordat hij kon protesteren. Hij reed als een speer en toen ze thuiskwam, lag Pandora op de bank te slapen.

'Het gaat wel weer,' zei hij met een liefhebbende blik naar zijn dochter. 'Ze is zo opgewonden, de arme schat. Ik heb haar beloofd dat ze zaterdag de hele dag op Misty mag blijven zitten.'

'Daar houdt ze je aan,' zei Chloe vermoeid.

'Dat vind ik helemaal niet erg.'

De volgende ochtend was het prachtig lenteweer. Chloe schudde haar bange vermoedens van zich af, bracht Pandora naar school en Ned naar de crèche. Weer thuis belde ze haar moeder. Omwille van de kinderen deed ze veel moeite om contact te houden. Ze wist dat ze haar anders hooguit één keer per jaar zou zien.

'Mam? Met mij. Ik vroeg me af of je het leuk vindt als ik deze week een paar dagen kom logeren. Of anders volgende week. Piers heeft het zo druk en ik zou je graag weer eens zien. Ik kan Pandora bij Rosemary achterlaten en met de kleintjes komen.'

Caroline klonk een beetje overdonderd. 'O, Chloe, wat leuk. Dat zou natuurlijk heerlijk zijn, maar... eh, wanneer wil je komen?'

'Maakt niet uit. Als het je uitkomt.'

'Dat weet ik niet precies, Chloe. Niet volgende week. Ik heb het nogal druk. Nieuwe paarden. Je weet hoe dat gaat. Misschien de week erop. Bel me tegen die tijd nog even.'

'O. Ja, goed,' zei Chloe bezeerd. 'Maar ik... ben je dochter, hoor. Ik hoef niet de hele tijd te worden beziggehouden.'

'Natuurlijk niet. Maar als je komt, wil ik tijd voor je hebben. Het spijt me, maar volgende week worden er twee nieuwe merries gedekt en... het komt niet zo goed uit. Hoe gaat het met je?' vroeg ze. Blijkbaar voelde ze dat ze als moeder tekortschoot.

'O, prima,' zei Chloe koeltjes. 'Weet je, mamma, bel jij mij maar als je tijd hebt. Dag.'

'Dag, Chloe, tot snel. O ja, Chloe...'

'Ja, mam?'

'Wil je Piers bedanken voor wat hij voor Jolyon doet? Hij heeft het zaterdag zo naar zijn zin gehad.'

'Wanneer?' vroeg Chloe. De lentezon was opeens verdwenen en ze vocht tegen opkomende paniek.

'Zaterdag. Toch? Ja, want het ging de hele nacht door. Toen Piers die bijeenkomst had bij jullie thuis. Jolyon was zo trots dat hij was uitgenodigd.'

'Ja,' zei Chloe, 'ik zal het doorgeven.'

Chloe liep naar haar zitkamer en schreef een brief aan Piers. Ze schreef dat ze bij hem wegging en waarom. Toen vroeg ze Rosemary om wat kleren voor de kinderen in te pakken, omdat ze een paar dagen met hen weg wilde.

'Ik weet dat ik Pandora niet van school mag houden, maar ik wil er even uit. Het spijt me. Je hoeft niet mee. Neem de rest van de week maar vrij.'

Ze pakte een koffer voor zichzelf en ijsbeerde de rest van de ochtend door het huis, totdat ze Pandora en Ned kon ophalen. Ze vertelde Pandora's juf dat haar moeder ziek was en dat ze een paar dagen naar haar toe ging. Pandora was dolblij.

'Joepie, mag ik dan met Jack gaan rijden? Kunnen we Misty laten halen?'

'Liefje, dat is veel te ver. Maar Jack gaat vast wel met je rijden.'

'Komt pappie ook?'

'Nee, pappie komt niet.'

Ze kwam na zevenen bij Moat House aan. Ze had haar moeder niet meer gebeld; ze wilde geen uitvluchten aanhoren. Als ze er was, zou Caroline hen niet kunnen wegsturen. Ze moest ergens heen en wilde niet naar Stebbings of naar een hotel. En ze verlangde opeens ontzettend naar Suffolk, naar huis.

Toen ze de oprit opreed, zag ze een grote motor naast de voordeur staan.

'Motor,' zei Ned opgewonden. 'Vroemm, vroemmm. Op rijden.'

'Dat kan niet, Edmund. Ik weet niet wiens motor het is. Van een van de werklieden, waarschijnlijk.' De voordeur zat op slot en ze liep met Kitty in haar armen naar achteren. De keuken, de hele benedenverdieping was verlaten. Pandora en Ned renden door de tuin, blij dat de saaie, lange rit voorbij was. Ze riep naar haar moeder, maar kreeg geen antwoord. Kitty was drijfnat; ze zou haar moeten verschonen. Ze droeg haar de trap op naar de oude kinderkamer; daar lagen luiers die zo oud waren dat haar moeder er nog in rond had gekropen.

Toen ze over de overloop liep, hoorde ze iets, een vreemd luid geluid. Een wilde, wanhopige kreet. Het kwam uit de badkamer. Wat was er aan de hand? Het klonk alsof er een gewond dier in de badkamer zat, of iets dergelijks.

'Mamma?' riep ze angstig bezorgd. De kreet verstomde. Ze rende met Kitty over de overloop, worstelde met de deurknop en trok de deur voorzichtig open.

Haar moeder lag spiernaakt met gespreide armen op het badmatje en Magnus Phillips zat schrijlings op haar. Ze keek Chloe met een mengeling van schrik, gêne en – zonder enige twijfel – de nodige humor aan.

'Chloe, neem iets te drinken.' Magnus, die een badjas had aangetrokken, sleepte een verrukte Ned, die wachtte op zijn beloofde rit op de motor, aan zijn been mee. Magnus leek de situatie wel vermakelijk te vinden.

'Nee, dank je, ik wil niets drinken.'

'Je moet iets drinken.'

'Ik moet helemaal niets.'

'Chloe, neem iets te drinken. Je bent onredelijk.'

'Onredelijk? Ik vind jou met mijn moeder in de badkamer. Is dat redelijk?'

'Ze is volwassen,' zei Magnus rustig.

'Ja en ze is ook... zo goed als getrouwd. Met Joe.'

'Daar ga ik verder niet op in. Ik ga me aankleden en dan ga ik met Ned een stukje rijden op de motor.'

'Ik wil niet dat je met Ned op dat afschuwelijke ding gaat rijden.'

'Dat kan helemaal geen kwaad. Hè, Ned?'

'Nee,' zei Chloe.

'Jawel,' zei Ned. Hij begon luid te huilen en Kitty viel hem van schrik bij. Ondertussen trok Pandora onophoudelijk aan de voordeurbel. Door het geklingel begonnen de honden hard te blaffen.

Caroline kwam aanlopen, geheel gekleed, bleek en met een ietwat wilde blik in haar ogen. 'Chloe, wat is er in godsnaam aan de hand? Kun je je kinderen een beetje rustig houden?'

'Hoe kón je?' vroeg Chloe. Haar stem trilde van woede. 'Hoe kon je Joe zo bedriegen. Je bent walgelijk.'

'Chloe, alsjeblieft...'

'Hou op met je "Chloe". Ik begrijp je gewoon niet. Joe, die zo goed voor je is, zo lief en trouw. Al die jaren. Zelfs... nou ja, je bent blijkbaar geen spat veranderd.'

'Chloe, hoe durf je zo tegen me te praten!'

'Ik durf het omdat het waar is. Dat weet je best. Je loopt al je hele leven mensen te bedriegen. Mij, pappa, zelfs... ja, zelfs Fleur. Je hebt haar lekker laten zitten. Het perfecte moedertje spelen voor ons en haar...'

Caroline stapte naar voren en sloeg haar hard in het gezicht. Er viel een loodzware stilte. Toen stapte Magnus naar voren.

'Caroline, dat had je niet moeten doen.'

Caroline keek hem aan. Haar gezicht was vertrokken, lelijk. Toen draaide ze zich om en liep de kamer uit.

Ned begon weer te huilen. Magnus tilde hem op, waarop hij nog harder ging huilen. Hij overhandigde Ned aan Chloe en haalde een reep chocola uit zijn badjas. 'Tenzij jongens heel erg zijn veranderd sinds ik jong was, krijg je hem hiermee wel stil.'

'Hij mag geen chocola,' zei Chloe. Ondanks haar ellende kon ze horen hoe nuffig ze klonk.

'O jee,' zei Magnus. 'Je moeder mag geen seks, Ned mag geen chocola. Wat mag er eigenlijk wel van jou, Chloe?'

'Dat zou jij toch niet begrijpen,' zei Chloe kil.

'Oké, ik ben de schurk van het stuk. Ik ben oud en lelijk genoeg om dat aan te kunnen. Neem nou iets te drinken.'

'Hoe vaak moet ik nog zeggen dat ik niets wil drinken,' zei Chloe en ze barstte in huilen uit.

Magnus reageerde geweldig. 'Misschien huil ik wel lekker met je mee,' zei hij. Hij nam Ned van haar over en gaf hem de reep. Toen pakte hij Kitty op, die in slaap was gevallen en legde haar naast Chloe op de bank.

Toen ging hij aan de andere kant zitten en sloeg zijn arm om haar heen.

'Toe nou. Ik kan begrijpen dat je erg van streek bent, maar zo erg is het allemaal niet. Je moeder en Joe zijn al een tijdje uit elkaar aan het groeien. Dat moet je toch gemerkt hebben. Hij is hier bijna nooit. Alsjeblieft,' hij gaf haar zijn zakdoek, 'droog je tranen. Dat is beter.'

Chloe snoot haar neus en zei: 'Het spijt me, Magnus, maar ik vind het verschrikkelijk. Ik ben zo gek op Joe. Hij is als een vader voor me geweest. Hij is zo'n goede, lieve man. Het lijkt zo... wreed.'

'Het hele leven is wreed, Chloe. Het is niet anders.'

'O, dus dan is het goed? We mogen doen wat we willen omdat het leven wreed is?'

'Natuurlijk niet. Maar iedereen doet weleens foute of domme dingen. Meestal zonder gevolgen.'

'O ja?' vroeg Chloe. 'Nou, sommigen doen hun best dat te voorkomen.'

'En alle anderen zijn mensen,' zei Magnus. Hij keek haar met grote belangstelling aan.

Op dat moment liep Caroline weer de kamer in en ging de telefoon. Ze nam op.

'Hallo? O... Joe. Ja, prima, dank je. Ja, inderdaad, ze is hier.' Ze reikte Chloe met een verwarde, zelfs geschrokken blik de hoorn aan.

Chloe schudde haar hoofd. Ze kon hem niet te woord staan nu ze wist dat hij verraden was. 'Ik kan hem nu niet spreken.'

'Chloe, hij zei dat het heel dringend is.'

'O.' Ze pakte de hoorn aan, hield deze even tegen zich aan, vermande zich.

'Joe? Ja.'

'Chloe, schatje. Het spijt me dat ik je dit moet aandoen, maar je moet terug naar Londen. Het gaat om Piers. Rosemary heeft me gebeld. Hij... hij heeft een overdosis genomen.'

Later, veel later, toen Chloe zich door Magnus op de trein had laten zetten, waarna Joe haar op station Liverpool Street opwachtte, toen Magnus had beloofd Rosemary de volgende ochtend van de trein te halen, toen Ned het beloofde ritje op de motor had gemaakt om hem te laten ophouden met huilen, toen Pandora in de verlichte buitenbak had mogen rijden om haar te laten ophouden met huilen, toen een dolgelukkige Janey de kinderen in bed had gedaan en Caroline ze had voorgelezen, waarna de vrede kortstondig in het huis was wedergekeerd, was Magnus in de salon gaan zitten, had hij Caroline een dubbele cognac aangereikt en tegen haar gezegd: 'En nu, mijn lief, moet je me één ding vertellen. Wie is Fleur in godsnaam?'

INLEIDING TOT HET HOOFDSTUK 'WARE LIEFDE' IN *THE TINSEL UNDERNEATH*

OOK AL WAS GUINEVERE DAVIES NIET PIERS WINDSORS GROTE LIEFDE, HIJ WAS ABSOLUUT DE HARE. ZE WAS GEK OP HEM, VANAF HUN EERSTE ONTMOETING TOT DE DAG WAAROP HIJ STIERF. ZE HIELD NIET ALLEEN VAN HEM, ZE HAD OOK INTENSE BEWONDERING VOOR HEM EN VOOR ZIJN TALENT. ZE WAS ZEER TROUW EN VOLKOMEN ONZELFZUCHTIG; ZE GAF HEM ALLES WAT ZE HAD EN TOEN ZE VREESDE HEM KWIJT TE RAKEN, NAM ZE UIT WANHOOP EEN ENORM RISICO.

BIJ HAAR FAMILIE ZIJN DE MENINGEN VERDEELD: UIT WAT HAAR MOEDER, MEGAN, VERTELT, WORDT DUIDELIJK DAT ZE ENORM OP HEM GESTELD IS; HAAR BROER, RICHARD, KAN HEM NIET UITSTAAN. DAT IS NIET ZO VREEMD: MEGAN IS EEN GEVOELIGE, ONTWIKKELDE VROUW MET EEN SCHERPE BLIK EN EEN GROOT GEVOEL VOOR HUMOR. RICHARD IS MINDER INSCHIKKELIJK. HIJ ZAG EEN MAN DIE HIJ NIET VERTROUWDE EN DIE ZIJN BEELD BEVESTIGDE DOOR ZIJN ZUS TE VERLATEN TOEN ZE ZWANGER WAS.

MEGAN ZAG HOE COMPLEX PIERS' KARAKTER WAS, ZAG DE PROBLEMEN DIE HIJ MET RELATIES HAD, ZELFS MET HAAR EIGEN DOCHTER; ZE MOCHT HEM, GENOOT

VAN ZIJN GEZELSCHAP, MAAR ZAG DAT DE RELATIE ONDER DRUK STOND. ZE WEES
PIERS NIET ALS GROTE BOOSDOENER AAN, HOEZEER HET VERDRIET VAN GUINEVERE
HAAR OOK AAN HAAR HART GING.

SOMMIGE PSYCHOLOGEN STELLEN DAT OPZETTELIJK ZWANGER WORDEN TEGEN
DE WENSEN VAN DE PARTNER IN EEN VROUWELIJK EQUIVALENT IS VOOR VER-
KRACHTING. DAT IS PRECIES WAT GUINEVERE DEED. ZE KON HET NIET VERDRAGEN
PIERS KWIJT TE RAKEN EN GEBRUIKTE EEN KIND ALS WAPEN IN DE STRIJD. ZE VER-
LOOR BEHALVE PIERS, DIE NIET TOE WAS AAN EEN GEZIN, TRAGISCH GENOEG OOK
HET KIND. TEN SLOTTE VERLOOR ZE DOOR PIERS' LEUGEN: DAT ZE ABORTUS HAD
LATEN PLEGEN OM EEN FILMROL TE KUNNEN BEHOUDEN. HET WAS EEN ZELFZUCHTI-
GE EN LASTERLIJKE LEUGEN. DAT ZE DAARNA NOG VAN HEM KON HOUDEN,
BEWIJST HOE GROOT HAAR HARTSTOCHT VOOR HEM WAS.

Hoofdstuk 26

1970

Magnus Phillips leunde achterover en proefde van het glas bordeaux dat zijn uitgever voor hem ingeschonken had.

'Erg lekker,' zei hij. 'Echt erg lekker.'

'Mooi. Fijn je weer te zien, Magnus.'

'Goed jou te zien, Richard. Letterlijk.'

Richard Beauman beantwoordde precies aan het beeld dat het grote publiek van een geslaagde uitgever had. Hij was zeer lang, slank en elegant. Hij had wit haar en een vrij lang gezicht met een haviksneus en fonkelende bruine ogen. Het afgelopen jaar had hij onder meer *The House* van Magnus Phillips uitgegeven, waarin een of twee illustere kabinetsleden voor het voetlicht werden gebracht. Magnus' tweede boek, *Dancers,* kwam in november uit. 'Waaraan heb ik dit bezoek te danken?' vroeg Richard Beauman.

'Ik heb een geweldig boek voor je, Richard. Ik krijg al jeuk in mijn ballen als ik eraan denk.'

'Waar gaat het boek over? Ik neem aan dat het weer biografisch van opzet is. Maar toch niet over meneer Windsor? Ik dacht dat je dat idee had losgelaten. Ik heb gehoord dat hij op de nominatie staat voor een koninklijke onderscheiding.'

'Hij heeft het idee zelf losgelaten,' zei Magnus, 'maar ik niet. Maar goed ook. Die koninklijke onderscheiding klinkt erg interessant. Dat zal de prijs voor de feuilletonrechten ten goede komen.'

'Dus wel biografisch? Over Windsor?'

'Ja en nee.'

'Magnus, ik heb een hekel aan raadseltjes.'

'Ja, het is biografisch en ja, het gaat over Windsor, maar over nog veel meer.'

'O ja? Laat mijn ballen ook eens jeuken, als je wilt. Is biefstuk acceptabel, trouwens?'

'Ik zal het proberen,' zei Magnus. 'Biefstuk is prima, dank je.'

Na de lunch liepen ze door het lentezonnetje naar St James's Park, waar Richard Beauman kantoor hield.

'Ik praat wel met je agent. Waarschijnlijk heeft hij al een prijs in zijn hoofd.'

'Jazeker. En als jij het boek niet wilt, staan er genoeg andere uitgevers voor dit boek in de rij.'

'Klootzak,' zei Richard goedmoedig. 'Wij zijn momenteel niet schatrijk, Magnus. Ik zeg het maar even.'

'Ach toch,' zei Magnus. 'Zeg dat maar tegen Henry. Dat zal hem zeker interesseren. Bedankt voor de lunch.'

Een uur later legde Richard Beauman nogal mat de hoorn neer, nadat hij met grote tegenzin, en nogal tot zijn verbazing, de mondelinge toezegging had gedaan een voorschot van honderdduizend pond over te maken aan Henry Chancellor, Magnus' agent – 'Mits hij echt met iets concreters op de proppen komt dan een paar uit de lucht gegrepen anekdotes' – voor de rechten van een boek waarin alles zou staan wat duizenden mensen zou bewegen het boek te kopen: gevallen idolen, beroemde namen, schandalen en verraad, seks en verdriet, de glitter van Hollywood en de glamour van het theater.

'En het is allemaal waar gebeurd,' zei Henry op meeslepende toon. 'En hij is nog maar net begonnen. Als ik het goed begrijp, Richard, krijgen we twintigduizend pond bij ondertekening en dan...'

'Wacht even, Henry. Er wordt niets ondertekend totdat ik meer heb dan de vage toezegging die Magnus tijdens de lunch deed. Ik wil namen, interviews, zo mogelijk bandopnamen, een geheel uitgewerkte synopsis, gestaafd met bronnenmateriaal.'

'Dat krijg je allemaal, Richard,' zei Henry rustig. 'Hij heeft ons nog nooit teleurgesteld. Ik weet niet hoe hij het doet, Richard. Jij wel?'

'Hij is gewoon een gewetenloze klootzak,' zei Richard. 'Prettige middag verder, Henry.'

'Je bent een gewetenloze klootzak,' zei Caroline, 'en ik vertrouw je voor geen meter.'

'Heel goed,' zei Magnus met een tedere kus op haar naakte schouder, 'zo hoort het ook. Hoor eens, lieve Caroline, ik moet een paar weken weg. Ik

wil niet dat je gaat denken dat ik je vergeten ben, want dat is echt onmogelijk.'

'Waar ga je heen?'

'O, overal en nergens,' zei hij. Zijn donkere ogen verraadden geen enkele
emotie. 'Onderzoek doen voor een nieuw boek.'

'Waar gaat het over?' vroeg Caroline en ze probeerde een opkomend
angstgevoel te onderdrukken.

'Ambitie,' zei hij.

Chloe kon zich niet herinneren dat ze ooit zo moe was geweest. Zelfs niet na
haar bevallingen, zelfs niet na de bevalling van Kitty, toen Rosemary ziek was
geweest op de dag dat ze uit het ziekenhuis kwam en Piers erop had gestaan
dat ze een Amerikaanse filmbons die in Engeland was te eten uitnodigde
('niets bijzonders, lieveling, gewoon een omelet of zoiets').

Joe had haar op de verschrikkelijke avond van de trein gehaald, en daar
had ze zich alleen nog maar verdrietiger onder gevoeld, nu ze van Caroline en
Magnus wist. Ze had hem nauwelijks kunnen aankijken, amper met hem
kunnen praten en ze hoopte maar dat hij het zou toeschrijven aan een shock.
Hij had haar rechtstreeks naar de kliniek gebracht waar Piers was opgenomen. Piers zag er klein uit, heel bleek, met een infuus in zijn arm. 'Het komt
wel goed met hem,' zei hun huisarts, Roger Bannerman, geruststellend tegen
haar. 'We waren er goddank op tijd bij. Wat een geluk dat je kinderjuffrouw
niet was weggegaan.' Ja, beaamde Chloe, wat een geluk, ongelooflijk. Ze voelde afschuw voor wat zij bijna had aangericht, voor de wreedheid, de ongevoeligheid waarmee ze Piers had aangevallen en haar hele gezin in gevaar had
gebracht. Ze waakte de hele nacht naast zijn bed, doodsbang dat zijn toestand
zou verslechteren, dat zijn hart het zou begeven. Ook dacht ze keer op keer
terug aan de afschuwelijke scène in Moat House.

'Zoiets kan zo gemakkelijk gebeuren,' had Roger Bannerman net iets te
kordaat gezegd. 'Als iemand per ongeluk slaappillen inneemt in plaats van
pijnstillers. Die arme Piers moet wel heel erg moe zijn geweest, en het kwam
boven op al die wodka en rode wijn die hij had gedronken.' Ja, had ze gezegd,
het was inderdaad wel verschrikkelijk gemakkelijk; ze kon hem voortaan
beter niet alleen laten als hij zo moe was. Hij had zich natuurlijk grote zorgen gemaakt over het toneelstuk en over zijn project voor volgend jaar; geen
wonder dat hij het etiket op het potje niet goed had gelezen.

Ze had Rosemary gesproken toen ze thuiskwam. 'Ik heb dit gevonden,'
zei ze voorzichtig. Ze gaf Chloe een briefje. 'Het lag op de keukentafel, tegen
de zoutmolen aan. Ik heb het voor je bewaard.'

'Rosemary,' zei Chloe, 'je bent echt geweldig, zo verstandig. Je hebt alles precies goed gedaan. Ik weet niet hoe ik je moet bedanken.'

In de taxi las ze het briefje steeds opnieuw. 'Vergeef me, lieveling, ik kan zo niet doorgaan. Ik hou van je, Piers.' Het was geen duidelijk briefje, maar Rosemary had Piers' zelfmoordpoging in Amerika meegemaakt en begreep meteen wat er stond. Ze was Piers' kamer binnengestormd (de deur zat niet op slot) en had de dokter gebeld. Alleen Rosemary zou de tegenwoordigheid van geest hebben om het briefje voor Chloe te bewaren toen ze wist dat Piers buiten levensgevaar was.

'Natuurlijk,' zei Roger Bannerman de volgende ochtend opgewekt toen hij Piers in de kliniek opzocht en daarna op de gang met Chloe praatte, 'had hij lang niet genoeg ingenomen om in acuut levensgevaar te raken. Maar dat was immers ook niet de bedoeling.'

'Nee,' zei Chloe, 'zeker niet.'

'Chloe,' zei hij vriendelijk, 'zo te zien ben je uitgeput. Waarom ga je niet naar huis? Piers moet nog een dag hier blijven. Jij kunt maar beter weer op krachten zijn als hij thuiskomt. O, en Chloe...'

'Ja?'

'Ik denk dat hij eens met een psychiater zou moeten praten. Gewoon, alleen praten. Ik ken een goede. Ze noemen dit een zenuwinzinking. Professionele hulp kan echt schelen.'

'Ja,' zei Chloe, 'dankjewel. Misschien ga ik straks wel naar huis. Ik ga nu even bij hem zitten. Hij lijkt alweer meer zichzelf.'

'Ja. Maar forceer niets. Geen vragen, oké?'

'Oké,' zei Chloe.

Piers was zeurderig en werd tot tranen toe gekweld door wroeging.

'Het spijt me zo, lieveling, het spijt me verschrikkelijk, alles. Zeg dat je het me vergeeft.' Hij greep haar arm vast; zijn hand voelde hard en heet.

'Piers, het is wel goed. Ik vergeef je alles. Nu niet praten, schat, rust maar uit.'

'Ik heb zo'n keelpijn,' zei hij. 'Wat ze met je doen, is echt afschuwelijk. Ze duwen een slang naar binnen en dan pompen ze water in je maag, totdat je... walgelijk. Ik heb alles uitgebraakt, kreeg geen adem.'

'Piers, alsjeblieft, niet doen,' zei Chloe. Ze wist dat hij alleen maar wilde dat ze begreep wat hij had doorgemaakt. Hiermee maakte hij haar duidelijk dat hij haar ondanks al zijn excuses en zijn zelfvernedering medeverantwoordelijk achtte.

'Zo'n geluk gehad,' zei hij en hij reikte met zijn andere hand naar zijn waterglas. 'Ik mag maar kleine slokjes nemen. Echt, zo'n geluk dat Rosemary niet was weggegaan. God mag weten wat er anders was gebeurd.'

'Ja, maar gelukkig was ze er nog,' zei Chloe. 'Piers, je moet rusten.' Ze streek zacht over zijn voorhoofd. Alles is goed, komt goed. We moeten dit achter ons laten. Alles.'

Pas weken later hoorde ze dat Rosemary tegen Piers had gezegd dat ze thuisbleef en op haar kamer zou eten.

En alsof dat allemaal niet genoeg was, moest ze ook nog in het gerede zien te komen met de afschuwelijke wetenschap dat haar moeder een affaire had met Magnus. Dat was echt afgrijselijk. Al het respect dat Chloe voor haar moeder had kunnen opbrengen, was verdwenen toen ze haar in de badkamer had aangetroffen. De weerzin die ze had gevoeld toen ze de brieven over Fleur had gevonden, kwam in volle kracht terug.

Ze wist niet wat ze ermee aan moest. Ze wilde het Joe vertellen, hem waarschuwen, maar ze wist dat ze dat niet kon. Beter van niet. Het was niet aan haar er iets over te zeggen en ze kon het ook niet aan om iemand zoveel pijn te doen. Dus ging ze hem uit de weg; onhandig sloeg ze zijn uitnodigingen om te lunchen of iets te gaan drinken af en hield ze de boot af als hij aanbood naar het huis te komen. Ze zei dat het vanwege Piers was. Ze wist dat het hem verbaasde, dwarszat, maar ze zag geen andere mogelijkheid. Ze was ook bezorgd, bang, omdat haar moeder met Magnus omging. Instinctief wist ze dat hij gevaarlijk was; als hij aan jouw kant stond, was hij een charmante vriend, interessant, kleurrijk, amusant, maar hij was ook een invloedrijke roddeljournalist en je wist nooit wat hij met een sappig verhaal ging doen. Bijvoorbeeld dat de vrouw van Piers Windsor een onwettig zusje had, dat door de hele familie werd doodgezwegen. Als ze eraan dacht, begon ze weer te rillen. Daarom probeerde ze er maar niet te veel aan te denken.

'Wat geweldig, Joe. Het is erg goed.' Caroline keek op van de kleurenbijlage bij de *Sunday Times* en glimlachte naar hem, voor het eerst sinds weken.

'Mooi,' zei Joe. Wat een opluchting. Hij had weken zitten zwoegen op dat rotartikel, een portret van Elton John, veel langer dan de vergoeding rechtvaardigde. Hij kreeg steeds sterker het idee dat zijn werk het enige was waarin hij goed was. Ondanks haar plotselinge warmte leek Caroline steeds meer afstand tot hem te nemen. En Chloe wilde blijkbaar ook niets meer met hem te maken hebben; ze ontweek hem, gedroeg zich ongemakkelijk en gespannen. Ondertussen had hij het gevoel dat hij oud werd en was hij nog steeds bang als hij zijn bankafschriften openmaakte.

Ze zaten in de keuken van Moat House. Het was een vredige gouden zomerdag. De honden lagen te slapen bij het fornuis; het zonlicht viel in stoffige banen door de deuropening; de bijen in de kamperfoelie die om het raam heen groeide waren onophoudelijk zoemend aan het werk. Straks kwam Chloe met de kinderen (maar zonder Piers); een mooie dag, een gelukkige dag.

De vredige stilte werd verstoord door het gerinkel van de telefoon. Het was Joe's agent, Will Niven.

'Joe, wat een geweldig stuk. Sorry dat ik je op zondag stoor, maar ik móest je even feliciteren.'

'Dank je.'

'Misschien moeten we je portretten bundelen in een boek.'

'Denk je dat dat kan?' vroeg Joe blij verrast.

'Ja, we moeten een kapstok vinden. Maar het is zonde er niets mee te doen. Ik heb al een titel ook: *Love at First Sight*.'

Joe lachte. Een van de drie vragen die hij bij elk interview stelde was: 'Gelooft u in liefde op het eerste gezicht?' Hij vond de antwoorden altijd uiterst onthullend. 'Dat zou wel goed verkopen.'

'Ja. Ik ga me oriënteren. Zo te horen is je vriend Magnus Phillips ook met een erg spannend boek bezig. Wat vindt Piers ervan?'

'Pardon?' vroeg Joe.

'Wat? Heb je het dan nog niet gehoord? Het is echt menens. Blijkbaar heeft Magnus onderzoek gedaan naar Piers' verleden en is hij interessante zaken tegengekomen. Heel opwindend allemaal. Hollywood, van dattum.'

'O nee, niet weer die sloot vol oude koeien,' zei Joe. Hij voelde zich misselijk worden.

'Welke oude koeien, Joe?'

'O, dat slavensysteem en alles eromheen. Ik kan me niet voorstellen dat Piers daarmee zou zitten.'

'Voor zover ik heb begrepen, is er veel meer aan de hand. Natuurlijk wordt het allemaal stilgehouden. Zijn agent loopt zielsgelukkig rond en er wordt zwaar op geboden.'

'Geeft Beaumans het dan niet uit?'

'Ja, maar ik heb het over de Amerikaanse rechten en de feuilletonrechten. Joe, je móet hier meer van weten.'

'Ik ben de laatste tijd veel in Suffolk geweest,' zei Joe.

Hij legde neer en keek Caroline aan.

'Wat is er gebeurd? Je ziet er vreselijk uit.'

'Ik voel me ook vreselijk,' zei Joe en hij herhaalde wat Niven had verteld.

Toen ze een tijdje later gingen wandelen, maakte Caroline een rusteloze indruk. Hij begreep niet waarom en werd er zelf nog onrustiger van. Zo dol was ze immers niet op Piers en ze had geen idee van een mogelijk verband tussen hem en Brendan.

'Je moet er iets tegen doen,' zei ze steeds weer. 'Alsjeblieft.'

'Ik zal mijn best doen,' zei Joe, 'maar ik weet niet of ik iets kán doen.'

Hij vroeg zich af of hij Chloe moest waarschuwen, of Piers. Het klonk echt beangstigend. Waarom had die domme zak Magnus überhaupt voorgesteld zijn biografie te schrijven? IJdeltuiterij, waarschijnlijk, die eeuwige, allesoverheersende ijdeltuiterij van Piers Windsor. Hij besloot het hun te vertellen, nam tot drie keer de hoorn op, maar legde dan weer neer, niet alleen omdat hij opzag tegen het gesprek, maar ook tegen de implicaties ervan, de vragen die hij over zich heen zou krijgen, de antwoorden die hij misschien zou moeten geven. Elke keer dat hij nadacht over Magnus' vragen over Byron Patrick, over het meisje, Kirstie Fairfax, over wat hij zou doen als hij het hele verhaal zou kennen, werd hij ontzettend misselijk. Hij zei tegen zichzelf dat Piers genoeg mensen om zich heen had die hem tijdig konden waarschuwen en dat Chloe al genoeg aan haar hoofd had. Bovendien deed ze akelig afstandelijk, leek ze hem te willen ontwijken. Dat zat hem erg dwars, hij miste haar. Ze was een van de liefste mensen die hij kende. Arm kind, ze had zich wel wat op de hals gehaald toen ze met Piers trouwde.

Joe was er al om zes uur, zo vastbesloten was hij om het gesprek in de hand te houden. Hij was nog steeds razend, bloedlink – en bang. Voor verschillende dingen. Eén ervan was zo donker en kwaadaardig dat hij het amper onder ogen durfde te zien.

Magnus kwam precies om halfzeven, ontspannen glimlachend; hij zag er zongebruind en blakend uit. Hij gaf Joe een hand. Joe schudde die kort.

'Iets drinken?'

'Ja, bourbon graag. Ik ben de laatste tijd veel in Amerika geweest. Nu heb ik de smaak te pakken.'

'O ja?' vroeg Joe. 'Onderzoek voor je boek?'

'Ja, inderdaad. Fascinerend, Joe. Jij zult er al wel iets van weten.'

'Magnus,' zei Joe, 'waar ben je precies mee bezig?'

'Met een boek. Over Piers en zijn enorme succes. Ik heb gehoord dat hij *Othello* wil opvoeren, klopt dat? Ja, dat dacht ik al, en dan die koninklijke onderscheiding en die Oscars. Drie voor de *Dream*. Die man is een genie. Met een prachtige jonge vrouw en een volmaakt gezinnetje. De goden zijn hem goedgezind. Louter goeds.'

'Magnus,' zei Joe, 'denk je echt dat ik dom ben?'

'Nee, ik weet wel beter. O, wat smaakt dit heerlijk. Ik heb een zware dag achter de rug; al die Amerikaanse uitgevers.'

'Besef je wel hoeveel schade je gaat aanrichten? Als je schrijft wat ik vermoed dat je schrijft.'

'Alleen de waarheid,' zei Magnus. 'Ik heb heel veel respect voor de waarheid. Altijd al gehad.'

'Dat lijkt mij een slecht excuus om levens te ontwrichten.'

'Joe, als mensen zich netjes gedragen, kan de waarheid hun niet deren. Als ze zich misdragen en proberen hun gedrag te verdoezelen, moeten ze ook de gevolgen maar accepteren. Piers Windsor is een arrogante, ijdele man die uit is op roem; hij heeft mij gevraagd zijn biografie te schrijven. Het wordt duidelijk een ander boek dan hij in gedachten had, maar het feit is dat hij openlijk uit was op egostrelerij. Ik vind dat vrij onsmakelijk. Hij kan het me toch niet kwalijk nemen als ik ontdek dat de zoete koek aan de onderkant beschimmeld is?'

'Dat is onzin, dat weet je best. Denk aan Chloe en de kinderen. Je bent een huisvriend, althans, dat word je geacht te zijn, de peetvader van Ned. Denk aan... de anderen die erbij betrokken zijn. Ik kan die vent ook niet uitstaan, maar dit verdient hij niet.'

'Het is geen onzin, Joe. Het zijn harde feiten. Natuurlijk spijt het me voor Chloe, maar het spijt me vooral dat ze met die klootzak is getrouwd en dat hij haar manipuleert. Die zelfmoordpogingen, bijvoorbeeld, welke engerd doet Chloe zoiets aan? Verdomme, Joe, daar word ik pissig van.'

'En ik word er pissig van,' zei Joe, 'dat je dat als excuus gebruikt voor wat je doet.'

'En wat doe ik volgens jou?' Magnus had een gevaarlijke glinstering in zijn ogen.

'Onbeschoft veel geld verdienen. Werken aan je reputatie. Je eigen ego strelen.'

'Ach, Joe, ik heb al onbeschoft veel geld. Ik heb nu waarschijnlijk tien keer zoveel geld op mijn rekening staan als mijn vader in zijn hele leven heeft verdiend. Mijn ego kan wel een tijdje zonder streling. Het is altijd al iets te groot geweest. En waarschijnlijk heeft mijn reputatie hier alleen maar van te lijden.'

'Waarom doe je het dán in godsnaam,' zei Joe.

'Vooral omdat dit het meest fascinerende project is waar ik ooit aan ben begonnen,' zei Magnus. Hij dronk zijn glas leeg en gebaarde naar de ober. 'Alles zit erin, Joe: seks, schandalen, beroemde namen, nostalgie. Prachtig.'

'Nostalgie?'

'Nostalgie, ja, en toeval. Opmerkelijk hoe verhalen, levens, elkaar kruisen, verweven raken, een patroon vormen. Dat zul je zelf ook keer op keer gemerkt hebben als je onderzoek deed. Dus, ja, veel nostalgie. Dat is het hoofdbestanddeel.'

Hij trok een pakje Disques Bleus uit zijn zak, bood Joe er een aan. Joe schudde zijn hoofd. Magnus stak zijn sigaret op en de doordringende rook van sterke Franse tabak vergrootte Joe's paniekgevoel.

'Joe, ik weet wel wat je echt wilt,' zei Magnus met een ironische blik in zijn donkere ogen. 'Jij wilt precies weten wat ik ga schrijven, maar dat ga ik je niet vertellen. Dat weet niemand, zelfs mijn agent en uitgever niet. Eerlijk gezegd weet ik het zelf nog niet precies. Ik ben nog steeds aan het graven. Dit is een geweldig verhaal, Joe. Ik laat het niet los.'

Joe voelde zich erg misselijk. Hij durfde helemaal niets meer te zeggen, uit angst dat hij iets zou onthullen, iets wat Magnus nog niet wist. Maar toen hij terugdacht aan het gesprek dat Magnus en hij maanden geleden in El Vino's hadden gevoerd, aan Magnus' schijnbaar willekeurige vragen over Byron Patrick en Kirstie Fairfax, wist hij zeker dat alles erin zou komen. Brendan, Caroline, Fleur. Hij besloot één laatste gevaarlijke vraag te stellen.

'Heb je bedacht wat het boek zal doen met mij en met... met Caroline?'

'Toe nou, Joe. Ik weet dat je erg gek bent op Chloe, maar als je eerlijk was, zou je toegeven dat jij Piers ook wel aan de haak wilt zien kronkelen. En Caroline is een erg mooie, erg onafhankelijke vrouw van... hoe oud zal ze zijn? In de veertig. Ze heeft geld, aanzien, kinderen die van haar houden. Denk je echt dat de onthulling van een jeugdzonde, vijfentwintig jaar geleden, haar zoveel schade zou toebrengen? Natuurlijk niet. Daar kan zij mee omgaan. Dat zou ze moeten kunnen.'

'Wat ben jij een klootzak,' zei Joe. Er gingen schokgolven door zijn lichaam die steeds heviger werden. Magnus wist van Fleur. En Caroline wist dat hij het wist. Geen wonder dat ze zo van streek was. Allemachtig, dit werd alleen maar erger. Hoe wist hij dat in godsnaam? Hoe was hij erachter gekomen? Hoe langer hij nadacht, hoe meer alles op zijn plaats viel. Carolines afstandelijkheid, haar opmerking 'dat zei Magnus ook' toen hij iets over Piers zei, dat Chloe de laatste tijd zo ongemakkelijk, gegeneerd deed. Blijkbaar wist zij het. Half Londen wist het ongetwijfeld. God, ze dachten blijkbaar allemaal dat hij gek was. Hij pakte zijn glas en merkte hoe zijn hand trilde.

'Je bent een klootzak,' zei hij weer.

'Ach, je hebt recht op je mening,' zei Magnus nonchalant. 'Het spijt me dat ik er geen verandering in heb kunnen brengen.'

Joe stond op. Zijn glas whisky was nog vol en het ijs erin was nog niet gesmolten. Hij pakte het op en smeet het in Magnus' gezicht. Een van de ijsblokjes raakte hem in het oog en deed duidelijk pijn.

Magnus vertrok geen spier, maar pakte een servet van tafel, veegde de ijsblokjes van zijn revers en legde ze op tafel. De ober was aan komen rennen en wenkte de barman om hulp.

Magnus wuifde hem weg. 'Het is wel goed. Maakt niet uit. Ik wil nog wel een bourbon. Joe, lees het boek nou gewoon. Het is waarschijnlijk niet wat je verwacht. Dat weet ik zelfs zeker.'

Joe trok Magnus aan zijn overhemd overeind. Hij was erg sterk en zwaar, maar dit had hij niet verwacht. Joe haalde uit, stompte hem hard in zijn gezicht en duwde hem achterover in zijn stoel.

Magnus stond meteen weer op. Er liep een straaltje bloed uit zijn neus, zijn mond vertrok een beetje, maar de blik in zijn ogen was nog steeds geamuseerd. Hij greep Joe's revers beet en zei: 'Zo doe je dat niet, Joe. Eerlijk niet.'

Toen duwde hij hem opzij en liep met opgeheven hoofd de bar uit.

'O, in godsnaam,' zei Caroline met de *Daily Mail* in haar handen. In de krant stond een foto van Magnus die door de draaideur het Savoy verliet met een zakdoek onder zijn neus, plus een oude, weinig flatteuze foto van Joe. 'Handgemeen in het Savoy' luidde de kop. 'Broodschrijvers gebrouilleerd.'

'Hoe komen ze hieraan? Wat een ongelooflijk toeval dat er net een fotograaf was. Joe, wat ontzettend dom van je.'

'Er zitten altijd journalisten in die bar,' zei Joe. 'Waarschijnlijk heeft een van hen zijn krant gebeld. O, ik weet het niet, Caroline. Ik wilde alleen maar helpen.'

'Ondertussen heb je de boel alleen maar erger gemaakt,' zei Caroline. 'Heb je dit gelezen?'

'Nee, maar ik me levendig voorstellen wat er staat.'

'Stel je niets voor en luister. "Magnus Phillips, de auteur van de bestseller *The House*, een realistisch portret van de politiek, die momenteel werkt aan een biografie van Piers Windsor, raakte gisteren in de bar van het Savoy Hotel verwikkeld in een vuistgevecht met een familielid van Windsor, journalist Joe Payton. De ober die hen bediende zei dat ze een verhitte discussie voerden toen Payton zijn drankje naar Phillips gooide, hem uit zijn stoel trok en in zijn gezicht stompte. Payton en Phillips weigerden beiden in te gaan op de vraag of het handgemeen iets te maken had met het boek, dat naar verluidt sensationeel zal zijn. Piers Windsor, die onlangs drie Oscars won met zijn verfilming van *A Midsummer Night's Dream* en momenteel aan *Othello* werkt, is genomineerd om dit najaar een koninklijke onderscheiding te krijgen. Noch Windsor noch zijn jonge vrouw Chloe was gisteren bereikbaar voor commentaar.'"

'God,' zei Caroline, 'het wordt steeds erger. Niet te geloven dat je dit hebt gedaan. Wat dacht je in hemelsnaam te bereiken?'

'Persoonlijke genoegdoening, denk ik,' zei Joe, 'en ik kan je verzekeren dat ik die heb gekregen.'

'Fijn voor je. Chloe belde net. Ze zei dat Piers zich grote zorgen maakt.'

'Wat naar nou,' zei Joe. 'Hij is dus niet blij dat ik hem wilde helpen?'

'Ik denk eerlijk gezegd niet dat hij het zo ziet.'

Joe keek naar haar. Ze was erg bleek en haar ogen stonden hard toen ze hem aankeek. 'Nou, bedankt voor je steun,' zei hij. 'Dat waardeer ik echt.'

'Wat verwacht je nou?' vroeg ze. 'Het was gevaarlijk en dom om zoiets te doen.'

'O ja?' vroeg hij en hij ontleende nieuwe moed aan een vlaag van felle woede. 'Over gevaarlijke en domme dingen doen gesproken, Caroline, kun jij me uitleggen hoe Magnus op de hoogte kan zijn van wat hij omschrijft als jouw jeugdzonde?'

Een uur later reed hij weg van Moat House. Op de achterbank stond zijn gedeukte oude koffer met daarin de paar dingen die hij naar Suffolk had meegebracht.

Hij had altijd gedacht dat hij het geen prettig huis vond, maar toen hij omkeek, vlak voordat hij wegreed, kon hij het door zijn tranen heen nauwelijks zien.

Hoofdstuk 27

1970

Fleur kon zich niet herinneren ooit zo misselijkmakend bang te zijn geweest. Ze hoopte maar dat niemand het merkte. Gelukkig was het donker. Ze wist dat haar gezicht krijtbleek was, dat haar mond trilde onder de vastberaden glimlach. Ze voelde het klamme zweet uitbreken onder haar oksels, in haar handpalmen, haar maag draaide zich om en haar darmen deden dapper mee. Het zou niet lang meer duren voordat ze naar het toilet moest rennen.

De stem klonk heel ver weg. Ze probeerde zich op die stem te concentreren en tegelijkertijd wilde ze eraan ontsnappen. Ze voelde dat een hand de hare zocht in het donker, maar wilde niet toegeven aan de verleiding die hand te grijpen. Ze liet zich niet kennen, liet niet merken hoe belangrijk dit was. Dat zou een zwaktebod zijn waarvan ze de rest van haar leven spijt zou hebben.

'En de winnaar is,' opnieuw een adembenemende pauze, 'Browne Phillips Ivy met "Gewoon, Morton's".' Een triomfantelijke brul vanaf hun tafel, applaus vanuit de hele zaal. Ze werd overeind geduwd, op haar rug geslagen en Baz Browne stond op om haar en Ricky Pentry naar voren te duwen. Toen liep ze tussen de lange rij tafels door naar het podium en rende, rende de trap op, duwde haar haren naar achteren, lachte naar Ricky en daar stonden ze dan, met de schat, de heilige graal tussen hen in: de Gouden Pen, de hoogste onderscheiding voor creatieve concepten in het reclamevak. Ze keek de enorme zaal in, het waas van glimlachende gezichten en wapperende handen, en voelde zich voor het eerst in haar leven niet alleen triomfantelijk en opgetogen, maar ook volkomen zeker van zichzelf.

'Op Fleur en Ricky! Onze topsterren!' Baz hief zijn glas naar hen beiden toen ze weer zaten en mensen af en aan liepen om hen te feliciteren. Mick diMagggio was een van de eersten geweest. Hij had haar omhelsd, gezegd dat ze geweldig was. Poppy was naar haar toe gerend, terwijl de tranen uit haar ogen stroomden. Nigel Silk was heel wat langzamer komen aanlopen, maar zijn ogen straalden van oprecht plezier en hij had haar hand naar zijn lippen geheven. Reuben, die met het Morton-team mee was en tegenover haar aan tafel zat, had niets gezegd, maar een briefje naar haar toe geschoven, waarop hij 'Goed zo' had geschreven. Sol Morton, die het grootste deel van de avond haar dijbeen had gemasseerd, althans als Sylvia Morton niet op hem lette, had nu zijn arm stevig om haar middel geslagen en weigerde die weg te halen. Matthew Phillips had haar discreet gekust en in zijn lijzige accent verteld dat hij erg trots op haar was; en Col Ivy had gezegd dat hij haar geweldig vond en haar de volgende ochtend meteen wilde spreken.

Veel later gingen ze naar de Four Seasons, waar ze nog meer champagne dronken, nog meer lachten, nog meer gefeliciteerd werden en om halfdrie, toen ze zo dronken was dat ze amper kon blijven staan, zei Reuben dat ze beter konden gaan en bracht hij haar naar de limousine die Browne Phillips Ivy had gehuurd om hen thuis te brengen. Ze reden weg als een pasgetrouwd stel en de hele groep wuifde hen uit.

Fleur leunde tegen hem aan met een zucht van puur genot. 'O, god,' zei ze, 'dat was toch echt te gek, vond je ook niet? Het is tocht amper te geloven dat het allemaal echt gebeurd is.'

'Het was wel leuk,' zei Reuben, maar de glimlach waarmee hij haar aankeek, sprak boekdelen.

Fleur raakte altijd seksueel opgewonden van haar werk; deze nacht was ze gek van verlangen naar Reuben. Ze rende zo ongeveer de trappen op en trok hem achter zich aan; ze viel boven op hem op het bed, vol verlangen bijtend, kussend en strelend. Ze vreeën heel lang, langzaam, intens en toen ze naar haar laatste hoogtepunt zweefde, voelde het voor haar alsof de hele avond hierin samenkwam: de roes, de wetenschap dat ze het had gemaakt, dat ze nu iemand was. En toe ze haar ogen opendeed en de liefde in Reubens ogen zag, schaamde ze zich, schaamde ze zich voor haar egoïsme, voor haar gedrag. Ze stond op, haalde wat water, lag in de kromming van zijn arm en vroeg zich af waarom hij zoveel van haar hield en wilde maar dat zij net zo van hem kon houden.

'Ik zou met je willen trouwen,' zei hij plotseling en ze lachte, hardop, en zei: 'Toe nou, Reuben.' En ze keek hem lachend aan, denkend dat hij een grapje maakte, totdat ze de pijn in zijn ogen zag omdat ze dat kon denken. Opeens wilde ze het weer goedmaken, in haar roes blijven en hem daarin meenemen, en omdat ze zo gek op hem was, echt van hem hield, zei ze: 'Ja, Reuben, dat zou ik ook willen.' Met elk woord raakte ze meer in paniek.

De volgende ochtend was Fleur al vroeg op kantoor. Ze had een gigantische kater, maar onderscheiding of niet, om elf uur had ze een bespreking met Bernard Stobbs en ze had hem een tekst beloofd voor zijn nieuwste baby, een serie kunstboeken voor kinderen. Maar eerst had ze om tien uur een bespreking met Col Ivy.

Cols glimlach was overdadig. Hij schonk haar koffie en beloofde haar een loonsverhoging van tien mille per jaar. 'We zijn erg tevreden, erg tevreden. Goed gedaan. Mevrouw FitzPatrick...'

'Ja, meneer Ivy?'

'Er zit misschien een vacature voor een groepshoofd in de pijplijn. Ik zou willen dat u erover nadacht. Het zou natuurlijk wel betekenen dat u op andere accounts kwam. Denk er eens over na. Ik hoor het wel als u nog vragen heeft.'

'Dat doe ik,' zei Fleur. 'Dank u wel.'

Ze liep zijn kantoor uit en liep uiterst langzaam, met bonzend hart door de gang. Het gebeurde echt, ze was het helemaal aan het maken. Al haar dromen kwamen uit. Op één na.

'Fleur? Sol Morton.'

'O, hai, Sol, hoe gaat het met je hoofd?'

'Uitstekend.' Sol vond dat katers iets waren voor zielige stakkers die beter niet konden drinken als ze er niet tegen konden. 'Fleur, ik wil snel met je lunchen. Alleen jij en Reuben.'

'Waarom, Sol?' vroeg Fleur argeloos.

'Gewoon, een ideetje. Kun je woensdag?'

'Woensdag is wat mij betreft prima. Vraag je het zelf even aan Reuben, of hij kan?'

'Heb ik al gedaan.'

'Mooi,' zei Fleur.

Ze belde Reuben.

'Wat denk je dat Sol wil?'

'Ons,' zei Reuben.

'Ja, maar waarvoor?'

'Zichzelf.'

'Aha. Wat vind je ervan?'

'Hangt ervan af.'

'Waarvan?'

'Voorwaarden. Moet gaan.'

'Dag, Reuben.'

'Ze zijn geweldig, Fleur,' zei Bernard Stobbs. Hij keek intens tevreden naar haar schetsen en teksten die over complexe zaken als kubisme en impressionisme vertelden op zo'n manier dat een kind van zes het niet alleen kon begrijpen, maar ook fascinerend zou vinden. 'Prachtig. Ik ben er heel blij mee.'

'Mooi,' zei Fleur glimlachend. Als ze zou verdwijnen naar een andere accountgroep of met Sol in zee zou gaan, zou ze Bernard Stobbs nog het meest missen.

'Ga je mee lunchen?'

'Lijkt me heerlijk, maar ik heb niet veel tijd.'

'Ik hou toch al niet van lange lunches. Daarna val ik in slaap boven mijn boeken. Wat vind je van pasta en Pellegrino?'

'Het klinkt als een prachtig kookboek. Misschien een idee.'

'Leuk idee.'

Tijdens de lunch praatte hij allercharmantst over zijn nieuwe fonds, zijn nieuwste bestseller (een biografie van Callas), het plezier waarmee hij een kunstexpositie voor kinderen sponsorde ter ondersteuning van zijn nieuwe boekenserie. Toen zei hij: 'De uitgeverijenwereld wordt er niet leuker op. Zo genadeloos en plat.'

'O ja?' Fleur probeerde een lange sliert fettucine om haar vork te draaien. Het viel nog niet mee.

'En of. Er komt een nieuw boek uit dat veel weg heeft van riooljournalistiek. Het zou geen boek mogen heten. Uitgeverijen in New York lopen erom te vechten. Engels; dat maakt het nog erger. Ik had gehoopt dat daar nog heren in het vak werkten.'

'Lijkt me twijfelachtig,' zei Fleur kortaf.

Bernard Stobbs wierp haar een ironische blik toe. 'Je klinkt behoorlijk cynisch, beste Fleur.'

'Als het om de Engelsen gaat, ben ik dat ook. Alle Engelsen die ik heb meegemaakt, zijn huichelaars.'

'O jee.'

'Maar waar gaat dat boek over?'

'Over een acteur. Althans, gedeeltelijk. Er zijn allerlei – hoe zal ik het zeggen – subplots.'

'Heb je het gelezen?'

'Alleen de synopsis. Daar stond niet veel in. Dat is altijd zo. Alleen bedoeld om je lekker te maken.'

'Maar jij vond het niet lekker?' vroeg Fleur lachend.

'Nou, nee.'

'Hoe heet die acteur?'

'Hij is een heel beroemde klassieke acteur. Het is eigenlijk nogal deprimerend, als je de toespelingen moet geloven. Misschien heb je hem op Broadway zien spelen – Shakespeare; hij heeft ook die prachtige film gemaakt, *A Midsummer Night's Dream*. Piers Windsor, je hebt vast van hem gehoord. Lieve hemel, Fleur, neem wat water. Ik wist niet dat mensen zich kunnen verslikken in pasta.'

Magnus Phillips zat innig tevreden achter zijn bureau interviews uit te werken, toen de secretaresse van Richard Beauman hem belde met de mededeling dat een meisje in New York dat Fleur FitzPatrick heette zijn adres en telefoonnummer wilde hebben. Mocht ze het geven?

Magnus zei dat dat geen bezwaar was en voelde zo'n golf adrenaline door zijn lichaam stromen dat hij er duizelig van werd.

Hij wachtte ongeduldig totdat ze belde. Ze belde niet. Hij dacht dat ze zou schrijven, maar er kwam geen brief uit New York. Hij belde elke dag naar Beaumans om te vragen of ze nog had gebeld, al was hem verzekerd dat hij het meteen zou horen als dat gebeurde. Hij viel zijn agent lastig met de vraag of er echt geen boodschappen voor hem waren. Nee, echt niet, God, hij was al een half jaar op zoek naar dat kind; hoe kon God, of het lot, hem dit aandoen? Hem een glimp laten zien waar hij niets mee kon? Hij overwoog zelfs om Caroline te bellen, maar besloot dat het te gevaarlijk was. Ze had hem met een indrukwekkende grondigheid uit haar leven gebannen.

'Je bent walgelijk,' had ze tegen hem gezegd, terwijl ze voor zijn deur stond. Ze had niet eens naar binnen gewild. 'Ik had nog nooit een verdorven mens meegemaakt. Een interessante ervaring. Adieu, Magnus. Als je probeert contact op te nemen, bel ik de politie.'

Hij had het gevoel dat hij het vermakelijk zou moeten vinden. Maar het deed verdomde pijn.

Hij had veel moeite met het boek. De waarheden die hij tot nu toe tijdens zijn onderzoek had opgediept, hadden hem geschokt. Meer dan eens was hij in de verleiding gekomen ermee te stoppen, omdat hij er bang van werd. Maar als hij terugleest wat hij had geschreven – hij was halverwege – en keek naar wat hij nog moest schrijven, was het zo opwindend, in verschillende opzichten, dat hij zich er niet toe kon zetten het overboord te gooien. Alsof hij een thriller schreef, of beleefde. En hij was nog steeds niet klaar. Er zaten nog enorme gaten in de structuur, onopgeloste mysteries, onverklaard gedrag. God, hij moest de dochter vinden en haar theorieën aanhoren, ze afzetten tegen zijn eigen ideeën. Horen hoe ze over haar vader dacht; überhaupt weten hoeveel zij wist, welke leugens haar waren verteld, welke waarheden. Het was allemaal van belang, allemaal beangstigend relevant.

Toen hij begin oktober op een ochtend met een stevige kater in bad lag, hoorde hij voor het huis een taxi stoppen. Mooi, dat zouden de omslagschetsen voor *Tinsel* wel zijn. Die zouden vanochtend worden bezorgd. Er was al oeverloos over gebakkeleid. Er waren al meer ideeën voor de omslag verworpen dan er hoofdstukken in het boek kwamen. Er werd één keer gebeld; hij zuchtte en ging verliggen. Zonde om eruit te stappen. Ze zouden het pakje wel voor de deur leggen als hij niet opendeed.

De deurbel ging opnieuw, lang en dwingend. Verdomme, zeker een nieuwe chauffeur. Vloekend stapte hij uit bad, trok zijn badjas aan, rende de trap af onder het roepen van 'Ik kom al,' en deed de deur open.

Terwijl hij de deur opentrok, haalde hij adem om de chauffeur uit te kafferen, maar halverwege de eerste krachtterm viel hij geschrokken stil en bleef hij stil, kon hij zelfs bijna niet ademhalen. Want er stond een meisje voor de deur, een bijzonder mooi meisje, jong, jong genoeg om zijn dochter te zijn. Ze was lang en slank; haar bijna zwarte haar viel in lange lokken op haar schouders en ze had diepblauwe ogen met ongelooflijk lange zwarte wimpers. Ierse ogen. Ook haar gezicht was Iers, bleek en teer, met hoge jukbeenderen en een puntige kin. Al even interessant was de uitdrukking op haar gezicht: behoedzaam, uitdagend en zelfverzekerd tegelijk. Het gezicht kwam hem bekend voor. Even kon hij niet bedenken waarom en toen schoot het hem te binnen met een kracht die nog groter was dan zijn besef van haar seksualiteit en van haar aantrekkingskracht op hem. Want het gezicht leek sterk op een gezicht op de oude Hollywood-foto's waarnaar hij nu al maanden keek.

'Magnus Phillips?' vroeg ze en hij knikte terwijl hij haar bleef aankijken. Ze stak haar hand uit en zei: 'Ik ben Fleur FitzPatrick. Ik kom met u praten over uw boek.'

'Ik kom met u praten over uw boek,' herhaalde Fleur vanuit de Charles Eames-stoel in Magnus' zwart-wit ingerichte werkkamer. Ze had een grote mok koffie in haar hand.

'Ja, dat zei u al. Hoe heeft u erover gehoord?'

'Van een van mijn cliënten.'

'Wat voor werk doet u, mevrouw FitzPatrick?'

'Ik werk voor een reclamebureau in New York.'

'Dat klinkt erg hip.'

'Is het ook.'

'En wat doet die cliënt van u?'

'Hij is uitgever.'

'Ik ben blij dat heel literair New York over mijn boek praat.'

'Dat heb ik niet beweerd.'

'Maar het lijkt een mogelijkheid.'

'Ik wil graag dat u me erover vertelt.'

'Dat kan ik niet doen.'

'Meneer Phillips, dat móet u doen.'

'Waarom?'

'Omdat het mij aangaat.'

'Hoezo?'

'Dat kan ik u niet vertellen.'

'Als we zo doorgaan, komen we niet erg ver,' zei hij monter.

Fleur keek naar hem. Hij deed haar denken aan Sol Morton, een kwaliteitsvariant van Sol Morton. Niet het soort kwaliteit waarover Julian Morell en Nigel Silk beschikten, maar harder, verfijnd, intelligenter en intenser. Hij was ook erg sexy. Hij verontrustte haar, verstoorde haar zintuigen. Ze probeerde die gedachte te verdringen.

'Ik kan u wel iets vertellen,' zei ze.

'Mooi, en als ik u daarna iets vertel, komen we wellicht verder.'

'Ik... ik ken Piers Windsor,' zei ze.

Magnus' gezicht verraadde geen enkele emotie, geen schok, zelfs geen verbazing. Hij knikte alleen. 'Nou en?'

'Pardon?'

'Kent u hem goed?'

'Nogal.'

'Juist. Begrijp ik hieruit dat u hem intiem kent?'

'Ik... ken hem behoorlijk goed,' zei Fleur kortaf, 'laten we het daarop houden.'

'Oké. Ik vertel daar iets voor terug: ik weet wie u bent.'

'Pardon?'

'Ik zei, ik weet wie u bent. Wie u echt bent.'

Fleur voelde zich opeens nogal buiten adem, vreemd, bijna bang. 'Ik weet niet wat u bedoelt.'

'Uw moeder is een Engelse dame die Caroline Hunterton heet. Uw vader was een Amerikaanse acteur die eigenlijk Brendan FitzPatrick heette, maar bij zijn fans bekend was als Byron Patrick. Zonde, maar waar.'

'Godver,' zei Fleur, 'godverdomme.' Toen barstte ze tot haar eigen ontzetting in tranen uit.

'Het spijt me,' zei ze korte tijd later, toen Magnus haar een doos zakdoekjes had aangereikt, koffie had bijgeschonken en uitleg had gegeven. 'Het spijt me vreselijk.'

'Wat spijt je?'

'Dat ik huilde. En vloekte. Ik vloek altijd als ik opgewonden ben.'

'Ik heb met geen van beide moeite,' zei hij.

Ze snoot luidruchtig haar neus. 'Wat ik niet begrijp,' zei ze, 'is dat mijn moeder je iets over mij heeft verteld. Ik ben de vuile was van de familie. Niemand hoort ooit iets over mij.'

'Laten we zeggen dat het haar ontglipte.'

'Ken je haar goed?'

'Waarschijnlijk net zo goed als jij Piers Windsor kent,' zei hij met een samenzweerderige grijns. 'Althans, ze is nu een beetje... boos op me. Ga je nu weer vloeken?'

'Nee, hoor,' zei ze. 'Nog niet.' Het was even stil. Toen zei ze: 'Verdomme,' en ze grijnsde. 'Weet... weet Joe het? Van jullie, bedoel ik.'

'Ik ben bang van wel. Ze zijn niet meer... bij elkaar. Wist je dat niet?'

'Ik weet helemaal niets. Over niemand. Dat zei ik. Ze doen net alsof ik niet besta.' Ze stond op, liep naar het raam en keek naar buiten. Toen ze zich weer omdraaide, was haar gezicht bleek en gespannen. Ze leek haar zelfbeheersing terug te hebben. 'Kunnen we dan nu over het boek praten?' vroeg ze. Haar stem trilde een beetje.

'Hm, misschien,' zei hij. 'Wat wil je precies weten?'

'Waar gaat het precies over?'

'Aha. Daarmee zijn we terug bij af, want dat kan ik je niet vertellen. Eerlijk niet, want ik ben nog steeds dingen aan het ontdekken.'

'Waarover?'

'Over Piers Windsor. Over zijn leven, zijn vrouwen en zijn verleden.'

Ze keek hem recht aan, leek een moment lang haar moed te verzamelen en zei toen: 'Ik denk dat mijn vader met hem te maken heeft gehad. Dat ze elkaar kenden.'

Er viel een diepe stilte. Ze zat ernaar te luisteren, naar hem te kijken, probeerde te ontcijferen wat er achter zijn zwarte ogen omging. Magnus keek haar volkomen uitdrukkingsloos aan, toen pakte hij een pakje sigaretten van zijn bureau en reikte het haar aan.

'Wil jij?'

'Nee, dank je.'

Hij stak een sigaret op, keek naar haar door de rook; ze bewoog nog steeds niet, zei niets. Uiteindelijk zei hij: 'Ik denk ook dat die mogelijkheid bestaat.'

'Aha,' zei ze en opeens voelde ze zich ontzettend misselijk en bang.

'We kunnen wel over je vader praten,' zei Magnus. 'Ik kwam hem tegen in het boek van Joe Payton. Ik vermoed dat je erg met hem bezig bent.'

'Nogal. Maar waarom zeg je dat?'

'Het lijkt me dat je nu – hoe oud? – vijfentwintig bent?'

'Klopt.'

'En dat je ten minste al tien jaar behoorlijk verdrietig bent over je pa. Zo'n aardige vent. En over hoe hij is gestorven. Op zo'n... afgrijselijke manier. Dat je wilt weten waarom. Hoe hij zo in de problemen kon komen. Misschien ook om zijn naam te zuiveren.'

Fleur zat naar hem te kijken en zich af te vragen hoe een volslagen vreemde, iemand die ze niet bijster vertrouwde, die vast niet veel goeds in de zin had, van wie ze pas een paar dagen geleden had gehoord, kon weten waarover ze verdriet had, hoeveel verdriet ze had, hoelang ze al verdriet had. Het voelde alsof ze heel lang in een donkere, luchtdichte kamer had gezeten en er iemand langs was gekomen die de deur open had gezet, dat ze naar buiten was gestapt, de zon voelde en frisse lucht opsnoof. Ze zat naar hem te kijken met zo'n groot gevoel van dankbaarheid, van verbazing, dat het duidelijk van haar gezicht af te lezen moest zijn, want hij lachte naar haar en zei: 'Wat heb ik gezegd?'

'O, eigenlijk niets,' zei ze, 'en alles. Er zijn niet veel mensen die het begrijpen.'

'Vreemd,' zei hij, 'het ligt nogal voor de hand.'

'En toch,' zei Fleur.

'Begrijpt je moeder het niet? Of die aardige meneer Payton?'

'Nee.'

'Opmerkelijk. Hoor eens, ik ga wat eten. Toast met marmelade. Wil jij ook?'

Opeens besefte Fleur dat ze ontzettende honger had. 'Lijkt me heerlijk,' zei ze.

Zijn keuken was al even modernistisch als zijn werkkamer, met veel roestvrij staal, een marmeren vloer en marmeren werkbladen. Ze keek toe hoe hij de ene geroosterde boterham na de andere roosterde, dik met marmelade besmeerde en verorberde, en ze voelde zich vreemd ontspannen, verwarmd, op haar gemak. Ze probeerde zichzelf te vertellen dat het gevaarlijk was, dat ze zich niet zo zou moeten voelen, dat iemand die zulke boeken schreef, die duidelijk overhoop lag met haar familie (als je ze zo kon noemen), die een affaire had gehad met haar moeder, die een platvloers boek schreef over de echtgenoot van haar zus, kortom dat een man als Magnus Phillips, slim, meedogenloos, hoe charmant ook, voor geen millimeter te vertrouwen was. Maar ze merkte dat ze niet erg goed naar zichzelf luisterde. Misschien omdat ze moe was, of vanwege alle emoties van het afgelopen uur, de opeenvolgende schokken die ze te verwerken had gekregen. Wat de reden ook was, ze voelde zich zacht, gesust. Ze wilde hier blijven en met deze man praten, hem van alles vertellen, over zichzelf, alles wat hij wilde weten en nog veel meer. En ze had ook het gevoel dat ze hem heel veel niet hoefde te vertellen, dat hij het zo wel begreep.

Na zijn vierde snee toast keek hij op. Hij likte een voor een zijn vingers schoon en zei: 'Ik kan me maar beter gaan aankleden. Ik ben niet gewend vreemde vrouwen in mijn keuken te hebben terwijl ik bijna niets aanheb.'

'O nee?' vroeg Fleur glimlachend.

'Nee. Zet nog maar wat koffie, als je wilt.' Hij verdween naar boven.

Ze liep door de keuken, keek naar wat de keuken over hem vertelde. Een rijtje kookboeken (vrijwel nooit gebruikt), een pen en schrijfblok bij de telefoon, een stapel kranten en opiniebladen (links en rechts van signatuur), een stapel ongeopende post, waaronder veel drukwerk, een groot wijnrek vol flessen, waaronder veel champagne, gesigneerde en ingelijste zwart-witfoto's van David Bailey, niet van glamourmeisjes, maar van mannen die ze voor het overgrote deel niet kende, op Mick Jagger en David Hockney na. Er lag een uitpuilend adresboek naast de telefoon en ze begon er net doelloos doorheen te bladeren toen Magnus weer de keuken binnenliep en het vastberaden uit haar handen pakte.

'Privébezit,' zei hij en hoewel hij erbij glimlachte, stonden zijn donkere ogen hard. 'Je bent blijkbaar niet bijster netjes opgevoed.'

'Ik ben juist heel netjes opgevoed,' zei ze, 'door mijn oma.'

'Bedoel je Brendans moeder?'

'Ja.'

'Ik kan je niet zeggen,' zei hij, 'hoe blij ik ben je te zien. Ik heb je maandenlang gezocht.'

Fleur wierp hem boven haar mok een koele blik toe. 'Dan heb je vast niet erg goed gezocht.'

'Ik heb juist ontzettend hard gezocht,' zei hij, 'maar ik ben nogal misleid. Eerst zei je moeder dat ze geen idee had waar je woonde en toen zei ze – wat was het ook alweer – "ergens bij Chicago", geloof ik.'

'Ach, kom op,' zei Fleur verbluft, 'waarom zou ze?'

'Ik denk dat ze niet wilde dat ik je zou vinden.'

'O,' zei Fleur. Ze ging zitten om dit te verwerken. Natuurlijk wilden ze niet dat Magnus haar zou vinden. Niet als hij een boek schreef over Piers. Ze deden het waarschijnlijk in hun broek bij het idee alleen. Joe wel. Ze vroeg zich af of

Joe haar moeder, of Chloe, had verteld over haar en Piers. Waarschijnlijk niet. God, wat een smerig zootje. Ze kon zich de gesprekken al voorstellen. Zouden ze haar vragen zich niet met Magnus in te laten, hem niets te vertellen als hij haar benaderde? Of zou ze dan juist met Magnus praten? Ze lachte hardop toen ze besefte dat ze hen eindelijk allemaal in de tang had.

'Wat is er zo grappig?' vroeg Magnus.

'Laat maar.' Ze keek hem aan en zei: 'Ik weet dingen en ken mensen die je misschien kunnen helpen bij je onderzoek. Is dat een idee?'

'Wie weet,' zei Magnus Phillips.

INTERVIEW MET TABITHA LEVINE. WIL ANONIEM BLIJVEN.

IK BEDOEL OOK ECHT ANONIEM. IK WAS ERG GEK OP PIERS EN BEN ERG GEK OP CHLOE. IK WIL NIET DAT ZE ZICH NOG ROTTER VOELT. MAAR JE SCHRIJFT HET BOEK TOCH, DUS KAN IK JE NET ZO GOED VERTELLEN WAT IK WEET.

GOED. TWEE DINGEN. HIJ WAS OVERDUIDELIJK BISEKSUEEL. HIJ VOCHT ERTEGEN. DE ENE KEER WAT HARDER DAN DE ANDERE. MAAR WAT ZWAARDER WOOG, WAS DAT HIJ SOWIESO VREEMDGING BIJ HET LEVEN. HIJ PROBEERDE IETS MET MIJ TE BEGINNEN, MAAR TEN EERSTE VIEL IK NIET OP HEM EN TEN TWEEDE LEEK HET ME GEEN GOED IDEE, OMDAT IK DE VROUWELIJKE HOOFDROL HAD EN HIJ DE REGISSEUR WAS. DAT SOORT DINGEN KAN JE WERKRELATIE BEHOORLIJK VERSTOREN. ALS HET MISGAAT, HEB JE NIET ALLEEN PRIVÉ PROBLEMEN, MAAR IN JE WERK OOK. HIJ VOND HET ERG MOEILIJK OM WEERSTAND TE BIEDEN TEGEN EEN AANTREKKELIJKE MAN OF VROUW. HIJ HOEFDE NIET PER SE MET IEDEREEN NAAR BED, MAAR HIJ WILDE WEL AARDIG GEVONDEN WORDEN, BEWONDERD WORDEN, BEGEERD WORDEN. HET WAS NIET MOEILIJK HEM TE VERLEIDEN.

HET TWEEDE PUNT IS DAT PIERS NOOIT IEMAND LIET ZITTEN, HIJ RODDELDE NOOIT EN HIJ WAS TROUW AAN ZIJN VRIENDEN. HIJ LIET NÓÓIT IEMAND IN DE STRONT ZAKKEN. DAAROM ZIJN DIE VERHALEN OVER GUINEVERE EN DE BABY OOK ZO AFSCHUWELIJK. PIERS ZOU HAAR NOOIT IN DE STEEK HEBBEN GELATEN ALS, LAAT STAAN OMDÁT ZE ZWANGER WAS. NOOIT. ER MOEST MEER AAN DE HAND ZIJN. IK HOOP DAT JE BOEK DAAROVER UITSLUITSEL GEEFT. HET IS ECHT WREED DIE OUDE MYTHE IN STAND TE HOUDEN. OP EEN VREEMDE MANIER WAS HIJ EIGENLIJK EEN BEETJE EEN SLACHTOFFER.

Hoofdstuk 28

1970

'Ludovic,' zei Chloe. 'Ik maak me vreselijk zorgen. Ik weet niet meer wat ik moet doen.'

'Trouw met mij,' zei Ludovic.

'Maak er alsjeblieft geen grapjes over.'

'Ik ben heel serieus.'

'Ludovic, alsjeblíeft.'

Ludovic beheerste zich. Hij keek haar aandachtig aan. 'Het spijt me, schatje. Wat zit je dwars?'

'Dat boek natuurlijk,' zei Chloe.

'Aha,' zei Ludovic, 'natuurlijk, dat boek.'

'Heb je... er iets over gehoord?'

'Dat kan bijna niet anders. De pers is er erg van gecharmeerd.'

Chloe zuchtte. 'Ja, helaas.'

'Wat vindt Piers ervan?'

'Piers wil er niet over praten,' zei Chloe. Haar stem trilde gevaarlijk.

'Juist.'

'Hij zegt dat het geen zin heeft erover te praten. Dat we het beste gewoon door kunnen gaan met ons leven. Het punt is, Ludovic, dat het boek hem dat zou kunnen beletten.'

'Niet letterlijk, hoop ik,' zei Ludovic. Hij glimlachte naar haar, maar zijn stem was vriendelijk. Chloe kreeg het warm. Ze was vreselijk bang dat Piers' zelfmoordpogingen in de openbaarheid werden gebracht; ook al omdat ze ervan overtuigd was dat het beide keren voor een groot deel haar schuld was.

'Nee, natuurlijk niet. Maar... o, Ludovic, ik ben zo bang. Dat boek zou verschrikkelijke, afschuwelijke dingen over hem kunnen beweren en...'

'De waarheid? Of verzinsels?'

Chloe keek naar haar handen, die als een warrig kluwen op haar schoot lagen. 'Dat... weet ik niet.'

'Chloe,' zei Ludovic, 'kijk me eens aan. Mooi zo. Luister. Misschien kan ik helpen. Misschien ook niet. Ik kan je in elk geval verwijzen naar een goede media-advocaat, maar je moet begrijpen dat hij dan wel de waarheid moet weten. Als het boek lasterlijk is, kunnen we er veel tegen ondernemen. Misschien kunnen we voorkomen dat het uitgegeven wordt, de uitgevers met een proces dreigen als ze ermee doorgaan. Maar als het boek zelfs maar voor een deel waarheidsgetrouw is, wordt dat een stuk moeilijker.'

'Waarom?'

'Er is een heel verschil tussen weten dat er iets negatiefs over je wordt gepubliceerd en bang zijn dat er iets over je wordt gepubliceerd wat pertinent niet waar is. Waar hebben wij het hier precies over?'

'Nou, ik... god, Ludovic, het is zo moeilijk. Ik weet gewoon niet wat ik ervan moet denken, wat ik moet doen...'

Ludovic glimlachte teder. 'Jij hoeft er niets tegen te doen. De laster, als dat het is, is tegen Piers gericht. Hij moet actie ondernemen, niet jij.'

'Ja, maar... als hij niets wíl doen?'

'Dan moeten we hem proberen te overtuigen. Tenzij het de moeite niet waard is. Weet je zeker dat dit niet gewoon een pikante biografie is?'

'Heel zeker.' Chloe probeerde te lachen. 'Het woord "dynamiet" valt te pas en te onpas.'

'O ja, dat heb ik gezien. Het is van Magnus Phillips, hè? Ik kon die vent al nooit uitstaan.'

'Ik wel. Hij is Neds peetvader, weet je. Ik vond hem altijd wel... interessant, op een ruige manier. Joe heeft altijd al gezegd dat hij niet deugt.'

'O ja? Arme Joe. Wordt hij ook nog in elkaar geslagen in het Savoy.'

'Ho, ho,' protesteerde Chloe, 'hij deelde de klappen uit.'

'Phillips zag het zeker niet aankomen. Hij is bijna tweemaal zo groot.'

'Welnee,' zei Chloe. 'Joe is juist langer dan Magnus, alleen niet zo zwaar.'

'Ik zie dat ik meneer Payton in de gaten moet houden. Je bent wel erg gek op hem.'

'Ja,' zei Chloe, 'ik hou van Joe. Hij is als een tweede vader voor me geweest.'

'Maar hij heeft niet langer een relatie met je moeder.'

'Nee,' zei Chloe bruusk.

'Mag ik vragen waarom?'

'Omdat zij... het met Magnus deed.'

'Nondedju,' zei Ludovic. 'Daar had ik geen idee van. Dit is ingewikkelder dan ik dacht.'

'O, Ludovic, het is nog veel erger. Ik kan je niet vertellen hoeveel erger.'

'Ik zie,' zei Ludovic, 'dat het al bijna lunchtijd is. Waarom gaan we niet een vorkje prikken in het Savoy? Dan kun je me er alles over vertellen.'

'Ludovic, het lijkt mij dat mijn hele familie het Savoy voorlopig maar beter kan mijden. Je weet nooit wie er meeluistert. Bovendien vraag ik me af of ik het je überhaupt moet vertellen.'

'Jawel, schatje, anders bega je straks een wanhoopsdaad. Ik zie het aan je mooie gezichtje. Daarna zal ik een heel goede, gemene media-advocaat voor je vinden. Laten we nu gaan lunchen in een afgesloten kamer, nadat we alle fittingen hebben laten controleren op verborgen microfoons. Wat vind je ervan? Hier bijvoorbeeld?'

'Dat lijkt me heerlijk,' zei Chloe, met een dappere glimlach.

Toen ze weg was, na een halfhartige poging een broodje zalm te eten en nadat ze aarzelend maar uiterst plastisch had beschreven wat er volgens haar in het boek zou kunnen staan, pakte Ludovic de telefoon.

'Nicholas? Met Ludovic Ingram. Ik zit met een netelige kwestie. Kunnen we afspreken? Wat zeg je? Omdat ik een sappige zaak voor je heb en omdat je me een lunch verschuldigd bent. Vrijdag is prima. Tot dan.'

'Ik heb Rose geschreven om te vragen of we haar kunnen opzoeken,' zei Fleur. 'Ze is echt heel aardig. Ze heeft een... een relatie gehad met mijn vader toen ze jong waren.'

'O ja? Een intieme relatie?'

'Erg intiem. Ik bedoel, ze hebben samengewoond, tot Naomi MacNeice haar klauwen uitsloeg. Toen moest hij haar laten gaan.'

'Moest dat?'

'Ja, hij moest bij Rose weg.'

'En wat vond Rose daarvan?'

'O, ze was gewoon geweldig. Toen ze me erover vertelde, bedoel ik. Ze zei dat Hollywood zo in elkaar zat, dat zulke dingen aldoor gebeurden. Het wende. Ze had het destijds niet leuk gevonden, maar ze had er wel begrip voor.'

'Ze moet wel een bijzondere vrouw zijn.' Magnus klonk niet helemaal overtuigd.

'Dat is ze ook echt,' zei Fleur defensief. 'Ze is zo... reëel. Ik weet zeker dat ze met je zal praten.'

'Ze is momenteel niet getrouwd, hè?'

'Nee. Zou je in aanmerking willen komen?' vroeg Fleur droogjes.

'Ik denk niet dat ze een geschikte vrouw voor me zou zijn,' zei Magnus.

'Maar jij zou wel een geschikte man voor haar zijn, zeker.'

'In sommige opzichten waarschijnlijk wel, ja.'

Tijdens haar vlucht naar New York dacht Fleur over die opmerking na en vroeg ze zich af waarom ze er zo kwaad om was geworden. Uiteindelijk schreef ze het toe aan Magnus' arrogantie. Hij was de arrogantste man die ze ooit had ontmoet. Bij hem vielen zelfs Nigel Silk en Julian Morell in het niet.

Wist ze maar wat ze echt van Magnus vond. Of het dom was hem te vertrouwen; of ze hem mocht; of ze hem wel moest helpen. Hij was irritant vaag over wat hij over haar vader ging schrijven; hij zei dat ze het kon lezen als hij het verhaal rond had. Dat zou volgens hem nog wel even duren. Hij moest nog heel wat uitzoeken. Ze had hem zoveel verteld. Ze had hem naar haar tantes gestuurd zodat hij een completer beeld van haar vader kon krijgen, had zelf uren over hem gepraat, over hoe volmaakt hij was geweest, hoe lief, warm, grappig. Alles stond op band. Magnus had haar laten praten, had alleen soms een vraag gesteld, een half vergeten herinnering of emotie opgeroepen. Ze was erg dapper geweest en hem verteld over Rose en wat zij had verteld. Ze had hem het artikel laten zien uit *Inside Story* en hem verteld over Piers, hoe hij had ontkend dat hij tegelijk met haar vader in Hollywood was geweest. Hoe hij had gekeken toen ze zich voorstelde. Ze had hem zelfs verteld over de geheimzinnige Zwirn. Hij kon maar beter bonafide zijn, dacht ze, terwijl ze lusteloos prikte in wat bij Pan American doorging voor lunch, anders stond ze vreselijk voor gek.

Ja, hij deugde. Dat wist ze zeker. Ze was roekeloos op haar eerste indruk afgegaan, gevoed door zijn inlevingsvermogen, zijn verbluffend snelle inzicht in hoe ze zich voelde, gestimuleerd door de ervaring waarmee hij vragen stelde, of niet eens vragen stelde, maar antwoorden uit haar trok. Maar na een week van intensieve gesprekken had ze nog steeds een goed gevoel over hem. Hij deugde. Oké, hij had een affaire gehad met haar moeder terwijl zij nog bij Joe was, en ja, hij had een aantal nogal meedogenloze boeken en onthullende artikelen geschreven, maar zij vond zijn rechtvaardiging – iedereen de waarheid vertellen – volkomen aanvaardbaar. Dat was ook haar moraal: een doel dat je belangrijk vond, heiligde de middelen. Ook al deed je daarmee andere mensen pijn, of jezelf. Als iets belangrijk genoeg was, was het alle pijn en moeite waard.

Joe zat in zijn flat en voelde zich erg somber. Hij miste Caroline meer dan hij voor mogelijk had gehouden. Van zijn felle pijn en de gekrenkte trots toen hij net had ontdekt dat ze een affaire had met Magnus Phillips, was alleen nog een doffe misselijkheid over die alles zuur maakte. Nog erger dan de ontdekking zelf was de ontdekking hoelang het had geduurd: een korte affaire had hij haar kunnen vergeven, maar niet bijna een jaar lang leugens en uitvluchten. Een jaar waarin ze hem op vrijdagavond glimlachend, warm glimlachend zelfs, in Moat House had begroet, naar hem had geluisterd, met hem had gepraat, gegeten, gelachen en soms gevreeën, hem de indruk gaf dat ze nog steeds gek op hem was, hem nog steeds nodig had, terwijl ze al die tijd met Magnus diezelfde dingen deed, niet alleen neuken – waarschijnlijk heel wat vaker en enthousiaster – maar ook luisteren, praten, eten en lachen.

'Wie wist het nog meer?' had hij gevraagd, toen hij in de salon van Moat House in zijn vaste stoel bij de haard zat.

'Niemand,' zei ze, 'helemaal niemand. Alleen Chloe, tegen het einde.'

'Hoe kon je?' vroeg hij, 'met die zak, die het leven en het geluk van je dochter aan het vernietigen is, misschien wel dat van je beide dochters?'

Ze had hem zwijgend aangekeken, met hulpeloos gespreide handen, en had gezegd dat ze het ook niet wist. Ze begreep hoe afschuwelijk het overkwam, het was ook afschuwelijk, maar het leek wel of ze er niets aan kon doen. Ze had zich keer op keer voorgenomen niet door te gaan, omdat ze het net zo schokkend vond als hij nu, maar op de een of andere manier had ze niet kúnnen stoppen. Niet eens een paar dagen of weken. Ze had niet geprobeerd met excuses te komen, ze had hem niet, zoals de meeste ontrouwe echtgenotes, om begrip gevraagd. Ze had alleen gezegd dat ze begreep hoe hij zich voelde, dat zij net zo zou reageren. Op het moment zelf deed het hem weinig, maar achteraf bewonderde hij haar eerlijkheid. Haar eerlijkheid was altijd een van haar belangrijkste eigenschappen geweest; dat ze zo lang niet eerlijk was geweest, deed nog het meeste pijn.

Het was voorbij. Dat moest. Hij kon niet naar haar terug. Er was te veel kapotgemaakt. Ook al zouden ze het allebei willen, hij kon niets bedenken wat sterk genoeg was om hen weer bij elkaar te brengen. De kloof was te breed. Hij moest haar, zijn leven met haar, uit zijn hoofd zetten en op de een of andere manier opnieuw beginnen. Met iemand die heel anders was. Hij wist niet zeker of hij dat nog wilde. Misschien kon hij beter alleen blijven. Het was geen prettig vooruitzicht; hij was pas negenendertig en hij had niemand, geen vrouw, geen kinderen, niemand om mee te praten. Zelfs Chloe ontweek hem. Misschien geneerde ze zich voor het gedrag van haar moeder. Hij had net besloten dat hij haar te veel miste en dat hij haar zou vragen waarom ze hem ontweek, zat al met zijn hand op de hoorn, toen de telefoon ging.

'Spreek ik met Joe Payton?'

'Jawel.'

'Joe, met Fenella Maxwell.'

Joe ging nog net niet staan. Van alle vrouwelijke hoofdredacteuren in Londen spande Fenella Maxwell van *Life Style* de kroon als het ging om macht en succes. Bovendien was ze ontzettend aantrekkelijk.

'Goedemorgen, Fenella,' zei hij.

'Joe, heb jij het erg druk?'

'Dat ligt eraan,' zei Joe.

'Hoe druk heb je het als ik je vraag Rose Sharon te interviewen?'

'Ik verveel me.'

'Mooi. Ze komt naar Londen om haar nieuwe film te promoten. Ik heb een interview aangevraagd en ze stelde als voorwaarde dat jij het zou schrijven. Ze zei dat ze van je stijl houdt. Heb je haar eerder ontmoet?'

'Ja, één keer,' zei Joe langzaam, 'heel kort, in LA. Ik schreef een artikel over Britten in LA en ze kwam naar een feestje in Jackie Bissets studio. Ik wist niet dat ik zoveel indruk had gemaakt.'

'Blijkbaar wel. Maak nog maar wat meer indruk. Bel haar persagent maar voor een afspraak; ze komt over twee weken en ze verblijft in het Savoy.'

'Goed. Dankjewel, Fenella.'

'Graag gedaan. Dag, Joe,'

Joe legde de hoorn neer en bleef er een tijd naar zitten kijken. Het was wel leuk dat Rose Sharon had gezegd dat ze hem zo goed vond dat ze alleen door hem geïnterviewd wilde worden voor *Life Style*, maar hij geloofde er weinig van. Het zou natuurlijk kunnen, maar waarschijnlijk zat er iets anders achter. Hij kon niet bedenken wát. Misschien kwam hij er tijdens het interview achter. Hij pakte opnieuw de hoorn op en draaide het nummer van haar persagent.

'Ik heb meer tijd nodig,' zei Magnus Phillips tegen Richard Beauman. 'Sorry.'

'Magnus, die tijd is er niet. Dan slaat het verhaal dood. Je hebt zelf de lente genoemd als deadline en dan wil ik het hebben ook. De verkoopafdeling zit in de startblokken, de boekhandels lopen te kwijlen, we maken onszelf belachelijk als we niet uitkomen, ongeloofwaardig ook. En het kost geld. We hebben al fors geïnvesteerd en...'

'Toe nou, Richard, wat heb je nu helemaal geïnvesteerd? De promotiecampagne moet nog beginnen; je hebt nog niet eens je kostbare tijd hoeven besteden aan lezen. De enige kosten zitten 'm in de ontwerpen voor de omslag en die zijn allemaal vreselijk.'

'Je wordt bedankt,' zei Beauman. 'Ik heb al een vermogen uitgegeven aan etentjes voor de boekenjongens, er is al promotiemateriaal rondgestuurd, we hebben de reclamejongens al gebrieft en zij hebben er al aan gewerkt...'

'Onzin,' zei Magnus. 'Klinkklare kolder. Maar goed, zelfs al had je er miljoenen aan uitgegeven, dan kreeg je het nog niet. Dat gaat niet. Ik moet nog achter heel veel bronnen aan. Je wilt toch niet dat ik een half product aanlever? Ik investeer trouwens zelf ook heel veel, Richard; ik heb al voor duizenden ponden artikelen moeten afslaan. Pas nog een interview met onze premier. Daar zat ik al tijden achteraan. Elke keer als ik een poster zie met de tekst "Ted Heath praat exclusief met de *Mail*", word ik onpasselijk.'

'Ik heb met je te doen,' zei Beauman.

'Zo hoort het ook,' zei Magnus. 'Sorry, Richard, maar het boek moet goed, dat is het belangrijkste. Zeker nu er geruchten gaan over een gerechtelijk bevel, moeten we elk detail voor meer dan honderd procent goed hebben.'

'Hoeveel langer heb je dan nog nodig?'

'Een half jaar ongeveer,' zei Magnus.

'Een half jaar? Verdomme, Magnus, zo lang kan ik niet wachten. Ik moet met Henry praten.'

'Doe dat,' zei Magnus opgewekt.

'Magnus, dit is niet bepaald professioneel,' zei Henry Chancellor.

'Het is heel professioneel,' zei Magnus. 'Het verhaal wordt met de dag beter. Ik heb nieuwe aanwijzingen boven tafel gekregen. Het zou pas onprofessioneel zijn om er niets mee te doen. Dat zul jij toch met me eens zijn, Henry?'

'Dat betwijfel ik, Magnus. Aan zo'n verhaal kun je eeuwig blijven werken. Ik heb wel begrip voor Richard. Dit slaat een groot gat in zijn zomer.'

'In zijn omzet, zul je bedoelen,' hoonde Magnus. 'Hoor eens, Henry, hij mag van geluk spreken dat hij dit boek kan krijgen. Ik heb ontzettend veel aanbiedingen gehad. Herinner hem daar maar aan. Je hebt het er altijd over dat hij geen langlopende contracten wil afsluiten, waarom speel je daar niet op in?'

'Maar Magnus, eerst zei je dat we het afgelopen herfst konden krijgen, toen werd het de lente. En nu zeg je... komende herfst? Ik denk dat Richard het recht heeft zich zorgen te maken. Ik maak me ook zorgen.'

'Ach, flikker op, Henry,' zei Magnus opgewekt. 'Jij maakt je alleen maar zorgen om je aandeel in het volgende voorschot. Dat krijg je en je houdt er uiteindelijk veel hogere royalty's aan over als je mij mijn gang laat gaan. En laat me nu met rust, brave man, ik moet aan het werk.'

'Chloe, waar is Piers?' vroeg Ludovic. Hij klonk nogal geagiteerd. 'Het is erg belangrijk.'

'Hij is er niet. Hij is een paar dagen naar Amerika. Waarom? Wat is er gebeurd?'

'Er is niets gebeurd, schatje, maak je geen zorgen. Maar Nicholas Marshall heeft dringend behoefte aan een bespreking en zegt dat de secretaresse op zijn zachtst gezegd niet meewerkt. Daar zijn secretaresses natuurlijk ook voor, maar in dit geval helpt ze Piers er niet mee. Hij belde me en vroeg of ik hem kon bereiken.'

'Het spijt me, maar hij is er echt niet. Kan het wachten?'

'Niet lang. Nicholas kan zo geen kant uit. Maar als Piers het land uit is, houdt het even op. Heb je zijn adres? Of een telefoonnummer?'

'Hij logeert bij Herb Leverson in Hollywood. Je weet wel, de producer van de *Dream*. Maar hij wil niet dat ik hem bel tenzij het ontzettend belangrijk is.'

'Dit zou je wel ontzettend belangrijk kunnen noemen.'

'O, oké, ik zal proberen hem te bereiken.'

Ze draaide het nummer van Herb Leverson voordat ze de moed verloor. Er werd opgenomen door een man, een van die seksloze butlertypes waarin Hollywood grossierde. Nee, meneer Leverson was een paar dagen weg. Nee, meneer Windsor was ook de stad uit. Hij werd een dezer dagen terugverwacht. Moest hij meneer Windsor vragen terug te bellen? Welke naam kon hij doorgeven?

'Zeg maar: mevrouw Windsor,' zei Chloe en ze smeet de hoorn op de haak. Ze kon wel huilen.

Ze belde Ludovic terug. 'Hij was er niet. Sorry.'

'Wat is er aan de hand?'

'Niets,' zei Chloe.

'Zal ik bij je komen?'

'Nee. Ja. O, Ludovic, ik ben het allemaal zo zat.'

'Ga alvast maar thee zetten,' zei Ludovic, die oprecht bezorgd klonk, maar ook geamuseerd. 'Ik kom eraan.'

'Goed,' zei hij, nadat hij een half uur naar haar had geluisterd, en hij klonk zowel vriendelijk als dringend. 'Ik denk dat het nu wel welletjes is geweest. De tijd is gekomen.'

'Voor wat?'

'Voor jou en mij.'

'O, Ludo,' zei ze, 'niet nu.'

'Waarom niet nu? Juist nu. Chloe, schatje, kijk me aan.' Ze zaten op de bank in de salon. Ludovic hield haar hand vast. 'Waar hou je zo aan vast?'

'Doe niet zo mal. Aan mijn huwelijk.'

'Chloe, je hebt geen huwelijk. Echt niet. Kijk nou toch eens naar jezelf. Radeloos, eenzaam, verraden.'

'Doe niet zo dramatisch, Ludovic,' zei Chloe met een poging tot een glimlach. 'Het gaat prima.' En ze barstte in tranen uit.

Ludovic spreidde zijn armen. 'Kom eens hier.'

Chloe kroop tegen hem aan en doordrenkte zijn overhemd met haar tranen.

'Het spijt me,' zei ze een flinke tijd later, toen ze de grote, donkere plek zag. 'Het spijt me vreselijk. Dat had ik echt nodig.'

'Je hebt veel méér nodig,' zei Ludovic teder.

'O ja?' vroeg Chloe glimlachend. Ze moest er wel verschrikkelijk uitzien. Ze werd altijd heel lelijk van huilen, gezwollen oogleden, een rode neus, en zelfs haar mond leek anders.

'Ja, liefde heb je nodig, zorg en zoenen,' en hij voegde de daad bij het woord, 'en troost. Kortom, allerlei goede en mooie dingen waarop we beter niet in kunnen gaan nu je zo verdrietig bent. Droog je tranen. Ik ga een glas cognac voor je halen...'

'Ik hou niet van cognac,' zei Chloe.

'Koffie dan. Ga lekker in bad en tut jezelf een beetje op. Dan neem ik je straks mee uit eten.'

'O, Ludovic, doe niet zo mal. Ik kan toch niet met je uit eten.'

'Waarom niet?'

'Iemand zou ons samen kunnen zien.'

'Van mij mogen ze.'

'Bovendien belt Piers misschien nog.'

'Dat hoop ik. Ik zal zelfs tegen Rosemary zeggen dat je met mij uitgaat. Dus, lieve Chloe, droog je tranen. Ik ben zo terug.'

'O, oké,' snufte Chloe. Het was gemakkelijker om toe te geven.

'Goed,' zei hij, toen ze later, veel later, tegenover elkaar aan tafel zaten in de Caprice en ze hem toelachte. 'Goed, Chloe, laten we een verbintenis aangaan.'

'Ludovic, wat bedoel je? Wat voor verbintenis?'

'Jij met mij,' zei hij, plotseling ernstig. 'Ik heb al die jaren echt geen grapjes lopen maken, Chloe. Toen ik je die dag zag op die afschuwelijke lunch van die afgrijselijke vrouw, werd ik meteen verliefd op je, met je lieve, bange gezichtje en je wanhopige bruine ogen. Ik keek naar je en dacht: daar staat de vrouw die ik zoek...'

'Ja, leuk,' zei Chloe een beetje geërgerd, 'maar sinds die tijd ben ik erg veranderd. Ik ben niet meer bang, al wanhoop ik nog altijd. Bovendien ben ik het zat om lief en zielig te zijn. Ik ben volwassen geworden, Ludovic, en...'

'Ja, ik weet het,' zei hij en hij streelde haar gezicht. 'Je bent enorm volwassen en verstandig en sterk en daarom heb ik je nog liever.'

'Doe niet zo neerbuigend,' zei ze. 'Dat kan ik niet uitstaan.'

'Het was niet neerbuigend bedoeld. Blijkbaar druk ik me niet erg gelukkig uit. Ik begin wel opnieuw. Chloe, ik hou van je en ik wil je meer dan ik je kan zeggen. Normaal kan ik me altijd heel goed uitdrukken; daar verdien ik mijn brood mee. Wil je alsjeblieft dat ellendige nephuwelijk van je opzijzetten en iets doen waarvan je nu eens geen spijt krijgt?'

'En dat is?' Chloe moest onwillekeurig lachen.

'Een affaire met mij.'

'Ludovic, dat gaat niet. Dat moet je toch begrijpen.'

'Ik begrijp er helemaal niets van. Ik kan het je namelijk heel erg naar de zin maken. Of vind je me zo onaantrekkelijk?'

'Ik vind je vreselijk aantrekkelijk. Dat weet je best. Maar ik ben tegen vreemdgaan.'

'Dat kan ik wel aan.'

'Ludovic, ik heb het niet over jou, maar over mezelf.'

'Stop met over jezelf praten. Stop helemaal met praten en ga met me naar bed. Ik beloof je dat je er geen spijt van krijgt.'

'Maar Ludo...'

'Luister,' zei hij, en ze schrok van de hartstocht en de ernst in zijn stem. Ze had hem alleen maar lachend, luchtig, plagerig meegemaakt. 'Luister, Chloe. Ik hou erg veel van je. Ik heb door de jaren heen gezien hoe dapper, trouw en braaf je bent. Ik denk dat het tijd wordt om wat minder braaf te zijn. Je verdient het. En trouwens,' voegde hij er grijnzend aan toe, 'ik ook. Ik ben je ongelooflijk trouw geweest.'

'Dat is belachelijk! Sinds ik je heb leren kennen, heb je minstens drie affaires gehad met bloedmooie vrouwen.'

'Dat stelde allemaal niets voor. Aangenaam tijdverdrijf tijdens het wachten.'

En zo ging het verder. Hij vleide en argumenteerde, vertelde haar dat Piers geen aanspraak meer op haar kon maken, dat hij haar niet verdiende, dat hij een monsterlijke, onbevredigende echtgenoot was. Chloe zat te glimlachen. Ze raakte steeds meer in de war en wilde maar dat ze ja tegen hem kon zeggen. Ze wist dat bijna iedere vrouw in soortgelijke omstandigheden dat zou doen. Ze kon hem onmogelijk toegeven dat het niets te maken had met Piers, haar huwelijk of haar kinderen, maar alles met haar eigen tekortkoming.

Uiteindelijk werd Ludovic toch een tikje ongeduldig van haar uitvluchten en zei hij: 'Wat is er nu echt aan de hand, Chloe? Waarom wil je niet met me naar bed?'

Waarom wilde hij niet accepteren wat ze zei? 'Moet er wel een reden zijn, Ludovic?' vroeg ze. 'Is het feit dat ik getrouwd ben en drie kinderen heb niet voldoende?'

'Getrouwd?' zei hij en opeens herkende ze echte woede in zijn stem en zijn ogen. 'Dat is geen huwelijk, Chloe, maar gewoon de zoveelste voorstelling van Piers, eentje waarin jij niet de hoofdrol speelt.'

Chloe schrok van zijn woede. Toen werd ze zelf kwaad, niet alleen omdat hij haar ellende zo precies onder woorden bracht, maar omdat hij gelijk had: het wás geen huwelijk, niet zoals ze zich haar huwelijk had voorgesteld, had gewenst, niet waarvoor ze had gewerkt. Ze wist ook dat hij bijna tot haar was doorgedrongen, dat hij haar had verzwakt en ze wist precies waarom.

Opeens stond ze op. 'Ludovic, ik wil naar huis.'

Hij bracht haar zwijgend thuis, duidelijk uit zijn humeur, zijn trots gekrenkt en zijn ego (dat reusachtig was) gedeukt, en kuste haar niet eens welterusten. Ze liep naar binnen en ging op bed liggen, het bed waarin ze zo ongelukkig was geweest met Piers. Ze huilde een hele tijd en vroeg zich af waarom ze het zichzelf niet toestond gelukkig te zijn met een man die in alle opzichten perfect voor haar was – charmant, amusant, teder, gevoelig – maar trouw bleef aan iemand die het niet verdiende.

'Je bent gek,' zei ze hardop, 'echt gestoord.' Ze viel uiteindelijk met haar kleren aan in slaap en werd wakker toen er om zes uur op de voordeur werd gebonkt.

Ze liep de trap af. Ze voelde zich verschrikkelijk en wist dat ze er ook zo uitzag. Op de stoep stond een fris geschoren, glimlachende Ludovic. Hij zag er geweldig uit, alsof hij minstens acht uur had geslapen, en hield een grote bos rode rozen vast.

'Ik heb ze op de markt gehaald,' zei hij, terwijl hij zich naar voren boog om haar teder te kussen, 'en ik hou van je en ik ben gekomen om te zeggen dat ik begrijp waar het om gaat en dat ik er niet over zal praten, als je me maar binnenlaat en koffie voor me zet.'

Ze liet hem binnen en liep met hem naar de keuken, waar ze koffie ging zetten. Nog steeds in de war schonk ze twee mokken vol. Hij streek haar zware haar naar achteren en zei: 'Je bent zo mooi als je net uit bed komt. Kunnen we naar de salon gaan? Ik heb een hekel aan keukens.'

'Goed,' zei ze met een zwakke glimlach en ze liep met hem de trap op naar de salon, waar ze haar mok neerzette om de gordijnen en luiken open te doen.

Toen ze omhoog reikte, hoorde ze hem achter zich en verstrakte. 'Laat de gordijnen maar dicht,' zei hij, 'dat is beter,' en ze antwoordde 'nee' en 'nee echt, Ludovic, ik...' en toen zei ze niets meer, want zijn hand was onder het voorpand van haar jurk gegleden en betastte zacht, maar toch stevig, haar borsten.

'Mooi,' zei hij, 'zo mooi. Ik heb van je borsten gedroomd.' Zij stond te genieten van hem, de warmte van zijn hand en de druk van zich lichaam achter haar. Zijn hand gleed verder naar beneden, streelde haar buik; nog steeds bewoog ze niet; maar toen ze zijn hand op haar schaamhaar voelde, zoeken, verkennend, verstrakte ze.

'Niet doen, Chloe,' zei hij, 'niet bang voor me zijn.'

Ze draaide zich naar hem om en de tranen begonnen te stromen, steeds harder. 'Je begrijpt het niet,' zei ze, 'echt niet.'

'Jawel, Chloe,' zei hij, 'echt wel. Kus me.'

Ze begon hem te kussen en voelde dat ze vloeibaar werd, smolt onder zijn mond, maar verstrakte weer toen zijn handen over haar heupen gleden, haar billen vastpakten.

'Lieve Chloe,' zei hij, 'ik hou van je.'

Hij trok haar jurk omhoog, over haar hoofd, en zij voelde zich een tikje belachelijk met alleen haar broekje aan. Hij knielde voor haar, trok het een stukje naar beneden en begon haar daar te kussen. Zij stond stokstijf stil, bang voor hem, bang dat hij haar zielige geheim zou ontdekken.

Ludovic deed de deur op slot en trok zijn kleren uit. Ze keek naar hem, naar zijn goudbruine lichaam, zijn roodgouden schaamhaar, van waaruit zijn penis naar voren priemde, even bruin als de rest van zijn lijf. 'De boot,' zei hij glimlachend toen hij haar verbaasde, geamuseerde blik zag, 'op de boot zon ik altijd naakt.' Hij ging op het witte hoogpolige kleed liggen en zei: 'Kom op, anders krijg ik het koud.'

'Nee,' zei ze.

'Jawel,' zei hij, 'anders ga ik schreeuwen en doe ik alsof ik een inbreker ben. En wat moet je dan?'

Lachend ging ze naast hem zitten en zei eindelijk, verward en bang: 'Ludovic, je begrijpt het niet. Ik... ik geniet er niet van.'

'Dat komt nog wel,' zei hij, 'dat beloof ik je. Trek nu dat elegante broek-je uit en dan zal ik je precies vertellen wat je moet doen.'

Half lachend, half bang trok ze het uit. Hij zei: 'Begrijp me goed, doe precies wat ik zeg, oké?'

'Ja, oké,' zei Chloe, 'maar voordat we verder gaan, moet je weten, dat ik niet zal... niet kan... dat ik geen gevoel heb in...'

En hij ging rechtop zitten, zei: 'Niet meer praten,' en begon haar te kussen, terwijl zijn hand zacht, zo zacht, tussen haar benen reikte, in haar schaamhaar en dieper; ze zuchtte en hij zei: 'Niet zuchten, je vindt het vast heerlijk.' Toen ging hij weer liggen en zei: 'Kom op me liggen.'

En dat deed ze, ze lag op hem zonder zich bedreigd of bezwaard te voelen. Geleidelijk, zonder te weten waarom, spreidde ze haar benen helemaal. Toen ze hem langzaam, heel langzaam tegen haar aan voelde duwen, werd ze weer bang. 'Rustig maar,' zei hij, 'rustig maar, Chloe.' En toen was hij in haar, helemaal in haar, en nog steeds voelde ze zich alleen bang en eenzaam.

Hij duwde haar heel voorzichtig rechtop, zodat ze schrijlings op hem zat; zijn penis stak steeds dieper in haar en ze voelde... wat? Een verzachting, verlichting; meer niet. Maar het gaf haar moed en ze bewoog, voorzichtig, terwijl ze hem in zijn waakzame ogen keek; zijn handen kneedden haar billen, maar verder lag hij heel stil. Ze bewoog weer en voelde zijn penis in zich meebewegen. Verder niets; opnieuw en deze keer was er een flits, nou ja een flauw schijnsel, het begin van genot.

'Ah,' zei hij, 'ah,' en nu bewoog hij ook en het schijnsel werd feller.

Chloe hapte naar adem, spande haar spieren, beet in haar lip; bewoog opnieuw.

'Daar,' zei ze, 'daar. Nu.'

Ludovic duwde plotseling; ze voelde zich vanbinnen ontspannen, omringen en aanspannen tegelijk.

'Lekker?' vroeg hij vriendelijk.

'Lekker,' zei ze nauwelijks hoorbaar.

En toen ze met gesloten ogen op hem zat te wachten, haar genot terugdrong, zei hij kordaat: 'Oké, genoeg,' en tilde haar van zich af met een hartelijke kus, alsof hij echt alleen koffie was komen drinken.

Chloe deed haar ogen open en vroeg: 'Wat?'

'Ik zei genoeg, voorlopig althans. Volgende keer meer. Ik wil nog wel wat koffie voordat ik ga.' Hij lachte. Zijn ogen gleden over haar naakte lichaam, haar verwarde haar, haar geschokte, beurse gezicht.

'Jij klootzak,' zei ze in een vlaag van woede. 'Jij klootzak met je bevoogdende gedrag. Hoe durf je?'

'Ik durf het omdat ik van je hou,' zei Ludovic, nog opgewekter. 'En ik bevoogd je niet, ik ben goed voor je. Vanavond kom ik terug.'

'Ik laat je niet binnen,' zei Chloe.

Maar ze wist wel beter.

Rose Sharon had erg veel ervaring met journalisten. Ze was ook uitermate aantrekkelijk. Joe vond actrices, hoe beroemd en sexy ook, niet langer interessant – 'Ik zal je vertellen, als ze op het punt staan klaar te komen, vragen ze nog wat je van hun nieuwste film vindt' – maar Rose was charmant, een beetje verlegen en zeer geïnteresseerd in hem, in wat hij had gedaan sinds hun kennismaking.

'Niet veel,' zei hij. 'Althans, niet veel dat het vertellen waard is. Een hoop artikelen geschreven waarop ik niet trots ben en een massa mensen geïnterviewd die me niet bovenmatig interesseren. Nog meer rood komen te staan...'

'En niet vaak genoeg kleren gekocht,' lachte Rose. 'De vorige keer dat ik je zag, was je mouw gescheurd, nu mist je overhemd een aantal knopen. Ik heb wel gehoord van bestudeerde nonchalance, maar dit is belachelijk.'

'Het spijt me,' zei Joe. Dat Rose nog zou weten wat hij toen had gedragen, vond hij al verbluffend, en charmant, laat staan dat ze zich zijn gescheurde mouw herinnerde.

'Dat hoeft niet. Ik vind het wel leuk. Heb je dan zo'n hekel aan kleren kopen?'

'Aan winkelen in het algemeen,' zei hij.

'Doet je vrouw dat dan niet?'

'Ik heb geen vrouw.'

'Of wat daarvoor doorgaat?'

'Ook niet,' zei hij. Hij zag in haar grote blauwe ogen dat ze hem volkomen begreep.

'Ik heb zelf ook een rottijd achter de rug. Een film gedraaid die ik niks vond, maar waar ik het nu over moet hebben...'

'O ja?' vroeg hij, 'wat vond je er zo erg aan?'

'Deze film lift gewoon mee op het succes van *Bob and Carol and Ted and Alice*. Ik had er nooit aan moeten beginnen. En toen gingen we naar Cannes met de vorige film, de thriller *Buckle my Shoe*, die niet in de prijzen viel. Ben jij weleens naar Cannes geweest?'

'Eén keer.'

'Nou, dan weet je het wel. Over aasgieren gesproken! Ze zitten daar in lange rijen in het zonnetje te wachten tot je verliest. En dan moet je de dag erop naar een feestje. Al die lieve glimlachjes van mensen die zeggen dat de jury heeft zitten slapen, mensen die net lang genoeg met je praten en dan wegrennen om de winnaar aan te klampen. Vreselijk. En overal die kinderen van zeventien die, zo vertel je jezelf, zo belachelijk zijn. En ondertussen zie je je eigen spiegelbeeld in het raam van de lobby. O, het was afschuwelijk.' Ze zuchtte diep en glimlachte toen naar hem. 'Maar dit is leuk. Wat zal ik je eens vertellen? Mijn moeilijke jeugd? Dat doet het altijd wel goed...'

Joe onderbrak haar. 'Het zou je verbazen hoeveel mensen een rotjeugd hebben gehad. Zelf heb ik een heerlijke jeugd gehad. De eerste achttien jaar van mijn leven heb ik geen enkele rotdag gehad.'

'Je boft maar. En de volgende achttien jaar?'

'Die waren ook nog wel leuk. Alleen het afgelopen jaar is een absoluut dieptepunt geweest.'

'Laten we hopen dat er geen patroon in zit. Hoor eens, Joe, we hoeven het toch niet te hebben over het begin, hè? Over hoe ik ben ontdekt in de Garden of Allah en zo. Dat kun je wel uit je knipselmap halen.

'Best. Mag ik Byron Patrick noemen en alles eromheen?'

'Ach, als je dat wilt. Ik zou het fijn vinden als je het niet uitmolk. Het is niet bijster relevant en er is al zoveel over geschreven. Maar natuurlijk, ja, als je wilt.'

'Ik zou het wel willen noemen,' zei Joe. 'Vooral omdat ik over hem heb geschreven in mijn boek, waar je waarschijnlijk nog nooit van hebt gehoord...'

'Joe, alleen acteurs zeggen dat. Natuurlijk heb ik ervan gehoord. Natuurlijk heb ik het gelezen. Ik vond het erg goed, erg zorgvuldig. Dat was wel een van de meest trieste periodes in mijn leven. Die lieve Yolande heeft je ermee geholpen, hè? O, ik mis haar zo. Nog steeds.'

'Ik ook. Ze was een goede vriendin.' Terwijl hij zijn schrijfblok, pen en aantekeningen uit zijn uitgezakte tas haalde, keek Joe haar aandachtig aan. Hij vroeg zich af of Rose echt zo gek was geweest op Yolande. Misschien zei ze het vooral om indruk op hem te maken. Hij besloot dat ze het heel goed kon hebben gemeend, hoe onwaarschijnlijk het ook leek. Ze keek uit het raam naar de rivier met een blik die iets verdrietigs had. Hij riep zichzelf tot de orde. Ze was nota bene een actrice. Ze was goed in verdriet. Niet te soft worden, Payton!

'Weet je wat,' zei hij, 'ik zal je dat gedeelte laten lezen. Je kunt eruit halen wat je niet bevalt. Je hebt gelijk, het is niet bijster relevant, alleen maar romantisch. Oké?'

'Natuurlijk.'

'Wat me veel meer interesseert,' zei hij, 'is waarom je na David Ezzard nooit meer bent getrouwd.'

'O, Joe,' zei Rose, 'als ik dat wist, zou ik nu waarschijnlijk allang hertrouwd zíjn, als je begrijpt wat ik bedoel. Ik denk dat ik gewoon bang ben. Er zijn zoveel Hollywood-huwelijken die meer weg hebben van een lunchafspraak. Als je begrijpt wat ik bedoel. Lunchafspraken met veel pers eromheen. David was anders en ik was gek op hem. Toen we uit elkaar gingen, was ik er echt kapot van. Ik ben nooit meer iemand tegengekomen met wie ik dat risico aandurfde.'

'Maar je hebt wel... relaties gehad?'

'O massa's,' lachte Rose. 'Er is niets mis met me, als je dat soms denkt. Ik lust er wel pap van. Maar ik ga geen namen noemen. Sorry.'

'Vind je het jammer dat je geen kinderen hebt?'

'Eh... ja, natuurlijk. Iedereen wil toch kinderen? Het is het begin van onsterfelijkheid. Maar ik wil geen kinderen zonder een fulltime vader. Daar ben ik ouderwets in. Er moeten een mammie en een pappie zijn. Elke dag, jaar in jaar uit, tot in de gloria, amen. Want, weet je, ik vind dat kinderen krijgen te maken heeft met liefde, tederheid en geborgenheid, niet alleen met seks...'

Joe besefte dat ze was overgeschakeld op interviewstand, haar gebruikelijke antwoorden gaf, alleen net iets anders verwoord, omdat ze hem aardig vond en omdat hij haar liet praten. *Life Style* wilde veel citaten over seks en relaties. Dat wist zij net zo goed als hij en ze vertelde vrolijk door, omdat ze wist dat ze op de cover kwam en het nummer in de winkels lag als de film uitkwam. Een goede, duidelijke afspraak. De zoveelste.

In twee uur tijd bood Rose hem een alleraardigste cocktail van filosofie, anekdotes en marketing. Na afloop stond ze op, strekte zich uit en zei: 'Na zo'n interview voel ik me altijd helemaal verlept. Heb jij het komende uur iets te doen, Joe? Ik zou een stuk willen wandelen, maar liever niet alleen. Dit is soms een eenzame stad. Of vind je dat een oneerbaar voorstel?'

'Ik ben gek op oneerbare voorstellen,' lachte Joe. 'Ik wil gráág een stuk met je wandelen. Maar denk je dat de mensen je met rust laten?'

'Ja, joh, mensen zien je niet als je dat zelf niet wilt. Dat heeft Laurence Olivier me eens verteld. Als je opgemerkt wilt worden, gebeurt dat ook, maar als je gewoon rustig doorloopt waar niemand je verwacht, gewone dingen doet, val je niet op.'

'Maar iedereen weet dat je hier bent.'

'Dat klopt. Maar als jij nou naar buiten gaat en een taxi laat omrijden naar de ingang bij de rivier waar ik sta te wachten in jouw onfatsoenlijke regenjas en als we ons dan naar Hyde Park of zo laten brengen, weet ik zeker dat we niet opvallen. Ik wil er zelfs om wedden, honderd dollar.'

'Dat kan ik me niet veroorloven,' zei Joe.

Hij was blij dat hij niet had gewed; ze had gelijk. Ze kwam naar buiten in een spijkerbroek en trui en zijn regenjas, droeg geen make-up, niet eens een zonnebril. Haar lange haar was achterovergekamd. Niemand lette op haar. Ze lieten zich naar St James's Park brengen – 'Veel mooier,' zei Joe, 'niet zo vervallen' – en liepen gezellig kwebbelend rond. Daarna liepen ze de Mall op en richting het paleis. Het was een prachtige najaarsdag; koningin Victoria schitterde in de volle zon en Buckingham Palace stak ongenaakbaar wit af tegen de strakblauwe lucht.

'Dit is een majesteitelijk stukje stad,' zei Rose. Ze gaf Joe een arm. 'Ik hou van Londen. Ik ben hier erg gelukkig geweest.'

Joe schonk haar een dwaze glimlach. Hij begon zich een beetje licht in het hoofd te voelen.

'Ik moet terug,' zuchtte Rose. 'Over een half uur is het volgende interview. Een of andere afschuwelijke schrijver. Ik heb hier echt van genoten, Joe. Dank je voor je tijd.'

Joe keek haar aan. Hij kon zich moeilijk voorstellen dat ze vanochtend uitgerekend met hem haar vrije tijd zou willen doorbrengen. Anderzijds kon hij geen reden bedenken waarom ze de moeite zou nemen als ze het niet wilde.

Toen ze bijna terug waren in het Savoy, gaf ze de reden.

'Joe, mag ik je om raad vragen?'

'Natuurlijk.'

'Ik ben benaderd door iemand die Magnus Phillips heet. Hij wil me interviewen voor een boek dat hij aan het schrijven is over Hollywood. Wat denk je, moet ik het doen?'

'Ik denk dat je beter nee kunt zeggen,' zei Joe. Hij probeerde luchtig te klinken, maar de angst sloeg hem om het hart. 'Hij is een afschuwelijke man, zonder scrupules. Werkt voor de roddelbladen. Je zou hem niet mogen.'

'Dat is dan duidelijk,' zei Rose. 'Ik wist niet wat ik ervan moest denken en ik wist gewoon dat jij me kon helpen. Ik ken de Britse pers niet goed en het is moeilijk te weten wie je om advies kunt vragen. Hij doet het wel goed, hè?'

'Ja, heel goed,' zei Joe, 'zijn laatste twee boeken zijn bestsellers geworden. Maar eerlijk, Rose, die man zou zijn grootmoeder nog verkopen als er een verhaal in zat. Heeft hij aangegeven waarover hij je precies wilde interviewen?'

'Nee, het was allemaal erg vaag. Als ik er ook maar iets voor voelde, zou ik wel hebben doorgevraagd, maar zover is het niet eens gekomen. Dank je voor je goede raad, Joe. Ik waardeer het ontzettend.'

'Dat zit wel goed,' zei hij. Opeens voelde hij zich gekwetst en dom.

Rose keek hem aan, vriendelijk, aandachtig. 'Je denkt toch niet dat ik daarom met je ben gaan wandelen, hè?'

'Nee, natuurlijk niet.'

'Jawel,' zei ze glimlachend. 'Dom van je, hoor, dat had ik je uren geleden al kunnen vragen. Ik ben alleen met je gaan wandelen omdat ik dat wilde. En vanavond geef ik een heel klein feestje.'

'Ja?'

'Als je een beetje vroeg komt, zal ik je knopen aanzetten.'

'Ik koop wel een nieuw overhemd,' zei hij en hij stapte de herfst in met het gevoel dat de werkelijkheid een kwartslag was gedraaid.

Veel en veel later die avond, toen hij in haar armen lag, in haar hotelsuite en haar tranen wegveegde, die ze had geplengd nadat hij met haar had gevreeën, zei ze: 'Je hebt geen idee hoe eenzaam mijn leven is, Joe. Absoluut geen idee.'

INTERVIEW MET PERRY BROWNE VOOR HET HOOFDSTUK 'VERLOREN JAREN' IN *THE TINSEL UNDERNEATH*. MAG VOLOP UIT GECITEERD WORDEN.

NOU, IK HAD ECHT ABSOLUUT GEEN IDÉÉ DAT PIERS WINDSOR TOEN HIER WAS. ALS IK HET HAD GEWETEN, HAD IK HEM ZO GOED KUNNEN HELPEN. WAT JAMMER DAT NIEMAND HEM AAN ME HEEFT VOORGESTELD. EEN BIJZONDERE MAN EN WAT EEN GEWELDIGE ACTEUR. WE HADDEN SAMEN WONDEREN KUNNEN VERRICHTEN, MENEER PHILLIPS. IK WORD HELEMAAL NAAR ALS IK BEDENK WAT IK VOOR HEM HAD KUNNEN DOEN. IK HAD ZULKE GOEDE CONTACTEN, EN NOG, MAAR TOEN ZEKER.

HIJ KAN HIER NOOIT LANG GEWEEST ZIJN, ANDERS HAD IK HEM ZEKER ONT-MOET. IK KENDE IEDEREEN, KWAM OP ALLE FEESTJES. HET WAS TOEN VEEL LEUKER, MEER GLAMOUR.

KIRSTIE FAIRFAX? NEE, ZEGT ME NIETS. ACH, ER WAREN ER ZOVEEL, ZOVEEL MEISJES, EN JONGENS, DIE HET ALLEMAAL ZIELSGRAAG WILDEN MAKEN, ERVARING WILDEN OPDOEN. DE JEUGD IS ZO ARROGANT. ZE HEBBEN HULP NODIG, MAAR VRAGEN, HO MAAR. O, IS ZE GESTORVEN? HEEL SNEU. HET IS VRESELIJK OM TE ZEGGEN, MENEER PHILLIPS, MAAR HET GEBEURT TOCH ZO VAAK. DRUGS, ALCOHOL, ANDERE VORMEN VAN MISBRUIK. ZE WAS ZWANGER, ZEGT U? DAT KWAM OOK

VEEL VOOR. DE DOKTERS LIEPEN EROP BINNEN. EN ALS ZE GEEN GELD HADDEN, ZOCHTEN ZE WEL EEN ANDERE MANIER.

U WILT IETS WETEN OVER GERARD ZWIRN. JA, ZO'N CHARMANTE JONGEN. VRESELIJK KNAP, MET HEEL DONKER HAAR EN DITO OGEN. GEWELDIGE DANSER. EN ZULKE MOOIE MANIEREN. IK WAS EEN KEERTJE OP EEN RECEPTIE WAAR HIJ MET TWEE MEISJES EEN ÉNIG CABARET OPVOERDE. NA AFLOOP HEB IK ME VOORGESTELD EN HEM MIJN KAARTJE GEGEVEN, VOOR HET GEVAL HIJ NOG EENS EEN IMPRESARIO NODIG HAD. HIJ ZEI DAT HIJ GEEN GELD HAD. IK WAS ZÓ VAN HEM ONDER DE INDRUK DAT IK HEM AANBOOD MET BETALEN TE WACHTEN TOT HIJ BEGON TE VER-DIENEN. MAAR ZELFS TOEN BEDANKTE HIJ, ZEI DAT HIJ NIET VAN LIEFDADIGHEID HIELD. IK VOND HET WEL LIEF VAN HEM, ZIJ HET ONDOORDACHT. IK ZEI DAT IK HEM TEN MINSTE VRIENDSCHAPPELIJK ADVIES WILDE GEVEN OVER CONTACTEN OPBOUWEN EN MENSEN BENADEREN. IK MAAKTE EEN EETAFSPRAAK MET HEM, MAAR OP HET LAATSTE MOMENT MOEST HIJ AFZEGGEN. HIJ WAS NIET LEKKER. OF HAD HIJ EEN AUDITIE. DAT WEET IK NIET MEER. HIJ WOONDE BIJ ZIJN ZUS, HELE-MAAL IN SANTA MONICA. ZIJ LEEK HELEMÁÁL NIET OP GERARD. IK PROBEERDE ECHT VRIENDJES MET HAAR TE WORDEN, MAAR ZE WAS ALTIJD NOGAL BRUUSK.

IK HEB HEM ÉÉN KEER GOED KUNNEN HELPEN. EEN VAN MIJN CLIËNTEN, PATRI-CE DUBARRY, U HEEFT VAST WELEENS VAN HAAR GEHOORD, GAF EEN GROOT FEEST EN ZOCHT EEN CABARETGROEP. IK VERTELDE HAAR OVER GERARD EN ZE BOEKTE HEM METEEN. HIJ GAF EEN SCHITTERENDE SHOW, À LA FRED ASTAIRE. IEDEREEN VOND HET GEWELDIG EN NA AFLOOP KON IK HEM AAN ALLERLEI MENSEN VOOR-STELLEN, MENSEN MET INVLOED IN DE BUSINESS. HIJ WAS ME ZO DANKBAAR.

HIJ HAD MAAR WEINIG WERK, BEN IK BANG. BOVENDIEN GAF HIJ DANSLES IN EEN SCHOOLTJE IN SANTA MONICA. DAT LEVERDE NOG WEL IETS OP. IK HEB NOG WELEENS EEN LEERLING NAAR HEM GESTUURD EN IK GING ER ALTIJD MET EEN PAAR VRIENDEN KIJKEN ALS ZE EEN VOORSTELLING GAVEN. IK WEET NIET OF HET NOG BESTAAT. TIP TOP TAP HEETTE HET. DAT VOND IK MAAR MISLEIDEND. 'MENSEN ZULLEN DENKEN DAT JE ALLEEN TAPDANSEN LEERT, GERARD,' ZEI IK. IK HEB HEM VERSCHILLENDE NAMEN VOORGESTELD, MAAR HIJ WILDE DE NAAM NIET VERANDE-REN.

HIJ VERDWEEN NOGAL ONVERWACHT. IK HAD HEM AL EEN TIJDJE NIET GEZIEN, HAD AL EEN PAAR KEER GEBELD, DAN ZEI HIJ ALTIJD DAT HIJ HET DRUK HAD EN ME NOG WEL ZOU TERUGBELLEN. DAT DEED HIJ NOOIT. ACH, DAT VOND IK NIET ZO ERG. IK WAS BLIJ DAT HET GOED MET HEM GING. TOEN VERDWEEN HIJ ZOMAAR, EN IK MAAR BELLEN EN BELLEN. IK KREEG MICHELLE, DIE ZUS, NOG EEN KEER AAN DE LIJN. ZE ZEI DAT HIJ WEG WAS. EN TOEN VERDWENEN ZE ALLEBEI ZONDER EEN ADRES ACHTER TE LATEN. DAT DEED WEL PIJN. IK HAD TOCH MIJN BEST GEDAAN; HIJ HAD ME OP Z'N MINST KUNNEN BEDANKEN.

Nu wilde u ook nog weten of hij ooit iets te maken had gehad met Byron Patrick. Dat zou ik echt niet weten. Ik heb het contact met Byron verbroken. Toen hij bekend was geworden, deed hij een keer hoogst onaardig. Dat kon ik moeilijk verkroppen. Hij had veel aan me te danken. Ik zal niet zeggen dat ik blij was toen hij op straat werd gezet, dat zou niet netjes zijn, maar medelijden kon ik ook niet opbrengen.

Er is één mogelijke relatie tussen hen. Ik weet niet of dit u helpt, maar ik weet dat Gerard Kevin Clint kende. U heeft vast van Kevin Clint gehoord, een van de belangrijkste talentenjagers uit de jaren vijftig. Hij ontdekte Byron in New York en eerlijk gezegd vroeg ik me af of het geen vergissing was. Ik bedoel, Byron zag er fantastisch uit, maar hij kon ab-so-luut niet acteren. Mevrouw MacNeice heeft natuurlijk wonderen voor hem verricht; zij heeft — weliswaar met steun van mij — een ster van hem gemaakt. Waarschijnlijk vond hij zelf dat hij talent had, maar dat was echt niet zo. Maar Kevin kende Gerard, heeft een tijdje voor hem bemiddeld. Maar ik denk niet dat hij begreep hoe Gerard in elkaar zat. Hij was niet zomaar een danser, hij kon ook echt goed acteren; het moest alleen ontwikkeld worden. Als ik bedenk wat mevrouw MacNeice met hem had kunnen doen! Ik heb haar nog geprobeerd te overtuigen Gerard op te zoeken, maar ze wilde niet. Ze zei dat ze geen dansers nodig had. Het gaat me aan mijn hart dat al die zorg en aandacht aan iemand als Byron Patrick zijn besteed. Heus.

Hoofdstuk 29

1971

'Ze zegt dat ze niet met je wil praten,' zei Fleur op neutrale toon. 'Het spijt me.'

'Geeft niet. Kun jij niets aan doen. Gaf ze nog een reden?'

'Ze zegt dat journalisten niet te vertrouwen zijn. Ik geef haar geen ongelijk.'

'Wij hebben haar anders meer goed dan kwaad gedaan,' zei Magnus. 'Fleur, staat er in deze kekke keuken van jou ook ergens marmelade?'

'Wat? Jazeker. Dat witte potje daar.'

'Sorry Fleur, dat is geen marmelade, maar stroop. Ik zal het ergens moeten gaan kopen.'

'Kun je niet gewoon jam nemen?'

'Helaas, nee. Ik ga wel even naar die speciaalzaak beneden. Heb jij nog iets nodig?'

'Ja, melk. Ik wil nog een bak koffie en dan moet ik naar mijn werk. Heb je genoeg kleingeld?'

'Ja hoor.'

Bij de deur liep hij Tina tegen het lijf – letterlijk. Haar weelderige lichaam trilde tegen het zijne. Magnus pakte haar schouders vast om haar recht te houden en keek haar glimlachend in de ietwat uitpuilende ogen.

'Het spijt me vreselijk. Mijn excuses.'

Tina keek hem na toen hij de trap afliep. 'Mevrouw Fitz!' zei ze met ontzag in haar stem. 'Wie is dat?'

'O, gewoon,' zei Fleur nonchalant, 'een vriend.'

'Gewoon? Zo'n man over de vloer hebben is niet gewoon.'

'Ja hoor,' zei Fleur licht geërgerd. 'Tina, hij is bijna tweemaal zo oud als ik en niet mijn type. Erg aardig, maar gewoon een vriend.'

'Mag ik hem dan hebben, liefje? Hij is één bonk seks. Ik heb hem meer te bieden dan vriendschap. Kan niet wachten. Is hij getrouwd?'

'Nee, Tina, hij is niet getrouwd.'

'Heeft hij vannacht hier geslapen?'

'Ja, Tina, een paar uur, op de bank.'

'O guttegut,' zei Tina en ze liep hoofdschuddend naar de gootsteen.

Magnus kwam terug met melk, bagles, sinaasappelsap – maar zonder marmelade.

'Hadden ze niet,' zei hij treurig. Hij glimlachte naar Tina. 'Sorry dat ik je omverliep.'

Aangezien Tina eruitzag als een soort levenslustige tank, was dit een groot compliment. Tina gooide haar hoofd in haar vlezige nek. 'Jij mag mij gráág omverlopen,' zei ze. 'Wát hadden ze niet in de winkel?'

'Cooper's Oxford-marmelade,' zei Magnus. 'Ik kan niet zonder.'

'Is dat iets speciaals?' vroeg Tina. 'Doet het iets met je?'

'Absoluut,' zei Magnus. 'Het doet erg veel met me.'

'Ik neem het wel voor je mee,' zei Tina. 'Zabars zal het wel hebben, of anders Bloomies. Zal ik nu gaan, mevrouw Fitz, om wat marmelade te halen?'

'Geen sprake van,' zei Fleur. 'Ik wil graag dat je de keukenvloer in de was zet, Tina. Dankjewel, Magnus. Als ik mijn koffie opheb, moet ik gaan. Heb jij nog...'

'Mevrouw Fitz, zit maar niet over hem in. Ik zal goed voor hem zorgen. Wat hij maar wil, dat regel ik.'

'Dat is ontzettend aardig,' zei Magnus ernstig, 'maar ik moet nu meteen naar mijn hotel om in te checken. Mijn secretaresse had zich in de datum vergist maar gelukkig ontfermde Fleur zich over me.'

'Ik weet zeker dat ze dat met alle soorten van genoegen heeft gedaan,' zei Tina.

'Tot nu toe wel,' zei Fleur kortaf.

Onderweg naar het centrum in Magnus' taxi voelde ze zich prikkelbaar en van streek. Ze was er zo zeker van geweest dat Rose hem zou willen ontvangen. Ze had het met zoveel vertrouwen aangenomen. Ze had zo graag indruk op hem willen maken en nu moest ze terugkrabbelen, toegeven dat ze zich had vergist. Waarschijnlijk geloofde hij nu helemaal niets meer van wat ze had verteld. En ze had al min of meer een week vakantie opgenomen om met hem naar LA te gaan en hem Rose als een schitterende trofee in de schoot te werpen. Nu kon ze net zo goed gewoon gaan werken.

'Nou ja,' zei ze, 'mijn tantes lijken niet erg op Rose Sharon, maar ze zullen je vast wel interesseren.'

'Waarschijnlijk zijn je tantes een stuk leuker in de omgang,' zei Magnus. 'Die mevrouw Sharon mag je van mij houden.'

'O, god!' riep Chloe. 'O, gottegot, nee niet doen, niet doen, nee, nee, oooh, god, alsjeblieft, god, wat... wat...' Er volgde een harde, woordeloze schreeuw. Toen stierf het geluid weg en ging ze achterover liggen, hijgend, naar adem happend. Langzaam kwam ze tot rust, ontspande haar gebalde vuisten, haar lichaam slap en stil.

'Voor een meisje dat zo stellig wist dat ze frigide was,' zei Ludovic, 'leer je erg snel.'

Chloe deed haar ogen open, keek in de zijne, stak een vinger uit en volgde de contouren van zijn gezicht.

'Jij bent een geweldige leraar,' zei ze en ze ging iets onder hem verliggen. Diep in haar begon het opnieuw – een beweging. Die geweldige energie die haar onophoudelijk trok; toen zij bewoog, bewoog het mee, sterker, nog hardnekkiger. 'God, Ludo,' zei ze en ze trok hem weer tegen zich aan, trok hem in zich, vol verlangen, op zoek naar zijn kracht.

'Chloe!' zei hij lachend. 'Lieve Chloe, ik kan niet zo snel weer...'

'Je moet,' zei ze. 'Ik zit er zo dichtbij, zo dicht, alsjeblieft, Ludovic. Alsjeblieft.'

Hij glimlachte naar haar en zei: 'Oké, omdat jij het bent.' Toen bewoog hij weer in haar, eerst nog wat slap, maar steeds harder, verrukkelijk hard en toen kon ze hem voelen, hoe hij zich in haar duwde, verrukkelijk hard. Ze ging op in het gevoel, koesterde het, hield het vast, terwijl hij haar kuste, met zijn mond zacht op de hare. Zijn tong verkende haar, zoals deze eerder andere delen van haar lichaam had verkend. Die herinnering riep associaties, gevoelens, op en opeens bewoog ze als een bezetene, terwijl het gevoel in haar steeds heviger werd, piekte, aanzwol, opnieuw piekte. Wat ze nu voelde, was golf na golf van genot, golven die elkaar versterkten. Ze had het gevoel alsof het eeuwig zo kon doorgaan, maar toen ze weer omhoogkwam, nog verder omhoogkwam en zijn naam wilde roepen, liet hij zich plotseling met een luide kreun op haar vallen en zei: 'Chloe, ik ben uitgeput. Genoeg voor vandaag.'

Ze lag naast hem op het kussen te glimlachen, eindelijk bevrijd, gelukkig, heerlijk loom na alle inspanningen, en kon maar niet geloven hoe gelukkig ze was.

Seks was heerlijk. Ze kon niet geloven dat ze zo lang had geleefd zonder dat vermogen tot genot in haar lichaam te kennen. Ze kon er geen genoeg van krijgen; ze was als bezeten. Nu ze wist wat ze al die jaren was tekortgekomen, nam ze huiveringwekkende risico's om toe te geven aan haar lust. Tussen de middag, voor in de avond, of zelfs vroeg in de ochtend – zodra Piers naar een afspraak was – ging ze naar Ludovics woning in het Albany-gebouw en binnen enkele minuten lag ze naakt bij hem in bed om te verkennen, te ontdekken en zich over te geven aan genot. Ze stond versteld van zichzelf, van hoe ver ze af was geraakt van het nette meisje en de goedgemanierde echtgenote die ze was geweest. Tegelijkertijd was ze trots op zichzelf en ontzettend blij over wat ze kon bereiken.

Ze raakte snel vertrouwd met haar lichaam, met wat ze lekker vond, waarop ze het snelst reageerde. Ze genoot ervan hoe haar lichaam reageerde, van wat zij voor Ludovic kon doen en hij voor haar. Na de eerste paar keren zette ze al haar preutsheid en schaamte aan de kant; hij leidde, zij volgde gretig, lachend, huilend, schreeuwend van genot. Ze kwam niet altijd snel klaar; soms duurde het lang en dan lag ze aan hem vastgeklampt te jammeren uit frustratie. Uiteindelijk waren dat de beste gelegenheden; het orgasme dat ze uiteindelijk bereikte, overspoelde haar in golven en schokken van genot.

Ze voelde zich zo gelukkig, zo levenslustig, dat ze er niet aan toekwam zich schuldig te voelen. Piers kwam thuis, putte zich als altijd uit in excuses, in liefdesbetuigingen en zij hoorde ze met een beleefde glimlach aan, zonder de minste betrokkenheid te voelen. Ze dacht terug aan hoe ze zich de dag ervoor had gevoeld, toen Ludovic voor de derde keer met haar had gevreeën en ze feller, heviger was klaargekomen dan ooit tevoren. Naderhand had ze zachtjes liggen huilen van geluk en triomf, naar zijn gezicht gekeken, dat nog nagloeide van zijn eigen genot. Hij had haar glimlachend aangekeken en met zijn vingers zacht en teder de lijnen van haar gezicht gevolgd; hij had haar keer op keer verteld dat hij van haar hield en zij had gedacht dat ze zich zoveel geluk nooit had kunnen voorstellen. 'Hoe wist jij dit?' had ze gevraagd toen ze hem na hun eerste keer vol ontzag had aangekeken.

'Nou,' zei hij, 'ik keek naar je en ging van je houden. Toen wist ik dat je niet – hoe noemde je dat? – "doods" was. Ik wist dat iemand als jij niet doods kan zijn.'

Ze deed alles op de automatische piloot: verzorgde haar kinderen, deed het huishouden, bezocht recepties met Piers, zorgde voor hem, streelde zijn ego en verlichtte zijn zorgen.

Hij was bezorgd en verstrooid uit Amerika teruggekomen, wat hij toeschreef aan een lopend project. Ze geloofde hem niet helemaal, maar was te zeer met zichzelf bezig om erbij stil te staan. Hij was zowel afstandelijk als afhankelijk, eiste haar tijd en aandacht op, maar (goddank) niet haar lichaam

– na een tedere nachtzoen ging hij in zijn kleedkamer slapen. Ze wist niet waarom en wilde er niet naar vragen, want ze was allang blij dat ze in alle rust van haar lichaam kon genieten.

Ze gloeide van sensueel, seksueel genot. Ze was verliefd op Ludovic. De gevoelens die hij in haar opwekte, leken op wat ze in het begin voor Piers had gevoeld, maar dan krachtiger, zelfbewuster. Ze voelde zich eindeloos gelukkig, in haar element, op haar gemak. Dat dempte ook haar schuldgevoel; ze was meer blij dan bang. Hij vertelde haar steeds opnieuw dat hij ook van haar hield, altijd van haar had gehouden, altijd van haar zou houden, en hulpeloos en duizelig van geluk durfde ze te geloven dat hij het meende.

Het was moeilijk om onvoorwaardelijk te geloven in hoe aardig en ongecompliceerd Ludovic was. Ze verwachtte nog steeds een zwakke plek te vinden, een duister geheim dat niemand had verwacht. Maar toen de weken verstreken en ze hem steeds vaker zag, kon ze nog steeds geen smet ontdekken. Hij zette haar op geen enkele manier onder druk om voor hun relatie te kiezen, beslissingen te nemen; hij zei juist dat ze voorlopig genoeg hadden en dat de rest later goed zou komen. En voorlopig vond ze dat heel gemakkelijk, heel acceptabel. Natuurlijk zou er iets moeten gebeuren; ze kon niet de rest van haar leven bij de ene man wonen terwijl ze van een ander hield. Maar voorlopig was ze, waren ze allebei tevreden met wat ze elkaar konden bieden.

Hij was veertig en in der minne gescheiden van zijn vrouw, de dochter van een graaf, die hem had verlaten voor een Amerikaanse folkzanger. ('Die kerels zijn nu eenmaal gek op rangen en standen.') Hij zag er niet alleen knap uit, maar was ook rijk en uitermate intelligent. Na Eton had hij zijn rechtenstudie aan Balliol College in Oxford summa cum laude afgesloten. Na een zeer korte leertijd had hij met een studiegenoot een praktijk geopend en binnen vijf jaar hadden ze beroemde klanten. Ludovic wist zich goed te profileren; hij trok de aandacht. Zijn eerste geruchtmakende zaak betrof een smaadschrift namens een vooraanstaande bankier tegen een zondagskrant. Hij had er een schadevergoeding van veertigduizend pond en nederige excuses in de krant uitgesleept. Daarmee was zijn naam gemaakt. Vrouwen vielen als een blok voor hem, maar mannen vonden hem ook sympathiek, respecteerden zijn briljante geest, zijn humor en zijn sportieve talent als het ging om squashen en zeilen. Hij leidde een geweldig leven en het enige wat hem speet, was dat hij nog geen kinderen had. Hij had een prachtig landhuis in Hampshire, waar ook zijn zeilboot lag, en een gezellige woning in Londen. Hij kleedde zich met smaak, kon redelijk paardrijden en was een graag geziene gast in de Londense society.

Het was amper te geloven dat hij verliefd op haar was.

Het was heel stil geworden rondom het boek. De spionnen die Joe en Ludovic in de boekenbranche hadden rondlopen meldden een vertraging van een half jaar, misschien zelfs een jaar. 'Ik durf er niet van uit te gaan,' zei Ludovic tegen Joe, 'maar misschien zijn ze bang geworden. Een smaadschrift is een dure grap en uitgevers beschikken niet over dezelfde budgetten als kranten.'

'Ik zou er ook niet van uitgaan. Magnus Phillips wordt niet zo snel bang.'

'Dat is waar. We hebben echter niet alleen met Magnus te maken, maar ook met de uitgevers en hun advocaten. En mogelijk met de advocaten van enkele bronnen.'

'Ik hoop dat je gelijk hebt,' zei Joe, 'maar ik deel je optimisme niet. Wat zegt Piers ervan?'

'Erg weinig. Hij wil er niet over praten en laat het aan ons over. Opmerkelijk hoor, als het echt zo'n schadelijk verhaal is.'

'Misschien een latente drang tot zelfvernietiging,' zei Joe.

Iets aan Magnus Phillips zat Fleur dwars. Ze wist niet precies wat of waardoor, maar ze wist dat er iets niet goed zat en ze baalde ervan dat ze hem zoveel had verteld.

Hij deed bijvoorbeeld erg geheimzinnig; hij verdween dagenlang (vorige week Chicago; deze week New York) maar toonde geen interesse in LA of San Francisco en weigerde haar te vertellen wie hij sprak en waarom. Hij zei dat hij altijd zo werkte. Ze had hem gezegd dat hij zonder haar hulp nooit zo ver was gekomen. Hij had gelachen en gezegd dat ze zich niets in haar hoofd moest halen, dat hij een goede speurneus was. Maar daarna had hij ernstig gezegd dat ze alles zou horen als de tijd er rijp voor was.

Haar tantes waren zeer van hem gecharmeerd, vooral Kate.

'Hij wil zo graag het recht doen gelden,' zei ze opgetogen tegen Fleur. 'Hij wil zo graag een goed beeld neerzetten van Brendan. Ik heb hem naar pastoor Cash gestuurd en hij was heel enthousiast over dat idee.'

'O ja?' vroeg Fleur.

'Ja nou. En daarna heeft hij me een prachtig boeket gestuurd, met een kaartje erbij. Of hij me eventueel nog eens mag interviewen. Hij is een echte heer, Fleur, dat weet ik zeker.'

'Dat weet ik nog zo net niet,' zei Fleur.

Dat mensen zo gemakkelijk tegen hem praatten, baarde haar zorgen. Zelfs Reuben, aan wie ze Magnus op een avond, toen ze elkaar bij het reclamebureau tegenkwamen, had voorgesteld als een oude vriend van haar moeder.

Magnus had beloofd haar te trakteren op een borrel en een etentje. Tot Fleurs ergernis had hij Reuben spontaan meegevraagd. Ze ergerde zich nog meer toen ze ontdekte dat Reuben een (onverwachte) belangstelling voor motoren koesterde. Uiteindelijk nam ze een taxi naar huis terwijl de mannen een levendig gesprek voerden over gashendels.

'Aardige vent,' zei Reuben de volgende dag.

'Dat vraag ik me af,' zei Fleur.

'Je vriendje is aardig,' zei Magnus, 'een goeie vent.'

'Fijn dat je hem zo aardig vond,' zei Fleur. 'Dat is wederzijds. Hij is blijkbaar liever bij jou dan bij mij.'

'Vast niet. Ik weet zeker dat jij hem iets kunt geven waarvan ik alleen maar kan dromen.'

'Waarom heb je nooit gezegd dat je van motoren houdt?' vroeg Fleur nijdig aan Reuben.

'Je hebt het me nooit gevraagd,' zei Reuben.

'Ik word soms zó moe van jou!'

'Sorry,' zei Reuben.

Haar ergernis en onrust zaten haar ook op het werk dwars. Ze kon zich moeilijker concentreren en voelde zich minder betrokken. Voor het eerst in haar leven vond ze de obsessie met koopgedrag en koopmotieven nogal belachelijk en zelfs haar enthousiasme voor Bernard Stobbs' fondslijst was matig. Pas toen Sol Morton haar sommeerde de sokken erin te zetten en een nieuwe slogan voor zijn Summer Fantasy te bedenken, voordat hij naar een ander bureau ging, werd ze geprikkeld tot een zekere mate van ijver. En zelfs toen wist ze dat ze het beter kon. Belangrijker nog was dat ze zich had kunnen wijsmaken dat het goed genoeg was.

Ze wilde nergens heen, maar thuis verveelde ze zich. Ze ergerde zich aan Reuben en ging hem zoveel mogelijk uit de weg; ze wilde alleen maar afspreken met Magnus, om uit te vinden hoever hij was. Maar als ze hem zag, was ze teleurgesteld omdat ze niets te weten kwam. Hij was goed bevriend geraakt met Reuben en als hij op zondagmiddag in New York was, reden ze op gehuurde motoren naar Long Island.

Ze sliep nog slechter dan gewoonlijk en had bijna voortdurend hoofdpijn.

Uiteindelijk ging Baz Browne met haar lunchen. Hij zei dat ze nogal overwerkt overkwam en stelde haar voor vakantie op te nemen.

Fleur keek hem verschrikt aan. 'Je bedoelt toch niet dat oude grapje van twee vakanties per jaar van elk zes maanden?'

'Nee, natuurlijk niet. Twee weken. Voor deze ene keer. Puur om bij te komen. Je moet je accu opladen voor de herfstcampagne.'

'Ik wil niets meer horen over accu's,' zuchtte Fleur.

Toen ze die avond thuiskwam, lag er een brief van Rose.

Lieve Fleur,

Zou je zo grenzeloos lief willen zijn om je meneer Phillips te vragen mij niet meer lastig te vallen? Jij kunt er natuurlijk niets aan doen, maar hij blijft maar schrijven en bellen. Hij accepteert niet dat ik hem niet wil spreken. Ik vraag je dit alleen omdat het oorspronkelijk jouw idee was dat hij me zou interviewen. Hopelijk heb jij meer invloed op hem dan ik.

Liefs,
Rose

Fleur vloekte en belde meteen naar het vrij armoedige hotel op de rand van Greenwich Village, waar Magnus logeerde.

'Waar ben jij verdomme mee bezig?' vroeg ze, toen ze hem eindelijk aan de lijn had.

'Wat bedoel je?'

'Je valt Rose Sharon lastig. Ze is het zo zat dat ze mij heeft geschreven om te vragen of ik je tot de orde kan roepen.'

'O jee, wat een gevoelige ziel, onze Rose,' zei Magnus.

'Magnus, waar ben je mee bezig?' vroeg Fleur. Tot haar afschuw merkte ze dat de tranen in haar ogen stonden. 'Rose Sharon is een vriendin van me; ze is zo lief en aardig voor me geweest...'

'Hoe precies?'

'Pardon?'

'Wat heeft ze precies voor je gedaan?'

'Nou, gewoon, ze is lief en aardig geweest. Punt.'

'O,' zei hij, 'juist. Ja, natuurlijk. Maar vertel, heeft ze contact met je opgenomen toen je vader overleed? Heeft ze je geschreven of gebeld?'

'Dat kon niet. Ze wist niet waar ik woonde. Magnus, koester je wrok tegen Rose?'

'Nee, natuurlijk niet.' Hij klonk geamuseerd. 'Ik vind je loyaliteit alleen ontroerend. En haar gevoeligheid is vrij amusant.'

'Wat?'

'Wereldberoemde sterren hebben meestal een dikkere huid dan een olifant. Tenzij hun eigen ego is gekrenkt, natuurlijk.'

'Dit schiet niet op,' zei Fleur geïrriteerd.

'Niet mijn idee.'

'Ach, verdomme Magnus, jij hebt Rose op de huid gezeten. Jij hebt haar ertoe gebracht mij te schrijven.'

'O ja, natuurlijk. Sorry. Nou, ik zal het niet meer doen. Morgen ga ik terug naar Londen.'

'Hoe lang blijf je weg?' vroeg Fleur. Ze hoopte dat hij haar teleurstelling niet zou horen.

'Weet ik niet. Waarschijnlijk wel vrij lang. Ik woon daar.'

'Ja, maar je bent hier toch nog niet klaar?'

'Jawel.'

'Je bent nog niet in LA of San Francisco geweest.'

'Hoeft ook niet.'

'Ach toe nou, in godsnaam,' zei Fleur en ze hoorde hoe zwaar en ellendig haar stem klonk. 'Natuurlijk moet je erheen.'

Het bleef lang stil. Toen vroeg Magnus: 'Fleur, gaat het wel goed met je?'

'Ja, natuurlijk. Best.'

'Zo klink je anders niet.'

'Het gaat prima,' zei ze. 'Rot maar op naar Londen. Laat me met rust.'

Ze legde de hoorn op de haak, kleedde zich moeizaam uit en liet het bad vollopen. Haar hele lichaam deed pijn, zelf haar huid. En haar hart.

Ze lag net languit in bad toen er werd aangebeld. Ze besloot het te negeren en strekte zich nog langer uit. De bel ging opnieuw; iemand leefde zich uit. Ze vloekte, stapte het bad uit en liep naar de intercom.

'Ja?'

'Fleur,' zei Magnus, 'ik wil je spreken.'

'Ik jou niet,' zei Fleur en ze smeet de hoorn erop.

Ze zat net weer in bad toen de bel opnieuw ging. Ze negeerde het geluid, maar Magnus gaf niet op. Na twintig minuten kon ze het niet meer aan.

'Flikker toch op,' schreeuwde ze in de hoorn.

'Als ik je heb gesproken.'

'In godsnaam dan maar,' zei ze, 'kom maar boven.' Ze drukte de deur open.

'Ik zit in bad,' riep ze, toen ze hem binnen hoorde komen. 'Je moet even wachten.'

'Oké.'

Ze besefte dat ze geen kleren in de badkamer had en dat ze in haar woede ook haar badjas bij de intercom had laten liggen. De enige handdoek die hier lag was amper groot genoeg om zich in te wikkelen. Verdommeverdommeverdomme. Ze vouwde de handdoek zorgvuldig dicht, bekeek zichzelf in de spiegel. De handdoek bedekte nog net haar kont en hing gevaarlijk dicht boven haar tepels, maar het kon. Ze deed de deur open. Magnus zat er pal tegenover en glimlachte verwachtingsvol.

'Staat je leuk.'

'Ach, hou je kop,' zei Fleur.

'Ik lijk vanavond alleen maar verkeerde dingen te zeggen.'

'Valt wel mee. Ik heb je niet gevraagd langs te komen. Verwacht dus geen hartelijke ontvangst.'

'Ik kijk wel uit,' zei hij met een vrolijke grijns. 'Niet van jou. Zeker niet hartelijk.'

Verraderlijk hete tranen brandden in haar ogen. Magnus zag ze.

'Hé,' zei hij, 'wat is dat nou? Heb jij dan toch gevoel? Ik dacht dat jij te stoer was om te huilen.'

'Ik huil ook niet,' zei Fleur. Zonder nadenken veegde ze met haar handen haar tranen weg en meteen viel de handdoek op de grond. 'O, verdomme,' zei ze en ze boog voorover om de handdoek op te rapen. 'Verdomme, Magnus, waarom ga je niet gewoon weg?'

'Je vloekte,' zei hij. 'Opwinding. Goed teken. Dat wordt nog wat.'

'Ach, alsjeblieft!' zei ze en opeens verloor ze haar laatste restje zelfbeheersing en barstte in huilen uit.

Magnus liep langzaam naar haar toe, raapte de handdoek op, sloeg die teder om haar heen, alsof ze een baby was, en vouwde de punt boven haar linkerborst naar binnen. Toen sloeg hij voorzichtig een arm om haar heen en hield een zakdoek voor haar neus.

'Snuiten,' zei hij. 'Goed zo, dat is beter. Je ruikt trouwens lekker. Heerlijk. Je kunt beter iets gaan aantrekken, al vind ik je handdoek ook erg leuk. Dan maak ik iets te drinken voor je en mag je me vertellen wat er aan de hand is.'

Toen ze de slaapkamer uit kwam in een spijkerbroek en een trui van Reuben, had hij koffiegezet.

'Ik kan beter geen koffie nemen,' zei ze. 'Ik slaap toch al zo slecht.'

'O ja? Ik ook,' zei hij. 'Dat we dat niet van elkaar wisten! Ik maak ritjes op mijn motor. Wat doe jij?'

'Ik ga aan het werk,' zei Fleur. Ze werd weer kwaad op hem, alsof het zijn schuld was dat ze niet kon slapen. Alsof alles zijn schuld was.

'Dat is niet goed,' zei hij. 'Zo kom je nooit tot rust. Je kunt beter dansen, naar muziek luisteren of zoiets. Niet je ogen inspannen.'

'Waarschijnlijk heb ik daarom een bril,' zei Fleur.

'Waarschijnlijk. En seks?'

'Pardon?'

'Ik vroeg naar seks. Als manier om in slaap te komen.'

Ze lachte stroef. 'Ja, dat werkt ook.'

'Voor mij ook. Maar ik had begrepen dat het voor jullie minder is.'

'Wie zijn wij?'

'Voor vrouwen.'

'O,' zei ze alleen. Opeens moest ze eraan denken dat haar moeder iets met Magnus had gehad.

'Maar vertel, wat is er aan de hand?'

'Dat weet je best.' Hoe kon hij het vragen? Fleur werd weer kwaad.

'Dat weet ik niet.'

'Oké,' zei ze. 'Bekijk het van mijn kant. Ik hoor dat jij een boek schrijft over... over dingen die mij aangaan, dingen die ontzettend belangrijk voor mij zijn. Ik vertrouw je genoeg – god mag weten waarom – om je heel persoonlijke, vertrouwelijke dingen te vertellen. En wat doe jij? Je zegt: "Hé, fijn, bedankt, dat kan ik gebruiken, doei."'

'Fleur, ik...'

'Misschien is het voor jou alleen maar je zoveelste boek, over de zoveelste groep duistere figuren, na je politici en je dansers. Voor mij is het de enige kans om de enige persoon van wie ik ooit echt heb gehouden, meer dan van wie ook, in het juiste daglicht te stellen. Begrijp je dat dan niet, Magnus? En begrijp je niet hoe bang ik ben dat het voor hem en voor mij niet het gewenste effect heeft? Jij gaat langs bij mensen, god mag weten waar, stelt vragen, krijgt antwoorden en dan zeg je "mooi, genoeg, tijd om af te sluiten". Had ik je maar nooit ontmoet, nooit met je gepraat. Ik ben zo bang, zo bang voor wat je gaat doen. Begrijp je dat dan niet?'

Ze huilde nu echt; de tranen stroomden over haar gezicht en haar pijn klonk door in haar overslaande stem. Ze stond op en liep naar het raam, keek uit over het park en vroeg zich af of, en zo ja hoe, er ooit een einde kon komen aan haar pijn, haar verschrikkelijke pijn. Toen hoorde ze plotseling Magnus' stem achter zich, zachter, vriendelijker dan ze voor mogelijk had gehouden.

'Het spijt me zo,' zei hij. 'Vergeef me, alsjeblieft.' Toen ze zich omdraaide, zag ze de spijt en bezorgdheid in zijn ogen. 'Het spijt me echt verschrikkelijk, Fleur. Ik... ik dacht niet...'

'Nee, waarschijnlijk niet,' zei Fleur.

Na een lange stilte vroeg ze: 'Wat heb je ontdekt, Magnus? Wat ga je over hem schrijven?'

'Ik weet het niet,' zei hij. 'Eerlijk niet. Nog niet. Dat moet je geloven. Als ik het weet, zal ik het vertellen. Ik ontdek nog van alles en dat zet alles steeds weer in een ander perspectief. Vraag me niet je nu al iets te vertellen, dat heeft geen zin.'

Fleur zuchtte en zei: 'Goed, Magnus, ik zal je moeten vertrouwen. Maar het komt toch wel goed?'

Magnus keek haar aan en zijn ogen stonden bijna teder.

'Ik hoop het Fleur,' zuchtte hij, 'ik hoop het zo. En nu kan ik beter gaan, voordat je nog meer van streek raakt. Eén ding nog, je zei dat je wenste dat je me nooit had ontmoet. Ik kan je niet zeggen hoe ontzettend blij ik ben dat ik je ken. Welterusten, Fleur.'

Hij boog voorover en kuste haar, heel zacht, op haar mond.

INTERVIEW MET LINDSAY LANCASTER, BETREFFENDE HET HOOFDSTUK 'VERLOREN JAREN' IN *THE TINSEL UNDERNEATH*.

IK KAN ME PIERS WINDSOR HELEMAAL NIET HERINNEREN. IK GELOOF NIET DAT IK HEM OOIT HEB ONTMOET. HIJ WAS ER TOEN WEL, MAAR BLEEF BUITEN BEELD. O JA, IK HEB ALTIJD VERMOED DAT HIJ DIE RODDELBLADEN OVER BYRON HEEFT VERTELD. DAT WAS VANWEGE IETS WAT BYRON ZEI; DAT LEEK TE KLOPPEN. DAT HEB IK ROSE JAREN GELEDEN AL VERTELD.

IK MOCHT BYRON ECHT. HIJ HAD MANIEREN, WEET JE. IETS WAT JE VAN NAOMI MACNEICE BESLIST NIET KUNT BEWEREN. ZE WAS DE ULTIEME BITCH. KEN JE HET TYPE? ZO'N JOODS PRINSESJE UIT MANHATTAN, ZAT OP DE NONNENSCHOOL. ALTIJD MOT MET DAT WIJF. DE GROOTSTE BOTTERIK DIE IK KEN. ZE VERHIEF LOMPHEID TOT EEN KUNST. ZE WAS OOK ERG SLIM EN MACHTIG. BYRON KON ABSOLUUT NIET TEGEN HAAR OP. IK SNAP NIET WAT ZE IN HEM ZAG. MISSCHIEN WILDE ZE GEWOON GEPAKT WORDEN. HIJ ZAG ER OOK GOED UIT, AAN HAAR ARM. OF DRIE PASSEN ACHTER HAAR, WANT ZO WAS ZE WEL, OF ZE NU NAAR EEN PREMIÈRE GINGEN OF NAAR EEN FEESTJE. MAAR HIJ VIEL HAAR NOOIT AF. HIJ ZEI DAT ZE EERLIJK WAS. DAAR HIELD HIJ VAN. EN TOCH IS HIJ VERRADEN.

IK WEET ECHT NIET WAT ER IS GEBEURD MET KIRSTIE FAIRFAX. DEZE STAD GROSSIERT IN MELODRAMA, VAN HET SLECHTE SOORT. BYRON HAD HET NOOIT OVER HAAR. WAAROM ZOU HIJ? HIJ KENDE ZOVEEL VAN DIE MEISJES. ZE PROBEERDEN ALLEMAAL DOOR TE BREKEN, WILDEN ALLEMAAL MET HEM NAAR BED.

Volgens mij hadden die twee niks. Hij heeft haar zeker niet zwanger gemaakt. Daar gaf Naomi hem de kans niet toe. Dat soort risico's nam hij niet. Maar misschien probeerde hij een screentest voor haar te regelen. Zo was hij, aardig, echt aardig. Een heer.

Hoofdstuk 30

Herfst 1971

'Beschouw me maar als een biechtvader,' zei Nicholas Marshall bemoedigend. Dat zei hij wel vaker tegen nerveuze klanten. Meestal werkte het perfect, maar nu niet.

'Het spijt me,' zei Piers Windsor, 'maar ik treed liever niet in details.'

'Meneer Windsor,' zei Marshall geduldig. 'Dit kan een... lastige zaak blijken te zijn. Ik begrijp dat er een boek wordt geschreven dat volgens u zeer schadelijk voor u kan zijn en dat u de publicatie wilt tegenhouden. Het zou mij zeer helpen als u kunt vertellen in welk opzicht het schadelijk zou zijn en hoe betrouwbaar volgens u de informanten zijn. Als het een of meer smadelijke aantijgingen bevat, kunnen we verschillende manieren overwegen om actie te ondernemen, maar dan moeten we wel zeker zijn van onze zaak. Met andere woorden, we moeten weten wat er in het boek staat. Anders kost het ons onnodig veel tijd en u natuurlijk,' hij glimlachte discreet, 'onnodig veel geld.'

'Het is... heel moeilijk aan te geven,' zei Piers.

'Wát is moeilijk aan te geven, meneer Windsor?' Wat een lastpak, die man! Hij zou Ludovic Ingram nog wel krijgen.

'Er kunnen verschillende dingen in staan die lasterlijk en schadelijk zouden kunnen zijn. Ik kan moeilijk inschatten welke dingen dat zijn en hoeveel.' Hij lachte onverwacht, een benepen glimlach.

Hij ziet er niet goed uit, dacht Marshall, erg mager, erg bleek. Niet zo vreemd ook. 'Kunt u vertellen wat voor dingen?' vroeg hij.

'Liever niet. Nog niet. Kunt u me vertellen wat voor actie we kunnen ondernemen?'

'Prima. U treft het, als ik het zo mag stellen, dat u in de smaadhoofdstad van de wereld woont. In Amerika zouden uw kansen minder gunstig liggen.

Daar moet kwade opzet worden bewezen voordat je iemand kunt aanklagen voor smaad. Dat maakt het natuurlijk niet onmogelijk, maar wel lastig.'

'Dan zit er toch nog iets mee.' Piers lachte moeizaam.

'Zeker. Welnu, de eerste stap zou zijn dat u direct met de auteur praat. Ik begrijp dat hij met u bevriend is, of is geweest. Misschien kunt u een beroep doen op zijn geweten. Hem overhalen het boek niet te schrijven. Of u in elk geval te vertellen wat hij wil schrijven. Dat zou al een begin zijn.' Hij pauzeerde even. 'Ik hoef u niet te vertellen dat deze kans nihil is, tenzij u aanzienlijke druk op hem kunt uitoefenen. Ik heb begrepen dat zijn uitgever hem een groot voorschot heeft betaald. Waarschijnlijk wil hij het boek graag schrijven.'

'Ongetwijfeld,' zei Piers. 'Zou ik, eh, zo'n gesprek alleen moeten voeren, of komt u mee?'

'O, dat kunt u beter alleen doen. Als ik zou meekomen, zou meneer Phillips waarschijnlijk zijn advocaat meebrengen. Dat zou het gesprek formeel maken, terwijl u juist een persoonlijk beroep op hem wilt doen.'

'Juist. En wat zou er dán al of niet gebeuren?'

'Als uw gesprek geen effect heeft, kunt u verzoeken het boek in te mogen zien. Dat zal vrijwel zeker worden geweigerd. Het punt is, meneer Windsor, dat de uitgevers niet erg in zullen zitten over een dreigende rechtszaak als ze erop vertrouwen dat het boek de waarheid bevat, en ze zullen de bronnen van de schrijver beslist nauwlettend hebben gecontroleerd.'

'Kunnen we niet gewoon met een gerechtelijk bevel een publicatieverbod opleggen? Dat hoopte ik eigenlijk,' zei Piers. Hij frummelde aan zijn stropdas – roze met groene strepen van de Garrick Club. Hij was nog bleker geworden en er stond zweet op zijn voorhoofd.

Deze man is doodsbang, dacht Marshall. Hij leefde oprecht mee, maar zou willen dat hij meer medewerking kreeg. 'Een gerechtelijk bevel kan inderdaad publicatie voorkomen. Maar toch, meneer Windsor, raad ik het met klem af. Het is namelijk bijzonder moeilijk om een gerechtelijk bevel uitgevaardigd te krijgen als de beklaagde – de auteur dus – volhoudt dat zijn boek op ware feiten is gebaseerd. Een andere voorwaarde voor een gerechtelijk bevel is dat de schade die u door het boek lijdt niet kan worden gecompenseerd door een vergoeding – hoe hoog deze ook is.'

Piers keek hem aan. 'Als mijn reputatie, mijn leven wordt geruïneerd door dit boek, als alles waarvoor ik heb gewerkt, zowel privé als professioneel, wordt verwoest, is er geen schadevergoeding denkbaar. Als er – laten we zeggen – aantijgingen worden gedaan en als mensen ze geloven, kan geen enkel bedrag dat aan mij wordt betaald ze op andere gedachten brengen.'

'Tja, meneer Windsor, zo ziet de wet het echter niet. Als de schadevergoeding hoog genoeg is, heeft de rechtbank onvoorwaardelijk uitgesproken dat het boek in haar oordeel ernstige smaad bevat, dat de informatie in het boek niet op feiten is gebaseerd en dat degenen die deze smaad aandoen gedwongen moeten worden toe te geven dat ze abuis zijn.'

'Ik vrees dat ik daar niet veel aan heb, meneer Marshall,' zei Piers. 'Plat gezegd: waar rook is, is vuur. Ik kan me geen geldbedrag voorstellen dat mij zou compenseren voor de dingen die naar ik vrees in het boek komen te staan. Nee, we moeten de publicatie tegenhouden, hoe dan ook.'

'Als we het moeten tegenhouden, moeten we zeker weten dat het boek niet alleen smaad bevat, maar ook dat het onwaarheden bevat. Ik kan dat niet genoeg benadrukken, meneer Windsor. Daarom wil ik u aanraden mij in vertrouwen te nemen.'

Piers keek hem langdurig aan en zei: 'Ik denk dat ik om te beginnen naar meneer Phillips moet gaan. Ik ga alleen en breng u verslag uit.'

'Uitstekend. Ik wens u veel succes.'

'Wat aardig,' zei Piers en hij schonk hem een van zijn mooiste glimlachen en liep het kantoor uit.

Nicholas Marshall bleef hem lang nakijken en zei toen tegen de boekenkast die tot het plafond reikte en die in dat soort gevallen zijn deelgenoot was: 'Die man heeft iets op zijn kerfstok.'

Toen Piers belde, stond Caroline in de stallen, na een lange rit met Jack. Het had het grootste deel van de rit geregend, ze had pijn in haar rug en was moe en geïrriteerd. Dat was ze momenteel vaak, ongeacht het weer. Ze zag in dat ze de loop die haar leven had genomen alleen aan zichzelf te danken had, maar dat maakte het er niet beter op. Ze miste Magnus verschrikkelijk, maar ze miste Joe ook. En ze miste Chloe en de kinderen met een intensiteit die haar verbaasde. Ze was geschrokken van de meedogenloze manier waarop Chloe haar uit haar leven had gesneden. Ze had nooit haar excuses aangeboden voor haar uitbarsting en sindsdien had ze op geen enkele manier toenadering tot haar moeder gezocht. Als Caroline haar belde, reageerde ze beleefd maar koel. Ze was onder een voorwendsel weggebleven met Kerstmis, ze schreef beleefde kattebelletjes om te bedanken voor cadeautjes en stuurde bloemen toen haar moeder jarig was. Toen Caroline haar belde om het uit te praten, zei ze alleen: 'Ik hou erg veel van Joe. Ik kan niet verdragen dat je hem zo hebt gekwetst,' en ze gooide de telefoon op de haak.

Caroline kon zelf evenmin verdragen hoezeer ze Joe had gekwetst. Het was op geen enkele manier te rechtvaardigen of goed te praten. Ze had hem verschrikkelijk gekwetst en hij had het nergens aan verdiend. Hij was niet met haar getrouwd, maar dat hij van haar hield, was zeker. Hij was haar altijd trouw geweest, was er voor haar geweest als ze hem nodig had, was goed geweest voor haar kinderen, vooral voor Chloe, en had haar geholpen met Fleur. Maar omwille van een avontuurtje had ze hem bedrogen en bijna onverdraaglijke schade toegebracht. Ze was geschokt over wat ze had gedaan, geschokt en vol afkeer, en ze voelde zich er eenzaam onder. Ze praatte er met Jack over – hij was de enige met wie ze erover kón praten – maar zelfs hij kon haar niet helpen, hij kon niets doen aan de afkeer die ze voelde voor zichzelf, voor wat ze had gedaan.

'We maken allemaal fouten, Caroline,' zei hij alleen. 'Het gaat erom hoe je ze weer rechtbreit.'

Maar ze wist juist niet wat er nog recht te breien viel. Ze schreef Joe een briefje, om hem te vertellen hoezeer het haar speet, hoe ze zich schaamde. Het leek misselijkmakend hypocriet om daar nog iets aan toe te voegen. Joe had niet gereageerd. Ze had snel en boos gebroken met Magnus, voelde evenveel afkeer voor zijn gedrag als voor het hare; maar toen haar woede was bekoeld, had ze vreemd genoeg een gevoel van rouw. Hij was zo lange tijd zo'n positieve kracht in haar leven geweest dat ze zich niet gewoon eenzaam voelde, maar eenzaam in een troosteloos, flets landschap, zonder licht of schaduw en zonder hoop ooit weer licht of schaduw te vinden.

Wat bepaald niet hielp, waren de foto's in de pers van Joe met Rose Sharon, al stelden beiden dat ze gewoon goede vrienden waren.

Jack nam de telefoon op. 'Meneer Windsor,' zei hij, volkomen toonloos. 'Dank je, Jack. Ik neem hem binnen wel.'

'Piers? Is er iets gebeurd?'

'Nee, nee. Alles gaat goed,' zei hij. 'Met Chloe en de kinderen gaat het prima. Ik wilde je alleen om een gunst vragen, Caroline.'

'Vragen staat vrij, Piers. Ik weet alleen niet of ik je kan helpen.'

'Dat weet ik ook niet, maar het is een poging waard. Het gaat om dat boek. Dat je... vriend,' uit Piers' mond klonk het wel héél ranzig, 'Magnus Phillips aan het schrijven is.'

'O, juist,' zei Caroline, 'het boek.' Tegen alle logica in voelde ze opeens loyaliteit jegens Magnus.

'Ik...' Hij was even stil, zocht blijkbaar naar de juiste woorden. 'Het is voor mij belangrijk te weten wat hij gaat schrijven. Over mij.'

'O ja? Ik hoop niet dat je me gaat vragen om dat voor je uit te zoeken, Piers. Want hij zal het me zeker niet vertellen. En zelf weet ik het niet.'

'Nou ja, ik vroeg me alleen af of je me aanwijzingen kunt geven. Ik overweeg een rechtszaak te beginnen en alle informatie die ik kan krijgen, is zeer waardevol.'

'Ja, Piers, dat zal wel. Maar ik kan je helaas helemaal nergens bij helpen. Magnus en ik praten niet meer met elkaar.'

'Ik vroeg me alleen af of je iets wist...' Zijn stem klonk gespannen, een beetje vreemd.

'Nee, Piers, het spijt me,' zei ze en ze legde neer.

Ze bleef naar het toestel staren en voelde haar spijt langzaam groeien. Dat boek, dat verdomde boek, dat hun leven dreigde te verwoesten, doordat het zoveel losse eindjes aan elkaar verbond. Het zou niet alleen Piers schade toebrengen, maar bijna iedereen van wie ze ooit had gehouden, iedereen die belangrijk voor haar was. Chloe's huiselijke leven en status zouden worden ontwricht, ontheiligd door schandalen uit het heden en het verleden. Haar onwettige, nooit erkende zus zou worden ontmaskerd. Die misstap uit het verleden waar zij niets aan kon doen, zou zijn weerslag hebben op alle aspecten van Chloe's leven en natuurlijk op dat van haar kinderen. Pandora was in elk geval oud genoeg om erdoor te worden gekwetst. Die misstap, haar eigen misstap, had zijn oorspronkelijke glans verloren. Haar opoffering en haar moed leken nu laf en slap. En dan Fleur, die toch al zo gekwetst was, zo in de war, die zoveel liefde tekort was gekomen; wat zou het, wat kón het met haar doen als haar levensverhaal verwrongen was weergegeven in een boek dat uit pure sensatiezucht was geschreven? Ze besefte met een schok dat ze sinds het begin van haar affaire met Magnus amper aan Fleur had gedacht. Ze had haar verbannen naar haar verleden, haar verre verleden, toen zij iemand anders was, met andere belangen. Misschien, heel misschien hoorde Fleur daar nu ook thuis. Ze zouden nooit intieme vriendinnen worden. Maar zou dit boek, dit verschrikkelijke, afschuwelijke boek, niet alle oude emoties tot leven wekken, de korsten wegkrabben tot de oude wonden openlagen? En wat zou erin staan, kúnnen staan over Brendan? Zou zijn treurige geschiedenis met hetzelfde doel opnieuw worden opgedist, zodat deze nog schandaliger werd, nog minder waar?

Opeens konden de anderen Caroline niet meer schelen; ze zat alleen maar aan Brendan te denken, iets wat ze zichzelf maar zelden toestond, en terwijl ze daar zat, kwam hij voor haar weer tot leven. Vol levenslust, zo jong en moedig, een held, haar held, haar geliefde, met haar aan het wandelen, praten, vrijen. Ze zag hem scherp voor zich: de donkerblauwe ogen die over haar heen gleden, zijn lange, ietwat slungelige lijf. O, wat was dat lijf jong geweest, en fel, en sterk; zijn korte zwarte haar, zijn trage, gemoedelijke glimlach. Ze hoorde weer hoe zijn stem, die lichte Amerikaanse stem waar net iets Iers in doorklonk, haar naam riep, met haar praatte, lief en teder. Hoorde hem vertellen hoeveel hij van haar hield, hoe hij haar mee zou nemen naar Amerika, met haar zou trouwen, haar voor altijd de zijne zou maken. En ze voelde hem, voelde zijn handen op haar lichaam, zijn mond op de hare, voelde hem weer in zich en voelde haar liefde voor hem, haar uitgesproken geluksgevoel.

Toen was hij weer weg, was ze hem kwijt. En weg was haar geliefde dochtertje. Ze gingen allebei weg, ver weg, naar het andere eind van de wereld, voor altijd verloren. Ze namen al haar geluk, al haar jeugd mee en lieten haar leeg achter, getrouwd met iemand van wie ze niet hield en moeder van een andere dochter die toen bijna geen rol in haar leven speelde.

Dat ze aan Brendan dacht, hem voor zich zag, hem weer zo helder en zo sterk hoorde en voelde, gaf haar de kracht om nog één keer voor hem en voor Fleur te vechten. Niet omwille van Piers of Chloe, niet eens zozeer om Fleur, maar vooral om Brendan, dat hij eindelijk zou worden voorgesteld als de persoon die zij had gekend, als de man die hij echt was geweest.

Magnus beantwoordde haar ietwat nerveuze, voorzichtige telefoontje binnen een half uur.

'Caroline! Wat een bijzonder genoegen van je te horen.'

Verdomme, wat had hij toch een sexy stem, een diepe, licht opgeruwde slaapkamerstem. Ondanks haar vijandigheid werd ze overspoeld door een verlangen dat zo hevig was dat ze haar ogen dichtkneep en ze zich vastgreep aan het tafeltje in de hal. 'Magnus, ja, je weet vast wel waarom ik je belde.'

'Ik kan maar twee redenen bedenken: je wilt me terug of je wilt iets weten over het boek. Misschien allebei.'

'Ik wil je absoluut niet terug,' zei Caroline. 'Ik sta nog steeds achter wat ik je de laatste keer heb gezegd.'

'En dat was? O ja, dat ik walgelijk was. Krasse taal, Lady Hunterton. Terwijl ik alleen nederig op zoek ben naar de waarheid.'

'Hou toch op, Magnus. Je mag op zoek zijn naar de waarheid, maar dan moet het wel iets opleveren, maar nederig ben je zeker niet.'

'Ach, lieveling, wat weet je het toch treffend te verwoorden. Ik begrijp niet waarom je nooit bent gaan schrijven.'

'Aardig gezegd, Magnus, maar ik bedank ervoor. Ik hecht te zeer aan mijn zielenheil.'

'O, Caroline. Volgens mij is er in het hiernamaals al een plek gereserveerd voor jouw ziel, wat je verder ook nog zult uitspoken.'

'Wat bijzonder aardig van je.'

Na een korte stilte zei Magnus: 'Het gaat dus om het boek? Wat ik ga schrijven over wie?'

'Ja,' zei Caroline resoluut. 'Dat wil ik weten.'

'Je vraagt wel veel.'

'Valt wel mee. We hebben je tenslotte de meeste informatie zelf aangereikt.'

'Nee,' zei hij, 'dat is een vergissing. Een enorme vergissing. Het boek gaat over véél meer dan jou en je charmante familie.'

'Wat bedoel je?'

'Ik bedoel dat het geheel in stijl met de Hollywood-traditie gaat over duizenden mensen. Ik kan me geen project herinneren dat zo fascinerend en zo allesomvattend is. Het boek gaat over de menselijke aard. Je zou versteld staan.'

'Werkelijk?' vroeg Caroline.

'Ja, werkelijk. Wil je echt meer weten?'

'Ja, natuurlijk.'

Het bleef lang stil. Toen vroeg hij: 'Wát wil je precies weten, Caroline? Welk aspect gaat je het meest aan?'

Ze was stil, probeerde te formuleren wat ze wilde zeggen, toen hij haar gedachten onderbrak.

'Je weet toch dat ik je dat niet kan vertellen? Je begrijpt toch waarom ik er niet eens over kan denken je het te vertellen?'

'Dat kun je wél,' zei ze met verstikte stem. 'Dat kun je heus wel.'

'Nee, Caroline, dat zou verkeerd zijn. Bovendien zou je er niets mee opschieten. Ik schrijf dit boek vooral omdat het ontzettend belangrijk voor me is geworden. Het verhaal in mijn boek is een buitengewoon voorbeeld van een verwrongen waarheid. Hoe meer ik ontdek, des te verbaasder word ik. En des te meer heb ik het gevoel dat de echte waarheid moet worden uitgezocht. Aan het licht moet komen.'

'Magnus, alsjeblieft, doe het niet.'

'Doe wát niet, lieveling?'

'Vernietig ons niet.' Ze hoorde zelf hoe belachelijk dramatisch haar woorden klonken.

'Caroline,' zei Magnus. 'Dit verhaal zal jullie niet vernietigen. Dat kan ik je beloven. En een groot aantal mensen met wie ik heb gesproken, vindt dat het verhaal moet worden verteld. Dat ere moet toekomen aan iemand aan wie ere niet wordt toegedicht. Dat rechtvaardigt mijn boek. Ik kan er nu niet mee stoppen. Daar is het in alle opzichten te laat voor.'

Caroline legde de telefoon neer.

Magnus bleef even naar zijn telefoon kijken en schudde afkeurend zijn hoofd. Toen zette hij zijn dikke hoornen bril op die hij altijd gebruikte als hij achter de typmachine zat en ging verder met het hoofdstuk dat hij aan het schrijven was over Piers' schooltijd. Het was triest en nogal vertederend geschreven; hij kreeg er een brok van in zijn keel.

'Magnus Phillips,' zei hij hardop, 'je bent een verrekt goeie schrijver.'

Twee uur later had hij knallende hoofdpijn en besloot hij een lange wandeling te maken. Intens tevreden liep hij Brompton Road af, richting Knightsbridge. Hij genoot van de taxi's, de mensen, de bont versierde etalages en dacht aan de wandelingen die hij af en toe met Caroline had gemaakt – eindeloze, koude, onaangename aangelegenheden, tussen heggen en velden. Niks te beleven, of het moest de eeuwige regen zijn. Het platteland en haar voorliefde voor het buitenleven hadden tot de absolute minpunten behoord van zijn relatie met Caroline.

Toch miste hij haar; hij had niet beseft hoezeer hij haar miste tot hij haar stem weer hoorde. Liefde was het niet geweest – althans, hij dacht van niet; hij had weinig ervaring met liefde en was er beducht voor – maar wel echte genegenheid. En lekkere seks. Geweldige seks. Ze was verbluffend opgewekt en vindingrijk in bed. En grappig. Bijzonder grappig. Jammer dat het voorbij was. En jammer dat zij zo boos was. Was hij dan echt zo'n klootzak? Moest hij echt kappen met dit boek? Zou het echt zoveel levens verwoesten?

Magnus bleef een volle minuut staan om erover na te denken. Zoals altijd kwam hij tot de conclusie dat het feitelijk geen punt van overweging was en hij liep door. Niet híj bepaalde hoe levens liepen, maar de mensen die ze leefden. Zij deden wat ze wilden en ze moesten zelf de gevolgen ervan aanvaarden. Het was een harde stelregel, maar hij beschouwde het als de waarheid. Hij hechtte groot belang aan de waarheid; het was het enige waarvoor hij wilde vechten. Dit boek vertelde de waarheid, een vreemde en fascinerende waarheid, en net als bij een geslaagde operatie zou het eerst pijn doen en dan genezen. Ze zouden er wel overheen komen. Ze waren allemaal sterk genoeg. Zelfs Chloe. Zeker Chloe. Hij glimlachte toen hij aan haar dacht. Hij was uitermate op haar gesteld; juist zijn sympathie voor haar, om wat ze allemaal moest verdragen van Piers Windsor, de bochten waarin ze zich moest draaien, had hem ertoe gebracht dieper in het verhaal te duiken. Dat zou ze natuurlijk net zomin geloven als dat hij haar zo graag mocht. Toch was het zo: Chloe – hij moest even zoeken naar de juiste beschrijving – deugde. Ze deugde door en door, deed zich niet anders voor dan ze was, een goed mens, trouw, dapper en lief. Te lief voor haar eigen bestwil. Piers verdiende haar niet, verdomme, echt niet.

Hij had nu een heel eind gelopen, helemaal naar Piccadilly; hij was bijna bij de Ritz. Hij voelde zich al een stuk beter; nu nog een drankje, dan kon hij er weer tegen. Hij ging de Ritz binnen, bestelde een whisky en ging weg zodra zijn glas leeg was. Hij wilde weer aan het werk. Hij had een hekel aan pauzes; het leek op stoppen met vrijen, het loslaten van die intense concentratie, maar werk was gemakkelijker weer op te pakken, een altijd gewillige minnares. Hij zou met de ondergrondse teruggaan. Terug naar Piers en zijn schooltijd, zijn eenzaamheid en zijn angst. Hij dacht weer aan Chloe, hoe zij op die ellende zou hebben gereageerd, vroeg zich af hoeveel ze ervan wist. Doordat hij zo ingespannen aan haar dacht, zag hij haar opeens haarscherp voor zich: haar lange rode haar zat een beetje wild, haar ernstige gezichtje stond een beetje bedrukt, haar grote bruine ogen keken bang, haar lichaam was gespannen. Toen besefte hij dat hij zich haar niet verbeeldde, maar dat ze in levenden lijve voor hem stond, op een kleine tien meter afstand, terwijl ze een taxi wenkte. Voor een nette moeder en echtgenote was ze nog laat op stap; het was bedtijd, tijd om haar kinderen in bad te doen, voor te lezen. En vervolgens telde de journalist in hem dat feit op bij de overduidelijke agitatie toen de ene volle taxi na de andere haar in de drukke avondspits voorbijreed en besefte hij dat ze in haar eentje uit het Albany-gebouw kwam. Verward, een tikje bang en lichamelijk minder verzorgd dan gewoonlijk.

Wie woonde er in Albany, vroeg Magnus zich af. Hij zag dat ze eindelijk een taxi wist aan te houden, naar binnen dook en zichtbaar opgelucht achteroverleunde. De taxi maakte een U-bocht en reed in de richting van Knightsbridge. Maar natuurlijk, er woonde een zeer interessante figuur in Albany, een rijke vrijgezel. Magnus was weleens uitgenodigd voor een feestje, had er zelfs een paar keer gegeten. Ludovic Ingram woonde daar.

Toen zag hij dat Chloe's gezichtsuitdrukking veranderde, doordat zij zag dat hij stond te kijken, besefte wat hij had gezien en wat dat betekende, haar ogen nog groter van angst en afschuw. Toen was ze helemaal weg, bij hem, haar plaaggeest, vandaan gesleurd, veilig in de anonimiteit van Londen.

Helaas kwam die anonimiteit net iets te laat.

'Ik wil graag met je afspreken.' Piers klonk helder, sterk en opmerkelijk zelfverzekerd. Magnus was verbaasd.

'Maar natuurlijk. Wanneer wil je langskomen?'

'Zo snel mogelijk. Morgenochtend misschien?'

'Je bent natuurlijk van harte welkom. Wil je er een ontbijtbespreking van maken?'

'Nee, dank je. Ik blijf maar even.'

'Prima. Tien uur bij mij?'

'Tien uur.'

Waarom was die klootzak zo zeker van zichzelf? Magnus schonk zichzelf een glas whisky in, zijn derde die avond, en ging zitten voor de avondbladen. Zijn oog viel op een artikel in de *Evening News* met de kop 'Sterspeler in Witte Huis?'; het was een goed doorwrocht verhaal over de mogelijkheid dat voormalig acteur Ronald Reagan ooit tot president gekozen zou worden.

'Dat gebeurt nooit,' zei Magnus hoofdschuddend. Hij bedacht wel dat als er spelers werden gezocht voor de verfilming, Reagan de rol vast en zeker zou krijgen.

Piers arriveerde om tien uur precies. Hij zag er mager uit, vond Magnus, maar was wel, zoals altijd, onberispelijk gekleed in een driedelig pak en een tweed overjas met een visgraatmotief en een fluwelen kraag. Helemaal gekleed voor een dag in het Londense zakenhart, op zijn hoed na, een groot zwart geval met een heel brede rand. Wat een fat, dacht Magnus. Misschien moest hij maar eens praten met zijn kleermaker. Als hij van de oude stempel was, zou hij niets willen zeggen, maar als hij een van die hippe nieuwkomers was die alle rocksterren de maat namen, zou de belofte van gratis redactie, of anders wat geld, misschien een paar mooie citaten opleveren.

'Piers,' zei hij, 'kom binnen.'

'Dank je.'

'Kan ik je jas aannemen? Koffie?'

'Nee, dank je.'

Hij ging zitten en bleef Magnus een lange tijd zwijgend aankijken. Tot zijn verbazing merkte Magnus dat hij zich daar licht ongemakkelijk onder voelde en hij vroeg zich voor de eerste keer af of Piers iets wist wat hij niet wist.

'Goed,' zei Piers na verloop van tijd. Zijn ogen schitterenden hard. 'Ik zal ter zake komen. Mijn advocaat heeft me gevraagd een poging te doen om jou ervan te weerhouden het boek te schrijven of te publiceren.'

'Echt waar?' vroeg Magnus.

'Ja. Of om in elk geval vast te stellen wat erin zal staan.'

'O ja?'

'Ik neem aan dat je me in geen van beide gevallen van dienst wilt zijn.'

'Je aanname is juist.'

'Dat dacht ik al. Het leek de moeite van het proberen waard.'

'Sorry, Piers. Ik kan je niet helpen. Het is te laat om niet te publiceren en ik ben niet van plan je iets over de inhoud te vertellen.'

'Dat vreesde ik al. Mag ik wel aannemen dat je onderzoek diepgravend is geweest?'

'Dat is correct. Ik heb uren interviews op band, allemaal uitentreuren gecheckt. Ik ben een gedegen onderzoeker.'

'Wat bewonderenswaardig. Je uitgevers treffen het met je.'

'Nou ja,' zei Magnus luchtig, 'daar betalen ze me voor.'

'Waarschijnlijk wel.'

Het was opnieuw stil. Toen zei Piers: 'Goed dan, Magnus. Ik ben alleen gekomen om je te waarschuwen.'

'Echt waar? Wat interessant.' Magnus glimlachte nonchalant. Maar hij was nog steeds niet zo rustig als hij zou willen.

'Ben je goed bekend met Shakespeares *Merchant of Venice*, Magnus?'

Magnus keek hem nadenkend aan. 'Waarschijnlijk niet zo goed als jij.'

'Nee, waarschijnlijk niet. Dan zal ik je graag herinneren aan wat Portia zei tegen Shylock. Ze heeft dan toegegeven dat hij recht heeft op een pond vlees. Maar,' Piers draaide zich om, liep naar het raam, bleef ongeveer dertig seconden uit het raam kijken, een lange, effectieve stilte, en draaide zich weer om. Zijn grijze ogen stonden bedachtzaam, veraf. 'Maar Magnus,

snijd niet min of meer
Dan juist een pond; want neemt ge meer of minder
Dan juist een pond – al waar 't ook maar zoveel
Dat het gewicht te licht wordt of te zwaar
Een onderdeel zelfs van een twintigste
Een enk'len scrupels – slaat de weegschaal door
Ja, waar' 't ook slechts de breedte van een haar –
Dan sterft ge, en al uw goedren zijn verbeurd.'

Zijn stem stierf weg, een stem die op griezelige, magische wijze niet langer de stem was van een acteur van middelbare leeftijd, maar van een mooie, briljante jonge vrouw die de situatie en haar gesprekgenoten volledig de baas was. Hij keek Magnus doordringend aan. 'Ik hoop dat je begrijpt wat ik probeer te zeggen. Dit boek, Magnus, is jouw volle pond. Je hebt er recht op, je hebt het recht het boek te schrijven, te publiceren. Maar als aan de waarheid in je boek – een verschrikkelijk ingewikkelde waarheid, dat weet ik, waarvan het merendeel lang geleden begraven is – als aan die waarheid ook maar iets niet klopt, weet dan, Magnus, dat al je bezit nietig is. En nu moet ik gaan. Ik moet aan het werk. Goedemorgen, Magnus.'

Een half uur later zat Magnus nog steeds achter zijn bureau, zo geschokt dat hij niet kon nadenken, niet kon werken – een beangstigende ervaring.

Hoofdstuk 31

Rose Sharon was gezegend met schoonheid, verstand, talent en charme, maar bovenal wist ze bij de mensen met wie ze omging een gevoel van eigenwaarde op te wekken. Een gesprek met Rose bleef nooit beperkt tot een uitwisseling van meningen of ideeën, of tot een herhaling van conventies, het verschafte haar gesprekspartner een gevoel van tevredenheid, een gevoel dat hij misschien, nee, zeker interessanter en aantrekkelijker was dan hij zelf dacht. Dat effect had ze niet alleen op mensen die belangrijk voor haar waren, zoals regisseurs, producers, medeacteurs, gastvrouwen in Hollywood, of zelf de mensen daaromheen, maîtres d'hôtel, modeontwerpers of haar huishoudster, maar op iedereen met wie ze in contact kwam; ook op parkeerwachten, bankbedienden en koeriers. Dit was zo'n sterke eigenschap dat ze zelfs criticasters en mensen die op de een of andere manier door haar net waren geslipt of kil deden, om haar vinger kon winden. Zij kregen het gevoel dat hun koele houding ongegrond was en waren blij, verrukt zelfs, dat ze zich nu met hen wilde bemoeien.

Fleur FitzPatrick had al een paar weken een enigszins kil gevoel over Rose. Misschien was 'kil' te sterk, maar teleurgesteld was ze zeker. Ze vond dat ze Rose best kon vragen om Magnus te vertellen over haar begintijd in Hollywood en haar herinneringen aan haar vader. Natuurlijk, Rose was voorzichtig met journalisten, maar het ging hierbij immers niet om een diepgravend artikel over haar privéleven, of om haar onvermogen een vaste relatie te hebben, zoals in zoveel andere artikelen het geval was. Fleur probeerde zichzelf ervan te overtuigen dat ze zich aanstelde, dat het volkomen begrijpelijk was en dat zij zelf gewoon niet goed in haar vel zat, enerzijds vanwege Kerstmis en anderzijds vanwege het besluit dat Reuben en zij hadden genomen om fulltime voor Morton's te werken. Het aanbod was onweerstaanbaar, maar ze wist dat ze het beter hadden kunnen afslaan; het voelde niet goed, al wist ze niet waarom. De kerstdagen zou ze doorbrengen in het nieuwe, hippe appartement van Poppy en Gill, dat niet ver van het hare lag, met de rode muren en zwarte meubels en de nu al indrukwekkende verzameling moderne kunst. Reuben en mevrouw Blake zouden er natuurlijk ook zijn. Ze zouden zich volstoppen met eten, elkaar dure en chique dingen geven en domme spelletjes doen. Ze zouden het geweldig naar hun zin hebben. Reubens moeder zou om de vijf minuten vragen wanneer ze eindelijk gingen trouwen. O god, dacht Fleur bedroefd, waarom wisten ze dat niet, waarom had zij nog nergens mee ingestemd? – en toen ging de telefoon.

'Fleur? Lieverd, met Rose.'

En daar was die charme weer. Fleurs weerstand verdween meteen en ze had het gevoel alsof ze een cadeau had gekregen, of een glas perfect gekoelde champagne en in plaats van kil te reageren, begon ze te gloeien en zei ze met de nodige warmte in haar stem: 'O, Rose, wat heerlijk dat je belt.'

'Hoe gaat het? Heb je nog leuke dingen gedaan?'

'Niet echt,' zei Fleur naar waarheid.

'Allerlei kerstfeestjes zeker? Hoe gaat het met je spannende baan?'

'Het... gaat,' zei Fleur. Het ging niet. Dat haar werk zo saai was geworden – en minder goed dan men van haar gewend was – had ermee te maken dat ze niet blij te krijgen was. Haar ongemakkelijke houding ten opzichte van Reuben, die ze zelfs niet tegen zichzelf hardop durfde uit te spreken, zat haar dwars, net als het feit dat Magnus met boek en al buiten bereik was. Hoe lang was het al niet geleden dat ze iets van die klootzak had gehoord?

'Het klínkt niet zo.'

'Het voelt ook niet zo.'

'Zo te horen ben je toe aan verandering.'

'Misschien wel.'

'Waarom kom je niet een paar dagen naar Los Angeles? En neem dan je vriend mee, die meneer Phillips. Ik heb besloten dat ik toch met hem wil praten.'

'Wat geweldig,' zei Fleur en haart hart maakte een zweefvlucht. 'Maar waarom ben je van gedachten veranderd?'

'Laten we zeggen dat me nog wat dingen te binnen zijn geschoten en dat ik heb nagedacht. Vooral over je vader. Ik hield zoveel van hem, Fleur, hij was zo belangrijk voor me. Het lijkt me geweldig als iemand eindelijk zijn naam kan zuiveren. Het lijkt me dom en verkeerd om dat tegen te werken.'

'Nou, ik... ik ben echt ontzettend blij.' Fleur had het gevoel dat ze kon vliegen.

'Mooi. Dus bel je vriend en bel mij dan even terug. Ik ben hier met de kerst en Oud en Nieuw, tot eind januari. Daarna ga ik een tijdje op reis. Afgesproken?'

'Afgesproken,' zei Fleur. 'En dankjewel. Ontzettend bedankt, Rose.'

'Zit wel goed, lieverd. Dag, dag. O ja, Fleur...'

'Ja?'

'Oud en Nieuw zou leuk zijn. Dan kunnen we samen het nieuwe jaar inluiden.'

'Lijkt me geweldig,' zei Fleur.

Magnus reageerde teleurstellend laconiek.

'Ik vind het wel erg kort dag. En waarom wil ze nu opeens wel?'

'Ze zei dat ze erover had nagedacht en dat ze wilde helpen,' zei Fleur geïrriteerd. 'Je lijkt niet te begrijpen, Magnus, dat ze gigantisch beroemd is. Ze hóeft dit niet te doen. Ze heeft een hekel aan de pers. Ze doet het... voor mij. En voor mijn vader. Ze hield van hem.'

'Ik zal zien wat ik kan doen,' zei Magnus. Het wordt zeker na Kerstmis.'

'Magnus, wat is er met jou? Ik dacht juist dat je Rose graag wilde spreken.'

'Wil ik ook, maar het is kersttijd, ik moet gewoon veel verschillende dingen doen.'

'Als je er verdomme niet voor zorgt dat je hier wat dingen doet, is het te laat,' zei Fleur. Ze werd kwaad toen ze merkte dat ze bijna in tranen was. 'Toe nou, Magnus! Het is zo belangrijk...'

'Oké, oké.' Hij klonk een beetje ongeduldig. 'Ik zal wel proberen wat dingen te verzetten. Ik bel je.'

'Lief van je,' zei Fleur en ze legde neer.

Hij had vreemd geklonken. Niet zo zeker van zichzelf, niet zo fel als anders. Ze hoopte maar dat hij niet uitgekeken raakte op het project. Dat zou onverdraaglijk zijn. Ze zou morgenochtend Bernard Stobbs bellen en vragen of hij nog iets over het boek had gehoord. Er had in elk geval nog niets over in de voorjaarscatalogi gestaan. Die stomme klootzak zou zijn kansen verspelen als hij niet opschoot. Arrogante, domme zak. Hij verdiende het gewoon niet dat ze hem zoveel informatie verstrekte. Als het niet zo belangrijk was, zou ze hem gewoon laten vallen.

Tegen de tijd dat ze gekalmeerd was, voelde ze tot haar opluchting dat ze niet verliefd was.

Reuben belde na de lunch.

'Een wandeling? In het park?

'O, Reuben, daar heb ik geen zin in. Ik heb hoofdpijn.'

'Juist goed.'

'Nee, echt niet.'

'Filmpje pakken?'

'Hm, ik weet niet... Wat draait er?'

'*Love Story*.'

'Nee, getver.'

'Oké. *Sunday, Bloody Sunday* dan?'

'Goed,' zei Fleur en ze begon te lachen.

Ze vond de film verschrikkelijk. Verschrikkelijk Engels. Hij deed haar aan Magnus denken.

'Eten?' vroeg Reuben.

'Nee, dank je, geen honger. Sorry.'

'Niet erg,' zei Reuben en hij zuchtte. Het was een minimaal zuchtje, maar ze voelde opeens enorme wroeging. Ze verdiende deze lieve, onzelfzuchtige man gewoon niet. Ze pakte zijn hand.

'Kom jij maar met mij mee.'

'Mooi,' zei Reuben.

Ze deinde net op een hoge golf van genot toen Magnus terugbelde. Ze lag met gekromde rug en gespreide armen onder Reuben en schreeuwde hard en wild terwijl ze in lange golven klaarkwam.

Het gerinkel van de telefoon doorboorde haar genot. Ze greep er blindelings naar, tilde de hoorn op en smeet die weer neer. Ze miste de haak en de hoorn belandde op bed, precies op het moment dat Reuben luid kreunde en zij uitriep: 'Verdomme, ja, ja, ja, Reuben, verdomme, ja...' En toen de wereld ophield met golven en zij ontspannen en opgeladen bovenkwam, keek ze naar de telefoon en besefte ze dat ze geen kiestoon hoorde. Iemand had alles gehoord.

'Hallo?' Ze probeerde gelijkmatiger adem te halen.

'Hallo.' Er klonk een lach door in de stem van Magnus Phillips. 'Fleur? Naar je gevloek te oordelen was je nogal opgewonden. Wil je liever straks terugbellen?'

'Nee,' zei Fleur, opeens ontzettend kwaad op zichzelf, op hem, op iedereen. Idioot genoeg zelfs op Reuben. 'Nee, natuurlijk niet.'

'Wat een zelfbeheersing. Goed dan, over mevrouw Sharon.'

'Wie? O, o ja, natuurlijk.'

'Ik kan de tweede week van januari komen. Is dat wat?'

'Ik zal het haar vragen. Daar bel ik je dan nog over. Volgens mij kan het wel.'

'Oké. Sorry dat ik je heb gestoord.'

'Geen punt,' zei Fleur en ze legde neer. Maar waarom voelde ze zich dan zo somber en verslagen?

Chloe stond continu doodsangsten uit en wist niet wat ze met zichzelf aan moest. Ze kon amper geloven dat ze zo stom was geweest. Om zo het Albany-gebouw uit te lopen, midden in de avondspits, terwijl iedereen wist dat Ludovic daar woonde, terwijl half Londen haar had kunnen zien weggaan. En nu had uitgerekend Magnus Phillips haar daar gezien. De man die niet alleen haar wilde vernietigen, maar haar hele familie. Het leek wel een verschrikkelijke nachtmerrie.

'Waarom zijn we niet naar een hotel gegaan?' jammerde ze de volgende dag, toen ze Ludovic uit een telefooncel belde na een lange, bange, doorwaakte nacht. Ze had zich liggen opvreten – en haar nagels ook.

'Omdat mijn appartement veel prettiger is,' suste hij. 'Bovendien hadden we net zo goed iemand tegen kunnen komen in de gangen van de Ritz of het Savoy als midden op Piccadilly; dat zou dubbel zo compromitterend zijn. Is het niet bij je opgekomen dat iemand die jou om zes uur zag er misschien níet van uitging dat je vreemd was gegaan, maar dacht dat je iets onschuldigs had gedaan, zoals winkelen of theedrinken bij je moeder?'

Zijn stem klonk ontspannen en geamuseerd. Hij wel, dacht Chloe. Hij had immers niets te verliezen. Nou ja, bijna niets.

'Natuurlijk niet. Alle winkels waren al dicht en mijn moeder woont in Suffolk.'

'En natuurlijk weet heel Londen dat,' zei Ludovic. 'Schatje, maak je alsjeblieft niet zo druk. Je doet een beetje hysterisch. Bovendien zul je het Piers ooit moeten vertellen. Misschien is dit een goede aanleiding.'

'Dat kan ik niet,' zei Chloe, 'dat begrijp je toch? Niet nu dat boek hem boven het hoofd hangt en hij weer geen koninklijke onderscheiding krijgt en...'

'Goed, lieveling, best,' suste Ludovic. 'Raak alleen niet in paniek. Blijf rustig. Je weet niet eens of die ellendeling je echt heeft gezien. Waarschijnlijk keek hij de andere kant uit. Je voelt je gewoon schuldig.'

'Dat is het niet!' zei Chloe. 'Hij keek naar me, op die verschrikkelijk geamuseerde manier, je kent dat wel. Hij wist het, hij wist precies wat ik had gedaan en...'

'Precies?' vroeg Ludovic. 'Dat hoop ik toch niet. Niet precies. Wat je deed was uitermate fantasievol, weet ik nog.'

'Alsjeblieft, Ludo!' zei Chloe gekweld. 'Plaag niet zo. Trouwens...'

'Trouwens wat?'

'Nee, laat maar,' zei ze. 'Wil je me alsjeblieft een paar dagen niet bellen?'

'Oké. Doe rustig aan, schatje. En denk eraan dat ik van je hou.'

'Ja,' zei ze, 'ja, ik zal het proberen.' Toen ze neerlegde, voelde ze zich opeens verschrikkelijk misselijk.

Ze wist waar ze zo misselijk van was – niet alleen van angst.

En ze had al weken niet met Piers gevreeën.

'Mevrouw Windsor, met het Charing Cross Hospital. Kunt u ogenblikkelijk komen? We hebben uw man op de eerste hulp.'

O god, dacht Chloe, o god, hij heeft het weer geprobeerd. En deze keer wist ze waarom: hij was erachter gekomen. Magnus had hem verteld dat zij een affaire had met Ludovic. Deze keer was het echt haar schuld. Wat moest ze doen? Langdurige therapie en psychoanalyse zouden deze keer niet helpen, deze keer kon hij er niets aan doen. Het ging er niet om dat hij haar beschuldigde dat ze hem tegenwerkte, doordat ze hun dochter niet in zijn film wilde, of dat zij hem ervan beschuldigde te flirten met haar broer. Deze keer had zij hem verraden, hem op een onverdraaglijke manier geraakt, door een affaire aan te gaan met een van zijn vrienden. Het was absoluut en ontegenzeggelijk haar schuld. En wat kon ze ertegen doen? Hoe kon ze het schuldgevoel en de schande verdragen? Wat kon ze doen om het ongedaan te maken? Niets, er was geen remedie, geen hoop...

'Maar maakt u zich geen zorgen,' vervolgde de stem opgewekt, 'het is een nare, maar geen gecompliceerde breuk die snel zal genezen, zolang hij zich maar rustig houdt.'

'Pardon,' zei Chloe, 'zei u "breuk"?'

'Ja, hij heeft zijn enkel gebroken. Uitgegleden... Gaat het wel, mevrouw Windsor? U huilt toch niet? Het gaat echt goed met hem.'

'Nee,' zei Chloe, 'ik huilde niet. Eerlijk gezegd moest ik lachen.'

'Het is echt niet om te lachen.' De stem klonk afkeurend. 'Hij heeft flinke pijn.'

'Nee, natuurlijk niet,' zei Chloe. 'Neem me niet kwalijk.'

Ze reed naar het ziekenhuis. Het duurde een eeuwigheid in de kerstdrukte. Toen ze er aankwam, zat Piers bleek en boos bij de eerste hulp.

'Waar bleef je in godsnaam? Ze zeiden uren geleden al dat je onderweg was. Ik had sneller een taxi kunnen nemen.'

'O, schat, het spijt me verschrikkelijk. Het was vreselijk druk op de weg. Doet je enkel erge pijn?'

'Ja, behoorlijk. Zo stom. Net nu ik zou gaan repeteren voor *Othello*, moet ik zo nodig uitglijden op het trottoir van de Strand.'

'Dat dacht ik ook al,' zei Chloe. Ze drukte de gedachte weg dat hij het heel wat minder erg zou vinden als hij tijdens een repetitie zijn enkel had gebroken. Daarmee zou hij de publiciteit hebben gehaald. 'Maar maak je niet druk. Het zal vast snel genezen. Kun je lopen?'

'Nee. Maar ze zeiden dat ze ons een rolstoel konden lenen. Maar goed dat ik die nog niet had gekregen. Als ik daar een uur in had moeten zitten, had ik me nog opgelatener gevoeld.'

'Piers, het spijt me echt. Laat mij een rolstoel halen, dan kunnen we naar huis. Dan knap je vast snel op.'

'Ik betwijfel het zeer,' zei hij met een boze blik. Het was duidelijk dat hij haar medeschuldig achtte.

Chloe, verlost van een groter schuldgevoel, liet zich maar al te graag kastijden. 'Vergeef me, schat,' zei ze, 'het spijt me echt verschrikkelijk.'

Ze kreeg hem uiteindelijk thuis en zijn bed in. Pandora had een aanval van medelijden; ze zat naast hem, streelde zijn hand en legde koude kompressen op zijn voorhoofd; Ned en kleine Kitty werden angstvallig uit de buurt gehouden.

Chloe belde Roger Bannerman, hun huisarts. Hij schreef sterke pijnstillers voor, vertelde Piers dat hij minstens twee dagen in bed moest blijven en dat hij de volgende ochtend zou terugkomen. Toen liep hij met Chloe mee naar beneden.

'Maak je geen zorgen,' zei hij, 'althans, niet over die enkel. Dat zal hem hooguit wat ongemak opleveren en wat gedwongen rust zal hem geen kwaad doen.'

Iets in zijn stem maakte dat Chloe hem aandachtig aankeek. 'Waar zou ik me dan wel zorgen over moeten maken?'

'Nou, hij komt vrij zwak op me over. Het is hoe lang... een maand geleden dat ik hem zag en hij lijkt nog magerder. Dat hoestje klinkt ook niet goed. O, ik weet wel dat we röntgenfoto's en zo hebben gemaakt, maar het is niet echt minder geworden. Het zou mooi zijn als je hem kon laten stoppen met roken.'

'Dat zou ik ook wel willen,' zei Chloe. 'Maar hij zegt dat hij niet zonder kan. Hij zegt dat hij anders nog meer gaat drinken.'

'Nou, dat zou misschien minder erg zijn. Het verbaast me dat zijn beroemde acteursstem niet te lijden heeft onder het roken. Ik weet dat hij op maar twintig per dag zit, maar toch, echt goed kan het niet zijn.'

'Hij zegt van wel, dat het zijn stem meer kleur geeft.' Ze sloeg haar ogen op naar het plafond en glimlachte naar Bannerman.

'Hij maakt zich toch nergens zorgen over?'

'Ach, hetzelfde als altijd,' zei Chloe en ze hoopte dat het zo was. '*Othello*. Hij was erg teleurgesteld dat hij weer geen koninklijke onderscheiding heeft gekregen. Dat viel hem zwaar tegen. Maar verder, nee, ik denk van niet. Hij lijkt de laatste tijd juist... stabieler.'

'Hij heeft toch geen geldzorgen?' vroeg Bannerman opeens.

'Nee. Voor zover ik weet niet.' Chloe was oprecht verbaasd. Van alles wat Piers dwarszat, was geld nooit een punt geweest. Er leek altijd genoeg te zijn. 'Hij heeft juist weer drie paarden gekocht. Eén is gedoodverfd als winnaar van de Derby, heb ik begrepen, een prachtige schimmel waar hij helemaal weg van is.' Ze lachte. 'Nee, echt, ik denk van niet. Hoezo?'

'O... iets wat hij zei. Over mijn rekening. Het was grappig bedoeld, maar ik vond het een beetje zwaar aangezet. Ik vroeg me af of hij... een discussie wilde aangaan.'

'Ik zal hem eens polsen,' zei Chloe.

'Doe maar kalm aan. En morgenochtend kom ik nog wel even kijken. Maak niet te veel drukte om hem. Het is niet nodig en het doet hem geen goed. Het is maar een enkel.'

'Dat kun je beter tegen Pandora zeggen,' zei Chloe met gefronste wenkbrauwen.

'Toe nou, liefje, het is bedtijd,' zei Chloe. 'Hij kan best een paar uur zonder je.'

Pandora keek haar aan met een ietwat narrige blik in haar grijze ogen, die zo op die van haar vader leken.

'Ik kan best blijven,' zei ze. 'Ik kan op de grond slapen. Voor het geval hij vannacht iets nodig heeft.'

'Liefje, ik ben er ook nog,' zei Chloe resoluut. 'Het is al erg laat en morgen moet je weer naar school.'

'Ik kan thuisblijven.'

'Daar komt niks van in. Kom nu maar mee. Je moet nog in bad.'

Pandora gleed van haar stoel, wierp Piers een kus toe en slofte naar de deur. Ze keek om naar het bed, haar gezichtje een en al droefheid. Chloe probeerde zich niet te ergeren, tevergeefs.

'Pandora! Meekomen.'

Toen Pandora eindelijk in bed lag, was Chloe doodmoe. Ze ging zitten en zocht de televisiezenders af, vooral om wat afleiding te vinden. Het liefst zou ze Ludovic bellen, maar ze durfde niet. Maar het late nieuws, een herhaling van *The Forsyte Saga* en een documentaire over het nieuwe fenomeen, schaakkampioen Bobby Fischer, hadden haar niets te bieden en in plaats daarvan begon ze te piekeren over Piers. En daarna onvermijdelijk over zichzelf. Hij was erg mager, dat zag ze zelf ook, maar hij leek gezond en fit genoeg. Hij ging twee keer per week naar zijn sportclub en squashte als een bezetene. Zo slecht konden zijn longen toch niet zijn als hij daartoe in staat was? En de laatste tijd leek hij veel rustiger, stabieler. Opmerkelijk genoeg deed hij erg luchtig over het boek van Phillips. Verbluffend luchtig, maar hij weigerde erover te praten, zei dat het in goede handen was en dat hij belangrijker dingen aan zijn hoofd had. Hij was erg van streek toen hij opnieuw geen koninklijke onderscheiding had gekregen, maar er was hem min of meer beloofd dat hij bij de volgende lichting zou zitten. Hij had zijn hele carrière al onderscheidingen gekregen, drie Oscars voor de *Dream* en een filmprijs. De *Evening Standard* had hem uitgeroepen tot Beste Acteur voor *Uncle Vanya*; hij had geen enkele reden om zich miskend te voelen.

Hun privéleven was natuurlijk een heel ander verhaal: die avond besefte Chloe, enigszins tot haar ontzetting, dat ze niet langer wist hoe Piers tegen hun huwelijk aankeek. Het leek jaren geleden sinds ze er serieus over hadden gepraat. Achter hun woorden school te veel om bang voor te zijn, te veel duister, te veel wantrouwen. Soms herinnerde ze zich hoe fel, hoe hartstochtelijk ze ooit van hem had gehouden, en had geloofd dat hij van haar hield. De verandering, de verwording, maakte haar letterlijk aan het huilen. Ze stelde zich voor, al wist ze het niet zeker, dat hij haar puur zag als de moeder van zijn kinderen, als de hoedster van zijn huizen. Iemand op wie hij zeer was gesteld, iemand die redelijk, zo niet volmaakt geschikt was, zeker iemand die onmisbaar was. Dat wist ze wel: hoezeer hij haar nodig had. Niet alleen om voor de kinderen en de huizen te zorgen, maar ook om vorm te geven aan de illusie van een gelukkig, bestendig huwelijk, aan zijn imago als viriele, heteroseksuele man. Zonder haar zou hij zwak, verdacht, kwetsbaar zijn; het zou een zware klap voor hem zijn.

Toch zou het ervan moeten komen. Dat wist ze. Ze kon niet blijven bij iemand van wie ze niet hield en die niet van haar hield. Ze moest weg, ze moest naar Ludovic gaan, en ze moest Piers vertellen dat ze wegging. Ludovic liet haar – uitermate subtiel – merken dat hij zo zoetjesaan een tikje ongeduldig werd. Als hij wist dat ze zwanger was, zou hij veel ongeduldiger worden, dacht ze radeloos. Ze keek naar haar zeer platte buik en dacht bijna angstig aan wat daar rustig en vastberaden lag te groeien, aan wat het allemaal overhoop zou halen. Elke keer dat ze hem had gezien in de drie weken sinds ze wist dat ze zwanger was, was ze vastbesloten geweest het hem te vertellen en elke keer had ze niet de moed gehad. Niet omdat ze bang was voor zichzelf, maar om hem en Piers en de verschrikkelijke gevolgen van het nieuws. Nou ja, ze had nog wel tijd; ze was pas drie weken over tijd. Ludovic had geen ervaring met zwangerschap, wist niets van voortekenen als gezwollen, pijnlijke borsten, een grotere aandrang om te plassen, de neiging om overmatig emotioneel te zijn. Maar zij kende ze, ervoer ze voor de vierde keer. Vanaf de allereerste dag was er voor haar geen twijfel, absoluut geen twijfel. Het was haar eigen schuld, ze was zo slordig met de pil; vast freudiaans, dacht ze. Ze hoopte dat Ludovic het zou begrijpen, niet boos zou zijn, haar er niet van zou beschuldigen hem erin te luizen. Ze dacht van niet. Waarschijnlijk zou hij het geweldig vinden, een geweldige vader zijn. Dat was meer dan ze kon zeggen van Piers, met zijn voorliefde voor Pandora en zijn desinteresse in de andere twee kinderen.

Pandora baarde haar zorgen, zo vroegrijp en moeilijk. En aan Piers had ze helemaal niets; hij lachte om haar woedeaanvallen en haar belachelijke gedrag en gaf toe; hij stond Chloe zelden toe haar te straffen. Maar eigenlijk was Pandora ondanks alles een schatje, erg lief; ze was slim en getalenteerd. Toen de *Dream* uitkwam, was Pandora voor veel films gevraagd, maar Chloe had bij Piers bedongen dat ze zouden wachten totdat ze een tiener was en hij had zich er redelijk aan gehouden. Er was een rolletje geweest in Tsjechov en een rolletje in de tv-serie *Black Beauty*, maar dat was alles.

'Ik hou ook niet van kindsterretjes,' had hij Chloe met een flauwe glimlach verzekerd, toen hij aansterkte in een huis in Palm Springs dat een vriend beschikbaar had gesteld. 'Maar Pandora wordt zo niet; ze is te lief en slim en intelligent. Ik zou het sowieso niet toestaan. We houden haar normaal, schat, wees gerust.'

Dus ging Pandora naar Kensington High School met andere gewone meisjes en leidde ze een volkomen normaal leventje, maar het bleef een feit dat ze geen gewoon meisje was. Ze was buitengewoon knap om te zien en bijzonder intelligent. Ze kon op haar derde al lezen, schreef verhaaltjes en had een fotografisch geheugen waardoor ze in een mum van tijd grote hoeveelheden feiten kon opslaan. En een normaal leven leidde ze al evenmin. Piers liet Pandora aanzitten bij diners en nam haar mee naar repetities; Pandora liet zich fotograferen, interviewen en werd zelfs geciteerd. Toen ze bijna vijf was, was ze zelfbewust, sociaal vaardig en had ze een zeldzame gave om moppen te vertellen – niet de poep-en-piesmoppen van de gemiddelde vijfjarige, maar verhalen die ze haar vader had horen vertellen en die ze woord voor volwas-sen woord reproduceerde, met een briljant gevoel voor timing: ze wist precies hoe ze de aandacht moest vasthouden en wanneer ze de clou moest brengen. Haar liefde voor haar vader was bijna onnatuurlijk, vond Chloe; nu was het nog geen punt, maar in haar puberteit zou het zeker problemen opleveren. Chloe voorzag belangenconflicten, vrouwelijke rivaliteit, partij kiezen en – ondenkbaar – het verlies van haar vader door scheiding, en ze huiverde.

Ned en Kitty waren gemakkelijke kinderen, niet zo opmerkelijk, minder begaafd. Op zijn derde was Ned een lief jongetje met sluik donker haar, de rustige bruine ogen en het karakter van zijn moeder. Kitty was een mollige baby met rood haar, felblauwe ogen en een voortdurend vieze toet. Al deden Chloe en Rosemary nog zo hun best, Kitty's gezicht zat continu onder een laag stof, honing, ei en modder. Het had blijkbaar helemaal geen zin om haar te wassen.

O god, ze zou niet alleen zichzelf losrukken uit haar huwelijk, maar ook haar kinderen; zouden zij – en dan vooral Pandora – dat aankunnen?

Vanwege de nieuwe baby zou de scheiding moeten worden versneld. Piers zou weten dat het niet zijn kind was; Ludovic zou het willen erkennen. Ze kon het niet veel langer verbergen. Maar als Piers ziek was, zoals Roger Bannerman impliceerde, als zijn toch al wankele emotionele gezondheid gevaar liep, zou ze het hem toch niet kunnen aandoen? Voor de zoveelste keer in de afgelopen maanden miste Chloe Joe. Ze wilde met hem praten, hem in vertrouwen nemen, advies vragen. Ze miste hem verschrikkelijk, maar Joe ontweek haar, ontweek hen allemaal, vanwege de breuk met haar moeder, maar ook, vreesde ze, om het boek. Joe wist ongetwijfeld meer over het boek dan hij wilde loslaten en hij had ervoor gekozen het probleem uit de weg te gaan, er niet over te praten; het was vreselijk. Chloe gooide haar hoofd achterover tegen de rugleuning en sloot haar ogen. O god, dacht ze, dat boek; het was alsof er een angstaanjagende roofvogel boven hun hoofd hing, die een reusachtige schaduw wierp over alles wat ze deden.

Opeens besefte Chloe dat ze slaperig werd; ze zou naar bed gaan en alles vergeten. Zelfs haar nieuwe baby. Ze probeerde niet te veel aan de baby, Ludovics baby, te denken, probeerde zichzelf ervan te distantiëren, omdat het haar anders zou overweldigen. Als ze zichzelf toestond eraan te denken, zich voorstelde dat ze het droeg, zoogde, verzorgde, zag glimlachen, hoorde huilen, zag zitten, kruipen, lachen, sprongen de tranen van een bijna onvat-bare liefde haar in de ogen.

Niet doen dus, Chloe, niet doen. Niet aan denken. Je bent alleen nog maar over tijd, misselijk; je hebt een probleem, geen baby. Ze liep naar de keuken om iets warms voor zichzelf in te schenken en passeerde Piers' werkkamer. Ze hoorde Roger Bannerman weer vragen: 'Heeft Piers geldzorgen?' en werd vreselijk bang. Het kon geen kwaad haar angst te verlichten, dacht ze, puur voor haar eigen gemoedsrust. Ze bemoeide zich nooit met Piers' privézaken, maar als hij ziek was en zich zorgen maakte, als dit een nieuwe crisis teweegbracht, wat God verhoede, moest ze het weten.

Ze liep naar zijn bureau en bladerde door de papieren die op het werkblad lagen. Er lagen geen bankafschriften, niets. Ze probeerde de middelste lade; flink wat onbetaalde rekeningen, maar dat was typisch voor Piers, had niets te betekenen. Hij was hopeloos in zijn administratie en dreef zijn boekhouder voortdurend tot wanhoop. Bankafschriften? Ze trok de volgende lade open; een ordeloze stapel brieven, knipsels, recensies die ooit in zijn plakboeken moesten belanden, maar geen afschriften of iets dergelijks.

De onderste lade zat op slot. Frustrerend, maar niet verrassend. Het hoorde bij zijn bijna dwangmatige behoefte om veel van zichzelf privé te houden. Toen ze net getrouwd waren, maakte het haar achterdochtig, dacht ze dat het iets te maken had met zijn seksuele gedrag, maar feitelijk was het een onschuldige kronkel in zijn karakter. Als hij de stad uit was, vertelde hij haar zelden waar hij overnachtte en als ze hem moest bereiken, moest ze altijd theaters of zijn impresariaat bellen, of die aardige parttime secretaresse van hem, Jean Potts. Meestal was er absoluut geen reden voor al die geheimzinnigheid en zat hij gewoon in zijn eentje in een plattelandshotel zijn tekst te leren of tv te kijken. Het was iets waarmee ze had leren leven.

Ze liep naar de keuken, waar zijn dikke sleutelbos aan een haak hing. Na vijf minuten wist ze dat geen van de sleutels paste. Chloe zuchtte. Nou ja, waarschijnlijk maakte ze zich druk om niets. Hij had nooit gezegd dat ze voorzichtig moest zijn met geld, integendeel. Ze hoorde hem roepen, kribbig, geïrriteerd, en rende de trap op. Hij wilde warme melk met whisky, meer pijnstillers, ijs voor op zijn enkel. Het leek allemaal veel dringender dan de vraag waar zijn bankafschriften lagen.

Op aandringen van Bannerman nam Piers een maand vrij. Zijn plannen met *Othello* waren ambitieus: hij wilde om en om de rollen van Othello en Iago spelen, met als tegenspeler Ivor Branwen, een acteur die in verbluffend tempo naam had gemaakt. Enkele verzuurde recensenten opperden dat Piers zich bedreigd voelde door Branwen en op roekeloze wijze probeerde hem te overbluffen.

Ze bracht Kerstmis door op Stebbings en Piers gaf Pandora een nieuwe pony, een prachtige schimmel die hij Oberon had genoemd, Ned een elektrisch aangedreven mini-Range Rover en Kitty een poppenhuis dat even groot was als zijzelf. Chloe kreeg een antieke gouden armband en een prachtig bewerkte achttiende-eeuwse Franse klok. Hij leek zich absoluut geen zorgen te maken over geld.

Maar hij ging nog steeds niet met haar naar bed, kwam niet eens naar haar slaapkamer.

Chloe bedacht excuus na excuus om het dorp in te kunnen, waar ze Ludovic belde uit de telefooncel. Na Kerstmis was hij veertien dagen op vakantie, zeilen in de Cariben, en Chloe was die hele twee weken ziek van angst en jaloezie, overtuigd dat hij verliefd zou worden op een ander. Toen hij eindelijk terug was en haar belde om te zeggen dat hij van haar hield en haar verschrikkelijk had gemist, barstte ze in huilen uit en smeet de hoorn op de haak.

Toen ze in Londen terugkwam, was ze op van de zenuwen, overtuigd dat iedereen die zelfs maar haar kant uit keek, kon zien dat ze zwanger was. Ze schreef in totaal veertien brieven aan Ludovic om hem erover te vertellen, die ze stuk voor stuk verscheurde.

Fleur dacht rond kersttijd altijd aan Chloe. Ze kon er niets aan doen. Ze dacht eraan hoe ze in haar volmaakte huis zat, met haar volmaakte gezin, een volmaakte struik snoeide, naar de kerk ging, het vuile werk door een bediende liet opknappen. Aan hoe iedereen – zelfvoldaan – glimlachend aan tafel zat. Caroline was ongetwijfeld van de partij, deelde in de vreugde. Er waren geen echte problemen, geen zorgen. Fleur hield niet van Kerstmis. Ze had er een hekel aan gekregen toen haar vader was weggegaan. Toen hij er nog was, was Kerstmis geweldig; ze hadden zoveel plezier gehad met haar oma en al haar tantes, altijd veel spelletjes gespeeld, en waren natuurlijk naar de nachtmis gegaan. Daarna droeg haar vader haar op zijn schouders naar huis en zong onderweg kerstliedjes. Maar toen hij weg was, werd Kerstmis het dieptepunt van het jaar, net als haar verjaardag kort daarna, een dag waaruit alle vreugde verdwenen was.

Sinds ze op zichzelf woonde ging het beter; ze bracht Kerstmis door bij de Steinbergs, die het even vrolijk als vastberaden vierden, met een boom in de ene hoek en de chanoekakaarsen in de andere, of bij mevrouw Blake in Sagaponack, waar ze zich een weg door de feestdagen aten. Toch was kerst iets waar ze altijd tegen opzag en wat ze opgelucht achter zich liet. Dit jaar was vreemd geweest; de Blakes, vooral mevrouw Blake, waren dolgelukkig met hun verloving, die Reuben tijdens het kerstdiner informeel had aangekondigd met de woorden: 'Hoe vinden jullie de ring?' Fleur had erbij gezeten, was gezoend, had de verbaasde uitroepen aangehoord, was toegelachen en welkom geheten in de familie. Ze had geglimlacht, gelachen, Reubens hand vastgehouden en had tranen gevoeld van wat toch echt geluk moest zijn. Toen ze later in haar kamertje lag (mevrouw Blake geloofde niet in seks voor het huwelijk) maakte ze zichzelf wijs dat ze niet kon slapen doordat ze zo opgewonden en gelukkig was.

Nu zat ze in een vliegtuig naar Los Angeles, net als Magnus waarschijnlijk, al kwam hij uit een andere richting. Ze had Reuben verteld dat ze voor familiezaken weg moest en dat ze het hem wel zou uitleggen als alles achter de rug was. Hij had haar naar het vliegveld gebracht, had teder afscheid genomen en gezegd dat hij haar zou missen.

'Ik jou ook,' zei ze en ze omhelsde hem innig bij de paspoortcontrole.

'Maart zou mooi zijn,' zei hij en hij draaide zich om. Ze keek zijn lange, onbeholpen gestalte na toen hij door de menigte liep en voelde zich diepongelukkig toen ze door de vertrekhal liep en in de rij ging staan voor haar vlucht.

Rose liet haar ophalen door een grijze latino met trieste zwarte ogen boven een grijs uniform dat hem niet stond. 'Mevrouw Sharon laat zich verontschuldigen, ze is tot het avondeten aan het filmen. Ik zal u naar het huis rijden en zorgen dat u zich thuis voelt.'

'Dank u,' zei Fleur, 'dat klinkt goed.'

Rose had een huis aan de rand van Coldwater Canyon; het werd aan het zicht onttrokken door een hoge gietijzeren poort. Langs een kronkelige oprit was een overdadig groeiende tuin aangelegd met bloeiende struiken, bougainville, azalea's, camelia's en een grasveld dat afliep naar een zwembad en een wit badhuisje aan de zijkant van het huis. Het huis zelf was laag en vierkant, gebouwd van de roodgouden baksteen die zo favoriet was onder de architecten van Beverly Hills. Een reusachtige blauweregen groeide om de zware dubbele grijze deuren en langs de ramen.

Een vriendelijk lachende jonge vrouw deed de deur open en stak haar hand uit. 'Hai, ik ben Sue, de huishoudster. Mag ik u voorgaan naar uw kamer? Ricardo, breng jij de koffers van mevrouw FitzPatrick naar boven?'

Fleur had nog nooit zo'n huishoudster als Sue gezien; ze was knap, bruin, had krullend bruin haar en droeg een linnen overhemdjurk. Ze stelde de ene vraag na de andere zonder een antwoord te verwachten.

'Hoe was uw vlucht? Bent u niet vreselijk moe? Heeft u zin om te zwemmen? Wilt u wat ijsthee? Of misschien iets sterkers? Heeft Ricardo uitgelegd dat mevrouw Sharon in de filmstudio is? Vindt u het niet erg om op haar te wachten? Of zal ik haar bellen? Ze zei dat ik moest bellen als u speciale wensen had.'

Fleur zei dat ze graag wilde zwemmen, dat ijsthee heerlijk was en dat ze verder helemaal niets nodig had. Ze lag aan het zwembad, nam kleine slokjes van haar ijsthee en voelde zich bijna een filmster toen Ricardo haar een telefoon bracht.

'Telefoon voor u, mevrouw FitzPatrick.'

'Voor mij? O, bedankt.' Ze nam op. 'Met Fleur FitzPatrick.'

'Zo te horen voel je je al helemaal thuis,' zei Magnus. 'Wedden dat je filmsterretje aan het spelen bent? Ze zeiden dat je aan het zwembad lag.' Hij klonk geamuseerd.

Fleur trok een gezicht tegen de hoorn. 'Ik ben helemaal niets aan het spelen. Ik wacht gewoon tot Rose thuiskomt.'

'Aha, waar is ze?'

'In de studio. En jij?'

'In het Beverly Hills Hotel. Je zou het geweldig vinden.'

'Ik ken het,' zei Fleur ingetogen. 'Ja het is mooi, al ga ik liever naar het Bel Air.'

Ze kende de hotels alleen van een bliksembezoek met Joe; het Bel Air hadden ze bekeken vanaf het parkeerterrein aan de verkeerde kant van de brug. Maar hij moest niet denken dat ze een provinciaaltje was dat dacht dat LA neerkwam op het Hilton en een rit langs huizen van beroemde sterren.

'Nou ja, ik vroeg me af of mevrouw Sharon en jij zin hadden om hier vanavond te komen eten? Of is dat beneden je stand?'

'Natuurlijk niet,' zei Fleur geërgerd, 'maar ik moet Rose vragen wat haar plannen zijn.'

'Uiteraard. Bel maar. Ik zit in bungalow twaalf.'

'Prima, doe ik.'

'Gaat het goed met je?' vroeg hij opeens.

'Ja, natuurlijk. Best. Dank je.'

'Mooi. Ik hoor het wel.'

Om halfzes kwam Rose thuis. Ze zag er moe uit en leek magerder dan Fleur zich herinnerde. Ze omhelsde Fleur, vertelde haar hoe heerlijk het was haar weer te zien en zei: 'Ik wil graag even zwemmen en dan rustig eten. Het is een zware dag geweest.'

'In welk opzicht?'

'O, problemen met een contract. Mijn impresariaat kan het wel oplossen, maar die ellendelingen in de studio proberen je af te zetten als je niet uitkijkt.'

'Eh, Rose,' zei Fleur, 'Magnus is aangekomen en hij heeft ons uitgenodigd om vanavond in het Beverly Hills te komen dineren. Ik zei dat ik het jou zou vragen.'

'Ik kan me niets ergers voorstellen,' zei Rose. 'Maar wil je hem hartelijk bedanken? Ik zie hem morgen wel. Het liefst hier. Sue, schat, wil je wat te eten voor ons maken om... is zeven uur akkoord, Fleur?'

'Natuurlijk.'

'Prima. Iets van kip of zo. Oké? Is het zwembad warm genoeg, Fleur? Het kan in deze tijd van het jaar behoorlijk fris worden.'

'Het is heerlijk,' zei Fleur. 'Alles is heerlijk. Je hebt een geweldig huis. Het is zo... vriendelijk. Net als jij,' zei ze erachteraan en ze voelde zich meteen opgelaten.

Rose glimlachte en streek met haar hand over Fleurs wang. 'Wat lief van je,' zei ze, 'dankjewel.'

Ze zaten tot halfzeven aan het zwembad. Bij het vallen van de schemering werd het kouder en gingen ze naar binnen. Het huis was ronduit betoverend, met zijn vele goudtinten: de houten vloer in de woonvertrekken had een gouden glans, net als het behang van ruwe zijde, de chintz gordijnen en hoezen; in de keuken lagen grote roodgouden plavuizen; de tafels en stoelen waren lichteiken. In de slaapkamers lagen goudbeige kleden, met op de muren gedessineerd behang en zijden draperieën. Elke muur was bedekt met schilderijen, foto's en boekenkasten, elke kamer stond vol bloemen, planten en manden met potpourri.

'Ik woon hier al tien jaar,' vertelde Rose, 'en elk jaar heb ik iets verbouwd zonder de structuur te veranderen. Ik hou van dit huis, het is mijn familie.'

Ze zaten aan tafel, dronken Californische chardonnay die precies koud genoeg was en aten asperges met parmaham, koude kipsalade en wilde rijst, gevolgd door een grote mand vol fruit. Fleur had al een pond aardbeien, een ananas, een halve meloen en een grote tros druiven op en schilde nu een peer.

'Jij neemt "eet meer fruit" wel heel letterlijk,' lachte Rose en ze drukte op de bel op tafel. Sue kwam binnen. 'Koffie graag, Sue, en nog wat druiven. Mijn gast heeft ze allemaal opgegeten.'

'Neem me niet kwalijk,' zei Fleur, 'ik kan niet ophouden als ik eenmaal begin.'

'Maakt niet uit, schat. Ik plaagde je maar. Van mij mag je Californië helemaal kaal eten. Vertel eens iets over je vriend.'

'O... nou, hij is erg leuk,' zei Fleur.

'Knap? Rijk?'

'Nee, helemaal niet knap. Ook niet rijk. Maar wel erg sexy. En lief, en grappig. Hij kan je laten lachen zonder meer dan vijf woorden achter elkaar te zeggen.'

'Dat is leuk,' zei Rose. 'Gaan jullie snel trouwen?'

'O ja, al heel snel,' haastte Fleur zich te zeggen. 'Waarschijnlijk komend voorjaar. Waarom zouden we wachten?'

'Zou het niet weten. Hij klinkt perfect.'

'Is hij ook,' zei Fleur. Als ze over Reuben praatte, of zelfs als ze bij hem was en nadacht over hun toekomst, kreeg ze altijd hetzelfde gevoel. Het leek een beetje op een jurk passen die precies was wat ze had gezocht, de juiste stof, snit, kleur, maar die om de een of andere reden niet zo goed stond als je zou verwachten. Ze onderdrukte de gedachte en glimlachte naar Rose.

'En jij? Heb jij een vriend?'

'O, massa's,' zei Rose lachend. 'Ze staan te dringen voor de deur. Nee, niet echt. Ik ben niet erg gelukkig geweest in de liefde, Fleur. Ik weet niet waarom. Te druk met mijn carrière, misschien, te veel bezig met mezelf. Het lijkt wel of ik steeds opnieuw op de verkeerde val. Behalve je vader, natuurlijk. Hij was... nou ja, precies wat ik zocht.'

'Hoe kun je dat nu denken?' protesteerde Fleur. 'Hij heeft je behandeld als... nou ja, niet zo mooi.'

'Dat weet ik wel, en dat was inderdaad niet zo mooi. Maar toen we samen waren, was het geweldig. We waren zo gelukkig. We maakten ons alleen zorgen over de huur, verder maakten we ons niet druk. We wilden alleen elkaar. Het was... goed,' besloot ze eenvoudig. Ze zuchtte en keek toen snel naar Fleur. 'Sorry, je zult het wel belachelijk vinden dat ik daar op mijn leeftijd nog mee bezig ben.'

'Doe niet zo raar,' zei Fleur, 'zo oud ben je nog niet. Je kunt niet veel ouder zijn dan ik.'

'Ik ben al vijfendertig, lieverd. Waarschijnlijk al te oud om nog veel kinderen te krijgen. Ik wilde altijd een groot gezin. Maar op veel andere fronten heb ik erg veel mazzel gehad. Wil je nog een beetje wijn?'

Fleur knikte.

'Heb je...' Fleur aarzelde. 'Heb je foto's van mijn vader?'

'Natuurlijk. Ik dacht al dat je ze zou willen zien. Blijf zitten. Ik haal ze voor je.'

Ze was snel terug met een dik fotoalbum onder haar arm en keek Fleur glimlachend aan. 'Kijk,' zei ze, 'hier staat hij voor Schwab's, naast mij. Op de meeste foto's staan we samen, vrees ik. En hier doen we alsof we filmsterren zijn in de Garden of Allah. Op het strand, dat was een mooie dag. We gingen naar Malibu, probeerden te surfen. Hij was heel slecht, ik deed het redelijk. Hij werd kwáád, ongelooflijk.'

Fleur keek naar de jongeman, de man van wie ze zo had gehouden. Hij lachte naar de camera, precies zoals ze zich hem herinnerde, grappig, vol zelfvertrouwen; hij maakte het leven leuk. Dat was een talent. Ze was bang dat zij het niet had. Rose had het ook; ze begreep waarom ze zo bij elkaar hadden gepast.

'Ze zijn geweldig,' zei ze, opeens verlegen. 'Dankjewel.'

'Heb je de films met hem gezien?'

'Natuurlijk,' zei Fleur. Rare vraag. Ze had ze allemaal gezien, steeds opnieuw.

'Hij was niet echt een acteur,' zei Rose, 'maar hij zag er ontzettend goed uit. De camera was gek op hem.' Ze keek Fleur aan en glimlachte. 'Je lijkt erg op hem.'

'Hoe... hoe lang zijn jullie bij elkaar geweest?' vroeg Fleur.

'O, we hadden ongeveer een jaar een relatie. We waren al eerder bevriend, deelden een verschrikkelijke kamer. En toen... werden we verliefd.' Ze glimlachte naar Fleur, beet op haar lip. 'Ik word er nog steeds verdrietig van, weet je. Als ik eraan denk hoe gelukkig we waren, en hoe het fout liep.'

'Ja, dat zal wel,' zei Fleur, 'maar daar kon je niets aan doen. Jij zeker niet. Mijn vader misschien... een beetje. Maar het kwam vooral door Naomi MacNeice. En het systeem, denk ik. Yolande zei altijd dat het aan het systeem lag.'

'Die goeie Yolande,' zei Rose. 'Fleur, vergeef me, maar ik moet naar bed. Ik ben zo moe. Hoe laat komt je vriend meneer Phillips morgen?'

'Wanneer je maar wilt,' zei Fleur. 'Ik heb gezegd dat hij pas mag komen als we hem bellen.'

'Mooi. Ik kan niet zeggen dat ik ernaar uitkijk.'

'Het is zo lief van je, Rose. Ik ben je zo dankbaar. Hij is echt niet zo erg, eerlijk niet.'

Magnus werd uiteindelijk de volgende avond ontboden, om zes uur.

'Je wordt verwacht voor een aperitief en dan mag je blijven eten,' zei Fleur nogal vinnig. 'En je mag haar niet van streek brengen, Magnus, want ze is echt erg nerveus.'

'Wat is ze toch een gevoelig zieltje,' zei Magnus.

Hij kwam iets voor zessen aan; ze zaten nog aan het zwembad, Fleur zwom een laatste rondje in haar bikini, Rose droeg een enorme witte badjas.

Fleur had een stuk onder water gezwommen; toen ze bovenkwam, zag ze hem staan, een beetje wazig dankzij het water in haar ogen en op haar wimpers. Toen kwam hij duidelijk in beeld, een grote, donkere, peinzende gestalte; hij droeg een blauwe linnen broek en een beige linnen jasje en zag er meer dan ooit uit als een lid van de maffia. Hij lachte naar haar, ze lachte voorzichtig terug en klom het trapje op aan de ondiepe kant van het zwembad. Zijn ogen gleden over haar heen; ze moest denken aan de laatste keer dat ze hem had gezien en merkte tot haar grote ergernis dat ze bloosde.

'Goedenavond,' zei hij.

'Hai,' zei Fleur en ze stak haar hand uit; ze voelde zich een beetje belachelijk. 'Rose, mag ik je voorstellen aan Magnus Phillips. Magnus, dit is Rose Sharon.'

Magnus keek Rose langdurig aan, zag haar beroemde schoonheid, de open, bijna uitdagende blik in haar grote blauwe ogen en bracht toen met zijn grote bruine hand haar sierlijke witte hand naar zijn lippen.

'Ik voel me zeer vereerd,' zei hij.

En Rose Sharon keek omhoog in zijn bijna zwarte ogen, hield ze een tijdje vast en glimlachte vriendelijk, opgelucht.

'Ik had me je heel anders voorgesteld,' zei ze.

Fleur trok haar badjas aan en voelde zich onhandig, bijna overbodig.

'Zo,' zei Magnus, toen ze achteroverleunden na het eten, dat die avond formeler en indrukwekkender was: artisjokken, schoongemaakte kreeft en aardbeienschuimtaart. De tafel was gedekt met damast; er stonden kaarsen op tafel. Sue droeg een keurige blauwe jurk en Ricardo's dochter Marcie, een rijpe perzik van zestien, hielp haar met opdienen. 'Vertel eens, Rose, hoe heb je Brendan leren kennen?'

'Ik zou eigenlijk eerst wel iets meer willen horen over je boek,' zei Rose, 'voordat ik mijn hart bij je uitstort.' Ze glimlachte, maar de blik in haar ogen was afstandelijk, bijna hard.

'Nou, uitstorten,' zei Magnus luchtig. 'Maar uiteraard. Volkomen redelijk. Wat wil je weten?'

'Nou... heb je een uitgever?'

'Natuurlijk,' zei hij met een geamuseerde blik.

'Magnus is een bestsellerauteur, Rose,' zei Fleur, 'dat zei ik toch.'

Magnus keek haar snel aan, fronste zijn wenkbrauwen licht en keek toen weer naar Rose. 'Mijn uitgever is Beauman. Een vooraanstaand Engels bedrijf. We willen er net voor de kerst mee de markt op.'

'Is dat niet wat kort dag? Als je nog steeds onderzoek doet...'

'Dat klopt. Maar het onderzoek loopt nogal uit, we hebben vertraging opgelopen en meneer Beauman wil waar voor zijn geld.'

'En hier?'

'O, verschillende partijen tonen interesse. Crown. Doubleday.'

'Hemeltjelief, meneer Phillips, ik wist niet dat het zo groot was,' zei Rose. 'En het is een biografie?'

'Niet precies. Mijn boeken zijn meer portretten van de wereld van bepaalde groepen mensen dan biografieën als zodanig. Ik laat zien hoe mensen in hun wereld functioneren. *Dancers* brengt bijvoorbeeld naast een of twee specifieke dansers de hele balletwereld in beeld; *The House* gaf inzicht in de Britse politiek met alle vuile trucjes van dien en beschreef enkele politici. Dit boek gaat over Hollywood. Zo kom ik bij Brendan uit.'

'En wat is de titel?'

'*The Tinsel Underneath.*'

'O, dat citaat van Goldwyn. En wie is je hoofdpersoon?'

'Voor zover er maar één hoofdpersoon is, is dat Piers Windsor.'

'Piers Windsor! Dat kun je niet menen! Wat heeft Brendan in godsnaam met Piers Windsor te maken?'

Ze leek zo oprecht verbaasd dat de teleurstelling die Fleur voelde bijna pijn deed.

'Er is geen direct verband,' zei Magnus nonchalant. 'Noem het maar ideologisch. Het gaat eigenlijk om de Hollywood-connectie. Heb jij Piers Windsor ooit ontmoet?'

'Zeker. Hij was een jaar of wat geleden toch hier om de *Dream* te filmen? Ik kwam hem toen wel tegen op feestjes. Samen met die lieve vrouw van hem.'

'Wat vond je van die lieve vrouw van hem?' vroeg Magnus welwillend. Fleur wierp hem een giftige blik toe.

'Ik vond haar aanbiddelijk,' zei Rose. 'En dan hun kleine dochtertje, wat een verrukkelijk kind.'

'Ah ja. Maar je was hem nooit eerder tegengekomen?'

'Nee, niet echt.'

'Niet echt?'

'Nou ja, ik geloof dat we ooit samen op een Oscaruitreiking waren. Zoiets.'

'Dus je kende hem niet van vroeger?' vroeg Fleur.

Magnus keek naar haar. Zijn ogen stonden hard. Ze werd rood en keek weg. De voorwaarde om erbij te mogen zitten, was dat ze haar mond hield.

'Vroeger? Hoe bedoel je vroeger?' zei Rose.

'O, laat maar,' zei Fleur. 'Sorry, Magnus.'

'Geen probleem,' zei Magnus. Hij wendde zich weer tot Rose. 'Het punt is dat mijn boeken een soort spinnenweb zijn. Ik begin in het midden en werk naar buiten. Dan ontstaan er opmerkelijke verbanden. Dat maakt ze zo fascinerend en – als ik zo onbescheiden mag zijn – uniek. Piers is bepaald niet het enige onderwerp. Meer een kapstok om het boek en het thema aan op te hangen. Andere acteurs, regisseurs, theaterdirecteuren, impresario's. Geldschieters. Producers. De Engelse society, die van New York. Elk denkbare gebied waarnaar een carrière van dat kaliber zich zou kunnen uitbreiden.'

'Nou, ik zal je natuurlijk vertellen wat ik kan. Maar ik zie nog steeds geen verband met Brendan,' zei Rose.

'In dit stadium lijkt er ook geen verband te zijn,' zei Magnus. 'Wat me fascineert, is die begintijd in Hollywood, de strijd, wat mensen elkaar aandeden. En Brendan is daar een typisch voorbeeld van.'

'Maar Piers was hier niet in die begintijd,' zei Rose geduldig.

'Ik weet zeker van wel, zij het kort.'

'Piers Windsor? Hier? En niemand wist dat?' Rose staarde hem aan. Toen begon ze te lachen, haar vrolijke, hese, aanstekelijke lach. 'Ik heb nog nooit zoiets idioots gehoord. Denk je nu echt dat we hem hadden laten gaan, dat iemand hem niet had opgemerkt, had ingelijfd?'

'Er zijn vreemdere dingen gebeurd,' zei Magnus effen.

'Maar, hij is zo'n briljante acteur, plus waarschijnlijk een van de meest fotogenieke mannen ter wereld. Natúúrlijk zou hij zijn ontdekt.'

'Maar misschien was hij toen nog niet zo populair. Ik geloof dat Laurence Olivier het in het begin ook niet zo goed deed. Zit de filmindustrie niet vol mensen die vertellen hoe ze Gable, Monroe en Hepburn de eerste keer over het hoofd zagen?'

'Ach, toe nou! Laat mij je vertellen dat dát nooit zou gebeuren. Goed, misschien was hij niet doorgebroken, maar je maakt mij niet wijs dat niemand hem zou hebben gekend, gezien. Of zich hem op zijn minst later zou hebben herinnerd.'

'Tja, misschien zit mijn informant ernaast,' zei Magnus nonchalant. 'Ik bekijk het onderwerp vanuit alle mogelijke perspectieven. Dat is een van de redenen waarom ik hier ben. In zekere zin ben ik blij dat je zo zeker bent. Het maakt me zoveel voorzichtiger. Maar nogmaals, ik wil de sfeer van die tijd overbrengen. De dromen, dat soort dingen. Hoe moeilijk het was om als jonge acteur aan de bak te komen. Ik wil bijvoorbeeld weten hoe jij van Veelbelovend veranderde in een Grote Speler. Ik hoop dat je de hoofdletters kunt horen. En omgekeerd, hoe Brendan van Grote Speler kon afzakken tot Middelmaat, een hopeloos geval.'

'Hm, ik had eigenlijk niet verwacht dat het zo'n soort boek werd. Ik dacht dat het een zoveelste boek was over Hollywood, zoals je zei.'

'Dat wordt het ook,' zei Magnus. 'Over Hollywood. En Broadway, Shaftesbury Avenue in Londen, Stratford upon Avon. Grote namen, grote spelers. En ik wil jou in mijn boek, om het op te luisteren.' Hij glimlachte naar haar en zijn ogen gleden over haar gezicht, bleven hangen bij haar lippen. Toen leunde hij achterover en pakte zijn glas. 'Maar als je het gevoel hebt dat dat niet kan, begrijp ik dat natuurlijk. Absoluut. Ik wil je niet ongerust maken, zal niets forceren.'

Rose twijfelde. 'Kan ik het lezen voor het uitkomt?'

'Natuurlijk. Ik kan je proeven sturen.'

Het bleef lang stil. Toen zei ze opeens: 'Goed dan, begin maar.'

'Dank je. Hoe heb je Brendan leren kennen?'

'O, op de best mogelijk manier,' zei Rose en ze keek glimlachend voor zich uit bij de herinnering, 'op een auditie voor Theatrical. Weet je hoe dat in zijn werk ging, eh...?'

'Magnus, noem me toch Magnus,' zei hij. 'Ik noem jou toch ook Rose. En ja, ik weet hoe dat ging.'

'Goed, Magnus, nou, daar stond hij dan, in de rij, hij keek mij aan en glimlachte en ik keek naar hem en glimlachte terug en uren later, toen we geen van beiden een rol hadden gekregen, pakten we de bus en reden we terug naar Schwab's, omdat hij daar vrienden had. Ik kreeg een biertje en dat was het dan.'

'Vertel eens wat over Schwab's. Werd iedereen daar niet ontdekt?'

'Dat zeggen ze. Dat was natuurlijk niet zo. Maar het was heerlijk om daar te zijn, net familie, en ze namen boodschappen voor je aan en...'

Fleur luisterde met een mengeling van belangstelling en verveling. Ze was van streek omdat Rose zo zeker wist dat Piers toentertijd niet in Hollywood was geweest. Zíj zou het toch moeten weten. Had ze zich voor niets zo aangesteld, tijd verspild. Ze zuchtte en concentreerde zich weer op de verhalen van Rose. 'En zoals ik al zei, was de zaak toen beklonken voor Brendan en mij.'

'Maar, vergeef me...' Magnus aarzelde.

'Ja?'

'Ik dacht dat jullie eerst alleen vrienden waren.'

'Ja, dat klopt, eerst waren we gewoon vrienden, en huisgenoten. Op een nacht, het zal volle maan zijn geweest, werd alles anders. De overgang van vrienden naar minnaars loopt altijd heel natuurlijk, vind je ook niet, Magnus?'

'Dat kan,' zei hij. 'Ik hou die twee graag strikt gescheiden. Ik beschouw seks als een bijzonder wezen dat maar aan één ding denkt.'

'Kijk aan.' Ze pakte glimlachend de fles en schonk hem bij. 'Misschien moeten we dat maar even laten rusten.'

'Wie weet. Dus...' Zijn stem stierf weg.

'Dus we werden verliefd. We waren onafscheidelijk, betekenden alles voor elkaar. Ik hield van hem. Heel veel.'

'Hoe lang duurde dat?'

'Pakweg een jaar. Hij had het zwaar. Nou ja, wij allebei. Hij had een contract van drie maanden en voldeed niet. Ach, dat staat allemaal in Joe Paytons boek.'

'Heb je dat gelezen?'

'Jazeker,' zei ze snel, 'natuurlijk. Verbaast je dat?'

'Nee, natuurlijk niet. Het is trouwens een goed boek.'

'Vond ik ook. Maar goed, Brendan en ik hadden een jaar. Arm maar gelukkig, in een onverwarmd appartement aan La Brea. Geweldige tijd.'

'Hoe zou je hem omschrijven?'

'O...' Haar blik werd omfloerst, teder. Aardig. Gul. Zachtaardig. Grappig. Louter goeds.'

'Geen slechte eigenschappen?'

Ze keek hem recht aan. 'Toen niet, nee. Als je overmatig vertrouwen niet meetelt.'

'Dat is niet verkeerd.'

'In Hollywood wel.'

'Hm, ja, zou kunnen. Hoe was hij als acteur?'

'Niet best. Sorry, Fleur. Hij was echt niet goed, maar hij deed iets met de camera. Hij zag er goed uit, bewoog goed. Er is één komische film waarin hij een advocaat speelde, toen dacht ik echt dat hij een kans maakte. Maar, nou ja...'

'Vond hij zichzelf een goede acteur?'

'Jazeker.' Ze lachte spontaan, toegeeflijk. 'En ik heb hem dat idee niet uit zijn hoofd gepraat.'

'Ik mag hopen van niet. Wij mannen hebben toch al zulke zwakke ego's. Praatte hij over Fleur?'

'Natuurlijk. Heel veel. Hij was gek op haar.'

'Wilde hij haar naar Hollywood halen?'

'Ja, maar dat kon niet. Hij had geen geschikte woonruimte, geen geld.'

'Natuurlijk. Praatte hij ook over Caroline?'

'Wie?'

'Fleurs moeder?'

'O, ja, soms. Hij had heel veel van haar gehouden. Maar misschien was ik wel jaloers. Wat denk jij?' De glimlach die ze hem schonk, was lief maar uitdagend.

'Dat kan. Hoe oud was je toen?'

'Dat vraag je toch niet aan een dame?'

'Hoe oud was je, Rose?'

Ze lachte. 'Schandalig. Ik was... achttien.'

'Ambitieus?'

'Zéér.'

'Juist. Vertel eens, wat ging er mis met deze idylle?'

'Naomi MacNeice.'

'Beschrijf haar eens. Ze fascineert me.'

'Castingdirecteur van ACI. Machtig, gevaarlijk, erg slim.'

'Knap?'

'Helemaal niet.' Rose klonk bijna geamuseerd. 'IJskoude ogen, hard gezicht, veel te mager, onbeschoft. God, wat was zij onbeschoft. Ik ken niemand die zoveel vijanden had.'

'Dus Brendan was niet op haar gesteld?'

'Natuurlijk niet. Hij vond haar uitermate onaantrekkelijk. Maar ze bracht succes. Eindelijk. En ze nam hem aan en promootte hem.' Haar stem klonk breekbaar, geforceerd laconiek.

'En toen mocht hij jou niet meer zien?'

'Klopt.'

'En,' Magnus' blik was alert, 'wat vond jij daarvan?'

'Verschrikkelijk natuurlijk. Ik vond het afschuwelijk.'

'Boos? Was je niet vreselijk boos?'

'Nee, niet zozeer boos. Ik denk dat ik het niet kon geloven, na... na wat wij hadden gehad. En natuurlijk hadden we er ruzie over. Maar het was typisch Hollywood. Zoiets moet je gewoon accepteren.'

'O ja? Dat kan ik me amper voorstellen.'

'Luister,' zei Rose. Ze leunde ernstig voorover en streek haar goudbruine haar naar achteren. 'Je komt naar Hollywood om het te maken. Om beroemd te worden, succes te hebben. Je moet aan hoge eisen voldoen om erbij te horen en de regels zijn doodeenvoudig: je doet wat je moet doen. Of je gaat naar huis. Brendan moest Naomi's schoothondje worden.' Haar blik was kalm, met een zweem van geamuseerde afkeer. 'Ik vond het niks. Het deed pijn, maar het moest. En ik wilde niet naar huis. Magnus, wil je misschien een cognacje? Of een armagnac? En jij, Fleur?'

'Armagnac klinkt goed,' zei Magnus. Hij was walgelijk nuchter, ook al had hij anderhalve fles chardonnay op. Een kwestie van jarenlange training, dacht Fleur. Zij wilde geen alcohol meer, maar dronk kleine slokjes water.

'Wanneer hoorde je eigenlijk dat Brendan uit de gratie was?' vroeg Magnus.

'Al heel snel. Het is hier een dorp. En hij was heel bekend. Het verhaal kwam in de roddelbladen en hij lag eruit. Knal.'

'Heb je hem toen opgezocht?'

'Natuurlijk.'

'Dat was aardig.'

'Ik dacht dat hij wel wat vriendschap kon gebruiken. Ik had genoeg van hem gehouden om dat te kunnen bieden.'

'Toch heel aardig.'

Ze haalde haar schouders op en lachte naar hem. 'Ik ben ook aardig, Magnus.'

'Dat is duidelijk.'

Getver, dacht Fleur, nog even en ik ga overgeven.

'En wat vond je van de aantijgingen in de bladen? Was het schokkend?'

'Niet zozeer schokkend als verbluffend.'

'Maar geloofde je wat er stond?'

'Ik weet het nog altijd niet. Waarschijnlijk dacht ik toen – en dat denk ik nog steeds – dat hij een of twee misstappen had begaan en dat ze, eh, waren opgeblazen, zeg maar. Ik schonk er toen niet veel aandacht aan. Het was letterlijk riooljournalistiek. Die bladen vernietigden reputaties, mensen, levens. Meestal werden ze afgekocht. Ze verdienden net zoveel met chantage als met de losse verkoop. Toch dacht ik dat wat ze beweerden mogelijk was. Alles is hier mogelijk. Dat kan ik niet genoeg benadrukken.'

'Maar je had geen idee? Dat hij in staat was tot... dergelijk gedrag?'

'Nee, natuurlijk niet. Absoluut niet.'

'Zelfs al was hij door twee uitgesproken homo's naar Hollywood gehaald?'

'Magnus, de helft van alle Hollywood-acteurs is door homo's binnengehaald.'

'Ja, dat zal ook wel. En hij heeft je nooit iets verteld over zulke faux pas in het verleden?'

'Nooit. Dat soort dingen vertel je je vriendinnetje ook niet. Magnus, ik ben vreselijk moe. Denk je dat we morgen kunnen doorgaan?'

'Maar natuurlijk. Het spijt me ontzettend; ik dacht dat je het morgen druk zou hebben.'

'Valt wel mee. Kostuums passen en zo.'

'Misschien kan ik beter naar het hotel gaan. Kan je chauffeur me terugbrengen?'

'Dat kan, maar je kunt ook blijven. Het is erg laat. Het badhuisje is vrij. Alles wat je nodig hebt, ligt er, zelfs een pyjama.'

'Ik draag nooit een pyjama,' zei hij. 'Maar bedankt, ik maak graag gebruik van je aanbod.'

'Dan kunnen we morgenochtend verder praten.'

'Precies.'

Fleur kon het badhuisje vanuit haar slaapkamer zien. Nadat ze allemaal naar bed waren gegaan, bleef het licht er nog bijna twee uur branden.

De volgende ochtend was Rose sprankelend, bijna ontzagwekkend levendig. Ze had dertig baantjes getrokken, vertelde ze, voordat Magnus of Fleur waren opgestaan. Ze zat aan het zwembad in een perzikkleurige badjas, haar gezicht naturel, met haar haar naar achteren, en zag eruit alsof ze drie uur lang was opgemaakt.

Ze bood Magnus fruitsalade, eieren en croissants aan. Hij sloeg alles af.

'Ik wil alleen toast. En heb je marmelade?'

'Zeker.' Ze pakte de telefoon op, die aan de muur van het badhuis hing. 'Sue! Kun je wat marmelade brengen?'

'Eh, ik ben bang dat gewone marmelade niet echt volstaat. Ik eet alleen Cooper's Oxford. Anders is honing ook goed.'

'Dan wordt het honing,' zei Rose. 'Wat is in hemelsnaam Cooper's Oxford?'

'De enige echte marmelade,' zei Magnus. 'De rest is namaak.'

'Dan hebben wij alleen namaak. Sue, kun je ons wat honing brengen? Fleur, schat, je ziet er moe uit.'

'Ben ik ook,' zei Fleur. 'Ik kon niet slapen.'

'Ach, liefje, wat naar nou.'

'Maakt niet uit,' zei Fleur. 'Ik slaap sowieso slecht.'

'Heb je kruidenthee geprobeerd?'

'Ik heb alles al geprobeerd.'

'Acupunctuur?'

'Alles,' zei Fleur kordaat. Ze liet toch zeker niet een kwakzalver uit Hollywood naalden in haar steken.

Die ochtend nam Magnus nog zestig minuten interview op met Rose over haar begintijd in Hollywood, haar moeilijkheden, haar doorbraak. 'Ik was aan het werk in de Garden of Allah,' vertelde ze, 'toen die kerel binnen-kwam en zei dat ik moest gaan acteren en dat hij me kon helpen. Graag, zei ik. Hoe heette hij, Harry Cohn? Hij zei van niet, maar hij werkte wel voor Harry Cohn. Ik geloofde hem natuurlijk niet, maar het was wel waar.'

'Een waar gebeurd Hollywood-sprookje,' zei Magnus.

'Ja, zoiets. Hoe dan ook, ik tekende het contract, speelde in mijn eerste film en was op weg naar de top. Echt naar de top. De comedy met Cary Grant, en daarna...' Nog meer titels, nog meeer acteursnamen. Fleur onder-drukte de gedachte dat het wel een tikje saai werd en probeerde zich te con-centreren.

'En dit gebeurde allemaal... na de dood van Brendan?' vroeg Magnus twintig minuten later.

'Nee, mijn doorbraak, mijn eerste contract gebeurde ervoor,' zei Rose snel. 'Toen was hij nog bij Naomi, bij ACI.'

'Dat moet goed hebben gevoeld.'

'Hoe bedoel je?'

'Het idee dat je inliep, dat Assepoester naar het bal mocht.'

'Dat zal wel. Eerlijk gezegd was ik toen niet zo met hem bezig.'

'Maar na het schandaal zocht je hem toch op?'

'Ja, klopt. Zoals ik zei, dacht ik dat hij wel een vriend kon gebruiken. Hij woonde in een vreselijk kot...'

'Waar precies?'

'Dat weet ik niet meer. Ergens in het centrum.'

'Ik vind het nog steeds erg lief van je. Erg vergevingsgezind.'

'Ach...' Ze haalde haar schouders op, keek hem aan. 'Het licht is erg fel. Ik haal even mijn zonnebril, oké?'

'Natuurlijk.'

Ze verdween. Fleur keek Magnus aan en hij grijnsde een beetje schaap-achtig.

'Leuke vrouw.'

'Dat je haar leuk vindt, is duidelijk.'

'Dit moet... pijnlijk voor je zijn,' zei hij opeens.

'Valt wel mee. Rose is namelijk met me eens dat het een kleine misstap moet zijn geweest en dat iemand die een hekel aan hem had hem daaraan heeft opgehangen, zijn verhaal heeft verkocht. En ik vind het geweldig dat ze zo van hem hield.'

'Dat moet bijna wel.'

'Magnus, waarom heb je haar zoveel over het boek verteld, en over Piers en zo? Was dat nodig?'

'Absoluut. Ze hoort het anders binnenkort toch. Er is een enorme hype aan de gang. Dan zou ze kunnen aanvoeren dat ik haar onder valse voorwendselen had geïnterviewd. Erg gevaarlijk. En vergeet niet dat alles op band staat. Je moet erg voorzichtig zijn.'

'Ze lijkt er erg zeker van te zijn dat hij hier toen niet was,' zei ze bedrukt.

'Nou ja, misschien...'

Rose kwam terug met een grote, donkere zonnebril op. 'Dat is beter. Ik krijg vreselijke migraine als ik mijn bril niet draag. Ik heb Ricardo gevraagd wijn te brengen. Waar waren we?'

Magnus zette de bandrecorder weer aan. 'Je had hem opgezocht in een vreselijk kot.'

'O ja. Hij zag er zelf vreselijk uit. Verwilderd, mager, uitgeput. Hij had een afschuwelijke tijd achter de rug. En hij zei: "Ik praat te veel, Rose. Altijd al gedaan." Dat was zijn achilleshiel. Zoals ik al zei, hij had te veel vertrouwen in mensen.'

'Hm,' zei Magnus met een zucht. 'Blijkbaar is dat hier een gevaarlijke gewoonte. Hij zei er niet bij met wie hij had gepraat?'

'Nee, dat vroeg ik uiteraard ook, maar hij zei dat het zovéél mensen konden zijn.' Ze keek stil voor zich uit. Ricardo kwam een fles chardonnay in een ijsemmer en een fles water brengen. Ze keek verward op en leek van streek.

'Heb je daar zelf ideeën over?' vroeg Magnus.

'Nee. Ik heb me sindsdien helemaal suf gepiekerd. Waarschijnlijk een meisje dat zich afgewezen voelde of zo. Zou zoiets kunnen?'

'Lijkt me wel, ja. Heb je hem daarna nog gezien?'

'Een paar keer. Ik probeerde hem aan werk te helpen. Bijrollen, figurantenwerk, wat dan ook. Als hij maar bezig bleef. Maar ik had toen weinig invloed. En hij was getekend. Dat weegt hier erg zwaar. Mensen willen meteen niets meer met je te maken hebben.'

'Dapper dat je het probeerde,' zei Magnus.

'Magnus, ik moest wel. Ik had van die klootzak gehouden. Maar het... ging niet. En toen verdween hij. Ik weet niet waarheen. Achteraf wel, natuurlijk; naar het strand. Maar...' Ze glimlachte moeizaam. 'Sorry, het doet nog steeds pijn.'

'Dat zal wel. Zegt de naam Kirstie Fairfax je iets?'

Fleur keek naar hem. Ze had nog nooit van Kirstie Fairfax gehoord.

'Niet veel,' zei Rose na enig nadenken. 'Ze trok een tijdje met Brendan op. Ik heb haar zelf nooit ontmoet, weet alleen dat ze in de problemen zat.'

'Wat voor problemen?'

'Gewoon. Alles wat je kunt bedenken. Seks, drugs, alcohol, chantage.' Het klonk nonchalant. Rose maakte haar badjas los.

'Chantage?' vroeg Magnus op scherpe toon. 'Wat voor chantage?'

'Gewoon, chantage. Ze zette haar klauwen in je, ontdekte je zwakke kanten en hield vast. Tot ze geld kreeg. Of iets anders.'

Fleur had plotseling kippenvel van opwinding. Chantage. Daar ging het die roddelbladen toch om? Dat zei iedereen tenminste.

'Waar is ze nu?' vroeg ze terwijl ze het bloed naar haar gezicht trok. 'Weet je dat?'

'Helaas weten we dat,' lachte Magnus. 'Niet in de hemel.'

'Is ze dood?' vroeg Fleur.

'Heel erg dood. Ze verongelukte, of ze pleegde zelfmoord, als we de uitkomst van de lijkschouwing moeten geloven.'

'Aha,' zei Fleur. 'Je schijnt veel over haar te weten.'

'Tja, onderzoek.'

'Wat heeft zij ermee te maken?' vroeg Rose.

'Je zei zelf al dat zij Brendan kende. Hij getuigde bij de lijkschouwing. Blijkbaar had hij geprobeerd haar werk te bezorgen.'

'Echt waar? Dat wist ik niet.' Rose zuchtte. 'Nou ja, waarschijnlijk was er heel veel dat ik niet wist. Bedenk wel dat ik hem toen zelden zag.'

'Maar weet je nog iets meer over haar? Vrienden, familie, wat dan ook? Heb je haar nooit gesproken?'

'Nee, nooit.'

'Had Brendan het weleens over haar? Naderhand? Toen je hem... hielp?'

'Nee, nooit.' Opeens stond ze op, liet haar badjas vallen. Ze droeg een minuscule, felroze bikini. Fleur keek naar haar perfecte lichaam, de volle borsten, de platte buik, de eindeloze benen. Toen dook ze, een felkleurige flits tegen het blauw. Ze draaide zich om en keek naar Magnus. Hij keek naar Rose en ze dacht dat ze nog nooit een man zo verlangend had zien kijken. God, wat waren mannen zielenpoten. Maar toch. Verdomme.

'Kom ook zwemmen,' zei Rose. 'Jullie allebei. Het water is heerlijk.'

'Ik heb niets om aan te trekken,' zei Magnus.

'In het water heb je niet veel nodig.'

'Ik ben vreselijk preuts,' zei hij en hij grijnsde naar haar.

'Er liggen zwembroeken in het badhuisje. Kijk maar even.'

'Oké.'

'Hij kwam naar buiten in een blauw-rode zwembroek. Hij was zwaargebouwd en gespierd zonder een grammetje vet. Hij was bruin en behaard; in alle opzichten een sterk, sexy lichaam. Fleur keek verward en verstoord weg.

Magnus stond aan de rand van het zwembad te grijnzen naar Rose; zij strekte een slanke arm uit, greep zijn hand en trok hem het zwembad in.

'Toe nou, Fleur,' zei ze, 'het is heerlijk.'

Fleur schudde haar hoofd. Ze voelde zich weer zestien, in het gezelschap van volwassenen, onhandig, een buitenstaander. 'Ik zit hier best,' zei ze.

Ze stoeiden een poosje; Rose trok Magnus steeds onder water; hij zwom steeds heel snel weg. Ze waren allebei aan het lachen, hadden het duidelijk naar hun zin. Fleur keek naar hen en vroeg zich af wat ze kon doen om zich beter te voelen. Ze dronk snel twee glazen wijn leeg; dat maakte haar duizelig en licht misselijk, maar veranderde niets aan haar stemming.

Ze sloot haar ogen en wilde maar dat ze ergens anders was. Magnus klom het zwembad uit, schudde zich uit en ging op de stoel naast haar zitten. Hij grijnsde naar haar; zijn tanden staken hagelwit af tegen zijn bruine, natte gezicht en hij zag er bijzonder donker uit. De dunne stof van zijn broek plakte tegen zijn penis; de bobbel was erg groot. Ze wendde met moeite haar blik af.

'Gaat het?'

'Ja, natuurlijk, prima.'

'Zo stil ben je anders nooit.'

'Zo lang ken je me nog niet,' zei Fleur geërgerd en ze sloot haar ogen.

'Waarschijnlijk niet. Kan ik nog een naam op je loslaten?' riep hij naar Rose.

'Tuurlijk.'

'Ken je een Zwirn?'

Rose keek nadenkend naar hem op. 'Dat heeft Fleur me ook gevraagd. Het zegt me helemaal niets. En het is bepaald geen naam om snel te vergeten.'

'Zeker niet,' zei Magnus.

'Mag ik vragen wat hij of zij wel of niet heeft gedaan?'

'Geen idee. Gewoon een naam die is komen bovendrijven. Uit oude knipsels.'

'Woont meneer – of mevrouw – Zwirn in LA?'

'Hij staat niet in het telefoonboek.'

'O jee. Ik weet echt niet of ik je heb geholpen. Niet heel veel. Maar je was gewaarschuwd.'

'Ja, da's waar. Maar je weet absoluut zeker dat Piers Windsor toen niet hier was en Brendan niet kende?'

'Absoluut. Anders had ik het geweten.'

'Maar...'

'Hoor eens,' zei Rose, 'is dit een interview of een verhoor? Ik zei dat ik je zou helpen, alles zou vertellen wat ik wist. Waarom geloof je me dan niet?' Ze glimlachte er vriendelijk bij, maar de achterliggende spanning was voelbaar.

Fleur keek van haar naar Magnus; ze voelde zich verloren, verward, opeens bitter teleurgesteld en verdrietig. Magnus lachte Rose toe.

'Het spijt me vreselijk,' zei hij. 'Je hebt gelijk. Natuurlijk weet jij alles wat hier toen gebeurde. Vergeef me. Ik ben maar een journalistje uit Engeland. We staan bekend om onze slechte manieren. Einde interview.'

'Ik vond het interview leuk – althans, grotendeels,' zei Rose. Ze stond haar lange, goudbruine haar te drogen en glimlachte hem toe.

'Je hebt prachtig haar,' zei Magnus plotseling. 'Wat fijn dat je het nooit hebt laten blonderen.'

'Dank je.'

'Waarschijnlijk heb je een van die superkappers die de hele wereld met je afreizen, in de aftiteling staan en zo?'

'Ja.'

'Zou ik haar naam herkennen?'

'Dat betwijfel ik.'

'Probeer eens.'

Mijn god, dacht Fleur, schrijft hij nu ook al voor kappersbladen?

'Ze heet Dorian Roth.'

'Je hebt gelijk, zegt me niks. Mag ik u vanavond mee uit eten nemen, mevrouw Sharon, om u te bedanken?'

'Het spijt me,' zei Rose en ze klonk alsof het haar hart brak, 'maar ik heb vanavond een afspraak.'

'Jammer. Morgen misschien? Je was geweldig. Vind je ook niet, Fleur?'

'Geweldig,' zei Fleur en ze wilde maar dat ze zich niet zo rot voelde.

'Kom op, laten we allemaal gaan zwemmen voor de lunch, om onze vriendschap te vieren,' zei Rose en ze greep naar haar badjas. 'Ik kan nog steeds mijn geluk niet op dat ik Fleur heb gevonden.'

'Ik ook niet,' zei Magnus.

Na de lunch kreeg Fleur verschrikkelijke hoofdpijn. Het was de combinatie van zon, wijn en een slapeloze nacht. 'Ik wil even gaan liggen,' zei ze, 'als je het goedvindt. Ik voel me niet zo lekker.'

'Natuurlijk, prima,' zei Rose. 'Wat wil jij, Magnus? Nog wat wijn? Zwemmen? Tennissen? Terug naar je hotel?'

'Hoef jij vanmiddag niet naar de studio?' vroeg Magnus bedachtzaam.

'Eigenlijk wel, maar het is niet echt dringend.'

Precies op dat moment kwam Marcie aanrijden op een kleine pruttelende motor.

'Hé, dat is leuk,' zei Magnus. 'Mag ik daar een stukje op rijden?'

'Van mij wel. Is dat goed, Marcie?'

'Natuurlijk,' zei Marcie en ze lachte naar Magnus.

'Hou je van motoren?' vroeg Rose.

'Helemaal gek op. Perfect vervoermiddel. Thuis heb ik een Harley. De liefde van mijn leven.'

'Kom eens mee,' zei Rose.

Ze liep met hem naar de enorme garage aan de andere kant van het huis, half verscholen onder bomen en struiken, en duwde de deur omhoog. Naast een zachtblauwe Cadillac stond een BMW. Het zonlicht werd weerkaatst op zwarte lak en chroom.

'Laten we gaan rijden, als compensatie voor de marmelade.'

'Ga jij achterop?'

'Nee,' zei ze, 'jij gaat achterop. We rijden even naar de kust.'

Ze stapte op en hij ging achter haar zitten, duwde zijn gespierde benen tegen de hare en legde zijn armen om haar taille. Zijn zwembroek was nog steeds nat en verhulde niets. Fleur kon zien dat hij een erectie had en te oordelen naar de manier waarop Rose haar mooie kontje tegen hem aan duwde, voelde zij het ook. Zoals ze de oprit af scheurden, waren ze het toonbeeld van schaamteloze seksualiteit. Ze ging naar haar kamer, trok de gordijnen dicht, ging op bed liggen en huilde zacht van woede en ellende.

Hoofdstuk 32

1972

'Chloe, schatje, vertel me toch wat er aan de hand is. Ik kan deze boosheid niet langer verdragen.'

'Ik ben niet boos, Ludo. Alleen, eh, van streek.'

'Dat is aan elke rimpel in je bleke, grappige gezichtje af te lezen. En het is duidelijk dat je je naar voelt. Gisteravond op dat feestje zag je er vreselijk uit. Ik wist opeens wat "asgrauw" betekent.'

'Ludovic, ik...'

'Chloe, luister.' Zijn stem, meestal zo vriendelijk, klonk dringend, bijna streng. 'Ik heb al heel lang heel veel geduld. Dat was niet altijd gemakkelijk. Nu vind ik dat het tijd is om een aantal zaken duidelijk te stellen. Uitstellen maakt het niet gemakkelijker, integendeel.'

Dat is waar, dacht Chloe en ze liet haar bonzende hoofd tegen de muur boven het bed rusten. Ze voelde zich de laatste tijd zo ziek en moe dat ze weer naar bed ging zodra ze Pandora naar school had gebracht.

'Chloe, ben je er nog?'

'Natuurlijk ben ik er nog.'

'Maar ben je er wel met je hoofd bij?'

'Ludo, behandel me alsjeblieft niet als een van je getuigen.'

'Mijn getuigen besteden heel wat meer aandacht aan wat ik zeg. Goed, ik ga je een ultimatum stellen. Anders duurt deze situatie tot we allebei oud en grijs zijn en dat is zonde. Als jij eind volgende week nog niet met Piers hebt gepraat, ga ik het zelf doen.'

'O, Ludovic, alsjeblieft...'

'Nee, schat, dit gaat verder dan aangenaam overspel. Ik hou van je, ik heb je nodig en ik wil dit opgelost hebben. Oké?'

'Ja, Ludovic. Oké. Maar ik zal zelf met hem praten.'

'Dóe dat dan ook, schatje. Anders maak je mij ook ziek.'

'Goed, Ludo. Lief dat je hebt gebeld.'

'Kan ik je nog zien?'

'Nee, beter van niet,' zei Chloe. Ze voelde een panische angst opkomen. En ze was al zo misselijk. 'Niet tot ik met Piers heb gepraat.'

'Misschien stimuleert dat je wel. Of heb je er helemaal genoeg van?'

'O, Ludovic,' zei ze, en door de hartstocht in haar stem klonk het bijna als een kreun. 'O, Ludovic, je moest eens weten.'

'Weet ik ook wel,' zei hij, meteen een heel stuk opgewekter, 'maar ik wil niet zelfvoldaan overkomen. Ik hou van je. Waarom ga je niet lunchen met een vriendin; daar knap je vast van op.'

'Ik denk het niet,' zei Chloe. Ze moest momenteel niet aan eten denken. Gelukkig ging Piers helemaal op in *Othello*. Als zij midden op Piccadilly Circus een grote blonde baby baarde, zou het hem amper opvallen.

Januari sleepte zich voort (en op de een of andere manier lukte het haar nog twee weken uitstel te krijgen van de getergde, maar gelaten Ludovic) en de première van *Othello* kwam naderbij. Piers rookte weer als een schoorsteen en kreeg steeds meer last van zijn hoest. Dokter Bannerman stond erop een röntgenfoto te laten maken en belde daarna Chloe op om te zeggen dat Piers 'elk moment' bronchitis en mogelijk borstvliesontsteking kon krijgen.

'Hij heeft rust nodig. Neem hem een paar dagen mee naar de zon, laat hem volledig tot rust komen. Anders is er geen *Othello*, of wat dan ook.'

'Ik doe mijn best,' zei Chloe en ze raakte al in paniek bij de gedachte dat ze met Piers alleen zou zijn. En dat niet alleen vanwege haar bijna voortdurende misselijkheid. 'Maar ik denk niet...'

'Chloe, je moet. Dit is ernstig.'

Chloe besloot dat ze moest handelen; misschien was dit de laatste druppel. Misschien kon ze Piers over Ludovic vertellen terwijl ze weg waren. Misschien ook niet. Hoe dan ook, ze moest doen wat Bannerman haar vroeg. Ze belde meteen hun reisbureau, boekte twee vluchten naar Antigua en huurde voor een week een bungalow aan Jumby Bay. Toen belde ze het theater op om te melden dat ze Piers zelf zou komen halen. Het was gewaagd en gaf aan hoe wanhopig ze was.

Toen ze arriveerde, vertelde Wally, de portier, dat ze erg uitliepen. Waarom ging ze niet even kijken? Ze zei dat Piers razend zou worden en hij antwoordde dat hij het niet hoefde te weten. Waarom ging ze niet naar de *fauteuil de balcon,* dan kon ze het mooi overzien. Ze liep naar voren, ging half achter een pilaar zitten en keek neer op het toneel. En zag de Piers terug op wie ze verliefd was geworden.

Ze was uitsluitend naar generale repetities geweest, had nooit in een halfleeg theater gezeten, met alle troosteloze kaalheid van dien. Piers stond het niet toe. Hij wilde dat zij zag wat het publiek zag, de glitter, de glans, de magie. Er zaten mensen in de stalles, vijf rijen naar achteren, maar de zaalverlichting was uit en ze kon niet zien wie ze waren. De producer, waarschijnlijk, en de regisseur; mogelijk de decorontwerper en de kostuumontwerper. Het toneel was leeg, leeg en stoffig. Er lagen veel peuken. Geen decor, geen rekwisieten. Alleen één vreselijk lelijke stoel. Piers zat op de rand van het toneel en praatte in op de mensen in de stalles.

'Ik weet het, ik weet het,' zei hij, 'maar ik denk dat het kan. Laat het me alsjeblieft proberen.'

'Oké, maar het werkt niet. En we hebben Desdemona erbij nodig. Ze komt pas over tien minuten. Ze moest en zou naar de stomerij, verdomme. En wij lopen hopeloos uit,' zei iemand. Chloe kon niet zien wie ze was.

Piers liep de coulissen in en het bleef lang stil. Toen kwam hij weer op en hij was Piers niet meer. Hij droeg nog hetzelfde, de sportpantalon en het ruitjeshemd waarin hij altijd naar repetities ging, verder niets. Toch was hij iemand anders, een gemartelde, ellendige, ontstelde ziel. Hij stond met zijn rug naar de zaal, boog zijn hoofd, hief zijn handen omhoog, haalde ze met een zachte, intense wanhoop door zijn haar en liet ze langs zijn lichaam vallen. Toen, zonder te bewegen, sprak hij, met een geweldige diepe resonantie waarin elke klinker, elke lettergreep duidelijk te horen was. De stem die ze zo goed kende, was veranderd, vol pijn, onzekerheid en angst. En zodra hij sprak, was Desdemona er plotseling wél, al was het toneel leeg, dood, vermoord, gesmoord door deze getergde ziel die sprak, langzaam, alsof hij sliep, een slaap vol nachtmerries: 'Beweegt zij zich niet meer? – Stil als het graf – Laat ik haar in? Zou het goed zijn? – Mij dunkt zij roert zich nog – neen.' En toen, terwijl die geweldige stem brulde en trilde in de climax van de voordracht: 'Mijn vrouw, mijn vrouw, wat vrouw? – Ik heb geen vrouw,' merkte ze dat de tranen over haar wangen liepen en wist ze dat ze was getrouwd met en had gehouden van een bijzondere, uiterst begaafde man, ongeacht wat hij had gedaan of nog zou doen. Ze huilde net zozeer om het verlies van haar liefde als om de emotie die hij met zijn voordracht bij haar had opgeroepen.

Ze sloop weg toen de voordracht ten einde liep en de discussie begon over de vraag of hij zijn rug helemaal of driekwart naar het publiek toe moest draaien, hoe het bed moest staan, hoe Desdemona erop moest liggen (ze was inmiddels terug), over de belichting en wanneer Emilia moest opkomen. Ze liep terug naar de artiesteningang, waar ze geduldig bleef staan wachten, nog steeds betoverd, geschokt door de schoonheid en de pure kracht van wat ze had gezien.

'Je kunt beter naar binnen gaan,' zei Wally, 'anders praten ze morgenochtend nog.'

'Dat is goed,' zei Chloe en ze liep naar de kleedkamer, maar Wally had zich vergist: Piers zat alleen in zijn kleedkamer. Hij was lijkbleek, zat te trillen en stak een sigaret op.

'Piers, nee,' zei Chloe, te zeer geschrokken, te verstoord door wat ze had gezien om tactvol, voorzichtig te zijn. 'Niet doen. Je moet onmiddellijk stoppen met roken.'

'O, in godsnaam,' zei hij, 'begin jij nu ook al? Niet tutten, Chloe, alsjeblieft.'

'Het is geen tutten. Roger Bannerman heeft gebeld met de uitslag van je onderzoek en volgens hem kun je elk moment bronchitis en zelfs borstvliesontsteking oplopen. Hij zei dat je onmiddellijk aan de antibiotica moet, toe bent aan zonneschijn en volledige rust. Ik heb een week op Antigua geboekt. Kijk niet zo boos, Piers. Als je niet gaat, zegt Bannerman, kun je *Othello* helemaal niet doen.'

Piers zei dat hij zou gaan.

Twee nachten voor hun vertrek kreeg Ned verhoging en begon hij te huilen van de pijn. Hij werd erg ziek.

'Blindedarm,' zei Bannerman kortaf. Hij liet hem opnemen in het ziekenhuis.

De blindedarm was bijna doorgebroken. Ned was erg ziek. Hij was niet in levensgevaar, maar voelde zich beroerd, had koorts en pijn. Chloe kon onmogelijk weggaan.

'Laten we die vakantie maar vergeten,' zei Piers, en ze kon de opluchting, de triomf in zijn stem horen, maar Bannerman zei dat hij moest gaan, dat hij vakantie en zonlicht nodig had. Piers mocht het risico van een ontsteking niet onderschatten, anders zou hij net als Ned in het ziekenhuis belanden.

'Ga alleen,' zei hij. 'Chloe kan een paar dagen later komen.'

Piers aarzelde en zei: 'Ik reis niet graag alleen.'

'Ga dan met je andere grote liefde,' zei Bannerman. 'Neem Pandora mee. Dat vindt ze geweldig.'

Piers dacht even na en zei toen dat hij het ook geweldig zou vinden.

Toen hij twee dagen weg was, kwam Chloe tussen de middag terug uit het ziekenhuis; ze sliep daar en bracht er het grootste deel van haar tijd door, maar Ned voelde zich beter en zij had rust nodig. Ze wist dat het een wonder was dat ze niet naar Antigua hoefde en zodra het vliegtuig was opgestegen, was haar misselijkheid verdwenen. Piers had één keer gebeld om te zeggen dat Pandora en hij het enorm naar hun zin hadden, dat ze had gesnorkeld bij een rif, dat ze samen waren gaan waterskiën en na het eten hadden gedanst. Chloe had haar afkeuring ingeslikt en had gezegd blij te zijn dat het zo'n succes was.

Kitty had haar erg gemist. Chloe zat op de grond in de kinderkamer met haar te spelen en vroeg zich af of ze Ludovic zou voorstellen uit eten te gaan, toen Rosemary binnenkwam en zei dat er telefoon voor haar was.

'Ik neem hem wel in mijn kamer,' zei ze.

Het was meneer Lewis van de bank.

'Mevrouw Windsor?' Hij klonk verontschuldigend. 'Het spijt me dat ik u moet lastigvallen. Ik was eigenlijk op zoek naar uw man.'

'Ik ben bang dat hij er niet is, meneer Lewis. Hij zit met onze dochter op Antigua om aan te sterken.'

'O, in dat geval...' Zijn stem stierf weg.

'Meneer Lewis,' zei Chloe, 'mijn man en ik hebben geen geheimen voor elkaar.' (God, was dat maar waar!) 'Als er problemen zijn, kunt u dat aan mij vertellen.'

'Ach, het kan ook wel wachten,' zei meneer Lewis. 'Maar er is een cheque uitgeschreven voor een renstal.'

'Ja,' zei Chloe, 'natuurlijk. Piers heeft pas een nieuw paard gekocht. Hoezo?'

Zo te horen voelde meneer Lewis zich nog ongemakkelijker. 'Om heel eerlijk te zijn, mevrouw Windsor, is die cheque niet gedekt. Er is een aanzienlijk tekort ontstaan. Echt aanzienlijk. Ik heb meneer Windsor natuurlijk altijd een zekere vrijheid toegestaan. Hij is een zeer belangrijke en gewaardeerde klant en het is een eer om zaken met hem te doen. Maar het tekort is nu erg groot en eerlijk gezegd heb ik niet het gezag om verder krediet te verstrekken. Het spijt me zeer, mevrouw Windsor. U had er klaarblijkelijk geen idee van.'

'Nee,' zei Chloe, 'dat klopt. Eh, hoe groot is het tekort precies?'

Het was even stil, toen zei meneer Lewis met grote tegenzin: 'Tienduizend pond op de lopende rekening. En dan is er nog een lening.'

'Hoe groot is de lening, meneer Lewis?'

Opnieuw een pijnlijke stilte. Toen: 'Nog eens tienduizend pond.'

Chloe had het gevoel alsof ze in een afgrond viel. Ze zocht steun tegen de muur. Toen zei ze: 'Er is duidelijk sprake van een vergissing. Waarschijnlijk is er een overboeking vertraagd. Ik zal het zo snel mogelijk bespreken met mijn man en dan bel ik u terug. Dank u wel, meneer Lewis.'

Toen ze de hoorn op de haak legde, merkte ze dat die nat was van het zweet.

Piers was licht verontwaardigd over zijn financiële situatie, maar kon er ook wel om lachen.

'Het spijt me, lieverd. Er is geld onderweg uit de Verenigde Staten. De eerste betaling had al binnen moeten zijn. Dat geld kan zo op de rekening worden gestort. Bel anders Jim Prendergast even om te zeggen dat hij er druk achter zet. Hij kan je ook geld voorschieten, als het nog niet binnen is.'

Jim Prendergast, Piers' boekhouder, zei dat het klopte, er was die ochtend een cheque voor twintigduizend pond binnengekomen en hij zou die meteen per koerier bij de bank laten bezorgen.

Chloe vond het erg op het nippertje, maar was vooral gerustgesteld. Ze belde meneer Lewis en vertelde hem dat hij uiterlijk de dag erop zou worden betaald en dat hij dus de renstal kon betalen.

'Het spijt me werkelijk dat ik u heb laten schrikken. Maar u zult zich mijn positie kunnen voorstellen.'

'Ja, natuurlijk, meneer Lewis.'

'Eh, er is nog iets.'

'Ja, meneer Lewis?'

'De cheque die hij elke maand in dollars uitschrijft, voor het bedrijf in Santa Barbara. Daar weet u waarschijnlijk van?'

'Wat? O ja, uiteraard,' zei Chloe snel. Waarschijnlijk een theateratelier waaraan Piers een bijdrage leverde. Er waren er zoveel. Iedereen stuurde geld om dergelijke projecten te steunen, uit ijdelheid.

'Welnu, die cheque ligt hier ook. Het is, zoals u natuurlijk weet, een vrij hoog bedrag. Ik neem aan dat ik die ook al kan overboeken?'

'Ik denk van wel. Is het echt zoveel geld?'

Dit liep uit de hand. Piers moest geen donaties doen die hij zich niet kon veroorloven.

'Nou, aanzienlijk. Wist u dat niet?'

'Niet het precieze bedrag,' zei Chloe behoedzaam.

'Aha, misschien kan ik beter niet...'

'Meneer Lewis, mijn man is er niet. Hij is ziek en verwacht dat ik zijn zaken behartig. Is dit de – even kijken – de donatie van honderd dollar? Ze verzon het bedrag ter plekke – het leek haar erg veel geld.

Meneer Lewis klonk zowel geagiteerd als op zijn hoede. 'Nee, mevrouw Windsor. Geen honderd dollar.'

'Dan...'

'Mevrouw Windsor, ik denk werkelijk niet...'

'Hoor eens, meneer Lewis, ik heb toegang tot alle bankrekeningen van mijn man, zoals u weet.' Dit was absoluut waar; Piers' gulheid hield niet op bij extravagante geschenken.

'Juist. Welnu, zoals ik zei, gaat het om een aanzienlijk bedrag. Duizend dollar per kalendermaand.'

'O ja,' zei Chloe. Ze stond versteld van haar kalmte, haar ijzige zelfbeheersing. 'Ja, natuurlijk, die donatie. Nou, meneer Lewis, ik denk dat u die cheque gewoon kunt overboeken. Hoe heet het bedrijf ook alweer?'

'Zwirn, mevrouw Windsor, Gerard Zwirn.'

'O, Zwirn, ja, natuurlijk. Nee, dat is absoluut in orde, meneer Lewis. Zwirn in Santa Barbara. Maak maar over.'

'Dank u, mevrouw Windsor.'

Fleur kreeg er steeds meer moeite mee om helder te denken. Dat was al zo sinds ze twee weken geleden uit Los Angeles was vertrokken. Nee, al voor haar vertrek, sinds die verschrikkelijke dag dat Magnus en Rose op de motor waren weggereden en pas uren later waren teruggekeerd, lachend en opgewonden. Ze hadden haar aangetroffen aan het zwembad en gesmeekt mee te eten.

'Nee, bedankt,' had ze gezegd, 'ik voel me verschrikkelijk. Het zal wel een virusje zijn; laat me maar.' Ze waren het huis in gegaan en een hele tijd weggebleven, tot Magnus naar buiten kwam en zei dat hij zich in het hotel ging omkleden. Als ze zich nog bedacht, moest ze hem maar bellen.

'Denk van niet,' zei ze en ze probeerde niet te klinken als een verwend kind dat haar zin niet kreeg. 'Ik voel me echt vreselijk, heel misselijk. En op de een of andere manier moet ik morgen terug naar New York. Mijn baas belde, er is een belangrijke vergadering met een moeilijke klant die een campagne wil afkeuren. Dus...'

'Oké, oké,' zei hij en hij hield grijnzend zijn handen omhoog, maar de blik in zijn ogen was vriendelijk, bijna bezorgd. 'Doe wat je moet doen. Ik hoop dat je snel opknapt.'

Hij gaf haar een kus op haar wang. Ze glimlachte met moeite.

'Veel plezier vanavond. Ze is zo aardig, vind je niet?'

'Erg aardig. Een opmerkelijke dame. In sommige opzichten teleurstellend, in andere opzichten...'

'Magnus...'

'Ja, Fleur?'

'Ik, eh... laat maar zitten.'

'Hoor eens,' zei hij. 'Voordat ik naar huis ga, kom ik nog naar New York. Ik zie je daar. Dan kunnen we praten.'

'Wanneer kom je?'

'Weet ik niet. Over een paar dagen.'

'O.' Ze wilde er niet aan denken wat hij in die paar dagen zou doen. Toen, nijdig op zichzelf omdat ze het zich zo aantrok, vroeg ze: 'Ben je altijd zo dik met de mensen die je interviewt?'

'Nee,' zei hij, 'bijna nooit. Het is maar zelden de moeite waard.'

Ze had voor de dag erop een vroege vlucht naar New York geboekt en staarde een groot deel van de vijf uur uit het raampje, de teleurstelling en frustraties maakten haar kribbig, net als het besef dat ze Rose niet langer als vriendin beschouwde. Ze dacht aan haar vader en besefte dat ze nog steeds niet wisten wat er nu echt was gebeurd.

Ze had half verwacht een bericht van Morton's op haar antwoordapparaat te vinden, maar er was niets. Ach, ze bevonden zich nog steeds in de kalmte na de Kerst, 'het oog van de storm,' zoals Mick diMaggio dat altijd noemde. God, wat miste ze Mick. Ze zou nu wel wat van zijn inspiratie kunnen gebruiken. Ze vond het op zich leuk bij Morton's, maar het was zwaar en ze merkte – zoals ze van meet af aan had gevreesd – dat één account, één klant hebben fnuikend was voor haar creativiteit. Verdomme, ze had nee moeten zeggen tegen het idee. Het betekende ook nog eens... Fleur verdrong wat het nog meer betekende en maakte een lange wandeling in Central Park, maakte avondeten en vroeg zich af hoe ze rest van haar vrije week door moest komen. Uiteindelijk besloot ze de volgende dag naar kantoor te gaan om de administratie bij te werken. Ze verwachtten haar niet en ze zou in alle rust kunnen werken. In haar appartement hield ze het toch geen dag meer uit. Bovendien was het een van Tina's dagen en ze was zo opgewonden over Fleurs verloving dat ze over bijna niets anders praatte, wanneer ze ging trouwen, waar, wat ze zou aantrekken, hoeveel gasten ze uitnodigde en of (Tina's stem ging hierbij uit blije verwachting omhoog) Reuben bij haar in zou trekken.

'Ik zou het wel leuk vinden om voor een man te zorgen, mevrouw Fitz, om zijn was te doen, zijn rommel op te ruimen. Ik hou van mannenrommel. Lijkt zomaar meer de moeite waard.'

'Nou, ik hou er absoluut niet van,' zei Fleur bruusk. 'Als hij er een zootje van maakt, kan hij zo weer vertrekken.'

'Mevrouw Fitz, wat een kolder. Hoe is het trouwens met die ander gegaan, die Engelsman? God, wat was die sexy.'

'Tina, ik heb je al honderd keer gezegd dat hij iemand van mijn werk was.'

'Natuurlijk. En ik weeg maar vijftig kilo,' zei Tina opgewekt.

Ze sliep slecht, ondanks een slaappil, en was al voor zevenen als eerste op kantoor. Ze zocht de post en de memo's op haar bureau uit – het meeste was rotzooi – en las een paar teksten door die ze net voor de vakantie voor de nieuwe cosmeticalijn had geschreven. Verdomme, het was niet goed genoeg. Er zat geen magie in. Het nieuwe assortiment vorderde gestaag en ze was tevreden met Reubens verpakkingen, simpele witte doosjes voor de huidverzorging, met kleuraccenten om het huidtype aan te geven: felroze voor de vette huid, helder zeegroen voor de gecombineerde huid en schelproze voor de gevoelige huid. Ook de cosmeticakleuren waren prachtig, mooie, sterke, uitgesproken kleuren, geen pasteltinten, zelfs de crèmes en foundations waren eerder modderig. Ze hadden ze op vrijwilligers uitgetest en de resultaten waren verbluffend. Maar haar teksten voldeden niet. Het moest zeggen: 'Hier is het dan, wat je altijd al zocht, maar nergens kon kopen,' en het enige wat het zei was: 'Hier is dan de make-up van Morton's.' Ze moest zichzelf echt onder handen nemen. Wat had ze toch? Zes maanden geleden zou ze liever de hele nacht zijn opgebleven dan dat ze zulke zooi inleverde. Middelmatige zooi. Van alles wat ze verachtte, stond middelmatigheid bovenaan op de lijst. Beter een goede caissière dan een middelmatige copywriter, danseres of actrice.

Dat deed haar denken aan haar vader; hij was een middelmatige acteur geweest. Althans, dat beweerde iedereen. Dat beweerde Rose. Dat zou ongetwijfeld ook in dat verdomde boek van Magnus terechtkomen. Die klootzak Magnus Phillips en zijn verdomde boek. Daar kwam het door. Grotendeels. Ze had zich nooit met hem en zijn boek moeten inlaten. Nu was het te laat. Ze had belangrijker dingen aan haar hoofd. Die reclameteksten bijvoorbeeld. Gelukkig zag ze zelf hoe slecht ze waren. Ze besloot ze meteen te herschrijven, nu de afkeer zo sterk was. Ze zou eerst koffie halen – ze kon zelfs haar eigen naam nog niet schrijven zonder koffie naast haar schrijfmachine – en dan begon ze.

Ze liep door de gang naar de koffieautomaat – het was smerig, maar was wel heet vocht – en zag dat deze leeg was. Ze besloot naar de directiekeu-

ken te gaan en echte koffie voor zichzelf te zetten en toen ze langs de grafi-
sche studio liep, hoorde ze Reubens stem. Hij was aan het bellen. Ze wilde
net de deur openduwen en vertellen dat ze terug was, toen hij haar naam
noemde. Pragmatisch als ze was, bleef ze met ingehouden adem staan luisteren. Het zou toch geen lang gesprek worden; Reuben dacht over telefoneren zoals de meeste mensen over tandartsbezoek dachten.

'Fleur is er niet, Poppy. Ze zit in LA. Wat? Weet ik niet. Ik maak me
zorgen. Ze lijkt zo... afstandelijk. Ik heb het niet gevraagd. Nee. Goed. Misschien wel. Ze wil geen datum noemen. Wil er niet over praten. Ik weet
niet waarom. Wil ze niet. Wat? Ik maak me zorgen. Kan het niet helpen.
Luister, ik moet gaan. Dag, Poppy, tot vanavond.'

Hij klonk neerslachtig. Fleur had vreselijk met hem te doen. Wat had ze
toch, dat ze deze lieve, liefhebbende sexy man, die haar verafgoodde,
gewoon manipuleerde? Dat was gemeen. Als ze niet uitkeek, raakte ze hem
voorgoed kwijt. Fleur onderdrukte de gedachte dat ze Reuben nooit kwijt
zou raken, wat ze ook deed, en liep langzaam terug naar haar kantoor.
Voordat ze zich kon bedenken pakte ze de telefoon en draaide ze zijn toe-
stelnummer.

'Reuben? Met Fleur. Ik ben terug. Zal ik even gedag komen zeggen? Ja.
LA was leuk. Niks bijzonders. Vertel ik je nog wel. Luister eens, Reuben,
voordat ik in het vliegtuig stapte, zei je iets over maart. Zou je een ietsepiet-
sie duidelijker willen zijn? Bedoelde je een eetafspraak, de lancering van de
cosmeticalijn of iets anders?'

Een uur later trok een stralende Sol Morton een fles champagne open
om te vieren dat Fleur FitzPatrick en Reuben Blake op midzomerdag, 24
juni, gingen trouwen. Gezien de noodzakelijke voorbereidingen voor een
grootschalige bruiloft was een eerdere datum onmogelijk. Hij zou de bruid
weggeven en als huwelijkscadeau een onvergetelijk feest geven in zijn nieuwe huis aan Park Avenue.

Reuben zei dat het hem vreselijk speet, maar dat hij die avond weg
moest. Hij had een afspraak met het designbureau over de cosmeticalijn en
daarna ging hij met Poppy en haar man naar de musical *Godspell*. 'Ik dacht
dat je nog weg zou zijn,' zei hij somber. 'Ik kan het wel afzeggen, als je wilt.'

'Doe niet zo mal,' zei Fleur. 'Natuurlijk moet je gaan. Die tickets hebben waarschijnlijk een vermogen gekost. Bovendien moet ik een heel slechte reclametekst herschrijven.'

'Wie heeft die geschreven?'

'Ik.'

'Oké,' zei Reuben.

Toen ze thuiskwam, voelde ze zich afschuwelijk. Haar hoofd bonkte, ze was misselijk en voelde een niet te stuiten paniek opkomen. Wat had ze in godsnaam gedaan? Niet aan denken, Fleur, gewoon niet aan denken. Je bent een bofkont, hou dat voor ogen.

Ze dronk bijna een hele liter mineraalwater en ging toen op de bank zitten uitkijken over Central Park, terwijl ze probeerde er niet aan te denken. Helaas was het enige waaraan ze verder kon denken hoe Magnus met Rose over de Pacific Coast Highway scheurde.

Ze sliep al half toen de telefoon ging. Duf nam ze op.

'Fleur FitzPatrick.'

'Fleur, met Magnus. Ik had beloofd je te bellen als ik in New York was.'

'O ja? Dat was ik vergeten,' zei Fleur zo nonchalant mogelijk.

'Jazeker. Gaat het wel?' vroeg hij en het klonk oprecht bezorgd. 'Je klinkt verschrikkelijk.'

'Prima. Beter dan ooit.'

'Het is nog vroeg. Ik zou je graag nog even zien,' zei hij. 'Heb je het druk?'

'Ja, vreselijk druk.'

'Fleur, gaat het écht goed met je?'

Fleur barstte in huilen uit, zei dat hij moest oprotten en smeet de hoorn op de haak.

Een half uur later zoemde de intercom. Ze schreeuwde in de huistelefoon dat hij moest opsodemieteren, maar hij zei dat hij haar wilde zien. 'Ik beloof je dat ik niet lang zal blijven. En ik heb iets voor je.'

'Ik wil niets van je.'

'Dit wil je wel.'

Met grote tegenzin drukte Fleur de voordeur open. Om een herhaling van zijn laatste bezoek te voorkomen, trok ze een spijkerbroek bij haar nachthemd aan.

Ze voelde zich, zoals elke keer als ze Magnus terugzag, een beetje verzwakt, alsof de enorme kracht van zijn energie op de een of andere manier iets van de hare naar zich toe trok, aftapte. Ze forceerde een glimlach; er was tenslotte geen reden om vijandig te doen.

'Hai.'

'Hai.'

'Wil je iets drinken?'

'Wat ik echt graag zou willen, is...'

'Toast, met marmelade. Tuurlijk. Koffie?'

'Graag. Dus die sexy schoonmaakster van je heeft Cooper's Oxford voor me gehaald?'

'Inderdaad,' zei Fleur en ze zette de pot op de keukentafel. 'Ik heb het geproefd. Smerig. Veel te sterk.'

'Ik hou van sterke smaken. Ik hou van curry en chili en ingemaakte uien en erg sterke limonade,' zei hij.

'Ik ook,' zei Fleur, 'van sterke limonade, bedoel ik.'

'Je ziet er moe uit,' zei hij.

'Nee, het gaat wel. Nou ja, wel een beetje moe. Ik ben vanmorgen heel vroeg opgestaan.'

'Kon je niet slapen?'

'Nee,' zei Fleur. Ze merkte dat hij echt bezorgd om haar was en glimlachte verontschuldigend. 'Sorry, ik voel me echt rot.' Ze deed haar best om wat aardiger te doen. 'Wat heb jij gedaan?'

'O, ik heb nog wat gepraat met je vriendin Rose.'

'Mijn vriendin? Ik dacht dat ze jouw vriendin was geworden,' zei ze. Het had luchtig en nonchalant moeten klinken, maar ze hoorde hoe wrang en vinnig het klonk.

'En wat dan nog?' Magnus keek haar geamuseerd aan.

'Prima,' zei Fleur, 'leuk voor jullie.'

'Je klinkt niet alsof je het leuk vindt.'

'O, in godsnaam, wat moet ik dan?' zei ze. 'Je feliciteren? Bloemen sturen?' Ze barstte prompt in huilen uit. 'O, verdomme,' zei ze, 'verdomme, Magnus, je kunt beter gaan. Het spijt me, ik voel me afschuwelijk.'

Magnus liep de keuken uit naar de zitkamer en ging op de grote bank bij het raam zitten. Hij tikte op het kussen naast hem.

'Kom eens naast me zitten,' zei hij, 'en vertel me wat er aan de hand is.'

'Niks,' zei Fleur en ze ging niet helemaal op haar gemak naast hem zitten.

'Ik denk van wel. Vertel maar. Ik kan erg goed luisteren.'

'Ja,' zei ze scherp, 'dat heb ik gezien.'

'O, Fleur. Dat was werk. Dat was beroepsmatig.'

'O ja? Net als achterop zitten op die rotmotor en haar om de minuut vertellen hoe mooi ze was?'

'Ja,' zei hij rustig, 'dat ook.'

'Oké dan,' zei Fleur. Ze voelde zich erg opgelaten.

'Kijk,' zei hij, terwijl hij iets uit zijn zak haalde, 'kijk wat ik voor je heb. Rose heeft het meegegeven.'

'Rose?'

'Ja, met alle liefs. Ze maakte zich zorgen om je.'

Fleur nam het pakje aan. Ze had chique pakpapier uit Beverly Hills verwacht en was verbaasd eenvoudig wit papier te zien. Ze vouwde het voorzichtig open. Het was een lijstje en de foto erin was van haarzelf, toen ze acht of negen was, op het strand van Sheepshead Bay. Haar vader zat glimlachend naast haar met zijn arm om haar heen en zijn hoofd erg dicht tegen het hare. Ze droeg een korte broek en een T-shirt en haar haren waren erg lang en waaiden mee met de wind. Ze zat te lachen, zo uit volle borst, zo gelukkig, dat ze zichzelf bijna kon horen.

'O,' zei ze, 'o, dat weet ik nog. Het was mijn vaders verjaardag; we hadden zo'n plezier. We hadden oma meegenomen en ze had een heerlijke picknick voor ons gemaakt. Ik weet nog wat we aten: gebakken kip met koolsla. En ze had een verjaarstaart. De kaarsjes bleven niet branden, maar hij deed toch of hij ze uitblies en we zongen voor hem. Hij bouwde een zandkasteel en zei: "Op een dag, Fleur, hebben we een echt kasteel. Jij en ik." Die avond gingen we naar de kermis op Coney Island. We konden ons maar twee ritjes veroorloven en dat was genoeg.'

'Was er een vriendinnetje mee?'

'Nee, natuurlijk niet,' zei Fleur verbaasd. 'Ik hoefde er nooit een vriendinnetje bij als ik mijn vader bij me had. Hij was mijn allerallerbeste vriend.'

'Juist,' zei Magnus en hij keek haar nadenkend aan. Toen leunde hij naar haar toe en pakte het lijstje op. 'Je moet zien wat erin zit.' Hij haalde de achterkant eraf. Tussen het karton en de foto zat een briefje, in Brendans handschrift.

'Fleur, op negenjarige leeftijd,' stond er. 'De ware liefde van mijn leven. Word dus maar niet te zelfingenomen. Brendan.'

'O, verdomme,' zei Fleur. De woorden zwommen voor haar ogen. Ze veegde met de rug van haar hand in haar ogen en bleef naar zichzelf zitten kijken, naar het kleine meisje dat ze was geweest, het gelukkige meisje met een vader die ze verafgoodde, onbedreigd, niet beschadigd, veilig, bemind, en ze dacht aan de vrouw die ze was geworden, boos en bezeerd, hard, moeilijk, en het besef van verlies was amper te verdragen. Niet alleen het verlies van haar vader, maar ook van het kind dat ze was geweest.

'Verdomme,' zei ze weer. Ze keek Magnus aan en zag dat hij naar haar keek, teder, bezorgd, en ze probeerde te glimlachen, probeerde dapper te zijn, maar dat ging niet. Ze kon hem alleen maar blijven aankijken, terwijl ze vocht tegen haar overweldigende verdriet.

'Het spijt me,' zei hij zacht, 'het spijt me zo,' en hij nam haar in zijn armen en hield haar vast. En plotseling was haar verdriet op onverklaarbare wijze verdwenen. Haar tranen droogden als bij toverslag en ze lag lange tijd tegen hem aan, verbaasd, getroost, weer geheel zichzelf.

'Dat was aardig van Rose,' zei ze opeens, 'echt lief.'

'Dat vond ik ook,'zei Magnus. 'Ze stond erop dat jij het zou krijgen. Ze vond het heel erg dat je plotseling wegging.'

'O jee,' zei Fleur. Ze keek op, grijnsde en zei: 'Maar je hebt haar vast kunnen troosten.'

'Ik heb het wel geprobeerd,' zei hij, 'maar niet op de manier die jij misschien voor ogen hebt.'

'O nee?'

'Nee. Ze is mijn type niet.'

'En wat is jouw type dan wel?' vroeg Fleur scherp. Ze ging rechtop zitten en duwde haar haren naar achteren. 'Je bent vast erg veeleisend.'

'Klopt,' zei hij luchtig en hij glimlachte. En opeens was zijn glimlach verdwenen en leek de hele kamer, de tijd, te bevriezen. Fleur keek hem aan met het gevoel dat ze hem nooit eerder had gezien, dat hij altijd een beetje onscherp was geweest en nu helder, scherp in beeld kwam en gepeild kon worden. Ze leek hem niet alleen met haar ogen te ontdekken, maar met al haar zintuigen; ze werd naar hem toe getrokken. Ze hoorde geen geluiden, alleen zijn ademhaling, was zich van geen beweging bewust, alleen van zijn ogen die de hare verkenden. En heel langzaam, alsof hij bang was de betovering te verbreken, pakte hij haar hand en tilde deze op. Zonder zijn ogen van haar af te wenden draaide hij haar hand om en kuste de palm. Eerst zacht en teder, toen harder. Zijn tong begon over haar hand te bewegen, streek er eerst zacht overheen, duwde zich er toen hard, onderzoekend in, eerst het midden van de handpalm, toen in de muis, terwijl zijn tong steeds harder, dwingender werd. Ze had nog nooit zoiets bijzonders, zoiets uitgesproken seksueels ervaren. Ze stak haar andere hand uit en raakte zijn gezicht aan, streelde hem terwijl hij haar hand kuste en likte, en alle felle emoties van de afgelopen dagen, de frustratie, de jaloezie, de pijn, haar schuldgevoel ten opzichte van Reuben, kwamen ergens diep in haar samen en werden vervolgens minder emotioneel, lichamelijker, vormden een grote, meeslepende, woeste kracht. Terwijl ze naar Magnus bleef kijken, boog ze steeds dichter naar hem toe. Hij richtte zijn hoofd op en keek haar aan, keek bijna geschokt, en zonder haar hand los te laten leunde hij voorover en begon haar te kussen. Eerst was zijn mond langzaam, voorzichtig, toen – net als eerder op haar hand – harder, erotischer. Fleur sloot haar ogen, kreunde zacht. Ze bleven elkaar zo lange tijd zitten kussen. Toen duwde hij haar opeens rechtop en keek haar aan, hij leek geschrokken, bijna bang.

'Mijn god,' zei hij, 'ik kan maar beter gaan.'

En Fleur, net zo geschrokken van haar verlangen naar hem, van wat er bijna was gebeurd als hij was, knikte en zei: 'Ja, dat lijkt mij ook.'

Hij stond op en liep naar de deur en zij liep achter hem aan. Haar benen trilden, ze had pijn, haar hele lichaam voelde vreemd, licht, bevend, alsof ze net een enorme schok had gehad. Ze stond bij de deur en zei: 'Adieu, Magnus,' en hij antwoordde: 'Adieu, Fleur,' en ze deed snel, wanhopig de deur achter hem dicht en leunde ertegenaan alsof hij een indringer was die ze het huis uit had weten te werken. In zekere zin, dacht ze, was hij dat ook.

Hoofdstuk 33

Eerst dacht Chloe dat ze dood was. Ze was er erg blij om. Toen besefte ze dat ze ontzettende pijn had, dat ze aan een infuus lag en dat Joe aan het voeteneind van haar hoge ziekenhuisbed stond. Hij keek haar aan met een mengeling van intense tederheid en bezorgdheid. Haar mond was erg droog; ze likte over haar lippen, probeerde te glimlachen.

Joe liep naar het hoofdeind en gaf haar een glas water. Ze nam met veel moeite een slok en leunde toen uitgeput achterover tegen de hoofdkussens.

'Het zal wel afgezaagd klinken, maar waar ben ik?'

'In de London Clinic in Harley Street. Ze zeiden dat ik wel een minuutje bij je mocht. Piers is onderweg. Hij kan er over een paar uur zijn. Hoe voel je je?'

'Verschrikkelijk,' zei Chloe. Toen herinnerde ze zich opeens alles weer, draaide ze haar hoofd weg en begon ze te huilen.

'Chloe, liefje, niet huilen. Alsjeblieft, het helpt je niks. Probeer niet te huilen. Misschien loopt het goed af.'

'Wat?' vroeg Chloe versuft.

'Met de baby. Ze kunnen hem misschien nog redden.'

'O, god,' zei Chloe en ze huilde zwakjes.

Joe ging voorzichtig op het bed zitten en pakte haar hand. 'Schattebout, doe nou niet. Wees sterk.' Hij glimlachte dapper. 'Als je huilt, stuurt de verpleegkundige me weg.'

'O, Joe,' zei Chloe, 'o, Joe. Als je toch eens wist. Er is zoveel om over te huilen. O, god, wat doet dit pijn.' Ze forceerde een flauwe glimlach. 'Arme Joe, je komt me altijd maar bemoederen, hè? Als ik een kind krijg, een miskraam heb...'

'Zal ik iemand halen?'

'Nee. Nee, het gaat wel, denk ik... doe toch maar wel. Alsjeblieft.'

Hij drukte op de bel. Zij hield zijn hand vast. Steken van pijn schoten door haar lijf, scherper, harder, rauwer dan ze zich van de eerdere bevallingen herinnerde; vreselijke, dode, hopeloze pijn. Joe werd verbannen; er kwam een arts die haar onderzocht en een injectie gaf en vroeg of ze een patroon kon ontdekken in de pijn. Chloe schudde met opeengeklemde kaken haar hoofd. De injectie begon te werken en de pijn werd minder, doffer.

'Ik zal iemand naar u toe sturen,' zei hij.

'Raak ik de baby kwijt?'

'Dat... weet ik niet. We hopen natuurlijk van niet. Maar het lijkt... mogelijk. Het spijt me vreselijk. Uw man zal hier over een paar uur zijn.'

'O, god,' zei Chloe en de paniek klonk door in haar stem toen ze de gevolgen van zijn komst besefte. 'U mag het hem niet vertellen. U mag het hem niet vertellen.'

'Goed,' suste hij en ze kon zien dat hij haar maar een domme, hysterische vrouw vond. 'Goed, mevrouw Windsor, we zullen hem niets vertellen wat u niet wilt.'

'Nee, echt niet. Hij mag het niet weten. Hij wist... o, god.' De pijn leek de strijd met de pijnstiller te winnen en werd weer feller. Het was verschrikkelijk.

'Probeer te rusten. Meer kunt u niet doen. Voor de baby.'

Ze leunde achterover, probeerde te kalmeren, zichzelf af te leiden, zich te herinneren wat er die dag was gebeurd, de slechte horrorfilm keer op keer in haar hoofd af te spelen.

Het eindeloze wachten terwijl Inlichtingen Internationaal zocht naar het telefoonnummer van Zwirn in Santa Barbara. 'Kan dat B. Zwirm zijn, mevrouw?'

'Ik denk het niet, nee... met de G van Gerard.'

'Niets onder die naam, mevrouw. Alleen B. Zwirm, met een "m", een winkel op Salinas Street, en een Stanley Zwirne, met een "e". Ik kan u die nummers geven, mevrouw, als u wilt.'

'Nee,' zei Chloe. 'Nee laat maar. Dat is niet wat ik zocht.'

Ze smeet de hoorn op de haak en bleef ernaar kijken, terwijl tranen van onmacht in haar ogen prikten.

God, wie waren die mensen, die als demonen bij haar kwamen spoken? Waarom stonden ze niet in het telefoonboek? En waarom stuurde Piers ze elke maand duizend dollar? Wat hadden ze voor macht over hem? Wat had hij gedaan? Zou ze hem opbellen? Ermee confronteren? Zou dat beter zijn? Maar, nee, hij zou het haar niet vertellen. Bovendien wilde ze de waarheid horen, niet een zorgvuldig geformuleerde leugen.

Opeens herinnerde ze zich de onderste lade, de afgesloten onderste lade waarvan ze zo argeloos had aangenomen dat er onschuldige dingen in zaten, zoals bankafschriften en geboortebewijzen. Daar moesten toch aanwijzingen in zitten. Ze had aanwijzingen nodig. Ze rende naar Piers' werkkamer, sjorde aan de lade, schopte ertegen, maar deze was en bleef hardnekkig, uitdagend gesloten.

Maar ze moest en zou hem open krijgen. Wie kon hem open krijgen? Een slotenmaker natuurlijk. Ja, ze had een slotenmaker nodig, maar hoe vond ze die? Natuurlijk. De bedrijvengids. Slotenmakers, slotenmakers. God, wat waren er veel. Beter eentje uit Londen kiezen, anders moest ze dagen wachten.

James and James kon haar niet helpen, ze bedienden alleen de zakelijke markt. Zij stelden voor Faulkners te bellen. Faulkners kon pas de volgende ochtend komen, om een uur of elf. Dysart was onbereikbaar. Drie pogingen later zei een vriendelijk klinkende mevrouw Adams dat ze meneer Adams bij thuiskomst meteen zou vertellen dat het een noodgeval was en dat hij vast en zeker zijn best zou doen.

Meneer Adams belde ongeveer twintig minuten later en beloofde meteen te komen als hij had gegeten.

Hij kwam vlak voor zevenen. In de tussentijd had Chloe een halve fles van Piers' beste bordeaux leeggedronken. Dat was op dat moment de enige wraak die ze kon bedenken.

'Meneer Adams,' zei ze, 'fijn dat u er bent. Het gaat om deze lade. Een van de kinderen heeft de sleutel weggegooid en mijn geboortebewijs zit erin en dat heb ik nodig om mijn paspoort te verlengen, want...' Ze hield haar mond. Haar verhaal interesseerde meneer Adams blijkbaar weinig. 'Wilt u iets drinken, meneer Adams?'

'Nou,' zei hij, terwijl hij rommelde met zijn gereedschap, 'dat zou heerlijk zijn. Ik drink meestal port met citroen, als u dat heeft.'

Er was geen port, dus schonk Chloe hem een flink glas bordeaux in. Omdat ze geen citroenen kon vinden, goot ze er een eetlepel citroensap bij. De gedachte aan wat Piers zou zeggen als hij het wist, maakte haar nog hysterischer.

'Dank u wel, mevrouw. Dit is lastig, een dubbel slot. Geen makkie. Maar Adams krijgt 'm open, zonder 'm te slopen. Dat is onze slogan. Mooi, iets meer speling hier, denk ik... en... hier... en... ja, dat is hem. Open. Mooi. Goh, dit is lekkere port, mevrouw.'

'Gelukkig maar. Eh, hoeveel krijgt u van me?'

'Nou, vijf pond? En heeft u nog wat citroen voor me?'

Ze had hem niets moeten aanbieden. Meneer Adams werd breedsprakig en begon haar sterke verhalen te vertellen over sloten die hij had open gekregen voor een beroemde actrice, de eigenaar van een renpaard en iemand van adel, die naar zijn idee geen van drieën vrij zouden mogen rondlopen. Weer iets later trok Chloe een tweede fles St Emilion Grand Cru uit 1961 open, schonk hen beiden bij en goot er voor meneer Adams citroensap bij. Hij zei dat het best lekker was, al was het dan geen beaujolais, en uiteindelijk belde mevrouw Adams om halfnegen op om te vragen waar hij bleef.

'Ik drink nog snel even iets met mevrouw,' zei haar man ferm, 'en dan kom ik eraan. Vrouwen begrijpen niet hoe belangrijk netwerken is,' zei hij tegen Chloe. Zij zag opeens op tegen zijn vertrek, omdat ze dan de lade open zou moeten trekken, die verschrikkelijke poel van verderf, en probeerde het zo lang mogelijk uit te stellen. Toen hij uiteindelijk toch vertrok, een tikje onvast op de benen, was het al na negenen. Chloe, plotseling afschuwelijk eenzaam, grabbelde al haar moed bij elkaar en begon de lade door te spitten.

Het was, zoals altijd, een bende. Brieven van zijn moeder en de Montagues, Piers' legerpapieren, oude foto's uit de tijd van RADA. Een paar foto's van haar, veel foto's van Pandora, oude theaterprogramma's, vergeelde knipsels en recensies. Chloe scheurde er, soms letterlijk, doorheen, vouwde knipsels open en propte ze terug. Ze ademde zwaar, zo zwaar dat ze zo nu en dan een bewuste poging moest doen om te ontspannen. Niets, zo te zien was er niets. Geen reden om de lade op slot te draaien. Het zoveelste blijk van Piers' onnodige, extreme geheimzinnigheid. Ze zocht harder, zachtjes snikkend, haar blik vertroebeld door haar tranen. Nee, niets. Toen vond ze ze: in een envelop, nieuwer dan de andere, die in een andere envelop met schoolfoto's zat.

Bankafschriften vanaf 1957. Een dollarrekening bij zijn eigen bank, een machtiging ten gunste van G. Zwirn, eerst bij een bank in Playa del Rey en later in Santa Barbara. Het was begonnen met 250 dollar en door de jaren heen was het langzaamaan verhoogd tot 1000. De betalingen waren onregelmatig; soms met kleine beetjes tegelijk, maar altijd wel voldoende. Heel af en toe een grote overboeking, 3000 of 4000, en in 1964 zelfs een keer 20.000; daarna weer regelmatig. Chloe keek ernaar en probeerde er wijs uit te worden. Chantage, dacht ze, dat moest het zijn. Gerard Zwirn chanteerde Piers. Waarschijnlijk wist hij iets over hem, van voordat zij Piers had leren kennen. Ze kon zich akelig goed voorstellen wat het zou kunnen zijn. Ze ging er steeds opnieuw doorheen en ruimde toen met tegenzin de lade op, vouwde de papieren op, legde de foto's terug... en bedacht met een schok dat ze Ned uren geleden in het ziekenhuis had achtergelaten, dat hij haar nodig zou hebben, om haar zou roepen, en ze stond versuft op, niet alleen door de shock, maar ook van alle wijn die ze had gedronken. Misschien wel zo goed dat ze versuft was, dacht ze, anders zou ze zich veel slechter voelen. Ze rende naar beneden, krabbelde een briefje aan Rosemary, greep haar autosleutels en liep naar de auto.

Halverwege Knightsbridge was ze opeens nuchter, akelig nuchter. Tranen welden op uit de diepte en biggelden over haar wangen; iets leek haar te verstikken, ze had moeite met ademhalen. Ze probeerde niet in paniek te raken, veegde ongeduldig de tranen uit haar ogen, haalde diep adem. Ze wist dat ze eigenlijk moest stoppen, maar de gedachte dat Ned haar miste, om haar huilde, maakte dat onmogelijk. Ze had hem de hele dag verwaarloosd en het minste wat ze kon doen, was naar hem toe gaan. Ze zou kalmeren, nuchter worden, en dan zou ze kunnen bedenken wat ze moest doen. Maar ze had hulp en advies nodig. Opeens dacht ze aan Ludovic. Hij zou weten wat ze moest doen, hij zou haar helpen, troosten. Opeens verlangde ze er vreselijk naar zijn stem te horen; ze zag een telefooncel lang de weg, halverwege Piccadilly, en voelde een golf van opluchting. Ze zou hem opbellen, vragen om haar te komen bezoeken; misschien kon hij naar het ziekenhuis komen om haar op te halen, of gewoon om bij haar te zitten. Ze had hem zo nodig, zo vreselijk nodig. Ze zwenkte opeens naar links, richting telefooncel, en toen ze dat deed, hoorde ze een verschrikkelijk lawaai, veel verschrikkelijk lawaai, getoeter, gierende remmen, een luide knal en toen een dodelijke stilte, die alleen werd doorbroken door een gil waaraan geen eind leek te komen. Pas veel later, toen ze was bijgekomen in het ziekenhuis en zich iets van het ongeluk kon herinneren, besefte ze dat zij degene was geweest die had gegild.

Wonder boven wonder was er niemand anders gewond geraakt, al hadden drie auto's schade. Zij was wel gewond – een hersenschudding, een gebroken pols, een snee in een knie tot op het bot – en, te oordelen naar de vrijwel continue pijnscheuten, een dreigende miskraam. Verder had niemand een schrammetje. Dat vertelde de politie haar, streng maar vriendelijk, terwijl ze bij haar wachtten op de ambulance en zij bij vlagen het bewustzijn verloor. Ze hadden niet gevraagd of ze had gedronken. Waarschijnlijk hoefden ze dat niet te vragen.

Chloe nam aan dat ze wel had geweten dat ze de baby zou kwijtraken. Maar toen de pijn zo erg werd dat ze het uitschreeuwde, toen ze zo bloedde dat er sprake was van bloedtransfusies en toen eindelijk de arts kwam zeggen dat ze haar naar de OK brachten, dat er verder niets, helemaal niets was wat ze konden doen, drukte ze haar gezicht in het kussen en huilde ze zonder ophouden bittere tranen om het verlies van haar baby, Ludovics baby, haar hoop voor en aandeel in de toekomst.

'Helaas heeft ze de baby niet kunnen houden. Het spijt me verschrikkelijk. Ze heeft veel bloed verloren en verkeert in shocktoestand. Maar de hersenschudding is niet ernstig, de gebroken pols evenmin en ze is jong en sterk. Er is waarschijnlijk geen blijvende schade.'

De jonge arts keek Piers een tikje nerveus aan. Onder zijn zeer duur uitziende bruine tint was hij bleek en de spieren in zijn gezicht waren gespannen uit angst en... wat? Verontwaardiging? Woede?

Piers zei niets. Hij zat daar maar naar hem te kijken. Toen vroeg hij: 'Mag ik haar zien?'

'Dat kan, maar ze is onder zware verdoving. Ze is net een uur terug uit de OK. En ze verkeert in shock. Ik wil u dringend vragen haar op generlei wijze te vermoeien.'

'Natuurlijk zal ik haar niet vermoeien,' zei Piers. 'Wat denkt u dat ik van plan ben? Dat ik haar uit bed trek om een toneelstukje op te voeren?'

'Natuurlijk niet,' zei de arts. Hij hield zijn gezicht met moeite in de plooi en vroeg zich af of de topacteur probeerde leuk te zijn. 'Vaak doen familieleden een emotioneel beroep op patiënten, ook al tonen ze medeleven. Stel haar vooral geen vragen. Dat kan ze nu niet aan.'

'Ik wil haar geen vragen stellen,' zei Piers, die zichtbaar moeite had om rustig te blijven. 'Ik wil haar alleen even zien.'

'Prima. Kom maar mee.'

Chloe kwam af en toe even bij en zakte dan weer buiten kennis. Dat laatste was prettig, dan voelde ze de pijn, het verdriet even niet; het bijkomen was afschuwelijk, een nachtmerrie. Piers kon nu elk moment komen en als ze niet oplette, zou de arts hem vertellen dat ze een miskraam had gehad. Zelfs Piers zou weten dat het onmogelijk zijn kind kon zijn. Hij zou willen weten hoe ze zwanger was geraakt. En dan zou hij naar huis gaan en zien dat ze zijn bureau had doorzocht, het slot op de lade had geforceerd. Als ze daaraan dacht, aan wat er in de lade had gezeten, begon ze weer zacht te huilen. Dan kwam een zuster haar voorhoofd strelen, haar hete gezicht deppen, en daarna zakte ze weer weg. En Ludovic, hij zou het ook horen, hij zou ontdekken dat zij zwanger was geweest, van hém, zonder het ooit te hebben geweten, omdat zij te laf was geweest om het hem te vertellen. Ludovic die zo zielsgraag kinderen wilde. Hij zou net zo gekwetst zijn als Piers, zo niet meer. God, hoe was ze zo in de knoei geraakt? En hoe kwam ze hier ooit weer uit?

'Chloe, liefje.' Het was Piers; hij keek alleen teder en bezorgd. Ze verbaasde zich erover hoe heerlijk het was hem te zien en ze pakte zijn hand.

'Piers, hallo. Het spijt me dat ik je vakantie heb verpest. Hoe was het?'

'Geweldig, dank je. Hoe voel je je?'

'O, je weet wel. Een beetje pijn. Ik heb mijn hoofd gestoten, mijn knie gesneden. Daarom lig ik aan dat stomme infuus.' Ze sloot haar ogen en probeerde te glimlachen, doodmoe van het praten.

Piers was stil; een hele tijd later, en van ergens heel ver weg, hoorde ze hem zeggen: 'Chloe, ze hebben het me verteld. Over de baby.'

Chloe deed haar ogen open; hij keek haar aan. Niet boos, maar intens verdrietig. Ze kneep haar ogen weer stijf dicht, om dat verschrikkelijke beeld uit te wissen,

'Piers,' zei ze moeizaam, met het laatste beetje kracht dat ze nog had, 'Piers, je moet me iets vertellen. Wie is Gerard Zwirn?'

Ze dwong zichzelf hem weer aan te kijken en zag hoe zijn ogen donker werden van de schrik, ontzetting bijna, zag hoe hij eerst wasbleek en toen rood werd tot aan zijn haarwortels.

Toen kwam de zuster binnen. Ze vertelde Piers dat het tijd was om te vertrekken en hij boog voorover en kuste haar. 'Ik laat je slapen,' zei hij, 'maak je maar nergens zorgen over.'

En toen was hij weg.

'Piers, met Ludovic. Goed dat je terug bent. Ik heb me zo zorgen gemaakt om Chloe en je weet dat verpleegkundigen je nooit iets vertellen. Hoe gaat het met haar?'

'Niet zo best.' Piers klonk doodmoe, donker, zwaar. 'O, het komt allemaal wel weer in orde, maar momenteel gaat het niet zo goed.' Hij pauzeerde even en zei toen: 'Ze heeft een hersenschudding, is in shock en, o ja, ze heeft een miskraam gehad.'

'Een... een miskraam?'

'Ja, helaas. O, we hadden het nog aan niemand verteld, het was nog heel in het begin. Maar toch... altijd triest. Hoe dan ook, over een of twee dagen komt ze uit het ziekenhuis. Ik weet zeker dat ze je graag wil zien.'

'Ja, natuurlijk... ik bel wel.'

Ludovic legde de telefoon neer en bleef er lange tijd naar zitten kijken. Toen vertelde hij zijn secretaresse dat ze geen telefoongesprekken mocht doorschakelen, legde zijn hoofd in zijn armen en huilde voor de eerste keer sinds zijn moeder hem op kostschool had achtergelaten.

Magnus Phillips was tevreden, iets wat niet vaak voorkwam. *Tinsel* bevond zich in de wittebroodsweken van de eerste hoofdstukken, die zichzelf leken te schrijven. Hij wist dat er snel een fase zou volgen waarin het boek weigerde geschreven te worden, maar het was aangenaam zolang het duurde. Bij zijn post had een vette cheque gezeten voor *Dancers*, dat in Amerika nog steeds goed verkocht, en hij had een vruchtbaar diner in het Stafford Hotel achter de rug met Richard Beauman, die hem in grote lijnen had uitgelegd hoe hij *Tinsel* dacht te promoten.

'Ik dacht aan posters; landelijk, en vooral in de ondergrondse, met een fragment uit een of meer spannende hoofdstukken. Mensen beginnen het te lezen en dan komt hun trein. Omdat ze willen weten hoe het verder gaat, kopen ze het boek. Dan natuurlijk de gebruikelijke ruimte in tijdschriften en kranten, en ik dacht aan een radiocampagne op de commerciële zenders, een interessant nieuw medium. Dat spreekt echt tot de verbeelding.'

'Klinkt goed,' zei Magnus.

'Ik neem aan dat het boek wel zo ongeveer af is,' polste Beauman.

'Bijna,' zei Magnus.

Zodra hij zijn voordeur opendeed, voelde hij dat er iets mis was. Om te beginnen was het koud, terwijl hij altijd de verwarming hoog had staan. De keukendeur, die hij altijd open liet, was dicht; en de radio boven die hij altijd zacht aan liet als hij wegging, was uit. Hij sloot de deur zacht achter zich, zette de vrij grote aktetas die hij droeg op de grond en duwde voorzichtig de keukendeur open. Er was niemand, maar de chaos was enorm. Elke lade, elke kast was doorzocht. De oven stond open en de koelkast eveneens. Er lag eten op de grond. In zijn werkkamer waren de lades uit zijn bureau getrokken. Dossiers, bandopnamen van interviews, schrijfblokken lagen op de grond. Zijn schrijfmachine lag ondersteboven, zijn boeken waren uit de kast getrokken, zelfs de zitting van zijn leren stoel was opengesneden. Boven was het al even schrikwekkend. Elke kamer was doorzocht. In de slaapkamers was het tapijt losgescheurd. Magnus liep langzaam door het huis om de schade op te nemen, zette hier en daar een lamp overeind of hing een schilderijtje recht. Uiteindelijk liep hij terug naar zijn werkkamer en belde de politie.

'U lijkt erg kalm, meneer,' zei de brigadier, toen hij zijn proces-verbaal aan Magnus overhandigde om te ondertekenen.

'Ik voel me ook erg kalm,' zei Magnus opgewekt. 'Het enige wat ertoe doet, hebben ze niet meegenomen en de schade is gering.'

'Aha, en wat is dat, meneer?'

'Iets waaraan ik al lange tijd werk.'

'Zou dat ernstig zijn geweest?'

'Zeer ernstig!'

'Heel waardevol voor u, neem ik aan, maar misschien niet voor anderen.'

'Dat zou kunnen kloppen, brigadier.'

'Maar waar lag het dan, meneer?'

'O,' zei Magnus, 'ik had het bij me, alles, in die aktetas die daar staat. Ik neem het altijd mee, zelfs als ik boodschappen doe.'

'Heel verstandig, meneer.'

Zo te zien dacht de brigadier dat hij volkomen getikt was. Tegen de tijd dat *Tinsel* in de winkel lag, was hij dat misschien ook wel.

'Piers,' zei Chloe, 'we moeten praten.' Ze probeerde rustig te klinken.

'Het spijt me, lieverd. Ik heb geen tijd. Niet nu. Ben al laat. Tot vanavond, lieverd. Het zal wel weer nachtwerk worden, vrees ik. Dag, lieve Pandora. Dag, Kitty en Ned. Fijne dag, wees voorzichtig.'

Hij kuste Chloe zacht en liep weg, trok de voordeur rustig achter zich dicht. Chloe keek hem na en vroeg zich af hoeveel langer ze dit nog kon verdragen.

Ze was nu een week thuis, een trieste, eenzame week. Ze was nog steeds zwak en had vaak vreselijke hoofdpijn. Ze kon niet veel meer doen dan door het huis strompelen. Ze had zich nog nooit zo ongelukkig gevoeld.

Ludovic had haar geschreven, een kil, kort briefje vol pijn. Hij zei dat hij haar gedrag niet kon begrijpen, maar als ze zoiets belangrijks kon verzwijgen, beloofde dat weinig goeds voor hun gezamenlijke toekomst. Hij schreef dat hij hoopte dat ze snel weer opknapte en wenste haar alle goeds. Hij ondertekende alleen met 'Ludovic'.

Zodra ze het had gelezen, probeerde ze hem te bellen. Zijn secretaresse zei beleefd dat meneer Ingram in bespreking was met een cliënt, maar dat ze zou doorgeven dat Chloe had gebeld. Ludovic belde niet. Het was onvoorstelbaar dat hij de boodschap niet had gekregen, maar Chloe probeerde het opnieuw, voor de zekerheid. Zijn secretaresse verzekerde haar dat ze de boodschap persoonlijk aan Ludovic had doorgegeven.

Ze liet twee boodschappen achter op zijn antwoordapparaat thuis. Haar eerste boodschap was rustig en vroeg hem terug te bellen, de tweede was wanhopig en smekend. Hij negeerde beide.

Chloe schreef een brief van verscheidene pagina's over haar paniek, haar angst Piers van streek te maken, omdat hij emotioneel zo labiel was, haar waanidee dat ze het juiste moment kon afwachten, haar angst dat Ludovic naar hun huis zou komen en het Piers zelf zou vertellen, als hij wist dat ze zwanger was. Wat zou Piers zichzelf dan aandoen? Ze schreef dat ze Ludovic miste, van hem hield, dat ze zielsgraag bepaalde dingen met hem wilde bespreken. Ze smeekte hem te reageren. Hij negeerde de brief.

Chloe gaf de hoop op.

Maar wat ze wel moest doen, vond ze, was dingen uitpraten met Piers. Ze kon niet verdragen dat dit onuitgesproken bleef. Hij moest hebben gemerkt dat de lade niet op slot zat en meneer Lewis had hem vast verteld over hun telefoongesprek. Toch wilde hij er niet over praten, was hij beleefd, voorkomend, zelfs lief tegen haar. Ook de miskraam kwam niet ter sprake. Chloe begreep er niets van. Toen ze na een paar dagen opknapte, vertrok hij naar Stratford, waar *Othello* zou worden opgevoerd, en bleef er de rest van de week, repeteerde van 's ochtends vroeg tot 's avonds laat, belde elke dag even op om te vragen hoe het met haar ging, meer niet. Toen hij die zondag thuiskwam had ze gezegd dat ze met hem wilde praten, dat ze wilde weten wie Gerard Zwirn was.

'Dat wil ik je niet vertellen,' had hij gezegd. 'Ik wil er überhaupt niet over praten. Het gaat jou niets aan.'

'Maar Piers, ik ben je vrouw.'

'Dat weet ik,' zei hij en hij keek haar bedroefd aan, 'dat weet ik.'

'Nou dan. Het gaat me wel aan. Je betaalt hem heel veel geld, blijkbaar al jarenlang. Piers, ik heb recht te weten waarom.'

Hij zei niets.

'Piers.' Het kostte haar moeite om kalm te blijven. 'Piers, alsjeblieft. Waar gaat dit over? Chanteert hij je? Ik moet het weten.'

En toen stond hij op en zei: 'Chloe, het spijt me, maar ik wil er niet over praten. Nee, het is geen chantage en er is niets verkeerds aan, dat zweer ik je. Hij is een collega van vroeger, die mijn hulp nodig heeft. Dat is alles. Je hoeft je geen zorgen te maken. Accepteer dat alsjeblieft.'

'Maar Piers, het is zoveel geld, letterlijk zo'n dure plicht. Je moet toch...'

'Chloe.' Piers klonk opeens kwaad, op die verschrikkelijke beheerste manier van hem. 'Chloe, kunnen we dit alsjeblieft laten rusten? Ik wil er niet over praten, sorry.'

Chloe gaf het op. Ze zei tegen zichzelf dat ze het alleen liet rusten tot ze zich beter, sterker voelde, maar ze begreep dat ze er nooit achter zou komen, tenzij ze zelf naar Santa Barbara ging. Ze lag nacht na nacht rusteloos, wanhopig te woelen, probeerde zichzelf wijs te maken, te geloven, dat Piers de waarheid sprak, dat er niets verkeerd was, niets duister. Vergeefs. Wat haar ook achtervolgde, met stomheid sloeg, was dat hij absoluut niet over de miskraam had gepraat en niet leek te willen weten wie de baby had verwekt. Hij leek er geen behoefte aan te hebben. Toen de dagen weken werden en februari zich voortsleepte, besefte ze dat het zo zou blijven. Hij zou niet praten en niet luisteren. Hij zat veilig, onwetend, in zijn schulp en dat wilde hij zo houden. En daar kon ze niets, helemaal niets, tegen doen.

Henry Chancellor keek Magnus aan. Ze stonden in de ruimte die hij zijn studeerkamer placht te noemen. Hij probeerde kalm te blijven.

'Kijk,' zei hij, 'het is duidelijk dat je nerveus begint te worden. Ik kan het me voorstellen. Eén slordigheid en je bent er geweest. Van die dingen. Beangstigend. Maar natúúrlijk moet je doorgaan. Anders...' Hij zweeg veelbetekenend.

'Ja, ik weet het, anders lijd je een groot financieel verlies, en gezichtsverlies.'

'Magnus, jij bent degene die die verliezen zal lijden. Meer dan ik.'

'Hoeveel?' vroeg Magnus bruusk.

'Om te beginnen zul je je voorschot moeten terugbetalen.'

Magnus haalde zijn schouders op. 'Ik heb alleen nog het eerste deel ontvangen. Niks van uitgegeven. Beauman kan het morgen terugkrijgen.'

'Dan zijn er de feuilletonrechten.'

'Nog niets getekend of verkocht. Tenzij je iets voor me verzwijgt.'

'Natuurlijk niet, maar de Amerikanen happen als gekken naar de worst die Richard ze voorhoudt. Hij zou erg kwaad zijn. Het zou hem zijn reputatie kosten. Vooral omdat nog niemand een woord heeft gelezen. En dan de sensatiebladen. Daar geldt hetzelfde. Ik zou denken dat Beauman je met recht zou kunnen aanklagen wegens inkomstenderving. Op basis van de verkoopcijfers van je laatste boek schat ik het bedrag op minstens een kwart miljoen. Doe het nou niet, Magnus.'

Magnus bleef hem lang staan aankijken. 'Ze hebben onlangs bij me ingebroken,' zei hij.

Chancellor staarde hem verbluft aan. 'Ben je... veel kwijt?' vroeg hij.

'Niets van waarde. Wat ze zochten, had ik bij me.'

'Magnus, je bent gek. Zo belangrijk is het niet.'

'Misschien wel.'

Henry werd erg bleek. 'Bedoel je...?'

'Ik bedoel dat iemand misschien erg graag wil weten wat erin staat. Dat is alles.'

'Bah, belachelijk,' zei Henry.

'Dat zal wel.'

'Heb je de politie gebeld?' vroeg Henry.

'Uiteraard. Ze konden niet veel doen.'

'Verdomme, Magnus, dit... dit loopt uit de hand.'

'Daar heeft het veel van weg,' zei Magnus.

'Heb je enig idee wie...?'

'Ik heb wel ideeën, ja. Maak je niet druk, Henry, ik heb het bij me. Altijd. Ik zal je kostbare boek niet kwijtraken.'

'Magnus, het spijt me. Ik wist niet... anders had ik meer betrokkenheid betoond. Maar... meen je het? Wil je echt ophouden?'

Magnus keek hem indringend aan. Hij bleef lang stil en kon zien dat Henry begon te zweten.

'Nee,' zei hij uiteindelijk. 'Niet echt, nee. Integendeel. Het wordt misschien nog spannender. Ik wilde alleen even... iets testen. Maar je hebt wel gelijk. Het is beangstigend.'

'Magnus, ik wou dat je dat rotboek maar afmaakte. Dan zouden we de advocaten aan het kunnen werk zetten. Je maakt me bang.'

'Henry, ik heb je al tig keer verteld dat ik het nog niet af kán maken. Er ontbreekt nog één stukje. Het stukje dat ervoor zorgt dat we 's nachts allemaal kunnen slapen. Heb geduld.'

'En waar moet dat stukje vandaan komen, Magnus? Enig idee?'

'Ja, uit Californië. Ik moet daar nog één keer heen. Dan kan ik echt beginnen te schrijven.'

'Beginnen? In godsnaam, Magnus, het is bijna eind januari. We moeten in juli leveren.'

'Dat kan ook, mijn beste. Ruim daarvoor nog. Dit vliegt straks de schrijfmachine uit, wees gerust.'

Maar Henry leek somber. 'Hoor eens, Magnus, als je je echt zorgen maakt...'

'Ik maak me geen zorgen,' zei Magnus en hij grijnsde naar Henry. 'Ik doe het alleen maar in mijn broek.'

Drie dagen later werd er ook bij Henry Chancellor op kantoor ingebroken.

Hoofdstuk 34

Een boek schrijven en publiceren, zei Magnus graag, had wel iets weg van seks en voortplanting. Het begon met het verleidelijke genot van een nieuw idee, dat onderzocht moest worden en waarover overeenstemming moest bestaan; dan volgde een stijgende, intense opwinding in combinatie met een grote inspanning, terwijl het boek geschreven werd; en dan, na de onstuimige, zweterige climax van de voltooiing, een wedloop om te overleven, naar de veilige haven van de goedkeurende recensies, de welkome ontvangst van de boekverkopers en de waardering van het lezerspubliek. Daarna, placht hij te zeggen, terwijl hij zich cognac bijschonk en stralend naar de gasten aan tafel keek, met een beetje mazzel en dankzij een unieke eigenschap, groeide je nakomeling uit tot iets bijzonders, iets met charisma, iets wat briljant, eigentijds, onmisbaar was, iets wat een geheel eigen leven ging leiden, levenskrachtig en onafhankelijk van jou. Het gold zeker voor *Tinsel*; er was nog geen woord van naar buiten gekomen, los van een korte synopsis, een paar pakkende paragrafen op de drukproef voor de stofomslag, de eerste persberichten en luttele (nog sappigere) paragrafen voor de reclamecampagne. Niemand wist precies waar het boek over ging (los van de onweerstaanbare combinatie van schandalen en beroemde namen) en niemand wist zelfs hoeveel beroemde namen erin voorkwamen, en welke. Maar dankzij artikelen in kranten en tijdschriften, interviews in talkshows en intellectuele discussieprogramma's nam de opwinding snel in hevigheid toe.

Richard Beauman had zich laten ontvallen dat hij tot nu toe weinig moeite had gedaan om publiciteit aan het boek te geven, maar dat het desondanks ongelooflijk snel een reputatie had verworven, zoals een sneeuwvlokje snel een rollende lawine wordt. De roem had zich ver buiten de media- en theaterkringen van Londen verspreid, en in het voorjaar van 1972 wachtte een groot publiek gulzig en hongerig op dit verhaal over roem en schande dat de drie meest inspirerende steden ter wereld, Londen, New York en Los Angeles, overspande. En in een van die steden probeerde een van de mensen die er het meest bij betrokken waren, haar gedachten van zowel het boek als de auteur af te leiden met de voorbereidingen voor haar aanstaande huwelijk.

Fleur had nooit drugs gebruikt, maar ze dacht dat ze nu wist hoe het voelde, om een obsessie te hebben, om zo wanhopig naar iets te verlangen dat je er alles voor wilde riskeren om het te krijgen. Maar haar drug was geen cocaïne of marihuana, het was Magnus Phillips; hij beheerste haar gedachten en zelfs haar gevoelens en riep bepaalde fysieke reacties op als haar gedachten ook maar even onder de oppervlakte gingen. Het dreigde haar hele leven te beheersen.

Maar het was belachelijk, want hij hield niet van haar en zij hield niet van hem. Mettertijd zou ze het, hem, uit haar hoofd zetten om zich met de volle honderd procent te wijden aan Reuben, die van haar hield en van wie zij uiteraard hield en met wie ze over enkele maanden op grootse wijze ging trouwen. Ze was verbaasd over zichzelf, over hoe ze jurken paste, jurken uitzocht voor de Steinberg-vrouwen die haar bruidsmeisjes zouden zijn, schoenen en handschoenen kocht en een hoed ('Sorry, Reuben, maar ik ben niet zo'n sentimentele bruid.' 'Prima,' zei Reuben opgewekt), over hoe ze met de catering praatte, met Sylvia Morton – die zich in navolging van Sol opwierp als moeder van de bruid – nuances besprak als bloemen, serveersters, speeches; ze hoorde hoe ze psalmen, teksten en muziek uitkoos met pater Donahue van de katholieke kerk waar ze af en toe te biecht was gegaan (net als de meeste katholieken hechtte Fleur sterk aan biechten; daarna voelde ze zich rein, vergeven en klaar om opnieuw te beginnen) en waar ze zou trouwen. En ze hoorde zichzelf met evenveel afstandelijkheid tegen Reuben zeggen dat ze van hem hield, dat ze ernaar uitkeek mevrouw Blake te worden. Ze zag zichzelf samen met hem appartementen keuren, tweepersoonsappartementen, terwijl ze uur na uur alleen maar aan Magnus kon denken, wanneer ze hem weer zou zien en wat er dan zou kunnen gebeuren. Maar gelukkig voor haar en voor haar toekomst als respectabele getrouwde vrouw was Magnus in Londen, verschanst in zijn huis aan Thurloe Square. Hij schreef achttien uur per dag, las geen brieven, nam de telefoon niet op en deed niet eens de deur open als er werd aangebeld.

Op een ochtend laat in maart zat ze te zwoegen op een tekst voor de cosmeticalijn – het begon eindelijk ergens op te lijken onder het kopje 'Stijl laat zijn ware gezicht zien. Gewoon, Morton's' – toen haar telefoon ging. Het was Bernard Stobbs.

'Fleur, morgenavond geef ik een feestje. Een van mijn nieuwe boeken. Ik vroeg me af of je zin hebt om te komen. Ik weet dat het kort dag is, maar ik moest opeens aan je denken en het zou leuk zijn je weer te zien.'

'Bernard, dat lijkt me geweldig,' en ze schrok zelf van het verlangen in haar stem. 'Hartstikke leuk, dankjewel.'

'Mooi, het is gewoon hier, in de directiekamer. Zes uur.'

'Misschien ben ik iets later,' zei Fleur. Ze herinnerde zich dat ze met Sylvia Morton naar een hoed voor Sylvia zou gaan kijken. God, die bruiloft begon op een nachtmerrie te lijken. Waarom had Reuben haar niet gewoon geschaakt? Omdat ik nooit zou zijn meegegaan, dacht ze bedroefd en ze drukte de gedachte meteen resoluut weg. Die leidde tot niets. Eerst was ze bang geweest dat Sol bezwaar zou maken tegen haar vele privé-afspraken, maar hij leek net zo opgetogen over haar huwelijksplannen als over zijn eigen bedrijf.

'Neem zo vaak vrij als je wilt,' had hij gezegd, met zijn hand op haar schouder. 'Het doet Sylvia meer goed dan die verrekte therapeut naar wie ze driemaal per week toe gaat. Ze heeft altijd een dochter willen hebben en nu heeft ze jou. Helemaal volwassen, op het punt te trouwen.'

'Goed,' zei Fleur zuchtend en ze duwde zijn hand, zoals altijd onderweg naar haar borst, weg. Ze wist niet zeker of ze het wel leuk vond dat haar bruiloft als alternatief werd gezien van Sylvia's psychotherapie, maar ze leek er net zomin iets tegen te kunnen doen als tegen alle andere dingen die haar momenteel overkwamen.

Nadat ze drie uur hoeden hadden gepast – en afgekeurd, omdat ze te klein, te groot, te protserig of te saai waren – gingen Sylvia en Fleur thee drinken in de Plaza. Sylvia at twee soesjes en een schuimgebakje. Ze was gek op taartjes en Fleur had haar er met moeite van kunnen weerhouden voor de bruiloft een dubbele hoeveelheid te bestellen. Ze had zelf wel iets van een schuimgebakje, dacht Fleur, klein en dik, met pluizig blond haar en een uitgesproken voorkeur voor kant, linten en schitterende sieraden. Naarmate Fleur haar beter had leren kennen, had de sympathie plaatsgemaakt voor liefde; ze lachte altijd, was goedgehumeurd en gul. Ze beschouwde Sol als een soort vermoeiend jongetje dat ze te laat had geadopteerd om zijn gedrag nog te kunnen veranderen.

'Hij kan er niets aan doen,' zei ze, toen ze op een dag Sols dwaalhand bespraken. 'Hij kan geen dij of borst zien zonder eraan te willen zitten.'

'Vind je dat niet vervelend?' vroeg Fleur.

'Welnee, zolang hij mij maar met rust laat,' zei Sylvia en ze begon te scha-terlachen.

Toen ze op Stobbs' kantoor aankwam, was het feestje in volle gang; iedereen had drie glazen champagne achter de kiezen en de directiekamer puilde uit van de zoenen, journalisten die uitgevers verzekerden van onmogelijke aan-tallen publicaties, uitgevers die auteurs verzekerden van onmogelijke ver-koopcijfers, boekverkopers die uitgevers verzekerden van onmogelijke ver-koopvloeroppervlakten, literair agenten die uitgevers verzekerden van onmogelijke bonussen voor het nieuwste boek van hun auteurs. Fleur stond in een hoek. Ze keek genietend rond terwijl ze van haar Kir Royale dronk en zich afvroeg wie ze zou aanspreken, toen Adam Coleman, een jonge recen-sent voor de *New York Times* die zichzelf graag hoorde praten, naar haar toe kwam.

'Fleur FitzPatrick! Leuk je te zien. Het is maanden geleden.'

'Klopt. Helaas ben ik niet langer betrokken bij de Stobbs-campagnes,' zei Fleur.

'Dat is jammer, voor ons allemaal. Wat vind je van het boek?'

'Prachtig,' zei Fleur oprecht. Het was een boek met luchtfoto's van heel Amerika, dat ongetwijfeld binnen enkele maanden van Park Avenue tot Con-necticut op koffietafels zou pronken.

'Vind ik ook. De begeleidende tekst is prachtig, vind je niet? Bijna muzi-kaal.'

'Ja,' zei Fleur, 'erg mooi.' Ze complimenteerde hem over enkele recente recensies (ze las ze nog steeds, uit gewoonte) en vroeg hem op nonchalante toon welke boeken het volgens hem dit jaar helemaal gingen maken, terwijl ze hem geïnteresseerd aankeek. Ze zou Adam Coleman geen groter plezier kunnen doen, dacht ze, als ze hem zojuist had verteld dat hij de grootste pik van heel New York had.

'Hmm, dat is een lastige. Ik denk *The Breast,* een novelle van Philip Roth; Solzjenitsyn, natuurlijk; er is een geweldige satirische roman uit die *The Step-worth Wives* heet, maar volgens mij wordt dat Engelse boek, *The Tinsel Underneath,* dé bestseller van 1972. Dat boek kan niet stuk, wat ik je brom.'

'Echt waar?' vroeg Fleur. 'Maar waarom denk je dat?'

'Zo'n beetje alles zit erin. Schandalen, seks – in alle samenstellingen – theaterroddels, Hollywood-roddels. En Magnus Phillips is natuurlijk een erg goede schrijver, binnen zijn eigen genre. Ik hou zelf niet van sensatieverhalen, maar het zal als warme broodjes over de toonbank gaan.'

'Je bent blijkbaar erg goed op de hoogte,' zei Fleur. 'Heb je het gelezen?'

'Niet helemaal natuurlijk, maar wel grote delen. Erg fascinerend allemaal.'

'O ja?' vroeg Fleur, die maar al te goed wist dat hij het niet gelezen kón hebben. 'Vertel!'

'Sorry.' Coleman tikte veelbetekenend tegen de zijkant van zijn neus. 'Beroepsgeheim.'

'Natuurlijk. Wanneer komt het uit?'

'Oktober, daar én hier.'

'En wat bedoelde je met "seks in alle samenstellingen"?'

'Toe nou, Fleur, je bent een groot meisje. Je kunt je vast wel voorstellen wat ik bedoel.'

'Maar ik dacht dat het ging over die ontstellend respectabele en conventionele Piers Windsor. Meneer Hamlet zelf.'

'Nou, er staan ons nog wat verrassingen te wachten omtrent meneer Windsor, begrijp ik. En heel wat anderen. Uit alle hoeken van Hollywood. Om nog maar te zwijgen van societyschandalen, buitenechtelijke kinderen...'

'Buitenechtelijke kinderen?' vroeg Fleur op scherpe toon. Voor het eerst werd ze geconfronteerd met het kale feit dat zij in het boek zou voorkomen. Ze had het natuurlijk geweten en zich erover verkneukeld dat het Caroline en Chloe in verlegenheid zou brengen. Maar dat mensen als Mick diMaggio en Nigel Silk, de Steinbergs, Baz Browne, zelfs die aardige Bernard Stobbs over haar zouden lezen, over haar en haar vader, was een heel ander verhaal. Ze voelde zich opeens licht onpasselijk. En Reuben. O, god, waarom had ze daar niet eerder aan gedacht? Ze had er natuurlijk wel aan gedacht, maar zonder erbij stil te staan wat het voor hém zou betekenen, hoe hij over haar en haar betrokkenheid bij het hele project zou denken. Ze zou er binnenkort een keer rustig met hem over praten.

'Ja, blijkbaar schandalen die al jaren begraven zijn. En prachtige ranzige verhalen over het homocircuit in Hollywood, over, eh, heren die zich de studio's in lieten naaien.'

'Juist, ja,' zei Fleur. 'Leuk je weer eens gesproken te hebben. Ik ga even bijkletsen met Bernard; ik heb hem vanavond nog amper gesproken.'

'Natuurlijk. Mary! Leuk je te zien. Wat een prachtig boek. Heb je mijn recensie gezien? Ik vond zelf dat ik een paar punten had aangestipt die verder iedereen had gemist...'

Fleur ging naar het damestoilet en bleef een tijdje achterovergeleund op het toiletdeksel zitten. Ze had hoofdpijn en was opeens vreselijk bang.

Ze kon niet slapen; om twee uur 's nachts belde ze Magnus. In Engeland was het zeven uur; dan zou hij wel op zijn. Ze kreeg het antwoordapparaat. Waar was die klootzak? Hij moest er zijn.

'Magnus, met Fleur,' zei ze. 'Ik moet dringend met je praten. Wil je zo snel mogelijk terugbellen?'

Hij belde binnen vijf minuten terug en klonk ongeduldig.

'Ja, Fleur, wat is er?'

'Magnus, ik was vanavond op een feestje.'

'Leuk voor je, maar heb je me daarvoor uit bad gehaald?'

'Sorry,' zei Fleur, die met moeite haar beeld van Magnus in bad verdrong.

'Maakt niet uit. Ik zat er toch al te lang in. Nog interessante mensen?'

'Aardig wat. Vooral een recensent die Adam Coleman heet. Hij noemde je – wat zei hij nou? – een erg goede schrijver, binnen je eigen genre.'

'Wat aardig. Als ik hem weer zie, zal ik hem zoenen.'

'Over zoenen gesproken...'

'Ja, Fleur?'

Zijn stem klonk nu dieper, intiemer. Ze werd rood.

'Met andere mannen zoenen,' zei ze resoluut en ze kneep in de hoorn, 'Adam leek de indruk te hebben dat dit boek erg... ranzig is. Vooral waar het over Hollywood gaat.'

'Dat is ook zo, dat weet je toch?'

'Eerlijk gezegd niet,' zei ze, 'ik had geen idee dat je daarover zoveel zou schrijven.'

'Dan heb je er vast niet goed over nagedacht. Je weet donders goed dat er heel veel over Hollywood in staat.'

'Ja, dat wel. Maar uit zijn mond klonk het zo... smerig. Het maakte me nerveus.'

'Daar kom je wel wat laat mee, Fleur.' Hij klonk opgewekt, ongeduldig. 'Deze boeken lijken een beetje op aardverschuivingen, weet je. Het begint met een kiezel en dan – hop – daar gaat de hele zooi.'

'Ja, dat zal wel. Eh, Magnus, komt er veel over mij in?'

'Niet meer dan noodzakelijk.'

'O.' Het bleef even stil. Ze was opeens razend. Klootzak. Ze had hem heel veel materiaal voor zijn boek verstrekt en nu wilde hij haar dat niet eens vertellen.

'Je mag het lezen als het is geschreven,' zei hij, toen hij haar bezorgdheid hoorde.

'Ja, maar wel voor publicatie.'

'Tuurlijk, je krijgt een recensie-exemplaar.'

'Je maakt zeker een grapje? Ik kan het toch wel zien voordat het te laat is? Voor het geval ik iets wil veranderen?'

'Fleur, er hijgen al veel te veel redacteuren in mijn nek om dingen te veranderen. Ik ben de schrijver en ik bepaal wat er wordt veranderd.'

'Magnus.' Fleur voelde het bloed ijskoud door haar aderen kruipen. 'Ik moet echt weten wat je over mijn vader gaat vertellen. Dat is van cruciaal belang. Dat was de afspraak.'

'Ik kan me daar niets van herinneren,' zei Magnus luchtig.

'Je weet donders goed wat ik bedoel. Natuurlijk moet je het me laten zien.'

'Ik moet helemaal niks.'

'Daar hebben we het nog wel over. Kun je me tenminste geruststellen? Je gaat zijn naam toch zuiveren? Uitleggen wat er is gebeurd? Wat we nu weten?'

'En dat is?'

'O, Magnus,' zei Fleur en ze hoorde haar stem overslaan. 'Dat wéét je. Dat hij erin is geluisd. Dat hij een beetje indiscreet was en is ingemaakt. Alles wat Rose heeft verteld, wat Yolande heeft verteld. Dat iemand met de roddelbladen heeft gepraat om wraak te nemen.'

Het was een seconde stil. Toen zei hij nonchalant, bijna troostend: 'Ja, natuurlijk, met de nodige dichterlijke vrijheid. Binnen mijn, eh, genre.'

'Mooi,' zei Fleur. 'Nog nieuws over Piers?'

'O... wel iets.'

'En hij was er toen echt?'

'Ja,' zei Magnus. 'Hij was er.'

'Meer wil je niet vertellen?'

'Nog niet.'

'Flikker op,' zei Fleur boos.

Ze legde neer en lag wakker tot het licht werd, om beurten zwetend en ijskoud, met een angstig voorgevoel.

Op een middag zat Chloe zich in de zitkamer af te vragen of ze ooit van haar hoofdpijn af zou komen en of het nog door de hersenschudding kwam of doordat ze zich zo ongelukkig voelde, toen de bel ging. Het was Caroline.

'Lieve hemel, mam,' zei Chloe, die moeite had om niet ironisch te klinken, 'wat een verrassing. Kom binnen.'

'Ik blijf niet lang,' zei Caroline.

'Natuurlijk niet,' zei Chloe, met nog iets meer moeite. 'Wil je thee?'

'Graag. Heerlijk. Nee, ik moest hier toch zijn, afspraak met mijn gynaecoloog...'

'Er is toch niets aan de hand?' vroeg Chloe. Ze gooide theezakjes in mokken en keek haar nadenkend aan.

'Nee, natuurlijk niet,' zei Caroline, alsof je voor de gezelligheid naar je gynaecoloog ging, in plaats van voor je gezondheid. 'Maar nu ik toch in de stad was, wilde ik je opzoeken. Ik maak me zorgen om je.'

'Lieve hemel,' zei Chloe, 'dat spijt me, mam.'

'Doe niet zo mal, Chloe. Ik weet dat je een rottijd achter de rug hebt. Maar het lijkt of je niet beter wordt. En je ziet er echt verschrikkelijk uit. Ik dacht dat je er misschien over wilde praten.'

'O... nee, dank je,' zei Chloe en ze was zich ervan bewust dat het klonk alsof ze een kopje thee afsloeg. 'Maar aardig dat je eraan denkt.'

'Nou ja,' zei Caroline, 'ik ben je moeder.'

'Ja,' zei Chloe, 'dat weet ik.'

Caroline keek haar indringend aan. 'Die miskraam heeft je natuurlijk erg van streek gebracht. Maar je kunt weer zwanger worden. En je hebt natuurlijk al drie gezonde kinderen.'

'Verdomme,' zei Chloe en ze barstte in huilen uit.

'O, Chloe,' zei Caroline. Het leek haar echt te spijten. 'Sorry.'

'Het is niet erg, mamma. Maar iedereén zegt het. En daar gaat het gewoon niet om.'

'Nee,' zei Caroline. Ze klonk opeens eindeloos verdrietig. 'Dat weet ik.'

Chloe keek op. Ze huilde niet meer. 'Ja, dat zul jij wel weten.'

'Het kind dat je kwijtraakt, is altijd het belangrijkste,' zei Caroline en toen keek ze naar Chloe, zichtbaar geschokt over wat ze had gezegd, en beet op haar lip.

'O ja?' vroeg Chloe. Ze keek naar haar moeder, die zo overduidelijk nooit van haar had gehouden en nooit had geprobeerd dat te verhullen, die ook nooit van haar vader had gehouden vanwege de vader van haar zus. Hoe goed de opmerking ongetwijfeld ook was bedoeld, ze vond de implicaties bijna weerzinwekkend. 'Dat verklaart waarschijnlijk je gevoelens voor Fleur.'

'Chloe, laten we alsjeblieft niet over Fleur praten.'

'Waarom niet, mamma? Waarom zou ik niet over Fleur mogen praten?

'Chloe, er ís niets om over te praten. Je zuster Fleur laat me koud. Ze is ver weg, in Amerika en we hebben bijna nooit contact gehad.'

'Maar dat zou je wel hebben gewild, hè?' zei Chloe. 'Dat zou hem hebben teruggebracht. Brendan, Brendan FitzPatrick. Of denk je aan hem als Byron?'

'Ik denk helemaal niet aan hem,' zei Caroline. Ze was rood geworden en liep door de keuken heen en weer.

'Nee? Dat zou ik wel doen. Als ik zoveel van hem had gehouden als jij, zou ik de hele tijd aan hem denken. Mamma...' Ze stak haar hand uit naar haar moeder om haar te troosten, omdat haar ogen opeens schitterden van de tranen.

Maar Caroline trok haar eigen hand terug en zei: 'Laat dat, Chloe. Dit is afschuwelijk, verschrikkelijk. Ik heb veel moeite moeten doen om het uit mijn hoofd te zetten. Hij is dood, al heel lang en... en daarmee is de kous af, wat mij betreft.'

'Alleen is dat niet waar, hè?' zei Chloe. 'Vanwege dat afschuwelijke boek van je vriendje.'

'Hij is mijn vriendje niet. Ik heb hem sinds... al een hele tijd niet meer gezien. Die hele episode zit me erg dwars, om verschillende redenen. Dat zul je je kunnen voorstellen.'

'Ja, het spijt me. Dat had ik niet moeten zeggen.' Ze keek haar moeder onderzoekend aan en zei: 'Het is een nachtmerrie, hè, dat boek?'

'Ja,' zei Caroline, 'nou en of. Voor ons allemaal.'

'Ik probeer het te vergeten, te doen alsof het nooit zal gebeuren. Dan herinner ik het me weer en weet ik dat het onontkoombaar is. Alsof een vreselijke roofvogel boven ons zweeft en zijn tijd afwacht.'

'Heeft Piers geprobeerd het tegen te houden?'

'Ja, maar vergeefs. Ik begrijp niet alle wettelijke details, maar blijkbaar kan hij niets doen. Nu niet, althans.'

'Dat kan ik gewoon niet geloven.'

'Ik ook niet, maar dat wordt hem verteld. En hij weigert erover te praten.'

'Heeft hij geen advocaat in de arm genomen?'

'Ja, natuurlijk wel, maar... O, mam, ik wil er niet over praten. Het is zo afschuwelijk. En ingewikkeld. Er zijn dingen... o, god, het spijt me.' Ze begon te huilen, in harde, hartverscheurende uithalen. Caroline bleef een minuut of wat ongemakkelijk naar haar staan kijken en ging toen naast haar zitten. Ze sloeg haar arm om haar heen en hield haar vast, streek over haar schouders en streelde haar haar.

'Chloe, je moet me vertellen wat er met je is. Kom op.'

'Dat kan niet,' zei Chloe, die probeerde haar tranen onder controle te krijgen. 'Echt niet. De enige manier waarop ik hiermee kan omgaan is door er, net als Piers, niet aan te denken en te hopen dat het vanzelf overgaat.'

'Maar het gaat niet vanzelf over, Chloe.'

'Nee,' zei Chloe. Haar blik was wezenloos, ellendig. 'Ik weet het, maar misschien raken we eraan gewend. Sorry, mam, maar meer kan ik je niet vertellen. Het is allemaal... te persoonlijk. Ik heb het recht niet.'

'Ik kan me er iets bij voorstellen, denk ik,' zei Caroline bars.

'Geloof me, dat kun je niet.'

'Nou goed. Kan Ludovic niet helpen?' vroeg Caroline.

'Nee,' zei Chloe vlak, en omdat ze het toch iemand moest vertellen, in elk geval over de baby, zei ze: 'Ik denk niet dat we van Ludovic ooit nog hulp hoeven te verwachten.'

'Hoezo?' zei Caroline. 'Je hebt toch geen ruziegemaakt?'

Twee uur later ging Caroline weg. Ze zei tegen Chloe dat ze terug moest, maar reserveerde een hotelkamer in Basil Street. Ze had die avond Ludovic Ingram willen bellen, maar hij had een geheim nummer. Ze moest wachten tot ze hem de volgende ochtend op kantoor kon spreken. Ze zei tegen hem dat het noodzakelijk was dat hij diezelfde dag een afspraak met haar maakte en enigszins tot haar verbazing stemde hij ermee in met haar te lunchen.

'Reuben, het spijt me, maar ik moet naar Londen.'

Reuben keek naar Fleur. 'Lang?'

'Hopelijk niet.'

'Oké.'

'O, Reuben,' zei Fleur. Ze leunde voorover en kuste hem zacht. 'Je bent de liefste, bijzonderste man ter wereld. Wil je weten waarom ik ga?'

'Ja.'

'Het is een heel verhaal.'

'We hebben nog de hele avond.'

Toen ze uitgesproken was, zei hij alleen: 'Ik ga wel mee.'

'Nee, Reuben, beter van niet. Het wordt vast verschrikkelijk.'

'Vind ik niet erg.'

'Dat weet ik, maar ik denk dat ik beter alleen kan gaan.'

'Vast niet.'

'Bovendien moet er ook nog gewerkt worden.'

'Maar dit klinkt belangrijker.'

'Reuben?'

'Ja, Fleur?'

'Ik hou echt van je.'

'Mooi,' zei Reuben.

Gedurende de hele vliegreis probeerde ze te bedenken hoe ze het beste kon uitvinden wat Magnus ging schrijven. Uiteindelijk besloot ze dat een bezoek aan Magnus nog haar beste kans was. Om een of andere reden voelde ze zich meteen beter en het lukte haar zelfs een paar uur te slapen.

Ze kwam om negen uur aan op Heathrow. Twee uur en een busrit later had ze de terminal op Cromwell Road bereikt. Het lag vlak bij Magnus' huis.

'Hallo, Magnus, ik dacht wel dat je thuis zou zijn.'

'In godsnaam, Fleur! Wat doe jij hier?'

'Dat kun je je vast wel voorstellen,' zei Fleur koeltjes.

Hij zag er vreselijk uit; hij had een baard van enkele dagen, zijn ogen lagen diep in zijn vermoeide gezicht en hij leek vijf kilo lichter. Hij droeg een trainingspak en liep op blote voeten.

'Kom maar binnen,' zei hij mat en hij wreef in zijn ogen. 'Ik heb geen idee hoe laat het is.'

'Het is halftwaalf,' zei Fleur kordaat. 'Dank je, Magnus, graag.' Tot haar verbazing had ze het gevoel dat ze de situatie in de hand had; waarschijnlijk doordat ze hem nooit anders had meegemaakt dan alert, ontspannen – binnen zijn eigen grenzen, weliswaar – en kerngezond.

'Koffie?' vroeg hij, terwijl hij haar voorging naar de keuken. 'Je wilt waarschijnlijk de eerste paar uur nog niet slapen.'

'Dat klopt. Ja, lekker, koffie. Je ziet er verschrikkelijk uit, Magnus.'

'Zo voel ik me ook.'

'Hoe gaat het?'

'O, best goed. Het is zwaar. Ik ben nu op twee derde, het moeilijkste stuk. Ik vergelijk het altijd met een lange riviertocht op een vlot. Ik zie geen land meer en mijn proviand raakt op. Het is... uitputtend.'

'Wat naar,' zei Fleur sarcastisch.

Magnus liep zijn keuken binnen, zette water op en maalde koffiebonen. 'Ik neem wat toast,' zei hij. 'Ik geloof dat ik nog niet heb gegeten. Wil jij iets?'

'Nee, dank je,' zei ze. 'Ik heb het gevoel alsof ik al dagen vliegtuigmaaltijden heb gegeten.'

'O ja.' Hij smeerde dik boter op zijn toast en pakte de Cooper's Oxford.

'Dat bedrijf kan wel opdoeken, lijkt me, als er ooit iets met jou gebeurt,' zei Fleur.

'Ja, dat zou kunnen.' Hij reikte haar koffie aan. 'Wat wil je, Fleur?'

'Ik wil weten wat je in je boek schrijft. Over mijn vader, je weet wel.'

'Je weet dat ik dat niet ga vertellen.'

'Magnus, je móet. Het is mijn verhaal. Zonder mij had je het niet kunnen vertellen.'

'Misschien niet.'

'Dus moet je het me vertellen.'

'Ik kan en zal nog niets vertellen. Het is trouwens niet alleen jouw verhaal. Piers zou hetzelfde kunnen aanvoeren. Hem heb ik ook nog niets laten lezen. Bovendien is het nog niet af.'

'Dat is natuurlijk onzin,' zei Fleur. 'Ik hoef geen geredigeerde versie, een eerste versie is prima.'

'Ik schrijf maar één versie,' zei Magnus opgewekt. Hij zag er al aanzienlijk beter uit en beet in zijn derde snee toast.

Fleur keek naar hem en voelde een pure, intense woede opwellen. Ze sloeg hem de toast uit de hand. 'Ga je manuscript halen, klootzak!' schreeuwde ze.

Magnus keek haar aan en grijnsde. 'Hé, je raakt opgewonden,' zei hij. 'Dat hoor ik altijd meteen.'

'Ach, flikker op,' zei Fleur. Ze keek naar de deuropening en vroeg zich af of ze naar zijn werkkamer zou kunnen rennen om zichzelf in te sluiten.

Magnus leek haar gedachten te lezen. Hij deed een stap opzij om haar de doorgang te beletten.

'Magnus,' zei Fleur en ze hoorde tot haar afschuw dat haar stem trilde. 'Magnus, laat me verdomme je manuscript zien!'

'Nee.' Hij leek op een zelfvoldane kater met een muis. Ze dacht dat ze nog nooit zo'n hekel aan iemand had gehad.

'Ik had nooit gedacht,' zei ze, 'dat ik nog eens medelijden met Piers zou krijgen. Maar toch is het zo. Ik dacht altijd dat hij de grootste zak op twee benen was die rondliep. Maar vergeleken met jou is hij een engel.'

'Vergeleken met heel véél mensen,' zei Magnus. 'Dat zul je wel zien als het boek uit is.'

'O, Magnus,' zei Fleur en het klonk als een kreun. Opeens was er geen woede meer in haar stem, alleen een vreselijk verdriet, een pijn. 'Toen ik je leerde kennen, voelde ik me zo getroost. Omdat eindelijk iemand het begreep. Over mijn vader. Begreep wat ik voelde. Ik dacht dat het goed zou komen. Maar je hebt het juist moeilijker gemaakt. Ik heb mezelf zo kwetsbaar gemaakt en wat doe jij? Je gebruikt het tegen me. Ik kan het niet verdragen. Ik kan het gewoon niet verdragen. Ik ga weg. Blijkbaar hoef ik van jou geen normaal menselijk gedrag te verwachten. Ik hoop, Magnus Phillips, dat iemand jou ooit zo zal kwellen als jij ons allemaal kwelt. Ik hoop dat je leven compleet en onherstelbaar in de war wordt geschopt. En nu opzij. Ik ga.'

Magnus keek naar haar en keek toen naar de grond. Een fractie van een seconde zag ze in zijn blik iets wat op spijt leek. Toen keek hij op en zei: 'Sorry, Fleur. Ik hoop dat je het me ooit zult vergeven.'

Ze was verrast door zijn zachte, vriendelijke toon; ze stond hem aan te kijken, bang en vreemd aangedaan tegelijk. Toen pakte hij plotseling haar hand, zoals hij de laatste keer had gedaan en keek ernaar, bijna onderzoekend. Geheel onverwacht voelde Fleur een siddering van verlangen. Ze schrok ervan, van de intensiteit; ondanks al die andere emoties, woede, angst, eenzaamheid, voelde het idioot goed. Ze wist dat ze moest gaan, dat ze snel het huis uit moest lopen, maar ze merkte dat ze niet kon bewegen. Ze keek hem vol afkeer en intense woede aan, terwijl ze sterker naar hem verlangde dan ze ooit naar iemand had verlangd.

En toen hij naar haar keek, nog altijd rustig en vriendelijk, zag hij dat, herkende hij het. Hij zei: 'Mijn god, lieve god, Fleur, ik kan het niet verdragen, ik kan het niet langer verdragen.' Hij stapte naar voren, duwde haar met haar rug tegen de muur en begon haar als een bezetene te kussen, zo hard dat hij haar pijn deed, en ze voelde dat zijn hand onbeheerst rondtastte, haar jurk omhoogtrok, haar slip naar beneden trok. En toen, met een schokkende, wanhopige drang, was hij in haar; ze voelde hoe hij, hoe zijn penis hard omhoog stootte, nog harder stootte. Zijn handen achter haar duwden haar billen naar binnen en ze had het gevoel dat ze verpletterd zou worden. Ze wílde verpletterd worden, ze wilde breken en dat deed ze ook, beangstigend snel brak ze uiteen in een regen van licht en energie. Ze liet zich tegen hem aan zakken en schreeuwde het uit; haar stem was wild en vreemd, zoals ze zichzelf nog nooit had gehoord. Ze spreidde haar armen hulpeloos tegen de muur, balde en ontspande haar vuisten in genot. Ze voelde dat hij klaarkwam en toen liet hij haar langzaam, zacht zakken en ging op de grond zitten. Hij trok haar naar beneden en begon haar weer te kussen, terwijl hij steeds opnieuw haar naam zei. Toen hield hij op haar te kussen, tilde haar hoofd achterover en keek in haar ogen. De vloed van haar honger kwam snel op; golven zwollen aan, vielen terug, kwamen weer omhoog; ze verzette zich, hield ze tegen, ze wilde haar gevoel vasthouden, wild, sidderend, rollend; ze wilde niets weten, niets kennen, behalve de behoeften en geneugten van haar lichaam, het vermogen te geven en te nemen, te leiden en te volgen. En hij stootte, zweepte haar golven op, rustte, stootte opnieuw; en elke keer werden de golven groter, hoger; er was een hoog lichtpunt, fel en zwak tegelijk, waarnaar ze reikte en dat steeds feller, heter en groter werd tot ze er was, erin kon, zich naar binnen wurmde. En daar vond ze een nieuw hoogtepunt, een zoet, woest geweld, en toen het door haar heen stroomde, haar verwarmde en suste, schreeuwde ze het opnieuw uit. Toen ze was gekalmeerd, keek ze naar hem en zag ze in de diepten van zijn donkere ogen alle vreugde, alle spijt, alle angst en al het genot van wat er was gebeurd.

Later, veel later, zaten ze aan weerszijden van de open haard in zijn kleine zitkamer met een glas cognac in de hand. Fleur droeg een van zijn kamerjassen en voelde zich vreemd, verward. Ze zei niets, zat hem alleen aan te kijken, alsof hij kon uitleggen wat er tussen hen was gebeurd. Ze durfde niet na te denken over de consequenties, op welk vlak dan ook. Eén stap, één seconde tegelijk, dat was genoeg.

Eindelijk deed Magnus zijn mond open. 'Fleur, het spijt me. Het spijt me vreselijk. Ik had het niet mogen doen. Vergeef me.'

Ze haalde met een flauwe glimlach haar schouders op. 'Verkrachting kun je het amper noemen,' zei ze.

'O, Fleur.' Hij keek haar aan en pakte opnieuw haar hand. Met haar hand in de zijne bleef hij haar aankijken; zijn ogen priemden zich in de hare. Uiteindelijk wendde hij zijn blik af naar het vuur en zei: 'Fleur, ik heb dit maar twee keer eerder gezegd in mijn leven. Ik hou van je.'

'O,' zei ze; zijn woorden joegen haar een grotere angst aan dan ze ooit eerder had gevoeld.

'Ik hield meteen al van je. Toen je hier de vorige keer naar binnen liep. Het voelde alsof ik – ik weet niet – tegelijkertijd in mijn kruis en op mijn hart werd getrapt. Ik heb geprobeerd het te negeren, te verdringen. Maar dat lukt niet. Ik hou van alle aspecten van je, van je afschuwelijke humeur en je gevloek tot je gruwelijke eerlijkheid en je moed en je uitdagend mooie gezicht. Het spijt me, Fleur, ik had het beter niet kunnen zeggen. Maar ik vind dat je daar tenminste recht op hebt.'

Ze zat hem nog steeds aan te kijken zonder iets te zeggen.

'Ik weet dat je van Reuben houdt en met hem gaat trouwen.'

Ze knikte. 'Ja,' zei ze en haar stem was ruw, gebroken. 'Ja, dat klopt.'

Hij glimlachte. Het was een lieve glimlach die niet bij zijn donkere, broeierige gezicht paste. 'Mooi. Misschien valt de schade nog wel mee.'

'Magnus,' zei ze, terwijl de waarheid zich een weg naar buiten zocht, geboren wilde worden. 'Je begrijpt het niet. Ik...'

'Fleur, luister. Dit valt me zwaar. Erg zwaar. Maar ik kan je écht niets over het boek vertellen. Het is... het is te gevaarlijk. Ik durf het amper te schrijven. Als ik je vertel dat er al bij mij is ingebroken en bij mijn uitgever, dat ik ben bedreigd, kun je het misschien beter begrijpen.'

'Fleur keek hem aan. 'Ingebroken? Bedreigd? Maar... dat is onvoorstelbaar.'

'Ik vrees van niet.'

'Maar Magnus, waarom? Door wie?'

'Dat zeg ik niet, Fleur. Ik denk dat het beter is dat je dat niet weet. Nog niet.'

'Maar Magnus, toch niet door... Piers zit er toch niet achter? Ik bedoel, al is hij nog zo'n verschrikkelijke zak, ik kan niet geloven dat hij zoiets zou doen.'

Magnus keek haar aan. 'Stel me alsjeblieft geen vragen. Ik wil alleen dat je begrijpt waarom ik je niet méér kan vertellen.'

'Maar de politie zal toch...'

'Fleur, mijn boek speelt in het verleden en het verhaal klinkt onwaarschijnlijk tot en met. Ik wil het boek afmaken en misschien zal de politie daarna genegen zijn in te grijpen. Overigens,' hij keek haar half lachend aan, 'als je net mijn werkkamer was binnengestormd, zoals je volgens mij even van plan was, zou je geen spoor hebben gevonden van een boek dat *The Tinsel Underneath* heet. Alleen heel veel mappen en manuscripten met de titel *The History of Fleet Street*. Maar dat is vertrouwelijke informatie.'

'Dat is slim,' zei Fleur. 'Te gek, Magnus. Het lijkt wel een aflevering van Starsky and Hutch.'

'Ik weet het, zo voelt het af en toe ook. Al geloof ik niet dat ik net zo dapper ben als die twee. Hoe dan ook,' hij haalde zijn schouders op, 'we zien wel. Je hebt trouwens gelijk, Fleur. Ik geloof niet dat Piers gevaarlijk is. Niet op die manier.' Hij glimlachte weer. 'Al is hij inderdaad een vreselijke zak. Ik geloof dat hij dit jaar een koninklijke onderscheiding krijgt. Sir Piers. Daar moet je toch niet aan denken? Dan is hij helemaal niet meer te harden.'

'Kan je boek verhinderen dat hij een onderscheiding krijgt?'

'O, dat denk ik niet. Of misschien ook wel.' Hij grijnsde naar haar, een zeer sluwe grijns. 'Dat zou toch jammer zijn.'

Fleur voelde zich opeens doodmoe, letterlijk uitgeput. 'Magnus, ik weet niet wat ik moet voelen, wat ik moet doen. Het klinkt allemaal erg eng en vreemd. En je wilt me echt niets vertellen?'

'Ik denk dat het veiliger is als je niets weet. Ik hou te veel van je om je in gevaar te brengen. Ik maak me toch al zorgen om je.'

'Hoezo? Omdat ik deel uitmaak van het verhaal?'

'Ja, dat moet het zijn.'

'Wil je me één ding vertellen?'

'Misschien.'

'Is mijn vader betrokken bij iets ernstigs?'

Hij aarzelde, maar zei toen: 'Nee, niet op de manier die jij misschien vreest.'

'Magnus, zou het beter zijn om het boek niet te publiceren? Gewoon naar de politie te gaan en ze te vertellen wat je hebt ontdekt?'

'O nee, dat denk ik niet,' zei hij met een grijns. 'Ik denk dat het erg interessant zal zijn om het boek uit te geven. Uitermate interessant. Als de advocaten me mijn gang laten gaan, tenminste. Wel zal ik alles op de dag van publicatie aan de politie overhandigen. Dat hebben ze ons tijdens de lessen misdaadverslaggeving zo geleerd.'

'Verdomme,' zei Fleur. 'Verdomme, Magnus, ik word opeens bang. Erg bang.'

'Maak je geen zorgen,' zei hij, 'maar hou je er wel buiten, oké? Probeer nog even je geduld te bewaren en mij te vertrouwen.'

'Dat valt op z'n zachtst gezegd niet mee, maar ik zal het proberen.'

Daarna ging ze naar bed, in een klein slaapkamertje bij Magnus op zolder. Ze lag wakker, uitgeput, verward – en bang. Bang voor wat er zou kunnen gebeuren, voor wat er boven water zou komen, voor de afschuwelijke dingen die Magnus had gevonden. Welke schandalen zouden er nu aan het licht komen, wiens reputatie zou zo worden geschaad dat Magnus bedreigd werd, dat mensen in zijn huis zouden inbreken, zouden proberen te voorkomen dat hij... wát deed? Een boek publiceerde? Een boek? Sinds wanneer was een boek zo gevaarlijk, zo belangrijk? Toen de dag aanbrak, toen het winterlicht om de luiken kroop en meteen daarop het verkeer losbarstte, gaf ze haar gepieker op en dwong ze zichzelf aan iets anders te denken, dwong ze zichzelf te accepteren wat hij had gezegd, dat ze moest wachten, zich erbuiten moest houden. Ze vertrouwde hem. Ondanks alles had ze hem van meet af aan vertrouwd. Toen ze hem de eerste keer had gezien, had ze dat meteen geweten, dat ze hem kon vertrouwen.

Ze dacht aan wat hij had gezegd: dat hij van haar hield. In haar wildste dromen had ze dat niet kunnen bedenken of verwachten. Op de een of andere manier paste het niet bij hem – althans, bij haar beeld van hem, meedogenloos, onverschillig, arrogant. Steeds als ze aan zijn woorden dacht, aan zijn stem terwijl hij ze uitsprak, voorzichtig, bijna onwillig, schor van emotie, voelde ze zich zwak, verward, bijna letterlijk geschokt. En als ze eraan terugdacht hoe ze daar had gestaan, terwijl hij haar neukte, binnendrong en haar tot dat ongelooflijke, allesbeheersende genot dreef, voelde ze haar lichaam kloppen en aanspannen. Het was geen relatie die ergens toe zou leiden. Dat was onmogelijk. Ze zou... ze gíng trouwen met Reuben. Magnus zou nooit met iemand trouwen. Wat er tussen hen was gebeurd, was een ongelooflijke, verbijsterende ervaring die meer weg had van fantasie dan van werkelijkheid. Ze moest het uit haar kop zetten, naar huis gaan, haar leven oppakken. Het moest.

HOOFDSTUK TIEN, 'EEN DODELIJK ONGELUK'

ELK VERHAAL MOET EEN BOEF EN EEN HELD HEBBEN. BRENDAN FITZPATRICK SPEELDE BEIDE ROLLEN.

BRENDAN BEGON ALS EEN VAN DE GOEIERDS. HIJ WAS EEN DAPPERE PILOOT, EEN TROUWE MINNAAR, EEN TOEGEWIJDE ZOON, EEN PERFECTE VADER.

HIJ VERANDERDE DOOR DE CORRUPTIE VAN ANDEREN, DOOR ZIJN EIGEN AANLEG VOOR CORRUPTIE. ALS HIJ IN NEW YORK WAS GEBLEVEN, ZOU ER NIETS ZIJN GEBEURD. MAAR HIJ GING NAAR HOLLYWOOD EN WAS ER NIET TEGEN OPGEWASSEN. HIJ WAS IJDEL, DWAAS EN NIET AL TE SLIM. DE INTRIGES VAN NAOMI MAC-NEICE, KIRSTIE FAIRFAX, DE PUBLICITEITSMACHINE EN ZIJN EIGEN AMBITIE MAAKTEN HEM ONEERLIJK, HEBBERIG EN UITEINDELIJK OOK MEEDOGENLOOS. JE KUNT HEM ZIEN ALS SLACHTOFFER, MAAR UITEINDELIJK WAS HIJ DE ARCHITECT VAN ZIJN EIGEN ONDERGANG.

HIJ SPEELDE ZEER GEVAARLIJKE SPELLETJES EN WAS NIET INTELLIGENT GENOEG OM ZE TE WINNEN.

TOEN HIJ NET IN HOLLYWOOD WAS, GING HIJ MET JAN EN ALLEMAN NAAR BED, MANNEN EN VROUWEN. HIJ WAS VOLKOMEN VERBLIND DOOR HET AANBOD. OP ZICH IS DAT NIETS NIEUWS. IN HOLLYWOOD IS DE SEKSUELE VOORKEUR ALTIJD AL WAT AMBIVALENT GEWEEST. BRENDAN HAD ZICHZELF NOOIT ALS HOMO BESCHOUWD; AANVANKELIJK HAD HIJ EEN UITGESPROKEN VOORKEUR VOOR VROUWEN. MAAR TOEN HIJ EENMAAL UIT OPPORTUNISME MET EEN MAN HAD GEVREEËN, MERKTE HIJ TOT ZIJN VERBAZING DAT HIJ HET LEKKER VOND. HIJ WAS CHARMANT, AANTREKKELIJK, GRAPPIG, BOUWDE EEN VRIENDENKRING OP VAN LOUTER HEDONISTEN EN LEEFDE ZIJN LEVEN TEN VOLLE, TOT HET ZIJN GLANS KWIJTRAAKTE.

TOEN KWAM HIJ ROSE SHARON TEGEN EN WERD HIJ VERLIEFD OP HAAR; HIJ WERD, IN ZIJN EIGEN WOORDEN, EEN BEKEERLING. TOTDAT NAOMI MACNEICE DE DIENST GING UITMAKEN, WERD HIJ WEER DE OUDE BRENDAN: AARDIG, EERLIJK, TROUW EN LIEFHEBBEND.

MAAR ALS JE EENMAAL EEN GRENS HEBT OVERSCHREDEN, KUN JE ONMOGELIJK

HELEMAAL TERUGGAAN. BRENDAN WAS OP Z'N MINST AMBITIEUS; HIJ WILDE GELD, NET ZOZEER VOOR ZIJN DOCHTERTJE ALS VOOR ZICHZELF, HIJ WILDE SUCCES EN HIJ WILDE ROEM. DIE DRIE ZAKEN TROKKEN HEM WEG BIJ ROSE SHARON, BIJ ALLES WAT RECHTSCHAPEN WAS. HIJ VERKOCHT ZICHZELF LETTERLIJK. HIJ DEED KLAKKELOOS WAT NAOMI ZEI. EN DAAR STOND HEEL WAT TEGENOVER.

MAAR TOEN BEGON HIJ ZICH TE VERVELEN. NAOMI WAS EEN STRENGE MEESTERES. DE STUDIO WAS NOG STRENGER. HIJ MISTE PLEZIER, JONGE MENSEN, AFLEIDING. HIJ ZOCHT EEN UITLAATKLEP. DIE VOND HIJ IN KIRSTIE FAIRFAX EN HAAR LOSBANDIGE VRIENDENKRING.

Hoofdstuk 35

Joe Payton stond spiernaakt in zijn slaapkamer en woog net af of hij beter een schoon overhemd kon aantrekken waaraan twee knopen ontbraken of een smoezelig overhemd waar alle knopen aan zaten, toen er werd aangebeld. Dat zouden de knipsels zijn die de *Sunday Express* zou laten bezorgen, achtergrondinformatie voor zijn artikel over de nieuwe ster David Essex. Hij deed open, boog zijn arm om de deur om de map aan te nemen. 'Bedankt,' zei hij, door de smalle opening. 'Moet ik nog een handtekening zetten? Sorry, maar ik heb geen kleren aan.'

'Die zitten zeker allemaal in de was,' zei de stem aan de andere kant van de deur. Het was geen koerier. Het was Caroline.

Hij had zich vaak afgevraagd hoe hij zou reageren als hij haar weer zou zien, blij, boos of bedroefd. Hij had niet kunnen verwachten dat hij het zo grappig zou vinden.

'Moment,' zei hij, 'laat me even iets aantrekken en dan laat ik je binnen.'

'O, Joe.' Ze klonk ongeduldig. 'Het kan me niet schelen dat je niks aanhebt.'

'Mij wel,' zei hij ferm. Hij trok zijn kamerjas aan. Deze zat onder de kruimels, maar toch, beter dan niets. 'Kom erin,' zei hij, terwijl hij de ketting van de deur haalde.

Ze liep naar binnen en glimlachte naar hem, terwijl haar ogen hem met een geamuseerde blik opnamen. 'Hallo, Joe,' zei ze, 'je uitstapjes in de hogere kringen hebben zo te zien geen invloed gehad op je garderobe.'

Ze ging op haar tenen staan en kuste hem licht; hij boog voorover om haar terug te kussen. Ze rook heerlijk; ze zag er geweldig uit, iets te mager, maar onder haar Burberry-jas, rok en trui kwamen haar sierlijk lange benen prachtig uit. Ze droeg schoenen van Gucci en een hoofddoek van Hermès.

God, hij was vergeten hoeveel stijl ze had. Daar konden geen tien filmster-ren tegenop.

'Koffie?' vroeg hij, niet helemaal op zijn gemak.

'Ik zet koffie, kleed jij je maar aan,' zei ze. Ze deed haar hoofddoek af en schudde haar haar uit. Het was nog steeds prachtig, dieprood, nog geen spoortje van grijs te zien. Nou ja, dacht hij, het is ook nog maar zo'n acht-tien maanden geleden dat we uit elkaar gingen. Hij wist zeker dat hij er meer dan achttien maanden ouder uitzag.

'Je ziet er ouder uit,' zei Caroline.

'Dank je,' zei Joe.

'Nog altijd goed bevriend met mevrouw Sharon?'

'Nee,' zei Joe stroef. Om de een of andere reden vond hij het moeilijk om Caroline te vertellen dat de korte, korter dan korte affaire met Rose afgelo-pen was. Hij was in haar ogen duidelijk op alle mogelijke manieren tekort-geschoten, zelfs als escorte, zo ze er al een nodig had. Hij had zo duidelijk niet in zijn rol gepast, dat Rose genoeg van hem had gekregen en hem vrien-delijk, lief, had verteld dat ze een vergissing had gemaakt, dat ze hem erg leuk vond, maar dat ze er beter meteen mee konden kappen, voordat ze nog inniger bevriend raakten. 'Niet meer.'

Caroline ging er niet verder op in.

Ze zette koffie, lekker sterke koffie, en reikte hem een mok aan. Het smaakte heerlijk; zelf hield hij het meestal bij oploskoffie. Waarschijnlijk allemaal tekenen van normvervaging, typerend voor mensen die alleen woonden. Voordat hij Caroline had leren kennen, kwam bijna alles wat hij at uit blik.

'Het is... goed om je te zien.'

'Dat is wederzijds.'

'Maar waarom ben je gekomen? Ik neem aan dat je een reden hebt.'

'Ik wil met je praten,' zei ze, 'over wat er is gebeurd. En over Chloe. Ze zit vreselijk in de problemen, het arme kind. Ik maak me zorgen om haar. En om dat rotboek.'

'Aha,' zei hij, 'het boek.'

'Ja,' zei ze. 'Mij kan het eerlijk gezegd niets meer schelen. Ik denk niet dat het mij kwaad kan doen. Mijn rug is erg breed geworden. Maar voor Chloe zal het verschrikkelijk zijn.'

'Ik weet het. En voor Piers. En... Fleur.'

'O, Piers, ja, dat zal wel,' zei Caroline geringschattend. 'Voor hem kan ik het echt niet erg vinden. Voor Fleur evenmin. Ik denk dat die twee wel voor zichzelf kunnen zorgen.'

'Nee maar, Caroline, wat opmerkelijk. Je maakt je meer zorgen om Chloe dan om Fleur.'

Caroline fronste haar wenkbrauwen. 'Alsjeblieft, Joe, ik probeer het goed te doen, voor één keer in mijn leven. Aanzien ik medeverantwoordelijk ben voor het hele gedoe.'

Hij haalde zijn schouders op. 'Wees niet te streng voor jezelf.'

'Daar ben ik juist heel goed in,' zei Caroline. 'Joe, er moet toch een manier zijn om uit te vogelen wat er in dat boek komt? Piers wil er niet over praten, steekt zijn kop in het zand, allemaal vanwege die koninklijke onderscheiding. Blijkbaar gaat het erom te weten wat er in het boek komt, en dat het lasterlijk is en onjuist. En dat het aantijgingen bevat die zo schadelijk zijn dat ze niet met een schadevergoeding zijn te compenseren. Anders krijgen we geen gerechtelijk bevel.'

'Je lijkt erg goed op de hoogte,' zei Joe.

'Ja, ach, ik heb met Ludovic gepraat.'

'O ja? Hoe gaat het met hem?'

'Erg overstuur,' zei Caroline kortaf. Ze vertelde hem waarom.

'Je begrijpt dus wel,' zei ze, terwijl ze koffie bijschonk, 'dat ze hulp nodig heeft. Arm kind. Ze heeft iemand nodig die aan haar kant staat. Ik dacht dat jij dat moest zijn.'

'Ik heb altijd aan haar kant gestaan.'

'Dat weet ik. Maar nu kun je echt iets nuttigs voor haar doen.'

'Wat ben je toch altijd heerlijk tactvol,' zei Joe. 'O, sorry, mijn koffie. Allemaal vlekken op je regenjas.'

Caroline ging een half uur later weg in haar regenjas met koffievlekken. Ze zei dat het van groot belang was dat ze naar huis ging, dat ze al vierentwintig uur weg was, dat haar nieuwe merrie elk moment kon gaan bevallen. 'Het lijkt wel of ik momenteel de helft van de tijd in Londen zit. Veertien dagen geleden was ik hier ook al, en gisteren had ik een afspraak bij de bank.'

Joe bedacht dat het wel om belangrijke bankzaken moest gaan, als Caroline het risico nam de geboorte van een veulen te missen.

Toen haar taxi uit het zicht was verdwenen, ging hij weer naar binnen. Hij voelde zich voor het eerst sinds lange tijd weer gelukkig en belde alle redacteuren die hij op Fleet Street kende en die iets met hoofdartikelen of feuilletons te maken hadden. Toen belde hij Chloe, voordat hij de moed verloor.

Chloe's blijdschap van hem te horen was aandoenlijk. Had hij zin om te komen lunchen? Ze voelde zich beter, maar nog niet goed.

'Ik wilde je wel bellen, maar was bang dat je genoeg had van mij en mijn problemen.'

'Van jou kan ik nooit genoeg krijgen, schattebout. Om één uur ben ik er.'

Ze was erg bleek en mager, maar wel ontzettend blij hem te zien.

'Ik heb een *pissaladière* gemaakt. Dat was vroeger een van mijn specialiteiten. O, Joe, was ik nog maar gewoon kok.'

Joe begreep haar opzettelijk verkeerd. 'Volgens mij ben je nog steeds kok.'

De *pissaladière* was verrukkelijk, een goudkleurige quiche met veel knoflook en tomaat. Joe waande zich meteen in de Provence. Chloe at bijna niets.

'Je moet eten, liefje. Je bent zo mager.'

'Ik kan niet eten,' zei Chloe. 'Het staat me tegen. Dat wordt vast snel beter.'

'Ik hoop het. Hoe gaat het met Piers?'

'O, best. Ik zie hem niet zo vaak. *Othello* gaat over drie weken in première. Hij is nooit thuis.'

'Hoe denkt hij nu over het boek?'

'Ik weet het niet, Joe. Hij lijkt wel gek. Hij wil er niet over praten. Hij praat niet eens meer met de advocaat. Hij zegt dat de enige waardige houding is om het te negeren, zodat niemand denkt dat hij iets te verbergen heeft.'

'Een grote vergissing.'

'Ik ben blij dat jij er ook zo over denkt. Ik snap het wel; hij is bang dat alles wat hij doet, wat dan ook, de boel op de spits drijft en zijn koninklijke onderscheiding in gevaar brengt. Daar is hij door geobsedeerd, Joe, heel vreemd.'

'Dat zei je moeder al.'

'Heb je mamma gesproken? Joe, wat geweldig.'

'Ja. Ze... kwam me opzoeken.'

'Ik zal niet vragen waarom. Ze is hier ook geweest. Weet je, Joe, voor het eerst in zesentwintig jaar heb ik het gevoel dat ik een moeder heb. Ze was echt heel lief.'

'Goed zo, ik heb altijd wel gezegd dat ze van je hield.'

'Misschien heb je gelijk.'

'Ik zal je nog iets vertellen. Ze zei dat ze zich zorgen maakte over het boek, omwille van jou, niet zichzelf, niet Piers. Ze zei zelfs dat Fleur zich wel zou redden.'

'Dat zal ook wel,' zei Chloe kortaf. 'En ik zou niet weten hoe het Fleur kan raken. Het heeft helemaal niets met haar te maken.'

'Nou, ik denk dat haar vader er wel in voorkomt,' zei Joe voorzichtig.

'Maar waarom? Ik zie geen reden waarom hij überhaupt genoemd zou moeten worden. Ik weet dat ze mijn halfzuster is, en dat zal er best wel in staan – al lijkt zelfs dat me niet echt relevant, nu ik er zo over nadenk – maar Piers kende Brendan, of Byron, of hoe hij ook mag heten, toch niet? Hoewel...' Haar stem stierf weg en ze leek zich te generen.

'Hoewel wat?'

'O, niets.'

'Ze waren natuurlijk wel allebei rond dezelfde tijd in Hollywood, Piers en Brendan. Heb je Piers daar weleens naar gevraagd, liefje?'

'Nee, natuurlijk niet. Officieel weet ik niet eens dat hij daar toen was, weet je nog?'

'Heb je daar nooit over gepraat?' vroeg Joe.

'We praten nooit meer ergens over,' zei Chloe bitter. 'Zelfs niet over echt belangrijke dingen. O, god, wie staat er voor de deur? Ik wil nu echt niemand zien.'

'Rustig maar,' zei Joe, 'ik zal hem of haar wel wegsturen. Ik zal zeggen dat je op reis bent en de eerste tien jaar niet terugkomt.'

'Graag, bedankt.'

Ze leunde achterover op de bank en sloot haar ogen. God, wat voelde ze zich ellendig. Als dat rotboek maar eenmaal uit was, zodat iedereen het kon lezen, als de verhalen maar boven tafel kwamen – en god mocht weten wat er precies aan leugens en waarheden boven tafel zou komen – dan zou het tenminste overgaan. De nieuwe nachtmerrie die haar achtervolgde, was dat het verhaal over Gerard Zwirn er ook in zou staan. Magnus was zo'n nauwkeurige onderzoeksjournalist, dat ze dit mogelijk achtte. Ze geloofde geen moment dat hij een collega van Piers was geweest. Ze durfde er amper aan te denken wie hij dan wel was; af en toe kwam ze bijna in de verleiding om er zelf proberen achter te komen, hem te schrijven of te bellen, maar ze was te bang. Te bang, te ziek, zwak en misselijk. En eenzaam. Ze had zich nog nooit zo eenzaam gevoeld.

Ze vroeg zich af of de pijn ooit minder zou worden. Als dat niet zo was, besloot ze, zou ze wegkwijnen en sterven als een negentiende-eeuwse heldin.

Ze hoorde voetstappen op de trap. O, god, waarschijnlijk had Joe het bezoek niet kunnen afwimpelen.

Ze deed haar ogen weer open en zag Joe in de deuropening; naast hem stond Ludovic.

'Ik... ik moet gaan,' zei Joe. 'Ik heb straks een interview. Willen jullie me excuseren?'

Ze negeerden hem; Chloe had nog steeds niets gezegd en zich niet verroerd; ze bleef naar Ludovic zitten kijken en hij staarde haar aan. Hij zag er niet zo gezond uit als anders en had een bos rozen in zijn hand die zo groot was dat alleen zijn gezicht en benen nog te zien waren.

'Hallo,' zei hij uiteindelijk.

'Hallo, Ludovic,' zei Chloe.

'Het spijt me ontzettend,' zei Ludovic. Hij had zich nog steeds niet bewogen. 'Ik heb me vreselijk gedragen.'

'Nee,' zei Chloe, 'ík heb me vreselijk gedragen. Het was afschuwelijk en je had het volste recht om zo kwaad te zijn.'

Ludovic ging zitten. 'Hoe gaat het? Nu?'

'Het gaat... goed.'

Het bleef een tijdje stil.

'Verdomme,' zei Ludovic plotseling. 'Ik ben niet zo goed in dit soort dingen. In door de knieën gaan en sorry zeggen. Het zal wel door mijn beroep komen. Daar word je arrogant van. Zul je me mijn gedrag van de afgelopen twee maanden ooit kunnen vergeven?'

'Ik vergeef het je meteen,' zei Chloe. 'Als jij mij vergeeft. Ik was een uilskuiken.'

'Nee, dat is niet waar, Chloe. Lieve, lieve Chloe. Goeie god, wat heb ik je gemist.'

'Hier ben ik dan,' zei Chloe lachend. Opeens voelde ze zich weer sterk, gezond; ze kon alles aan...

'Waar is je man?'

'In Stratford.'

'Ah.'

'En de kinderen zijn beneden, met de kinderjuffrouw, om van de Filippijnse huishoudster nog maar niet te spreken. Haal je dus maar niets in je hoofd.'

'We zouden naar mijn huis kunnen gaan,' zei Ludovic hoopvol.

'Ik kom later wel. Is dat goed?'

'O, schatje, ik wil je keer op keer zien komen.'

Hij had een ijsemmer met champagne naast het bed klaarstaan.

'Beschouw dit maar als je trouwdag,' zei hij teder, terwijl hij haar uitkleedde en kuste, op haar lippen, haar oogleden, haar keel, haar borsten, haar buik, haar dijen. Hij kwam in haar, rustig, liefhebbend, ervaren, bracht haar tot een groots en meeslepend orgasme en duwde haar voorzichtig terug tegen de kussens. Hij glimlachte naar haar, vertelde dat hij van haar hield, haar aanbad, dat het hem zo verschrikkelijk speet, dat hij het niet verdiende dat ze zo van hem hield, dat hij haar nooit, nooit meer zou bezeren.

'Ludovic, hou op,' zei Chloe lachend. 'Ik heb ook fouten gemaakt. Verschrikkelijke fouten. Door je niet over de baby te vertellen. Jouw baby.'

'Onze baby,' zei hij, 'onze baby.' En zijn plotseling intens trieste gezicht dwong haar alles te vertellen wat ze kon vertellen, hoelang ze zwanger was geweest, hoe ze zich had gevoeld, hoe de miskraam was veroorzaakt.

'Mijn eerste kans vader te worden,' zei hij eenvoudig.

'Nou ja,' zei ze opgewekt, 'ik kan opnieuw zwanger worden. Heel vaak zelfs. Ik ben hartstikke vruchtbaar.'

Joe belde Caroline op.

'Ik dacht dat je wel zou willen weten,' zei hij, 'dat Ludovic vanmiddag op bezoek is geweest bij Chloe. Met een boeket rode rozen waar hij bijna achter verdween.'

'Mooi zo,' zei Caroline, 'het heeft dus gewerkt.'

'Wat heeft gewerkt?'

'Wat ik tegen hem zei.'

'En dat was?'

'Dat hij een egocentrische, arrogante klootzak met grootheidswaan was.'

'Dat zijn we toch allemaal?' vroeg Joe.

'Nee,' zei Caroline en ze klonk opeens somber, 'jij niet.'

Die avond vertelde Chloe Ludovic alles, hoe het auto-ongeluk was gebeurd, over de mysterieuze Gerard Zwirn, haar angst om het boek, haar angst dat Piers zijn koninklijke onderscheiding zou mislopen. Ze vertelde hem zelfs over Fleur.

'Schatje, geen wonder dat meneer Phillips dat boek wil schrijven. Het lijkt Coronation Street wel. Ik wist dat je interessant was, maar zó interessant...'

'Ik ben niet interessant,' zei Chloe, 'alleen mijn familie.'

'Ik vind je uitermate interessant. Kan ik ook kennismaken met die zus van je?'

'Ik hoop van niet,' zei Chloe geschrokken.

'Maar je moet toch benieuwd naar haar zijn, met haar kennis willen maken?'

'Nee,' zei Chloe en ze was bijna verbaasd over hoe onbuigzaam ze klonk. 'Echt niet. Ik kan haar absoluut niet zien als familie. Ze betekent niets voor me. Ik ben eerder bang voor haar. Ze lijkt me verschrikkelijk. Ik verwacht ook steeds dat ze een keer als een boze fee op de stoep zal staan.'

'Doet ze vast niet,' suste Ludovic.

Hij schrok toen hij hoorde hoe weinig Piers tegen het boek had ondernomen.

'Hij moet die Phillips dagvaarden.'

'Jouw meneer Marshall zegt juist dat we de publicatie niet kunnen tegenhouden als we niet weten wat er in het boek staat.'

'Je kunt geen gerechtelijk bevel laten uitvaardigen, maar je kunt wel gewoon een kort geding tegen de auteur en zijn uitgever aanspannen om de publicatie tegen te houden. Het verbaast me dat Marshall dit niet aan Piers heeft voorgesteld. Ik voel me een beetje verantwoordelijk. Misschien is hij niet zo goed als ik dacht.'

'Misschien niet, nee,' zei Chloe. 'Het klinkt geweldig.'

'En hij kan nóg iets doen: gebruikmaken van zijn naam en faam,' zei Ludovic.

'Hoe dan?' vroeg Chloe.

'Door elke televisie- en radiozender, elke krant en elk tijdschrift te vertellen dat als ze het boek zelfs maar noemen, hij nooit meer aan een programma of interview zal meewerken. Dat zou best kunnen werken.'

'Lieve hemel,' zei Chloe, 'waarom hebben we jou niet ingehuurd?'

'Dat weet ik niet. Misschien moet je dat alsnog doen.'

'Ik zal in elk geval Piers vertellen over het kort geding. Kijken wat hij denkt. Als ik zijn aandacht tenminste lang genoeg van *Othello* kan afleiden.'

Piers liet zich niet afleiden. Chloe deed tien minuten enorm haar best en gaf het toen op.

'We praten er komend weekend wel over,' zei Piers. 'Ik geef toe dat het erg interessant klinkt. Maar ik kan er nu niet over nadenken. Nog geen bericht uit... uit Downing Street?'

'Nee, Piers, sorry.'

Ze legde neer en wist niet waar ze kribbiger van werd, zijn fixatie op de koninklijke onderscheiding of zijn struisvogeltactieken ten aanzien van het boek. Arme Piers. Het was zo belangrijk voor hem. Meer dan wie of wat dan ook. Als hij het nu misliep vanwege het boek, zou dat... Opeens kreeg Chloe een idee. Het was verbluffend eenvoudig. Ze belde Nicholas Marshall op.

'Ja, mevrouw Windsor?'

'Als ik het goed begrijp, kun je alleen een gerechtelijk bevel laten uitvaardigen als de indruk bestaat dat een schadevergoeding de persoonlijke... schade niet kan compenseren.'

'Correct.'

'Welnu, zoals u misschien weet, staat mijn man op de nominatie voor een koninklijke onderscheiding. Er is zelfs al uitgebreid aandacht aan gegeven in de kwaliteitskranten. Hij had er al minstens een jaar geleden een moeten krijgen. Als het schandaal rond dit boek zijn onderscheiding in de weg staat, zou dat dan niet gelden als persoonlijke schade die niet financieel kan worden gecompenseerd, ook al is de vergoeding nog zo hoog?'

'Inderdaad, mevrouw Windsor. Dat lijkt me wel. Maar het zou lastig zijn dat te bewijzen. En als hij de onderscheiding zou mislopen vóórdat het boek uitkwam, zou de schade al zijn toegebracht en zou een gerechtelijk bevel daar niets meer aan kunnen veranderen. Het is erg riskant om de procedure in gang te zetten als wat in het boek staat de waarheid kan zijn.'

'Het zou een poging waard zijn, vindt u niet?'

'Misschien. Heel misschien. Maar het zou om erg veel geld gaan. Erg veel. U zou aansprakelijk kunnen worden gesteld voor de kosten. Die kunnen oplopen tot honderdduizend pond voor een rechtszaak van drie of vier dagen. U zou een Queen's Counsel nodig hebben en een junior. De zaak zou zich wekenlang kunnen voortslepen terwijl getuigen worden gehoord, enzovoort. Althans, als ze verweer willen voeren. En dat zullen ze zeker doen als ze het boek willen uitgeven.'

'Ik weet zeker dat we dat wel kunnen opbrengen,' zei Chloe. 'Ik ga een paar dingen uitzoeken, meneer Marshall. Ik kom er nog op terug.'

Maria Woolf toonde veel belangstelling toen Chloe belde.

'Liefje, natuurlijk wil ik je helpen als ik dat kan. Ik wou maar dat ik Magnus niet had geholpen met dat vermaledijde boek. Maar hij was zo charmant, zo overtuigend.'

'Ja, dat zal wel,' zei Chloe en ze bedacht dat Piers' boek ook wel wat duistere geheimen van Maria voor het voetlicht mocht brengen, als er nog gerechtigheid bestond. 'Hoe dan ook, Maria, ik moet alleen iemand te spreken krijgen die meer weet over aanbevelingen aan de premier voor de onderscheidingenlijst. Zou jij het alsjeblieft aan Jack willen vragen?'

'Natuurlijk, Chloe. O jee, ik hoop maar dat Piers deze keer zijn koninklijke onderscheiding krijgt.'

'Ik ook, Maria.'

'En hoe gaat het met *Othello*? Ach, natuurlijk, ik vergat dat Piers niet graag met je over stukken praat als hij aan het repeteren is, hè? Een of ander raar vooroordeel.'

'Gewoon raar gedrag, als je het mij vraagt,' zei Chloe resoluut. 'Dank je, Maria.'

Die vrijdag kwam Piers erg laat thuis. Hij zag er beroerd uit. Chloe schrok ervan. Niet alleen uitgeput en bleek, maar afgetobd en zo mager. Vreselijk mager. Een moment lang verloor ze bijna de moed; ze had het idee dat alles wat ze voor hem kon doen, het enige wat ze mocht, was hem het hele weekend laten slapen. Meer zat er de eerstvolgende twaalf uur toch niet in. Ze zei dat hij naar bed moest gaan en maakte een hete grog voor hem. Toen ze deze naar zijn kleedkamer bracht, sliep hij al.

Toen ze de volgende ochtend ontbijt klaarmaakte voor de kinderen, belde Maria.

'Chloe, schat, goed nieuws. Ik heb gesproken met een goede vriend van ons. Hij heet Gerald Ramsey Brown. Zo'n charmante man, een rechter bij het hooggerechtshof. Hij zit in het onderscheidingencomité. Om mij een plezier te doen zal hij maandag maar al te graag met je praten. Bel hem in de ochtend, maar noem wel mijn naam, anders kom je er niet doorheen.'

'Heel hartelijk dank, Maria,' zei Chloe braaf. 'Ik waardeer het enorm.'

Piers kwam binnen. 'Wie was dat?'

'Maria,' zei Chloe kort.

'O, god, hopelijk geen feestje.'

'Nee, geen feestje.' Zijn opmerking maakte haar pas goed duidelijk hoe ellendig hij zich moest voelen. Als hij niet eens naar een feestje wilde... 'Ze wilde... me alleen iets vertellen.'

'Wat?'

'O, niets bijzonders. Het had te maken met hoe we volgende maand met z'n allen naar Stratford gaan.'

'Maar dat is allemaal al geregeld.'

'Blijkbaar niet,' zei Chloe kordaat. 'Wil je muesli of cornflakes?'

'Niets. Ik heb geen honger. Alleen koffie.'

'Piers, je moet wat eten. Je bent zo mager.'

'Chloe, het gaat prima met me. En je moet niet liegen. Waar belde Maria over?'

Ze had de zware kost tot later in het weekend willen bewaren, maar hij gaf haar weinig keus. 'Ik had een idee, Piers. Met betrekking tot het boek.'

'Chloe toch.' Hij klonk doodmoe. 'Laat dat ellendige boek toch. Voor zover ik weet, kunnen we niets doen. Dit maakt de zaak alleen maar nóg pijnlijker.'

'Maar Piers, ik denk dat we wel degelijk iets kunnen doen. Heel veel zelfs. Ik heb Ludovic gesproken en...'

'O ja?' vroeg hij, plotseling oplettend. 'Wanneer heb je hem gesproken?'

'Een paar dagen geleden.' Ze deed alsof ze zijn gezichtsuitdrukking niet zag. 'Heeft Nicholas Marshall het met jou over een kort geding gehad?'

'Niet dat ik weet. Hij heeft natuurlijk heel veel gezegd. Het meeste is onbruikbaar. En duur.'

'Ik zal Ludovic vragen het je uit te leggen. Maar ondertussen schoot me nog iets te binnen.'

Piers zuchtte. Chloe was opeens kwaad, omdat hij zelf zo weinig ondernam om zichzelf en zijn zaak te redden, omdat ze allemaal zo hun best deden voor hem. Ze haalde diep adem, probeerde kalm te blijven.

'Zoals je weet, had je je koninklijke onderscheiding al begin dit jaar moeten krijgen. Deze keer is die je min of meer in juni beloofd. Ik bedacht dat als alle rumoer rondom het boek zou verhinderen dat je de onderscheiding nu krijgt, we een reden zouden hebben voor een gerechtelijk bevel. Die schade zou immers niet financieel kunnen worden gecompenseerd. Dat zeggen de advocaten toch?'

'Chloe, wat een onzin.' Piers ging zitten en reikte naar de koffiepot. 'Vergezochte nonsens.'

'Nee, dat is niet waar. Ik heb Nicholas Marshall gesproken en hij zei dat het moeilijk zou zijn het te bewijzen en dat het mogelijk erg duur zou zijn, maar dat we wel een zaak zouden hebben.'

'Jij hebt hier met Nicholas Marshall over gesproken? En met Maria Woolf? Zonder met mij te overleggen?'

'Natuurlijk niet met Maria,' zei Chloe, 'maar wel met Marshall, ja. Wij dachten...'

'Wij? Wie zijn wij?'

'Hij en ik,' zei Chloe rustig.

'Dat had je niet mogen doen. Echt niet.'

'O, Piers, stel je niet zo aan. Dit boek gaat mij net zo goed aan, niet alleen jou.'

'O ja?' Hij keek haar aan met een vreemde blik in zijn ogen.

'Natuurlijk. Ik ben jouw vrouw.' Ze voelde even een sprankje hoop dat ze niet Piers' vrouw zou hoeven blijven en onderdrukte het met moeite.

'Chloe, ik heb je eerder gezegd dat ik niets tegen de publicatie zal ondernemen. Ik laat het op z'n beloop.'

'Waarom, Piers? Vertel me tenminste waarom.'

Hij zei niets.

'Het heeft te maken met die Zwirn, hè? Je bent bang dat dat allemaal naar buiten komt. Kijk me aan, Piers. Is dat zo?'

Hij keek haar aan en ze zag zo'n pijn en woede in zijn blik dat ze er bang van werd. Toen stond hij op en liep langzaam de keuken uit.

Ze hoorde hem boven rondlopen en tien minuten later kwam hij beneden met een weekendtas in zijn hand.

'Ik ga naar Stebbings,' zei hij. 'Ik heb geen zin om me zo te laten behandelen.'

'O, Piers,' zei Chloe, 'blijf alsjeblieft hier. Laten we erover praten; laat me je helpen. Alsjeblieft!'

'Dat kan ik niet,' zei hij. 'Dat wil ik ook niet. Ga alsjeblieft opzij. Ik heb rust nodig.'

Pandora was op de ruzie afgekomen en verscheen met grote ogen in de deuropening. 'Waar ga je naartoe, pappie?'

'Naar Stebbings.'

'Mag ik mee?'

'Nee,' zeiden Piers en Chloe tegelijk.

Pandora barstte in luid huilen uit.

Piers keek hulpeloos naar haar en zei tegen Chloe: 'Kijk nou wat je hebt gedaan.'

Gerald Ramsey Browne was op even pompeuze als charmante wijze van generlei nut. Hij zei dat hij absoluut geen informatie kon verstrekken, aangezien het natuurlijk volkomen vertrouwelijk was. Betrokkenen konden elk moment van de koninklijke onderscheidingen op de hoogte worden gesteld en de zaak was uitermate delicaat.

'Nu al?' vroeg Chloe, 'maar het is pas maart.'

'Ik weet dat het pas maart is, mevrouwtje, maar ambtelijke molens malen nu eenmaal zeer langzaam, en zeer fijn.'

'Zou u dan een hypothetische vraag kunnen beantwoorden?' vroeg Chloe ietwat wanhopig.

'Laat maar horen.'

'Stel dat... iemand was voorgedragen voor een koninklijke onderscheiding en dat hem een schandaal boven het hoofd hing, en dat de autoriteiten...'

'Welke autoriteiten bedoelt u, mevrouwtje?'

God, ze kon zijn onderkinnen bijna zien trillen.

'Degenen die de uiteindelijke lijst met onderscheidingen opstellen.'

'Eh, ja?'

'Als zij ervan zouden horen, zou hij dan de koninklijke onderscheiding kunnen mislopen?'

'Ik kan alleen zeggen dat dit mogelijk is, meer niet. Het is waarschijnlijk, zou ik zeggen, maar niet vaststaand. En natuurlijk zou je nooit zeker weten of je een koninklijke onderscheiding krijgt. Het is verschrikkelijk ingewikkeld, begrijpt u? Er zijn altijd verzachtende omstandigheden, op alle gebieden. En het zou afhangen van de aard van het schandaal.'

'Juist, ik begrijp het. Dank u hartelijk,' zei Chloe en ze legde neer. Ze voelde haar tranen branden.

Maria Woolf belde bijna onmiddellijk. 'Chloe? Heb je Ramsey Browne gesproken?'

'Ja, dank je,' zei Chloe mat.

'O, mooi. Vind je hem niet charmant? Zo aardig dat hij je te woord wilde staan. Kon hij je helpen?'

'Nee, niet echt,' zei Chloe, 'maar toch bedankt, Maria.'

Het bleef ijzig stil. Chloe voelde zich meteen schuldig. Ze had vast iets verkeerd gedaan.

'Nou,' zei Maria. Haar stem was scheller dan ooit. 'Ik kan alleen maar bedenken dat je hem vast iets heel moeilijks hebt gevraagd. Hij heeft anders altijd overal antwoord op. O jee, Chloe, ik hoop dat je niet over de schreef bent gegaan en te veel druk op hem hebt uitgeoefend. Ik zou niet graag willen dat hij van streek raakte. Misschien moet ik hem bellen en mijn excuses aanbieden. O, het is altijd zo vervelend als een goedbedoeld gebaar mislukt.'

'Ik denk niet dat ik over de schreef ben gegaan,' zei Chloe met op elkaar geklemde tanden, 'maar als het wel zo was, spijt me dat vreselijk. Ik...'

Maar Maria had neergelegd.

De telefoon ging bijna onmiddellijk opnieuw over. Het was Joe.

'Dag, liefje, ik ben zo ongerust over je geweest. Ik durfde van het weekend niet te bellen. Is alles goed?'

'Gaat eigenlijk wel,' zei Chloe voorzichtig. 'Joe, zou jij iets voor me kunnen uitzoeken? Het gaat om de lijst met koninklijke onderscheidingen.'

'Hoezo?'

Chloe legde het hem uit.

Joe zei dat hij niets kon beloven, maar dat hij zijn best zou doen. 'Nog iets anders: je moeder vroeg me om uit te zoeken welke kranten interesse hebben in het boek. Om als feuilleton te plaatsen. Het antwoord luidt: allemaal, maar Beauman gaat komende maand de feuilletonrechten veilen. Zodra de eerste versie beschikbaar is.'

'O, lieve hemel,' zei Chloe. 'Dankjewel.'

Ze ging zitten met haar gezicht in haar handen. Wat een rotweekend. En ze had niet eens met Piers kunnen praten over het kort geding.

Terwijl ze lag klaar te komen, besloot Fleur dat ze onmogelijk met Reuben kon trouwen. Ze kwam tot haar besluit omdat ze zelfs op dat moment besefte dat ze nog steeds probeerde te analyseren hoe ze tegenover de bruiloft stond, tegenover hem en hun toekomst samen, en dat afzette tegen haar gevoelens voor Magnus. Ze wist dat haar relatie met Magnus tot niets kon leiden, maar hij nam haar gedachten, gevoelens en zintuigen volledig in beslag en ze kreeg hem geen moment lang uit haar hoofd. En ze wist dat ze dát nodig had, dat ze dat tot nu toe in haar relaties had gemist: dat iemand haar voor de volle honderd procent in beslag nam. Ze kon niet, mocht niet met Reuben trouwen, van wie ze zoveel hield, zolang ze dat gevoel voor iemand anders had. Het zou gewoon niet werken. Ze zou er alles voor overhebben als ze hem de pijn van wat ze hem moest aandoen kon besparen. Maar ze wist dat het niet anders kon. Niets zeggen zou oneerlijk en laf zijn en er was niets waar ze een grotere hekel aan had. Ze moest het tegenhouden en wel nu, meteen, voordat haar afschuwelijke, wrede vergissing nog één nacht, nog één dag, nog één uur langer duurde.

'Reuben,' zei ze. 'Reuben,' en de pijn in haar hart was zo groot, en zijn gezicht danste zo vreemd voor haar betraande ogen, dat ze niet verder kon gaan.

Reuben steunde op zijn elleboog en keek haar vertederd en bezorgd aan. 'Fleur, wat is er aan de hand? Huil nou niet.' En ze ging rechtop zitten en zei: 'Ik vind het zo erg en daarom moet ik huilen. Reuben, ik kan niet met je trouwen. Niet omdat ik met iemand anders wil trouwen en niet om enige andere reden, maar omdat ik niet genoeg van je hou om de rest van mijn leven bij je te blijven.'

Reuben staarde haar aan alsof hij niet begreep wat ze zei, alsof ze een vreemde taal sprak, En toe, na een heel lange tijd, zonder een woord te zeggen, stond hij op, kleedde zich aan en liep langzaam naar de deur. Daar draaide hij zich om, keek naar haar en zei, schor van de pijn: 'Vaarwel, Fleur.' Ze hoorde zijn voetstappen, zijn langzame, loodzware voetstappen, op de trap.

Ze lag de rest van de nacht met droge ogen aan hem te denken, herinnerde zich alles aan hem, hoe ze hem had leren kennen, toen hij bij de familie Steinberg in de keuken zat; hoe ze voor de eerste keer hadden gevreeën, wat een genot dat was en hoe hij had gezegd dat hij het fijn vond dat ze hem niet aan de praat probeerde te krijgen; hoe gelukkig hij was toen ze eindelijk met hem wilde trouwen; hoe hij haar nooit onder druk had gezet, nooit had lopen vissen of rondsnuffelen, haar slechte humeur en haar lompheid had geaccepteerd; hoe hij haar nog maar een maand geleden naar Londen had laten gaan, zonder verwijten of klachten; hoe oplettend hij had zitten luisteren naar haar opmerkelijke verhaal en aan het einde alleen had gezegd: 'Ik begrijp het.' Haar hart leek te barsten van pijn en spijt, maar nog steeds huilde ze niet. Toen ze de volgende ochtend de keuken in liep en de mokken en wijnglazen van de vorige avond in de gootsteen zag staan, huilde ze een hele tijd, omdat ze besefte hoeveel, hoe verschrikkelijk veel ze hem zou missen.

Ze vertelde Sol Morton dat ze weg wilde. Sol vroeg waarom en ze vertelde het hem. Hij was razend, schreeuwde, raasde en tierde, zei dat ze niet alleen Reubens hart had gebroken, maar ook het zijne, dat ze een dwaas was, dat ze haar sekse en zijn bedrijf te schande maakte, en hoe eerder ze uit zijn ogen verdween, hoe beter.

'Goed,' zei Fleur, 'dan ga ik vandaag.' Sol zei dat hij haar zou aanklagen wegens contractbreuk als ze dat deed. Hoe moest dat dan met de lancering van de cosmetica? Fleur zei dat ze zou blijven tot de lancering, misschien als freelancer.

'En wat ga je eigenlijk daarna doen?' vroeg Sol, toen hij hier even over had nagedacht. 'Toiletten schoonmaken of zo?'

'Sol, ik hoef geen toiletten schoon te maken,' zei Fleur en ze onderdrukte met moeite een glimlach. 'Ik kan gemakkelijk bij een ander bureau terecht. Ik sta vrij goed bekend. Maar misschien ga ik wel in Londen werken.'

Hoofdstuk 36

Maart–april 1972

'Dit is zeer zware kost, Magnus,' zei Richard Beauman. 'Briljant, fascinerend, meeslepend – ik zie de recensies al voor me – maar wel zwaar.'

'Ik weet het,' zei Magnus.

'Wat betreft... de dood van die jonge vrouw. Het is van essentieel belang dat we honderd procent zeker weten dat de gebeurtenissen hebben plaatsgevonden zoals jij ze beschrijft. Op exact die manier, in die volgorde, en dat er geen greintje twijfel bestaat.'

'Dat weet je ook.'

'Uiteraard. Natuurlijk. Maar wat ik bedoel is dat ik 101 procent zekerheid wil. Dat geldt zeker voor de advocaten.'

'Wat wil je daarmee zeggen?' vroeg Magnus. Hij had een vreemde blik in zijn ogen, een mengeling van alertheid en irritatie.

'Wat ik bedoel is dat ik uiteraard volkomen accepteer wat je hebt opgeschreven. Maar de advocaten van Windsor willen bloed zien. We kunnen ons geen risico's veroorloven.'

'Dus?'

'Dus moet ik erop staan, denk ik, dat we meneer Zwirn vragen om een beëdigde verklaring dat het exact zo gegaan is, tot in de kleinste details.'

Magnus keek hem rustig aan. 'Ik denk niet dat je die krijgt.'

'Waarom niet?' Beauman zette zijn glas neer en keek hem scherp aan.

'Ik heb al maanden gesoebat voordat hij me wilde ontvangen. Hij is erg op zichzelf. Begrijpelijk. Ik zie hem geen uitspraken doen in een kamer vol advocaten.'

'Geen kamer vol, Magnus.'

'Toch...' Hij aarzelde. 'Misschien wil zijn zus me ontvangen.'

Beauman slikte moeizaam en reikte naar zijn glas. 'Zij was er toch niet bij?'

'Dat niet, maar hij heeft erover verteld, steeds opnieuw, jarenlang. Het was een obsessie voor hem. Natuurlijk maakte het een einde aan zijn leven, in verschillende opzichten. Nam het hem alles af waar hij van hield. Als getuige is ze absoluut honderd procent betrouwbaar.'

'Maar ze is geen echte getuige.'

'Dat is muggenzifterij.'

'Ik vind van niet. Ik zal het opnieuw moeten opnemen met de advocaten. Daar kun je beter bij zijn.'

Magnus haalde zijn schouders op. 'Best.'

Beauman keek hem geamuseerd aan. 'Je lijkt erg kalm.'

'Zo voel ik me ook. Ik weet dat het goed zit.'

'De Windsors stellen zich afwachtend op. Interessant. Ze hebben natuurlijk hun besognes gehad. Al dat gedoe rond *Othello*. Plus de koninklijke onderscheiding. Allemaal erg goed voor de publiciteit en de verkoopcijfers, natuurlijk. En mevrouw Windsor heeft een nare tijd achter de rug. Al had dat hopelijk niets met *Tinsel* te maken.'

'O ja?' zei Magnus, 'dat wist ik niet.'

'Ze reed haar auto in de prak, belandde in het ziekenhuis en had een miskraam. Erg sneu. Dat móet je weten. Het heeft in alle kranten gestaan.'

'Nee,' zei Magnus, hevig geïnteresseerd en bedachtzaam. 'Als ik schrijf, lees ik geen kranten. Arme mevrouw Windsor. Hemeltjelief, wat een vruchtbaar huwelijk. Wie had dat gedacht?'

'Toe nou, Magnus, dat klinkt hard.'

'Ben ik ook,' zei Magnus opgewekt.

'Er is nog een getuige van wie we een beëdigde verklaring nodig hebben,' zei Beauman. 'Vanwege dat andere... ongeluk.'

'Geen punt,' zei Magnus, 'ik praat wel met haar. Nu moet ik gaan.'

Beaumans secretaresse, Marilyn Chapman, die Magnus Phillips nooit had gemogen, haalde zijn jas en wenste dat er iets zou gebeuren wat hem een toontje lager zou doen zingen, liefst een flink stuk lager.

Piers' *Othello*, waarmee het zomerseizoen in Stratford zou openen, had enorm veel belangstelling van recensenten en de media. Los van het feit dat hij en Ivor Branwen elkaars rollen zouden spelen, werd het stuk opgevoerd in negentiende-eeuwse kostuums, wat op zich al revolutionair was.

Vroeg in de middag reed ze naar Stratford; Piers had zelf een hotelletje in het centrum, maar hij had voor haar een kamer gereserveerd in het Royal

Hotel. Na de voorstelling was er een feestje gepland. 'Niets bijzonders, gewoon een drankje en zo, maar ik wil graag dat je komt,' had hij afgelopen weekend gezegd. Zijn bleke gezicht stond gespannen en angstig. Ze herinnerde zich zijn zelfvertrouwen bij de première van *The Lady of Shalott* en schrok ervan hoe hij was veranderd. Toen ze aankwam, was hij in het hotel en stelde hij voor samen thee te drinken. Chloe stond versteld. Meestal voerde hij tot het laatste moment nog discussies met het gezelschap, was er paniek; ze probeerde niet te letten op het trillen van zijn hand toen hij zijn kopje optilde, de angst te onderdrukken dat zijn voortdurende gehoest hem moest hinderen in het voordragen van zijn tekst en zich ervan te overtuigen dat deze zwakke, magere, lijkbleke figuur zou kunnen veranderen in de rijzige, dreigende Moor van Venetië.

'De pers zat achter me aan vandaag,' zei hij opeens. Hij zette zijn kopje neer.

'Dat was te verwachten,' zei Chloe. 'Ik zou denken dat ze elke dag achter je aan zitten.'

'Nee,' zei hij en zijn gezicht stond eindeloos verdrietig. 'Vanwege geruchten over een koninklijke onderscheiding en hoe ik mijn kansen inschatte.'

'O, Piers,' zei Chloe, die wist waar dit vandaan kwam. Het ging haar aan het hart, omdat ze wist hoe wanhopig hij een onderscheiding wilde. 'En wat zei je?'

'Ik zei natuurlijk dat ik van niets wist, dat ik ontroerd en trots zou zijn als de koningin mij ooit zou vereren met een onderscheiding, maar dat ik momenteel alleen maar kon hopen. Een fraaie toespraak. Die heb ik nu al meermaals gehouden.'

'En?'

'Toen vroeg de verslaggever – ik denk dat hij voor de *Mirror* werkt, of *News* – of ik dacht dat Magnus Phillips' boek gevolgen zou kunnen hebben voor mijn kansen op een onderscheiding. Ik zei dat ik niets over het boek kon zeggen, dat ik het niet had gelezen, dat meneer Phillips niet zo beleefd was geweest het met me te bespreken en dat ik geen idee had wat erin zou staan.'

'O,' zei Chloe. 'Piers, ik vind het zo erg. Maar dat is nu precies waarom ik vond dat we toch moesten proberen een gerechtelijk bevel te krijgen. Als we zouden kunnen bewijzen dat het boek smadelijk is en je kans op een onderscheiding in gevaar brengt, zouden we de publicatie wellicht kunnen tegenhouden.'

Piers keek haar aan. 'Wellicht. En wat zei Marshall ook alweer?'

'Hij was niet zo optimistisch,' zei Chloe gegeneerd. 'Maar hij moest toegeven dat het een poging waard was. Als we het zouden kunnen bewijzen. Maar hij zei erbij dat het erg kostbaar was. Het kan oplopen tot honderdduizend pond, misschien meer.'

'We moeten wel íets doen.' Piers zag er opeens iets beter uit, vastberadener. 'Misschien wordt het tijd voor dat kort geding waar Ludovic het over had. Ik krijg het gevoel dat ik niets meer te verliezen heb.'

Chloe zei niets, maar pakte zijn hand en gaf er een kneepje in.

Piers keek haar aan en schonk haar zijn mooiste, tederste glimlach. 'Ik hou zoveel van je,' zei hij opeens. 'Ik zou niet zonder je kunnen leven. Dat weet je toch, Chloe?'

Twee uur nadat Piers rillend en zwak uit het Royal Hotel was vertrokken, stapte hij het toneel op als een krachtige, zwaarmoedige figuur in een jacquetkostuum en een enorme, uitwaaierende zwarte cape om, met Iago op de hielen. En toen zijn prachtige, volle, op het gemoed werkende stem de eerste strofen had uitgesproken, verhaalde over moed, vastberadenheid en liefde, zonder een spoor van zwakte, leunde ze achterover in haar stoel en sloot ze kort haar ogen, duizelig van opluchting.

De voorstelling was van het begin tot het eind betoverend en toen ze de scène terugzag die ze die dag in het lege theater had gezien, hoorde hoe niet Piers, niet een acteur, maar Othello zelf, schor van de pijn, zei: 'Ik heb geen vrouw,' was ze weer net zo ontroerd als die dag. Toen het publiek na afloop opstond, schreeuwde, juichte en bloemen op het toneel gooide en weigerde de acteurs, vooral Piers, te laten gaan, keek ze naar hem en voelde ze, los van alle andere tegenstrijdige emoties, louter ontzag voor wat hij had gepresteerd.

De recensies waren unaniem: de mooiste Othello, de beste Iago sinds jaren, beide acteurs zetten onafhankelijk van elkaar een briljante prestatie neer. Piers Windsor, meldden ze allemaal, had het onmogelijke verricht en zichzelf overtroffen, door zijn mooiste, meest briljante, meest betoverende optreden ooit. Naast hem kon ook Branwen schitteren; dit was pas vakmanschap. Harold Robson omschreef het in de *Sunday Times* als de grootse menselijkheid van een grootmeester.

Alle kranten wilden hem interviewen en er verschenen meters artikelen, waarvan de meeste verwezen naar *The Tinsel Underneath* (zij het, opmerkelijk genoeg, kort en denigrerend). Ze stelden eensluidend dat Piers op zijn hoogtepunt was, roemden zijn belang voor het theater en opperden dat de koningin hem er eindelijk voor moest belonen op de eerstvolgende onderscheidingenlijst.

Na drie weken van besluiteloosheid, eenzaamheid, verdriet en spijt besloot Fleur Magnus te bellen. Ze was weg bij Morton's en werkte thuis als freelancer tot ze een meer bevredigende oplossing vond. Mick diMaggio was dolblij geweest te horen dat ze beschikbaar was en had haar gevraagd de tekst te schrijven voor de Juliana-verpakking ('Het nieuwe meisje dat op het account werkt, vindt het beneden haar stand, Fleur') en Baz Browne gaf haar de promotie van alle nieuwe boeken van Bernard Stobbs ('Hij vraagt altijd naar je'). Ze hadden haar allebei een fulltime baan aangeboden en ze had ze allebei afgewezen, zonder te weten waarom.

Sinds ze terug was in New York, had ze niets meer van Magnus gehoord; ze vertelde zichzelf om de dag, zelfs om het uur, afhankelijk van haar bui, dat hij daar ook geen reden toe had, dat hij dacht dat ze met Reuben ging trouwen, dat het oneerlijk van hem zou zijn om contact met haar op te nemen; totdat haar gedachten de cirkel rond waren en ze tegen zichzelf zei dat als hij echt zoveel van haar hield, hij toch op z'n minst zou willen weten hoe het met haar ging en zich zelfs zou kunnen afvragen of de mogelijkheid bestond dat ze toch niet ging trouwen.

Zelfs na al deze tijd vond ze het buitengewoon moeilijk aan iets anders te denken. Hij nam haar geheel in beslag; ze zag zijn gezicht, hoorde zijn stem, herinnerde zich hem, o, god, overal, continu. Ze ging eerder meer naar hem verlangen dan minder. Ook dacht ze constant, onophoudelijk, aan zijn boek, over wat hij haar had verteld, over de inbraken, de bedreigingen, over wat er nog kon gebeuren. Dat zat haar ook verschrikkelijk dwars: als hij echt zo bezorgd om haar was, om haar veiligheid, zou hij tenminste nu en dan naar haar kunnen informeren, om zeker te weten dat ze veilig was. Het was schandalig: eerst haar bang maken en haar dan totaal negeren. Hij had daar helemaal niet het recht toe. En zo kronkelden haar gedachten maar door, tot de pijn niet langer te verdragen was en ze op een tijdstip waarop het in Engeland ontbijttijd was met bonkend hart naar Londen belde.

Ze zág de telefoon aan zijn keukenmuur voor zich, stelde zich voor hoe hij zijn toast met die afschuwelijk smerige marmelade zou neerleggen en erheen zou lopen. Ze vroeg zich af wat hij aan zou hebben, waarschijnlijk alleen een kamerjas. Magnus en zij hadden elkaar vaker in kamerjas gezien dan met kleren aan en ze voelde een scheut van fysieke honger bij de gedachte aan hoe hij daar stond, zo ver weg, maar toch binnen bereik, en ze hield haar adem in, wachtte, verlangde ernaar zijn stem te horen, zijn reactie op haar stem te horen. Er werd opgenomen. 'Magnus?' vroeg ze zacht, onverstaanbaar zacht. Ze hoorde iemand zeggen: 'Het huis van Magnus Phillips,' en liet de telefoon vallen, smakte de hoorn terug op de haak en liet zich op een stoel vallen, haakte haar handen in elkaar en schommelde als een gek van voor naar achteren, terwijl de tranen haar in de ogen sprongen. Want ze had de stem herkend van degene had opgenomen: het was Rose Sharon.

Joe Payton was een groot voorstander van de rioolpers. Hij roemde (net als zijn collega Magnus Phillips, trouwens) het belang van kranten die propaganda aan de kaak stelden, opgeblazen ego's lek prikten en mooipraterij in de bek keken. Ze ontmaskerden officiële leugens en clandestiene fraude; ze bespotten huichelaars en lachten fanatici uit. Maar op een zaterdagavond in april kon hij ze niet goed verdedigen. Hij was met Chloe naar Fleet Street gegaan om de vroege edities van bepaalde zondagskranten te halen. De *Sunday Graphic* wijdde een dubbele pagina aan wat betiteld werd als 'schandaal achter de coulissen' en dat de dag ervoor al uitgebreid was aangekondigd in de doordeweekse zusterkrant. Joe was op het idee gekomen om de krant eerder in huis te halen dan de rest van de wereld.

Chloe en hij stonden aan de bar in een uitpuilend journalistencafé een lang artikel te lezen over Piers, zijn lange en briljante carrière, over het genoegen dat hij miljoenen mensen had verschaft, de eer die hij zijn land had bewezen door de rest van de wereld te laten zien wat Brits talent – de *Graphic* repte over genialiteit – inhield. Het artikel ging in op zijn huwelijken, eerst met Guinevere Davies, met de kanttekening dat de toneelwereld haar miste, en daarna, veel langduriger, met Chloe, dochter van de societydame Lady Caroline Hunterton. 'Deze knappe societydame,' zo weidde de *Graphic* nadrukkelijk uit, was na een lang en gelukkig huwelijk 'verbijsterend snel een liaison aangegaan met journalist Joe Payton.' Dat had een aantal jaren standgehouden, maar nu woonde Lady Hunterton 'alleen in haar zestiende-eeuwse landhuis in Suffolk.'

Piers Windsor kon volgens de *Graphic* terugkijken op een lange en triomfantelijke carrière, en het leek ongelukkig dat hij nog niet was beloond; bij het uitreiken van de koninklijke onderscheidingen was hij al meermaals overgeslagen.

Maar naar verwacht mag worden, zal dit onrecht komende zomer eindelijk worden rechtgezet. Een bron in de top van het ambtenarenapparaat onthulde afgelopen week aan de *Graphic* dat Piers Windsor in juni vrijwel zeker Sir Piers zou zijn geworden. Het is dan ook dieptragisch dat deze eer hem eens te meer zal worden ontzegd, in verband met de publicatie van *The Tinsel Underneath*, een boek waarover al veel publiciteit is geweest.

'Joe,' zei Chloe, haar ogen groot van ontzetting, 'we moeten dit tegenhouden. Dat moet gewoon.'

Nicholas Marshall las het artikel de volgende ochtend in alle vroegte in de keuken van zijn grote, in tudorstijl nagebouwde huis. Hij keek over tafel naar mevrouw Marshall, die druiven zat te ontpitten voor een fruitsalade, en vertelde haar dat hij haar lunchgasten helaas geen gezelschap zou kunnen houden. 'Ik moet naar Piers Windsor. Deze zaak kan niet overeind blijven.'

In dat geval, zei mevrouw Marshall, kon naar haar idee hun huwelijk niet overeind blijven, en ze knalde de deur achter zich dicht. Nadat hij Stebbings had gebeld en had afgesproken dat hij zo snel mogelijk zou komen, ging Nicholas Marshall op zoek naar zijn vrouw om haar te vertellen dat niet alleen haar lunches en soirees, maar ook haar zeer dure huis, haar lidmaatschap van de Country Club, het schoolgeld van haar kinderen en haar grote garderobe van zijn inkomen uit arbeid werden betaald en dat hij wilde dat ze daaraan zou denken en hem zou steunen. Toen stapte hij in de Jaguar XK 120, zijn mooiste bezit, en reed richting Berkshire.

Caroline Hunterton zag het artikel doordat haar kok het opengeslagen op de keukentafel had laten liggen en nam het mee naar haar slaapkamer.

'Wat een zootje,' zei ze tegen haar spiegelbeeld boven de kaptafel (bij gebrek aan gezelschap), 'wat een verschrikkelijk zootje.' Ze vroeg zich af of zij een van die 'societyfiguren' was, vreesde van wel en belde Chloe, die erg van streek leek te zijn.

'Maar het heeft Piers in elk geval aangezet tot actie. Hij heeft besloten een kort geding aan te spannen. Vrij laat, maar toch. Nicholas Marshall is onderweg.'

Richard Beauman las het artikel in zijn in neo-georgian stijl opgetrokken huis in St John's Wood en werd steeds kwader. Die verdomde *Graphic* maaide het gras voor ieders voeten weg en maakte oud nieuws van het boek voordat het af was. Nu zou de *Daily News* hem nooit die vijftigduizend pond voor de rechten geven. Hij belde Henry Chancellor, die in bad op zijn telefoontje lag te wachten.

Henry wuifde zijn angst weg. 'Beste Richard, het moest een keer gebeuren. Het maakt geen enkel verschil, het wakkert de interesse voor het boek juist aan.'

'Dat betwijfel ik,' zei Beauman. 'Waar hebben ze trouwens al die informatie vandaan?'

'Ach, toe nou, Richard. Fleet Street roddelt de inkt uit een krant. Het moest gebeuren.'

'Heb jij Magnus al om een reactie gevraagd? Gevraagd wie hij heeft gesproken?'

'Hij geeft vast geen commentaar,' zei Henry Chancellor, die bijna de hele ochtend had geprobeerd Magnus te bereiken en zelf steeds meer in paniek was geraakt.

'Er zit maar één ding op,' zei Beauman. 'We zullen het boek versneld moeten uitgeven. Anders slaat de hele zaak dood. Probeer dus je cliënt zo snel mogelijk te bereiken en zeg hem dat hij de boel afrondt.'

'Ik zal zien wat ik kan doen,' zei Henry Chancellor koel.

Magnus Phillips las het artikel met een brede glimlach aan de boulevard van Brighton. Zittend op zijn motor. Hij was in alle vroegte naar de kust gereden, met 150 kilometer per uur, in een wanhopige poging te ontkomen aan *Tinsel*, de telefoon en gedachten aan Fleur FitzPatrick. Tot nu toe had hij alleen de telefoon kunnen vermijden.

Richard Beauman ging op maandagochtend vroeg naar kantoor. Hij had veel te doen. Hij moest de advocaten vragen naar de wettelijke aspecten van *The Tinsel Underneath*, een brief op poten schrijven naar de redactie van de *Graphic* en hij moest Magnus te pakken krijgen. Hij belde Marilyn Chapman thuis op en zei dat ze zo snel mogelijk op kantoor moest komen. Marilyn zei dat ze kiespijn had en hoopte een afspraak met de tandarts te kunnen maken. Beauman zei dat ze beter de volgende dag kon gaan. Marilyn zuchtte en zei dat ze wel zou komen. Ze was er een uur later, net voor halfnegen, en zag er moe uit. Haar gezicht zag er opgezwollen uit. Richard voelde bijna spijt, maar dat gevoel verdween toen ze hem koffie met voetbad aanreikte, de telefoon liet vallen toen ze opnam en hem steeds vroeg iets te herhalen toen hij haar een brief dicteerde.

Iets over halftien belde Mandy, de receptioniste; er stond een dame aan de balie die hem wilde zien. Ze zei dat ze Lady Hunterton heette.

'Ik wil haar niet ontvangen,' zei Richard en hij legde neer. Het hoofdstuk over Caroline Hunterton in *Tinsel* was hoogst interessant; als ze er iets over had gehoord, zou ze moeilijkheden maken. Hij was niet in de stemming voor moeilijkheden.

Mandy belde opnieuw: Lady Hunterton wilde niet weggaan, zei dat ze zou wachten, 'zo nodig de hele dag. Ze lijkt me nogal boos.'

'Mandy,' zei Richard, die met moeite zijn stem in bedwang kon houden, 'het kan me niet schelen hoe boos Lady Hunterton is. Stuur haar weg.'

Marilyn bedacht net hoe bijzonder onplezierig het was voor hem te werken, dat ze een andere baan moest zoeken en dat ze toch erge last had van haar kies, toen met veel kabaal de deur openging en een vrouw met grote vaart naar binnen wandelde, gevolgd door een ademloze Mandy.

'Het spijt me vreselijk, meneer Beauman. Ik kon haar niet tegenhouden.'

'Geeft niet, Mandy. Lady Hunterton, ik ben bang dat ik het erg druk heb en u nu niet kan ontvangen. Misschien had u de hoffelijkheid moeten opbrengen een afspraak te maken.'

'O, goh,' zei de vrouw, die lang en slank was, onberispelijk gekleed en beschikte over het aangeboren, onverwoestbare zelfvertrouwen dat de Engelse upper class eigen was en dat Marilyn bewonderde (al keurde ze het niet goed). 'Ik denk dat we beter niet over hoffelijkheid kunnen beginnen, meneer Beauman, omdat ik niet denk dat u die zou herkennen als u die op uw stijlvolle bureau zou aantreffen. Zeer stijlvol, meneer Beauman, rozenhout, achtiende-eeuws, nietwaar? Dat moet veel geld hebben gekost. Heeft u het gefinancierd met het laatste ranzige, smadelijke boek dat u heeft uitgegeven?'

Marilyn Chapman leunde gefascineerd achterover. Hier wilde ze de tandarts en haar ontbijt wel voor missen.

'Ik wil u één ding zeggen, meneer Beauman. Als u het boek publiceert, kan ik u garanderen dat u daar spijt van zult krijgen en dat u niet meer zo goed zult slapen in uw ongetwijfeld dure bed. Want ik ben van plan privédetectives in te huren, om erachter te komen of er in úw verleden iets is gebeurd waarvan u liever niet wilt dat iedereen ervan weet. Ik zal ervoor zorgen dat iedereen het wél weet. Ik zal erover vertellen op radio en televisie – want dankzij u, meneer Beauman, word ik binnenkort kortstondig beroemd, of moet ik zeggen: berucht. En ik zal mijn schoonzoon en dochter aanraden hetzelfde te doen. En ik zal uw moeder opzoeken en het haar vertellen, en uw vrouw en kinderen, als u die heeft, als u in staat bent tot voortplanting. Eerlijk gezegd heb ik daar mijn twijfels over. Dat is alles wat ik u heb te melden. Wilt u nog iets tegen mij zeggen, meneer Beauman?'

'Marilyn,' zei Richard met een kalmte die zij bewonderenswaardig vond, 'kun je Lady Hunterton alsjeblieft uitgeleide doen?'

'Ik kan zelf de uitgang van dit nogal ordinaire kantoor wel vinden, dank u wel,' zei Caroline, maar Marilyn, gedreven tot maniakale moed, terwijl er in haar hoofd een plan tot stand kwam, stond op, pakte Carolines arm vast en leidde haar vastbesloten en razendsnel naar haar eigen kantoortje naast dat van Richard.

'Laat me alstublieft los,' zei Caroline op ijskoude toon en ze schudde haar arm los. Marilyn zei op zachte toon: 'Laat me meelopen naar buiten. Ik wil u iets vertellen.'

Caroline keek haar aan en liep toen achter haar aan de trap af en de straat op. Marilyns hart begaf het bijna van angst, maar ze liep door. Ze wilde wraak nemen op Richard en compensatie bieden voor wat ze hem mensen had zien aandoen. 'Bel me vanavond. Na acht uur. Dit is mijn privénummer. Ik denk dat ik u kan helpen.'

Ze rende naar binnen, ging weer voor Richards bureau zitten en vroeg met een gedweeë glimlach op haar opgezwollen gezicht: 'Waar was u gebleven, voordat we zo ruw gestoord werden?'

'Piers,' zei Caroline, 'ik moet met je praten.'

'Met wie spreek ik? Caroline? Wat is er aan de hand?'

Piers klonk uitgeput, schor. Hij lag in bed in zijn hotelkamer. Hij had Iago gespeeld, een rol die hij nog vermoeiender vond dan Othello, al begreep hij niet waarom.

'Er is niets aan de hand, Piers.' Caroline klonk lichtelijk geamuseerd. 'Maar ik denk dat ik de oplossing heb gevonden, weet hoe we het boek kunnen tegenhouden. Echt waar. We maken op z'n minst een heel goede kans. Maar jij bent de enige die het kan doen.'

'Goed, Caroline,' zei Piers gelaten, 'ik luister.'

In Santa Barbara was het ochtend. Met een stralend gezicht liep Michelle Zwirn de tuin in van hun kleine woning aan Voluntario Street.

'Piers belde net, je moet zijn allerliefste groeten hebben. Je weet dat ik zo ongerust was, omdat ik met meneer Phillips heb gepraat over... over Piers. Blijkbaar is er een gerechtelijke strijd aan de gang en kunnen ze niet publiceren, tenzij wij een gezworen verklaring afgeven om te bevestigen dat wat we meneer Phillips hebben verteld de waarheid is. Piers vroeg ons die gezworen verklaring niet af te geven en natuurlijk heb ik dat beloofd. Ik zal je vertellen, Gerard Zwirn, dat ik vannacht en elke nacht dat dat boek niet is gepubliceerd rustig zal kunnen slapen. Wat een pak van mijn hart! Wil je een glaasje sinaasappelsap of ben je tevreden met de ijsthee?'

'Mamma, je hebt je ontpopt als een ware heldin,' lachte Chloe, toen Caroline vertelde over haar bezoek aan Beauman. 'Dat is gewoon geweldig. Je bent slim.'

'Niet slim, gewoon vastberaden,' zei Caroline. 'Ik laat me niet koeioneren.'

'Nu maar hopen dat het werkt.'

'Die aardige mevrouw Chapman denkt van wel.' Ze leunde tevreden achterover en dronk de laatste slokken van de dubbele whisky die Chloe voor haar had ingeschonken. 'Ik heb er erg van genoten. Dit is lekkere whisky, Chloe. Ik lust er nog wel een.' Ze pakte *The Times* en begon verstrooid te lezen. 'O, wat absurd. Hier staat dat Margaret Thatcher – je weet wel, die verschrikkelijke vrouw die zo'n zootje heeft gemaakt van onderwijs – zich kandidaat zou moeten stellen voor het leiderschap van de Conservatieven. Dat gebeurt natuurlijk nooit.'

'Niet van onderwerp veranderen, mam. We vinden je allemaal geweldig. Ludovic vroeg me je te vertellen dat je een echte ster bent en als je ooit werk zoekt, zal hij je maar al te graag aannemen.'

'Als wát?' vroeg Caroline. 'Ik ben waarschijnlijk de slechtst opgeleide vrouw in Engeland. Hoe gaat het met Ludovic, Chloe?'

'O, prima. Echt geweldig,' zei Chloe en ze deed haar mond dicht. Er hing een 'maar' in de lucht; Caroline ging erop in.

'Maar?'

'Er zijn geen maren,' zei Chloe resoluut, 'helemaal niet. Het is nu natuurlijk moeilijk voor ons, maar dat is alles.' Ze lachte haar moeder stralend toe.

Toch was er wel één, één 'maar', en ze durfde er amper over na te denken; ze hield van Ludovic, ze aanbad hem en ze wist dat dat wederzijds was. Maar soms, heel soms, was zijn aanbidding geen plus in haar leven maar een min, doordat hij haar daarmee voor zichzelf opeiste, in beslag nam en ze maar weinig ruimte overhield voor zichzelf.

Als ze terugkeek in de tijd, leek het wel of er nooit een tijd was geweest, geen week, geen maand, nog geen uur, waarin ze níet aan iemand anders had toebehoord. Ze vroeg zich af hoe het zou zijn om zichzelf toe te behoren, en schrok ervan.

'Chloe, er is telefoon voor je, meneer Payton.'

'Dank je, Rosemary. Hallo, Joe, hoe is het?'

'Met mij gaat het goed, schattebout. Maar ik heb slecht nieuws, vrees ik.'

'Wat dan, Joe? Toch niet het boek?'

'Niet het boek. Daar heb ik niets meer over gehoord.'

'Wat dán?'

'Vergeet niet dat het alleen maar geruchten zijn, maar wel uit betrouwbare bron.'

'Waarover?'

'Over de koninklijke onderscheidingen.'

'Hij zit er niet bij?'

'Nee, het spijt me. Mijn mol zei dat hij zou blijven graven. Maar volgens hem zag het er niet hoopvol uit. Ik vrees dat schandalen niet de beste manier zijn om je te onderscheiden, of te laten onderscheiden.'

'Verdomme,' zei Chloe. Ze voelde hete tranen branden. 'Verdomme. Godverdegodver. Klootzak van een Magnus Phillips.'

'Chloe!' zei Joe. 'Het is alsof ik Fleur hoor.'

'Mooi,' zei Chloe.

'Luister, Magnus,' zei Richard Beauman, 'ik weet niet goed wat ik hiermee aan moet. Jij zegt dat de Zwirns niet willen praten. Geen beëdigde verklaring willen afgeven.'

'Dat is wat ik zei.'

'Maar waarom niet, in godsnaam?'

'Ik weet het niet. Begrijp er niets van. Ze hebben eerder wel gepraat, althans de zus.'

'Je hebt gehoord wat de advocaten zeiden. Ze moeten die verklaring hebben. Anders adviseren ze om niet te publiceren.'

'Ik heb je die andere toch gegeven?'

'Ja, maar daar gaat het nu niet om.'

'Het spijt me, maar ik kan ze niet dwingen.'

'Zou je ze kunnen overtuigen?'

'Met geld, bedoel je?'

'Dat zei ik niet, maar...'

'Richard, dat moet je nooit doen. Dat werkt onherroepelijk tegen je. Als de advocaten gaan lopen spitten, vertellen zij dat ze geld hebben gekregen en dan kun je het wel schudden. Bovendien, ze láten zich niet omkopen. Dat zei ik toch. Het zijn goede mensen.'

De hoofdredacteur van de *Daily News* was in een slechte bui. In tegenstelling tot wat hij had verwacht, was de aankoop van de feuilletonrechten van *Tinsel*, die de verkoopcijfers in de slappe zomermaanden omhoog had moeten stuwen, nog niet rond. 'Sorry, George,' had zijn projectredacteur Colin Firth die ochtend aan het eind van de vergadering gezegd, 'maar ze hebben net gebeld om te zeggen dat de publicatie mogelijk wordt uitgesteld.' Hij stond bij de deur en keek onzeker naar de paars aanlopende George Jerome. Hij had deze reactie nog niet eerder bij zijn baas uitgelokt.

'Waarom wordt het in godsnaam uitgesteld? Ze hadden het juist ver-vroegd. Die lui weten niet waar ze mee bezig zijn. Zeg maar dat we er hele-maal van afzien. Ik ga geen vijftig mille betalen om met me te laten sol-len.'

'George, het is alleen maar ongeveer een maand uitgesteld.'

'Al is het een minuut uitgesteld, kan me niet verrotten. Ik ben het zat. Vertel ze maar wat ik heb gezegd.'

'Ja, goed,' zei Colin Firth.

Hij belde naar de rechtenafdeling van Beauman en wisselde enkele opmerkingen uit met de redacteur daar. Toen zocht hij Joe Payton op, met wie hij bij de *Sunday Express* had samengewerkt. Tegen beter weten in ver-telde hij uitgebreid over wat er die ochtend was gebeurd.

Chloe reed naar Stratford om het Piers persoonlijk te vertellen. Ze wilde zijn gezicht zien. Zijn reactie was teleurstellend. 'Uitstekend,' zei hij, tussen een paar happen spinazie met gepocheerde eieren door, zijn favoriete gerecht na een voorstelling. Hij leek er nooit genoeg van te krijgen. 'Mooi.'

'Piers, ik dacht dat je dolgelukkig zou zijn. Ik begrijp het niet.'

'Het komt wat laat, vind je ook niet?'

'Nee,' zei Chloe.

'Jawel. Al dat geroddel. Mijn reputatie is zwaar beschadigd. Ik ben mijn koninklijke onderscheiding misgelopen. Sorry, maar ik kan niet doen alsof ik dolgelukkig ben. Maar dank je voor alles wat je hebt gedaan.'

'Ach, verdomme,' zei Chloe. Ze liep linea recta het hotel uit en reed terug naar huis.

'Dat is pas goed nieuws,' zei Caroline tegen Joe, die haar had opgebeld om het haar te vertellen. 'Ik besefte niet hoe ongerust ik was totdat je me dit ver-telde. Morgen kom ik naar Londen om te winkelen, Joe. Wil je met me lun-chen? Net als vroeger? Kunnen we het meteen vieren.'

'Dat lijkt me leuk,' zei Joe. 'Dank je.'

Het verbaasde hem een beetje dat Caroline naar Londen zou komen om te winkelen; ze had er juist altijd zo'n hekel aan gehad. Hij besloot voor deze gelegenheid een nieuw overhemd te kopen. Misschien wilde ze wel naar een chique tent. Met Caroline wist je maar nooit.

'Denk je,' vroeg Chloe, 'dat er op het laatste moment een kans bestaat dat Piers zijn koninklijke onderscheiding alsnog krijgt? Nu het boek is afgebla-zen en de geruchtenstroom tot rust komt?'

'Ik weet het niet,' zei Joe nerveus. 'Misschien. Maar het is erg kort dag.'

'Zou je dat aan die onvolprezen mol van je kunnen vragen?'

'Ik zal het mijn onvolprezen mol vragen. Maar hoop niet te snel, liefje.'

'Natuurlijk niet.'

'Besef je wel,' zei Richard Beauman, 'hoeveel het me gaat kosten? Dit boek tegenhouden? We zijn onze deal met de *News* al kwijt. Onze geloofwaardigheid ook.'

'Ja hoor,' zei Magnus, 'Henry heeft me er net de hele ochtend over doorgezaagd.'

'Mooi.'

'Hoor eens, Richard, het spijt me. Ik kan er niets aan doen. Wat zeggen de advocaten precies?'

'Ze denken er nog over na. Misschien riskeren we het alsnog. Jij lijkt erg zeker van jezelf.'

'Richard, ik heb er alle vertrouwen in. Dit is een storm in een glas water. Volkomen overbodig.'

'Ja, ja, weet ik, maar als we worden aangeklaagd...'

'Denk je echt dat de schadevergoeding hoger zou zijn dan wat je verliest door niet te publiceren?' vroeg Henry Chancellor. 'Dat is volgens mij de hamvraag.'

'Ik weet het niet,' zei Beauman kortaf. 'Ik weet niet wat ik moet denken. Echt niet.'

'Ik ben bang dat mijn mol Piers geen enkele hoop geeft. Nu niet, tenminste,' zei Joe.

'Nou ja,' zei Chloe, 'het was te proberen.'

Toen ze door de Ritz liep, zag ze Magnus Phillips. Haar moeder had haar uitgenodigd om daar met Joe en haar te lunchen. Ze hadden het met hun drieën erg naar hun zin. Joe leek gelukkiger dan ze hem in tijden had meegemaakt. Hij zag er ook erg netjes uit.

'Joe,' zei ze, 'een pak? Ongelooflijk.'

'Ja, mooi hè?' zei hij met een ietwat verbaasde blik naar beneden. 'Ik heb het lang geleden gekocht, ook voor een lunch, met Tabitha Levine. Ik weet het nog goed.'

'O ja?' vroeg Caroline scherp. 'Je hebt nooit een pak gekocht om met mij te gaan lunchen.'

'Jij wilde nooit chic lunchen,' zei Joe.

'Joe, onze eerste kennismaking was een chique lunch. En jij droeg een spijkerbroek en een half uitgerafelde trui.'

'Ja,' zei hij met zijn scheefste glimlach, 'dat weet ik nog.'

Chloe keek naar hem en toen naar haar moeder; zij glimlachte terug, lichtelijk gegeneerd, maar tegelijk opmerkelijk vriendelijk. Dát zou leuk zijn, als ze weer bij elkaar kwamen.

'Nou ja,' zei Caroline kordaat, 'dat is een eeuwigheid geleden. Alles is anders. En Joe draagt een pak. Zullen we nog een kop koffie nemen? Dan vraag ik daarna de rekening.'

'Ik ga even naar de wc,' zei Chloe, 'zo terug.'

En op weg naar de toiletten zag ze hem uit de lobby komen. Hij zag er welgedaan uit en glimlachte naar haar als een kat die net een schoteltje room leeg heeft.

'Mevrouw Windsor,' zei hij met een halve buiging. 'Wat leuk u te zien.'

Chloe was zeer goedgemanierd; ze had zich haar hele leven onberispelijk en vriendelijk gedragen. Maar nu keek ze hem recht aan en zei: 'Ik ben bang dat ik niet hetzelfde tegen u kan zeggen, meneer Phillips.'

Hij zuchtte en glimlachte vriendelijk. 'Nee, dat zal wel niet. Voelt u zich alweer beter?'

'Ik was niet ziek,' zei Chloe op kille toon.

'O, ik had gehoord van wel. Een auto-ongeluk en een miskraam. Dat moet verschrikkelijk voor u zijn geweest.' Zijn ogen gleden over haar heen en rustten toen weer op haar gezicht. 'Maar u lijkt te zijn hersteld. Dat doet me deugd.'

Hij liep door. Chloe nam plaats op een van de versierde krukjes in de damestoiletten en voelde zich vreselijk misselijk. Hij wist het dus van de baby; en hij wist het al van Ludovic. Zou dat ook in dat smerige boek komen? Best mogelijk. Zou er dan nooit een einde komen aan de ellende die Magnus hun kon aandoen?

Veel later die middag ging haar telefoon. Het was Magnus. Hij klonk ongemakkelijk, nerveus bijna.

'Chloe, leg niet neer. Ik wil alleen iets zeggen. Je leek geschrokken toen ik naar je miskraam vroeg. Maak je geen zorgen. Het was een puur persoonlijke vraag. Niets kwaadaardigs aan. Ik verzeker je dat ik me op generlei wijze zal mengen in je privéleven.'

Chloe smeet de hoorn op de haak en zat de rest van de middag te bedenken wat een bijzondere man hij toch was. Terwijl hij absoluut geen scrupules had om het leven en verleden van haar man bloot te leggen, leek hij niet te willen dat zij zich zorgen maakte om het hare.

Ook Joe had Magnus in de Ritz gezien; toen hij door de lobby naar de garderobe liep, zag hij hem een glas champagne drinken op het terras, de harde trekken van zijn getaande gezicht waren verzacht in een lach, terwijl hij zijn glas hief naar zijn metgezel, een erg knappe, chic geklede blondine. Joe dacht aan een andere vrouw naar wie Phillips ongetwijfeld glazen champagne had geheven, een knappe lange vrouw met rood haar, de grote, de enige liefde van zijn leven, die, naar het leek, voorgoed verloren was. Hij werd even zo ziek van jaloezie, dat hij dacht dat hij ter plekke moest overgeven, of Magnus nogmaals op zijn bek slaan. Uiteindelijk deed hij geen van beide; hij haastte zich naar buiten en liep naar St James's Park, waar hij een uur lang troosteloos rondliep, tegen lege colablikjes schopte en iedereen uitkafferde die tegen hem op botste, terwijl dat niets voor hem was. Toen hij eindelijk thuiskwam, stond er een boodschap van Caroline op zijn antwoordapparaat: kon hij terugbellen?

Omdat hij wist dat hij het niet zou kunnen opbrengen om in deze stemming zelfs maar vriendelijk tegen haar te zijn, negeerde Joe de boodschap. Toen ze hem de volgende dag belde om hem te bedanken voor zijn aanwezigheid en zijn mooie pak, was hij koel en beleefd.

Het duurde een hele tijd voordat hij besefte dat het voor Caroline slechts een excuus was geweest om hem te bellen.

Fleur besloot dat ze afleiding nodig had, flink wat afleiding. Ze voelde zich niet zomaar ellendig, ze was depressief. Tot op het bot. Het ging niet alleen om Magnus, al schroeide de pijn die ze had gevoeld toen ze Rose' stem hoorde nog steeds. Het ging erom dat ze eenzaam was, zich schuldig voelde over Reuben – Poppy, die afschuwelijk kil tegen haar deed, had gezegd dat hij er nog steeds kapot van was – en een angstig voorgevoel had over alles wat met *The Tinsel Underneath* te maken had; wat erin zou kunnen staan over haar vader, wat er met haar zou gebeuren. In het verleden had ze altijd in haar werk kunnen vluchten, maar nu boden ook de freelance-opdrachten en de aanbiedingen van haar oude werkgevers geen afleiding; ze interesseerden haar niet.

Eén doorwaakte nacht leek langer te duren dan alle andere nachten ervoor. Ze lag zich af te vragen wat ze met zichzelf aan moest (als ze tenminste niet in de Hudson zou springen of een reis om de wereld ging maken) toen ze zich haar gesprek met Mick diMaggio herinnerde.

'Niet FitzPatrick en wat dan ook. Alleen FitzPatrick. Dat is wat ik wil, en dat zal er komen ook.'

Dat is wat ik nodig heb, dacht ze en ze ging rechtop zitten. Haar gedachten zoemden in op het onmogelijke dat ze moest zien te realiseren. Ik begin voor mezelf.

Ze stond op, zette koffie en ging aan haar bureau voor het raam zitten. Het eerste licht dreef over het park; het zag er spookachtig, grijs, betoverd uit; de bomen leken een soort decor. Ze hield van New York. Hoe had ze kunnen denken dat ze hier weg wilde? Voor een man?

Ze maakte een puntenlijst. Punten waren: kantoorruimte, cliënten, collega's, geld. Ze streepte de eerste drie weer weg; die waren gemakkelijk, lagen voor het oprapen. Dat wist ze. Geld was lastiger. Hoe kwam ze aan geld?

Toen Tina binnenkwam, zat ze er nog steeds. Tina maakte afkeurende geluidjes. 'Kunt u nog steeds niet slapen, mevrouw Fitz?'

'Nee,' zei Fleur kortaf. En voordat Tina kon zeggen dat ze een man nodig had, zei ze: 'Ik moet een paar mensen bellen, Tina. Kun je even wachten met stofzuigen?'

Ruim een uur later, gekleed in een schandalig dure en zeer sexy beige T-shirtjurk van Halston die een koele, zakelijke uitstraling had, maar tegelijk bij elke beweging aan haar tepels leek te blijven hangen, haar ogen en mond zwaar opgemaakt, ging ze de deur uit voor een afspraak met een bankier die ze een paar dagen eerder had ontmoet op een feestje van Julian Morrell en Mick diMaggio, toen ze probeerden haar in het bedrijf terug te halen.

Deze bankier was zo ongeveer de knapste man die ze ooit was tegengekomen, niet haar type, maar toch zeer verbazingwekkend, erg lang en breed, met blond haar, blauwe ogen en een glimlach die niet gewoon de kamer in volle gloed zette, maar de hele straat verlichtte. Hij was de erfgenaam van het familiebedrijf, gespecialiseerd in de media, en wilde daarbinnen zijn eigen interessegebied opbouwen. Hij had een verschrikkelijke reputatie als het om vrouwen ging. Zijn naam was Baby Praeger.

'Maar natuurlijk, mevrouw FitzPatrick, zou ik eerst van alles moeten weten, voordat ik verder kan.' Baby Praeger schonk haar zijn glimlach. 'Cashflowprognoses, bereidheidverklaringen van mogelijke accounts, referenties, zakelijk, professioneel, van die dingen. Maar als dat er goed uitziet, dan zouden we kunnen praten. Meestal investeer ik niet op zo kleine schaal. Ik zou uiteraard garanties willen hebben. En misschien een aandelenpakket. Maar... het is wel ons terrein. En het ziet er goed uit. Erg goed zelfs.'

Je bedoelt natuurlijk dat ík er goed uitzie, charmante hufter, dacht Fleur. Maar dat was niet erg. Een vleugje seks kwam de zaken alleen maar ten goede.

'Ik zal het in orde maken,' glimlachte ze. Ze stond op en was zich bewust van zijn ogen op haar jurk, op haar tepels (het was koud in zijn kantoor; dat deed hij waarschijnlijk met opzet om alle tepels overeind te krijgen). 'Ik hoop dat u het niet vervelend vindt dat ik u al in zo'n vroeg stadium heb opgezocht. Maar ik herinnerde me wat u een paar dagen geleden zei en...'

'Mevrouw FitzPatrick, ik vind het nooit vervelend dat vrouwen me komen opzoeken,' zei Baby Praeger, 'in welk stadium dan ook. Belt u maar als u zover bent. Dan kunnen we misschien lunchen.'

'Dat lijkt me uitstekend,' zei Fleur.

Nigel Silk was geamuseerd, geprikkeld, gefascineerd.

'Het is zeker een interessant idee,' zei hij. 'Dat doen de Saatchi's in Londen natuurlijk ook. Creatie integreren met accountmanagement.'

'Dat weet ik,' zei Fleur.

'Dat lukt natuurlijk nooit. Dat kan niet. Niet op lange termijn. De twee disciplines moeten naast elkaar bestaan. Los van elkaar. Je zou allerlei aspecten kwijtraken.'

'Zoals?'

'Welke copywriter zou ooit sales aankunnen? Laat staan marketingstrategie?' vroeg Nigel.

'Ik,' zei Fleur, 'en Mick doet het ook.'

'Helemaal niet. Mick denkt puur creatief en ik trek hem een kant uit.'

'En hij jou. Het is tweerichtingsverkeer. En ik denk dat het prima kan. Ik weet dat ik het zou kunnen.'

Nigel keek naar haar. 'Een tijdlang zou het je wel lukken,' zei hij uiteindelijk. 'In elk geval totdat je groter wordt. Je bent tenslotte niet door de minste opgeleid.'

Hij glimlachte naar haar. Fleur glimlachte terug.

'Wil jij Baby Praeger dan vertellen dat ik een investering waard ben?'

'Misschien. Op één voorwaarde.'

'O, god,' zei Fleur.

'Nee,' zei hij, 'niet dat. Dat is een gepasseerd station. Nee, op voorwaarde dat je onder geen enkel voorwendsel probeert ons Julian Morell af te troggelen.'

'Nigel!' zei Fleur. 'Alsof ik dat ooit zou doen. Dieven stelen niet van elkaar, dat weet je toch?'

Ze vertrok zeer opgewekt en ging naar de volgende op haar lijst. Sol Morton.

Sol Morton kafferde haar uit. Hij vroeg waar ze het lef vandaan haalde om hem om een referentie te vragen. Hij vertelde dat Sylvia nog steeds erg verdrietig was over de bruiloft, dat ze niet moest denken dat ze werk van hem zou krijgen, dat ze harteloos was en haar sekse te schande maakte. Toen nam hij haar mee uit lunchen, legde zijn hand op haar dij, zei dat hij haar miste en dat hij wel met Baby Praeger over haar zou praten en dat hij haar ook wel werk zou geven.

'Maar je moet oppassen met Baby,' zei hij. 'Hij is volkomen onbetrouwbaar als het om vrouwen gaat.'

'O jee,' zei ze met een lieve glimlach en verplaatste zijn hand iets meer naar haar knie. 'En ik ben nog wel zo'n onschuldig, rein meisje dat net uit Brooklyn komt. Ik zat me af te vragen, Sol, denk jij dat Sylvia voor me zou willen werken? Ik heb namelijk een briljante assistente nodig en ze is ontzettend goed in organiseren.'

Sol dacht dat Sylvia dat misschien wel wilde.

'Ik denk,' zei Roger Bannerman, 'dat iemand anders nog eens naar je longen moet kijken. Ik weet dat volgens Winters alles in orde is, maar ik vind je nog steeds kortademig. Hoeveel rook je nu?'

'Ik rook al bijna niet meer,' zei Piers, 'en na *Othello* stop ik helemaal.'

'Goed zo. Ik denk dat ik je doorstuur naar Alan Faraday.'

'Lieve hemel,' zei Piers, 'behandelt hij niet ook de koninklijke familie?'

'Zo nu en dan, ja. Hij heeft veel hooggeplaatste connecties. En toch is hij een uitstekend arts.'

'Mooi.'

'Maak je je echt zorgen om Piers?' vroeg Chloe aan Bannerman. 'Ernstig zorgen?'

'Ach, welnee. Maar Winters is een chirurg en als geneesheer kijkt Faraday iets anders tegen dingen aan. En Piers ziet er niet echt goed uit.'

'Dat weet ik,' zei Chloe, 'maar hij heeft de laatste tijd zoveel aan zijn hoofd gehad. Veel spanningen. Ik denk dat het dat is.'

'Vast,' zei Bannerman. 'Nou ja, Faraday zal wel voor hem zorgen. Maak je geen zorgen, Chloe.'

Chloe beloofde het en bedacht hoe hij haar zou veroordelen als hij wist waar ze zich zorgen over maakte.

'Ik kan het hem echt niet vertellen,' zei ze die avond tegen Ludovic. 'Hij staat onder zo grote druk. Hij hoopt nog steeds dat er een wonder gebeurt en hij een onderscheiding krijgt. En dan het boek en...'

'Chloe, er is áltijd iets,' zei Ludovic. Hij klonk erg gespannen. 'Ik wil dat je iets onderneemt. Ik wil dingen geregeld hebben. Ik wil jou.'

'Oké, Ludo. Oké. Laat me alleen afwachten wat deze arts zegt. Ik kan niet tegen Piers zeggen dat ik bij hem wegga als hij ernstig ziek is.'

'Nee,' zei Ludovic, 'nee, dat zal wel niet. Laten we bidden dat hij dat niet is. Voor ons allemaal.'

'Ja, fijn Ludovic,' zei Chloe en ze hoorde verbaasd hoe geïrriteerd ze klonk. 'Ik zal vanmiddag naar de kerk gaan.'

Fleur zat op een avond nog laat aan haar cashflow te werken toen de telefoon ging.

Ze nam op. 'Fleur FitzPatrick.'

'Fleur, hallo, met Magnus.'

Fleur zat een paar seconden verdwaasd naar de hoorn te kijken, alsof Magnus er zó uit kon komen.

'Flikker op,' zei ze uiteindelijk en ze knalde de hoorn weer neer. Toen legde ze de hoorn ernaast, schonk zichzelf een groot glas bourbon in en werkte door alsof er niets was gebeurd. Maar toen ze de volgende ochtend haar cijfers nog eens nakeek, zag ze dat ze een paar zeer domme fouten had gemaakt en dat haar tranen op een paar plaatsen vlekken hadden achtergelaten.

Eind april bezocht Piers Faraday op een prachtige, winderige ochtend. Een paar uur later belde Bannerman.

'Wat vond Piers van Faraday?'

'Ik weet het niet,' zei Chloe. 'Hij moest meteen door naar Stratford. Maar vannacht hoestte hij zo dat hij ervan moest overgeven. En hij slaapt nauwelijks doordat hij over dat boek ligt te piekeren.'

'Ik dacht dat het was tegengehouden.'

'Ik denk van wel, maar volgens Piers is de ergste schade al geleden.'

'En dat is?' vroeg Bannerman.

Tot haar eigen verbazing en ontzetting (want Piers zou razend zijn als hij het wist) vertelde Chloe hem over Piers' verschrikkelijke, bijna onverdraaglijke teleurstelling over de koninklijke onderscheiding die hem was onthouden.

Hoofdstuk 37

Mei–juli 1972

'O, god,' zei Piers. Hij werd lijkbleek en keek haar aan zonder zich te bewegen. Hij had een donkere, bijna gekwelde blik in zijn ogen en de brief in zijn hand hing slap naar beneden.

'Piers, wat is er gebeurd?'

Hij zei niets, keek weer naar de brief. Hij reikte haar de brief aan. 'Kijk,' zei hij, 'het is zover.'

Chloe las de brief. Daar stond het dan, niet te geloven, het bericht waar hij al zijn hele leven op wachtte, waar hij amper meer op had durven hopen: van de Principal Private Secretary, Downing Street 10. Ze las de brief snel door. 'De premier heeft mij verzocht u op de hoogte te stellen van... eerstvolgende onderscheidingenlijst... uw naam voor te leggen aan de koningin... hoffelijk ingestemd met goedkeuring... Commandeur van het Britse Rijk...'

Ze kon niet verder lezen, de pagina zwom in haar tranen. Piers begon nu hysterisch te lachen en bonkte met zijn vuisten op de muur. Hij riep de kinderen en ze stonden in de hal naar hem te kijken, half bang, half lacherig om zijn gedrag. Hij tilde Pandora op, zwaaide haar door de lucht en zei met verstikte stem: 'Pandora, je pappie krijgt binnenkort een koninklijke onderscheiding. Dan word ik Sir Piers Windsor.'

'Mag ik dan Lady Pandora zijn?' vroeg ze hoopvol.

Ze vertelden het een paar mensen; ze moesten zweren er hun mond over te houden. Ieder reageerde op zijn eigen manier.

'Goeie god,' zei Joe.

'Wat opmerkelijk,' zei Caroline.

'Geweldig,' zei Maria Woolf. 'Ik ben zo blij dat ik heb kunnen helpen.'

'Gefeliciteerd,' zei Nicholas Marshall.

'Ik ben echt vreselijk blij,' zei Roger Bannerman.

'Dit is het meest opwindende nieuws dat ik ooit heb gehoord,' zei Michelle Zwirn.

'O nee, hè?' zei Ludovic, 'nu ga je zeker helemaal niet meer bij hem weg.'

'Natuurlijk wel,' zei Chloe, 'nu juist.' Het klonk niet overtuigend.

Bij de brief zat een acceptatieformulier dat moest worden teruggestuurd. Piers vulde het in, plakte de envelop dicht en stoomde die toen weer open om te controleren of hij het wel goed had gedaan. 'Dat doen heel veel mensen,' protesteerde hij toen Chloe hem ermee plaagde.

Nicholas Marshall belde om te zeggen dat hij voorzichtig optimistisch was over het geding. 'Als ze toch zouden publiceren, hadden we het nu wel gehoord. Trouwens, als ze alsnog publiceren, wordt de schadevergoeding vele malen hoger.'

'Die schadevergoeding kan me niet schelen,' zei Piers.

'Dat komt misschien nog wel,' zei Marshall.

Piers zweefde op een wolk van opwinding en plezier; hij hoestte minder, zijn stem klonk beter en hij kwam een paar kilo aan. Hij trok enthousiast op met de kinderen, was teder tegen Chloe en charmant tegen iedereen die bij hem in de buurt kwam.

Er was niet veel tijd; de officiële aankondiging zou al binnen een paar weken komen. Op advies van Faraday stapte Piers uit *Othello* zodra hij zijn onderscheiding kreeg. Daarna had hij een lange vakantie gepland.

'Hopelijk kunnen wij dan ook het nodige uitpraten,' zei hij tegen Chloe. 'Besluiten wat we gaan doen, in allerlei opzichten.'

'Ja,' zei Chloe, 'natuurlijk.'

Hij keek haar aan met een vreemde, zoekende blik in zijn ogen. 'Ik heb je nog steeds verschrikkelijk hard nodig,' zei hij. 'Meer dan ooit. Ik voel me zo optimistisch, zo ánders, over alles. Misschien bestaat er toch zoiets als gerechtigheid. Zelfs als we dat verdomde boek niet kunnen tegenhouden, maar dat lijkt me wel, heb ik het gevoel dat wij er samen doorheen kunnen komen. Ik hoop alleen dat jij en ik een modus vivendi kunnen vinden.'

Chloe wierp hem een korte glimlach toe en liep naar boven. Ze sloot zich op in haar kamer en duwde haar gezicht in haar hoofdkussen, zodat niemand haar kon horen gillen.

Het feest was Piers' idee; hij overviel haar ermee en straalde van trots en plezier.

'Het is dan ook zo'n beetje onze trouwdag, lieverd, zes jaar, is het niet ongelooflijk? En ik weet het, ik voel gewoon dat Dream Street de Derby gaat winnen. De dag van de onderscheiding zou de perfecte gelegenheid zijn voor een feest. Het is nog niet officieel, maar ik weet de datum; Maria heeft het gehoord van een van haar invloedrijke vrienden. Het is in juli, op de negende. Dan geven we het feest op Stebbings, een bal in de tuin, nou ja, in een tent in de tuin. Denk je eens in hoe geweldig dat zou zijn. Al onze vrienden om ons heen om het met ons te vieren.'

'Maar Piers...'

'Niet nee zeggen, schat, je hoeft er niets aan te doen, behalve er te zijn in een oogverblindende nieuwe jurk. Ik heb het al met Jean besproken en zij zal het leeuwendeel op zich nemen, catering, band, eten, alles. Ik heb een gastenlijst opgesteld. Het liefst had ik het geheim gehouden, maar dat wordt iets te ingewikkeld. Ik wil het doen om het te vieren en je voor alles te bedanken. Je bent zo ontzettend trouw en lief geweest en ik heb je de laatste tijd bepaald niet aardig behandeld. Daar ben ik me pijnlijk van bewust. En de ochtend erop kunnen we samen weggaan en van alles bijkomen.'

'Ik denk dat hij helemaal is doorgeslagen,' zei Chloe tegen Ludovic. 'Hij is gek. Echt Ludo, je zou denken dat we ons de afgelopen maanden alleen maar zorgen hebben lopen maken over waar we op vakantie zouden gaan en of we de zitkamer moesten laten schilderen. Ik weet niet wat ik met hem aan moet. Het liefst zou ik weglopen.'

'Prima idee.' Hij glimlachte naar haar. 'Het beste idee tot nu toe. Loop weg. Naar mij.'

'Je weet dat dat niet gaat,' zei Chloe geërgerd, 'niet tot het voorbij is.'

'Grote goden,' zei Ludovic, 'waar heb ik dat eerder gehoord?'

Hij glimlachte, maar zijn ogen stonden gespannen. Chloe keek hem verdrietig aan. Ze had gedacht dat de koninklijke onderscheiding het einde van een nachtmerrie zou inluiden; maar de volgende leek net te beginnen.

'Mevrouw Windsor, met de *Sunday Times* spreekt u. We zouden u graag komen interviewen voor een serie artikelen over de vrouw achter de man. En voordat u erover begint, we zullen *The Tinsel Underneath* niet noemen.'

'Mevrouw Windsor, ik vroeg me af of we op het feest tafels voor tien of voor twaalf mensen moeten neerzetten.'

'Chloe, wat een onzin. Natuurlijk moet je met Piers meegaan naar het paleis. Het is een grote eer en het is een geweldige ervaring voor je.'

'Mamma, mamma, waarom mag ik niet mee naar de koningin? Waarom nou niet? Ik zal héél braaf zijn en ik wéét dat pappie het wil. Ach, toe nou, mamma, alsjeblieft.'

'Chloe, schattebout, je moet natuurlijk doen wat jou het beste lijkt. Maar weet je zeker dat dit feest verstandig is? Het maakt het alleen maar moeilijker. Kun je Piers niet vragen het af te zeggen?'

'Chloe, schatje, lieve Chloe, ik begrijp dat dit allemaal heel moeilijk voor je is. Maar ik moet toch op de een of andere manier zekerheid hebben. Anders... nou ja, ik wil niet eens nadenken over het alternatief. Goed?'

'Chloe, liefje, omdat ik zo nauw betrokken ben geweest bij de hele zaak, dacht ik erover een etentje voor hem te geven. Als verrassing. Gewoon een paar mensen, bij ons in Londen. Op de twaalfde, dacht ik, de dag waarop de onderscheidingenlijst openbaar wordt gemaakt. Wil jij me helpen het te organiseren?'

'Chloe, weet je al wat je aantrekt naar het paleis? Ik denk namelijk dat je iets moet laten maken en dat kun je het beste nu in gang zetten. Anders is er niet genoeg tijd.'

'Mevrouw Windsor, eind deze week moet ik de laatste hand leggen aan het menu voor het diner. Kunnen we een keer afspreken? Woensdag misschien?'

'Mevrouw Windsor, met de *Sunday Express*. Wij hebben begrepen dat uw man een kort geding heeft aangespannen tegen de uitgever van *The Tinsel Underneath*. Mogen we u om commentaar vragen?'

'Chloe, ik weet dat dit allemaal erg spannend is voor Piers, maar je moet proberen hem te kalmeren, zorgen dat hij de dingen op hun beloop laat. Hij is nog steeds niet beter, al ziet hij er beter uit. Kun je hem niet een paar keer voor een lang weekend naar Stebbings halen? Anders stort hij straks helemaal in en kan hij helemaal niet naar het paleis.'

Ter afleiding concentreerde ze zich op het feest. Ze voelde zich zo ellendig dat dit te verkiezen was boven alle andere beslommeringen. Ze had de gastenlijst gezien en hardop gekreund; alle grote namen stonden erop: Richardson, Olivier, Gielgud, Mills, Morley; de mooie vrouwen: Vanessa Redgrave, Julie Christie, Susannah York, Twiggy, die net zoveel succes had gehad met *The Boy Friend,* Annunciata, Tabitha; de knappe mannen: Terence Stamp, Marc Bolan, David Hemmings. Het ging maar door, mensen die niet meer zo beangstigend waren, maar nog altijd intimiderend, tot en met degenen die doorgingen voor vrienden: de Woolfs, David en Liza Montague, Damian Lutyens, Ludovic – was Piers dan helemaal blind? Of dom? Hij moest toch íets merken, of speelde hij een sluw spelletje? – Robin Leveret – o, god, het werd steeds erger – en natuurlijk familie: Caroline, Joe, Toby en zijn vreselijke, nieuwe vrouw Sarah, die al erg zichtbaar zwanger was, Jolyon, van wie ze helaas de laatste tijd weinig hadden gezien. Ze haatte Piers nog het meest om wat hij met Jolyon had gedaan. 'God, allemachtig,' zei Chloe, 'als dit me niet in Ludovics armen drijft, weet ik het niet meer.'

Na de onderscheiding kreeg Piers door enkele beroemde collega's een lunch aangeboden in de Garrick Club. 'Dan kom ik daarna wel naar Stebbings. Ik zal er tegen de avond zijn. Alleen heren toegestaan. Dat vind je toch niet erg, hè?'

Choe zei dat ze het helemaal niet erg vond.

Toen Fleur de trap naar haar appartement opliep, moe na wat wel het honderdste kantoorpand in één week leek, zag ze iemand voor de deur zitten. Het was Reuben. Hij keek haar aan, en zijn gezicht bewoog in een poging tot wat voor een glimlach moest doorgaan en hij zei: 'Hai.'

'Hallo Reuben,' zei Fleur onzeker.

'Ik wil je spreken,' zei hij.

'Wil je binnenkomen?'

Hij knikte. Fleur deed de deur open. Ze durfde niets te doen, helemaal niets, uit angst dat het verkeerd zou zijn; ze liep naar binnen en hij liep achter haar aan, liep naar het raam, keek naar buiten en ging uiteindelijk in een van haar grote Charles Eames-fauteuils zitten.

'Wil je iets drinken, Reuben?'

'Ja, graag.'

Ze schonk een grote bourbon voor hem in en een bodempje voor zichzelf. Toen ging ze tegenover hem zitten.

Het bleef lang stil. Uiteindelijk zei ze: 'Reuben, ik weet dat je niet graag praat, maar vertel me alsjeblieft waarom je hier bent.'

'Ik mis je,' zei hij.

'Ja, Reuben, lieve Reuben, ik mis jou ook. Maar ik denk niet dat we de klok kunnen terugdraaien.'

'Natuurlijk niet,' zei hij.

'Dus?'

'Kan ik je niet af en toe opzoeken?'

'Reuben, dat lijkt me echt geen goed idee.'

'Mij wel.'

'Maar denk je niet dat je er erg verdrietig van wordt, nou ja, wij allebei, en dat het de zaken alleen maar moeilijker maakt?'

'Nee,' zei hij, 'dat denk ik niet.'

'Maar Reuben...'

'Ik voel me eigenlijk best goed,' zei hij, alsof hij er zelf verbaasd over was. 'Echt goed, begrijp je?'

'Nee, niet echt.'

Hij leunde naar voren. 'Luister.'

Fleur begon plotseling te lachen. 'Dat heb ik je nog nooit horen zeggen.'

'Ik ben in therapie geweest,' zei hij.

'O ja?' vroeg Fleur. 'Reuben, dat is geweldig.'

'Het was een idee van mijn moeder. Ze is erg Joods, zoals je weet,' zei hij, alsof dat verder niets met hem te maken had.

'Ja, dat is ze wel.'

'Mijn therapeute heeft zoveel voor me gedaan. Ik begrijp nu dat ik beter af ben zonder jou.'

'Aha, juist.' Fleur voelde zich vreemd genoeg geïrriteerd.

'Zelfs al mis ik je verschrikkelijk. Je was niet de ware voor me. Te sterk. Te dominant.'

'Aha, juist,' zei Fleur weer.

'Ik heb nog een lange weg te gaan. Maar ik vertelde haar dat ik je miste en toen zei ze dat ik naar je toe moest gaan. De pijn onder ogen moest zien. Leren accepteren.'

'En?'

'Hier ben ik dan. En ik voel me nog steeds goed. Daarom zou ik af en toe willen afspreken. Als vriend. Als jij dat ook wilt.'

'Reuben,' zei Fleur, 'als jij dat aankunt, kan ik het ook. Natuurlijk wil ik dat. Ik mis jou ook.'

'We kunnen het per dag aanzien,' zei Reuben. 'Dat zegt Dorothy ook.'

'Dorothy?'

'Mijn therapeute.'

'Aha.'

'Dus ga ik nu weg, om haar te vertellen hoe het vandaag is gegaan. En dan kunnen we misschien opnieuw afspreken. Als zij denkt dat dat goed is.'

'Tuurlijk,' zei Fleur een beetje verdwaasd. 'Wat Dorothy maar wil.' Ze keek naar hem. Hij was opgestaan en stond naar haar te glimlachen. 'Ik zal je één ding vertellen, Reuben. Wat Dorothy verder ook voor je heeft gedaan, ze heeft je in elk geval aan de praat gekregen.'

Ze was enorm opgeknapt van Reubens bezoek; ze besefte nu pas hoe-zeer ze hem had gemist.

De volgende dag belde hij op om te zeggen dat Dorothy erg tevreden was en een nieuwe afspraak wilde.

'Dat is uitstekend,' zei Fleur.

Twee dagen later nam hij haar mee uit eten en daar was Dorothy ook weer erg tevreden over. Hij vertelde Fleur dat hij zich bij haar vrij en gelukkig voelde en nog helemaal niet werd geplaagd door seksuele verlangens. 'Het lijkt erop dat ik gewoon vriendjes met je kan zijn. Dorothy vindt dat uitstekend.'

Fleur realiseerde dat Dorothy haar weleens te veel zou kunnen worden.

Piers stond erop dat de kinderen ook op het feest kwamen, in elk geval aan het begin van de avond. Dat betekende natuurlijk dat hij Pandora op het feest wilde hebben en de andere twee gedoogde. Hij zei tegen Chloe dat ze een jurk voor Pandora moest laten maken. 'Iets kostuumachtigs, geen kleinemeisjesjurk. Iets wat een Infanta zou kunnen dragen.' Chloe vertelde hem resoluut dat Pandora zou komen feesten in een leuke jurk van Harrods of Harvey Nichols of dat ze anders helemaal niet zou komen.

Ze kocht voor beide meisjes zijden jurkjes in regenboogkleuren van Liberty. Met hun rode haar zagen ze eruit alsof ze zo uit de filmopnamen van de *Dream* waren weggelopen.

'Joe? Met Caroline.'

'Hallo Caroline.' Joe hoorde hoe afstandelijk hij klonk en probeerde wat warmte in zijn stem te leggen. Sinds de lunch in de Ritz had hij haar amper gesproken.

'Joe, is er iets?'

'Nee, nee natuurlijk niet.'

'Mooi. Het lijkt me leuk om samen naar het feest te gaan. Wat vind jij?'

'Ja, ja natuurlijk. Puik idee. Leuk idee. Ik vind het erg leuk.'

'Zo klink je anders niet.'

'Sorry, Caroline, ik... heb het nogal druk. Ik wil graag met jou naar het feest. Dan zal ik zelfs mijn pak aantrekken.'

'Nee, Joe, het is avondkleding. Toe nou toch.'

'Caroline,' zei Joe, toen alle pijn en jaloezie kwamen opborrelen, 'je moet me niet commanderen. Ik draag wat ik wil.'

'O, in godsnaam,' zei Caroline en ze legde neer.

Joe belde haar terug.

'Sorry, Caroline. Natuurlijk draag ik avondkleding. En ik wil graag met je mee.'

Maar zijn stem klonk nog steeds raar en hij wist het.

Voor de onderscheiding kocht Chloe bij Saint Laurent een jurk van marineblauwe gabardine en een blauw met witte strohoed; simpel maar zeer elegant. Ze kreeg steeds meer het gevoel dat ze een rol speelde. Piers liet een nieuw zwart jacquet maken bij Hawes and Curtis; verder droeg hij een overhemd met een puntboord in plaats van een omgeslagen kraag en een zijden hoge hoed van ruim een halve eeuw oud die hij van Herbert Johnson had kunnen kopen. Hij maakte zich grote zorgen over het hele gebeuren en liep uren te piekeren over de vraag of zijn broek te wijd was, zodat hij te mager leek, of het jacquet misschien iets te lang was en of de hoge hoed niet te geaffecteerd overkwam. Chloe vertelde hem bij de vele pasbeurten half lachend, half geïrriteerd dat hij er prachtig uitzag en vroeg zich af hoe haar leven zou verlopen als zij net zo ijdel was als hij.

Dream Street won de Derby niet; hij werd zesde. Piers was hevig teleurgesteld en zei tegen Chloe dat de zesde plaats teleurstellender was dan de zestiende plaats. Toch vierde hij de deelname op gulle wijze in het Savoy, hield een overdreven toespraak waarin hij de genialiteit roemde van zijn trainer, Bill Peterson, en zei dat ze volgend jaar zeker zouden winnen. De pers, die afkwam op de combinatie van races en theater, maakte ontelbare foto's van Piers met Dream Street en van Pandora, die een jurk aanhad in haar vaders racekleuren. Chloe zei tegen Ned, die verdrietig was omdat niemand aandacht aan hem besteedde, dat paarden vreselijke dieren waren en dat hij er beter bij uit de buurt kon blijven.

Een week later werd de onderscheidingenlijst gepubliceerd en de week daarna won Dream Street twee races op Ascot.

'Eindelijk,' zei Piers, met een prachtige glimlach naar zijn gasten, en hij zwaaide ietwat onvast met een glas champagne, 'eindelijk is mijn geluk teruggekeerd.'

In New York hoorde Fleur FitzPatrick tijdens een lunch in de Four Seasons met Baby Praeger en Nigel Silk dat Piers Windsor, een vriend van Serena Silk – 'Hebben we hem niet eens aan je voorgesteld, Fleur? Er staat me iets van bij' – een koninklijke onderscheiding zou krijgen. Fleur excuseerde zich en ging naar het toilet. Beide mannen zeiden tegen elkaar dat ze opeens erg bleek was geworden.

'Waarschijnlijk vrouwendingen,' zei Baby Praeger uit ervaring en hij wenkte de sommelier om hun Château Lafitte bij te schenken en een nieuwe fles te brengen.

Nigel Silk knikte wijs. 'Waarschijnlijk. Denk je dat je haar kunt helpen, Baby? Ze heeft erg veel talent, weet je; ze is een vroegere protegee van mij.'

'O ja,' vroeg Praeger. 'Ik vermoedde al zoiets. Ik zou haar zelf wel als protegee willen, moet ik zeggen.'

'Je begrijpt me verkeerd,' zei Nigel.

'Vast niet,' zei Baby en hij grijnsde stralend.

Fleur was die avond erg overstuur en huilde haar woede en verontwaardiging eruit op Reubens schouder. Hij hield haar vast, suste haar, luisterde naar haar en zei dat ze alle recht had om zo boos te zijn. Hij stelde haar voor hulp te zoeken bij Dorothy.

Fleur zei dat ze dacht dat ze het zelf wel zou redden.

Een week voor de onderscheiding reed Magnus Phillips op zijn motor over de M1. Net voorbij de afslag naar Luton werd hij gesneden door een Mercedes. Bij de botsing waren drie voertuigen betrokken. Magnus liep enkele lelijke sneeën en kneuzingen op, brak zijn arm op twee plaatsen – onder de elleboog stak het bot door het vlees – en brak één voortand, iets wat, zoals hij zelf zei, zijn sexappeal niet ten goede kwam. Het had echter veel erger kunnen zijn. De Mercedes stopte niet; getuigen verklaarden dat de wagen ruim 160 kilometer per uur had gereden. Een uur later deed een Londense zakenman aangifte dat zijn Mercedes voor zijn huis was gestolen; de wagen werd later leeg aangetroffen in een bos net buiten Londen.

Toen de politie Magnus vroeg of hij enig idee had wie de chauffeur geweest kon zijn, zei hij van niet; ze vroegen hem of iemand een hekel aan hem had en hij zei dat het er te veel waren om op te noemen. De politie zei dat hij er niet mee mocht spotten en hij zei dat het hem speet en dat hij niet iemand in het bijzonder kon noemen.

Drie dagen later werd Richard Beauman midden in de nacht gebeld door de politie. Ze vroegen hem direct naar de uitgeverij te komen. Toen hij aankwam, was het hele gebouw door brand verwoest. Gelukkig werd het grootste deel van het archief, manuscripten en dossiers, bewaard in een metalen kluis, zodat ze onbeschadigd waren.

Later die dag ging Beauman op bezoek bij Magnus, die nog steeds erg veel pijn had aan zijn arm, en zei dat het nu welletjes was en dat hij *Tinsel* zou uitgeven, kort geding of niet.

Joe Payton hoorde van de brand en het ongeluk tijdens een lunch in El Vino's. Hij belde meteen Chloe op. Ze vroeg hem naar haar toe te komen. Ludovic was er ook.

'Het is afschuwelijk,' zei ze geschrokken. 'Iedereen zal denken dat Piers erachter zit. Ik weet niet wat ik moet doen.'

'Doe niets,' zei Ludovic. 'En elke keer dat iemand je ernaar vraagt, herhaal je alleen dat je er helemaal niets van weet. Verder niets. Gelukkig is het te kort dag om Piers' onderscheiding te beïnvloeden.'

'Ja, maar de timing is geweldig, hè? Ik zie de krantenkoppen al voor me.'

'Ik ook,' zei Joe somber. 'Heb je het Piers al verteld, Chloe?'

'Ja, natuurlijk,' zei Chloe. 'Ik moet zeggen dat het hem weinig leek te kunnen schelen. Hij leeft momenteel in een andere wereld. Nicholas zegt dat we het boek nog steeds kunnen tegenhouden en daar houdt Piers zich aan vast.'

'Het biedt níet erg veel houvast, vrees ik,' zei Ludovic.

Drie dagen voor de onderscheiding zat Fleur te wachten tot Sol Morton haar kon ontvangen. Sol had altijd veel Engelse kranten en tijdschriften op kantoor en ze bladerde door *The Times* van de dag ervoor. Ze wilde de krant net wegleggen toen ze een klein berichtje onder aan pagina drie zag over een brand in het kantoor van Beauman, de succesvolle uitgeverij. Gelukkig hadden de meeste manuscripten het overleefd. Toevallig, meldde *The Times*, was een van Beaumans topauteurs, Magnus Phillips, enkele dagen eerder zwaargewond geraakt in een motorongeluk.

'Godkolere, hé,' riep Fleur uit. Ze ging naar huis en probeerde Magnus te bellen, maar kreeg van Inlichtingen te horen dat het nummer onbereikbaar was en dat er geen nieuw nummer bekend was.

'Verdomme,' zei Fleur. Ze begon te zweten. Wie kon haar anders helpen? Beauman? Wat was hun nummer? Ze zocht het op en pas na lang wachten werd ze doorverbonden.

'Ik ben op zoek naar meneer Beauman.'

'Met wie spreek ik?' De stem klonk afgemeten, lijzig, leek een beetje op die van Caroline.

'Fleur FitzPatrick.'

'Een ogenblik geduld, mevrouw FitzPatrick.'

Nu hoorde ze een mannenstem, snel, slordig, ongeduldig. 'Richard Beauman.'

'Meneer Beauman, u kent me niet, maar...'

'Ik heb wel veel over u gehoord.'

'Maar hoe...'

'Van Magnus natuurlijk.' Hij klonk geamuseerd. Ze mocht hem niet. Arrogante zak.

'Meneer Beauman, hoe gaat het met Magnus?' Ze probeerde zich te beheersen, maar hoorde tot haar afkeer dat haar stem trilde.

'Het gaat... redelijk. Hij is geschrokken en heeft veel pijn, maar verder gaat het wel goed.'

'Wat is er gebeurd?'

'Hij werd op de M1 van zijn motor gereden.'

'Door wie?'

'Wisten we dat maar.'

'Opzettelijk?'

'Niet te zeggen.'

Ze had echt een hekel aan deze man. 'Meneer Beauman, waar is Magnus nu?'

'Bij vrienden.'

'Waar?'

'Dat mag ik helaas niet zeggen.'

'Juist.' Die klootzak was waarschijnlijk bij Rose of zo. 'Oké, ik wilde alleen maar weten hoe het gaat. Ik las erover in de krant.'

'Staat het in de Amerikaanse kranten?'

'Nee, mijn baas leest *The Times*.'

'Wat uitermate beschaafd van hem.'

'Eh, kunt u mij vertellen of u *The Tinsel Underneath* gaat uitbrengen?'

'Helaas kan ik er niets over zeggen. Ik weet het momenteel zelf nog niet.'

'Meneer Beauman, ik moet Magnus echt spreken. Heeft u zijn telefoonnummer voor me?'

'Nee. Hij... heeft rust nodig. Maar ik zal uw boodschap doorgeven. Heeft hij uw nummer? Voor het geval hij terug wil bellen?'

'Ja,' zei Fleur, 'dank u wel.' Ze gooide de hoorn op de haak en omdat ze niet wist wat ze moest doen, belde ze Joe.

'Ik ga naar Londen,' zei ze tegen Sol. 'Mijn zus opzoeken.'

'Maar je hebt geen zus,' zei Sol.

'Jawel,' zei Fleur, 'zeker wel.'

Zonder precies te weten waarom belde ze Reuben en vertelde het hem, en ook waarom. Hij zei dat het prima was en legde neer. Tien minuten later belde hij terug om te zeggen dat hij meeging.

'Reuben, dat gaat niet,' zei Fleur, terwijl ze bedacht hoe fijn het zou om hem bij zich te hebben, zijn stille, troostende aanwezigheid te voelen.

'Jawel,' zei Reuben. 'Ik heb het afgestemd met Dorothy en zij zei dat het goed was. Dat het heel therapeutisch voor mij zou zijn.'

'Lang leve Dorothy,' zei Fleur. 'Reuben, ik,' ze wilde bijna zeggen 'hou van je', maar zei in plaats daarvan, 'waardeer het echt ontzettend.'

'Zit wel goed,' zei Reuben.

De dag voor de onderscheiding verdween Piers na het ontbijt. Hij zei een beetje vaag dat hij de hele ochtend afspraken had, onder meer bij de kapper, om zijn haar, dat hij voor *Othello* heel lang had laten groeien, enigszins in fatsoen te laten brengen. Tegen de avond zou hij naar Stratford rijden voor zijn laatste voorstelling. Zijn chauffeur zou hem meteen daarna thuisbrengen. Chloe vreesde voor zijn gezondheid, zowel lichamelijk als emotioneel, en stelde zich voor hoe hij in tranen zou uitbarsten of zou instorten als hij voor de koningin stond, maar hij leek vrij rustig.

Halverwege de ochtend belde Jean Potts. Ze moest hem dringend spreken. Chloe vertelde dat hij die ochtend een afspraak had bij Truefitt and Hill. Jean belde terug om te zeggen dat Truefitt and Hill geen afspraak met Piers had genoteerd. Had ze nog meer ideeën? Chloe zei nogal kortaf dat zij niets meer wist, maar dat als Piers zou bellen, ze hem zou vragen Jean meteen te bellen. Daarna kreeg ze er spijt van dat ze die aardige Jean had afgesnauwd. Ze belde haar terug en Jean zei, op even lieve en redelijke toon als altijd, dat het geen punt was. Ze had hem eindelijk opgespoord, bij Jim Prendergast op kantoor.

'Er is een belangrijke vergadering aan de gang,' vertelde ze. 'Eerst wilden ze me niet doorverbinden, maar ik heb hem toch kunnen spreken. Alles is goed gekomen.'

'Mooi,' zei Chloe, verbaasd dat Piers niet had verteld dat hij naar Prendergast ging. Dat zou hij normaal gesproken niet verzwijgen. 'Eh... wie was er naar hem op zoek?'

'O, een filmbons in Hollywood,' zei Jean, 'over een contract.' Ze klonk een beetje gespannen en iets aan het antwoord klopte niet, maar Chloe kon haar vinger er niet op leggen. Pas later besefte ze dat het in Los Angeles midden in de nacht was geweest. Zelfs dáár was het een vreemde tijd om in te zitten over een contract. Ze zette het uit haar hoofd en ging Ned uit de kleuterschool halen. Ze wilde nog steeds zoveel mogelijk zelf doen.

Toen ze rond het middaguur terugkwam, vertelde Rosemary dat Piers even thuis was geweest en weer weg was gegaan. 'Hij komt nu pas na de voorstelling thuis,' zei ze. 'Ik moest zeggen dat je moest controleren dat zijn schoenen op tijd door Lobbs worden bezorgd. Ik heb verteld dat ze al binnen waren.'

'Mooi,' zei Chloe.

'En meneer Payton heeft gebeld. Wil je hem thuis bellen? Hij zei dat het erg dringend is.'

'O, god,' zei Chloe en ze rende naar de slaapkamer.

Maar Joe was er niet en volgens zijn antwoordapparaat zou hij pas na zeven uur thuiskomen.

'Verdomme,' zei ze. De *Sunday Times* liet desgevraagd weten dat hij naar een interview was met Annunciata Fallon.

Ze belde Annunciata. Ze was weg, vertelde haar antwoordapparaat, en zou pas 'laat, zéér laat' weer thuis zijn.

'Stomme trut,' zei Chloe en ze gooide de hoorn op de haak.

Ze ging weer naar beneden, naar de keuken, waar Rosemary de kinderen te eten gaf. Ned propte zijn vissticks naar binnen, maar Kitty zat te spelen met haar eten. Dat was niets voor haar; meestal was ze gulzig. Een groot deel van haar geringe aandacht ging naar eten. Chloe, bang dat zij een dikke tiener zou worden, zoals ze zelf was geweest, piekerde er erg vaak over.

'Kitty, wat is er?'

'Buikpijn,' zei Kitty, en meteen daarop gaf ze hevig over.

'O, god,' zei Chloe, 'morgen kan ik er echt geen ziek kind bij hebben. Rosemary, wil jij dokter Bannerman bellen en vragen of hij wil komen, voor de zekerheid? Ze voelt erg warm aan.'

Bannerman kwam binnen een half uur en zei dat er niets aan de hand was. Waarschijnlijk had ze op de crèche iets opgepikt.

'Je moet je niet zoveel zorgen maken,' zei hij.

'Dat doe ik anders ook nooit,' loog Chloe, 'maar... nou ja, morgen en zo. Ik wil niet nog meer aan mijn hoofd hebben.'

'O ja, natuurlijk, morgen is de grote dag. Is Piers erg nerveus?'

'Ja, érg.'

'Hoe komt hij over?' vroeg Bannerman nonchalant, terwijl hij zijn stethoscoop opborg.

'O, veel beter,' zei Chloe snel.

'Mooi. Nou ja, Faraday is een goeie vent. Uitstekende arts. Hij zal goed voor Piers zorgen.'

'Ja, dat zal vast wel,' zei Chloe. 'Roger, ik wist niet dat hij,' ze wilde zeggen 'nog steeds naar Faraday ging,' maar op dat moment spuugde Kitty haar bed onder. Bannerman zei dat hij beter kon gaan. Chloe en Rosemary bleven de rest van de middag Kitty's bed verschonen, totdat zij om zes uur zweterig in slaap viel, waarna Chloe langdurig in bad ging. Ze bedacht dat het moederschap meer te maken had met braaksel opruimen en vieze luiers uit-wringen dan met het kneden van jonge geesten en het smeden van emotio-nele banden.

Om halfacht dacht ze eraan Joe te bellen, maar hij was nog steeds niet thuis. Ze sprak een boodschap in met het verzoek haar terug te bellen en at met Rosemary in de keuken. Omdat ze zo moe was dat ze amper kon bewe-gen en omdat haar keel akelig rauw aanvoelde, ging ze vroeg naar bed met een grog en *The Female Eunuch* van Germaine Greer. Ze vroeg Rosemary haar te laten slapen, tenzij Joe belde. Ze zette de telefoon naast haar bed helemaal zacht en dacht dat ze die een keer hoorde overgaan, maar Rosema-ry kwam niet boven. Waarschijnlijk haar vriendje, een gevoelige deeltijdstu-dent architectuur. Hij had er al drie jaar over gedaan om zijn propedeuse te halen.

In haar eigen suite boven in het huis had Rosemary net Kitty voor de derde keer die avond in bed gestopt, voor de derde keer haar Laura Ashley-nachthemd uitgetrokken en haar vlezige ledematen aan haar student bloot-gesteld, toen de telefoon ging.

'Hè, verdomme,' zei ze, 'krijg ik dan nooit rust? Ik neem niet op, hoor.'

'Mooi,' zei de student architectuur.

'Geen gehoor,' zei Joe. 'Wat nu?'

'Niets,' zei Caroline. 'Ik weet toch al niet wat je tegen haar had willen zeggen.'

'We hadden haar kunnen waarschuwen.'

'Waarvoor? Dat Fleur misschien onderweg is? Ze zou doodsangsten uit-staan, lijkt me. Nee, het is veel beter dat ze van niets weet. Ze heeft morgen toch al genoeg aan haar hoofd. Als alles voorbij is, kan ze zich altijd nog zor-gen maken.'

'Zal alles ooit echt voorbijgaan?' vroeg Joe.

'Natuurlijk wel. Ik kan nu beter naar mijn hotel gaan. Wil jij een taxi bestellen?'

'Kan ik je niet brengen?'

'Je hebt te veel gedronken,' zei Caroline bruusk.

'Sorry,' zei Joe gegeneerd en hij bestelde een taxi.

'O, Joe,' zei Caroline. 'Ík zou "sorry" moeten zeggen. Ik word echt steeds baziger, hè? Het komt door het alleen zijn, denk ik.'

'Nee, hoor,' zei Joe. 'Ik woon ook alleen, maar ik ben niet bazig.'

'Nee, dat klopt,' zei Caroline en ze keek hem teder aan.

'Maar je bent altijd al bazig geweest. Ik vond het nooit erg. Er stond genoeg tegenover.'

'Ja,' zei ze, 'dat is absoluut waar. Joe, wat was er de afgelopen weken met je aan de hand? Je deed zo kil, zo vijandig. Dat deed pijn.'

'O, niets,' zei hij, zowel verdrietig als vreemd blij dat hij haar nog steeds pijn kon doen. 'Er waren alleen een paar oude wonden opengegaan. Sorry.'

'Welke oude wonden?'

'Ik, eh, ik zag Magnus Phillips toevallig. Het overviel me. Ik voelde weer hoezeer ik hem haatte.'

'O, Joe,' zei Caroline en haar blik was zacht, en verdrietiger dan ooit. 'Het spijt me zo. Meer dan ik kan zeggen. Ik had het nooit mogen doen. Nooit. Het was waanzin. Volkomen waanzin. Trouwens,' vervolgde ze iets kordater, 'jij hebt jezelf redelijk goed weten te troosten. Je haalde alle roddelrubrieken met een filmster.'

'Eventjes maar,' zei hij.

'Hoe was ze?' vroeg ze nieuwsgierig.

'Vol van zichzelf,' zei hij, 'in alle opzichten.' En hij lachte.

Caroline lachte mee. 'Ik ben blij dat te horen. Joe, waar kijk je naar?'

'Naar jou,' zei hij. 'Ik vergeet steeds weer hoe mooi je bent. Veel mooier dan Rose, mooier dan iedereen.'

'Toe, Joe,' zei Caroline, 'ik ben niet mooi. Ik ben een oude vrouw.'

'Caroline,' zei Joe, 'voor mij ben je de vrouw die op die ene dag de Coffee House Club binnenwandelde. Zo bloedmooi, zo sexy, letterlijk adembenemend.'

'Nou,' zei Caroline, 'jij zag er anders ook niet verkeerd uit.' Ze keek hem aan en glimlachte. 'Nog steeds niet.'

'Hm,' zei Joe, 'volgens mij begin ik wel seniel te worden. Ik dacht vanochtend aan Chloe en besefte dat ze morgen Lady Windsor zal heten. Ik barstte bijna in tranen uit.'

'Ach, Joe, dat is geen seniliteit. Zo ben je altijd al geweest. Dat was het eerste aan je waar ik van hield, het gemak waarmee je huilde.' Ze keek hem nauwlettend aan. 'Je huilt nu toch niet? Waarom? Om Chloe?'

'Nee,' zei hij, terwijl hij luidruchtig zijn neus snoot. 'Niet om Chloe. Om jou. Ik mis je, Caroline, ik mis je vreselijk. Sorry.' Hij glimlachte zwakjes.

'Ik jou ook,' zei Caroline. 'Eerlijk gezegd zou ik...' Ze wilde iets zeggen, maar stond toen vastbesloten op. 'Ik kan nu beter gaan. Daar is mijn taxi. Welterusten, Joe.'

'Welterusten, Caroline.'

Zuchtend deed hij de deur dicht; hij voelde zich erg somber.

Het was een prachtige dag voor een koninklijke onderscheiding: een strak-blauwe lucht met een enigszins heiige gouden gloed. Het zag eruit alsof het erg warm kon worden.

Kitty was al flink opgeknapt; ze was een beetje knorrig, maar at wel. Pandora ging luid mopperend naar school, nadat ze een zeer slaperige Piers gedag had gezegd en geluk had gewenst. Chloe bracht Ned naar school, belde Stebbings om er zeker van te zijn dat alles goed was, dat de bloemen waren bezorgd, dat de cateraars onderweg waren, dat de tafels en stoelen klaarstonden en de tafels gedekt waren. Ze zei dat ze meteen na de lunch zou komen. Was ze maar personeel in plaats van de gastvrouw!

Ze wilde nergens aan denken, behalve aan de dag zelf. Tot nog toe leek het te lukken. Ze kón gewoon nergens anders aan denken.

Haar kapster kwam om halftien om haar haar uit te borstelen; ze stelde voor dat ze Piers ook onder handen zou nemen. Piers zwierf door het huis, letterlijk. Hij ging van kamer naar kamer. Hij zag lijkbleek en had al twee keer overgegeven. Hij leek nog zenuwachtiger dan hij voor een première was.

'Piers,' zei Chloe, 'ik ga me omkleden. Waarom laat je je niet even door Nicky kappen? Die vergadering bij Prendergast heeft gisteren zeker je afspraak bij Truefitt and Hall in de war geschopt?'

'Wat? O ja, helaas.'

'Waar ging het over? Jean zei dat er veel bonzen bij zaten.'

'O, niets bijzonders,' zei Piers, 'belastingzaken.'

'O, juist. Nou, ga maar. Nicky is nu in mijn kamer. En dan moet je je ook gaan omkleden.'

'Ja, ja,' zei Piers geërgerd, 'ik kan wel klokkijken.' Hij stormde de bad-kamer in en ze hoorde hem weer kokhalzen. Ze had hem willen vragen waarom Faraday hem nog steeds behandelde, maar besloot dat dit niet het juiste moment was.

Ze trok net de rits van haar jurk omhoog toen de telefoon ging.

'Hallo, liefje,' zei Joe, 'ik wil je alleen even gelukwensen.'

'O, Joe, dankjewel. Ik heb gisteren geprobeerd je te bellen, twee keer zelfs. Was het echt dringend?'

'O, nee, niet echt.' Hij klonk vaag. 'Een paar dingetjes. En ik dacht dat ik je vandaag niet zou kunnen bereiken. Om je geluk te wensen, begrijp je? Jullie allebei,' voegde hij er nadrukkelijk aan toe. 'We zien jullie vanavond.'

'Ja. Ik hoorde dat je een interview had met Annunciata.'

'Ja,' zei hij geforceerd opgewekt. 'Ja, ze lijkt het eindelijk gemaakt te hebben. Ze heeft een grote rol in *Jesus Christ Superstar*. Blijkbaar is ze erg goed.'

'Wat heerlijk voor haar,' zei Chloe al even geforceerd blij.

Piers verscheen in de deuropening. Zijn gezicht zag grijs, maar hij was nu wel rustig. Hij droeg alleen zijn overhemd met puntboord.

'Ik kom er net achter dat ik helemaal geen zwarte sokken heb,' zei hij. 'Kan Rosemary snel sokken gaan kopen? En wil je me helpen met deze das? Mijn vingers zitten in de knoop.'

Chloe ging naar zijn kleedkamer, vond tien paar zwarte sokken en bracht ze naar hem toe. Ze probeerde haar gezicht in de plooi te houden. Hij keek ernaar en zei: 'Maar Chloe, die kan ik toch niet aan, ze zijn veel te dik. Ik wil zijden sokken.'

'Je zult moeten kiezen tussen wollen sokken en de koningin laten wachten,' zei Chloe.

Piers trok wollen sokken aan.

Hij had grote moeite met zijn manchetknopen; Chloe maakte ze voor hem vast. Hij bibberde hevig en voelde erg koud aan. Opeens, onverwacht, werd Chloe vertederd. Impulsief ging ze op haar tenen staan en kuste hem.

'Het komt wel goed,' zei ze.

'Ik hoop het,' zei hij, en toen glimlachte hij naar haar en zei: 'Ik hou van je, weet je.'

'Echt waar?' vroeg Chloe. Ze keek hem recht aan en voelde de warmte weer wegtrekken. 'Meen je dat?'

'Ja,' zei hij, zichtbaar verbaasd door haar vraag. 'Ja, dat meen ik.'

'Piers,' zei ze, 'Piers, ik...' Ze had willen zeggen: 'Ik begrijp helemaal niets van je,' toen Kitty naar binnen rende en haar armpjes om zijn benen sloeg. Hij zuchtte, duidelijk geïrriteerd, en maakte haar armen iets te ruw los.

'Ik moet me verder aankleden,' zei hij en hij verdween in zijn kleedkamer.

De wagen kwam om kwart voor tien voorrijden; de paleispoort ging om tien uur open. Rosemary en Kitty stonden op de trap om hen uit te zwaaien en maakten ontelbare foto's. Er waren ook een paar journalisten. Terwijl ze daar vastberaden stond te glimlachen, hoorde ze de telefoon overgaan en overwoog ze Rosemary te vragen op te nemen. Toen zei ze: 'Kom mee, Piers, laten we gaan,' en stapten ze in. Piers kneep haar hand bijna tot moes toen ze via Belgrave Square, Hyde Park Corner en Constitution Hill reden en aansloten in de lange rij auto's die op weg waren naar het voorhof van Buckingham Palace. Ze keek uit het raam en bedacht hoe merkwaardig het was dat een man die avond aan avond honderden theaterbezoekers in zijn ban kon houden, die in de aanwezigheid van de politieke en culturele elite van het land naar zichzelf kon kijken op een scherm dat hem twintig, honderd maal uitvergrootte en de kleinste gelaatstrekken zichtbaar maakte, die een charmante en geestige speech kon houden toen hij zijn Oscar in ontvangst nam, die voor het eerst in zijn leven in het openbaar kon zingen, begeleid door het koor van de English National Opera, hoe merkwaardig het was dat die man rilde van ijskoude angst bij het vooruitzicht dat hij moest knielen voor een kleine, vrij gewoon uitziende vrouw, terwijl hij niet eens iets hoefde te zeggen.

Ze liepen over de rode loper het paleis in, waar ze werden gescheiden; Piers werd met de andere kandidaten naar een ruimte gebracht (later vertelde hij dat hij een uur had moeten staan, dat er geen koffie was, dat hij nergens naar de wc kon en zich steeds ellendiger ging voelen; de enige afleiding bestond uit het oefenen van zijn kniebuiging – 'De major domo zei steeds "rechterknie, rechterhand" en ik was als de dood dat ik het verkeerd zou doen'), terwijl Chloe de Grote Trap beklom en door de gang naar de balzaal liep. Ze kreeg steeds sterker het gevoel dat ze droomde, alsof ze naar iemand anders in een stijve marineblauwe jurk keek, aan de arm van een man die ze niet kende; ze ging op een vergulde stoel zitten en keek naar de tronen op de estrade voor haar en wachtte. Alles, zelfs de soldaat der koninklijke garde die tegen de muur stond, leek rood met goud te zijn. Er speelde een band in de galerij achter hem. Ze vond het een wonderlijk mengsel van muziek, van Elgar tot *My Fair Lady,* maar misschien lag dat aan haar.

Om elf uur precies verscheen de koningin. Ze glimlachte, liep naar de estrade. Chloe had half verwacht dat ze haar corgi's mee zou nemen. Ze zag er erg klein uit, erg sierlijk, knapper, minder grimmig dan ze er op foto's uitzag. Piers, die één keer eerder aan haar was voorgesteld bij een première en die haar sindsdien verschillende keren had gezien, had dat haar ook verteld, maar toch was Chloe verbaasd. De band speelde het volkslied en de koningin stond aandachtig te luisteren, alsof ze het nog niet kende. Toen glimlachte ze en zei: 'Dames en heren, gaat u zitten.'

De kandidaten kwamen nu een voor een, feilloos geregisseerd vanaf de zijkant van de zaal naar de estrade; Chloe keek toe met hetzelfde gevoel van vervreemding. Ze zag Piers stilstaan, buigen, naar voren lopen, een kniebuiging maken, opkijken naar de koningin; ze zag het zwaard schitteren toen het eerst zijn rechterschouder, toen zijn linkerschouder raakte en vroeg zich af waarom ze niet scherp kon zien. Toen hij terugliep, zijn gezicht nog steeds plechtig, maar zachter, meer ontspannen, en voor de tweede maal boog, besefte ze dat het kwam doordat er tranen in haar ogen stonden.

Toen was het voorbij en ze stonden buiten. Ze werden besprongen door fotografen en hij lachte, ontspannen, vriendelijk voor hen, voor haar; duidelijk verrukt over alles, maar vooral over zichzelf. Ze vond zijn kinderachtige plezier en verrukking vooral amusant en zei: 'Goed gedaan, schat, gefeliciteerd.' Ze reden naar de Garrick Club; daar stapte hij uit nadat hij haar had gekust en had gezegd: 'Dag, Lady Windsor, tot straks.' Opgelucht dat ze een paar uur van hem verlost was, leunde ze achterover en liet ze Londen aan zich voorbijgaan. Tegen halfdrie bevonden ze zich in de heuvels van Berkshire en om drie uur zat ze aan de thee in de keuken van Stebbings. Ze beantwoordde vragen over glazen en bloemen, over microfoons, kledingrekken en toiletcabines, en vroeg zich af of ze zich het hele gebeuren van vanochtend niet had ingebeeld.

Om vier uur kwam Rosemary met de kinderen. Om zes uur kwam Piers, lachend, nog steeds in een opgewonden roes. Hij kuste iedereen, vertelde dat de lunch geweldig was geweest, fantastisch. Nu ging hij eerst naar de stal, naar Dream Street en de andere paarden. Dan ging hij een dutje doen en even zwemmen. Daarna kon hij er weer helemaal tegen en zou hij zich voorbereiden op het feest. Pandora zei dat hij eruitzag als een prins en hij antwoordde dat hij zich ook zo voelde, maar dat hij maar een saaie oude ridder was. Ze vroeg of ze een reverence moest maken en hij antwoordde: 'Jazeker.' Pandora sprong van haar stoel en rende naar hem toe. Ze maakte een prachtige reverence en zei: 'Het is me een ware eer met u kennis te maken, Sir Piers,' en hij boog en kuste haar hand. Terwijl Chloe probeerde haar gezicht in de plooi te houden en Ned op en neer sprong in zijn stoel in een poging ook wat aandacht te krijgen, kwam Jean Potts binnen en zei dat Dream Street zojuist Mick McHugh, een van de staljongens, had afgeworpen en boven op hem was gevallen. Of Piers meteen naar de stallen kon komen.

Mick McHugh was zwaargewond; een van zijn longen was ingeklapt doordat twee ribben waren gebroken. Hij lag op de intensive care, maar tegen de avond was hij buiten levensgevaar. Dream Street had bij de val een been gebroken en moest worden afgemaakt.

Chloe trof Piers huilend aan in de zadelkamer.

'Piers, ik vind het zo erg, zo verschrikkelijk. Ik...' Ze hief haar handen naar hem op en liet ze machteloos weer vallen.

Ik ga bij je weg, zei ze in gedachten en ze ging naar hun kamer. Het werd donkerder, grote wolken kwamen aanzeilen vanuit het westen en achter hen vertoonde de lucht rode en oranje strepen. Chloe had het koud en was verdrietig over Dream Street, ze zag op tegen het feest en had een onrustig voorgevoel, bijna alsof er gevaar dreigde. Het liefst zou ze (al wist ze dat het niet kon, absurd was) het feest afzeggen en haar familie veilig bij elkaar houden, de deuren dicht tegen indringers. Ze zei tegen zichzelf dat ze zich idioot aanstelde, dat de dood van een paard, hoe verdrietig ook, bepaald geen grote tragedie was en dat natuurlijk alles moest doorgaan. Het zou Piers troosten en zijn geluksgevoel terugbrengen. Ze gebruikte de dood van Dream Street om Jeans boodschap – haar moeder had gebeld en ze moest meteen terugbellen – te negeren. Ze had genoeg aan haar hoofd.

Tegen de tijd dat de eerste gasten kwamen aanrijden, was het begonnen met regenen. Heel licht, eigenlijk meer mist dan regen. Piers en zij stonden met de kinderen bij de voordeur om hun gasten te begroeten en hun excuses aan te bieden voor hun onvermogen het weer te beïnvloeden. Ze namen glimlachend felicitaties, gelukwensen en cadeaus in ontvangst. Piers lachte en leek weer zichzelf; alleen zijn gespannen kaken verraadden zijn verdriet en pijn om het paard.

Na een uur kwam de regen als een grijs gordijn naar beneden en stak er een felle wind op. Het was koud. Chloe maakte zich zorgen om de vrouwelijke gasten in hun zomerkleren. Ze belde de tentbouwers met het verzoek kachels te brengen, maar er was niemand. Ze vroeg de cateraars of ze soep konden opwarmen, maar daarvoor was het natuurlijk al te laat. Ze bood shawls, truien, omslagdoeken aan, die de meesten afsloegen. Sommige vrouwen droegen de smokingjasjes van hun man en stonden te rillen in de tent, terwijl ze dronken van de gekoelde champagne, Bellini's en Bucks Fizz. Het was de nachtmerrie van iedere gastvrouw. Het liefst had ze iedereen naar huis gestuurd en gezegd dat ze maar een andere keer moesten terugkomen.

En toen arriveerde Ludovic, aantrekkelijk als altijd, met een wit smokingjasje aan en een mooi meisje, dat zijn dochter had kunnen zijn, aan zijn arm ('voor de schijn,' fluisterde hij in Chloe's oor); hij omhelsde haar warm en volgde haar de tent in. 'Verdomme,' zei hij duidelijk hoorbaar, terwijl hij zijn handen tegen elkaar wreef. 'Je bevriest waar je bij staat. Misschien moeten we even wat gymnastiek doen, Chloe, om op te warmen.'

Iedereen begon te lachen, de spanning verdween uit de lucht. Toen zei

Piers: 'We kunnen alvast wel even dansen voor het eten om op te warmen. Goed idee, Ludo.'

De deejay werd inderhaast opgetrommeld en men begon vastberaden te dansen; toen om halftien het eten werd geserveerd, had de lichaamswarmte de tent in zoverre opgewarmd dat de heren vrijwillig hun jasje uittrokken.

Goddank, dacht Chloe, misschien kwam het dan toch nog goed. Iedereen leek vrolijk en door het dansen hadden de gasten het niet alleen warm gekregen, maar waren ze ook met elkaar in gesprek geraakt. Er werd meer gepraat en gelachen dan je tijdens een diner zou verwachten. Piers was ontspannen. Hij zat op zijn gemak aan een tafel tussen Maria Woolf en Pandora in, vertelde moppen en lachte om de moppen van anderen. Chloe moest opeens denken aan die andere gelegenheid, die helse lunch, ruim zes jaar geleden, toen ze geen tafel had om aan te zitten, niemand had om tegen te praten, en ze bedacht dat er feitelijk bitter weinig was veranderd. Toen voelde ze een arm om haar schouders. Het was Damian. 'Hallo, Lady Windsor,' zei hij. Hij kuste haar hand en smeekte haar om hem alles te vertellen over die ochtend. Ze gingen aan tafel zitten bij de Montagues, bij Annunciata, die een jonge man had meegebracht die sterk leek op de jongen die Tadzio had gespeeld in *Death in Venice,* en bij Ludovic met Candida, zijn vriendinnetje. Iedereen zei tegen Chloe dat ze er prachtig uitzag, veel te jong om de moeder te zijn van een groot gezin, dat ze weer een geweldig feest had georganiseerd, dat ze wel erg trots op Piers zou zijn en wat een succes ze had gemaakt van hun huwelijk. Toen besefte ze dat er in zes jaar wel degelijk veel was veranderd.

Opeens besefte ze dat haar moeder er nog steeds niet was. Ze hadden er nu toch al moeten zijn; ze hoopte maar dat hun niets was overkomen, dat ze geen ongeluk hadden gehad in de stromende regen. Joe zou waarschijnlijk wel weer te laat zijn, maar Caroline had beloofd dat ze samen zouden komen.

Toen ze Joe en Caroline samen in de deuropening zag staan, was ze idioot blij; ze ging naar hen toe en omhelsde hen, wilde niets van verontschuldigingen weten, haalde iets te drinken en bracht hen naar het buffet om Piers te begroeten, maar hij liep net terug naar zijn tafel en zijn gehoor. Joe en Caroline leken allebei een beetje gespannen, maar zij had zelf onder zo veel spanning gestaan dat het bijna een normale toestand leek.

'Ik heb je gebeld,' zei Caroline een beetje verwijtend, toen Chloe haar en Joe naar een tafel begeleidde. 'Heb je de boodschap niet gekregen? Het was belangrijk, Chloe. Ik... ik wilde je...'

Chloe onderbrak haar. 'Ja, mamma, ik hoorde het, maar er is eerder vanavond een vreselijk ongeluk gebeurd. Dream Street moest worden afgemaakt.'

'Mijn god, wat afgrijselijk,' zei Caroline, duidelijk geschrokken van het nieuws; ze werd bleek, ging plotseling zitten, dronk haar glas leeg en vroeg om een vol glas. 'Het spijt me verschrikkelijk, Chloe, wat afschuwelijk voor Piers.'

'Het was ook afschuwelijk,' zei Chloe. Ze bedacht oneerbiedig dat Caroline meer aangedaan was door de dood van een paard dan ze van Piers' dood zou zijn geweest en ze onderdrukte met moeite de neiging om hysterisch te gaan giechelen. 'Piers slaat zich er goed doorheen. Ik denk dat hij het morgen pas echt voelt.'

'Chloe,' zei Joe, 'we moeten je...'

'O, god,' zei Chloe. 'Sorry, maar Piers wenkt. Ik weet ook waarom; er is een probleem met de rode wijn. Ik wilde net de sommelier erop aanspreken. Ik ben zo terug.'

Nadat ze had ontdekt dat het probleem met de rode wijn niet op te lossen was, aangezien die te koud was maar toch geschonken moest worden, Maria Woolf haar verteld had hoe ze was gestruikeld over de rode loper toen Jack zijn koninklijke onderscheiding kreeg, Ludovics vriendinnetje had verteld dat ze Piers' Othello de mooiste en meest opwindende vond die ze ooit had gezien, Toby's vrouw Sarah had verteld over de nieuwe kinderkamer, Rosemary was opgespoord omdat Ned naar bed moest, haar moeder op eigen verzoek was voorgesteld aan Robin Leveret (hoewel ze zich afvroeg wie de grootste hekel aan de ander zou krijgen), ze enthousiast had gereageerd op het nieuws van Damian Lutyens dat hij samen met Liza Montague aan een kinderoperette ging werken die met Kerstmis in het Colosseum zou worden opgevoerd, Ludovic een snelle, beleefde kus had gegeven en hem had verteld dat ze van hem hield en dat zij ook wel zag dat Candida er alleen voor de sier was – nadat ze dat allemaal had gedaan, brachten de kelners de champagne binnen en stond Piers op om een toespraak te houden.

'Niet lang, hoor,' zei hij, 'een paar woorden maar.'

Dat lokte van verschillende gasten opmerkingen uit als 'ja, ja,' en 'dat kennen we.' Anderen begonnen te lachen of te applaudisseren en hij hield lachend zijn hand op om iedereen stil te krijgen.

'Ik wil echt alleen maar zeggen dat dit de mooiste dag van mijn leven is, de bekroning, zullen we maar zeggen, en ik wil degenen onder jullie die me vandaag de lunch aanboden bedanken. Los daarvan wil ik jullie allemaal bedanken dat jullie zijn gekomen om het met ons te vieren. Maar vooral wil ik mijn lieve vrouw Chloe bedanken, omdat zij me zes jaar lang heeft bijgestaan; het moet af en toe wel héél lang hebben geleken. Lady Windsor, Chloe, schat, sta op en neem je applaus in ontvangst.'

Chloe stond op, blozend, met een zwak, gegeneerd glimlachje, en de hele tent begon te klappen, wierp haar kushandjes toe en scandeerde haar naam. Ze keek rond over de met kaarsen verlichte tafels, de rozenguirlandes, de verwachtingsvolle gezichten en ze wist dat ze iets moest zeggen, maar ze kon niets bedenken, durfde niet eens na te denken. Ze hief haar hand en zei alleen: 'Ik wil jullie hartelijk bedanken voor je komst. Het was geen moeite. Ik heb het graag gedaan. Alles.' Iedereen begon te lachen en net toen ze opgelucht wilde gaan zitten, kwamen de eerste kelners binnen met een bruidstaart op een theewagen. Behalve de bruid en bruidegom stonden er drie kleine figuurtjes op, midden in een waas van brandende kaarsjes. De deejay zette de bruidswals op en Piers kwam naar haar toe om haar ten dans te vragen. Opeens werd alles haar te veel. Ze werd acuut misselijk; ze zou willen dat alles voorbij was, dat ze hardop, en plein public, kon zeggen: 'Deze man is een leugenaar en een bedrieger en hij heeft sinds ons huwelijk met verschillende mannen affaires gehad,' maar dat deed ze natuurlijk niet. Ze glimlachte met moeite en danste de wals met hem, al deinsde ze voor hem terug, zoals ze deed als hij haar in bed opzocht.

'Ik hou van je,' zei Piers en hij boog vooover om haar te kussen. Dat was echt te veel; ze deed een stap achteruit, mompelde dat ze nodig bij de kinderen moest kijken en rende de tent uit.

Ze ging naar de zitkamer; daar was ze altijd het liefst. Ze ging in het stoeltje bij de haard zitten, staarde in de vlammen en dacht terug aan haar eerste bezoek aan Stebbings, toen het enige wat ze van Piers wist, was dat ze van hem hield, toen hun relatie onschuldig en vredig was, en ze huilde, vooral om de manier waarop ze zelf was veranderd, om de liefde die was verworden tot afkeer, om de onschuld die was veranderd in een sensueel bewustzijn. Toen ze de deur hoorde opengaan, verwachtte ze dat Piers zou binnenkomen, maar het was Ludovic. Hij keek haar bezorgd en teder aan en zei: 'Chloe, schatje, niet huilen.' Hij ging naast de stoel op de grond zitten en zei: 'Chloe, je moet het hem vertellen, vanavond, je móet, alsjeblieft.'

Ze zei: 'O, Ludovic, ik weet niet meer wát ik moet doen.'

Ludovic keek haar aan, zijn gezicht bleek en gespannen. 'Hoezo? Weet je niet wat je moet doen? Je moet weg bij Piers en je moet bij mij komen wonen. Natúúrlijk weet je wat je moet doen.'

'Ja,' zei Chloe, 'natuurlijk weet ik dat.' Ze aarzelde en keek hem aan met paniek, bijna angst in haar blik. 'En tegelijk, Ludo, weet ik níet wat ik moet doen. Dat heb ik nooit geweten, zolang niemand het me vertelde. Ik heb mijn leven lang nog nooit één besluit genomen. Ik ben een hopeloos wezen. Ik heb mijn eigen leven niet in de hand.'

'Chloe, schatje, waar heb je het over?' Hij nam haar in zijn armen, streelde troostend haar haren. 'Natuurlijk heb jij je eigen leven in de hand.'

'Niet waar. Alles wat me overkomt, is het gevolg van iets wat een ander heeft gedaan of besloten. Die afschuwelijke schijnvertoning in de tent was daar een sprekend voorbeeld van. Ik heb maar een bijrolletje, Ludovic, een figurantenrolletje.'

'Schatje toch, je bent gewoon van streek, een tikje hysterisch.'

'Nee, Ludovic, ik ben niet hysterisch, maar juist heel rustig. Ik ben alleen wanhopig.' En ze barstte in huilen uit.

'Stil maar, lieve Chloe. Niet huilen, schatje. Je bent zo lang dapper geweest. Ik... hou zoveel van je en ik ben zo trots op je. Kom maar, schatje, rustig maar.'

En terwijl ze in zijn armen lag, zijn warmte, zijn kracht en troost voelde en nog steeds, misschien nog wel meer, in paniek was en wilde blijven liggen, maar tegelijkertijd wilde gaan, móest gaan, keek ze opeens over zijn schouder en zag ze in de deuropening, vlak voor de gegeneerd kijkende Jean Potts, een meisje staan. Een lang, bijzonder mooi meisje, met een dikke bos donker haar en diepblauwe ogen. Ze keek naar Chloe, naar Ludovic en zei toen glimlachend: 'Jij moet Chloe zijn. Ik ben Fleur.'

Hoofdstuk 38

Juli 1972

De rest van haar leven zou Chloe, als ze terugdacht aan dat moment, blijven bedenken wat ze allemaal had kunnen zeggen en doen. En afhankelijk van haar stemming kon ze lachen of kromp ze in elkaar om wat ze in plaats daarvan deed en zei: ze stond sierlijk op en bood Fleur een kopje thee aan.

Zo ging het natuurlijk niet helemaal, althans, niet zó erg, niet zó (in Fleurs ogen toch zeker) verschrikkelijk voorspelbaar. 'Je zult wel moe zijn,' had ze gezegd. 'En wat een verschrikkelijk weer. Kan ik je iets te drinken of te eten aanbieden? Misschien een kopje thee?'

Ze kon voelen hoe Fleurs intens blauwe ogen haar bestudeerden, verkenden, koel, geamuseerd, maar niet vijandig. Onwillekeurig streek ze haar haren, die Ludovic had gestreeld, glad en veegde ze de tranen uit haar gezicht, keek snel naar beneden of haar diep uitgesneden jurk nog enigszins fatsoenlijk zat. Fleur zei: 'Ja, thee graag, dank je.'

'Kom dan maar mee,' zei ze en ze bracht Fleur naar de keuken. Over haar schouder vroeg ze aan Ludovic, die ze nog nooit zo verbaasd had zien kijken: 'Ludo, wil jij Joe halen, en misschien mijn moeder?' Ze liep de keuken in, waar verscheidene mensen zaten uit te rusten, nu het eten was opgediend. Ze aten van de schalen en schonken zich iets te drinken in. 'Zou iemand kans zien een pot thee voor ons te zetten?' vroeg Chloe. 'Het spijt me dat ik je mee de keuken in neem,' zei ze tegen Fleur en ze kreeg nog sterker het gevoel dat ze volkomen aan Fleurs vooroordelen voldeed, 'maar er is een groot feest aan de gang en het is een chaos. We vinden zo wel een rustig plekje.'

'Dat is prima,' zei Fleur en ze keek om zich heen. 'Je woont hier mooi.'

Chloe luisterde naar haar stem, een ietwat hese, erg lage stem met een uitgesproken accent. Toen ze zich omdraaide, zag ze nog iemand in de deuropening staan, een lange, graatmagere jongeman met een lelijk, benig, havikachtig gezicht vol sproeten. Hij droeg een spijkerbroek en spijkerjack en had een lange, gebreide blauw met roze sjaal om zijn nek. Ze keek naar hem, bleef staan kijken, en kreeg het even sterke als absurde gevoel dat ze hem al haar hele leven kende.

'O, god, ik was je helemaal vergeten,' zei Fleur. 'Het spijt me. Chloe, dit is Reuben Blake, een vriend van me. Reuben, dit is Chloe, mijn zus.'

'Hai,' zei Reuben. Hij stapte naar voren en stak zijn knokige hand uit. Ze verwachtte dat hij haar hand zou fijnknijpen, maar tot haar verbazing gaf hij haar een zachte, erg warme hand. Ze keek glimlachend omhoog en zag dat zijn ogen een heel bijzondere kleur hadden, een soort geelbruin met bruine vlekjes. Zelfs zijn ogen hebben sproeten, dacht ze, wat bijzonder. Toen kwam Caroline binnen.

'O, in godsnaam,' zei ze tegen Fleur, 'wat doe je Chloe aan? Chloe, er moet toch een rustiger plek zijn om te praten. Het is hier een gekkenhuis.'

Allebei haar dochters waren even van hun stuk gebracht en keken haar zwijgend aan.

Tot haar eigen verbazing reageerde Chloe als eerste. 'Het hele huis is een gekkenhuis, mamma,' zei ze, 'en Fleur had trek in thee.'

'Laten we dan de thee meenemen. Misschien is Piers' werkkamer wel rustig.'

'Ja, goed,' zei Chloe. 'Mamma, mag ik je voorstellen aan Reuben Blake, een vriend van Fleur. Dit is mijn moeder, Caroline Hunterton,' zei ze tegen Reuben, die een lichte buiging maakte naar Caroline en weer 'hai' zei. Ze knikte hem vriendelijk toe en gebaarde hen mee te lopen. Iedereen liep gehoorzaam de hal in, waar Joe stond. Hij zag er machteloos en ellendig uit. Ze namen hem mee de gang in, naar Piers' werkkamer.

'Dit is afschuwelijk voor Chloe,' zei Caroline tegen Fleur. 'Je had toch wel kunnen wachten? In elk geval tot morgen.'

'Ik ben goed in afschuwelijke dingen,' zei Fleur en ze keek haar kwaad aan. 'Misschien zit het in mijn genen.'

'Fleur!' zei Reuben. Hij zei het erg rustig, erg zacht, maar het leek effect te hebben; ze keek naar haar handen, was stil.

'Nou,' zei Chloe, die zich nog meer opgelaten was gaan voelen, 'het is duidelijk dat we veel te bepraten hebben. Het probleem is alleen, Fleur, dat ik momenteel 250 gasten heb. We zijn, eh, iets aan het vieren. Het is een beetje... moeilijk om nu te praten.'

'O, helemaal geen punt,' zei Fleur, 'prima. We blijven wel wachten tot die 250 mensen weg zijn. Toch, Reuben? Je hebt vast belangrijkere zaken aan je hoofd dan over mij inzitten.' De toevoeging 'zoals gewoonlijk' hing in de lucht; haar blik was vijandig.

'Fleur,' zei Joe, 'je moet toch begrijpen dat dit nu moeilijk is voor Chloe.'

'Ja hoor,' zei Fleur, 'dat snap ik best.' Ze keek Chloe een beetje spottend aan. 'In allerlei opzichten.'

Chloe werd rood en keek naar beneden. 'Het spijt me,' zei ze. 'Het zal wel heel onbeleefd lijken, maar als je even geduld met me... ons hebt, terwijl ik iets te eten voor jullie regel en misschien kamers laat klaarmaken, als jullie moe zijn. En als iedereen weg is...' Ze zweeg. Ze hoorde Piers roepen in de gang.

Het moest er ooit van komen; hij moest het weten, kennismaken met Fleur, ontdekken wie ze was, wat er aan de hand was. Ze haalde diep adem, deed de deur open, riep hem.

'Piers, we zijn hier.'

En hij liep naar binnen, snel, ongeduldig, duidelijk nijdig, keek naar de gezichten om zich heen en terwijl hij rondkeek, bleven zijn ogen steken bij Fleur. Zij zat op zijn bureau met haar lange benen over elkaar – lange, prachtige, perfecte benen, dacht Chloe, om onverklaarbare reden jaloers – haar armen gevouwen en haar koele, geïnteresseerde blik op hem gericht. Zijn ogen werden groot, hij hapte naar adem en zei: 'Wat doe jij hier in godsnaam?'

Caroline nam soepel het heft in handen; ze stuurde Joe weg om drankjes te halen; zei tegen Chloe dat ze naar haar gasten moest gaan, gebood Reuben mee te gaan naar de keuken om iets te eten te halen, vroeg Jean Potts, die één bonk zenuwen was, om tegen de huishoudster te zeggen dat ze twee kleine slaapkamers klaar moest maken. Toen ze Fleur en Piers in de werkkamer achterlieten, had Fleur een flauwe glimlach op haar gezicht en schommelde ze met haar benen, terwijl Piers' gezicht een strak masker was. Hij stond pal rechtop, armen langs zijn lichaam, vuisten gebald.

Ludovic nam Piers' rol over als gastheer, maar het feest liep toch al ten einde. De gasten voelden dat er iets niet klopte en stonden op, liepen weg, riepen vrienden aan andere tafels luidkeels gedag, zochten Piers, vonden Chloe en kusten haar, bedankten haar. Zij stond naast Ludovic bij de tentopening, nam afscheid, excuseerde Piers, zei dat hij opeens onwel was geworden. Alle spanning van die dag was hem te veel geworden en hij was gaan liggen. Maria Woolf bood aan even bij hem te gaan kijken, maar Ludovic zei gemoedelijk dat het beter was hem te laten slapen en deed haar uitgeleide. Iedereen ging weg, met betuigingen van medeleven, spijt, en waardering voor het geweldige feest. De stroom auto's over de afrit leek eindeloos. De nacht was helder; je kon de sterren zien en het rook heerlijk na de regen. Een pijnlijk verschil met de storm die binnen woedde, dacht Chloe.

Bijna alle gasten waren weg. Ludovic zei tegen haar: 'Zal ik blijven, schatje? Je kunt wel wat steun gebruiken. Dan laat ik Candida door iemand anders thuisbrengen.' Maar Chloe, die haar leven al ingewikkeld genoeg vond, zei dat ze het wel zou redden. Caroline en Joe waren er ook. Ze konden het beter binnen de familie houden. Hij hield haar lange tijd vast, toen kuste hij haar teder, haalde een pruilende Candida op en reed uiterst langzaam de afrit af.

Chloe haalde diep adem en ging naar binnen.

Ze zaten nu allemaal in de salon en keken elkaar ongemakkelijk zwijgend aan. Ze liep naar binnen en vroeg Joe om een drankje.

'Misschien,' zei ze, 'moet Fleur ons eerst eens uitleggen waarom ze hier is.'

Fleur keek haar aan. Ze had een vreemde blik in haar ogen: voorzichtig, behoedzaam, maar niet helemaal onvriendelijk.

'Prima,' zei ze, 'en het spijt me dat het zo slecht uitkwam. Ik... misschien had ik moeten wachten. Maar ik was boos, en bang.'

'Bang?' vroeg Chloe, 'waarvoor in godsnaam?' Ze kon zich amper voorstellen dat Fleur ergens bang voor zou zijn. Ze leek volkomen onkwetsbaar.

'Dat boek,' zei Fleur.

'O,' zei Chloe, 'het boek.'

'Precies. Wist je – ach, dat zal ook wel – dat er bij Magnus Phillips is ingebroken, dat de uitgeverij is afgebrand, dat Magnus pas van zijn motor is gereden?'

'Ja,' zei Chloe, 'natuurlijk wisten we dat. Ik hoop dat je niet denkt dat wij daar iets mee te maken hebben? Meneer Phillips is niet bepaald onze beste vriend, maar we hebben geen criminele neigingen.'

Fleur keek haar opnieuw aan. 'Nee, waarschijnlijk niet. Jullie hebben wél heel goede redenen om dit boek te willen tegenhouden.'

'Kan zijn,' zei Chloe.

'Maar misschien, waarschijnlijk zelfs, hebben jullie ideeën over wie dit allemaal doet. En waarom. Ik wilde Magnus opzoeken, met hem praten. Maar zijn uitgever wil niet vertellen waar hij is. Daarom kwam ik hierheen.'

'Ik begrijp toch niet helemaal,' zei Chloe, 'waar je zo bang voor bent. Niemand zal jou van je motor rijden, of zoiets.'

'Misschien toch wel,' zei Fleur.

'Maar waarom? Wat heb jij ermee te maken?'

'Nou,' zei Fleur, 'ik kom in het boek voor. En mijn vader ook.'

'Je vader?' vroeg Chloe. 'Waarom dan? Ik begrijp het niet. En hoe weet jij dat trouwens?'

'Omdat Magnus me dat heeft verteld.'

'Hoe kén jij Magnus eigenlijk?' vroeg Caroline met waakzame blik. Ze was bleek geworden.

'Omdat ik hem een beetje heb geholpen,' zei Fleur, 'met het boek.'

Chloe had het gevoel dat ze naar zichzelf stond te kijken, terwijl ze naar voren liep en Fleur een harde klap in haar gezicht gaf. Ze hoorde hoe Joe, Caroline en Piers allemaal tegelijk haar naam zeiden; ze zag zichzelf naar hen kijken, heel rustig, vol verachting, zag ze zichzelf de kamer uit en de keuken in lopen, aan tafel gaan zitten en haar hoofd op haar armen leggen.

Ze wist niet hoelang ze daar zo had gezeten, één minuut, misschien tien, of een uur, toen Joe binnenkwam. Hij zag er erg bedroefd uit, ging zitten, sloeg zijn arm om haar heen.

'Het spijt me verschrikkelijk, Chloe,' zei hij.

'Wist je dat ze Magnus, eh, hielp?'

'Nee,' zei hij, 'natuurlijk niet. Maar wél dat ze in Engeland was. Het spijt me. Caroline en ik wilden je waarschuwen, maar we konden je niet bereiken. Bovendien hadden we geen idee dat ze hierheen zou komen.'

'Wat een vreselijke vrouw, Joe. Afschuwelijk. Zo hard, zo... boos.'

'Ja,' zei hij, 'dat klopt. Ze is erg boos. Maar ze heeft reden om boos te zijn. Niet zozeer op jou, op ons allemaal. De familie. En op Piers.'

'O ja?' zei ze, 'laat haar maar achteraan aansluiten.' Na een korte stilte zei ze: 'Joe, waar gaat dit allemaal over? Waarom zou Fleurs vader in dat boek moeten staan?'

'Dat weet ik niet,' zei Joe, 'maar ik weet wel welk verband Fleur ziet.'

'Wat dan?'

Joe vertelde het haar.

Fleur keek om zich heen. Niemand zei iets. Haar gezicht deed pijn en gloeide. Chloe had haar hard geslagen. Dat liet ze niet merken. Ze zou nog liever doodgaan.

'Misschien,' zei Reuben mild, 'misschien moeten we het laten rusten.'

Caroline keek hem koel aan. 'Wat bedoel je in vredesnaam? Wát moeten we laten rusten?'

Hij schonk haar zijn vreemde scheve glimlach. 'Alles. Voorlopig.'

'Natuurlijk kunnen we het niet laten rusten,' zei Caroline. 'Dat is wel het meest belachelijke wat ik ooit heb gehoord.'

Fleur keek naar haar en bedacht hoe merkwaardig het was dat van haar familie, haar zus, haar zwager, iemand die zo ongeveer haar stiefvader was, degene die ze het minst kende, het minst mocht, haar eigen moeder was. God, wat had ze een hekel aan haar. Koude, gevoelloze trut. Wat was ze blij dat Caroline haar aan haar vader had gegeven.

Ze stond op. 'Ik denk dat Reuben gelijk heeft. We zijn allemaal moe. Zo komen we nergens. We praten morgen wel verder.'

Piers zag er opgelucht uit, een fractie minder angstig, maar wilde niet de indruk wekken dat hij zich aan de discussie onttrok.

'Nou, ik...'

Op dat moment kwam Jean Potts binnen; zij zag er radelozer en minder op haar gemak uit dan wie ook en vertelde hem iets op zachte toon. Hij keek haar even aan en zei toen: 'Oké, ik kom eraan.'

Caroline keek hem na en stond toen ook op. 'Als jullie meekomen,' zei ze tegen Fleur en Reuben, 'zal ik jullie je kamer wijzen.'

Tussen hun kamers stond een grote linnenkast.

Fleur liep Reubens kamer binnen. 'Ze zijn niet van deze wereld,' zei ze. Hij lag al in bed, naakt, en leek nog magerder dan gewoonlijk. 'Geen wonder dat ze zich zo misdragen.'

'Ze misdragen zich niet allemaal,' zei hij. 'Chloe niet.'

'Verdomme, toe nou,' zei Fleur, 'ze heeft me geslagen.'

'En terecht,' zei Reuben. Hij trok de dekens omhoog.

'Ze is precies zoals ik had verwacht,' zei Fleur resoluut, 'een verwende, belachelijke, zielige trut.'

'Dat meen je niet,' zei Reuben.

Het bleef een hele tijd stil. Toen zei Fleur op verbaasde toon: 'Nee, eerlijk gezegd niet.'

Chloe lag al in bed toen Piers binnenkwam. 'Chloe?' zei hij.

'Ga weg,' zei ze, 'ga in godsnaam weg.'

'Nee,' zei hij, 'dat kan ik niet.'

'Piers, alsjeblieft.'

'Chloe, ik moet met je praten.'

Hij ging op het bed zitten. Ze was blij dat het donker was; ze hoefde hem tenminste niet aan te kijken.

'Chloe,' zei hij.

'Ja, Piers.'

'Chloe, de vader van je baby – was dat... was dat Ludovic?'

'Ja,' zei ze. Haar stem klonk zwaar, doods.

'Hou je van hem?'

'Ik... god, Piers, ik weet niet meer wát ik voel. Ik denk van wel, ja.'

'Is het al lang aan de gang?'

'Al een flinke tijd, ja.'

'O, god,' zei hij en hij begon te huilen.

'In godsnaam, Piers, is dat niet een tikje hypocriet? Jij hebt nota bene met mijn zus gevreeën. Waaróm toch, Piers?'

'Chloe, ik weet het niet Waarom heb ik affaires?'

'Mannen of vrouwen?' vroeg ze en ze zag hem in elkaar krimpen.

Toen zei hij op zachte toon. 'Ik denk dat het erom gaat dat mensen me nodig hebben, me willen.'

'Wat een rotsmoes!' zei ze. 'Stel dat ík die behoefte heb, Piers? Wat moet ik dan? We kunnen niet allemáál in het wilde weg vrijen omdat we zo nodig aantrekkelijk moeten zijn.'

'Jij begon een affaire met Ludovic.'

'Ja, inderdaad. Nadat ik jaren had lopen ploeteren, geprobeerd had trouw te zijn, jouw gedrag te accepteren, je te begrijpen. Toen besefte ik dat ik dat nooit zou kunnen.'

'Aha,' zei hij, nog zachter.

Ze veranderde rigoureus van onderwerp: 'Piers,' zei ze, 'is het waar wat Fleur denkt?'

'Weet iemand wel wat Fleur denkt?'

'Ze denkt dat jij haar vader hebt gekend in Hollywood. Jaren geleden. Is dat zo, Piers?'

'Ja, ik heb hem heel goed gekend.'

'En heb je het gedaan, Piers?'

'Wát?'

'Wat zij geloofde, heb je hem verraden, zijn verhaal aan de roddelbladen verkocht?'

Het bleef lang stil. Toen zei hij: 'Nee, natuurlijk niet. Ik zou nooit een vriend of vriendin verraden.'

'Je hebt mij verraden.'

'Dat is anders.'

'Ach, toe!'

'Chloe, alsjeblieft!'

'Weet je wie het gedaan heeft?'

'Ja,' zei hij, 'dat weet ik. Althans, ik denk van wel.'

'Wil je het me vertellen?'

'Maakt het iets uit?'

'Jazeker. Fleur is er blijkbaar al het grootste deel van haar leven van bezeten. Dus, ja, ik vind wel dat het iets uitmaakt.'

Hij keek haar aan, wilde iets zeggen, toen de telefoon naast het bed overging. Ze nam op. 'Ja, met Chloe Windsor.'

'Ik heb een persoonlijk gesprek uit Santa Barbara,' hoorde ze. 'Is meneer Windsor aanwezig?'

'Ja,' zei ze, terwijl ze haar woede scherp voelde opkomen, 'ja, hier komt hij.' Ze reikte Piers de hoorn aan alsof hij vies was. 'Voor jou,' zei ze, 'Santa Barbara. Dat zal je vriend meneer Zwirn wel zijn. Aanpakken, Piers. Ik wil er niets mee te maken hebben. En met jou ook niet meer.'

Hij bleef haar een tijdlang zwijgend aankijken. Toen liep hij haar kamer uit. Ze wachtte totdat hij in zijn werkkamer had opgenomen en legde toen de hoorn op de haak. Ze wilde er geen woord van horen.

Ze hoopte vurig dat hij niet terug zou komen. Het was heel stil. Ze voelde zich opeens vies, besmet. Ze stond voorzichtig op, liep de badkamer in, liet het bad vollopen. Ze lag er bijna een uur in, totdat het water koud werd. Toen sloeg ze een badjas om. Ze voelde zich afschuwelijk moe en misselijk. Ze kon niet bedenken wat haar eerstvolgende stap zou zijn. Ze wilde alleen maar slapen, uitrusten, een beetje bijkomen. Ze stond op het punt weer in bed te stappen toen ze Ned hoorde op de babyfoon. Hij riep haar naam. Ze rende door de gang naar zijn slaapkamer. Hij was niet helemaal wakker, maar lag rusteloos te woelen. Waarschijnlijk had hij naar gedroomd. Ze klom naast hem in zijn bedje, nam hem in haar armen en viel bijna onmiddellijk in slaap.

En zo hoorde ze niet dat Piers luid op haar slaapkamerdeur klopte en zag ze zijn briefje pas de volgende ochtend om zeven uur. Hij had het onder haar deur door geschoven. De zon kwam al op. Na de storm was het weer warm en stil. Jean Potts stond in de deuropening van Neds kamer, haar gezicht vertrokken van pijn en verdriet. Ze vertelde Chloe dat ze onmiddellijk beneden moest komen, want ze hadden Piers dood in de stallen aangetroffen. Hij lag in de stal van Dream Street, met een lege whiskyfles en een al even leeg potje slaappillen naast zich.

Hoofdstuk 39

Juli–augustus 1972

'Hoor eens,' zei Joe, 'jij hebt hem niet vermoord. Hij heeft zelfmoord gepleegd.'

'Maar je begrijpt het niet.' Ze kronkelde in haar stoel, plukte eindeloos tissues uit elkaar. 'Hij heeft zelfmoord gepleegd omdat ik hem zo afschuwelijk heb behandeld. Ik heb hem over Ludovic verteld. Ik was zo boos vanwege Fleur. Ik heb hem gevraagd naar... je weet wel, naar Brendan. Dat had ik niet moeten doen, Joe. Dat was verschrikkelijk; je weet hoe labiel hij was. Hij heeft het twee keer eerder gedaan. Ik had voorzichtiger...'

'Lieve Chloe, hij heeft het niet twee keer eerder gedaan.' Joe klonk zowel kordaat als teder. 'Hij heeft gedaan alsóf en hij liep geen enkel risico. Deze keer volgde hij precies hetzelfde patroon, briefjes, de keuze van de plek, zodat hij zeker wist dat hij op tijd zou worden gevonden. En dan de manier waarop. De combinatie van pillen en drank werkt langzaam. Als hij echt had willen sterven, had hij zichzelf wel doodgeschoten.' Hij zweeg abrupt in het besef dat hij het alleen maar erger maakte.

Chloe keek hem aan. Haar ogen leken enorm groot in haar bleke gezicht. 'Precies! Hij wilde niet dood. Hij had me een briefje geschreven. Ik had het moeten vinden, had iets moeten doen.'

'Maar je hebt het niet gevonden, doordat je bij Ned was. Je hebt het niet genegeerd, je hebt het gewoon niet gevonden.'

'Dat weet ik. Maar ik had het sowieso niet mogen doen, Joe. Het was zo walgelijk. Ik had gewoon mijn mond moeten houden; het was zó fout, maar... maar...'

'Chloe, je hebt al zo lang je mond gehouden. Hij heeft je er uiteindelijk toe gedreven. Hij heeft je schandalig behandeld.'

'Nee, Joe, niet echt. Juist de afgelopen weken vertelde hij me vaak dat hij van me hield, dat hij samen met mij de zaken op orde wilde krijgen. En toen... gisteravond, toen het allemaal zo verschrikkelijk leek, wilde ik hem gewoon pijn doen, om hem alles betaald te zetten. O, Joe.'

Haar stem sloeg over. Ze zag er afschuwelijk uit, zoals ze daar zat te rillen. Haar gezicht vlekkerig, haar haren door elkaar. Joe voelde zich volkomen machteloos. Jean Potts kwam binnen, bleek maar wel erg kalm.

'Meneer Payton, kan ik iets doen?'

'Ja,' zei Joe. 'Zou je Bannerman willen bellen en hem vragen hierheen te komen? Ik denk dat we hem nodig hebben...'

'Helemaal niet,' zei Chloe kribbig. 'Ik hoef geen kalmeringsmiddelen. En ik hoef ook niet te worden getroost.' Ze duwde Joe weg. 'Ik moet hier gewoon doorheen,' zei ze en ze begon weer ontstellend hard te huilen.

'Ik zal thee zetten,' zei Jean snel.

'Ik kom het wel halen,' zei Joe en hij liep achter haar aan naar de keuken. 'Bel dokter Bannerman,' zei hij zacht. 'Ze is er vreselijk aan toe.'

'Ja, natuurlijk, meneer Payton. Ik vind het zo erg. Eh, meneer Windsor, ik bedoel, het... het lichaam...' Haar stem zwierf onzeker weg.

'Laten we hem nog maar "meneer Windsor" noemen,' zei Joe vriendelijk. 'Wat wilde je zeggen?'

'De dokter zei dat er autopsie zou moeten worden verricht. Ze hebben... hem meegenomen naar het ziekenhuis. Ik heb het mevrouw... Lady... o mijn god, ik heb het Chloe verteld, maar ik weet niet of ze het heeft begrepen. En de politie is geweest. Ze hebben het briefje meegenomen. Dat maakte haar erg overstuur.'

'Weet jij...' Joe aarzelde. 'Weet jij wat erin stond? Je kunt het mij wel vertellen. Ik hoor bij de familie.'

'Ja. Ik heb het gelezen. Ik heb het namelijk gevonden toen ik de slaapkamerdeur openmaakte. Het was heel... kort. Er stond alleen: "Ik kan het niet meer aan, sorry." En ook nog: "Ik hou echt van je."' Haar stem trilde weer. 'Het is zo triest, meneer Payton. Na een dag als gisteren.'

'Ja, het is vreselijk,' zei Joe, 'afgrijselijk gewoon.' Hij probeerde de gedachte te onderdrukken dat Piers altijd al een geweldig gevoel voor timing had gehad en dat dit totaaltheater was. 'Jean, waarom ga je niet even liggen? Je ziet er zo moe uit.'

'Nee, erg aardig, meneer Payton, maar liever niet. Ik blijf liever bezig. En er zijn zoveel telefoontjes te plegen. Ik zal proberen dokter Bannerman hierheen te halen.'

'Prima, Jean. Als er dringende zaken zijn, kun je mij inschakelen. Waar zijn de kinderen?'

'In de kinderkamer met Rosemary. En Lady Hunterton.'

'Hoe gaat het met Pandora?'

'Ze is vrij rustig. Het is natuurlijk een grote schok. Arm kind. Ze hield zo van haar vader, meer dan van wie of wat dan ook. Ze verafgoodde hem gewoon.'

Mijn hemel, dacht Joe, waar heb ik dat meer gehoord? En hij dacht aan Fleur, die ongetwijfeld medeverantwoordelijk was voor wat er was gebeurd. Maar goed dat hij haar nu niet zag; hij zou haar met alle liefde de nek hebben omgedraaid.

'Godver,' zei Fleur, 'jezus, Reuben, wat heb ik gedaan?'

'Jij hebt niets gedaan,' zei Reuben, 'hij heeft het zelf gedaan.'

'Nee, Reuben, ik heb wél iets gedaan. Eerst heb ik hem verleid. Toen ben ik gisteren hierheen gekomen, ben ik binnengedrongen in de familie. Zeg nou niet dat ik niets heb gedaan, Reuben. Ik ben de grote katalysator geweest.'

'Fleur, daar klopt niets van.' Reuben was erg van streek; hij zag er bleek en gekweld uit. Hij hield Fleurs handen vast. 'Die vent was zo labiel als wat. Hij heeft zelfmoord gepleegd. Waarschijnlijk wilde hij niet dood. Waarschijnlijk was het alleen een schreeuw om hulp. Dat is meestal zo.'

'Hou op met die kloterige psychologie, Reuben. Daar kan ik nu niets mee.'

'Misschien toch wel,' zei Reuben.

Fleur sloeg hem. Toen barstte ze in huilen uit.

'O, Reuben, lieve Reuben. Ik meende het niet, echt niet. Ik ben juist zo blij dat je er bent. Echt ontzettend blij. Het spijt me. Vergeef me alsjeblieft.'

'Ja hoor,' zei hij. 'Ik ga even een stukje wandelen in het park.'

Ze keek hem na toen hij met soepele stappen het park in liep en bedacht dat ze nog nooit zo sterk de neiging had gehad om te vluchten als nu.

Caroline liep de trap af. Ze zag er uitgeput uit.

'O,' zei ze, 'jij bent het.'

'Ja,' zei Fleur, 'het spijt me. Ik zou liever gaan, maar ik begrijp dat ik moet blijven. Ik ben trouwens op zoek naar Chloe.'

'Volgens mij kun je beter bij haar vandaan blijven.'

'Ja, dat zal ook wel.'

'Laat haar voorlopig maar gewoon met rust.'

'Maar Caroline, ik wil zeggen hoe erg ik het vind...'

'Fleur, in de eerste plaats heeft ze daar nu niets aan. Waarschijnlijk maakt

dat de zaken alleen maar erger. Ten tweede is Chloe nu verschrikkelijk overstuur. Ze heeft het gevoel dat het allemaal haar schuld is en...'

'Dat gevoel heb ik zelf ook, dat het allemaal mijn schuld is. Daarom wil
ik met haar praten. Begrijp dat dan.'

'Het is natuurlijk niet jouw schuld. En ook niet Chloe's schuld,' zei
Caroline. 'Piers was niet alleen zeer labiel, hij had om uiteenlopende rede-
nen ook nog eens onder extreme druk gestaan en hij koos voor zelfmoord.
Hij had het al eerder geprobeerd en...'

'O ja?'

'Ja, twee keer.'

'O, god,' zei Fleur. 'Dat wist ik niet.'

'Ik denk dat je helemaal niet zoveel van hem wist, Fleur. En ik denk ook
niet dat het ertoe doet.'

'Jazeker wel, natuurlijk wel. Hij was een aartsneuroot. Precies wat Reuben al zei. Ik had voorzichtiger moeten zijn.' Haar ogen waren erg blauw, erg
groot en de blik erin was erg bang. 'Verdomme, Caroline, wat heb ik
gedaan?'

'Luister,' zei Caroline. Ze pakte Fleur bij haar arm en trok haar mee naar
de zitkamer. 'Luister, Fleur, ik ben geen psycholoog en ik weet er vast veel
minder van dan je nogal vreemde vriend, meneer Blake.'

'Hij is niet vreemd,' zei Fleur.

'Sorry, ik zal je vrienden niet afkraken. Is hij dat, trouwens? Een vriend?'

'Ja, een vriend. Een goede vriend.'

'Hoe dan ook, ik weet niets van psychologie. Ik zou zelfs willen zeggen
dat ik er erg wantrouwend tegenover sta. Ik maak niet graag slapende honden wakker. Ik ga gewoon door met wat ik doe. Maar misschien ben ik niet
de aangewezen persoon om daar een oordeel over te hebben. Ik heb er als
moeder een zootje van gemaakt.'

Fleur zei niets. Caroline keek haar kalm aan.

'Maar geloof me, Fleur, jij bent niet verantwoordelijk voor Piers' dood.
Absoluut niet. Net zomin als Chloe. En zij zegt nu in grote lijnen hetzelfde
als jij. Natuurlijk had je geen affaire met hem moeten beginnen. Dat was
walgelijk, ongeacht je motieven. En het was niet erg slim om gisteravond
hierheen te komen. Of om Chloe te vertellen dat je met Magnus onder één
hoedje had gespeeld. Ik moet zeggen dat ik mij daar op z'n zachtst gezegd
persoonlijk niet... senang bij voel.'

'Ja,' zei Fleur, 'dat kan ik me voorstellen. Het is ook wel... vreemd.'

'Al met al is dit een uiterst buitengewone affaire,' zei Caroline opeens. Ze
keek Fleur aan met een vleugje ironie in haar ogen. 'Geheel in de – hoe zal

ik het zeggen – familietraditie. Maar we kunnen het beter niet meer over Magnus hebben. Als je één ding maar goed beseft, Fleur: Piers is dood, omdat hij dood wilde. Hij kon het kennelijk niet meer aan. Dat hij werd geconfronteerd met zijn affaire met jou, heeft natuurlijk niet geholpen, maar als hij een sterkere persoonlijkheid was geweest, zou dat hem niet tot zelfmoord hebben aangezet. Als ik het goed begrijp, is er altijd meer dan één reden voor zelfmoord. Mensen die die stap zetten, nemen alles op een verwrongen manier waar, zodat ze gewoon niet verder kunnen.'

'En jij maar zeggen dat je niets van psychologie weet,' zei Fleur.

'Is ook zo, maar ik kan wel mijn gezonde verstand gebruiken. Als ik zo terugkijk op mijn leven, had ik dat wel meer mogen doen, maar toch. En ik had een depressieve moeder. Jouw grootmoeder.' Ze keek Fleur aan. 'Ik vraag me af wat ze van jou had gevonden.'

'Je wordt bedankt,' zei Fleur.

'Maar mijn vader zou je heel graag hebben gemogen.'

'O ja?' vroeg Fleur. Ze stond op. 'Ik ga maar een stukje wandelen.'

'Best,' zei Caroline met een zucht.

'Eh, Caroline?'

'Ja?'

'Bedankt.'

'Zit wel goed.'

Fleur liep de tuin in en ademde de warme zomerse lucht in. Ze voelde zich getroost, kalm. Voor het eerst in haar leven kon ze zich voorstellen hoe het voelde om een moeder te hebben.

Bannerman kwam binnen twee uur. Chloe ontving hem op haar slaapkamer, volkomen apathisch.

'Chloe, ik vind het zo erg. Zo verschrikkelijk.'

'Roger, ik voel me zo ellendig. Het was mijn schuld, weet je, mijn schuld.'

'Chloe, het was niet jouw schuld.'

'Ja, wél. Ik heb vreselijke dingen tegen hem gezegd. We hebben een verschrikkelijke familieruzie achter de rug...'

'Waarover? Of kun je dat niet vertellen?'

'O, Roger, waar moet ik beginnen? Het is zo ingewikkeld. Maar hij had iets... iets naars gedaan. Niet vreselijk. Niet erger dan anders. Maar ik kwam er gisteren achter en ik was zo gemeen tegen hem. Hij probeerde steeds maar zijn excuses aan te bieden, uit te leggen waarom, zodat ik het hem zou vergeven. En dat deed ik niet. Ik was zó gemeen. Je hebt geen idee. O, god, ik wou... ik wou maar dat ik ook dood was, ik denk... misschien...' Ze begon te jammeren. Haar gezicht was opgezwollen en haar ogen zaten bijna dicht van het vele huilen.

'Chloe, luister naar me,' zei Bannerman. 'Ophouden met huilen. Luister.'

'Laat maar,' zei Chloe. 'Ga me niet vertellen dat hij labiel was en dat hij het uiteindelijk toch had gedaan. Ik geloof het niet. Ik had voorzichtiger, aardiger moeten zijn. Ik had het moeten weten. Het is mijn schuld en ik ben slecht. Ik verdien het niet te blijven leven.'

'Chloe!' zei Bannerman op boze toon. 'Chloe, hou op! Onmiddellijk. Luister naar me. En denk na. Over hoe ziek hij was. Denk je niet dat dát een factor kan zijn geweest? Een BELANGRIJKE factor?'

'Ziek?' zei Chloe verbaasd. 'Hoezo ziek? Ik begrijp je niet.'

'Heeft hij het je dan niet verteld?' Bannerman bleef haar een tijdlang zwijgend aankijken. Hij stond op, liep naar het raam, keek naar buiten. Zonder om te kijken zei hij: 'Chloe, Piers had longkanker. Hij was zwaar ziek. Daarom was hij bij Faraday in behandeling.' Hij ging weer naast haar zitten en glimlachte naar haar. 'Ik vind het zo erg voor je.'

'O,' zei ze en ze stak haar hand naar hem uit. 'O, god, ik had geen idee. Maar hoe lang wist hij dat al? Hoe lang had hij nog?' Ze hoorde de angst in haar stem; ze voelde zich ontzettend zwak.

'Faraday deed nog een paar tests en daar bleek uit dat het niet te opereren was. Als je meer wilt weten, kun je beter met hem praten. Er is sprake geweest van bestraling. Dat zou erg pijnlijk zijn en zou zijn leven met hooguit enkele maanden rekken. Ik kan me niet voorstellen dat hij jou niets heeft verteld. Faraday zei dat hij wilde weten waar hij aan toe was.'

'O,' zei Chloe weer. Ze bleef hem lange tijd aankijken en zei toen, met een diepe zucht van pijn: 'Sorry, Roger, maar het pleit mij nog niet vrij. Ik voel me eerder nóg schuldiger. Dat hij dat wist en het niet vertelde! Wat moet hij bang zijn geweest, zich ellendig hebben gevoeld. Ik stel als vrouw vast weinig voor. Anders hadden we samen kunnen vechten, andere therapieën kunnen proberen – o, god.' Ze liet haar hoofd in haar handen zakken. 'Ik ben tekortgeschoten. Hij had me nodig en ik schoot tekort. Mijn god, Roger, hoe kan ik dat verdragen, wat moet ik doen?'

Bannerman trof Joe aan in de salon.

'Ze is helemaal overstuur,' zei hij, 'maar dat wist je al. Ik heb haar verteld dat Piers longkanker had en ongeneeslijk ziek was. Wist jij dat?'

'Nee.' Joe slikte, hij voelde zich vreselijk misselijk.

'Hij heeft het blijkbaar voor zich gehouden. Misschien wilde hij wachten tot na de onderscheiding.' Hij keek een beetje gegeneerd. 'Ik denk niet dat iemand het hoeft te weten, maar ik had Faraday verteld hoe wanhopig graag Piers die koninklijke onderscheiding wilde. Ik weet toevallig dat hij een goed woordje voor hem heeft gedaan, aangezien er weinig kans was dat hij met Nieuwjaar nog zou leven.'

'Lieve hemel,' zei Joe, 'bedoel je...'

'Ik bedoel alleen dat ik het hem heb verteld. Faraday heeft erg veel invloed. Maar goed, ik heb geprobeerd Chloe rustig te krijgen, heb benadrukt dat mensen die zelfmoord plegen daar altijd meerdere redenen voor hebben. Dat zij meestal zware psychische stoornissen hebben, en dat geldt zeker voor Piers.'

'Denk je?' vroeg Joe. 'Hij leek me wel labiel en overdreven emotioneel, maar gestoord...'

'O ja, zeker,' zei Bannerman. 'Ik probeerde hem al jaren naar een psychiater te sturen. Ik bedoel natuurlijk niet dat hij echt gek was, maar zeker uitermate labiel, zoals jij zei. Ik hoop alleen dat ik Chloe daarvan zal kunnen overtuigen. Ongetwijfeld zullen er meer dingen hebben meegespeeld, nog los van een of andere belachelijke ruzie.'

'Zoals?' vroeg Joe gefascineerd.

'O, van alles,' zei Bannerman vaag. 'Er is altijd wel iets. Ik denk dat Piers geldzorgen had. Toen ik Chloe ernaar vroeg, ontkende ze dat, maar Piers deed graag geheimzinnig. Hij zou het haar niet hebben verteld. Het zou Chloe wel helpen als we dat kunnen achterhalen.'

'Misschien,' zei Joe. Hij kon zich amper voorstellen dat Piers geldzorgen had gehad. Hij gaf het zo kwistig uit. En de *Dream* had hem grote winst opgeleverd. 'Het zal haar zeker niet helpen als ze zich ook nog eens zorgen moet gaan maken om geld.'

'Je zou nog raar staan te kijken,' zei Bannerman, 'als je wist wat in dit soort gevallen allemaal helpt. Hoe dan ook, ik heb Chloe beloofd dat ze geen kalmeringsmiddelen krijgt, en zij heeft beloofd vanavond een paar slaappillen in te nemen. Wil jij erop letten dat ze dat doet?'

'Natuurlijk,' zei Joe.

'Ondertussen denk ik dat het voor haar het beste is als ze de begrafenis gaat regelen. Dan heeft ze iets om handen en kan ze er iets van haar schuldgevoel in kwijt. Als ik jou was, zou ik haar aanraden er een weelderige gelegenheid van te maken.' Hij keek Joe samenzweerderig aan. 'Dan heeft ze geen puf meer om te piekeren. Bovendien, Piers hield wel van spektakel, toch? Dat zou je ook nog tegen Chloe kunnen zeggen.'

'Zeker,' zei Joe.

Gelukkig was er erg veel te regelen. De toneelgroep in Stratford en Piers' impresario moesten op de hoogte worden gebracht, zijn pr-man moest weten wat hij kon communiceren, de telefoon ging onophoudelijk. Alle kranten belden, er kwamen verscheidene verslaggevers naar Stebbings en tegen de avond kwam er een cameraploeg. Ze wilden allemaal 'alleen maar een kort commentaar' van Chloe en lieten zich net zomin afschepen door de beleefde verzoeken van Jean Potts weg te gaan als door Joe's minder beleefde bevel om op te krassen.

Uiteindelijk kwam Chloe naar buiten en beloofde in het kort iets te zeggen; ze was ontstellend beheerst, al trilde haar stem wel. Ze vertelde dat Piers een overdosis pillen had ingenomen, maar dat ze pas na de autopsie meer zou kunnen vertellen.

'Heeft u uw man gevonden, Lady Windsor?'

'Nee, een van de staljongens heeft hem gevonden.'

'Heeft hij een briefje achtergelaten?'

'Ja.'

'Stond erin waarom hij het heeft gedaan?'

'Daar kan ik niets over zeggen, sorry.'

'Dit is zeker een vreselijke schok, na gisteren?'

'Dat spreekt voor zich.'

'Klopt het, Lady Windsor, dat hij in de stallen is gevonden?'

'Ja, dat is correct.'

'Hoe gaat het met uw kinderen?'

'Mijn kinderen zijn natuurlijk erg verdrietig.'

'En hoe voelt u zich nu, Lady Windsor?'

'Ze voelt zich geweldig, hoe anders?' zei Joe, die naar voren stapte en zijn arm om Chloe's schouders sloeg. Hij was ziek van schaamte voor zijn collega's. 'Kunnen jullie nu alsjeblieft allemaal gaan?'

'Laat maar, Joe,' zei Chloe. 'Ik voel me natuurlijk afschuwelijk,' zei ze tegen de journalisten, 'en ik zou het op prijs stellen als jullie me met rust lieten.'

Tot Joe's stomme verbazing gingen de meesten weg.

Toen Reuben de salon binnenkwam, zat Chloe daar iets te drinken. Hij keek haar aan en glimlachte verlegen. Ze glimlachte terug. Hij had een bijzonder troostende, lieve glimlach. Ze knapte ervan op.

'Hai,' zei hij, 'hoe gaat het?'

'O, gaat wel, Reuben. Dank je.'

'Niet zo best, hè?' vroeg hij.

'Nee,' zei Chloe, 'niet zo best.'

Hij zat haar met een vriendelijke glimlach aan te kijken; het bleef lang stil. Verbaasd merkte ze dat het helemaal geen ongemakkelijke stilte was, eerder rustgevend.

'Het spijt me dat jullie hier moesten blijven,' zei ze, 'maar ik heb begrepen dat jullie morgen weg mogen.'

'Ach, vind ik niet zo erg. Het is hier fijn.'

Chloe lachte, voor het eerst die dag. 'Dat méén je niet.'

'Jawel, het is mooi.'

Weer een stilte. 'Wil je iets drinken?' vroeg Chloe.

'Ja, lekker.'

Chloe maakte een gebaar naar de drankjes; hij schonk zichzelf whisky in en ging weer zitten. Weer die glimlach.

'Eh... is... waar is Fleur?'

'Boven. Ze is erg van streek,' zei Reuben.

'O ja?' vroeg Chloe. Ze hoorde hoe verbitterd en boos ze klonk.

'Nou en of. Ze geeft zichzelf de schuld. Ik zei dat ze dat niet moest doen,' zei hij. 'Jij trouwens ook niet.'

'Het spijt me, Reuben, maar ik wil liever niet dat je daarover praat. Het is verschrikkelijk ingewikkeld en persoonlijk en je weet er uiteindelijk niets van.'

'Best,' zei hij inschikkelijk.

Chloe keek hem aan. Ze was nog nooit zo'n bijzonder mens tegengekomen, zo lelijk en toch zo bijzonder aantrekkelijk, zo bruusk en innemend tegelijk, zo stil en toch zo gelijkgestemd.

'Ik ga wel weg als je wilt,' zei hij. 'Zeg het maar.'

'Nee, alsjeblieft niet.' Chloe besefte dat dat het laatste was wat ze wilde.

'Ik vind je echt geweldig,' zei hij. Hij pakte een tijdschrift op en raakte er meteen in verdiept.

Ludovic belde haar herhaaldelijk. Hij was lief en bezorgd, wilde graag helpen. Moest hij komen? Telefoontjes voor haar plegen? Wilde ze liever alleen zijn? Hoe was het met de kinderen?

Chloe was blij zijn stem te horen, praatte een tijdje met hem, stortte een litanie van schuldgevoel en wanhoop over hem uit. Net als iedereen zei hij dat het niet haar schuld was; dat ze dus zichzelf niet de schuld moest geven, aangezien Piers onder extreme druk had gestaan. Uiteindelijk werd het haar te veel en nam ze afscheid. Ze had hem niet over de longkanker verteld. Dat wilde ze niemand vertellen. Het leek alles alleen maar erger te maken.

Ze begon na te denken over de begrafenis. Daar leek ze iets van op te knappen. De autopsie leverde wel enige vertraging op, maar de politie had haar verteld dat de begrafenis over een dag of tien wel zou kunnen plaatsvinden. Ze koos voor Londen in plaats van het platteland en volgde Joe's raad op om er een grootschalige gelegenheid van te maken, zodat iedereen zou kunnen komen. 'Je hebt gelijk. Dat zou hij geweldig hebben gevonden en het is het laatste wat ik voor hem kan doen.'

Ze belde de predikant van dé acteurskerk, St Paul's in Covent Garden, en praatte over muziek, teksten en psalmen. Ze stelde een lijst van mensen samen die moesten worden uitgenodigd. Het werd een erg lange lijst. Opeens keek ze op naar Joe. 'Eigenlijk kan ik gewoon de lijst van ons feest nemen,' zei ze en ze giechelde schuldbewust.

Joe grijnsde. 'Waarom niet?' vroeg hij.

'Ik dacht dat we Ivor Branwen kunnen vragen een gedicht voor te dragen. En misschien kan Tabitha iets lezen. David Montague heeft al aangeboden een bijdrage te leveren.'

'Mooi zo. Dat wordt vast prachtig.'

'Wat de muziek betreft, een stukje Bach, denk ik. Piers was gek op Bach, en verder lijkt de muziek van Mendelssohn die in de *Dream* is gebruikt me toepasselijk. Of is dat te frivool?'

'Nee, helemaal niet,' zei Joe. Hij merkte dat hij erg moe werd.

'Misschien is dit allemaal wel verkeerd, misschien moeten we een besloten dienst houden en dan over een paar weken een groots opgezette herdenking. Wat denk jij?'

'Nee, ik denk dat je de begrafenis groot moet aanpakken,' zei Joe snel.

Haar ogen glansden koortsachtig; haar gezicht was rood. Nou ja, ze was tenminste opgehouden met huilen. Bannerman had gelijk gehad. Maar het had wel iets vreemds. Chloe leek bijna opgewonden. Het zou de schok wel zijn. Je kon amper verwachten dat ze zich geheel rationeel zou gedragen.

'En de kinderen? Denk je dat ze te klein zijn? Om mee te gaan?'

'Te klein waarvoor? Waarheen?' Pandora stond in de deuropening. Haar gezichtje was bleek en pafferig van het huilen.

Chloe haalde diep adem. 'Naar pappa's begrafenis, liefje. Ik denk dat de andere twee te klein zijn. Maar jij wilt toch wel mee? Om afscheid te nemen? Of wil je liever thuisblijven?'

In de blik die Pandora haar toewierp, was het verdriet vermengd met een grote minachting. 'Natuurlijk ga ik mee. Natuurlijk moet ik erbij zijn. En of je naar de kinderkamer kunt komen. Kitty huilt.'

'Ja, goed, schat, ik ga meteen. Ga je mee of wil je even met Joe praten?'

Joe bad niet vaak, maar nu wel. God, alsjeblieft, laat haar mee naar boven gaan, zei hij geluidloos. Ook deze keer werd zijn gebed niet verhoord.

'Ik wil wel even bij Joe blijven,' zei Pandora.

Hij zat met haar op de bank en knuffelde haar. Ze was nu heel rustig, al voelde haar kleine lijfje tenger en kwetsbaar aan en letterlijk rillerig.

'Ik vind het zo erg,' zei hij, 'van je vader. Hij was,' Joe deed zijn uiterste best, 'een heel bijzondere man.'

'Ja, dat was hij. Ik hield heel veel van hem. En hij hield zoveel van mij. Het meeste van de hele wereld, zei hij. Meer dan van wie ook. Dat was ons geheim.'

'O ja?'

'Ik probeer dapper te zijn,' vertelde ze, bijna babbelachtig, 'en niet te huilen. Pappa zei dat dapper zijn het belangrijkste van de hele wereld is. Hij was zelf erg dapper, weet je.'

'Ja, nou,' zei Joe en hij probeerde met alle macht voorbeelden van Piers' moed te bedenken.

'De laatste tijd voelde hij zich soms echt beroerd. Hij had pijn in zijn borst. Maar hij ging altijd door. Hij liet andere mensen niet zitten. En toen hij zijn enkel brak, deed het zo'n pijn, maar hij heeft helemaal niet geklaagd.'

'Ik weet het,' zei Joe.

'En toen we samen op vakantie gingen, durfde hij eigenlijk niet te waterskiën, maar toch deed hij het. We hebben wedstrijdje gedaan.'

'Goh.'

'Ja. En zelfs als hij dingen moest doen die hij eigenlijk niet wilde, zoals die bespreking met zijn bankiers, deed hij het toch.'

'Hij vertelde jou veel, hè?' zei Joe, die opeens wakker werd toen ze het over Piers' bankiers had.

'Ja, want we waren de allerbeste maatjes,' zei ze en ze begon te huilen. Hij zag ontroerd hoe ze haar best deed zich in te houden.

'Toen oma doodging,' ging ze verder, 'was hij zo verdrietig. Maar toch heeft hij op haar begrafenis geglimlacht en lieve dingen over haar verteld, zodat iedereen op een blije manier aan haar terug kon denken. Daarna was hij zo verdrietig dat hij er ziek van was.'

'Echt waar?'

'Ja, maar toen was hij weer dapper. Ik dacht dat ik misschien iets heel liefs zou kunnen zeggen op zijn begrafenis, zodat mensen ook blij aan hem kunnen terugdenken. Wat vind jij?'

'Nou,' zei Joe. Hij kon amper praten door de brok in zijn keel, 'volgens mij kun je dat beter aan mammie vragen. Zij moet beslissen.'

'Maar vind jij het een goed idee?'

'Ik vind van wel, ja.'

Na het avondeten zat Chloe in Piers' werkkamer en zocht ze zich nogal hulpeloos een weg door de chaos op het bureau. Ze probeerde niet te denken aan wat ze allemaal ín het bureau zou vinden. Toen ze iemand achter zich hoorde, draaide ze zich om. Het was Fleur.

'We moeten praten,' zei ze en ze maakte opmerkelijk genoeg een nerveuze indruk.

'Ik zou niet weten waarover,' zei Chloe.

'Alles. Ik voel me zo rot over Piers' dood...'

'Tja, jouw komst heeft bepaald niet geholpen,' zei Chloe. 'Maar ik denk niet dat je het jezelf kwalijk moet nemen.' Ze zuchtte en keek Fleur afwijzend aan. 'Als het iemands schuld is, dan is het de mijne.'

'Nee,' zei Fleur, 'dat klopt niet, Chloe, dat weet ik zeker.'

'Ik denk niet,' zei Chloe, nog killer, 'dat jij daar iets van weet.'

'Zoals je wilt,' zei Fleur. 'Ik wilde er alleen maar over praten.'

'Nou, ik wil er niet over praten. Niet met jou,' zei Chloe. Opeens zei ze: 'Ik snap niet hoe je het kón. Een affaire beginnen met mijn man, terwijl je wist wie hij was.'

'Ik weet dat het verschrikkelijk klinkt, maar...'

'Fleur, het wás verschrikkelijk. Werkelijk verschrikkelijk. Ik kan niet eens bedenken hoe iemand zoiets kan doen. Voor zover ik het kan volgen, heb je hem moedwillig verleid, met een of ander vreemd doel voor ogen.'

'Het was niet vreemd,' zei Fleur. Chloe kon horen hoe haar stem trilde en kon zien hoe ze zich probeerde te beheersen. 'Het was waanzinnig belangrijk voor me.'

'Er zijn zovéél dingen waanzinnig belangrijk,' zei Chloe, 'maar dat is nog geen reden om je zo te misdragen.'

'Chloe,' zei Fleur, 'begrijp het dan. Ik geef toe dat het verschrikkelijk was. Ik kwam je juist vertellen dat het me spijt. Dat ik me er vreselijk rot over voel. Echt vreselijk rot.'

'O ja?' vroeg Chloe en opeens voelde ze louter woede, withete, intense woede. 'Dus jij voelt je er vreselijk rot over? Nou, dat is vervelend voor je, Fleur, maar hoe denk je dat ik me voel? Mijn man heeft zelfmoord gepleegd, god mag weten waarom, maar deze walgelijke familievete heeft zeker niet geholpen. Hoe denk je dat mijn kinderen zich voelen? Pandora hield meer van haar vader dan van wie of wat ook. Hier komt ze nooit overheen, nooit. Hoe denk je dat we allemaal ons leven weer oppakken? Het is lief van je om te zeggen dat het je spijt en ik geef je absoluut nergens de schuld van, maar ik geloof niet dat je enig benul hebt van hoe wij ons voelen en ik vind het tamelijk beledigend dat je suggereert dat je het weet, of dat je er iets mee te maken hebt. Ik begrijp dat je morgenochtend weggaat, en dat lijkt mij uitstekend. En ik hoop je daarna nooit meer te zien.' Ze was zelf nogal verbaasd over die laatste toevoeging, voelde zelfs enige spijt. Woorden die ze anders nooit zou zeggen leken uit eigen beweging uit haar mond te rollen. Ze was boos op zichzelf; ze wilde juist uit alle macht kalm blijven.

'Insgelijks,' zei Fleur. 'Ik ga morgen zeker weg. Dan ga ik naar huis en probeer ik dit voor altijd uit mijn hoofd te zetten.'

'Fijn voor je dat jij dat kunt. Helaas kunnen mijn kinderen er de rest van hun leven niet onderuit. Dat zal jou weinig kunnen schelen. Dat zou wel moeten, aangezien bloed kruipt waar het niet gaan kan.'

'Waarom zou jouw gezin me in godsnaam iets moeten kunnen schelen?' vroeg Fleur. De spanning in de kamer was te snijden, gevoed door levenslange achterdocht, jaloezie en haat. 'Wat hebben jullie ooit voor mij gedaan?'

'Wij hebben jou in elk geval nooit kwaad gedaan,' zei Chloe.

Fleur zei niets.

Punt voor mij, dacht Chloe. Tot haar verbazing merkte ze dat ze het nogal naar haar zin had, dat ze zich opeens beter voelde.

'Ik zal je vertellen over het kwaad dat is gedaan,' zei Fleur op lage toon. 'Er is gedaan alsof ik niet bestond. Jouw moeder – mijn moeder – gaf me weg na mijn geboorte, stuurde me naar de andere kant van de wereld...'

'Gaf je mee aan je vader.'

'Oké. Maar zou jij dat doen? Een van je kinderen weggeven?'

Chloe aarzelde.

Fleur ging tegen haar tekeer. 'Begrijp je dat? Ze kwam me niet eens opzoeken. Bleef jarenlang weg. Toen ik opgroeide heeft ze nooit geschreven, zelfs geen kerstkaart.'

'Fleur,' zei Chloe, voor het eerst geraakt door haar verschrikkelijke, naakte woede en pijn. 'Fleur, ik weet er niet veel van, maar ik denk dat het daarom ging. Ze móest je uit haar leven bannen om met het verlies om te kunnen gaan.'

'Met jou, bedoel je. Jou en je broers en je vader. Jij groeide op met een vader en een moeder en ik groeide op als wees. Ik had alleen mijn oma, totdat zij ook doodging.'

Chloe zei niets.

'Dát is het kwaad dat jullie me hebben aangedaan,' zei Fleur. Haar stem werd steeds hoger. 'En weet je wat Joe tegen me zei, toen ik erachter kwam dat je was getrouwd? Ik moet erbij zeggen dat ik het een jaar later in een tijdschrift heb gelezen. Blijkbaar kwam niemand op het idee dat ik het wel zou willen weten, het zou móeten weten. Ik vroeg hem wat jouw geliefde echtgenoot van mij als schoonzus vond. Hij zei: "We hebben hem natuurlijk niets over jou verteld."' Ze was even stil. Haar gezicht vertrokken van woede. 'Wat verwacht je dat ik toen van jullie vond? Dat ik natúúrlijk zo onbelangrijk was, dat jouw man, mijn zwager, natúúrlijk niet van mijn bestaan hoefde te weten? Verwacht dus niet dat ik enige spijt, enige trouw voel. Ik ben jullie niets, maar dan ook niets verschuldigd.'

'Deze discussie brengt ons duidelijk geen stap verder,' zei Chloe vermoeid. 'We kunnen er eindeloos over doorgaan, maar misschien moeten we het hele onderwerp maar laten zitten.'

'Ik heb altijd al vermoed dat je een kreng was,' zei Fleur gemeenzaam. 'Een verwend, hooghartig kreng. En ik had gelijk. Ik wilde echt proberen met je te praten. Je laten weten hoezeer het me speet. Hoe rot ik me voelde. Ik had het net zo goed kunnen laten. Wat een verspilling van tijd en moeite.'

Ik mag haar niet, dacht Chloe. Ze was net zo onsympathiek en hard als ze had verwacht. Ze vond het bepaald geen prettig idee dat Fleur haar zus was.

Ze zag dat Fleur naar haar keek. Haar mooie ogen stonden donker en uitdrukkingsloos in haar bleke gezicht. Waarschijnlijk had ze de ogen van haar vader, dacht Chloe vaag. De man van wie haar moeder had gehouden. De man die de dochter had verwekt van wie haar moeder had gehouden. Ze zuchtte ongeduldig, stond op en gebaarde naar Fleur dat het genoeg was geweest. En terwijl ze afwachtend naar haar stond te kijken, gebeurde er iets: die ogen werden nog donkerder en groter en vulden zich met tranen. Grote, glinsterende tranen die met een merkwaardige precisie over het bleke gezicht liepen. Driftig veegde Fleur de tranen weg; ze keek naar beneden, draaide zich om en liep naar de deur. Chloe hoorde een nieuw geluid, een vreemd, gekweld geluid. Het was een snik, een pijnlijke, moeizame snik. Er volgde er nog een. En nog een. Chloe deed een stap naar voren; ze voelde zich diepbedroefd, afgrijselijk verdrietig. Ze vervloekte haar verdriet, maar kon er niets tegen doen.

'Fleur,' zei ze, 'het spijt me als ik je verdriet heb gedaan. Huil alsjeblieft niet.'

Fleur draaide zich naar haar om; er sprak zo'n razende woede uit haar gezicht dat Chloe er bang van werd.

'Dus nu spijt het jou,' zei ze. 'Jouw beurt om het te zeggen. En wat spijt jou precies, Chloe? Dat je bent geboren, dat je een moeder en een vader had die van je hielden?'

'Ach, toe nou,' zei Chloe, 'niet weer, Fleur, alsjeblieft, niet weer. Die plaat is nu wel grijsgedraaid.'

Ze liep naar het raam. Ze zag niet dat Fleur naar haar toe liep en haar arm optilde, maar ze voelde de klap op haar schouder, draaide zich om en voelde de tweede op haar gezicht. Ze plofte neer op de bank met haar hoofd tussen haar armen, terwijl Fleur bleef slaan en stompen tegen haar handen en armen. Ze keek op en kreeg een vuist in haar oog. Ze was bang, voelde zich volkomen hulpeloos, niet in staat om te bewegen. Toen hoorde ze voetstappen in de gang, hoorde ze iemand Fleurs naam roepen. De deur ging open en Reuben kwam binnen.

Hij stond even verbaasd naar het vreemde schouwspel te kijken, hoe Chloe Fleurs slagen probeerde af te weren, haar gezicht onder de tranen en het bloed, één oog opgezwollen.

Hij liep naar Fleur, greep haar schouders vast. 'Moet ik iemand roepen?' vroeg hij aan Chloe.

Tot haar eigen stomme verbazing zei Chloe, terwijl ze naar het verwrongen, wanhopige gezicht van Fleur keek: 'Nee, laat maar, Reuben. Het is lang niet zo erg als het eruitziet. Fleur, wil je alsjeblieft gaan zitten en... me met rust laten? Reuben, wil jij thee gaan halen? Dan kunnen we proberen... dit uit te praten.'

Fleur plofte neer en verborg haar hoofd in haar handen. Chloe haalde een zakdoek tevoorschijn en gaf deze aan Fleur, terwijl ze wachtte tot Reuben terugkwam. Hij kwam binnen, zette het blad neer en zei: 'Willen jullie dat ik blijf?'

'Nee,' zeiden Fleur en Chloe tegelijk en hij zei op gemoedelijke toon: 'Oké,' en trok de deur achter zich dicht.

'Hij is aardig,' zei Chloe een beetje verstrooid. Ze kon niet begrijpen waarom ze niet meer pijn voelde. Het was erg vreemd.

'Dat is hij ook. Ik zou met hem trouwen, maar ik heb me bedacht.'

'Waarom?' Opeens wilde ze heel veel over Fleur weten, haar begrijpen.

'Ik hield niet genoeg van hem.'

'Aha,' zei Chloe. Ze gaf Fleur een kopje thee aan.

'Je ziet er verschrikkelijk uit,' zei Fleur opeens. 'Je hebt ijs nodig voor je oog. Ik ga wel. Het... het spijt me dat ik zo tekeer ben gegaan.'

'Het geeft niet,' zei Chloe verbluffend opgewekt. 'Ik geloof niet dat ik het erg vond. En gisteren heb ik jou geslagen. Misschien halen we nu de schade in voor alle ruzies die we zouden hebben gehad als we samen waren opgegroeid.'

'Hé,' zei Fleur met een stroeve glimlach, 'dat is wel een aardig gezichtspunt.'

'Mijn hele leven,' zei Chloe, 'althans, sinds ik van je bestaan weet, heb ik een hekel aan je gehad. Nu lukt dat opeens niet meer zo goed. Ik snap niet helemaal waarom niet.'

'Ik zou niet weten waarom jij een hekel aan mij zou moeten hebben,' zei Fleur uitdagend.

'Fleur, je begrijpt er niets van. Jij was er het eerst. Mijn moeder hield van jouw vader en niet van de mijne. Ze heeft me nooit gemogen, en ze mag me nog steeds niet. Ze duldt me. En ik denk niet dat we een psycholoog nodig hebben om uit te leggen waarom.'

'Als jouw moeder – onze moeder – van mij houdt,' zei Fleur, 'heeft ze een verdomd rare manier om dat te laten merken.'

'Ze is ook een rare vrouw,' zei Chloe. 'Ze heeft me nooit over jou verteld. Ik ben er bij toeval achter gekomen toen ik vijftien was. Zoveel domheid kun je je amper voorstellen.'

'Raar mens,' zeiden ze tegelijkertijd. Toen keken ze elkaar aan, verbaasd dat ze in zo korte tijd zo vertrouwd waren geraakt. Ze glimlachten naar elkaar, zakten ontspannen achterover op de bank en praatten, praatten over hun moeder, aan wie ze allebei zo weinig hadden gehad. Ze kwamen met redenen, theorieën, verklaringen voor haar gedrag en ze voelden het eerste, voorzichtige begin van een vriendschap.

'Wil je me vertellen over je vader?' vroeg Chloe opeens. 'Ik dacht vroeger vaak aan hem. Ik vroeg me af hoe hij was, waarom ze van hem had gehouden, jou aan hem had gegeven.' Fleur begon te vertellen, eerst aarzelend, onwillig, maar toen zekerder. Ze wilde dat Chloe begreep wie hij was, begreep dat iedereen voor hem zou zijn gevallen. Terwijl ze praatte, de knappe, charmante, amusante man beschreef die haar vader was geweest, werd ze weer kind, een intens trouw, liefhebbend kind. Ze beschreef de felle pijn, het verschrikkelijke verdriet dat ze had gevoeld toen hij was weggegaan en haar alleen had achtergelaten, dat hij haar had verteld dat het voor een paar maanden was, terwijl het een afscheid was geweest voor altijd.

Die avond bespraken ze allerlei zaken, legden verbanden tussen wat hun was verteld en wat ze hadden ontdekt, feitjes, onvolledige verhalen, theorieën en fantasieën. Daarna konden ze zich enigszins voorstellen hoe de ander zich had gevoeld en bespeurden ze het begin van medeleven. Nadat Chloe uiteindelijk uitgeput had gezegd dat ze naar bed moest, lag ze nog een tijdje wakker, getroost in haar rauwe verdriet, en viel toen, zelfs zonder de pillen die Roger Bannerman had voorgeschreven, vrij gemakkelijk in slaap.

'Nondedju,' zei Magnus Phillips.

Hij had het journaal van zes uur aangezet in een poging zijn verveling en ongerief te verdrijven; na de gebruikelijke berichten over criminaliteit, eenzame oude vrouwtjes, gierende inflatie, interviews met ontevreden mijnwerkers en een paar berichten over missverkiezingen zei de nieuwslezer: 'Tot slot vandaag de begrafenis van acteur Piers Windsor, die afgelopen week overleed op de dag nadat de koningin hem op Buckingham Palace had benoemd tot Commandeur. De begrafenis vond plaats in St Paul's in Covent Garden. Alle grote namen uit de toneelwereld waren aanwezig, en natuurlijk de familie van Sir Piers. Zijn jonge weduwe Chloe leidde de rouwstoet samen met haar dochtertje Pandora, die zelf een huldeblijk bracht aan haar vader, evenals enkelen van de beste acteurs van Groot-Brittannië.'

Wat Magnus echter zijn uitroep had ontlokt, was niet de aanblik van Chloe, die in het zwart gekleed ging (en er erg mooi uitzag), of Caroline (die er nog steeds geweldig uitzag en op een veelzeggende manier in Joe Paytons hand kneep), noch de vele beroemde gezichten die achter haar aan de kerk uit liepen, zelfs niet Pandora, ernstig en porseleinbleek in een zwart jurkje en een witte kraag, haar rode haar in een zwarte haarband, maar degene die naast Chloe stond terwijl ze zwak en kwetsbaar in de zon op haar auto stond te wachten. Een vrouw, zeer lang, met donker, achterover geborsteld haar in een lange zwarte jurk en met een sombere uitdrukking op haar gezicht. Haar lichaamstaal vertelde hem dat Chloe en zij zich nauw verbonden voelden, hoe kortstondig ze elkaar ook kenden. Hij had gedacht dat ze in New York zou zijn, had haar verschillende keren vergeefs gebeld. Zij was degene om wie hij meer gaf dan wie ook ter wereld, degene die hij nooit zou kunnen krijgen omdat ze ging trouwen met een idioot met een rare naam. Zij was degene die hij nog één keer wilde spreken, moest spreken, hoe vruchteloos dat misschien ook zou zijn.

'Hoe ging het?'

Fleur keek naar Reuben; ze had hoofdpijn, ze was uitgeput en misselijk. Hoe gíng het? Hoe ging een begrafenis? Zeker zo'n soort begrafenis, met een enorme opkomst, prachtig geregisseerd: een toneelvoorstelling, een happening. Een mengelmoes van emotie, shock en verdriet, trots en liefde. Prachtige muziek, perfect getrainde stemmen, mooie woorden; een lieftallige jonge weduwe, een mooi, verweesd gezinnetje. Vrienden, zoveel vrienden die de kerk vulden, rouwden, geschokt waren; zelfs Guinevere was gekomen, vol zacht verdriet; zelfs docenten van RADA, mensen die voor hem hadden gewerkt, kleedsters, stemcoaches, schoonmakers, staljongens. Iedereen voelde zich welkom, iedereen bracht een eerbetoon aan zijn grootste gave: mensen de indruk geven, hoe onoprecht ook, dat hij om hen gaf. En een klein meisje dat verliefd was op haar vader, dat stoer voor hen stond op het spreekgestoelte en met heldere, vaste stem het laatste vers van psalm 23 las. Aan het eind zei ze: 'Mijn vader was slim en dapper en maakte ons allemaal gelukkig. We zullen hem missen, maar we zullen altijd aan hem denken en van hem houden. Wees alstublieft niet verdrietig.'

Tot dan toe had niemand gehuild, zelfs Chloe niet; ze stond met droge ogen tussen Joe en Ludovic in. Ze was ontzettend dapper en sterk geweest. Fleur, die achter haar stond, had een siddering door haar lijf zien gaan toen de kist binnen werd gedragen, maar daarna was ze stokstil blijven staan. Totdat Pandora, zo klein als ze was, dapper naar het spreekgestoelte was gelopen, er amper overheen had kunnen kijken en had gesproken. Ze had daar gestaan en oprecht verdriet en echte moed getoond. Toen had Chloe gehuild, in haar lip gebeten, met grote moeite de snikken ingehouden, zich stilgehouden. Joe had ook gehuild en Fleur ook, gedeeltelijk voor het kind dat die dag in de kerk stond en gedeeltelijk voor een ander meisje dat op een kleinere, meer armoedige begrafenis hetzelfde verdriet had gevoeld voor een vader, de belangrijkste, geliefdste figuur in haar leven, voor altijd onbereikbaar.

'O,' zei ze tegen Reuben, 'het was prachtig. Vreselijk triest, maar prachtig. Je had erbij moeten zijn. Dat zou Chloe ook gewild hebben.'

'Nee,' zei hij met een verdrietig gezicht, 'ik hoorde er niet bij.'

'Dat was verschrikkelijk,' zei Caroline met een strak gezicht en verdriet in haar ogen. 'Ik voelde me zo rot.'

'Waarom zou jij je in godsnaam rot moeten voelen?'

'O, Joe, ik weet het niet. Als ik een betere moeder was geweest voor Chloe, haar meer veiligheid had geboden, meer liefde had gegeven, zou ze dan met hem zijn getrouwd? Misschien niet. Dan was het misschien niet gebeurd.'

'Caroline, die man was een wrak. Hij had kanker, hij zou toch wel zijn gestorven. Hij had god weet hoeveel meer problemen. Dat kun je jezelf niet aanrekenen.'

'Nou ja.' Ze zuchtte. 'Ik ben hoe dan ook een slechte moeder geweest. Voor hen allebei. Dat is gewoon zo. Ik heb overal een zootje van gemaakt, Joe. Ook van onze relatie.'

'Onze relatie was prima,' zei hij, 'geweldig. Totdat die rotzak van een Phillips ertussen kwam.'

'Ja, precies. Dat bedoel ik. Ik heb onze geweldige relatie opgeofferd. Voor een beetje opwinding. Ik ben verantwoordelijk voor wat het boek teweeg heeft gebracht.'

'Onzin,' zei Joe. 'Hij had dat boek toch wel geschreven. Dat heeft niets met jou te maken. Sla jezelf niet te hoog aan.'

'Je luistert niet,' zei Caroline. 'Ik sla mezelf juist helemaal niet hoog aan.'

'Sorry,' mompelde Joe. Toen grijnsde hij. 'Je klonk gelukkig weer als jezelf.'

'Ja, en nu klink ik vast nog meer als mezelf: ik moet terug, want Cameo kan elk moment een veulen werpen. Dat wil ik niet missen.'

Ze liepen samen naar haar auto. Opeens keek hij naar haar, stond stil, trok haar tegen zich aan en duwde haar rode haar naar achteren. 'Je bent nog steeds knap, weet je. Knapper dan je dochters.'

'Ach, kom nou, Joe. Natuurlijk niet.'

'Voor mij wel,' zei hij. 'En dat wil heel wat zeggen, want ik val op hen allebei.'

'Weet je,' zei Caroline, 'ik heb daar nooit bij stilgestaan. Ik begrijp niet waarom niet. Wat dom van me. Wat naïef. Chloe heeft bij je gewoond, Fleur heeft een hotelkamer met je gedeeld. Lieve hemel, wat riskant.'

'Nee hoor,' zei hij. 'Ik wist altijd dat jij op me wachtte. Jij leek me een betere keuze.'

Caroline was even stil. Ze keek hem onderzoekend aan. 'Maar toen was ik er niet meer,' zei ze. 'God, wat ben ik een kreng.'

'Ach,' zei hij luchtig, 'ik heb wel iets met krengen. Ze winden me op. En eerlijk gezegd gedraagt een bepaald lichaamsdeel zich momenteel een beetje gênant.'

Caroline ging iets dichter bij hem staan, deed zijn regenjas open en kwam nog dichter tegen hem aan staan. Toen glimlachte ze; die vertrouwde, zelfbewuste, sensuele glimlach.

'Joe,' zei ze, 'zo kan ik je toch niet achterlaten. Kan ik met je mee naar huis? Nu meteen?'

'En je veulen dan?'

'Jack kan het wel alleen aan,' zei ze.

'Caroline, dit moet wel liefde zijn. Of zoiets.'

'Kan niet anders,' zei ze. Ze kuste hem en woelde door zijn ongekamde haar. 'Er is wel één voorwaarde.'

'Nou?'

'Morgenochtend gaan we winkelen. Samen. Dan kopen we een nieuwe regenjas voor je. Deze is echt walgelijk. En een paar nieuwe overhemden. En onderweg naar jouw huis gaan we nieuwe lakens kopen. Ik wil niet tussen jouw oude lakens slapen.'

'Wie heeft er iets gezegd over slapen?'

Chloe nodigde Fleur en Reuben uit om die avond te dineren in het huis op Montpelier Square. De volgende ochtend zouden ze terugvliegen naar New York.

Ze kookte zelf en ze aten in de keuken. Het was heel laat. Rosemary was uit met haar student en Pandora kon niet in slaap komen.

'Nu moet ik verder met mijn leven,' zei ze tijdens de koffie. 'Wat dat dan ook inhoudt.'

'Precies wat jij wilt,' zei Reuben.

'En dat is precies wat ik niet weet,' zei ze. 'Ik heb het nooit geweten. Ik dacht dat ik liefde wilde, een huwelijk en een gezin, maar...'

'Dat heb je ook allemaal gekregen,' zei Fleur.

'Niet echt een huwelijk. Als ik weer zou trouwen, zou ik zeker steun zoeken. Tot nu toe ben ik de steunpilaar geweest.'

'Dat is zwaar,' zei Reuben.

'Zeker weten.' Ze zweeg.

Toen zei hij: 'Je moet niets overhaasten. Dat is belangrijk.'

Chloe glimlachte naar hem, een flauwe, bange glimlach. 'Ik zal het... proberen.'

'Mooi.'

Die avond belde Jean Potts. 'Ik was vergeten te zeggen dat die man had gebeld, Magnus Phillips.'

'O, in godsnaam,' zei Chloe. 'Kan hij ons dan nooit met rust laten? De klootzak.'

'Hij zocht mevrouw FitzPatrick.'

'Pech gehad,' zei mevrouw FitzPatrick. 'Wat heb je gezegd?'

'Dat ik zou doorgeven dat hij gebeld had en dat u en meneer Blake morgenochtend naar New York vliegen. Ik heb zijn nummer, als u wilt.'

'Nee, bedankt,' zei Fleur.

Kort daarna gingen ze weg. Chloe zwaaide hen uit met gemengde gevoelens. Ze voelde zich nog steeds niet helemaal op haar gemak met Fleur, bleef op haar hoede; het resultaat van tien jaar afkeer en jaloezie. En ze was nog steeds boos op haar, al wist ze niet goed waarom. Waarschijnlijk omdat ze Magnus had geholpen. Omdat ze Piers had verleid. En omdat ze bestond; de dochter die haar moeder had gewenst, om wie ze had gegeven, van wie ze had gehouden. Maar ze voelde ook sympathie. Ze mocht Fleur; ze kon er niets aan doen. Om haar eerlijkheid, haar volharding en haar moed; ze vertrouwde haar. Het was een vreemde gewaarwording, na alles wat Fleur had gedaan, maar toch was het zo. Ze wist dat Fleur vanaf nu aan haar kant zou staan, haar onvoorwaardelijk zou steunen. En ze was een sterke bondgenote. Daar twijfelde ze niet aan. Een felle tegenstander, maar een erg goede vriendin.

En dan Reuben. Ze zou hem missen. De afgelopen week had ze verschillende keren bedacht dat het zonder hem allemaal nog veel afschuwelijker zou zijn geweest. Belachelijk natuurlijk, ze kende hem amper, hij wist niets van haar, van haar huwelijk of van haar problemen. Maar tijdens die verschrikkelijke dagen maakte hij zo nu en dan een opmerking, die zo direct was, zo waar, zo juist, dat ze niet begreep waarom ze het zelf niet had bedacht. Maar ze hád het niet bedacht en het moest gezegd worden, overwogen worden, en ze had zich er meteen beter door gevoeld.

Ze ging kijken bij Pandora, die rusteloos lag te slapen. Arm meisje. Ze was geweldig dapper en braaf geweest. God mocht weten hoelang dit allemaal zou doorwerken. Waarschijnlijk haar hele leven. Chloe rilde bij het idee en ging bij de andere twee kinderen kijken. Ze lagen heerlijk te slapen. Ned was nog op een leeftijd waarop de dood vooral iets spannends was, iets dramatisch wat de alledaagse sleur doorbrak. Op een gegeven moment zou hij gaan verwachten dat zijn vader thuiskwam en dan zou hij verdriet hebben. Voorlopig was hij vrij opgewekt. En Kitty begreep er bijna niets van, wist alleen dat pappa weg was. Hij had nauwelijks indruk op haar gemaakt en zijn dood raakte haar niet.

Chloe ging naar bed, bladerde door een tijdschrift. Ze had hoofdpijn. Hoe meer ze nadacht over Piers' problemen, over wat hem tot zelfmoord had gedreven, hoe groter haar schuldgevoel werd. De longkanker, het boek, haar affaire met Ludovic: het maalde maar door, sleet een groef in haar vermoeide hoofd. Morgen had ze een afspraak met Jim Prendergast. God mocht weten wat daaruit zou komen. Ongetwijfeld nieuwe problemen; schulden waarover Piers haar niet kon vertellen, moeilijke beslissingen die hij niet met haar had kunnen delen. Ze was een waardeloze, egocentrische vrouw geweest en daarmee zou ze moeten leren leven.

Fleur, die zoals gewoonlijk wakker lag, dacht na over de afgelopen dag en over Chloe, over de snelle overgang van afkeer naar sympathie, van achterdocht naar vertrouwen, van jaloezie naar medeleven. Het was allemaal erg vreemd. Ze had het nooit voor mogelijk gehouden. Misschien zat er dan toch iets in die onzin dat bloed kruipt waar het niet gaan kan. Was Caroline maar iets handiger, iets minder – wat? bang? – geweest. Dan hadden ze kennis kunnen maken, elkaar al jaren geleden kunnen ontdekken. Of toch niet? Nu ze erover nadacht, eerlijk als altijd, besloot Fleur dat het waarschijnlijk niet zou hebben gewerkt. Het was zo'n ingewikkelde situatie geweest dat er een crisis als deze voor nodig was om hen nader tot elkaar te brengen. Het was verschrikkelijk om te zeggen, om zelfs maar te denken, maar als Piers dan toch had moeten sterven, was er iets bijzonder goeds uit voortgekomen. Piers had vele trieste en verschrikkelijke geheimen mee het graf in genomen en daardoor was haar behoefte het mysterie van haar vaders dood, zijn eigen trieste geheimen, te kennen, te begrijpen en op te lossen alleen maar sterker geworden. Alleen Magnus kon haar helpen. Ze moest hem zien, hem ermee confronteren, maar ze deinsde ervoor terug, voor wat ze zou voelen. Ze zou teruggaan naar New York en haar leven weer in het gareel krijgen. Dan zou ze hem opzoeken. Daar, op haar eigen terrein. Daar kon ze er beter mee omgaan. Met veel moeite bande ze Magnus uit haar gedachten. Het was voorbij; het was nooit begonnen; het was niets en mettertijd zou ze dat leren accepteren en zou niet langer alles wat ze deed of dacht, wat ze wist en wat ze voelde van hem doordrongen zijn. Hij was een gemene bedrieger, een klootzak, en ze haatte hem. Ze moest over hem heen komen, vergeten hoe hij bezit had genomen van haar lijf, haar hart en haar hoofd, en doorgaan met haar leven.

Dat was het enige wat ze kón doen.

Magnus Phillips lag wakker in het huis van zijn vriend in Brighton en dacht aan Fleur. Hij was erg geschrokken toen hij haar vandaag op televisie zag, geschrokken van de intensiteit van wat hij voor haar voelde. Hij wilde niets liever dan haar zien, bij haar zijn, dichtbij, haar aanraken, voelen, vertellen dat hij van haar hield.

Maar... het was beter van niet. Als er iets níet mogelijk was, was het een relatie met haar. Ze was verliefd op een ander en hij had geen recht daartussen te komen. Hij hield zo veel van haar dat hij dat moest kunnen opbrengen. Misschien was ze al getrouwd. Hij kon alleen maar bij haar vandaan blijven en afleren aan haar te denken. Het zou hem al zijn concentratie, al zijn energie kosten. Maar hij zou het moeten doen, zou haar uit zijn gedachten moeten bannen. Op de een of andere manier. Voor haar bestwil.

Magnus had niet veel ervaring met onzelfzuchtige gedachten, onzelf-zuchtige gevoelens; ze waren hem zo wezensvreemd dat hij ze bijzonder interessant vond. En terwijl hij erover nadacht, viel hij eindelijk in slaap.

Hoofdstuk 40

Augustus–oktober 1972

'En wat doen we nu?' Richard Beauman keek Magnus aan. Magnus haalde zijn schouders op. 'We kunnen nu gewoon publiceren. Je kunt een dode niet belasteren.'

'Dat klopt, maar er is natuurlijk nog die andere kwestie.'

'Ja, maar daar hebben we die beëdigde verklaring voor. Geen punt. En geen gerechtelijk bevel om ons zorgen over te maken.'

'Natuurlijk. Anderzijds...'

'Ik weet wat je wilt zeggen. Anderzijds zou het verschrikkelijk hard zijn om nu het boek uit te brengen. Die tragedie. Die jonge weduwe. Die kleine kinderen...'

'Toe nou, Magnus. Dat meen je toch niet.'

'Dat meen ik wel degelijk. Mensen zouden het afschuwelijk vinden. Misschien zou Piers' dood ons zelfs voor een deel aangerekend worden. Het zou een antireactie oproepen – en,' hij grijnsde, 'dan zouden we nooit zoveel boeken kunnen verkopen.'

'Ha,' zei Beauman, 'daar komt de aap uit de mouw.'

'Dus waarschijnlijk kunnen we het beter een half jaar laten liggen en dan groots uitpakken. Tegen die tijd lijkt het verhaal dubbel zo tragisch, twee keer zo mooi. Althans Windsors verhaal wel.'

'Goed,' zei Beauman, 'laten we dat doen. Ik breng een persbericht uit dat we niet publiceren. Alleen naar de vakbladen natuurlijk.'

'Natuurlijk,' zei Magnus. 'Misschien kan ik zelfs weer ongestoord motorrijden. Voorlopig.'

'Maar wat doen we nu?' Chloe keek Jim Prendergast met grote, verschrikte ogen aan.

'Je zult beide huizen moeten verkopen, ben ik bang. En de paarden. Zijn aandelen had hij zelf al verkocht.'

'Is het zo erg?'

'Zo erg is het. Het spijt me, Chloe. Ik dacht echt dat hij het je had verteld.'

'Hij vertelde nooit iets,' zei Chloe kortaf. Ze zuchtte diep. 'Waar is het allemaal gebleven, Jim? Ik begrijp het niet.'

'Hij gaf veel te veel uit. Dat vooral. Hij leefde boven zijn stand. Vulde het ene gat met het andere. Nam grote financiële risico's. Op beide huizen een dubbele hypotheek. Hij had veel geld verloren in een paar projecten, zoals dat toneelstuk, *The Kingdom*. En hij had zwaar geïnvesteerd in de *Dream*.'

'Maar dat heeft een fortuin opgeleverd.'

'Eerlijk gezegd niet, Chloe. Het heeft drie Oscars opgeleverd en geweldige recensies, maar commercieel gezien was het geen succes. En dan twee huishoudens voeren, grote feesten geven en renpaarden kopen – dat kost een hoop. Dat zul je begrijpen.'

'Uiteraard.'

'Zolang hij bezig was, had hij het gevoel dat hij kon winnen. De volgende keer, de volgende film, de volgende race zou het weer goed komen. En zolang hij succes had, waren mensen geduldig. Ze wachtten wel. Hij had een enorme berg onbetaalde rekeningen. Stallen, kleermakers, aannemers, noem maar op. En dan nog al die goede werken van hem, al die donaties; hij was idioot gul.'

'Ja,' zei Chloe, 'dat weet ik.'

'Maar wat doen we nu?' Ludovic keek haar vriendelijk en bezorgd, maar tegelijkertijd opgewekt aan. 'Je laat mij helpen, dát doen we nu. Op allerlei manieren. Eerst financieel. En niet tegenstribbelen, schatje. Ik ben niet bepaald armlastig. Stebbings en de stallen kan ik niet redden, maar ik kan wel een huisje voor je – voor ons – kopen in Londen en voorlopig het schoolgeld betalen, zodat je even uit de zorgen bent. Ik kan het niet verdragen je zo te zien. Het moet een ware nachtmerrie voor je zijn, alsof je niet al genoeg aan je hoofd hebt. En we zullen er maar niet aan denken wat een nachtmerrie het voor Piers moest zijn geweest. Maar ik denk wel, schatje, dat het mede een rol heeft gespeeld bij zijn zelfmoord. Misschien voel je je er zelfs beter bij. Minder schuldig. Omdat...'

'Ludovic,' zei Chloe, 'je begrijpt het niet. Ik voel me er juist nog ellendiger door. Omdat hij het me niet kon vertellen, het niet met me kon delen.'

Alles waar ik achter kom, maakt dat ik me alleen nog maar schuldiger voel. Dag in dag uit.'

'Maar wat doen we nu?' Caroline keek Joe geschrokken aan. 'Het lijkt erop dat ze bijna failliet is. Alles moet weg. De huizen, de auto's, álles. Mijn god, die ell...'

'Caroline, hou op. Je schiet er niets mee op.'

'Dat weet ik wel, maar ik zou hem kunnen... doden, wilde ik bijna zeggen. Om zijn zaken zo achter te laten. Zonder testament, afschuwelijke schulden. Arme kleine Chloe. Al dat verdriet en schuldgevoel en nu dit ook nog eens. Goddank, goddank komt dat boek nu niet uit.'

'Ja, fijn voor God. Caroline, kun jij niet helpen? Met het geld?'

'Natuurlijk kan ik helpen. Ik heb al aangeboden een huis voor haar te kopen en geld voor de kinderen vast te zetten. En het enige wat ze zegt, is dat ze het op eigen houtje wil redden. Zij lijkt te denken dat ze dat moet doen, dat ze geen hulp verdient, geen hulp kan aannemen. Ze ziet er vreselijk uit, Joe. Ik weet niet wat ik met haar aan moet.'

'En Ludovic?'

'Hij heeft dezelfde dingen aangeboden. Daar wil ze ook niets van weten. Ik snap niet dat ze niet gewoon meteen met hem trouwt. Hij is gek op haar en wacht al heel lang.'

'Caroline, toe nou,' zei Joe. 'Waarschijnlijk is ze daar nog niet aan toe. Vindt ze het nog te vroeg. Piers is net een paar weken dood.'

'Maar dat was toch geen huwelijk!'

'Dat weet ik, maar dat kan ze nog niet toegeven.'

'Ik zie niet waarom niet.'

'Dan ben je een stuk dommer dan ik dacht,' zei Joe rustig.

Toen Joe op bezoek kwam, had Chloe een bijzonder slechte dag. Ze was Piers' spullen aan het uitzoeken, controleerde de gegevens van makelaars, probeerde uit te zoeken welke personeelsleden ze op staande voet kon ontslaan zonder het desbetreffende huishouden voor de verkoop te laten ontaarden in chaos, maakte afspraken met renstallen en trainers en werkte zich door een enorme stapel condoleancebrieven heen. Ze zette koffie voor Joe en liep met hem naar de salon.

'Toen Piers net dood was, dacht ik dat ik me niet slechter kon voelen. Nu wordt het elke dag alleen nog maar erger. Ik weet niet wat ik moet doen, Joe. Ik zou bijna de neiging krijgen – dat doe ik natuurlijk niet – er zelf een eind aan te maken.' Ze schonk hem een beverige, dappere glimlach.

Joe pakte haar hand. 'Hoor eens, schattebout, zo kun je niet verder. Je moet accepteren dat Piers uiteenlopende redenen had om zelfmoord te plegen, allemaal op zich even geldig en bij elkaar opgeteld ondraaglijk. En hij had een ongeneeslijke, afgrijselijke ziekte. Dat was allemaal niet jouw schuld. Je hebt lang en hard geworsteld; je bent trouw gebleven...'

'Ik was niet trouw. Ik had een affaire met Ludovic. Ik heb het Piers verteld, ik heb ophef gemaakt over zijn affaires. Ik was absoluut niet trouw, bood geen steun. Probeer me niet op te monteren, Joe. Het gaat niet. Ik had niet schuldiger aan Piers' dood kunnen zijn als ik de pillen in zijn whisky had gedaan en hem had gedwongen te drinken. Hij had niet het gevoel dat hij met me kon praten en dat had wel gemoeten.'

Joe gaf het op.

Fleur belde Chloe elke dag.

'Ze is er verschrikkelijk aan toe,' zei ze tegen Reuben toen hij naar haar vroeg. 'Ze zegt dat het allemaal haar schuld is; als ze een goede vrouw was geweest, had hij met haar kunnen praten en omdat hij dat niet kon, heeft hij zelfmoord gepleegd. Heb je ooit zoveel onzin bij elkaar gehoord?'

'Dat is geen onzin,' zei Reuben.

Reuben belde Chloe. Ze was aandoenlijk dankbaar voor zijn belangstelling en begon uit te leggen hoe ze zich voelde. Reuben viel haar in de rede.

'Ik weet het, Fleur vertelde het. Hoor eens, Chloe, wat jij voelt, is goed. Je moet jezelf de schuld geven. Accepteer je schuldgevoel. Dat hoort bij het genezingsproces.'

'Echt?' vroeg Chloe.

'Ja. Ik heb het aan Dorothy gevraagd, mijn therapeute. Dat vind je toch niet erg?'

'Natuurlijk niet.'

'Mooi. Dag, Chloe.'

'Dag, Reuben.'

Twee dagen later belde hij weer.

'Ik moest van Dorothy zeggen dat jij de enige bent die iets te zeggen heeft over jouw leven. Alleen jijzelf bent in staat het te veranderen. Dat gold ook voor Piers. Denk er maar over na.'

'Dat zal ik doen, Reuben. Wat lief van je. Dankjewel. Ontzettend bedankt.'

'Zit wel goed.'

Van alle honderdduizenden woorden die tegen Chloe waren gezegd over hoe ze zich beter kon voelen, had ze het meest aan wat Reuben tegen haar zei.

Totdat de brief kwam.

De brief werd eind september bezorgd, op haar trouwdag. Ze voelde zich toch al beroerd.

Er was een bod gedaan op Montpelier Square, een laag bod, maar de makelaar had haar dringend aangeraden het te aanvaarden. Ludovic en haar moeder hadden haar even dringend aangeraden te wachten op een beter bod, maar ze was nerveus, wilde het achter de rug hebben, op welke manier dan ook.

Met Stebbings lag het ingewikkelder. Er was een bod gekomen, een goed bod. Maar ze had ook een idee. Het was een geweldig plan, maar het zou moeilijk te realiseren zijn en ze wist dat Prendergast en Ludovic, én haar moeder waarschijnlijk, het niet zouden goedkeuren. Ze wist dat het beter was om toe te geven, het bod te aanvaarden en de afkeuring te vermijden. Maar om de een of andere reden kon ze niet toegeven, opgeven.

Ze wilde er met iemand over praten en wist niet met wie, iemand die haar vanaf de zijlijn zou aanmoedigen. Iemand die er geen belang bij had, iemand die moed zou toejuichen en haar geen dwaasheden zou aanrekenen. Maar zo iemand bestond niet. En toen besefte ze dat zo iemand wél bestond: haar zus Fleur.

Ze belde Fleur en legde haar haperend in grote lijnen haar plan uit.

Fleur was dolenthousiast. 'Ja!' zei ze. 'Moet je doen. Het is geweldig, Chloe. Moet je echt doen.'

Maar Fleur was sterk, ging niet gebukt onder schuldgevoel en had geen gezin te onderhouden. Ze had geen aspirant-echtgenoot die erop aandrong dat ze alles uit haar handen liet vallen om met hem te trouwen. Fleur had gemakkelijk praten. Dat zei ze ook.

'Chloe,' zei Fleur, 'dat is kolder.'

'Weet ik,' zei Chloe nederig.

Ze bewonderde Fleur en wilde graag haar advies opvolgen, maar ze had nog steeds niet genoeg zelfvertrouwen en ze kon de kracht niet opbrengen.

Fleurs droom van een reclameadviesbureau werd werkelijkheid. Chloe luisterde vol ontzag naar haar verhalen over een enorme lening van de bank, over kantoorruimte, personeelsleden, over beloofde klanten. En met enige schaamte. Als Fleur, die vanaf nul was begonnen, het kon, zonder rijke moeder, rijke minnaar of status, waarom zou zij het dan in godsnaam niet kunnen? De gedachte deprimeerde haar nog meer, maakte dat ze zich nog ellendiger voelde. Ze legde de hoorn neer en voelde zich klein, hopeloos en nog verwarder dan anders.

Er werd aangebeld en er stond een koerier voor de deur met een enorm boeket witte rozen.

'O, god,' zei Chloe en ze keek naar het kaartje.

'Mijn liefste Chloe, van Ludovic, met al mijn liefde op een moeilijke dag.'

Tot haar verbazing smeet Chloe het kaartje op de grond en barstte in huilen uit.

'Verdomme,' schreeuwde ze. 'Waarom moet je zo verrekte volmaakt zijn?'

God, dacht ze, ik ga steeds meer op Fleur lijken.

En toen zag ze de brief liggen. Luchtpost, afgestempeld in Californië, in Santa Barbara om precies te zijn. Geadresseerd aan haar. Een beetje vreemd: Lady Piers Windsor, Montpelier Square 75, Londen, Engeland. Op de achterkant stond: Michelle Zwirn, Voluntario Street, Santa Barbara, Californië.

Ze draaide de brief weer om, met bonkend hart. Het moest een vergissing zijn. Het moest voor Piers zijn. Maar nee, het was voor haar.

Chloe ging in de keuken zitten, haalde de brief uit de envelop en las hem. Ze las hem één keer, ingespannen, voelde haar wangen gloeien en haar ogen branden. En toen las ze hem nog een keer, heel langzaam. Daarna stopte ze de brief in haar zak en ging wandelen. En een paar keer ging ze op een bankje zitten, of op het gras, en begon opnieuw te lezen. Toen ze thuiskwam, haalde ze een fles champagne uit de koelkast, schonk een glas in en dronk het leeg, schonk zich bij. Ze liep de trap op naar de salon en bleef glimlachend naar de brief zitten kijken. Ze had het gevoel dat ze een lange tijd alleen in het donker had gezeten, maar nu naar buiten was gelaten, waar de zon scheen en waar ze andere mensen kon opzoeken.

Lieve Lady Windsor,
Dit is een erg moeilijke brief voor mij en ik ben toch al geen schrijfster, maar ik vond dat u moet weten wat ik te zeggen heb. Ik weet niet of u ooit over Gerard en mij heeft gehoord. Piers zei tegen ons dat hij het u zou vertellen als hij de tijd rijp achtte. Misschien was die tijd gekomen, misschien ook niet.

Gerard en Piers waren erg intiem, lang geleden, in de jaren vijftig. Gerard had een tapdansstudio in Santa Monica en ze maakten kennis op een feestje. Piers zocht ons vaak op, bracht veel tijd bij ons door. We waren met een grote groep en hadden ontzettend veel lol.

Op een nacht gebeurde er een ongeluk, bij de pier. Ik wil nu niet op details ingaan, maar er was een meisje gevallen en Gerard probeerde haar te redden. Toen viel hij en brak hij zijn rug op meerdere plaatsen. Hij raakte verlamd vanaf zijn nek. Na maanden in het ziekenhuis moest hij naar een revalidatiecentrum. Daarna zeiden ze dat hij naar huis mocht. Hij zou nooit meer kunnen lopen. Ik had geen geld. Ik wist niet welke kant ik op moest. De rest van Gerards leven heeft Piers voor ons allebei gezorgd. Hij vond een woning voor ons, eerst in Playa del Rey en later, toen hij het geld had, verhuisden we hierheen. Hij betaalde de verpleegkosten, onze woonkosten en stuurde ons elke maand geld. En als hij even kon, kwam hij op bezoek. Een paar dagen als het uitkwam, soms maar een paar uur. Het was niet vaak, maar hij kwam. En hij schreef, belde op. En Gerard heeft nooit één dag het gevoel gehad dat Piers hem vergat.

Ik weet, Lady Windsor, als u me vergeeft wat ik vertel, dat Piers erg veel van Gerard hield. Hij voelde zich verantwoordelijk, omdat hij na het ongeluk niet op tijd had ingegrepen, maar hij wilde ook voor Gerard zorgen, omdat hij van hem hield. Gerard zei natuurlijk dat het onzin was, maar zo voelde Piers het wel. Hoe dan ook, Piers voelde zich verantwoordelijk en handelde ernaar. Hij was de beste, trouwste en gulste vriend die je je maar kunt wensen. Ik weet niet wat er anders met Gerard zou zijn gebeurd. Hij zou in een tehuis zijn beland en ik had niet voor hem kunnen zorgen. Het zal niet gemakkelijk zijn geweest voor Piers, zeker in het begin. Hij had geen geld, maar hij heeft ons altijd gegeven wat hij kon. Hij was een bijzonder mens en op het gevaar af u verdriet te doen, wilde ik u dat vertellen. Waarschijnlijk wist u het al.

Gerard is twee maanden geleden gestorven, de dag voordat Piers stierf. Hij had longontsteking. Piers wist dat hij ziek was. Hij beloofde zo snel mogelijk te komen. Maar Gerard werd steeds zieker en zijn sterfdag was ook de dag dat Piers werd onderscheiden. Gerard was er zo opgewonden over, zo trots ook. Piers had ons een kopie gestuurd van de brief en die hangt hier ingelijst aan de muur. Ik hoop dat u het ooit zult zien. Uiteindelijk hebben we gebeld, maar toen waren jullie net weg. Aan het eind van die dag is hij gestorven. Toen heb ik Piers gebeld om het hem te vertellen. Dat wilde ik; hij moest het weten.

Ik mis Gerard vreselijk, maar het is beter zo. Hij heeft een zwaar leven gehad, maar was altijd dapper en opgewekt. Hij klaagde nooit. De wetenschap dat Piers er voor hem was, maakte zijn leven draaglijk. Hij las alles over hem en was zo trots op hem; ik hoop maar dat Piers dat wist.

We wisten natuurlijk dat hij kanker had. Hij schreef ons en zei tegen Gerard dat het wel ironisch was dat hij als eerste zou sterven. Hij maakte er nog een grapje over, dat Gerard voortaan voor hem moest zorgen. Toen ik vertelde dat Gerard dood was, kon ik horen dat hij huilde. Toen zei hij: 'Michelle, misschien kunnen we nu snel bij elkaar zijn. Ik wil niet leven in een wereld zonder Gerard.'

Natuurlijk nam ik hem toen niet serieus; hij was zo verschrikkelijk verdrietig. Maar hij meende het. Onder die omstandigheden wilde hij niet verder. Vergeef me als ik u choqueer. Piers is al zo lang een deel van ons leven, dat ik steeds vergeet dat u ons niet kent.

Ik denk veel aan u en de kinderen. Die kleine Pandora is zo mooi. Ze moet haar pappie verschrikkelijk missen. Ik hoop dat ze, als ze groot genoeg is om het te begrijpen, zal horen wat hij voor zijn vriend heeft gedaan.

Ik zou zo graag met u kennismaken en u nog veel meer willen vertellen over ons en over wat Piers allemaal voor ons heeft gedaan. Als u ooit deze kant op zou willen komen, dan bent u van harte welkom. Gerard heeft een mooi graf op het kerkhof en ik zou graag willen dat u het zag.

Met vriendelijke groet,
Michelle Zwirn

'Piers Windsor,' zei Chloe opgewekt, met een liefhebbende blik op de foto van Piers als Hamlet op de schoorsteenmantel, 'je was een sluwe, manipulatieve, ouwe flikker, maar ik vergeef het je.'

Die avond pleegde ze drie telefoontjes. Eerst belde ze Michelle Zwirn om haar te bedanken voor haar brief.

'Ik kan je niet vertellen hoe blij ik ermee ben. En ik zou je dolgraag zo snel mogelijk komen opzoeken. Zou ik dan misschien mijn zus mogen meenemen? Piers en ik hebben nooit over haar gepraat, maar haar vader maakte deel uit van die vriendengroep van destijds. Brendan FitzPatrick heette hij. Misschien heb je hem gekend. Ja? Dat zal ze geweldig vinden. Mogen we je laten weten wanneer we komen? dankjewel en, nogmaals bedankt voor de brief. Dag, Michelle.'

Toen belde ze Ludovic.

'Ludo, ik heb een idee. Het gaat om Stebbings. Ik wil het houden en er een hotel van maken. Nee, dat hoeft ook niet, maar dat wil ik. Ik loop er al een tijdje over te denken, maar vandaag voel ik me opeens zoveel beter en ik weet dat ik dat wil. Wat? Nou, gewoon. Ik vertel je er de volgende keer wel over. Ludovic, ik hoef er niet meer over na te denken. Ik heb over allerlei dingen nagedacht en ik weet wat ik wil. Morgen ga ik met Jim Prendergast praten. Ja, leuk, Ludovic. Morgenavond lijkt me goed. Maar ik ga niet van gedachten veranderen.'

Vervolgens belde ze Fleur.

'Fleur, ik weet dat je druk bent met je bedrijf, maar zou je een paar dagen vrij kunnen nemen om met mij naar Californië te gaan? Nou, al snel. Om een aardige dame op te zoeken, die Michelle Zwirn heet. Ze heeft me een brief gestuurd en... ja, ik zal je er alles over vertellen, maar ik kan beter schrijven, want ik kan me die torenhoge telefoonrekeningen niet langer veroorloven. O, ook goed, bel maar terug. Het punt is dat ze je vader heeft gekend. Ja, ik leg nu neer. O, en Fleur, raad eens. Ik ga hier een bedrijf opzetten. Misschien niet van jouw niveau, maar het is een begin. Goed, Fleur.'

Jim Prendergast keek bedenkelijk toen Chloe hem haar plannen uitlegde om van Stebbings een hotel te maken en vertelde haar toen dat hij niet dacht dat het rendabel zou zijn. 'Bovendien is er geen geld om erin te investeren. Het spijt me, Chloe, maar daar komt het op neer. Het is een prachtige idee, maar...'

Chloe was diep teleurgesteld. 'Ik wilde dit zo graag,' klaagde ze tegen Ludovic. 'Het zou echt iets van mij zijn. Ik had massa's plannen. Ik wil het niet runnen als hotel, maar zoveel mogelijk als een echt landhuis. Ik wil zelfs geen bar. Gewoon mensen die in de salon hun eigen drankje inschenken, spelletjes na het eten, paarden in de stallen, rijpaarden, niet die afschuwelijke rasbeesten; en dan tenniswedstrijden en bridge en...'

Ludovic kuste haar teder en zei dat hij erg onder de indruk was van haar ideeën, al had hij er weinig vertrouwen in mensen op drank los te laten, maar dat hij dacht dat ze er moeite mee zou hebben andere mensen in haar huis te zien. Chloe zei dat dat toch wel zou gebeuren en dat het op deze manier tenminste nog van haar was. Ludovic zei dat ze, als ze met hem zou trouwen, haar eigen landhuis zou kunnen hebben, zonder zich af te vragen of het rendabel zou zijn. Chloe zei dat ze zich juist wílde afvragen of iets wel rendabel was, dat hij er niets van begreep en voor het eerst sinds Piers' dood verliep hun afscheid stroef.

Chloe vertelde Joe over haar hotelplannen; Joe vertelde Caroline erover en Caroline zei tegen Chloe dat zij erin zou investeren, genoeg om het levensvatbaar te maken. Chloe zei dat ze niet zomaar Carolines geld wilde aannemen. Caroline noemde haar koppig en zei dat ze haar eigen glazen ingooide. Als ze zich er beter bij voelde, kon ze Caroline een aandeel geven in het hotel en er een zakelijke overeenkomst van maken. Chloe vertelde Jim Prendergast erover, die zei dat hij kostenramingen wilde zien. Zij liet hem weten dat omzetramingen zijn werk waren. Waarom zette hij niet iets op papier voor Caroline? Ze zei dat hij haar eerste werknemer was, op consultbasis.

Toen ze het aan Fleur vertelde, zei deze dat haar bankier Baby Praeger een zus had die Virginia heette en in Engeland woonde. Ze was binnenhuisarchitect. Waarom belde Chloe haar niet om te praten over veranderingen aan Stebbings?

Fleur zei ook dat ze Reuben over de hotelplannen had verteld en dat Reuben het geweldig vond dat ze grip op haar leven kreeg.

Chloe voelde zich idioot gevleid.

Fleur was erg opgewonden. FitzPatrick Creative zou in november haar deuren openen in Greenwich Village. Ze kreeg werk van Morton's om mee te beginnen en Julian Morell had haar gevraagd iets te doen voor zijn prachtige winkel Circe op Fifth Avenue. Het was een klein project, 'zodat niemand kan zeggen dat je er met Juliana vandoor bent gegaan.' Ook hoopte ze een pitch voor een nieuwe liefdadigheidsinstelling te winnen, een campagne voor de daklozen; het leverde geen geld op, maar wel veel publiciteit. 'Dat lijkt me voorlopig wel genoeg,' zei ze tegen Poppy, 'totdat ik iemand heb aangenomen.'

Een van de grootste voordelen van haar herwonnen vriendschap met Reuben was dat ze Poppy als vriendin terug had.

Ze had Reuben gevraagd bij haar te komen werken en aanvankelijk was hij enthousiast geweest, totdat hij het met Dorothy had besproken en zij had gezegd dat het haar niet verstandig leek.

'Ze zei dat het te veel druk zou leggen op de nieuwe basis van onze relatie,' zei hij, 'en ik moet haar raad echt opvolgen.'

'Natuurlijk,' zei Fleur. Ze kon nog steeds moeilijk wennen aan Reubens spraakzaamheid.

'Zo zit het dus,' zei ze eind september op een avond tegen Samson, haar nieuwe Birmaanse kat. 'Ik heb alles gedaan, alles wat ik had gezegd dat ik zou doen. Ik heb mijn eigen bureau en ik heb zelfs Nigel Silk verslagen in een pitch. Althans, ik heb werk gekregen van Morell. Het is me gelukt, Samson.' Samson keek haar aan en Fleur zag dat hij zich niet beet liet nemen. Heel vaak, als ze weer eens wakker lag en afleiding zocht in haar werk of haar administratie, dwaalden haar gedachten even onverbiddelijk als onvermijdelijk af naar Magnus en naar de honger die ze voor hem voelde. Dan hoorde ze hem weer zeggen hoeveel hij van haar hield en zag ze zijn ogen voor zich terwijl hij het zei. Maar daarna hoorde ze weer de stem van Rose Sharon, die zijn telefoon opnam, voelde ze opnieuw de woede om zijn verraad opborrelen en zei ze tegen zichzelf dat ze in haar eentje stukken beter af was. Pas als het alweer licht begon te worden, lukte het haar zichzelf wijs te maken dat het zo was en viel ze in slaap met behulp van een slaappil of een beker warme melk met bourbon. En droomde ze van hem.

Chloe belde begin oktober weer. Ze had met Michelle Zwirn afgesproken dat ze over pakweg twee weken samen een paar dagen bij haar zouden logeren. Was dat goed?

Fleur vond het prima. Als ze rond dezelfde tijd in LA konden aankomen, zouden ze samen in een huurauto naar Santa Barbara kunnen rijden.

'Het is een mooie route. Je vindt het vast geweldig.'

Magnus' arm deed nog steeds erge pijn. Hij kon er 's nachts niet van slapen en overdag ging het ten koste van zijn concentratie, zijn humeur en zijn eetlust. Op een ochtend voelde hij zich zo ellendig dat hij boos naar zijn spiegelbeeld stond te kijken; er gebeurde ook niets om blij van te worden. Hij had geen nieuw idee voor een boek, niets trok zijn aandacht op dezelfde knetterende, bijna seksuele manier als *The Tinsel Underneath*, *Dancers* of *The House*. Niemand leek hem interessant genoeg om een artikel over te schrijven voor een krant of tijdschrift; hij had geen zin om ergens heen te reizen, vrienden op te zoeken of een vrouw te veroveren. Op één na, en zij was verboden terrein. Magnus beschouwde een vrouw niet snel als verboden terrein; hij wist niet precies waarom hij het ten aanzien van Fleur zo ervoer. Hij had in het verleden meedogenloos ingebroken in huwelijken, had liefdesaffaires en vriendschappen verstoord. Maar bij Fleur wilde hij niet zover gaan. Hij had zich urenlang lopen afvragen waarom en moest toegeven dat de reden was dat hij van haar hield. De liefde had het onmogelijke bereikt en had hem voorzichtig, attent en onzelfzuchtig gemaakt.

Sterk spul, liefde, dacht hij, terwijl hij naar zijn grauwe, magere gezicht in de badkamerspiegel keek. Wat een ellende.

Het was oktober, vele maanden nadat hij haar had gezien, geneukt, verteld dat hij van haar hield. Bijna even lang sinds zij hem op haar eigen onnavolgbare manier had verteld dat hij haar... nou ja, met rust moest laten. Met een lichte glimlach dacht Magnus aan Fleur, aan de intensiteit van haar gevoelens en de kracht van haar taalgebruik. Toen verdween zijn glimlach abrupt en hij dwong zich aan iets anders te denken. Hij was kwaad om de manier waarop ze zijn emoties, zijn seksuele concentratie, in haar greep had. Hoe had ze dat voor elkaar gekregen, na één vrijpartij, hoe wild, prachtig en indrukwekkend deze ook was geweest? En waar haalde ze het recht vandaan, toen hij haar genoeg had vertrouwd om haar te vertellen dat hij van haar hield, om vijandig, boos en agressief te worden? Waar had hij het aan te danken dat ze hem met zo'n minachting afwees? Hij had tenslotte gebeld als een vriend. Hij werd weer kwaad, zoals vaak voorkwam als hij zichzelf toestond deze gedachtekronkel te volgen; ze had geen recht op zijn sympathie en bezorgdheid; ze verdiende het niet.

Tenzij – achteraf kon hij zich niet voorstellen dat hij hier niet eerder aan had gedacht, behalve dat de opeenvolging van indrukwekkende en gevaarlijke gebeurtenissen zijn besef van tijd en plaats had verstoord – tenzij zij hém had gebeld. Toen Rose Sharon hier was. Het zou kunnen. Hij had Rose uitdrukkelijk verboden de telefoon aan te nemen, had de risico's ervan op een rij gezet en liet het antwoordapparaat continu aanstaan; maar het zou kunnen. Dat zou Fleur zwaar hebben gekwetst. Opeens leek het belangrijk haar te bereiken, om dingen recht te zetten. Waarschijnlijk had het geen zin. Hoe dan ook, ze was nu waarschijnlijk al getrouwd met dat excentrieke, zwijgzame vriendje.

Hoe meer hij er die ochtend over nadacht, misschien omdat hij vermoeider was dan anders, of omdat hij meer last had van zijn arm dan normaal, des te kwader werd hij. Ongeacht wat ze voelde, had ze niet het recht zo bits te antwoorden. Hij had zijn ziel blootgelegd, zijn gevoelens laten blijken. Daar kon ze toch op z'n minst rekening mee houden? Arrogant, bits kreng; hij wilde haar vertellen wat hij van haar vond. Magnus keek op zijn horloge. Negen uur, dus vier uur 's ochtends in New York. Te vroeg. Niet dat hij het heel erg zou vinden om haar wakker te maken, maar het zou toch een beetje raar zijn om haar eerst op een onmogelijk uur wakker te maken en haar dan een uitbrander te geven over haar gebrek aan fatsoen. Hij wachtte nog drie uur en was daarna nog steeds even kwaad en verontwaardigd. Nu moest ze maar even tijd voor hem maken.

Maar blijkbaar kon ze dat niet. Tina nam op.

'Tina? Met Magnus Phillips. Je herinnert je misschien niet...'

'Jazéker wel, meneer Phillips,' zei Tina een tikje gepikeerd. Ondanks zijn boosheid glimlachte Magnus. 'Hoe zou ik u kunnen vergeten. Bent u in New York? We hebben hier een grote pot van uw marmelade staan. Waarom komt u niet hier, dan maak ik een ontbijt voor u.'

'Nee, Tina, ik ben helaas niet in New York. Is mevrouw FitzPatrick aanwezig?'

'Nee, meneer Phillips, ze is naar Californië.'

' Californië? O ja? Nou...' Hij had niet het recht Tina om details te vragen. Maar dat had hem nog nooit weerhouden. 'Weet je ook waar in Californië?'

'Ja, meneer Phillips. Ze heeft een telefoonnummer achtergelaten, omdat ze binnenkort met dat bureau begint en ze geen klanten wil mislopen. Ze zit in... even kijken, ja, hier heb ik het. Santa Barbara. Nummer 785-68943.'

Maar dat waren de Zwirns! Wat was ze nu weer van plan? 'Is, eh, haar man met haar mee?' vroeg hij. Hij omklemde de rand van zijn bureau en merkte geërgerd dat zijn vingers klam waren van het zweet.

'Haar man? Ze heeft geen man. Ik denk dat ze he-le-maal gek is.' De afkeuring droop van Tina's stem. 'Ze had die ge-wel-di-ge meneer Blake, die verzot op haar was. Haar bruiloft was geregeld, de receptie, alles; de jurk hing al klaar. En wat doet ze? Ze zegt alles af.'

'Jee,' zei Magnus. Zijn gedachten gingen pijlsnel, maar meer kon hij even niet uitbrengen.

'Ze heeft een man nodig, meneer Phillips. Iemand die bij haar is en voor haar zorgt. Dat heeft iedereen nodig, maar zij helemaal. Ze heeft een grote mond, maar ze is lang niet zo hard als ze zelf denkt.' Het bleef lang stil, toen vroeg Tina: 'Waarom komt u niet hierheen, meneer Phillips? Kom haar opzoeken. Bent u al getrouwd?'

'Nee, Tina,' zei Magnus, 'daar ben ik niet het type voor.'

'Dat zei die van mij ook, tot hij in het donker over me struikelde.' Ze lachte. Magnus stelde zich voor hoe haar massieve lichaam ervan schudde. 'Heeft u dat nummer, meneer Phillips?'

'Ja,' zei Magnus, 'dankjewel, Tina.'

Fleur en Chloe kwamen allebei op een prachtige oktobermiddag op LAX aan. Ze keken elkaar een beetje ongemakkelijk aan, verlegen bijna. Toen zei Fleur: 'Jij bent vast veel vermoeider dan ik. Laten we een auto regelen.'

Ze nam de leiding, gooide Chloe's bagage op een karretje, nam haar mee naar buiten en stapte met haar op de pendelbus. Chloe volgde zwijgend.

'Ik heb dit soort dingen nooit zelf hoeven doen,' zei ze bezadigd. 'Ik begin nu pas te beseffen hoe hopeloos ik ben.'

'Niet hopeloos,' Fleur grijnsde. 'Alleen onervaren. Of verwend.'

'Zo kun je het ook noemen.'

Ze liepen bij Herz binnen. Fleur zei dat ze een convertible wilde en het meisje bood haar een kleine T-bird aan. 'Perfect,' zei Fleur. Ze haalde haar creditcard tevoorschijn en tekende voor de auto.

'Hij staat in vak H12. De rode auto. Hier zijn de sleutels.'

'Geweldig.'

Ze liepen ernaartoe. 'Zal ik rijden?' vroeg Fleur. 'Ik ben gewend aan rechts rijden. Mee eens?'

Chloe knikte. 'Ik reken later wel met je af, Fleur,' zei ze.

'Zit wel goed,' zei Fleur. Ze keek Chloe aan. 'Je hebt geen idee wat een pervers genoegen ik eraan beleef om nu de leiding te hebben. En om ervoor te betalen. Laat me er gewoon van genieten.'

'Prima,' zei Chloe, 'geniet er maar van.'

Het was al halfvijf, maar het voelde nog steeds heerlijk warm.

'Laten we het dak nog even dicht houden tot we op de snelweg zijn,' zei Fleur. 'De lucht hier is nogal vervuild.'

Het bleef stil terwijl ze door de buitenwijken reden. Chloe sliep half. Toen ze Santa Monica bereikten en de heuvel afreden naar de Pacific Coast Highway, drukte Fleur op het knopje dat het dak bediende. Het was druk in de avondspits. Op de achtergrond schitterde de zee.

'Hoe lang is het rijden?' vroeg Chloe.

'O, een paar uur. We hadden al meteen snelweg 101 kunnen nemen, maar deze kustweg is zo mooi bij zonsondergang. Dat wilde ik je laten zien.'

'Blijkbaar ben je hier goed bekend.'

'Niet echt. Ik ben hier wel een paar keer geweest. Eén keer met Joe.'

'Met Joe?'

'Toen was ik nog maar een kind,' zei ze en ze zuchtte bij de gedachte.

'Mag je Joe?' vroeg Chloe, opeens jaloers.

'Ik hield van hem. Ik zou weer van hem kunnen houden. Maar hij... we kregen op een gegeven moment knallende ruzie. En ik werd ontzettend kwaad op hem. Net zo goed mijn fout, waarschijnlijk.'

'Zal wel,' zei Chloe kordaat.

Fleur keek haar lachend aan. 'Volgens mij kunnen wij nog veel steun aan elkaar hebben.'

Onderweg genoten ze van de prachtige avondvoorstelling van de zon, die rood, oranje en roze kleurde terwijl hij langzaam in het diepe turkoois van de Grote Oceaan zakte. De bergen links van hen werden steeds donkerder en groter. Bij het plotselinge invallen van de zachte Californische duisternis draaiden ze de 101 op. Chloe sliep. Fleur had het dak weer dichtgedaan. Ze deed de radio aan; George Harrison zong 'My Sweet Lord'. Het paste bij haar stemming: hypnotisch, sterk, bijna mystiek. Opeens voelde ze zo zich sterk verbonden met haar vader dat het bijna beangstigend was. Ze stond op het punt hem te ontdekken, erachter te komen wie hij echt was geweest en wat hij echt had gedaan, misschien ook hoe het was afgelopen. Na vijftien jaar was dat een heftig vooruitzicht.

'Ha, pa,' zei ze plotseling, onbedoeld, en ze voelde zich een beetje belachelijk toen ze zag dat Chloe haar hoofd omdraaide, haar ogen opendeed en haar aankeek.

Maar Chloe glimlachte alleen zacht en slaperig.

Toen ze eindelijk in Santa Barbara aankwamen, was het halfacht. Een vriendelijke pompbediende wees hen naar Voluntario Street.

'Je vindt het hier vast geweldig,' zei Fleur. 'Het is heel rustig. Je gaat terug in de tijd. Heel anders dan LA.'

Ze parkeerde voor het huis. Ze bleven er even naar zitten kijken, waren plotseling bang om naar binnen te gaan. Het was een klein maar mooi, Spaans aandoend huis met een gazon ervoor. Fleur haalde diep adem en greep Chloe's hand vast.

'Kom mee, we gaan.'

Op dat moment ging de voordeur open. Het portieklicht ging aan en omlijstte een dikkige, gedrongen vrouw die een korte broek droeg boven espadrilles. Ze liep langzaam naar hen toe. Fleur stapte als eerste uit en Michelle Zwirn keek naar haar.

'Je lijkt sprekend op je vader,' zei ze.

Ze had heerlijk gekookt; gebraden kip met zoete aardappelen en appeltaart – heel Amerikaans. Glimlachend zat ze naar hen te kijken.

'Neem jij niet?' vroeg Chloe bezorgd.

'Ik eet niet veel,' zei Michelle.

Zo zag ze er anders niet uit; ze was vrij mollig, met ronde wangen en kleine, vlezige handen. Ze was blond, helblond. Haar kapsel, achterover geborsteld en vastgezet met felroze kammen, deed denken aan dat van Rita Hayworth. Haar flamboyante bril kleurde er goed bij. Haar ogen waren flets blauw en erg lief.

'Ik kan maar niet geloven dat jullie er écht zijn,' zei ze. 'Hoe vaak ik niet tegen Gerard heb gezegd dat het zo jammer was dat we Piers' vrouw nooit zouden leren kennen. Hij zat daar niet zo mee. Niet persoonlijk bedoeld,' zei ze er verontschuldigend achteraan.

'Natuurlijk niet,' zei Chloe. En omdat het heel belangrijk was dat Michelle zou begrijpen wat ze voelde, zei ze: 'Michelle, ik wil dat je weet dat ik zo blij ben dat ik dit weet. Het is natuurlijk wel vréémd, maar Piers was... een erg ingewikkelde persoon.' Ze was even stil, zocht voorzichtig naar de juiste woorden. Als ze zou vertellen hoe ontrouw Piers was geweest, zou dat Michelle onnodig pijn doen. Voor de Zwirns was hij volmaakt geweest, bijna een heilige. Het zou wreed zijn die illusie te verstoren. 'Ik heb altijd gevoeld dat er iemand anders was. Nu ik weet wie dat was, voel ik me stukken beter. Ik hoop dat je dat begrijpt.'

Michelle knikte. 'Ik ben blij dat je het zo bekijkt. Fleur, je eet helemaal niet. Neem nog wat appeltaart.'

'Ik heb echt genoeg gegeten,' zei Fleur. Vriendelijk vroeg ze: 'Wil je ons over Gerard vertellen?'

'Hij was erg dapper. Hij heeft vijftien jaar op zijn rug gelegen en pijn geleden; hij kon zich niet bewegen en heeft maar heel soms geklaagd. Hij woonde daar,' ze wees naar een kamer naast de eetkamer, 'en in de tuin natuurlijk. Hij had een verrijdbaar bed en een rolstoel. Maar omdat hij zijn hoofd niet rechtop kon houden, lag hij liever in bed. Willen jullie een paar foto's van hem zien?'

'Graag,' zei Chloe.

Michelle haalde een dik fotoalbum en ging naast haar zitten. Ze schoof de borden opzij. Chloe begon de bladen om te slaan en het beeldverhaal van de grote liefde van haar man ontvouwde zich. Ze bedacht dat het een opmerkelijke en sterke liefde was geweest en stond er versteld van dat Piers zowel puur, nietsontziend egoïstisch en egocentrisch was geweest, als gul tot en met en onzelfzuchtig.

'Kijk, als jongetje danste hij al; hij won alles wat er te winnen viel. Hier zit hij op Hollywood Highschool, dit is de diploma-uitreiking. En toen begon hij zijn dansschool. Tip Top Tap, geweldige naam, vind je niet? Hij was wel zo opgewonden, zo trots. "Het is me gelukt, Chelle," zei hij steeds, "nee, het is óns gelukt." Ik deed namelijk de administratie, de boekingen en de rekeningen.'

Ze keken naar Gerard. Hij was klein, jongensachtig, met sluik zwart haar, grote ogen en een prachtige brede lach. Zo te zien hield hij van mooie kleren; in zijn vrije tijd droeg hij sportbroeken, tweekleurige schoenen, overhemden, een trui om zijn schouders geslagen. 'Hij was aantrekkelijk,' zei Chloe diplomatiek.

'Hij zag er erg leuk uit, ja,' zei Michelle, 'maar zo waren er meer. Je moest echt iets bijzonders hebben om op te vallen. Kijk, daar hebben we een paar vrienden...'

'Verdomme,' zei Fleur opeens, 'verdomme, kijk dan, dat is mijn vader.' Brendan FitzPatrick leunde op de barre in de studio, lang en sierlijk; hij had een sigaret in zijn mond en glimlachte door de rook. 'Kende Gerard hem goed?'

'Vrij goed. Hij nam les, daar kenden ze elkaar van. Toen werd hij onderdeel van de vriendenclub. Zolang het mocht. Toen Naomi haar klauwen in hem had geslagen, zagen we hem niet meer zo vaak. Zo'n knappe man. Kon voor geen meter dansen, natuurlijk, maar hij vond het wel leuk.'

'Volgens mij danste hij erg goed,' zei Fleur verbolgen.

'O, liefje, hij kon best goed dansen,' zei Michelle, 'zolang hij er niet zijn beroep van wilde maken.'

'Dat wilde hij ook niet,' zei Fleur.

Michelle glimlachte haar vertederd toe. 'Nee, natuurlijk niet. Hij wilde acteur worden. En wat was hij charmant. Misschien wel charmanter dan goed voor hem was. En hier zitten we allemaal op het strand. De hele bubs, Gerard, daar heb je Piers, en kijk, dat is Rose Sharon. Toen stelde ze nog niks voor...'

'Rose?' vroeg Fleur heel verbaasd. 'Ik begrijp het niet. Rose zei dat Piers toen niet in Hollywood was, dat ze hem pas leerde kennen toen hij bekend was. Of...'

'Natuurlijk kende ze hem. Volgens mij viel ze wel op hem. Maar toen was ze natuurlijk nog verliefd op je vader, Fleur. Zelfs al had Naomi dan een eind gemaakt aan die relatie. Ze is er nooit overheen gekomen, nooit.'

Fleur zei niets, staarde naar het album.

'En wie is dat?' vroeg Chloe en ze wees naar een meisje in bikini met een blonde paardenstaart, dat tussen Gerard en een andere man in zat en haar armen om hen heen had geslagen.

'Dat is Kirstie,' zei Michelle, 'Kirstie Fairfax. Als zij er niet was geweest, zou Gerard nog hebben geleefd.'

'Hoezo?' vroeg Chloe.

Michelle legde uit waarom.

Fragment uit het hoofdstuk 'Plotse dood' in *The Tinsel Underneath*

Niemand wist wie Kirstie zwanger had gemaakt. Ze had met een slordige tien man gevreeën, maar vertelde Brendan dat het zijn kind was. Dat was absoluut een mogelijkheid en hij kon het niet naast zich neerleggen.

Kirstie was een prachtvrouw: grappig, knap, biseksueel – en volkomen meedogenloos. Ze viel op Brendan. Hij leek absoluut niet op de mannen met wie ze meestal omging, mannen die ze verachtte. Ze bewonderde Brendan; hij was hoffelijk, een eigenschap die nieuw voor haar was. Ze had in haar zeventien jaren nog nooit zo dicht tegen een verliefdheid aan gezeten als met hem.

Ze liet zich meevoeren op een golf van romantiek en opwinding. Brendan liet zich al even graag meevoeren; hij genoot van de roes die hij voelde toen hij Naomi bedroog, haar eisen naast zich neerlegde, en voelde zich gevleid door Kirsties aanhankelijkheid. Daardoor werd hij roekeloos. Hij zag Kirstie bijna elke nacht. Ze vreeën in zijn auto, op het strand, in parken en bioscopen. Het hoorde erbij. Toen hoorde Naomi van de affaire; ze floot Brendan terug. En Kirstie wilde wraak.

Brendan was bang. Hij had te veel verteld. Ze wist alles over hem. Ze was gevaarlijk.

Ze was met opzet zwanger geworden, omdat ze wist dat het de enige manier was om hem te krijgen. Toen ze het hem vertelde en dreigde te vertellen wat ze wist, raakte hij in paniek. Hij beloofde haar een rol te bezorgen, te betalen voor een abortus, als ze haar mond maar hield.

Dat vond Kirstie niet genoeg. Ze wilde bloed zien. Ze wilde erkenning. Ze wilde Brendan.

Brendan was radeloos. Hij wist dat ze hem kapot kon maken. Hij kon haar trouwens niet bieden wat ze wilde. Het lukte hem niet haar een rol te bezorgen. Hij weigerde bij Naomi weg te gaan. Kirstie werd erg nijdig. Ze dreigde naar de opnamen in de studio te komen en zelf een scène te maken. Hij wist niet wat hij moest doen.

Op een avond sprak hij met haar af op de pier van Santa Monica. Het was laat. Hij wilde nog één keer proberen haar tot bedaren te brengen. Hij had Piers en Gerard gevraagd mee te gaan.

Piers en Gerard waren toen een stel; ze waren minnaars en trouwe vrienden. Ze waren ook bezorgd om hun vriend Brendan. Ze hadden hem al vaak geholpen en wilden niet dat hij eronderdoor ging.

Ze liepen langs de pier. Het was een heldere nacht, met volle maan.

Kirstie was hysterisch; ze huilde en schreeuwde dreigementen. Ze was woedend omdat Brendan zijn vrienden had meegebracht, razend omdat hij haar niet aan een rol kon helpen, furieus omdat hij Naomi niet voor haar wilde verlaten. Ze zei dat ze alles aan de grote klok zou hangen, dreigde alles wat ze van hem wist te vertellen aan Naomi, de studio en de persmensen. Brendan was wanhopig. Hij smeekte haar redelijk te zijn en begrip te hebben voor zijn positie. Ze weigerde en begon weer tegen hem te schreeuwen; hij zei dat ze haar mond moest houden, maar ze begon alleen maar nog harder te schreeuwen. Hij probeerde terug te lopen, met Piers en Gerard op veilige afstand achter zich; ze wisten niet wat ze moesten doen.

Kirstie rende schreeuwend achter hem aan en stompte hem in zijn rug. Ze vloog op hem af. Hij tilde zijn arm op om haar te ontwijken, maar raakte haar. Ze viel achterover, maar vloog weer op hem af. Hij dook in elkaar en zij knalde tegen de reling. Hij tilde haar op en ze krabde, beet en sloeg hem. Opeens gaf ze hem een dreun tussen de ogen; hij viel achterover tegen de reling en Kirstie vloog eroverheen.

Ze kon nog net de onderkant van de reling vastgrijpen, maar gleed langzaam weg en gilde van angst. Brendan was nog steeds duizelig. Gerard rende naar voren, klom over de reling en probeerde haar hand te pakken. Hij had net haar vingers vast, toen ze wegggleed en viel; hij viel ook, helemaal naar beneden. Hij landde op het bouwsel onder aan de pier. Hij gilde toen hij bijna elk bot in zijn lichaam voelde breken. Kirstie lag dood op het strand. Gerard had pech; hij leefde nog.

Hoofdstuk 41

Oktober 1972

'Loop even mee naar zijn kamer,' zei Michelle rustig. 'Ik wil graag dat jullie die zien. En dan kun je beter naar bed gaan, Chloe. Je ziet er moe uit.'

Chloe schudde haar hoofd en glimlachte een beetje verstrooid. 'Het gaat best. Echt.'

Ze liepen achter Michelle aan naar Gerards kamer en bleven staan in de deuropening.

Chloe hapte naar adem.

Het was één groot eerbetoon aan Piers. Elke centimeter muur was bedekt met foto's van hem. Uit elke film, elk toneelstuk; er waren foto's van hem op Stebbings, met paarden, met zijn auto's; foto's van hem tijdens premières, tijdens liefdadigheidsfeesten en prijsuitreikingen, bij aankomst op een vliegveld. Er hingen talloze ingelijste recensies; lovend tot en met. Er waren ook andere foto's: van Piers met Gerard door de jaren heen, altijd met een lach of glimlach, hand in hand, gelukkig. Wat ontbrak, waren foto's van Chloe en de kinderen.

'Ik... ik voel me nu wel moe,' zei ze uiteindelijk, toen ze de kamer door was gelopen, artikelen had bekeken en de foto's van Piers' eigenaardige andere relatie, zijn andere leven. 'Ik denk dat ik nu maar naar bed ga.'

'Je ziet er doodmoe uit,' zei Michelle. 'Je hebt een zware dag dag achter de rug. Ik breng je naar jullie kamer. Jullie willen toch wel een kamer delen?'

'Natuurlijk,' zei Chloe.

'Chloe, ik wil nog even opblijven en met Michelle kletsen,' zei Fleur. 'Ik kom zo ook boven, oké?'

'Natuurlijk,' zei Chloe weer.

Ze liep langzaam en houterig als een oud vrouwtje achter Michelle aan de kamer uit.

Fleur ging met Michelle bij de haard zitten. Michelle zette thee. Zij zag er ook moe uit, gespannen ook.

'Mijn vader was dus blijkbaar niet zo'n held?'

Michelle haalde haar schouders op. 'Wie wel? Hij was aardig. En hij hield van je. Zoveel, dat hou je niet voor mogelijk. Hoe vaak we niet naar je foto's hebben zitten kijken, hebben geluisterd als hij je brieven voorlas. "O, god," zei Gerard dan, als hij binnenkwam, "hij heeft weer een brief van Fleur."'

'En toch,' zei Fleur geforceerd opgewekt, 'schreef hij nooit terug. Nou ja, zelden. Af en toe eens een ansichtkaart.'

'Hij had het hier niet gemakkelijk, Fleur,' zei Michelle, 'begrijp dat alsjeblieft.'

'Ja, ik begrijp het wel.' Maar dat was niet zo.

'En voel je alsjeblieft niet bezwaard om wat er met Kirstie is gebeurd. Het was een ongeluk. Hij wilde het aangeven; dat wilden ze alle drie. Dat was de bedoeling. Maar Gerard... Gerard schreeuwde van de pijn; ze moesten hem boven krijgen, wat een eeuwigheid duurde, en in de auto leggen. Piers bracht hem naar het ziekenhuis. Tegen die tijd was Kirstie verdwenen, in zee gespoeld. Het was zo'n begrijpelijke keuze. Het zou zo'n schandaal hebben veroorzaakt, en waarvoor? Niemand kon er iets aan doen, en ze kregen haar er niet mee terug.'

'Dat zal wel, ja.'

'En toen kreeg hij het zo moeilijk. Op alle fronten. Dat moet je ook begrijpen. Hij bevond zich in een onmogelijke situatie.'

'Hij had naar huis kunnen gaan. Wij zouden wel voor hem hebben gezorgd.'

'Misschien wel, maar hij zat vast in een spinnenweb, dat de hele tijd groter werd. Hij was bang, Fleur, echt bang.'

'Ja,' zei Fleur afwezig. 'Michelle?'

'Ja, liefje? Wil je nog wat thee? Of een paar koekjes?'

'Nee, dank je.' Ze was even stil, verzamelde al haar moed – bijna letterlijk, als een grote kracht die ze om zich heen trok en waar ze zich aan vasthield.

'Michelle, weet jij wie...'

'Wie het verhaal aan de roddelbladen heeft verkocht? Ja, natuurlijk weet ik dat. Dat heeft Rose gedaan. Rose Sharon.'

Magnus Phillips was de vorige avond in LA aangekomen en had een kamer genomen in het Beverly Hills Hotel. Daar kwam hij altijd graag; het was zo nadrukkelijk, zo hopeloos vulgair. Magnus hield van vulgaire dingen.

Hij wist nog steeds niet precies waar hij mee bezig was, waarom hij Fleur als een verliefd jongetje achterna reisde. Hij wist alleen dat hij haar moest spreken, moest weten waarom ze niet met Reuben was getrouwd, en waarom ze zo kwaad op hem was geworden.

En hij wilde haar gewoon zien.

Hij sliep slecht; hij was uitgeput en had last van zijn arm. Om drie uur nam hij een slaappil in met cognac en viel toen eindelijk in slaap. Het Engelse ontbijt dat hij de vorige avond had besteld, compleet met toast en Cooper's Oxford-marmelade, werd koud. Uiteindelijk werd hij om tien uur met hoofdpijn wakker. Hij ging zwemmen. Toen hij terug was in zijn bungalow, belde hij Michelle Zwirn.

Michelle klonk koel, voorzichtig.

Ja, Fleur logeerde bij haar, samen met Chloe Windsor. Ze bedankte hem voor de brief en de bloemen die hij voor Gerards begrafenis had gestuurd, maar hoopte dat hij niet meer met haar over het boek wilde praten.

Magnus zei: 'Graag gedaan,' hopelijk voelde ze zich al wat beter. Nee, hij wilde niet met haar praten over het boek; dat zou voorlopig toch niet worden uitgegeven, misschien wel nooit. Zou hij Fleur even kunnen spreken?

Fleur was er niet; ze was met de auto weggegaan. Michelle wist niet waarnaartoe. Zou Chloe kunnen helpen?

Magnus zei dat hij niet dacht dat Chloe met hem zou willen praten, maar als ze het wilde vragen, graag.

Chloe kwam opmerkelijk snel aan de lijn.

'Magnus, ga alsjeblieft weg. Ik weet niet wat je hier doet, maar ik kan je verzekeren dat we geen van beiden met je willen praten.'

'Dat kan ik begrijpen. Dus je kent eindelijk de waarheid over Piers?' vroeg hij vriendelijk.

'Ja. Dat staat zeker allemaal al in je boek?'

'Ja.'

'Je bent weerzinwekkend, Magnus. Absoluut weerzinwekkend.'

'Chloe, ik ben niet weerzinwekkend. Als je het boek ooit leest, zul je dat weten. Het schetst een heel sympathiek beeld van Piers. Sympathieker dan hij verdient. Gezien de manier waarop hij jou heeft behandeld.'

'Magnus, waarom...' Ze aarzelde even en zei toen heel snel, net als een kind dat weet dat het iets zegt wat niet mag: 'Waarom flikker je niet gewoon op?'

Hij lachte. 'Je klinkt al net als je zus. Ze heeft vast een slechte invloed op je. Weet je trouwens wanneer ze terugkomt?'

'Dat weet ik echt niet. Dat duurt nog wel even. Ze is naar LA gereden.'

'Waarom?' Hij hoorde zelf de angst in zijn stem; deze klonk scherp, dringend.

'Magnus, maakt het iets uit?'

'Ja, het maakt zeker uit.'

'Magnus, ze wil je toch niet spreken.'

'Chloe, in godsnaam, vertel me alsjeblieft waar ze heen is. Ze is misschien in gevaar.'

'In gevaar? Ach, toe nou, Magnus. Ze is alleen maar naar LA om een vriendin op te zoeken.'

'Een vriendin? Wie?'

'Rose Sharon. Ze...'

'Godallemachtig, Chloe, hoe laat is ze vertrokken?'

'O, al uren geleden. Ze zal er nu wel zijn. Ze...'

'Waar hebben ze afgesproken? Bij Rose thuis? Chloe, vertel het me in godsnaam. Het is verschrikkelijk belangrijk.'

'Ja, bij Rose thuis. Maar waarom, Magnus? Ik begrijp het niet. Waarom is het zo belangrijk. Je kunt er maar beter niet heen gaan. Ze zou...'

'Chloe, Brendan FitzPatrick is niet zomaar aangereden. Begrijp je het dan niet? Hij is vermoord.'

Rose Sharon gaf Fleur een glas champagne. Ze glimlachte naar haar, haar liefste, meest verdrietige glimlach. Ze zaten aan het zwembad. Rose droeg een witte badjas en een enorm grote zonnebril die haar gezicht uitdrukkingsloos maakte.

'Ja,' zei ze, 'ik heb het gedaan. Ik heb me nooit ergens méér over geschaamd. Ik probeer er al mijn hele leven mee in het reine te komen.' Ze zuchtte. 'Dat is me nooit gelukt.'

Fleur nam een slokje champagne. Ze was ontzettend misselijk en hoopte dat het zou helpen.

'Dat verbaast me niet echt,' zei Fleur. Ze klonk bars, verbitterd. 'Het was afschuwelijk. Het heeft hem kapotgemaakt. Jij hebt hem kapotgemaakt.'

'Fleur, alsjeblieft!' Rose zette haar glas neer en verborg haar hoofd in haar handen. 'Denk je dat ik dat niet weet? Geloof je niet dat die gedachte me nog elke dag achtervolgt?'

'Prima,' zei Fleur, 'zo hoort het ook.'

'Fleur, je klinkt zo verbitterd en boos. Nog steeds.'

'Ik bén verbitterd en boos. Ik hield zo van mijn vader en jij... jij hebt hem van me afgenomen. Voor altijd. Je hebt hem niet gewoon afgenomen, je hebt zijn leven verziekt. Zodat hij in afschuwelijke omstandigheden is gestorven.'

'Ik hield ook van hem,' zei Rose. Ze zette haar zonnebril af. Haar grote ogen keken Fleur bijna smekend aan. 'Probeer je voor te stellen hoe ik me voelde. Hoe ik heb geleden. Ik hield meer van hem dan ik voor mogelijk had gehouden. En ik dacht dat hij van mij hield. Hij zei van wel, dat hij met me wilde trouwen. Wist je dat? Nee, natuurlijk niet. Dat zou hij je niet hebben verteld. We betekenden alles voor elkaar, Fleur. Ik heb veel voor hem opzijgezet. Ik heb zelfs mijn eerste filmrol laten schieten omdat ik dan voor drie maanden naar Mexico had gemoeten. Dat kon ik niet verdragen. Kun je je dat voorstellen? Maar Naomi MacNeice hoefde maar met haar vingers te knippen en hij was weg. Hij gaf me zomaar op. O, hij zei wel dat het hem speet. Natuurlijk. Hij zei dat hij terug zou komen als hij het gemaakt had, beroemd was, maar hij moest gaan, zei hij. Hij verhuisde zijn spullen en praatte bijna nooit meer met me. Totdat hij aan de grond zat. Toen natuurlijk wel. Toen raakte hij niet uitgepraat. Hij zei dat hij erg veel van me hield, dat hij maar even weg had willen blijven. Stel je voor hoeveel pijn dat deed, Fleur.'

Fleur zei niets. De tranen rolden Rose over de wangen.

'En weet je waarom hij steeds zei dat hij moest gaan, Fleur? Om jou. "Ik doe het alleen voor mijn kleine meisje, Rose," zei hij. "Dat is de enige reden waarom ik hier ben. Als ik het gemaakt heb, kunnen we voor ons drieën een huis zoeken."' Ze keek Fleur aan; haar gezicht was vertrokken, lelijk. 'Als je die pijn nooit zelf gevoeld hebt, Fleur, iemand hebt verloren van wie je zo hield dat je je leven voor hem zou geven, zul je je dat nooit kunnen voorstellen.'

'Dat kan ik wel,' zei Fleur. Ze dronk haar glas leeg en liet zich bijschenken. Rose vulde hun glazen bij en keek haar aan.

'En dan de vernedering. Iedereen had zo met me te doen. Dat was nog wel het ergste. Die afschuwelijke vernedering, boven op de pijn.'

'Juist,' zei Fleur.

'En, Fleur, toen ik hoorde dat hij... dood was, was aangereden, wilde ik zelf dood. Ik was zo ongelukkig. Het was net een loodzwaar kruis dat ik de rest van mijn leven zou moeten dragen. Brendan was dood, door mijn schuld. Je hebt gelijk, ik héb hem gedood. Dat erken ik. En het achtervolgt me, Fleur, in mijn dromen.'

Fleur zei niets.

'Ik weet dat je het me nooit zult vergeven. Maar misschien kun je proberen het te begrijpen. Ik heb het gedaan omdat ik van hem hield. Ik hield te veel van hem.'

Fleur keek haar aan en zei toen: 'Nee, ik denk niet dat ik het ooit zal begrijpen. Ik snap niet hoe je uit wraak leugens, smerige leugens, over iemand kunt vertellen.'

Rose lachte zacht. 'Geen leugens, Fleur. Absoluut niet. Hij had echt een homoseksuele relatie, waarschijnlijk wel meer dan één. Om contracten te krijgen, rollen te krijgen. Ze deden het allemaal; zelfs Clark Gable, zeggen ze. Dat kon me weinig schelen, ik begreep het wel. Uiteindelijk was ik zo kwaad, zo gekwetst, dat ik het niet langer kon verdragen. Natuurlijk was het dom; dom en verschrikkelijk. Heb jij nooit iets doms gedaan, Fleur? Of iets verschrikkelijks?'

'Ja,' zei Fleur rustig, 'iets erg doms en tamelijk verschrikkelijks.'

'Nou dan. Je zult het ooit wel begrijpen. Dat weet ik zeker. En vergeef me, Fleur, ik heb het alleen gedaan omdat ik van hem hield. En ik kan alleen maar blijven herhalen hoezeer ik me ervoor schaam.'

Fleur dronk haar glas leeg. De champagne leek te helpen tegen de pijn. Rose stond op en schonk het laatste beetje uit de fles in haar glas.

'Ik haal nog een fles. Sue heeft een vrije dag. Zo terug.'

Fleur zat in de warme zon, een beetje duizelig van de champagne, en probeerde haar gevoelens te benoemen, probeerde zich in Rose te verplaatsen, stelde zich voor dat ze zou doen wat Rose had gedaan. Ze was in de war, gechoqueerd, ook over de nieuwe informatie over haar vader, over Kirstie, over haar dood. En moe, vreselijk moe.

Rose kwam glimlachend aanlopen met een tweede fles champagne. Ze ontkurkte deze en schonk Fleurs glas helemaal vol.

'Blijf je lunchen?' vroeg ze opeens.

Fleurde staarde haar aan. Hoe kon deze vrouw, die haar vader zoiets verschrikkelijks had aangedaan, haar vragen te blijven lunchen, alsof ze alleen een beetje hadden gekibbeld en het hadden bijgelegd?

'Nee,' zei ze, 'nee, dat lijkt me niet.'

'Ach, Fleur, toe.' Rose ging weer zitten. Er had een snik in haar stem geklonken. 'Er was nog iets. Iets wat ik je nog niet heb verteld. Ik... was zwanger. Ik wilde die baby zo graag. Zo ontzettend graag. Ik was er zo gelukkig mee. En je vader zei... hij zei... "Het spijt me, Rose, je moet het laten weghalen." Ik hoor het hem nog zeggen. Alsof hij het had over een auto of een sieraad. Onze baby, Fleur. Kun je je dat voorstellen? Ik dacht dat hij het zou begrijpen, omdat hij zo van jóu hield. Maar nee.'

Fleur had zich nog nooit zo beroerd gevoeld. Ze ging staan. De hele tuin leek te slingeren voor haar ogen en de grond deinde onder haar voeten. Ze keek naar Rose. Binnen ging ergens een telefoon. Hij bleef maar rinkelen. Rose liet hem een tijdje overgaan en zei toen: 'Ik moet maar opnemen. Ricardo en Marcie zijn ook weg. Ik heb ze naar de markt gestuurd.'

Toen ze terugkwam, had ze haar zonnebril weer op.

'Het was niets, niemand. Fleur, gaat het wel, liefje? Je ziet er vreselijk uit. Ga even zitten met je hoofd tussen je knieën.'

Magnus legde neer en vloekte. Die bijzonder appetijtelijke huishoudster had hem verteld dat Rose de hele dag wegbleef. En ja, mevrouw FitzPatrick was langs geweest, maar weer weggegaan. Maar waar zát ze dan? Waarschijnlijk reed ze ergens tussen LA en Santa Barbara, volkomen overstuur. Hij belde Michelle Zwirn. Nee, Fleur had geen contact opgenomen. Chloe was bang. Zouden ze de politie moeten bellen?

'Verdomme,' zei Magnus. 'Nee, ik denk van niet. Wat zouden we ze kunnen vertellen? Ik, au! Gggg...'

'Magnus, gaat het wel goed?' Chloe klonk bijna bezorgd.

'Ja, het gaat wel. Ik heb nog steeds last van mijn arm, hij doet vreselijk pijn. En net stootte ik tegen de tafel aan. Eigenlijk kunnen we voorlopig alleen maar afwachten, Chloe. Als Rose de stad uit is, is ze tenminste niet in gevaar. Als ze belt, bel mij dan hier. Vraag haar om mij te bellen en snel naar Santa Barbara terug te rijden, oké?'

'Ja,' zei Chloe, 'oké.'

De pijn leidde hem af; hij kon niet helder denken. Eigenlijk moest zijn arm weer verbonden worden; dat scheelde altijd in de pijn. Maar wie zou dat kunnen doen? Zou de tennisleraar een fysiotherapeut kunnen aanraden? Dat was misschien een idee. Hij liep naar de tennisbanen en hoorde dat de tennisleraar was gaan lunchen. Over tien minuten zou hij terug zijn. Magnus besloot te wachten.

Twintig minuten later was de tennisleraar nog niet terug. Magnus vloekte en informeerde bij de receptie; men vertelde hem dat ze een arts konden bellen, als meneer Phillips wilde wachten. Meneer Phillips zei dat de dokter nog wel even kon wachten en besloot eerst nog maar wat pijnstillers in te nemen. Toen hij in zijn tas zocht, bleken ze op te zijn. In het hotel waren alleen aspirines te koop. Hij verging van de pijn. Er zat niets anders op dan naar een apotheek te gaan. Hij kon weer snel terug zijn. Hij liet een boodschap achter bij de receptie voor het geval Fleur belde: of ze naar het hotel wilde komen. Hij zou binnen een half uur terug zijn. Hij stapte in de Mercedes die hij had gehuurd, gelukkig was het een automaat, klemde zijn kiezen op elkaar en reed weg.

'Alsjeblieft, Fleur, blijf nog heel even. Ik voel me zo vreselijk, zo schuldig. Ik wil nog steeds zo graag dat je het begrijpt. Je ziet er ook niet goed uit, liefje. Blijf nog even rustig zitten.'

'Nee, ik kan echt beter gaan,' zei Fleur. 'Kan ik een glas water halen? Ik heb het zo verschrikkelijk warm.'

'Ik haal wel water, liefje. Blijf jij maar hier. Waarom ga je niet even het zwembad in, om af te koelen? In het huisje liggen badpakken.'

Fleur keek naar het zwembad. Misschien knapte ze op van een duik. In het zwembadhuisje trok ze een badpak aan dat minstens twee maten te groot was. In het water hing het los om haar lichaam. Wat maakte het ook uit?

Ze knapte al snel op, een beetje. Ze was nog steeds duizelig, maar voelde zich beter. Ze trok langzaam baantjes, probeerde zich te concentreren op het zwemmen en niet na te denken, haar hoofd leeg te houden.

'Fleur!'

Rose riep haar. Fleur zwom naar de kant en keek met toegeknepen ogen tegen de zon in naar Rose. Zij had haar zonnebril weer opgezet en maakte een kwaadaardige indruk.

'Fleur,' zei ze, 'ik heb besloten je nog iets meer te vertellen.'

'Liever niet, Rose,' zei Fleur. 'Ik wil het niet horen.'

'Misschien niet,' zei Rose, 'maar toch ga ik het je vertellen.'

Fleur probeerde haar stem in bedwang te houden. 'Rose, ik wil niet...'

Ze viel stil. Rose had de lange stok met het netje eraan opgepakt, waarmee ze blaadjes uit het zwembad viste. Ze hield het net boven haar hoofd.

Het was natuurlijk belachelijk, wist Fleur, maar toch voelde ze zich bedreigd. Ze zette zich af tegen de tegels en zwom naar de overkant om eruit te klimmen. Rose wachtte haar op met de stok. Ze duwde Fleur er zachtjes mee om haar van de rand weg te houden.

'Sorry,' zei ze, 'ik wil je geen pijn doen. Maar ik wil graag dat je in het zwembad blijft.'

'Toe nou, Rose!' Fleur probeerde zo rustig en vastberaden mogelijk te klinken.

'Het duurt niet lang, Fleur. Luister alsjeblieft. Ik vind echt dat je het moet weten. Dat is het beste.'

'Wát moet ik weten, Rose? Je hebt me al verteld hoe mijn vader je heeft gekwetst. Wat zou ik nog méér moeten weten?'

'O, er is nog véél meer. Weet je, toen ik zijn verhaal aan de roddelpers had verkocht, vond ik dat ik nog niet genoeg had gedaan. Ik had er wel veel geld voor gekregen en daar was ik een tijdje tevreden mee. Maar toen werd ik opnieuw kwaad.'

'Rose, alsjeblieft, ik begin het koud te krijgen. Ik wil eerst het zwembad uit, dan zal ik naar je luisteren.'

Fleur probeerde eruit te klimmen, maar Rose duwde haar terug met de stok. Ze draaide zich om en zwom naar het trapje, maar Rose wachtte haar alweer op. Ze vocht tegen de opkomende paniek en haalde diep adem, probeerde rustig te blijven. Als ze naar Rose luisterde, zou haar niets gebeuren. Natuurlijk niet.

'Goed,' zei ze zo rustig mogelijk. 'Ik blijf wel hier. Vertel me maar wat ik moet weten.'

Rose stond naar haar te kijken met de stok in haar handen.

'Nou, weet je. Uiteindelijk besloot ik dat ik hem genoeg haatte, dat hij me genoeg pijn had gedaan, om meer te doen. Ik wist dat hij aan het strand woonde, dat niemand hem meer hielp. Hij had amper echte vrienden en Piers was alleen met Gerard bezig. Misschien was hij toen al terug naar huis, dat weet ik niet meer. Ik zocht Brendan op aan het strand. Hij was er slecht aan toe. Ik bood hem aan mijn chauffeur te worden, dan zou ik tenminste voor hem kunnen zorgen. Na een tijdje stemde hij in. Ik nam hem mee naar een restaurantje in Venice waar niemand ons kende. Ik bestelde een maaltijd en drank, veel drank. Hij was heel somber, gedeprimeerd.'

Fleur wilde niets meer horen. Probeerde weer het zwembad uit te klimmen en opnieuw duwde Rose haar terug. Ze vroeg zich af of het zin had om hulp te roepen, maar ze wist dat Sue vandaag vrij had en ze had zelf Ricardo en Marcie zien wegrijden. Het had geen zin. Rose praatte door.

'Toen zette ik hem weer in de auto en gaf hem een fles bourbon – hij was altijd gek op bourbon, Fleur, kon er niet genoeg van krijgen – en reed weg. Hij werd steeds dronkener. Ik reed een rondje, eerst naar Malibu en toen weer terug. Het was al laat en er reden weinig auto's. Toen we bij de weg naar Santa Monica kwamen, heb ik hem onder aan de heuvel uit de auto gezet.'

Niet nadenken, Fleur. Nergens aan denken, niet hieraan, niet aan je vader. Concentreer je op warm blijven. Ze zwom snel heen en weer; het water was erg koud.

Rose glimlachte. 'Je zult het wel koud hebben. Ik heb de zwembadverwarming uitgezet. Nou, de rest van het verhaal zul je vast kunnen raden. Hij strompelde de heuvel op. Toen ik boven was, ben ik gekeerd en weer naar beneden gereden. Toen heb ik hem geraakt. Het was een mooi moment.' Ze glimlachte bij de herinnering, dezelfde lieve, melancholieke glimlach waarmee ze zo beroemd was geworden. 'Ik voelde me getroost, genezen. Fleur, niet huilen, schat, je moet niet huilen, het is al zo lang geleden.'

Magnus stapte naar binnen bij een apotheek in een klein winkelcentrum aan Rodeo Drive. Dit moesten wel de duurste pijnstillers zijn die er in heel Californië te koop waren, dacht hij, toen hij tien dollar neerlegde voor een pakje Dista. Op de verpakking stond dat hij twee tabletten moest innemen. Hij vroeg om een bekertje water en nam er vier. Hij besloot iets te gaan drinken en te wachten tot ze begonnen te werken, voordat hij terugreed naar het hotel. Hij ging beneden in het café zitten, bestelde ijsthee en zat chagrijnig voor zich uit te kijken. Toen zag hij Sue Robinson.

Hij zwaaide naar haar.

'Meneer Phillips. Hoe komt u hier verzeild? Op vakantie?'

Het was wel een vreemde opmerking van iemand die hij een uur geleden nog had gesproken, maar Amerikanen waren nu eenmaal een beetje typisch. 'Zoiets, ja. Ben je aan het winkelen?'

'Ja,' zei ze glimlachend, 'ik heb een vrije dag.'

'Dan was je net zeker iets vergeten?'

'Hoe bedoelt u?'

'Een uur geleden? Toen je in het huis was?'

'Ik ben vanmorgen al vroeg weggegaan, meneer Phillips.'

'Maar...' Hij dacht razend snel na. 'Heb ik jou dan net niet gesproken? Heb jij mij niet verteld dat Rose weg was?'

'Nee,' zei ze verbaasd. 'Trouwens, Rose is thuis. Morgen beginnen de repetities voor haar nieuwe film en ze zei dat ze vandaag in alle rust het script wilde lezen.'

'Verdomme,' zei Magnus. 'Goeie god. Sue, wil jij alsjeblieft de politie bellen en zeggen dat ze als een speer naar het huis moeten gaan? Onmiddellijk. Echt onmiddellijk.'

Hij wist niet dat hij zo hard kon rennen. Hij schoot de Mercedes in, wierp de parkeerwachter twintig dollar toe en reed met gierende banden het parkeerterrein af. Zijn hart bonsde, beukte, barstte bijna; hij voelde de angst opborrelen alsof het maagzuur, welnee, braaksel was. Hij reed een paar keer door rood. Mooi. Als hij een paar agenten achter zich aan kreeg, was dat meegenomen. Verdomme, het was nog een eind, een kwartier rijden. Misschien was hij al te laat.

'Daarmee was de zaak rond,' zei Rose. 'Totdat je vriend Magnus Phillips zijn neus erin stak. Ik weet niet precies hoeveel hij weet, maar té veel is het zeker. Als hij dat boek laat uitgeven – maar dat gebeurt nu niet meer, hè? Nu meneer Windsor, ik bedoel Sir Piers, dood is. Wat een drama. Maar wat lief dat hij en zijn schriele vriendje op dezelfde dag zijn overleden.'

Fleur zwom nog harder. Ze had de hoop dat ze eruit zou komen opgegeven; nu wilde ze alleen voorkomen dat ze onderkoeld raakte.

'Hoe dan ook, Fleur. Jij weet nu veel te veel. Het leek me wel leuk het je te vertellen. Waar was ik gebleven? Ja, meneer Phillips. Hij belde net nog. Ik deed alsof ik Sue was en zei dat ik weg was en dat jij ook was weggereden. Ik kan goed stemmen nadoen. Dat weet je. Ja, meneer Phillips. Wat een sexy man. Helemaal mijn type. Jammer dat het niet wederzijds was. Hij lijkt verliefd te zijn op jou. Ik heb het pas nog geprobeerd, in Londen; meteen nog wat speurwerk gedaan naar hem en zijn boek. Jij belde toen nog op, hè? Ik herkende je stem. Ik móest gewoon opnemen. Ik wist dat je mijn stem zou herkennen. Om de een of andere reden vind ik het leuk om je pijn te doen, Fleur. Waarschijnlijk omdat de mannen in mijn leven jou belangrijker vinden dan mij.'

'Rose, je kunt beter ophouden,' zei Fleur. 'Dan ga ik terug naar huis. Je hebt me nu alles verteld. Het is allemaal lang geleden, zoals je zelf zei. Gebeurd is gebeurd. Ik zal het tegen niemand zeggen. Laat me alsjeblieft gaan.'

'O, nee,' zei Rose. Ze begon Fleur met de stok onder water te duwen. Fleur werd steeds zwakker van kou, angst en uitputting. Met moeite kwam ze weer boven en keek naar Rose, die nog steeds haar zonnebril droeg.

'Eigenlijk is het allemaal jouw schuld,' zei Rose. 'Hij heeft me niet verlaten voor Naomi, maar voor jou. Hij wilde geld verdienen om je een thuis te kunnen bieden, je te laten overkomen. Hij hield meer van jou dan van wie ook. Meer dan van mij. Dat zit me dwars, Fleur. Nog steeds.'

Een hardere duw. Weer onder water, deze keer langer. Ze worstelde, probeerde boven te komen, maar Rose hield haar onder water met de stok. Opeens liet ze haar gaan. Fleur kwam boven in het zonlicht. Ze hapte moeizaam naar adem.

'Alsjeblieft, Rose, laat me eruit.'

'Nee, sorry, liefje, dat gaat niet. Dag, schat. Wat heb je vandaag een vreselijk ongeluk gehad. Te veel champagne, die slaappillen die je altijd bij je hebt. Doordat ik binnen een dutje deed, hoorde ik je niet gillen. Wat sneu, verschrikkelijk. Dag.'

Ze duwde opnieuw. In de diepte van het duister dat haar overspoelde hoorde Fleur een politiesirene. Wat ironisch, wat verschrikkelijk ironisch. Wisten ze maar wat er hier en nu met haar gebeurde.

Het laatst dacht ze aan Magnus en aan hoeveel ze van hem hield en hoe verschrikkelijk het was dat hij dat nooit zou weten.

Epiloog

'Ik hou van je,' zei Fleur.

'Dat weet ik,' zei Magnus.

Ze bleef het herhalen. Het leek verschrikkelijk belangrijk dat ze dat deed, dat ze het kon zeggen.

Het was een lange dag geweest; ze was bijgekomen in het ziekenhuis met Magnus naast zich, zijn gezicht vaal van de pijn en de uitputting.

'Je ziet er vreselijk uit,' zei ze.

'Zo voel ik me ook. Jij ziet er goed uit.'

'Ik voel me prima,' zei ze een beetje verbaasd. 'Echt prima.'

'Dat is mooi,' zei hij, maar ik moet mijn arm opnieuw laten zetten. Ze komen me straks ophalen. Ik heb hem opnieuw gebroken. Nou ja, Rose heeft hem gebroken. Hij doet vreselijk pijn.'

'Wat is er met Rose gebeurd?'

'Ze hebben haar meegenomen. Voor heel lang, denk ik.'

'O, god,' zei Fleur. Ze voelde de angst weer. 'God, Magnus, dat was verschrikkelijk.'

Hij streek haar haren achterover.

'Jij wist het, hè?'

'Ja,' zei hij.

'Je had naar de politie moeten gaan.'

'Misschien.'

'Maar jij wilde het boek uitgeven, hè?'

'Ja,' zuchtte hij, 'het leek me het risico waard.'

'Arrogante hufter,' zei Fleur goedgehumeurd. 'Ik was bijna dood.'

'Ik ook,' zei hij. 'Vergeet niet dat haar zware jongens me van mijn motor hebben gereden.'

'Je verdiende loon.' Ze glimlachte bedachtzaam. 'Magnus, hoe wist jij het? Wie heeft het verteld?'

'Haar kapper. Geweldige bron, kappers in Hollywood. Weten altijd alles.'

'Haar kapper!' Ze was stil, dacht terug aan zijn schijnbaar onbeduidende vragen aan het zwembad, die dag.

'Niet haar huidige kapper; een oud besje dat Rose jaren geleden al heeft afgekocht. Althans, dat dacht ze. Ze was stapelgek op Rose. Op een dag hoorde ze haar met de verslaggever praten. Ze wist natuurlijk niet zeker of Rose Brendan had vermoord. Maar ze hoorde haar terugkomen en de volgende ochtend zag ze... sporen op de auto. Rose zei dat ze een hond had aangereden. Sorry, Fleur. Alsjeblieft, schat, kijk niet zo. Het is goed, het is voorbij. Ja, schat, huil maar. Brul de hele tent bij elkaar. Dat zal je goeddoen.'

Fleur brulde en snikte een lange tijd. Magnus had gelijk; het hielp.

'Overigens,' zei Magnus, toen ze achterover lag, 'heeft ze je verteld dat ze zwanger was van je vader?'

'Ja,' zei Fleur.

'Mij ook. Het was niet waar. Dat vertelde de kapper ook. Zieligdoenerij. Helemaal niet zwanger.'

'O, juist,' zei Fleur. 'Mooi. Daar ben ik blij om.'

Er kwam een verpleegkundige binnen. 'We gaan u straks opereren, meneer Phillips.'

'Hebben we nog een minuutje?' vroeg Fleur.

'Eentje.'

Fleur ging rechtop zitten, greep Magnus' hoofd beet en zoende hem hard op zijn mond.

'Ik hou van je,' zei ze, 'en we hebben veel in te halen.'

'Ik verheug me nu al,' zei hij. 'God, ik hoop dat die verpleegkundige nog heel even wegblijft. Er zullen niet veel mensen de operatiekamer in gaan met zo'n joekel van een erectie.'

'Nou,' zei Fleur iets later, toen ze over de bobbel in zijn broek had gestreken en er hebberig naar keek. 'Waarschijnlijk zou de verpleegkundige dat wel leuk vinden, maar niet zo leuk als ik.' Met een zucht leunde ze weer achterover, pakte de hand aan zijn goede arm. 'Rose zei wel iets geweldigs. Voordat ze me probeerde te doden.'

'En dat was?'

'Ze overtuigde me ervan dat mijn vader het meest van mij had gehouden. Ondanks alles.'

'In dat geval,' zei Magnus, 'was het allemaal de moeite waard.'

Fleur keek hem lange tijd plechtig aan. 'De reden waarom ik van je hou,' zei ze, 'is dat je altijd alles precies weet.'

Die nacht sliepen Fleur en Chloe in Magnus' bungalow bij het Beverly Hills Hotel.

'Wat een dag,' zei Chloe.

'Dat kun je wel zeggen,' zei Fleur opgewekt.

'Ik vind je erg dapper,' zei Chloe.

'Ik had weinig keus. Ik deed het bijna in mijn broek.'

'Het is al dapper dat je bent gegaan.'

'Uiteindelijk was het de moeite waard,' zei Fleur, 'in allerlei opzichten.'

Ze belden Michelle om te zeggen dat alles goed met hen was. Zij vertelde dat Caroline had gebeld en dat ze vreselijk bezorgd was.

'Laten we haar bellen,' zei Fleur, 'op kosten van Magnus.'

Ze praatte met Caroline; zij was geschokt, bijna in tranen, toen ze het verhaal hoorde.

Fleur bagatelliseerde het, zei dat het prima ging, echt waar.

'Ze was echt overstuur,' zei ze verbaasd tegen Chloe.

'Ja, natuurlijk,' zei Chloe, 'ze houdt van je.'

'Denk je dat je met Magnus gaat trouwen?' vroeg Chloe.

'Weet ik veel,' zei Fleur. 'Je hoort nog van me. Denk jij dat je met Ludovic gaat trouwen?'

'Dat hoor jij nog. Ik... denk van niet.'

'Hoezo?'

'Het lijkt wel of ik niet meer van hem hou.'

'Weet je waarom?'

'Ja,' zei Chloe. 'Hij is weer zo'n man die een toegewijde vrouw wil. Ik wil een man die dat niet wil.'

'Uitstekend,' zei Fleur. 'Of helemaal geen man?'

Het bleef stil.

Toen zei Fleur: 'Dát zou pas dapper zijn, Chloe. Echt dapper.'

'Wat?'

'Ludovic dumpen zonder een reden te geven.'

'Ik ben zelf een goede reden,' zei Chloe, 'maar je hebt wel gelijk.'

Reuben belde, voor Chloe.

'Weet iedéréén dan dat wij hier zijn?' vroeg ze blozend.

'Hallo?' zei ze. 'Ja, ik ben het. Ja, prima. Met ons allebei. Ja, dank je. O, dat weet ik niet. Dat moet ik Fleur vragen.'

Ze keek Fleur aan, met stralende ogen.

'Reuben vraagt of ik op weg naar huis een paar dagen naar New York kom. Hij wil me zien.'

'Lijkt mij prima,' zei Fleur, 'al weet ik niet wat Dorothy ervan zal zeggen.'

Weer telefoon: het ziekenhuis. Meneer Phillips maakte het uitstekend en liet vragen of mevrouw FitzPatrick hem kon komen opzoeken.

'Verdomme,' zei Fleur, 'het is midden in de nacht. Egocentrische zak. Ja, best.' Ze keek naar Chloe. 'Vind jij het erg? Als ik ga?'

'Natuurlijk niet,' zei Chloe.

'Dit moet wel liefde zijn,' zei Fleur. Ze glimlachte. 'Ik kan één goede reden bedenken waarom ik niet de rest van mijn leven bij Magnus zou willen blijven. Ik moet elke ochtend tegen die pot walgelijke marmelade aankijken.'